KB152122

수면의학
SLEEP MEDICINE

수면의학

첫째판 1쇄 인쇄 | 2022년 11월 7일
첫째판 1쇄 발행 | 2022년 11월 26일

지 은 이 대한수면학회
발 행 인 장주연
출 판 기 획 이성재
책 임 편 집 강미연
편집디자인 최정미
표지디자인 김재욱
일 러 스 트 이다솜
제 작 담 당 이순호
발 행 처 군자출판사(주)
등록 제 4-139호(1991. 6. 24)
본사 (10881) **파주출판단지** 경기도 파주시 회동길 338(서패동 474-1)
전화 (031) 943-1888   팩스 (031) 955-9545
홈페이지 | www.koonja.co.kr

* 파본은 교환하여 드립니다.
* 검인은 저자와의 합의 하에 생략합니다.
* 오탈자 발견 시 아래 메일로 전달 부탁드립니다. 추후 인쇄 진행 시 수정하여 출간할 예정입니다.
  koonjabook@naver.com

ISBN 979-11-5955-944-0

정가 150,000원

발간사

　'수면의학' 교과서는 우리나라에서 수면에 관심이 있는 모든 분들이 기다리고 있던 서적입니다. 수면의학은 다른 의학 분야에 비하여 비교적 최근에 관심받고 있지만 세계적으로 가장 빠르고 넓게 발전하고 있습니다. 그간 수면의학 관련해서도 여러 가지의 서적들이 한글로 발간되어 왔지만 전체 수면의학을 아우르는 교과서가 발간되지 못했습니다. 대한수면학회에서는 2020년에 교과서 편찬위원회를 발족하여 교과서를 준비하였고 약 3년의 노력 끝에 드디어 결실을 맺게 되었습니다.

　수면의학은 그리 역사가 길지 않지만 삶의 1/3에 해당하는 시간에 잠자는 동안뿐만 아니라 행복감과 삶의 질, 건강, 생산성, 사회 경제적 중요성으로 각광받고 있는 분야입니다. 수면의학은 전문과가 정해져 있지 않고 여러 전문가들의 협력과 교류를 통해 발전되어 왔습니다. 대한수면학회는 2006년 창립되어 회원 수 2,200명에 이르는 대규모 학회로 성장하였고 2차례의 세계학회를 개최하고 매년 세계수면의날 기념행사, 교육강좌와 학술대회를 통해 학문적 교류를 활발히 하고 있으며 'Sleep Medicine Research' 학술지도 발간하고 있습니다.

　많은 수면관련 학회와 연구회에서 발간한 다양한 책자들이 있지만 '수면의학' 교과서에는 수면의학을 처음 접하는 분들부터 수면관련 연구와 진료를 하고 계신 전문가들도 도움을 받을 수 있도록 기초적인 내용과 전문적인 지식, 임상 자료를 포함하였습니다.

　많은 분들의 노고와 참여로 이루어진 '수면의학' 교과서가 초석이 되어 우리나라 수면의학이 더욱 발전하고 수면관련 연구와 진료, 교육의 활성화에도 기여하여 인류의 더 나은 삶에 도움이 될 수 있기를 기대합니다.

　교과서 편찬사업을 적극 추진하여 주신 정기영 전임회장님과 3년간 많은 노력과 리더십을 보여주신 윤인영 전임회장 및 교과서 편찬위원장님, 궂은일을 도맡아 충실한 교과서가 될 수 있도록 일선에서 열정을 보여주신 정석훈 교과서 편찬위원회 간사와 편찬위원님들과 집필에 많은 노력을 기울여주신 저자들께 깊이 감사드립니다.

2022년 11월

대한수면학회 회장 **정유삼**

추천사

대한수면학회에서 집필한 "수면의학" 발간을 진심으로 축하합니다. 집필진 구성원으로서, 3년 전 발간을 준비하기 시작한 전임회장으로서, 그리고 수면의학 전문가의 한 사람으로서 기쁨과 자부심을 느낍니다.

국내에 수면의학이 도입된 지 30여 년이 되었지만 이제까지 수면의학 교과서가 없었다는 점이 항상 아쉬웠고 수면의학 전공자로서 무거운 책임감을 느껴 왔던 것이 사실입니다. 경제 수준의 향상으로 수면이 건강에 미치는 영향에 대한 인식이 증가하고 있고, 수면다원검사 및 양압기 보험급여화로 수면의학 지식에 대한 필요 또한 증가하는 시점에서 수면의학 교과서의 발간은 필수적으로 필요한 시점이었습니다. "수면의학" 출간은 한글로 쓰여진 최초의 종합 수면의학 전문 교과서적이라는 점에서 의의가 있습니다.

수면장애는 6개의 대분류에 68개의 중분류 질환이 존재하고 세부 분류까지 하면 100여 개의 질환이 비슷하면서도 독특한 병태생리들을 포함하는 수면질환들을 아우르고 있어, 다양한 임상 진료과 및 심리, 간호, 치의학 등의 전문가들이 참여하는 다학제적 접근이 필요한 임상분 야입니다. 수면의학은 최근에 빠르게 변화하는 정보사회화로 학문적, 산업적으로 밀접한 영향 을 받고 있습니다. "수면의학"은 다양한 스펙트럼의 전문가 대다수 집필에 참여하였기에, 지식 의 깊이뿐만 아니라 그 범위도 외국의 수면의학 교과서에 필적할 만하다고 할 수 있습니다.

이 책은 수면의학을 공부하는 의과대학생, 전공의 및 전임의들에게 우선적으로 추천하며, 간 호학, 심리학, 인공지능 등 수면과 관련이 있는 다양한 연구자들에게도 큰 도움이 되리라 생각 합니다. 아울러, 수면전문가들에게는 학생들의 강의 교재로서 손색이 없다 하겠습니다.

지난 3년간 "수면의학"이 발간될 수 있게 많은 수고를 아끼지 않으신 윤인영 편찬위원장님, 정 석훈 간사를 비롯한 편집위원들, 집필에 참여한 모든 저자들, 그리고 마무리가 되게끔 해 주신 정유삼 회장님께 감사를 드립니다.

서울대학교 의과대학 교수 **정 기 영**

서문

　대한수면학회에서 수면의학교과서 "수면의학 1판"을 발간하게 되었습니다. 2006년 대한수면학회 창립 후 수 차례 국제 학술대회를 개최하고 SCOPUS 등재 영문 잡지 Sleep Medicine Research 출판에 이어 또 다른 결실을 맺었습니다. 그동안 국내에서 불면증이나 수면 상식에 관한 몇 가지 책이 출간되기는 했지만 수면질환 전반을 다룬 교과서로서는 "수면의학"이 처음이라고 생각됩니다.

　"수면의학"은 1부 정상수면/기초수면의학, 2부 임상수면의학 두 부분으로 구성되었으며 79개의 주제에 대해 총 90명의 집필진이 참여하였습니다. 수면장애 관련 임상의사뿐만 아니라 기초의학 연구자, 임상 심리사, 인공지능 전공자 등 다양한 분야의 수면장애 관련 전문가가 집필을 담당하였습니다. 1부에서는 수면장애 연구와 진료에 기본이 되는 개념과 지식을 제공하려 하였고, 2부에서는 다양한 수면질환의 진단, 치료, 경과에 대해 그동안의 연구를 정리하고 환자 진료에 도움이 되는 많은 임상경험을 나누고자 하였습니다. 주제마다 내용의 난이도가 차이는 있겠지만 각 분야의 전공의 수련을 마친 의사라면 이해할 수 있는 정도로 구성하였습니다. 본 교과서가 수면장애를 진료하시는 임상의사, 수면의학을 좀 더 심도 있게 공부하려는 신입 수면전문가 그리고 기초 수면의학 연구자 모두에게 귀중한 참조 자료가 될 것입니다.

　"수면의학"은 의미 있는 첫 발을 내딛었습니다. 하지만 "수면의학 1판"은 이제 곧 2판 준비에 들어가야 할 것입니다. 기초 수면의학 부분의 내용이 좀 더 확충되고 의학 전반과 수면의학에 새로운 화두로 떠오른 인공지능, 디지털화 그리고 맞춤형 치료 등에 대한 관심이 반영되어야 할 것입니다. 근거 중심의 새로운 치료기법에 대해서도 빠르게 공유되었으면 합니다.

　"수면의학"의 발간을 가능하게 한 90명의 집필진 모두에게 먼저 감사의 인사를 드립니다. 그리고 기획, 원고 수집, 원고 교정, 용어 통일 등 전체 과정에 시간을 아끼지 않은 정석훈교수님과 "수면의학"이라는 최종 결실을 맺게 해준 군자출판사에게도 심심한 감사를 전합니다.

대한수면학회 교과서 편찬위원장 **윤인영**

편찬위원회

위원장

윤인영 | 서울대학교 의과대학 정신건강의학과

간사

정석훈 | 울산대학교 의과대학 정신건강의학과

위원

김상하 | 연세대학교 원주의과대학 호흡기내과
김 태 | 광주과학기술원 의생명공학과
양광익 | 순천향대학교 의과대학 신경과
이상화 | 가톨릭대학교 의과대학 치과
이승훈 | 고려대학교 의과대학 이비인후과
주은연 | 성균관대학교 의과대학 신경과
홍석진 | 성균관대학교 의과대학 이비인후과

집필진

강윤진	가톨릭대학교 의과대학 이비인후과	김현직	서울대학교 의과대학 이비인후과
강은경	동국대학교 의과대학 소아청소년과	김혜윤	관동대학교 의과대학 신경과
고태경	부산성모병원 이비인후과	김효열	성균관대학교 의과대학 이비인후과
구대림	서울대학교 의과대학 신경과	김후원	조선대학교 의과대학 정신건강의학과
구수권	부산성모병원 이비인후과	문혜진	순천향대학교 의과대학 신경과
김광기	동국대학교 의과대학 신경과	박기형	가천대학교 의과대학 신경과
김근태	계명대학교 의과대학 신경과	박찬순	가톨릭대학교 의과대학 이비인후과
김대영	충남대학교 의과대학 신경과	박혜리	인제대학교 의과대학 신경과
김대우	에이슬립 ASLEEP	방영롱	울산대학교 의과대학 정신건강의학과
김동규	한림대학교 의과대학 이비인후과	변정익	경희대학교 의과대학 신경과
김명립	일리노이치과 교정과	서수연	성신여자대학교 심리학과
김상욱	경상대학교 의과대학 이비인후과	서원희	고려대학교 의과대학 소아청소년과
김상하	연세대학교 원주의과대학 호흡기내과	선우준상	성균관대학교 의과대학 신경과
김성민	에이치플러스 양지병원 정신건강의학과	송파멜라	인제대학교 의과대학 신경과
김성완	경희대학교 의과대학 이비인후과	신원철	경희대학교 의과대학 신경과
김성재	조선대학교 의과대학 정신건강의학과	신 철	고려대학교 의과대학 호흡기내과
김성택	연세대학교 치과대학 구강내과	양광익	순천향대학교 의과대학 신경과
김세원	가톨릭대학교 의과대학 호흡기내과	엄유현	가톨릭대학교 의과대학 정신건강의학과
김수근	서울대학교 의과대학 이비인후과	염호기	인제대학교 의과대학 호흡기내과
김원주	연세대학교 의과대학 신경과	윤인영	서울대학교 의과대학 정신건강의학과
김은희	충남대학교 의과대학 소아청소년과	윤진상	해피뷰병원 정신건강의학과
김정훈	서울대학교 의과대학 이비인후과	윤창호	서울대학교 의과대학 신경과
김주완	전남대학교 의과대학 정신건강의학과	이동헌	에이슬립 ASLEEP
김지현	고려대학교 의과대학 신경과	이상돈	서울이룸정신건강의학과의원
김지현	이화여자대학교 의과대학 신경과	이상암	울산대학교 의과대학 신경과
김 태	광주과학기술원 의생명공학과	이상화	가톨릭대학교 의과대학 치과
김현준	아주대학교 의과대학 이비인후과	이서영	강원대학교 의과대학 신경과

▶▶ 집필진

이승훈 | 고려대학교 의과대학 이비인후과

이정석 | 맑은샘정신건강의학과의원

이정희 | 광교굿슬립의원 정신건강의학과

이지현 | 드림수면의원 정신건강의학과

이혁주 | 분당서울대학교병원 공공의료본부 정신건강의학과

임정훈 | 울산과학기술원 생명과학과

전홍준 | 건국대학교 의과대학 정신건강의학과

정기영 | 서울대학교 의과대학 신경과

정동연 | 에이슬립 ASLEEP

정석훈 | 울산대학교 의과대학 정신건강의학과

정유삼 | 울산대학교 의과대학 이비인후과

정진우 | 서울대학교 치과대학 구강내과

조규섭 | 부산대학교 의과대학 이비인후과

조영재 | 서울대학교 의과대학 호흡기내과

조용원 | 계명대학교 의과대학 신경과

조재욱 | 부산대학교 의과대학 신경과

조재훈 | 건국대학교 의과대학 이비인후과

조형주 | 연세대학교 의과대학 이비인후과

주가원 | 충북대학교 의과대학 정신건강의학과

주민경 | 연세대학교 의과대학 신경과

주은연 | 성균관대학교 의과대학 신경과

지기환 | 인제대학교 의과대학 신경과

채규영 | 차의과학대학교 소아청소년과

최수전 | 인제대학교 의과대학 호흡기내과

최수정 | 성균관대학교 임상간호대학원

최지호 | 순천향대학교 의과대학 이비인후과

최하연 | 서울대학교 의과대학 정신건강의학과, 중앙보훈병원

최한경 | 대구경북과학기술원 뇌과학과

한선정 | 원광대학교 의과대학 신경과

허 경 | 연세대학교 의과대학 신경과

허성재 | 경북대학교 의과대학 이비인후과

홍석진 | 성균관대학교 의과대학 이비인후과

홍승철 | 가톨릭대학교 의과대학 정신건강의학과

홍정경 | 서울대학교 의과대학 정신건강의학과, 에이슬립 ASLEEP

홍준기 | 에이슬립 ASLEEP

황경진 | 경희대학교 의과대학 신경과

목차

SECTION 2 임상수면의학

PART 3 수면장애 환자의 임상적 접근

PART 4 수면장애 각론

PART 5 수면장애 관련 의학적 질환

PART 1

정상수면

CHAPTER
01 수면의학의 역사

윤인영

1 각성이 없는 상태로서의 수면

기원전 3세기경 그리스 철학자 아리스토텔레스는 수면은 각성의 반대로서, 수면과 각성은 생물의 양면으로 이해할 수 있고 수면은 각성이 없는 상태라고 하였다. 그리스 시인 호머는 휴식에 두 가지 상태가 있다고 하면서 하나는 일시적이고 하나는 좀 더 지속적이라고 언급하면서 수면은 단지 소름 끼치는 죽음의 이미지에 불과하다고 하였다. 유대교의 대표적 저서인 탈무드에서는 '수면은 1/60의 죽음이다'라고 정의하면서 의식의 순간적 소실을 수면에, 지속적인 소실을 죽음에 연관시키면서 그리스 철학 사상과 유사함을 나타내었다. 이렇게 수면을 수동적 상태로 이해하는 경향은 근대에까지 지속되었다. 1834년에 스코틀랜드의 의학자인 Robert Mac-Nish는 The Philosophy of Sleep이라는 책에서 수면의 비활동적 측면을 강조하였다. 즉, 수면은 각성과 죽음의 중간 단계로써 각성은 모든 동물과 지적 능력이 활동적인 상태이고 죽음은 이러한 활동이 정지된 상태로 수면 시에는 감각자극과 두뇌활동이 줄어들게 된다고 하였다. 렘수면이 발견되기 전까지는 수면은 뇌의 비활동기 상태로 정의되었다.

2 수면시 뇌의 전기활동

1928년 독일의 정신과 의사인 Hans Berger가 인간의 뇌에서 전기활동도를 측정하여 수면과 각성의 뇌파 차이를 보임으로써 수면에 대해 실제적인 과학적 관심을 가지게 되었다. 그의 "Elektrenkephalogramm"에서 알파파와 베타파를 정의하였다. 1937년 Alfred Loomis는 두정파(vertex waves), 수면방추파(sleep spindle), K 복합체(K-complex), 서파(delta slowing) 등 특징적인 비렘수면 뇌파를 처음으로 기술하였다. 또한, 특정수면방해 자극에 저항하는 정도에 따라 각성부터 시작해서 수면을 A단계에서 E단계까지 분류했으며 이러한 수면의 분류는 현재 비렘수면 단계 구분의 기초가 되었다. 이전까지 수면 시에는 뇌의 두뇌활동이 완전히 정지되었다고 생각하다가 점차 신경활동이 느리고 동조화되고(synchronized) 좀 더 여유 있는(idling) 상태를 보이는 것으로 개념이 진전되었다. 한편, 1949년 Moruzzi 와 Magoun은 뇌간 망상활성계(brainstem reticular activating system)가 각성의 중추임을 발견하였고, 각성 – 뇌파활성화 – 의식 유지와 수면 – 뇌파 동조 – 의식 저하를 대비시켰는데 이는 수면을 뇌의 비활동기로 정의했던 Robert MacNish와 크게 다르지 않은 견해라고 생각할 수 있다.

3 수면장애와 시간생물학에 대한 초기 이해

1836년에 소설가인 Charles Dickens가 "Posthumous Papers of the Pickwick Club"에서 뚱뚱하고 낮에 계속 조는 Joe라는 소년을 기술하면서 수면무호흡의 개념이 소개되었다. 1853년에 수면을 유도하기 위한 약제로 bromide가 처음 도입되었고 1869년에 Hammond는 Sleep and Its Derangements라는 책에서 주로 불면을 다루었다. 1880년에는 Gelineau를 통해 두 그리스어 narcosis(얼이 빠지다)와 lepsis(사로잡다)로부터 파생된 narcolepsy(기면병)가 알려지게 되었다. 한편 1729년 de Mairan은 굴광성 식물(helicotrope plant)이 햇빛이 없는 환경하에서도 낮에는 잎이 열리고 밤에는 잎이 닫히는 것을 관찰했다. 이는 외부의 시간 자극과 무관한 내인성 하루주기리듬이 존재한다는 것을 처음으로 보여준 것이다.

4 렘수면의 발견과 수면주기

1) 렘수면과 수면 중에 눈이 빨리 움직이는(rapid eye movements, REMs) 때가 있다는 것은 구분되어야 한다. 1951년 시카고 대학의 Kleitman은 그의 제자 Aserinsky에게 자는 신생아의 눈을 관찰하도록 하였고 Aserinsky는 수면 시 눈꺼풀이 떨리거나 꼼지락거리는 것을 포함하여 눈이 움직이는 시기가 있다는 것을 알 수 있었다. 한편 육안으로 확인하는 것보다 안전위도(electrooculogram, EOG)측정을 통해 수면 시작 이후, 눈이 서서히 움직이는 때와 빨리 움직이는 때를 좀 더 정확하게 구분할 수 있었다. 그리고 눈이 빨리 움직일 때 연구 대상자를 깨우면 복잡한 내용의 이야기를 생생하게 진달하고 눈이 움직임이 없을 때는 언급되는 내용이 없어 눈 움직임과 꿈이 연관된다고 가정하게 되었다.

2) 1957년 Kleitman과 Dement는 33명의 피험자를 대상에서 얻은 126일 밤의 수면뇌파 기록을 분석하였다. 잠이 든 후 얕은 수면에서 점차 깊은 수면으로 진행하고 이러한 깊은 수면은 통상 30분간 지속되다가 수면이 얕아지면서 2단계를 거쳐 1단계수면과 눈이 빨리 움직이는 시기가 나타난다고 하였다. 이 시기가 끝나면 다시 수면이 깊어지면서 앞에서 언급한 양상을 보이게 된다. 눈 움직임이 빠른 시기가 끝나고 다음 빠른 눈 움직임 시기가 끝날 때까지 90-100분이 걸리고 이러한 뇌파의 주기적 변화가 수면 중 반복된다고 하였다. 이때까지도 수면은 하나의 상태로 간주되어 눈 움직임이 빠른 시기를 "출현하는 1단계(emergent stage 1)"이라 하고 수면 시작할 때는 "깊어지는 1단계(descending stage 1)"로 구분하였다.

3) 렘수면에 대한 연구는 지속되어 수면 시 눈이 빨리 움직일 때 뇌파의 특징은 낮은 진폭의 속파임을 관찰하였지만 당시에는 뇌파가 활성화되는 (렘)수면이 존재한다는 것을 전혀 받아들이지 않았다. 프랑스의 Jouvet는 렘수면의 해부학적 중추는 뇌간의 뇌교(pontine)임을 밝혔고 렘수면 시에 근전도활동과 근육긴장도가 완전히 억제된다고 하였다. 1960년에 뇌활성화, 근육활동 억제, 꿈 발생을 특징으로 하는 렘수면이 정의되었고 이러한 렘수면은 각성과 다른 만큼 비렘수면과도 전혀 다른 별개의 상태인 것이다. 수면의 이중성(duality)이 확립되었고 수면은 더 이상 뇌가 비활성되고 느린 뇌파를 보이는 상태가 아니라고 정의되었다. 1960년대 수면생리 연구회(Association for the Physiological Study of Sleep, APSS)에서 수면단계 정의를 논의하였고 1968년에 수면단계 판독 지침서가 출판되었다.

5 수면의학의 태동과 발전

1) 야간 수면 기간 내내 기록을 강조한 수면 연구는 1960년대에 급성장을 하였고 수면의학 연구와 진료에서 가장 중요한 수면다원검사의 선도적인 역할을 하였다. 내인성 우울증 환자에서 렘수면잠복기가 짧아져 있다는 것이 밝혀지고 이에 대한 연구가 꾸준히 지속되었다.

2) 이외 수면의학의 태동과 관련된 사건들은 다음과 같다.

(1) 1960년에 Vogel은 기면병 환자에서 야간 수면시 렘수면은 입면 1–2시간후에 나타나는 것이 아니라 잠이 들고 나서 곧 시작된다고 하였으며, 1963년에는 9명의 기면병 환자를 대상으로 한 야간 수면연구에서 입면 후 렘수면(sleep–onset REM periods, SOREMPs)이 보고되었다. 이후에 탈력발작과 수면마비는 렘수면의 무긴장(atonia)과 입면 시 환각은 렘수면의 꿈과 연관된다는 개념이 형성되게 되었다.

(2) 1960년에 chloridazepoxide (Librium)를 시작으로 benzodiazepines가 진정제로 사용되었으며 이는 그때까지 사용했던 barbiturates에 비해 훨씬 안전한 약이었다. 이어서 diazepam (Valium)이 소개되었고 수면제 목적으로 최초로 사용된 약물은 flurazepam (Dalmane)이었다.

(3) 1956년에 Burwell 등이 Pickwickian syndrome을 Extreme Obesity Associated with Alveolar Hypoventiation로 기술하였고 이후 이러한 비만 환자에서 주간과다수면의 원인은 이산화탄소 배출 장애라고 생각하게 되었다. 하지만 1966년, 수면다원검사를 통해 이 환자들이 상기도 폐쇄가 끝날 즈음 각성이 일어나고 이로 인해 발생하는 수면분절이 주간과다수면을 초래한다는 가설이 제시되었다. 비만, 저환기(hypoventilation), 주간과다수면(hypersomnia)이 단독 혹은 복합적으로 나타나는 질환을 모두 Pickwickian syndrome으로 지칭하는 것은 지양해야 한다는 비판이 1972년에 나왔다. 결국 1978년에 Guilleminault와 Dement에 의해 수면무호흡(sleep apnea syndrome)의 개념이 정립되었다.

(4) Carskadon는 스탠포드대학에서 일할 당시, 후에 주간과다수면에 대한 표준적 접근으로 정립된 수면잠복기반복검사(multiple sleep latency test, MSLT)의 초석을 놓게 되었다. 1976년, 2일간의 수면박탈 전후에 2시간마다 수면잠복기를 측정하여 졸리움의 객관적 지표로 삼았다. 2시간 간격으로 20분씩 검사를 진행했던 방식은 특별한 근거는 없던 것이었고 수면박탈 후 졸리는 정도를 평가하는 연구의 실제 필요성에 근거한 것이었다. 이렇게 주간 졸림증을 객관적으로 평가했던 초기 MSLT 연구는 주간과다수면과 야간 수면이 서로 영향을 주고받는 연속선상의 관계임을 이해하는 계기가 되었다. 1978년에는 기면병 환자에서 졸리는 정도를 평가하기 위해 사용되었고 1986년 MSLT의 공식적인 지침이 출판되었다.

6 수면의학의 최근 역사

1) 현 미국수면학회(American Academy of Sleep Medicine, AASM)의 전신인 수면센터 협회(Association of Sleep Disorders Centers, ASDC)은 1975년에 5명으로 시작되었고 1978년에 "Sleep"잡지를 발간하는데 기여하였다. 1979년에는 수면센터 협회와 수면생리연구회(Association for the Psychophysiological Study of Sleep, APSS)가 공동으로 수면각성에 대한 진단분류(ASDC/APSS Diagnostic Classification of Sleep and Arousal Disorders) 책자를 출판하게 되었다.

2005년에는 국제수면장애분류(International Classi-fication of Sleep Disorders, ICSD)로 명칭이 바뀌면서 제2판으로 개정되었다.

2) 1980년대 전에는 기관지절개술(tracheostomy)이 수면 무호흡의 유일한 치료였지만 1981년에 수술기법과 기기치료가 도입되었다. 구개수구개인두성형술(Uvulo-palatopharyngoplasty, UPPP)과 지속기도양압기(Continuous positive airway pressure, CPAP)가 시도되었고 상기도 양압술기기는 효과적이면서 사용하기 편하도록 계속 개선되어 현재 수면무호흡의 가장 주요한 치료가 되었으며 수면 센터와 수면 전문가의 폭발적 증가에 기여하였다. 1989년에는 수면의학의 교과서(Principles and Practice of Sleep Medicine)의 제1판이 출간되었다.

7 국내 수면의학의 동향

1) 현재 대한수면의학회의 전신인 대한수면-정신생리학회가 1993년 7월 창립총회를 가지면서 국내 수면의학자의 학술 활동이 본격적으로 시작되었다. 2006년 10월에는 소아청소년과, 신경과, 이비인후과, 정신건강의학과, 치과, 호흡기내과가 주축이 된 다학제 대한수면학회가 창립되고 첫 정기학술대회를 가졌다.

2) 이러한 학회 모임을 기반으로 2009년 세계 수면무호흡학회, 2015년 세계 수면학회, 2차례 아시아 수면학회(2005년과 2018년)를 국내에서 개최하기도 하였다. 또한 2010년 11월에 창간된 "Sleep Medicine Research"는 연 2회 꾸준히 출판되어 현재 SCOPUS에 올려져 있고 현재는 년 4회 발간하고 있으며 SCI 등재를 목전에 두고 있다.

3) 수면의학 관계자의 숙원인 수면다원검사와 상기도 양압술의 보험화가 2018년 7월 1일부터 시행되면서

국내 수면의학은 급속하게 양적으로 팽창되었다. 이제 국내 수면의학은 연구와 진료에 있어 질적인 심화가 이루어져야 하고 다소간 난립되어 있는 듯이 보이는 여러 수면학회가 좀 더 통합적으로 조정되어야 할 것이다.

▶ **참고문헌**

- Bailey DR, Attanasio R. The history of sleep medicine. Dent Clin N Am 2012;56:313-7.
- Carskadon MA, Dement WC, Mitler MM, et al. Guidelines for the multiple sleep latency test (MSLT); a standard measure of sleepiness. Sleep 1986;9:519-24.
- Dement WC. History of sleep medicine. Neurol Clin 2005;23:945-65.
- Huon LKA, Guillminault C. A succinct history of sleep medicine. Adv Otorhinolaryngol 2017;80:1-6.
- Jones BE. The mysteries of sleep and waking unveiled by Michel Jouvet. Sleep Med 2018;49:14-9.
- Kirsch DB. There and back again: a current history of sleep medicine. Chest 2011;139:939-46.
- Kryger M, Roth T, Dement WC. Principles and practice of sleep medicine. Philadelphia: WB Saunders; 1989.
- Pelayo R, Dement WC. History of sleep physiology and medicine. In: Kryger MH, Roth T, Dement WC. Principles and practice of sleep medicine. 6th ed. Philadelphia: Elsevier; 2017. pp. 3-14.
- Rechtschaffen A, Kales A. A manual of standardized terminology, technique, and scoring system for sleep stages of human subjects. Los Angeles: Brain Information Service/Brain Research Institute, UCLA; 1968.
- Shepard JW, Buysee DJ, Chesson AL, et al. History of the development of sleep medicine in the United States. J Clin Sleep Med 2005;1:61-82.

02 정상수면

정기영

수면은 반응성, 운동 활동 및 신진대사가 감소된 가역적인 상태이다. 이는 어떤 형태로든 모든 동물에서 관찰되는 현상이며, 인간은 인생의 약 3분의 1 또는 하루 약 8시간을 잠으로 보낸다. 수면의 목적은 완전히 밝혀지지는 않았지만 회복, 에너지 보존 및 기억 통합 등으로 설명되고 있다. 사람의 수면은 행동과 뇌의 전기적 리듬에 발생하는 생리학적 변화를 바탕으로 정의한다. 행동학적 기준은 움직임이 없거나 감소하고, 감은 눈, 종 특유의 수면 자세, 외부 자극에 대한 감소된 반응, 반응 시간 증가, 각성 역치 상승, 인지 기능 저하 및 가역적 무의식 상태이다. 생리학적 기준은 뇌파(EEG), 안전위도(EOG) 및 근전도(EMG)의 결과와 호흡 및 순환의 기타 생리학적 변화를 기반으로 한다. 정상수면을 이해하는 것은 "정상적인" 특성이 변형된 임상 상태를 이해하고 수면장애의 결과를 해석하기 위한 배경이 된다. 이 장에서는 건강한 젊은 성인의 수면 패턴을 기준으로 하여, 정상수면의 특징을 이해하고 여러가지 요인과 관련된 수면의 변화를 기술하고자 한다.

1 수면의 단계와 구조

수면에는 렘(REM: rapid eye movement, 빠른안구운동)과 비렘(Non-REM, 빠르지 않은 안구운동)이라는 두 가지 상태가 존재한다. 비렘수면의 뇌파 패턴은 수면방추파(sleep spindle), K-complex (K-복합체) 및 고전압 느린파와 같은 특징적인 파형 등이 있으며, 뇌파의 특성에 따라 3단계로 세분화된다. 1단계 비렘수면(N1)은 각성 역치가 가장 낮고 3단계(N3) 비렘수면은 각성 역치가 가장 높은 깊은 수면이다. 비렘수면은 일반적으로 최소한의 또는 단편적인 정신 활동과 관련이 있으며, 비교적 비활동적이지만 능동적으로 뇌를 조절하는 상태이다. 렘수면은 뇌파 활성화, 근육 무긴장(muscle atonia) 및 빠른안구운동으로 정의한다. 사람에서 렘수면의 정신 활동은 꿈과 관련이 있다. 뇌간 메커니즘에 의한 척수운동뉴런의 억제는 렘수면에서 근육 무긴장을 초래한다. 따라서 렘수면은 마비된 신체에서 활발한 뇌 활동을 보이는 수면상태이다.

1) 수면단계

수면다원검사는 임상 및 연구 목적으로 수면을 평가하기 위한 기본 검사로, 뇌파검사 및 여러 센서를 사용하여 수면을 개별 단계로 분류할 수 있다. 초기 수면단계는 1930년대에 기술되었으며 수면단계에 대한 공식적인 규칙은 1968년에 처음으로 알려졌다. 2007년부터 대부분의 수면 검사실은 정기적으로 업데이트되는 American Academy of Sleep Medicine (AASM) 매뉴얼의 Scoring of Sleep and Associated Events에 대한 용어와 규칙을 사용한다. 수면다원검사에서 수면단계는 30초 단위로 이루어진다. 수면단계를 결정하기 위해 뇌파, 근전도, 안구 움직임을 보는 안전위도의 사용이 필수적이다.

성인은 하루 중 최소 2/3 동안 깨어 있다. 눈을 뜨고, 움직임 및 대화를 포함한 행동 신호는 각성을 나타낸다. 활동을 멈추고 기대어 눈을 감으면 뇌파는 안정적인 후두부의 알파파를 보인다. 졸리기 시작하면 후두부 리듬이 느려지기 시작하면서 알파파가 사라진다. 대부분

의 성인은 비렘수면을 통해 졸음 상태에서 수면으로 들어간다. N1은 각성에서 수면으로의 전환되는 가장 낮은 수면단계로 여기에서 깨어난 환자는 일반적으로 자신이 실제로 잤다는 것을 인식하지 못한다. N1은 30초 에폭 뇌파에서 50% 이상에서 세타 범위(4-7Hz)의 저진폭의 혼합 주파수(low amplitude mixed EEG frequencies)가 있는 것이 특징이다. 일반적으로 느린 안구의 움직임을 보인다. N1은 젊은 성인의 총 수면 시간의 5-10%이하를 차지한다. N2는 정상 성인의 총수면시간 중 가장 큰 비율을 차지하며 약 45-55%를 차지한다. 이 수면단계의 뇌파에 처음으로 나타나는 비렘수면의 두 가지 뚜렷한 특징이 있는데 수면방추파와 K-complex이다. 수면방추파는 11-16Hz(일반적으로 12-14Hz)의 주파수를 가지는 방추형 파형이 0.5-2초 정도 지속되면서 간헐적으로 나타난다. 머리마루전극에서 가장 두드러지게 발생한다. K-complex는 음극파 바로 뒤에 양극파 성분이 따라오는 복합체로 배경 뇌파에서 두드러지는 모양으로 지속 시간이 0.5초 이상이다. K-complex는 전두엽에서

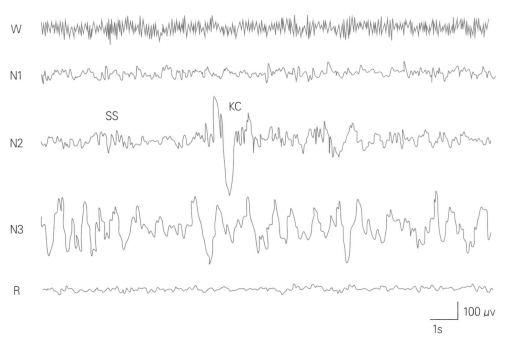

그림 2-1. 수면단계의 특징적인 뇌파 소견. SS: sleep spindle, KC: K-complex

출처: 선우준상. 수면생리. 증례로 배우는 수면장애. 범문에듀케이션: 2020. pp. 3-9.

표 2-1. 수면단계의 특징

수면단계	뇌파	안전위도	턱 근전도	정신활동	분률(TST%)
W	알파파	빠른안구운동 눈깜빡임	높은 활성	있음	< 5%
N1	저진폭 세타파	느린안구운동	약간 감소	약간 있음	2-5%
N2	수면방추파, K-complex	안구운동 없음	좀 더 감소	거의 없음	45-55%
N3	고진폭 델타파(0.5-2 Hz)	안구운동 없음	많이 감소	없음	10-15%
R	저진폭 세타파, 톱니파	빠른안구운동	무긴장 상태	꿈 활동	20-25%

최대 진폭을 보인다. N3는 "깊은 수면(deep sleep)" 또는 "서파수면(slow wave sleep)"이라고 한다. 저주파(0.5-2Hz), 고진폭(> 75 uV)의 델타파가 에폭의 최소 20%를 차지한다. 일반적으로 젊은 성인에서 중년 성인의 총수면시간의 10-20%를 차지하며 나이가 들수록 감소한다. 서파수면은 각성기간 이후 수면에 대한 항상성 욕구를 나타내기 때문에 수면의 전반부 특히 수면 초반에 더 많이 발생하는 경향이 있다. 각성 역치가 가장 높기 때문에 N1 및 N2에 비해 N3수면 중인 사람을 깨우기가 더 어렵다.

Stage R이라고도 하는 렘수면은 뇌파, 안전위도 및 근전도에서 세 가지 주요한 특징을 보인다. 1) 뇌파는 저전압, 복합 뇌파패턴을 보인다. 톱니파(sawtooth waves)가 흔히 보이는데, 이는 2-6Hz 파형의 뾰족한 모양으로 짧게 간헐적으로 나타난다. 2) 빠른 눈의 움직임이 특징이다. 이는 안전위도에서 초기 위상이 500ms미만인 불규칙하고 뾰족한 안구 운동이다. 3) 근전도는 모든 수의근(외안근 및 횡격막 제외)의 비활성을 나타내는 무긴장(atonia)을 나타낸다. 근육무긴장은 알파운동뉴런의 직접적인 억제의 결과이다. 렘수면은 긴장형(tonic)과 위상형(phasic)으로 구분된다. 위상렘수면은 빠른 안구운동이 폭발적으로 나타나고, 호흡 변동성 및 짧은 근선도 활동(때때로 근육 경련으로 나타남)을 보인다. 긴장렘수면 중에는 안구운동이 거의 없고 더 제한된 운동 활동이 발생하며 낮은 근 긴장도를 유지한다. 렘수면은 전체 수면의 약 1/4 (18-23% 범위)을 차지하며, 생생한 꿈과 관련이 있다. 약 85% 정도의 피험자가 렘수면중에 깨우면 꿈을 꾸었다고 보고하는데, 내용이 대체로 비논리적이며, 시각적 내용이 많은 생생한 꿈을 경험한다. 렘수면은 유아기 뇌발달, 근육의 미세조정, 감정기억, 정서조절, 창의성 등과 관련이 있는 것으로 알려져 있지만 아직 더 많은 연구가 필요하다. 각 수면단계의 특징을 그림과 표에 정리하였다(그림 2-1, 표 2-1).

2) 수면구조

하루밤 수면에서 비렘수면과 렘수면은 일정한 양과 발생 패턴을 보이는데 이를 수면구조(sleep architecture)라고 한다. 수면은 비렘수면의 가장 얕은 단계인 N1으로 시작하여 N2, N3 단계를 차례로 거치면서 깊은 수면상태로 진입하고, 다시 N2, N1 상태로 얕은 상태로 되다가 갑자기 렘수면이 출현한다. 하룻밤 수면에서 비렘-렘수면으로 구성되는 짧은 주기를 하루이내리듬(ultradian cycle)이라고 하고, 이 주기는 약 90-120분 정도된다. 일반적으로 8시간의 수면 시간 동안 4-5회의 하루이내리듬주기가 발생한다. 첫 번째 주기는 각성에서 N1단계로의 전환으로 시작하여 N2, N3로 진행한다. 밤이 깊어질수록, 각 주기에서 렘수면 비율이 점차 증가하고, N3의 비율은 밤이 지나면서 감소하는 경향이 있으며, 수면 전반부에 가장 많이 나타난다. 건강한 성인의 밤 후반부에 렘수면이 우선적으로 분포하는 것은 체온의 진동으로 측정할 수 있는 하루주기리듬과 관련이 있다. 수면의 초반에 서파수면이 우선적으로 분포하는 것은 이전 각성 시간에 대한 수면 항상성 시스템을 반영하며, 수면 시작 시 가장 높고 수면 압력이 약해지거나 회복이 일어나면서 밤에 걸쳐 감소한다.

3) 수면 시간

야간 수면의 길이는 많은 요인에 따라 달라지며 그 중 인간의 의지 조절이 가장 중요하므로 "정상적인" 패턴을 특징 짓기가 어렵다. 사람의 최적의 수면 시간은 연령에 따라 다르며, 같은 연령대라도 개인차가 크다. 미국수면재단에서 추천하는 성인의 적절한 수면 시간은 7시간에서 9시간이다. 수면 시간은 유전적 요인에 따라 달라지며, 유전적 수면 요구의 배경에 겹쳐지는 의지적 결정 요인(늦게 자거나, 알람으로 깨는 등)을 생각할 수 있다. 이전에 깨어난 시간도 수면 시간에 영향을 미친다. 또, 수면 시간은 하루주기리듬과 관련되어 있다. "언제" 잠을 자느냐가 얼마나 오래 자는지를 결정하는 데 영향을 준다. 또한 수면시간이 길어질수록 렘수면의 양이 증가하는데, 이는 렘수면의 발생이 최대 하루주기리듬의 지속 여부에 달려 있기 때문이다.

2 수면단계 분포에 영향을 주는 요인

1) 나이

수면단계의 패턴에 영향을 미치는 가장 강력하고 일관된 요인은 나이이다. 성인과 가장 현저한 연령 관련 수면 패턴의 차이는 신생아에서 발견된다. 생후 1년 동안 각성에서 수면으로의 전환은 종종 렘수면(신생아에서는 활동수면이라고 함)을 통해 이루어진다. 비렘-렘수면의 주기적인 교대는 출생 시부터 존재하지만 성인의 경우 약 90분인데 비해 신생아의 경우 약 50-60분이다. 영아는 통합된 야간 수면 주기를 점차적으로 획득하며 비렘수면 단계의 완전히 발달된 뇌파 패턴은 출생 시에는 나타나지 않지만 생후 첫 2-6개월 동안 나타

난다. 뇌 구조와 기능이 고전압 서파 활동을 지원할 수 있는 수준에 도달하면 3단계 비렘수면이 두드러진다.

서파수면은 어린 아동에서 최대이며 나이가 들수록 현저하게 감소한다. 어린 아동의 서파수면은 노인과는 질적, 양적으로 다르다. 청소년기 중기까지의 어린이는 종종 첫 번째 렘수면 에피소드를 건너뛰는데, 아마도 이른 밤에 서파 활동의 양과 강도 때문일 수 있다. 서파수면의 현저한 양적 변화는 청소년기에 일어나는데 야간 수면의 길이가 일정하더라도 10대 동안 약 40% 감소한다. 청소년기가 되면 첫 번째 렘수면을 건너뛰지 않으며 수면 패턴은 젊은 성인과 유사해진다. 서파수면은 60세까지 특히 남성에서 상당히 감소하고 여성은 남성보다 늦게까지 서파수면을 유지한다.

렘수면은 노년까지 잘 유지된다. 렘수면의 절대량은 지적 기능과 상관관계가 있으며 노인에서 기질적 뇌 기능 장애가 있는 경우 현저히 감소한다.

수면 중 각성은 나이가 들수록 현저하게 증가한다. 개인이 알고 있고 보고할 수 있는 긴 각성과 짧고 기억하지 못하는 각성 모두 노화와 함께 증가한다. 후자의 일시적인 각성은 알려진 상관과 관계없이 발생할 수 있지만 종종 수면 중 주기사지운동 및 수면호흡장애가 영향을 줄 수 있다.

2) 이전 수면

하루 이상 밤에 수면부족을 경험한 사람은 회복 중 서파수면이 증가하는 수면 패턴을 보인다. 회복 수면은 일반적으로 기본 수면보다 더 길고 깊어서 높은 각성 역치를 보인다. 렘수면은 수면부족 후 두 번째 또는 그 이후의 회복 밤에 반등하는 경향이 있다. 따라서 전체 수면 손실이 있는 경우에 서파수면이 우선적으로 회복된 후에 렘수면이 회복되는 경향을 보인다. 렘수면 또는 서파수면이 선택적으로 박탈된 경우 자연 수면이 재개될 때 해당 수면단계의 우선적인 반등이 나타난다. 따라서 두 수면 상태는 항상성 조절에 따른다.

만성 수면부족, 불규칙 수면 스케줄, 잦은 수면방해는 특이한 수면 분포를 보일 수 있다. 흔히 수면개시렘

수면(SOREM)이 나타날 수 있는데 이는 기질적 뇌병변이 없는 환자에서 입면환각, 수면마비 및 수면근간대와 연관될 수 있다.

지난 수면과 관련 없이 수면검사실에서 수면다원검사를 처음 하는 경우 각성이 증가하고 수면단계가 손상되고 렘수면 시작이 지연될 수 있다. 이러한 지연은 첫 번째 렘수면을 건너뛸 수 있다. 다시 말해, 비렘수면은 정상적으로 진행되나 렘수면이 나타나는 대신 N1 또는 각성이 나타나며 첫 번째 주기가 끝난다. 검사실에서 첫 날 밤의 경우 렘수면은 종종 손상되고 렘수면의 양이 정상보다 감소한다. 이런 변화를 첫날밤효과(first night effect)라고 하며, 수면다원검사 판독할 때 고려해야 한다.

3) 하루주기리듬

수면을 취할 때 하루주기위상은 수면단계의 분포에 영향을 끼친다. 렘수면은 특히 하루주기리듬과 연관되어 나타나는데 심부체온 최저점에 이르는 아침 시간에 최고조에 이른다. 그래서 하루주기리듬이 렘수면의 최고조에 이르는 이른 아침까지 수면 시작이 지연되는 경우에는 수면 시작임에도 불구하고 렘수면이 우세할 수 있다.

4) 온도

심부체온은 수면의 시작 및 유지에 중요한 변수이다. 수면 환경의 극한의 온도는 수면을 방해하는 경향이 있다. 렘수면은 비렘수면보다 온도 관련 방해에 더 민감하다. 인간을 비롯한 포유류는 렘수면 동안 최소한의 체온조절 능력을 지닌다. 다시 말해 렘수면에서 체온조절은 변온성을 보인다. 수면 환경이 극한의 온도일 때 떨림이나 발한은 비렘수면에서는 발생하나 렘수면에서는 제한적이다.

5) 약물복용

수면단계의 분포는 많은 약제에 영향을 받는다. 벤조디아제핀은 서파수면을 억제하고 렘수면에는 일관된 영향이 없다. Tricyclic antidepressant, monoamine oxi-dase inhibitors, selective serotonin reuptake inhibitors는 렘수면을 억제하는 경향이 있다. 이런 약물들은 또한 수면 중 운동 활동의 증가를 초래하여 렘수면 중 무긴장 소실이나 주기사지운동을 증가시킬 수 있다. Fluoxetine은 모든 수면단계에서 빠른안구운동을 증가시키는 효과가 있으며, fluoxetine을 복용하던 환자에서 처음 보고되어 소위 "Prozac eyes"라고 부른다.

특정 수면단계를 선택적으로 억제하는 약제를 중단하는 경우에 해당 수면단계의 반동이 나타나는 경향이 있다. 벤조디아제핀복합제를 갑자기 중단하면 서파수면이 증가될 수 있고, Tricyclic antidepressant, monoamine oxidase inhibitors를 갑자기 중단하면 렘수면이 증가한다. 렘반동은 비정상적인 SOREM이 나올 수 있고 기면병으로 오진할 수 있다.

취침 전 알코올 섭취는 수면 전반부에 서파수면을 증가시키고 렘수면을 억제한다. 반면에 수면 후반부에 알코올이 대사되면서 렘반동이 따라올 수 있다. 적은 용량의 알코올은 수면단계에 적은 영향을 미치지만 저녁에 졸음이 증가할 수 있다.

6) 수면장애

수면장애는 수면구조와 분포에 영향을 미칠 수 있다. 기면병은 비정상적으로 짧은 렘수면잠복기를 보이고, 특징적인 SOREM이 나타날 수 있다. 그밖에 짧은 렘수면 잠복기를 보일 수 있는 경우는 신생아(신생아는 렘수면으로 시작되는 것이 정상), 시차장애 등의 하루주기리듬장애, 렘수면을 억제하는 약물을 갑자기 중단하는 경우(렘 반동), 만성 수면부족 등이다. 주요우울증 환자도 렘수면잠복기가 단축될 수 있다. 폐쇄수면무호흡증후군은 수면관련호흡 문제로 인하여 이차적으로 서파수면이나 렘수면을 억제할 수 있고, 양압기로 치료를 시작하면 서파수면이나 렘수면의 급격한 반동이 나타날 수 있다. 수면 중 각성을 유발할 수 있는 내과적 질환이나 폐쇄수면무호흡증, 주기사지운동과 같은 수면장애들은 종종 수면단계 변화의 수를 증가시키고 정상적인 수면 주기를 손상시킬 수 있으며 특히 N1의 비율을 증가시킬 수 있다.

3 수면의 기능

수면은 다양한 면에서 뇌 기능과 생리학적 건강에 필수적이며, 중요한 기능을 요약하면 다음과 같다.

1) 회복 기능

잠에서 깨어났을 때 회복된 느낌을 받고 반대로 수면 부족은 주간 수행 능력 저하, 피로감 또는 졸음, 면역 체계에 영향을 초래한다. 성장호르몬 분비는 수면 중에 최고조에 달하고 이것은 밤 동안 근육 성장과 세포 재생에 기여할 수 있다.

2) 청소 기능

수면 중 뇌 대사는 하루 종일 축적되어 깊은 비렘수면을 유도하는 데 도움이 되는 아데노신과 같은 물질의 제거를 통해 회복 기능을 할 가능성이 높다. 뇌 대사산물의 제거 경로는 신경교세포에 의존하기 때문에 glymphatic system라고 불린다. 특히, 수면은 간질 공간 (interstitial space)의 증가와 연관되어 신경독성 폐기물의 제거를 촉진하는 것으로 보인다. 급성 수면부족은 뇌 실질에서 척수강 내 투여된 자기공명영상 조영제의 분자 제거를 손상시켰으며, 이는 수면 중에 뇌 혈관외 공간으로 배설된 수용성 대사물의 수송이 촉진됨을 시사한다.

3) 뇌 가소성 및 학습

수면이 학습 의존적 시냅스 형성 및 유지를 촉진하여 뇌 가소성에 영향을 준다고 알려져 있다. 인간은 충분히 잠을 자지 않으면 학습 능력이 떨어진다. 따라서 수면은 인지 기능과 기억력에 영향을 준다. 신생아는 수면 시간이 길고 특히 렘수면의 비율이 높다. 일부 사람들은 꿈을 꾸는 동안 발생하는 감각 입력과 운동피질 활동이 뇌 발달에 중요한 역할을 한다고 믿는다. 한편

비렘수면은 포화된 학습 회로를 기준 수준으로 되돌리는 역할을 통해 학습에 영향을 줄 수 있다.

▶ 참고문헌

- 선우준상. 증례로 배우는 수면장애. 범문에듀케이션; 2020. pp. 3-9.
- Berry R, Quan S, Abreu A, et al. The AASM Manual for the Scoring of Sleep and Associaed Events: Rules, Terminology and Technical Specifications. Version 2.6. American Academy of Sleep Medicine; 2020.
- Carskadon M, Dement W. Normal human sleep. In: Kryger MH, Roth T, Dement WC. Principles and practice of sleep medicine. 6th ed. Philadelphia: Elsevier; 2017. pp. 15-24.
- Hirshkowitz M, Whiton K, Albert SM, et al. National Sleep Foundation's updated sleep duration recommendations: final report. Sleep Health 2015;1:233-43.
- Krueger JM, Frank MG, Wisor JP, et al. Sleep function: toward elucidating an enigma. Sleep Med Rev 2016;28:46-54.
- Ohayon MM, Carskadon MA, Guilleminault C, et al. Meta-analysis of quantitative sleep parameters from childhood to old age in healthy individuals: developing normative sleep values across the human lifespan. Sleep 2004;27:1255-73.

03 수면과 노화

이정희

1 수면 구조

1) 수면단계(sleep stages)

수면효율(sleep efficiency)은 90세 전후까지 연령 의존적(age dependent)인 감소를 뚜렷하게 보인다. 수면 구조에서 대부분의 연령 의존적인 변화는 60세 전에 일어나며, 서파수면 및 렘수면 감소는 그 후에 나타난다. 수면잠복기(sleep latency)는 60세 이후에 뚜렷한 연령 효과를 보이지 않는다.

수면 구조에 대해서는 연령보다 성별이 더 큰 영향을 주는 것으로 해석된다. 각 연령 그룹에서 남성은 연령에 따라 뚜렷한 횡단면적 감소를 보인다. 서파수면에서 연령에 따른 감소가 남성에게만 국한될 수 있다는 사실은 여성의 노화 관련 생물학적 지표로서의 유용성이 제한적임을 보여준다. 보다 건강한 노인군을 대상으로 한 다른 연구에서도 남성에서 서파수면의 연령에 따른 감소가 훨씬 두드러짐을 보였다. 연령이 높아짐에 따라 서파 밀도(slow wave density)는 남녀 모두에서 낮아졌으며, 특히 여성에서 남성에 비해 서파의 진폭이 크고 주파수가 빠른 특징을 보였다. 1단계 수면의 비율은 연령 의존적인 증가를 보였으며 남성에 국한되어 나타났다. 대조적으로 렘수면 비율은 연령에 따른 약간의 감소를 보였

고 남녀 모두에서 관찰 되었다.

2) 각성(arousals)

일반적으로 건강한 노인은 젊은 성인에 비하여 일주기 위상(circadian phase)과 무관하게 잦은 각성을 보이지만, 다시 잠드는 데 큰 어려움은 없다. 즉, 수면의 유지가 곤란하여 수면분절(sleep bout) 길이가 짧아지는 것은 노령의 포유류에서도 보이는 현상이다. SHHS 노인 코호트 연구에서, 각성지수는 연령에 따라 상대적으로 적은 증가를 보였다. 비렘수면에서 K-complex나 수면방추파 밀도는 연령에 따라 감소하며, 특히 GABA 계 기능을 반영하는 수면방추파 밀도 및 진폭 등의 감소는 중년부터 나타났다. 또한 호흡장애지수(respiratory disturbance index, RDI)는 노인에서 짧은 각성에 영향을 주므로, 이 지수가 높으면 렘수면 및 서파수면 양이 줄어드는 것과 연관성이 있었다. 노인에서 수면분절에 관련된 새로운 뇌파의 상관변수(correlate)는 델타 활성도(delta activity)가 아닌 베타(beta) 활성도이다. 노인군에서 연령은 활동성 리듬(activity rhythm)의 분절과 높은 상관성이 있었으며, 그 영향은 남성에서 더 높았다.

3) 동반 질환(comorbities)

수면구조의 부정적 변화는 심혈관질환, 고혈압, 뇌졸중 등의 병력과 연관되어 있었다. 동일한 맥락에서 수면의 양 또는 질의 감퇴가 고령에서 대사장애(metabolic syndrome)에 선행되어 나타났다. 당뇨병에서는 서파수면 감소, 낮은 수면효율, 각성의 증가, 1단계 수면 증가 소견을 보였다. 소위 내과적 및 정신과적 질환이 동반된 경우에는 연령 효과가 상당히 감소하였다. 특히 폐쇄수면무호흡증 환자에서는 수면효율, 입면후각성(WASO) 등에서 연령효과가 낮은 점을 보였다.

4) 서파수면(slow wave sleep)

서파수면의 가장 큰 변화는 주파수의 변화보다 델타파 진폭의 감소이다. 75 microV 기준을 적용하면, 노인에서 서파수면 비율이 5-10%로 낮아진다. 따라서 전통적으로 사용해온 Rechtschaffen and Kales 기준이 아닌, 개정된 미국수면학회(AASM) 기준에 따라서 판독하면 서파수면이 차지하는 비율이 높아지게 된다. 최근에는 델타파의 signal processing 방법에 따라 노인에서 서파수면 활성도의 개인차를 인지함과 동시에 PER3 다형성(polymorphism)을 반영하는 서파의 양을 고려해야 됨이 강조되고 있다.

수면 중 서파 활성도는 신경세포 효율과 기억의 저장에 매우 중요한 것으로 알려진 시냅스 downscaling과 기억 공고화 과정을 반영한다. 즉, 고령에서 서파수면이 줄어들면 노화의 특징인 인지 감퇴가 동반됨을 시사한다. 서파수면 활성도는 90대에 이르기까지 계속 감소하는 반면, 저주파 서파(<1.0 Hz) 활성도는 감소하지 않으며 최근에는 서파가 연령에 따라 더 느려진다고 보고되었다.

2 노화와 하루주기리듬

시상하부에 위치한 시신경교차위핵(suprachiasmatic nucleus, SCN)은 망막으로부터 광신호를 받아 기관들의 생물학적 리듬의 위상과 기간을 설정하는 핵심적인 하루주기 조정자(pacemaker)의 역할을 한다. 고령에서 일주기리듬의 변화는 시신경교차위핵 내의 리듬 기능의 손실을 반영한다. 수면 위상의 이동 능력의 감퇴는 노화에 따른 시각 체계와 관련이 있다(백내장, 황반 변성 등). 즉, 노화와 관련된 광수용체의 소실에 의하여 빛의 입력의 감소를 일으키며, 이와 더불어 노인에서 빛의 노출에 감소하는 현상이 일어난다. 반면, 정상 노화에 따라 안구 렌즈의 투과율이 낮아지더라도 빛에 대한 비시각적(non-visual) 민감도의 감소가 비례적으로 일어나지 않는 것은 이러한 반응이 보상작용을 나타내기 때문이다. 또한, 노인에서 밝은 빛 외에도 하루주기리듬에 영향을 주는 동조 요인(entrainment factor)으로서 신체 운동(physical exercise) 등의 중요성에 대한 논의도 활발해지고 있다. 최근의 뇌영상 연구에서는 노화에 따라 각성 및 실행기능에 관련된 뇌 부위에서 청색광에 대한 반응이 낮아지는 소견을 보였다.

노화에서 수면 위상 전진은 종종 노인의 수면 패턴의 시간에 근거하여 설명되었으나, 노인의 전형적인 조기 취침 및 기상 시간이 멜라토닌 정점과 관련하여 실제로는 위상 전진보다 위상 지연이 있는 것을 볼 수 있다. 또한, 점진적인 수면의 각성보다 비렘수면 중 갑작스런 각성을 동반하는 노인의 수면 구조에서의 조기 각성이, 하루주기 위상과는 독립적으로, 항상성 압력(homeostatic pressure)의 감소로 인한 것으로 해석될 수 있다. 즉, 연령의 증가에 따라 수면각성 시간이 앞당겨지는 것은 일주기위상의 전진이나 하루주기 단축에 의한 것이 아니라, 이른 아침에 수면유지를 할 수 없기 때문이라고 볼 수 있다.

하루주기리듬 시스템은 다양한 신경 조직 및 신경생리학적 기전을 통해 인지기능 및 행동에 영향을 미칠 가능성이 크다. 하루주기활동리듬은 질병과의 연관성이 강하지만, 사망률과의 연관성에 대한 근거는 제한적이다. 활동 리듬의 낮은 진폭과 지연된 정점위상은 노인 여성에서 사망과 관련이 있었으며, 특히 리듬의 견고성이 낮은 경우 경도인지장애 및 치매의 발생 확률이 높아짐을 보였다. 최근의 대규모 연구는 위상이 변화되거나 약화된 하루주기활동리듬이 사망, 경도인지장애, 치매 및 심혈관계 질환의 위험 증가와 관련이 있음을 보고하였다. 추가적인 코호트 연구를 통해 이 점이 확인된다면, 노인에서의 신체활동과 빛 노출 같은 방법을 통해 활동리듬에 영향을 주고 이환율과 사망률을 감소시킬 수 있을 것이다. 또한, 노화와 관련된 인지기능 저하를 늦추는 새로운 접근법으로서 수면 중재나 빛 치료의 적용을 통한 노인의 건강과 복지 증진에 관한 대규모 연구가 필요할 것이다.

3 주간졸음과 낮잠

일반적으로 노인에서 제기되는 질문은 낮잠이 정상인가 또는 낮잠이 건강에 도움이 되는가 하는 것이다. 반면, 수면 전문가의 질문은 낮잠이 지닌 수면관련호흡장애나 치매와의 관련성이며, 낮잠이 어느 정도로 야간의 수면을 방해하는가 하는 것이다. 낮잠은 다양한 질환의 동반, 심지어 사망의 위험 요소이기도 하지만, 효능이 있으며 잠재적 가능성을 띤 방어적인 요소로 제시되기도 한다. 알려진 바로는, 중증 수면관련호흡장애가 주간졸음을 예측하였으나, 한 코호트 연구에서는 수면잠복기반복검사(MSLT)로 측정한 주간졸음과의 연관성이 발견되지 않은 바, 노인의 주간과다수면은 다양한 원인에 의해 설명될 수 있다.

낮잠은 낙상, 인지기능 감퇴, 우울증 등과 관련이 있다고 알려져 왔지만 심혈관 장애에 방어 역할을 하고 낮의 기능을 호전시킬 수도 있으며, 야간 수면을 방해하지도 않는다는 근거들이 제시되어 왔다. 또한, 낮잠이 노인에서 지나친 사망률 위험과 관련성이 없다는 연구들도 있는데, 75세 이상 노인을 대상으로 한 연구에서 야간의 수면 시간이 짧으면 낮잠은 사망에 방어적인 요인일 것이며, 야간 수면이 9시간 이상일 때의 낮잠은 사망 위험 증가와 관련이 있다고 보고되었다. 이와 같이 연구들 간에 불일치한 결과는 낮잠의 정의에 관한 방법

적 문제에서 비롯된다고 볼 수 있다.

특히, 주간졸음을 유발하는 급성 수면박탈은 노인에서 젊은 성인에 비하여 인지수행 감퇴에 미치는 영향이 오히려 적으며, 연령과 무관하게, PER3 다형성이 이에 대한 개인의 취약성에 더 영향을 주는 것으로 알려졌다. 또한 하루주기리듬 교란이 반복되는 경우, 주의력검사의 감퇴 정도가 노인에서 오히려 적다고 보고된 것으로 미루어 연령 증가에 따른 각성의 하루주기리듬, 수면-항상성 및 이들 간의 상호작용 등의 변화를 시사하고 있다. 요약하면, 하루주기리듬 및 수면-항상성 조절의 연령에 따른 변화는 주간의 인지수행에 부정적으로 영향을 주는 반면, 수면과 인지기능을 조정하는 이들 간의 상호작용의 영향은 건강한 노인에서 오히려 낮다고 볼 수 있다.

4 수면의 질 저하: 원인과 결과

1) 원인

노인인구에서 수면잠복기는 수면유지에 비해 상대적으로 덜 문제시된다. 불안은 노인 여성에서 수면의 질 저하의 중요한 예측인자가 된다. 또한 수면의 문제가 치료되지 않는 경우에 노인에서 우울증 발생의 위험인자가 된다. 노인에서 자주 문제시되는 수면의 질 저하에 대한 주요 의문점은 노인의 건강에 어떤 영향을 주는가에 있다. 최근의 연구에서 5시간 미만의 수면 시간이 60세 이상 노인의 사망률의 모든 원인에서 높은 것과 연관이 있다고 보고되었다.

노화에 따른 수면 변화가 인지기능 변화에 영향을 미치는지 여부는 매우 중요하다. 연령이 높아지고 질병이 많아지면, 수면의 질적 변화와 아울러 기억력, 집중력, 실행기능, 정보 처리 속도의 인지 영역 등의 감퇴가 나타난다. 따라서 수면의 질 저하는 노년 인구의 인지 기능 감퇴에 기여를 하며 경도인지장애나 알츠하이머병 등의 발병에 영향을 준다고 볼 수 있다.

(1) 불면증

불면증의 유병율은 연령이 증가함에 따라 높아지며, 특히 수면유지 곤란 증상의 연령에 따른 증가가 두드러진다. 노인이 되면 야간 증상은 증가하지만, 비회복성 수면에 대한 불만은 줄어드는데 이 점은 노인의 수면 호소 및 수면장애가 고령의 결과가 아니라 오히려 신체적 및 정신적 질환과 밀접하게 연결되어 있음을 보여준다. 기존의 연구에서 노인에서 분절된 수면, 짧은 수면 시간 등이 열악한 신체 활동과 관련이 있었다. 또한 불면 증상과 짧은 수면 시간이 고혈압의 위험을 높인다고 하였다. 특히 폐경 여성을 대상으로 한 연구에서는 불면증이 관상동맥질환과 심혈관 질환의 위험도를 높였으며 사망위험율을 증가시킨다는 보고가 있었다.

수면장애와 관련이 있는 대표적 만성질환에는 관절염, 관상동맥 질환, 만성 폐쇄 폐질환, 말기 신부전, 당뇨병, 알쯔하이머병 치매, 파킨슨병, 암 등이 있는데, 이러한 질환은 불면의 위험 요소 혹은 결과로 생각되며, 인과 관계의 방향을 결정하기는 어렵다. 따라서 병발성 불면증(comorbid insomnia)의 치료는 병발된 질환뿐만 아니라 불면 자체에도 초점을 맞춰야 한다. 불면증은 수면관련호흡장애, 하지불안증후군(restless legs syndrome, RLS), 주기사지운동증(periodic limb movements in sleep, PLMS) 같은 노인 인구에서 흔히 발생하는 일차성 수면장애와 공존하는 경우가 많다.

(2) 하지불안증후군

하지불안증후군은 하지의 감각 이상과 불편감의 호소, 이를 완화하기 위해 움직이려는 충동을 특징으로 하며, 주로 오후나 야간에 심해져서 수면 문제를 유발한다. RLS의 유병률은 노화와 함께 증가한다. PLMS는 하지의 상동적이고 반복적인 비자발적, 비경련성 움직임을 특징으로 하는 장애로 종종 짧은 각성을 유발하며, 전통적으로 불면증 또는 주간과다수면과 관련되어 있다. 대규모 연구에서는 PLMS 또는 각성이 동반된 PLMS의 정도가 낮은 수면의 질과 높은 연관성이 보고되었다. 또한, PLMS가 남녀 모두에서 노화에 따라 증가하였으나, 이러한 영향은 남성에서 3배나 높았다. 높은 유병률에도 불구하고 노인의 장기 추적 관찰은 PLMS가 연령이 증가함에 따라 그 심각성에 변화가 없음을 보여 주었다. 반면, PLMS 및 RLS에서 심혈관 질환의 동반 현상에 대한 인식이 높아짐에 따라 그 심각성이 새로이 강조되고 있다.

(3) 정신과적 질환

수면 문제의 호소는 노인에서 우울증의 전조이며 현재 우울증이 없는 노인에서도 추후 우울증이 발생할 수 있는 강한 위험 요소이다. 우울증이 있는 성인의 60-80%에서 입면 또는 수면유지 곤란을 호소하거나 주간 피로감을 호소한다. 이런 주관적 수면 문제의 호소는 우울 증상이 호전된 이후에도 지속될 수 있다. 정신과적 진단을 받은 사람에서 불면증을 가장 많이 호소하는 선행 장애는 범불안장애이다. 노인에서의 불안은 일반적으로 범불안장애와 공황장애에 해당된다.

(4) 신체적 질환

통증은 불면을 동반하는 가장 흔한 요소이며 통증과 수면의 관계는 복잡하다. 통증은 수면을 방해하고, 수면의 질 저하는 통증 강도를 높이며 만성 통증이 있는 경우 불면의 유병률은 50-70% 이다. 만성 통증이 있는 노인의 수면에서 델타파 활성도의 감소를 확인하였다. 통증과 불면을 유발하는 관절염 역시 연령이 높아질수록 빈도가 증가한다.

입면 곤란의 만성적 문제는 남성에서 관상동맥 질환으로 인한 사망 위험률의 증가와 연관되어 있었다. 만성 폐쇄 폐질환은 주간과다수면뿐만 아니라 수면유지 곤란에도 기여한다. 당뇨병 환자는 연령의 증가, 비만 또는 합병증의 결과로 수면장애를 가질 수 있다. 신경병증과 같은 당뇨 합병증은 수면에 직접적인 방해가 되며 하지불안증후군과 주기사지운동장애의 유병률이 증가한다. 야간뇨는 노년기 수면유지 문제에서 잘 알려진 병인이며 수면의 질 저하 및 주간 피로감 증가와 관련이 있다. 혈액투석 환자에서 50-80%가 수면각성 문제를

보였으며 수면무호흡, 하지불안증후군, 주기사지운동증, 조기 각성 불면증, 과다주간졸음의 유병률이 높았다

　암 환자에서 수면 문제는 대규모 역학 연구에서 55-87%에 이르는 매우 흔한 문제로 나타났다. 암 환자는 기저에 불면 기왕력 또는 일차성 수면장애를 동반할 수 있으며 암 자체, 암에 대한 치료, 또는 암 진단에 대한 심리적 반응으로 인해 수면 문제가 발생할 수 있다.

(5) 약물이 수면에 미치는 영향

　노인에서 다양한 약물의 처방은 수면-각성주기에 영향을 주며 불면을 유발한다. 약물-약물 또는 약물-질환 사이 상호관계에 따른 부작용은 노인에서 더욱 흔하며 이것은 야간 수면의 질과 양에 직접 또는 간접적인 영향을 준다. 주간과다수면은 노인에서 흔한 문제이며, 많은 약물이 각성을 조절하는 신경 전달 물질인 acetyl-choline 또는 histamine에 관여하는 성분을 포함하고 있다. 하지불안증후군과 주기사지운동장애는 항우울제 처방 시 악화될 수 있으며 벤조다이아제핀계 수면제 역시 각성 역치를 높이며 수면무호흡을 악화시킨다.

(6) 물질 남용

　알코올사용장애 환자들은 알코올 의존성이 발생되기 이전부터 수면 문제가 있음이 보고되었다. 수면 문제는 노인에서 음주 문제를 발생시킬 위험도를 증가시킬 수 있다. 특히, 입면 곤란이 물질 사용과 관련된 가장 명확한 인자로 보고되었다. 카페인 섭취와 관련된 수면 변화로는 총 수면 시간의 감소, 수면잠복기의 증가, 각성 횟수의 증가 등이 포함되며 노인에서 흡연군은 비흡연군에 비해 입면 및 수면유지 곤란을 흔히 호소한다.

2) 결과

　노인에서 수면의 문제가 건강에 미치는 정도는 매우 중요한 측면이며 삶의 질에 연관되어 있다.

　또한, 불면과 낙상에 관한 연구에서는 수면시간이 줄고 수면의 질이 낮아지면, 낙상이 증가할 위험성이 커지고 이는 불면이 신체기능의 감퇴와 연관된 점을 시사한다. 한편, 노인에서의 낙상은 대개 수면제나 안정제 투약 등에 기인하는 것으로 알려져 있지만 이러한 요인을 통제한 분석에서도 불면증 자체가 낙상의 주요 예측인자임이 시사되었다.

　특히, 노인에서 수면시간의 감소와 입면의 지연은 인지기능의 감퇴와 연관되어 있음이 일관성있게 보고되어 왔다. 한 대규모 연구에서는 총수면시간보다 입면후 각성 시간(wake after sleep onset, WASO) 및 수면효율이 인지기능 감퇴와의 상관성이 높다고 하였다. 노인에서 불면이 인지기능에 영향을 미치는 기전은 수면 의존적 기억의 공고화 효율 감소를 초래하기 때문이며, 기억 공고화는 전 생애를 통하여 지속적으로 감퇴하는 경향을 보인다. 또한 역학연구에서 수면효율 감소 등이 경도인지장애나 알쯔하이머병의 발생을 예측한 결과를 보인 것은 낮은 수면의 질이 β amyloid와 tau의 증가를 통하여 인지기능 감퇴를 가속화할 가능성을 시사하며 이러한 이상 단백질이 수면장애를 유발하기도 함으로써 양방향의 상호작용이 강조되고 있다(그림 3-1). 특히, 최근에는 서파수면 활성도의 감소가 알쯔하이머병의 조기 생물학적 지표로 제시되어 병리의 진행 및 치료 효과를 평가하는데 적용할 가능성을 시사하였다.

5 수면관련호흡장애

1) 위험요인

　기존의 연구들은 수면무호흡(sleep apnea)의 유병률이 연령 증가에 따라 높아짐을 보여준다. 수면무호흡의 유병률을 측정하는 것은 정의에 따라 차이가 있으나 유병률은 18세부터 70세까지 점차적으로 증가한다. 노인에서 수면무호흡을 과소 진단하는 경우가 젊은 성인보다 더욱 흔하게 발생하는 경향이 있다.

　노인에서 수면호흡장애(sleep breathing disorder)에 관한 많은 자료가 축적됨에 따라 수면무호흡의 표현형이 젊은 성인과 노인에서 상당히 다를 수 있다는 점이 점차 더 분명해지고 있다. 전향적 연구에 따르면 50세

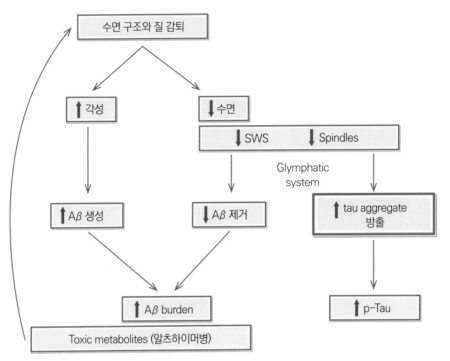

그림 3-1. 수면장애와 신경독성단백질의 상관관계.
수면의 감퇴는 이상 tau와 beta amyloid 생성을 높이며, A beta와 P-tau는 수면장애를 일으키는 positive feeback process를 형성한다.
출처: Lloret MA, Cervera-Ferri A, Nepomuceno M et al. Is sleep disruption a cause or consequence of Alzheimer's disease? Reviewing its possible role as a biomarker. Int J Mol Sci 2020;21:1-19.

이상에서 남성은 더 이상 수면무호흡의 중요한 위험인자가 아니며, 그 이유 중 일부는 여성에서 폐경기에 수면무호흡의 유병률이 현저히 상승한다는 것이다.

60세 이상에서 비만은 통계적으로 수면관련호흡장애의 위험인자가 아니다. 이러한 관찰은 연령이 증가하면서 비만이 감소한다는 것을 고려할 때 특히 중요하다. 노인의 수면무호흡에 대한 연구는 젊은 성인에 비해 무호흡-저호흡지수가 낮고 산소포화도가 어느 정도 보존된 상대적으로 경증 상태를 보고하는 경향이 있다. 수면무호흡의 병태생리는 노인과 젊은 성인에서 다를 수 있다. 즉, 노화에 따른 조직 탄성의 손실은 기도 폐쇄의 원인이 될 수 있으며 노인 여성에서 성호르몬 수치의 감소는 후두 및 인두의 폐쇄 증가의 부분적인 원인이 되는 것으로 보인다. 특히 노인에서 체중 감소에 따른 근육 약화는 수면관련호흡장애 발생의 원인이 될 수 있

다. 이외에도 고령에 서파수면이 감소함에 따라 호흡조절의 안정성이 낮아지면 수면관련호흡장애가 발생할 수 있다. 수면관련호흡장애에 관한 잠재적인 연령 의존적 위험요인들은 **그림 3-2**에 기술되어 있다.

수면무호흡은 다양한 노화관련 질환들의 독립적인 위험요인으로 보고되었으며 그 기전으로는 간헐적인 저산소증(intermittent hypoxemia)에 의하여 유발되는 대사과정에서 수면 중 oxidative stress가 높아지는 것과 관련이 있다. Telomere 길이는 노화과정의 생물학적 지표로서 유용한데 중등도 및 중증의 폐쇄수면무호흡증 환자에서 이것이 짧아지는 것이 특징적이다. 따라서 폐쇄수면무호흡증은 노화의 새로운 잠재적인 위험요인으로 제시되고 있으며 노화의 진행에서의 그 병태생리의 역할의 중요성이 더욱 강조되고 있다.

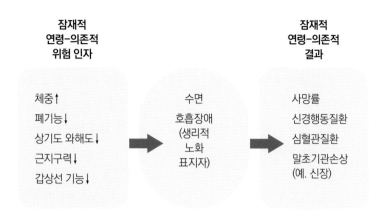

그림 3-2. 노인의 수면관련호흡장애 관련 연령-의존적 위험인자 및 결과
출처: Bliwise DL, Scullin MK. Normal Aging. In: Kryger MH, Roth T, Dement WC. Principles and practice of sleep medicine. 6th ed. Philadelphia: Elsevier; 2017.

2) 임상적 영향

수면무호흡에 대한 전향적 코호트 연구와 심혈관 질환의 위험에 대한 메타 분석에서 수면무호흡의 심가도와 심혈관계 결과 간에 "용량-반응(dose-response)" 관계가 입증되었다. 노인 인구에서 폐쇄수면무호흡증의 가장 현저한 징후로는 야간 빈뇨, 인지 기능 장애 및 심장 질환이 있다. 폐쇄수면무호흡증 환자는 주간과다수면, 실행기능 저하, 작업기억 및 집중력의 저하를 보인다. 40세 이상의 폐쇄수면무호흡증 환자를 대상으로 한 대규모 연구에서 대조군과 비교하여 5년 내의 치매 진단이 1.7배로 나타났다. 또한 수면무호흡은 경도인지장애와 알쯔하이머병의 조기 발병과 연관성이 있었으며 남성보다는 여성에서 수면관련호흡장애가 인지기능감퇴의 높은 위험요인으로 나타났다. 경도인지장애 환자에 관한 연구에서는 수면무호흡의 정도가 심할수록 전두엽-피질하 병변을 반영하는 인지기능의 감퇴 소견을 보여 치매의 위험이 높아질 가능성을 시사하였다. 알츠하이머병 환자에서 수면무호흡의 유병률은 대조군에 비해 높게 나타났고 수면무호흡은 알츠하이머병 환자에서 추가적인 인지기능 감퇴를 일으키는 것으로 생각된다.

수면관련호흡장애가 고혈압을 유발한다는 것은 여러 연구에 의해 밝혀졌으며 심방 세동은 노화와도 관련이 깊은데 부정맥 중에서는 심방 세동이 수면관련호흡장애와 가장 연관성이 컸다. 폐쇄수면무호흡증 환자에서 지속기도양압기(continuous positive airway pressure, CPAP) 치료로 심혈관계 결과가 개선되었다고 보고되었다. 뇌졸중의 유병률은 연령에 따라 증가하지만 치료받지 않은 수면무호흡은 이에 대한 추가 위험을 초래하는 것으로 보인다. 또한 대규모 연구에서 야간 저산소증은 노인의 낙상과 연관이 있었으며, 노인의 골밀도 보존과도 연관이 있었다.

반면에, 다른 연구들은 노인인구에서 수면관련호흡장애의 중요성이 낮은 결과들을 계속 제시하고 있는데, 특히 인지 및 주간과다수면과의 연관성은 의문이 제기되어 왔다. 일련의 연구 결과들은 노인에서 수면관련호흡장애와 고혈압과의 연관성이 낮아지는 것으로 해석되어 이러한 측면들은 아직 논란의 여지가 남아 있다. 한편, CPAP에 의한 혈압의 감소가 60세 이상에서 보다 뚜렷하게 나타났으며, 치료를 받지 않은 군에서 심혈관으로 인한 사망 위험도가 두 배나 높았다.

6 노화와 뇌

노화에 따른 수면의 감퇴는 하이포크레틴과 β amyloid나 tau 같은 신경퇴행 관련 단백질 분해간의 상호 작용에 의한 것으로 설명될 수 있다. 고령에 따른 하이포크레틴 세포의 감소는 인지기능의 감퇴와 주간졸음의 관련성을 시사해 준다. 특히 알츠하이머병에서 뇌척수액 하이포크레틴 농도가 높을수록 Aβ42와 tau 농도가 높았으며, 또한 수면의 질이 낮음과 연관이 있었다. 수면과 하루주기리듬의 연령에 따른 변화는 그 자체로서 생리적 노화에 영향을 줄 수 있으며 수면의 개선을 통하여 임상 경과를 고치거나 근본적인 노화 과정을 바꾸어서 개체의 수명에도 영향을 줄 수 있는 점은 수면의 기능에 관한 연구에서 매우 중요하다. 이에 관한 최근의 연구로서 세포 노화의 기본 생물학적 지표인 telomere 단축은 중년과 노년에서 수면의 질이 낮아짐과 연관이 있었다.

Drosophila를 이용한 수면 연구에서 수면시간이 짧고 노화가 빠르게 진행되는 변이의 경우, 수면이 생존에 필수적인 작용을 하는 것으로 나타났다. 즉, 수면 시간이 감소되는 정도에 따라 수명이 줄어드는 정도도 심화되었고, 수면이 전혀 없는 경우에 노화가 보다 빠르게 진행되는 소견을 보였다. 지금까지의 수면박탈 연구는 수면 항상성 강도가 노화에 따라 줄어들고, 수면의 감소에 의해 나타나는 주간졸음과 각성 시 수행능력(waking performance)의 감퇴 정도가 노화에 따라 오히려 줄어드는 것으로 보였다. 동물 연구에서도 고령에서 수면박탈 후에 단백질 응집으로 인한 세포 손상이 발생하였는데, 노화는 세포자멸사(apoptosis) 지표가 높아지는 것과 관련이 있으며, 수면박탈은 이 과정을 가속화하였다. 이러한 결과들을 사람에 적용할 수 있다면, 노년의 수면 문제에 대하여 더욱 주의를 기울일 필요가 있음을 시사하였다.

연령에 따른 하루주기 시스템의 약화는 낮은 진폭과 리듬의 분절을 초래한다. 최근의 연구는 하루주기리듬의의 분절이 전임상(preclinical) 알츠하이머병과 관련이 있고 임상경과를 악화시킴을 시사하였다. 반면, 동물연구에서는 하루주기리듬의 안정이 정상 노화에 기여함으로써 수명이 길어지는 현상을 보였다. 또한 위상 변화가 반복되는 하루주기리듬의 비동기화는 고령의 표현형을 가속화시키고 수명이 줄어드는 결과를 보여 하루주기리듬의 교란이 반복되면 수명에 영향이 있음을 시사하였다.

연령이 높아지면 수면은 하루주기리듬 및 수면항상성의 변화뿐만 아니라 동반되는 신체적 및 정신적 질환에 의하여 영향을 받는다. 즉, 수면관련호흡장애 등의 다양한 요인이 노인에서 수면의 질을 낮추고 주간졸음에 기여하게 된다. 특히 동물의 수면 연구에서는 수면의 연령-의존적인 변화가 생물학적 노화의 지표의 하나로 볼 수 있다는 새로운 해석이 주목을 받고 있다. 따라서, 노화에 따른 모든 수면의 문제는 다양한 질환의 발생이나 나아가서는 사망률에도 영향을 미치므로 임상적으로 간과할 수 없는 중요한 문제로 받아들여지고 있다.

▶ **참고 문헌**

- 이정희, 김성재, 이동영 외. 정상노인과 경도인지손상 환자에서 수면인자와 신경인지기능의 연관성. 신경정신의학 2007;46:41-9.
- Benloucif S, Green K, L'Hermite-Baleriaux M, et al. Responsiveness of the aging circadian clock to light. Neurobiol Aging 2006;27:1870-9.
- Bliwise DL, Scullin MK. Normal Aging. In: Kryger MH, Roth T, Dement WC. Principles and practice of sleep medicine. 6th ed. Philadelphia: Elsevier; 2017.
- Cohen-Mansfield J, Perach R. Sleep duration, nap habits and mortality in older persons. Sleep 2012;35:1003-9.
- Cricco M, Simonsick EM, Foley DJ. The impact of insomnia on cognitive functioning in older adults. J Am Geriatr Soc 2001;49:1185-9.
- De Novrega AK, Lyons LC. Aging and the clock: perspectives from flies to humans. Eur J Neurosci 2020;3:1-43.
- Dew MA, Hoch CC, Buysse DJ, et al. Healthy older adults' sleep predicts all-cause mortality at 4 to 19 years of follow-up. Psychosom Med 2003;65:63-73.

• Kim SJ, Lee JH, Lee DY, et al. Neurocognitive dysfunction associated with sleep quality and sleep apnea in patients with mild cognitive impairment. Am J Geriatr Psychiatry 2011;19:374–81.

• Li Y, Wang Y. Obstructive sleep apnea–hypopnea syndrome as a novel potential risk for aging. Aging Dis 2021;12:586–96.

• Lloret MA, Cervera-Ferri A, Nepomuceno M, et al. Is sleep disruption a cause or consequence of Alzheimer's disease? Reviewing its possible role as a biomarker. Int J Mol Sci 2020;21:1–19.

• Nishihata Y, Takata Y, Usui Y, et al. Continuous positive airway pressure treatment improves cardiovascular outcomes in elderly patients with cardiovascular disease and obstructive sleep apnea. Heart Vessels 2015;30:61–9.

• Ohayon MM, Carskadon MA, Guilleminault C, et al. Meta-analysis of quantitative sleep parameters from childhood to old age in healthy individuals: developing normative sleep values across the human lifespan. Sleep 2004;27:1255–73.

• Ohayon MM, Roth T. Prevalence of restless legs syndrome and periodic limb movement disorder in the general population. J Psychosom Res 2002;53:547–54.

• Phillips BA. Obstructive sleep apnea in older adults. In: Kryger MH, Roth T, Dement WC. Principles and practice of sleep medicine. 6th ed. Philadelphia: Elsevier; 2017.

• Taillard J, Gronfier C, Bioulac S, et al. Sleep in normal aging, homeostatic and circadian regulation and vulnerability to sleep deprivation. Brain Sci 2021;11:1–19.

• Tranah GJ, Blackwell T, Stone KL, et al. Circadian activity rhythms and risk of incident dementia and mild cognitive impairment in older women. Ann Neurol 2011;70:722–32.

• Tranah GJ, Stone KL, Ancoli-Israel S. Circadian rhythms in older adults. In: Kryger MH, Roth T, Dement WC. Principles and practice of sleep medicine. 6th ed. Philadelphia: Elsevier; 2017.

• van Someren EJ, Hagebeuk EE, Lijzenga C, et al. Circadian restactivity rhythm disturbances in Alzheimer's disease. Biol Psychiatry 1996;40:259–70.

• Young T, Finn L, Austin D, et al. Menopausal status and sleep-disordered breathing in the Wisconsin sleep cohort study. Am J Respir Crit Care Med 2003;167:1181–85.

PART
1

정상수면

CHAPTER
04 소아청소년에서의 수면

채규영

1 수면과 발달

수면은 신생아 및 영아기에 이르는 발달 과정 동안 뇌의 주요한 활동이다. 수면각성 사이클은 정교한 뇌신경 회로의 상호작용을 통해 이루어지는 활동적인 생리학적 과정으로서 출생 후 신경망의 성숙과 함께 항상성을 띠며 조절된다. 정상적인 수면각성 사이클의 발달은 뇌의 성숙 정도 및 소아의 연령과 발달 상태에 따라 성숙되며 이는 구체적으로 수면 요구량, 수면의 점진적 안정화(consolidation), 하루주기 및 하루이내리듬(circadian and ultradian rhythm)의 변화로써 나타난다. 연령에 따른 수면시간의 변화는 소아기 및 청소년기에서 가장 뚜렷하다. 2세가 될 때까지의 소아는 평균 약 8,000시간을 깨어서 활동하는 반면 약 9,500시간(총 13개월)을 자는 시간으로 보낸다. 2–5세 사이의 소아들은 깨어 있는 시간과 자는 시간의 비율이 서로 비슷하고 유년기와 청소년기까지는 평균적으로 수면이 하루의 약 40%를 차지한다(그림 4-1).

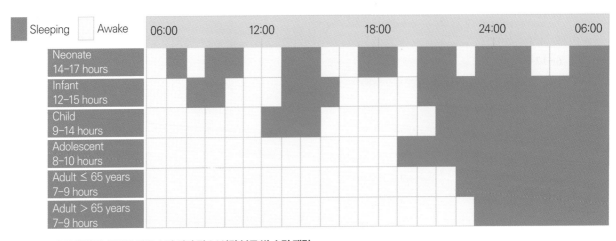

그림 4-1. 수면의 발달. 연령에 따른 수면 시간 및 24시간 분포 별 수면 패턴

따라서 수면의 양상과 소아기의 발달 간에는 서로 밀접한 연관성을 가지며 각 시기별 특정한 수면각성 패턴은 소아에서 신경발달의 바이오마커로서 역할을 한다. 소아기의 중추신경계의 성숙과 활성화 정도는 소아들의 수면 양상에 영향을 미치는 동시에 각 연령별 운동 및 언어 발달 정도와 잘 연관된다.

1) 연령에 따른 수면 발달

수면각성 패턴 및 단계별 분포에 가장 큰 영향을 주는 것은 나이이다. 신생아에서의 수면은 어린이나 성인과는 달리 특징적으로 활성수면(active sleep)으로 시작하며 약 50분 정도의 짧은 수면 주기를 가진다. 수면 단계는 첫 생후 1년 동안 뇌의 성숙과 함께 차츰 발달된다. 출생 당시에는 활성수면이 전체 수면의 약 50%를 차지하지만 만 3세가 되면 약 20-25% 수준으로 감소하고 그 이후 렘수면 양은 학동기를 거쳐 노년기에 이르기까지 비슷한 양을 유지한다. 청소년기 이후 수면의 단계별 분포는 1단계수면이 3-5%, 2단계수면은 50-60%, 3-4단계수면은 10-20%, 그리고 렘수면은 20-25% 정도를 유지한다. 서파수면은 청소년기에 이르러 감소한 후 노년에 이르기까지 지속적으로 줄어들게 되고 남자에서 더 심하다. 중년기 이후의 수면은 밤에 연속적으로 잠을 잘 수 있는 능력이 감소해 토막 잠을 자게 되며 1단계수면이 증가하고 얕은 잠을 자게 된다. 출생 후 첫 몇 주간 동안의 신생아들은 낮과 밤의 구분 없이 여러 차례로 10-18시간 동안 잠을 자는데 미숙아인 경우 그 시간이 더 길다. 신생아들은 멜라토닌을 생성하기 이전인 생후 6-12주 사이에서는 하루주기리듬이 생성되지 않는다. 체내의 멜라토닌의 분비가 시작되는 생후 3개월에 들어서면 주로 밤에 많이 자고 낮에 깨어 있는 시간이 증가하게 되어 비로소 하루주기리듬을 가지며 연속적으로 길게 잠을 잘 수 있게 된다(sleep consolidation, 수면 안정화). 이 시기의 아기들은 밤 동안에 대략 10-12시간 정도 자게 되고 낮잠을 2-3회에 걸쳐 3-4시간 동안 잔다. 생후 6-9개월이 되면 90%의 아기들이 낮잠을 두 번만 자게 되며 차츰 밤에 자는 시간이 늘어

난다. 생후 12-18개월이 되면 대부분 낮잠을 한 번만 자게 되고 밤에 10-12시간을 지속적으로 잔다. 학동기 전 아동들은 대부분 낮잠을 자지 않기 시작하여 평균 4세 경에 낮잠이 사라지며 전체 수면 시간이 감소하게 된다. 5세가 되면 대부분의 어린이들이 낮잠을 자지 않고 밤에 11-12시간의 수면을 취한다. 학동기(6-12세) 시기의 어린이들은 최소한 하루 9-11시간동안 수면을 필요로 하고 청소년(12-17세)들도 하루 최소한 8-9.25시간 정도의 수면을 필요로 한다. 청소년기에 도달하면 호르몬과 멜라토닌 분비의 변동으로 하루주기리듬이 2시간 후퇴하기 때문에 생리적으로 늦게 자고 일어나게 된다. 충분한 수면이란 깨어났을 때 더 이상 졸리지 않고 정신이 맑은 상태에서 상쾌한 기분이 들며 깨어 있는 동안 저절로 잠에 빠지지 않는 정도로 잠을 잔 경우를 말하는데 총 시간은 개인별로 차이가 많으며 유전적 요인이 큰 역할을 한다.

2) 수면각성 조절 메커니즘

수면각성 패턴은 하루주기 시스템과 수면각성 항상성의 통합 작용으로 형성된다. 하루주기 시스템은 타고난 생물학적인 리듬으로서 대략 하루주기를 가지며 뇌내 복측 시상하부의 시신경교차위핵(suprachiasmatic nucleus, SCN)에 의해 유발된다. 하루주기리듬은 나이에 따라 변하기 때문에 발달학적 요소를 가진다. 뇌내 시신경교차위핵의 성숙 정도는 외부 환경의 시간기여자(zeitgeber)에 대한 노출과 함께 이러한 하루주기리듬의 발달에 기여한다. 시간기여자는 생물학적 리듬을 동반하거나 동기화하는 외부 또는 환경적 단서를 의미하는데 빛이 가장 중요한 역할을 하며 온도의 변화, 사회적 상호작용, 식사시간, 운동 등이 영향을 미친다. 미숙아는 시간기여자에 조기 노출되기 때문에 만삭아에 비해 하루주기리듬이 더 일찍 출현하며 야간 수면 기간이 더 길고 밤 시간 동안의 활동이 적다. 청소년기에 들어서면 항상성에 의해 조절되는 수면 압력이 감소하여 하루주기의 생물학적 지연이 발생하게 됨에 따라 수면의 시작 시간이 늦어지게 된다. 중년기 이후에는 하루주기리듬

이 그 이전 시기에 비해 안정성이 떨어지게 되며 수면 위상이 더 진행되어 수면 시작 시간이 더 일찍 시작되고 수면분절화(sleep fragmentation)가 심해져서 수면의 효율이 감소한다.

여러 시간 조절 유전자들이 전사-번역 과정을 조절하는 음성되먹임고리(negative feedback loop)를 통해 하루주기를 생성하고 유지하며 수면 구조의 개별적 다양성에 기여한다. 이들 유전자는 각 세포 및 기관 등 중추신경계(CNS)의 외부에서 복제되어 하루주기의 활동을 자가 조절하며 체온의 주기 변동, 호르몬 생산 및 분비, 혈압 최고점 및 최저치를 포함한 여러 기능에 내재되어 있다. 따라서, 하루주기 시간 유전자의 유전적 다양성은 하루주기수면-각성주기뿐만 아니라 대사에서 위장운동에 이르기까지 여러 신체 기관의 생체리듬에 영향을 미친다.

하루주기 시스템과 달리 수면 항상성은 이전에 깨어있는 시간에 비례하여 수면의 빚(sleep debt)이 증가하는 과정인데 이는 수면 촉진 물질이 중추신경계 내에 생산되고 축적됨에 따라 일어나게 된다. 아데노신은 중요한 수면 촉진 물질로서 아데노신 삼인산(ATP)이 뇌에서 에너지 생산을 위해 분해될 때 생성된다. 다른 수면 촉진 물질들에는 산화질소, 종양괴사인자(TNF-α), brain-derived neurotrophic factor (BDNF) 및 인터루킨 1β 등이 있다. 이러한 수면 촉진 물질들은 수면을 통해 제거된다. 수면 촉진 물질들이 매일 축적되고 방출되는 것은 뇌내 수면 및 각성 드라이브 사이의 균형을 통해 이루어지며, 이는 신체적 무활동 시기인 수면시간을 보장함으로써 세포 내 에너지 회복을 제공하고 세포 방어력을 촉진하며 시냅스 가소성을 높이는 역할을 한다.

수면은 하루주기리듬뿐만 아니라 신경 성숙과 함께 발달하는 하루이내리듬을 가진다. 신생아기의 수면 구조는 렘수면 및 비렘수면의 특징적인 뇌파 특성이 아직 나타나지 않았기 때문에 활동수면(Active Sleep), 불확실한 수면(indeterminate sleep), 조용한 또는 비활동적인[quiet or non-active sleep (QS)] 수면으로 구분한다.

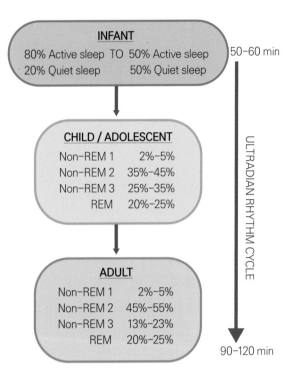

그림 4-2. 하루이내리듬의 주기 발달(Ultradian rhythm cycle development) 연령에 따른 수면 구조와 주기 길이의 변화

활동수면은 렘(REM) 수면과 유사한 뇌파를 가지고 있지만 근육의 무긴장 정도가 부족하고 불안정해 보일 수 있으므로 활동수면이라고 부른다. 대조적으로 조용한 수면은 깊은 비렘수면과 같은 기능을 공유한다. 비렘수면의 특징은 생후 4주에서 8주 사이에 나타난다. 수면 방추파가 뇌파에서 먼저 나타나고 K-complex는 일반적으로 생후 6개월 안에 나타난다. 비렘 및 렘 수면 시간의 비율은 나이에 따라 변한다. 각 비렘-렘 주기의 기간은 나이가 들면서 증가한다(그림 4-2). 영아는 매 50-60분마다 활동수면과 조용한 수면 주기를 반복하며 학동기전부터 성인기까지는 비렘-렘주기가 90-20분으로 증가한다.

3) 수면과 인지 발달

성장과 발달을 위해서는 연령에 따른 적절한 수면 시간과 좋은 품질의 수면이 필요하다. 수면장애는 정상소아들의 약 25-35%에서 발견되는 반면, 신경 발달 장애 환자들(neurodevelopmental disorders, NDD), 특히 신경 유전 증후군이 있는 아동에서는 50–80%에서 수면 장애를 동반한다. 아동기에 흔히 발생하는 수면 문제로는 잠들 때까지 오랜 시간이 걸리는 긴 수면 잠복기, 잦은 조기 각성으로 인한 야간의 오랜 각성 상태, 총 수면 시간의 단축 등이다.

4) 학습과 기억

수면은 학습, 자기 조절, 정서 및 행동에 영향을 미치며 이는 각 연령별 발달 상태 및 수면의 하루이내 위상 단계에 따라 달라질 수 있다. 수면에 의해 강화되는 학습 및 기억력은 연령군에 따라서 차이를 보인다. 유아들의 뇌는 수면 과정을 통해 문제 해결에 일반적으로 적용될 수 있는 규칙들을 더욱 통합하는 것으로 보인다. 예를 들어, 유아의 경우에는 어떤 규칙을 가르쳐 준 직후에 낮잠을 자게 하면 그 배운 규칙에 따라 이해하고 결과를 협상할 수 있는 능력이 향상된다. 대조적으로 학동기전 아동들의 수면은 인코딩과 회상 등의 기억을 좀더 용이하게 하며 낮잠을 자고 나면 수행 능력이 향상되고 낮잠을 박탈할 때 저하된다. 이는 수면이 각 다양한 연령 별 발달 단계에서 서로 다른 차등 효과를 가지는 것을 의미한다. 유아는 아마도 발달을 증대시키기 위해 먼저 광범위한 개념을 배우고 구현하는 반면, 이미 그러한 개념을 익힌 아동은 세부 사항에 구체적인 주의를 필요로 하는 것으로 보인다. 이러한 차이는 유아기에는 신경 회로의 성숙에 따른 피질 기반 학습과 기억이 우세한 반면 학동기 전 아동에서는 피질–해마 연결이 두드러지는 것을 반영하는 것이다. 청소년의 인지 능력 또한 수면의 영향을 받는다. 가장 큰 영향은 수면부족으로 인해 각성도(vigilance)가 손상되는 것이다. 학습 직후의 수면과 수면 시간의 연장은 모두 인지 능력에 도움이 되는데, 학습 후 수면은 기억을 공고히 하도록 개선하고 수면 연장은 작업 기억을 좋게 한다.

5) 정서적 안정성과 주의력

정서적 안정성 및 주의력을 유지하는 능력은 자기 조절 능력의 특정한 측면으로서 아동의 사회적, 인지 학습 과정의 기초가 되며 향후 학교 적응과 성취의 중요한 인자가 된다. 나이에 적합한 충분한 양의 수면을 취하게 되면 아동의 집중력 및 자제력이 향상된다. 충분한 수면은 정서적 안정성을 향상시키는 반면 수면장애는 정서적으로 취약하게 하여 감정 조절 장애를 발생시킨다. 정서 및 주의력 조절 장애는 모든 연령대에서 상호적으로 일관되게 수면 문제와 관련되어 있으며, 이는 수면이 신경발달의 성숙도와 서로 긴밀히 연관되어 있음을 시사한다.

충분한 수면은 행동의 안정성과 함께 자극에 대한 반응 시간을 향상시켜 집중력, 주의력 및 자기 조절능력에 긍정적인 영향을 준다. 반면 수면부족은 많은 양의 정보를 처리하는 능력을 감소시키고 서로 다른 뇌 영역 간의 기능적 연결을 손상시킨다. 주의력이란 특정 세부 사항에 집중할 때 주의를 흐트러뜨리거나 경쟁적인 자극을 억제하는 동시에 신경망을 활성화하는 다중적 작업 능력이다. 집중력과 주의력은 수면이 부족한 경우 자극에 대해 능동적으로 선택하고 억제하는 능력이 손상되어 취약해 질 수 있으며 이 관계는 주의력 및 집중력 장애가 있는 아동에서 임상적으로 가장 잘 입증된다. 주의력 결핍 과잉 행동 장애(ADHD)가 있는 어린이에서는 행동장애 증상 발현 전에 종종 수면 기능 장애가 먼저 존재한다. 유아기에서 수면 시간의 감소가 1년간 지속되는 것은 이후 ADHD 발현의 중요한 예측 변수가 된다.

6) 수면과 신경발달의 성숙에 영향을 미치는 요인들

수면각성 조절 기능의 장애를 유발하는 위험 요소는 각 연령별 발달 단계에 따라 다양하며 현재 및 향후의 수면각성 패턴에 영향을 준다(표 4-1). 임신 후기 및 초기 영아기의 적절한 두위 및 뇌실의 크기는 향후 3세에 더 긴 수면 시간을 가지는 것과 6세에 수면장애가 더 적게 발생하는 현상과 연관된다. 이는 태아 및 신생아의 뇌 크기가 향후의 수면 양상을 예측할 수 있음을 보여주는 것이다.

수면장애가 있는 아동은 뇌의 발달 상 구조적 차이

표 4-1. 연령별 시기에 따른 수면장애의 잠재적인 위험 요소들

	Risk factors
Prenatal	Maternal depression / mood disturbance Maternal tobacco use Maternal alcohol use Reduced in utero head growth / smaller ventricle size
Perinatal	Prematurity Smaller head circumference Very low birth weight Decreased maternal sensitivity Challenging breastfeeding Impaired maternal infant bonding
Infancy	Screen time Developmental delay Daily touch screen use Lack of bedtime routine Decreased maternal sensitivity Neurologic comorbidity
Childhood	Screen time Developmental delay / Autism Impaired self-regulation Daily touch screen use Eveningness chronotype Neurologic comorbidity Lack of bedtime routine
Adolescence	Screen time Developmental delay / Autism Daily touch screen use Psychiatric comorbidity Eveningness chronotype Neurologic comorbidity Lack of bedtime routine

를 가진다. 이와 같은 형태학적 차이는 주로 수면 무호흡증이 있는 환자에서 저산소혈증에 기인한 변화뿐만 아니라 다른 원인에 의한 수면각성 문제가 있는 환자에서도 나타나며, 이는 뇌의 구조적인 차이가 수면 기능장애 자체와 관련이 됨을 강하게 시사한다(표 4-2). 어떤 원인의 수면장애라도 돌이킬 수 없는 뇌의 형태학적 변화와 부적절한 신경망 조직으로 이어질 수 있으므로 소아청소년기 발달단계에서의 수면장애는 심각한 문제이다.

7) 수면과 신경발달질환들

하루주기리듬장애는 자폐 스펙트럼 장애(Autism Spectrum Disorders)가 있는 환자에서 흔하게 보고된다. 이들 질환을 가진 아동에서는 멜라토닌 분비의 내재적인 이상이 자주 발견된다. 자폐 장애를 가진 환자와 보호자들이 직면하는 흔한 어려움은 환자의 규칙적인 일상 유지가 힘든 것과 변화에 적응하기가 쉽지 않은 점인데 이는 일정하지 않은 멜라토닌 분비에 의해 생활 리듬의 변동이 심한 것과 관련된다. 하루주기의 선천적인 기능장애가 자폐장애에 중요한 기여를 한다는 개념은 발달지연의 위험성을 높일 수 있는 선천적 시각 장애를 가진 아동에서 뚜렷하다. 선천성 시각 장애가 있는 아동에서는 일반적으로 자폐장애가 42% 이하에서 동반되는 반면 완전 청력 상실을 포함한 청력 장애를 가진 아동에서는 자폐장애가 10% 이하이다. 따라서, 멜라토닌 분비 이상과 그에 따른 비정상적인 하루주기 리듬의 동기화는 빛 인식의 결여와 관련성이 있으며 이는 선척적 시각장애를 가진 아동에서 다른 위험 요소가 없음에도 불구하고 자폐장애의 유병률이 높은 이유를 설명한다.

신경유전증후군들을 몇가지 수면 표현형으로 나누어 특징지을 수 있다. 예를 들어 엔젤만 증후군및 윌리엄 증후군을 가진 환자들에서는 유아기에 수면 장애가 발생하는데 반해 프라더-윌리 증후군(Prader-Willi syndrome)에서는 아동기 후기에 수면 문제가 시작된다. 각 신경유전증후군은 수면장애의 시작시기뿐만 아니라 수면질환의 만성화 여부, 그리고 임상적 특징에 따라 서로 차이가 있다. 엔젤만 증후군의 흔한 수면 이상 증상은 일반적으로 총 수면 시간 감소, 수면개시잠복기 증가, 잦은 야간각성으로 인한 수면 구조의 이상, 수면 중 주기적인 다리 움직임의 증가, 렘수면 감소 등이다. 한편, 프라더-윌리 증후군을 가진 환자에서는 나이가 들면서 기면병을 포함한 주간과다수면 및 수면관련호흡장애 등이 자주 발생한다. 이 질환에서의 주간과다수면은 시상하부 기능 장애와 관련이 있는 것으로 보이는 한편, 폐쇄수면무호흡증의 증가는 과식으로 인한 비만의 결

표 4-2. 수면각성 질환과 연관된 뇌의 형태 변화

Disorder	Brain morphology abnormality
Circadian rhythm disorder	Temporal lobe atrophy
Insomnia Insufficient sleep – not otherwise specified (NOS)	Reduced gray matter volume orbito-frontal cortex and globally / thinner dorsolateral prefrontal cortex Reduced white matter integrity
Hypersomnia narcolepsy	Hippocampal CA1 / amygdala centromedial atrophy Reduced gray matter frontal lobe, inferior temporal regions
Restless legs syndrome	Multiregional brain iron deficiency Bilateral thalamic gray matter increase Reduced somatosensory cortex gray matter Reduced myelin (amount/integrity)
Sleep apnea	Hippocampal, parahippocampal, and temporal cortex volume loss Cortical thinning in multiple regions (superior frontal, ventral medial prefrontal, and superior parietal cortices) Increased number and more severe nonspecific white matter changes

과일 가능성이 높다. 이들 환자들에서는 수면 기능 장애가 대체적으로 개선되지 않고 지속되며 때로 악화될 수도 있다. 이와 같은 각 신경발달 증후군 환자들에서의 특징적인 수면 문제들은 이들이 어떻게 특정 증후군의 조기 식별로 이어지는 잠재적인 바이오마커 역할을 할 수 있는지를 알려준다. 임상적인 수면 특징 외에도 수면다원검사에서 확인된 신경생리학적 특징은 증후군 별로 고유한 수면 프로파일을 제공한다. 예를 들어 윌리엄스 증후군을 가진 아동은 정상적인 아동과 비교할 때 비정형적이지만 수면 시작 후 깨는 시간의 증가로 인한 수면효율의 감소, 비렘수면 비율 증가, 서파수면의 증가, 불규칙한 하루이내리듬, 다리 움직임의 증가 등과 같은 특징적인 패턴을 보인다. 신경유전 질환이 있는 환자들에서의 수면 문제를 더 잘 식별하고 관리하려면 각 증후군 별 선별 검사 및 치료 프로토콜이 필요하다.

　결론적으로 수면은 신경 성숙과 함께 발달하는 신경 회로의 정교한 항상성 조절 과정이다. 수면과 신경 성숙의 이중적인 동시 발달은 필요한 수면 시간 변화, 수면의 점진적인 안정화, 나이와 발달 상태의 함수로서의 일주기 및 하루이내리듬의 변화 등에 반영된다. 수면은

학습, 기억, 자기 조절 및 정서에 중요한 역할을 하며 이는 환자와 수면 상태에 따라 달라진다. 수면부족과 함께 품질이 떨어지는 수면은 정상적인 신경학적 발달과 학습에 해로운 영향을 준다.

　영유아, 소아 및 청소년 수면의 자세한 개별적인 특성을 파악하는 것은 발달 장애, 행동, 정서 및 자기 조절 능력에 대한 위험 요소를 평가하는 중요한 부분이다. 신생아에서 렘수면과 비렘수면이 제대로 조직화되어 나오지 못하는 불확정 수면(indeterminate sleep)이 존재하는 경우는 12세의 인지 결과를 가장 잘 예측하는 변수 중 하나이다. 신경유전증후군이나 발달성 뇌장애와 같은 신경 발달의 이상을 가지는 소아들은 수면장애를 가질 위험성이 훨씬 더 높기 때문에 정기적인 수면 선별 검사를 받아야 한다. 부적절한 수면–각성주기를 가지는 아동을 조기에 식별하고 조기에 중재 치료를 시도하면 인지, 행동, 정서 및 자기 조절 등의 신경 발달을 증대시키는데 도움이 된다. 수면각성에 대한 평가를 신경 발달 장애의 조기 식별 및 예측 도구로 사용하기 위해서는 추가적인 연구가 필요하다. 자폐스펙트럼 환자들의 발달을 향상시키기 위한 표준화된 조기 중재치료에는 수면이 반드시 평가되어야 한다. 수면장애 발병 위

험에 영향을 미치는 유전적 요인들을 특성화하는 것은 수면각성장애의 기초에 대한 통찰력을 제공할 뿐만 아니라 신경유전증후군 환자의 개인별 치료 전략을 증대시킬 수 있다. 수면장애를 유발하는 일차적인 유전자와 수면분절을 가져옴으로써 수면 취약성을 가져오는 이차적 유전자를 식별하는 연구, 다중유전체학을 통한 표현형 발현과 수면에 대한 연구가 향후 지속적으로 필요하다.

▶ 참고문헌

- Abel EA, Tonnsen BL. Sleep phenotypes in infants and toddlers with neurogenetic syndromes. Sleep Med 2017;38:130–4.
- Bathory E, Tomopoulos S. Sleep regulation, physiology and development, sleep duration and patterns, and sleep hygiene in infants, toddlers, and preschool-age children. Curr Probl Pediatr Adolesc Health Care 2017;47:29–42.
- Canessa N, Castronovo V, Cappa SF, et al. Obstructive sleep apnea: brain structural changes and neurocognitive function before and after treatment. Am J Resp Crit Care 2011;183:1419–26.
- Cortesi F, Giannotti F, Ivanenko A, et al. Sleep in children with autistic spectrum disorder. Sleep Med 2010;11:659–64.
- Crowley SJ, Acebo C, Carskadon MA. Sleep, circadian rhythms, and delayed phase in adolescence. Sleep Med 2007;8:602–12.
- Galland BC, Taylor BJ, Elder DE, et al. Normal sleep patterns in infants and children: a systematic review of observational studies. Sleep Med Rev 2012;16:213–22.
- Gombos F, Bódizs R, Kovács I. Atypical sleep architecture and altered EEG spectra in Williams syndrome. J Intellect Disabil Res 2011;55:255–62.
- Herman JH. Chronobiology of sleep in children. In: Sheldon S. Principles and practice of pediatric sleep medicine. 1st ed. Philadelphia: Elsevier; 2005. pp. 85–99.
- Hirshkowitz M, Whiton K, Albert SM, et al. National Sleep Foundation's sleep time duration recommendations: methodology and results summary. Sleep Health 2015;1:40–3.
- Hupbach A, Gomez RL, Bootzin RR, et al. Nap-dependent learning in infants. Dev Sci 2009;12:1007–12.
- Kocevska D, Muetzel RL, Luik AI, et al. The developmental course of sleep disturbances across childhood relates to brain morphology at age 7: the generation R study. Sleep 2017;40.
- Macey PM, Kheirandish-Gozal L, Prasad JP, et al. Altered regional brain cortical thickness in pediatric obstructive sleep apnea. Front Neurol 2018;9:4.
- Mindell JA, Owens JA, Carskadon MA. Developmental features of sleep. Child Adolesc Psychiatr Clin N Am 1999;8:695–725.
- Pelc K, Cheron G, Boyd SG, et al. Are there distinctive sleep problems in Angelman syndrome? Sleep Med 2008;9:434–41.
- Scott N, Blair PS, Emond AM, et al. Sleep patterns in children with ADHD: a population-based cohort study from birth to 11 years. J Sleep Res 2013;22:121–8.
- Swaab D. Prader-Willi syndrome and the hypothalamus. Acta Paediatr Suppl 1997;423:50–4.
- Van der Heijden K, Stoffelsen R, Popma A, et al. Sleep, chronotype, and sleep hygiene in children with attention-deficit/hyperactivity disorder, autism spectrum disorder, and controls. Eur Child Adolesc Psychiatry 2018;27:99–111.
- Wilhelmsen-Langeland A, Saxvig IW, Johnsen EH, et al. Patients with delayed sleep-wake phase disorder show poorer executive functions compared to good sleepers. Sleep Med 2019;54:244–9.

박혜리 / 주은연

여성과 남성은 정상수면에서 생리적인 차이가 있을 뿐만 아니라 수면장애도 다른 양상으로 나타난다. 이러한 남녀 차이에는 성호르몬의 영향을 포함한 생물학적인 차이와 환경적, 문화적 차이도 작용한다. 특히 여성의 경우 월경 주기에 맞춰 일어나는 호르몬의 변화에 따라 수면이 주기적으로 영향을 받으며 생애 주기에 따라 초경, 임신과 출산, 폐경을 겪으면서 수면 생리에도

다양한 변화가 일어나게 된다. 실제 수면 진료 현장에서 이러한 성별 관련 특성은 간과되기 쉽지만 여성의 수면 특성을 구분하여 이해하는 것은 적절한 치료적 접근을 위해 매우 중요하다. 이 장에서는 여성의 수면이 갖는 고유한 특성에 대해 생애 주기별로 알아보고, 여성의 월경, 임신, 폐경이 수면에 미치는 다양한 영향에 대해 기술하고자 한다(그림 5-1).

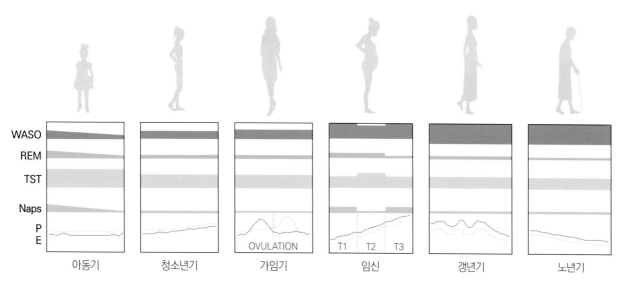

그림 5-1. 여성의 생식관련 호르몬과 기초체온의 월경주기에 따른 변화
E=에스트로겐; P=프로게스테론; REM=렘수면; T=삼분기; TST=총수면시간; WASO=입면후각성시간
출처: Pengo MF, Won CH, Bourjeily G. Sleep in women across the life span. Chest 2018;154:196-206.

1 생애 주기별 여성 수면의 특징

1) 사춘기 이전(pre-puberty)

사춘기 이전의 남녀 수면 차이에 대한 연구는 매우 제한적이다. 영아를 대상으로 한 야간 영상 연구에서 여아가 더 수면시간이 길고 깊게 잔다는 보고가 있으나 다른 연구에서 일관되게 보고되지는 않았다. 일부 신생아 수면뇌파 연구에서는 남아가 여아에 비해 매우 느린 서파 활성도(Infraslow activity, < 0.5 Hz) 및 각성도(arousability)가 더 증가되어 있어 여아가 남아에 비해 조기에 성숙한 중추신경계 발달을 보인다는 가설이 제시되기도 했다. 그러나 해당 연령대의 뇌파 연구는 제한적이고 결과가 일관되지 않아 추가적인 연구가 필요하다.

사춘기 이전의 학령기 아동들을 대상으로 한 연구에서는, 다수의 설문지 연구와 활동기록기(actigraphy) 연구들에서 여아가 남아에 비해 수면시간이 보다 약간 길게 나타났다. 그러나 미국 및 중국에서 시행한 대규모 횡단 연구에서 성별간 수면시간의 차이가 관찰되지 않았으며 Galland 등이 보고한 메타분석에서도 12세 이하의 아동에서 남녀간 수면의 차이가 관찰되지 않았다. 이러한 연구간 불일치는 이 시기의 아동에게서 발생하는 급격한 생물학적 변화로 인해 대상 연령 범위에 따라 결과가 달라지기 때문으로 보이며 연구 간 다양한 환경, 사회, 행동인자도 영향을 주었을 것으로 생각된다. 수면다원검사에서 관찰되는 수면 구조나 및 뇌파 특성을 분석한 연구에서는 남녀 차이가 더욱 뚜렷하지 않으며 연구 간 상반된 결과를 보였다. 수면에서의 남녀 차이는 이후 사춘기가 시작되면서 공고해지기 시작한다.

2) 사춘기(puberty) / 청소년기(adolescence)

청소년기에는 성호르몬 변화에 의한 2차성징이 일어나면서 급격한 신체적 변화가 일어날 뿐만 아니라 생활양식에도 많은 변화가 생긴다. 이로 인해 수면에도 많은 변화가 일어나게 된다. 또한 이 시기는 수면에 영향을 미치는 기분장애(mood disorder)가 주로 발병하는 시점이기도 하다. 이 시기의 남녀간 수면의 차이는 설문지, 활동기록기, 수면다원검사를 이용한 다양한 연구에서 보고되고 있다.

청소년을 대상으로 한 많은 설문 연구에서 수면관련 행동의 광범위한 남녀 차이를 보고하고 있다. 이 시기는 남녀 모두 수면-각성주기가 지연되는 시기인데, 여자가 남자에 비해 이러한 저녁형 피크(eveningness peak)에 더 빨리 도달하지만 이후 남자가 여자에 비해 더 늦게 자고 늦게 일어나는 것으로 나타났다. 또한 이상적 수면시간(ideal sleep duration)이 여자에서 남자에 비해 더 길게 나타났는데, 이는 성인과 동일한 패턴이다. 그러나 실제 수면시간은 연구간 다양한 결과를 보이는데, 23개국에서 9만여명의 데이터를 분석한 대규모 메타연구에서는 여자가 주중, 주말 모두 더 유의하게 긴 수면시간을 보였던 반면, 미국에서 시행된 대규모 연구에서는 19세 이전의 청소년에서 여자가 약간 더 짧은 수면시간을 가지는 것으로 나타났다. 국내에서 시행된 4,380명의 청소년(초등학생, 중학생 코호트) 수면실태 조사를 보면, 중학생이 초등학생에 비해 등교일과 비등교일의 수면시간 차이가 컸으며 수면시간 차이가 클수록 여학생은 우울, 남학생은 비만의 위험이 증가했다. 특히, 여학생이 등교일과 비등교일의 수면시간 차이가 2시간 이상에 해당하는 비율이 많아 사회적 시차를 경험할 가능성이 높았다. 활동기록기를 이용한 수면 시간 비교에서는 여자가 더 긴 수면시간을 보이고 수면효율도 더 높게 나타나고 남자에서는 깊은 잠(motionless sleep)의 비율이 낮고 아침에 더 일찍 깨는 것으로 나타났다. 이는 남자가 야간 움직임이 더 많은 것과 관련이 있을 것으로 보이며 수면다원검사와 활동기록기를 비교했을 때 남자에서 활동기록기에서 수면시간이 저평가되는 경향이 보고되기도 하였다.

수면 뇌파에서는 이 시기에 남녀 모두 서파수면의 감소가 일어나며 10세에서 20세에 걸쳐 델타파 활성이 50% 가량 감소하게 된다. 이러한 서파수면의 감소가 여자에서 더 빨리 나타나는데, 이는 청소년기에 일어나는 시냅스 가지치기(synaptic pruning)를 포함한 뇌 발달

과정이 여자에서 보다 일찍 일어나는 것과 연관이 있을 것으로 추정된다. 또한 많은 연구에서 서파수면의 감소는 연령보다는 성 성숙과 관련이 있음을 보고하고 있는데, 여자에서 성 발달이 조기에 나타나는 것도 서파수면의 이른 감소를 설명하는 주요 요인이다. 서파수면의 감소는 뇌 발달과정에서 일어나는 광범위한 뇌신경의 재구성(reorganization)에 의해 나타나며 성 성숙은 시상하부-뇌하수체-부신 축의 성숙에 의해 일어나게 되므로 상호간 밀접한 연관을 가지고 이 과정에서 남녀간 차이가 발생하는 것으로 보인다.

청소년기 여자에서 발생하는 가장 중요한 신체 변화는 월경의 시작이다. 월경이 시작된 이후부터 불면증 발생 위험이 여자가 남자에 비해 유의하게 높게 나타나기 시작하며 이 차이는 평생 유지된다. 이 시기는 여자가 남자에 비해 우울증의 위험이 유의하게 높아지기 시작하는 시기와도 일치한다. 그러나 우울증 등 동반된 정신질환의 영향을 보정한 뒤에도 월경 시작과 불면증 간에는 유의한 연관이 있는 것으로 니다나므로 월경은 다양한 생물학적, 사회적 변화를 통해 불면증에 영향을 미치는 것으로 보인다. 월경이 수면과 하루주기리듬에 미치는 영향은 아래에서 보다 자세히 기술하였다.

3) 성인기

다양한 설문지 연구에서 성인 여성의 수면은 남성과는 다른 양상을 보인다. 여성은 더 많은 시간의 수면을 필요로 하고, 침대에서 보내는 시간(time in bed)과 수면시간(total sleep time)이 더 길었다. 또한 여성이 남성에 비해 일찍 수면을 청하고 보다 아침형인 경향을 보였고 이런 차이는 특히 젊은 성인에서 더 뚜렷하게 나타난다. 여성은 남성에 비해 더 많은 수면 문제를 호소하며 수면제도 더 흔히 복용하는 것으로 나타났다. 대규모 메타연구들에서 월경 시작 이후부터 여성은 남성에 비해 불면증 위험이 높고 이 차이는 나이가 들면서 점점 더 커지는 것이 확인되었다. 또한 여성 불면증 환자는 남성에 비해 더 심한 불면증을 호소한다. 이 같은 불면증에서 보이는 남녀의 차이는 우울증 등 정신과적 질

환의 영향을 보정한 뒤에도 유의했다.

한편, 성인 여성의 주관적인 수면의 질 저하가 액티그라피나 수면다원검사를 이용한 객관적 평가에서는 관찰되지 않는다는 점은 매우 흥미로운 결과이다. 액티그라피 연구에서 여성이 남성에 비해 수면효율이 더 높고 각성이 더 드물게 관찰되는 것으로 보고되었으며, 수면시간이 더 길고 수면잠복기가 오히려 짧게 나타났다. 수면다원검사에서도 여성이 더 수면잠복기가 짧고 수면효율이 더 높으며 1단계수면이 더 적고 3단계수면이 더 많은 등 수면의 질이 남성에 비해 더 높게 나타났고 이러한 경향은 연령이 증가할수록 더 뚜렷해졌다. 이처럼 주관적 수면 평가와 객관적 수면 검사가 상반된 결과를 보이는 것은 여성에서 더 높은 수면 욕구를 보여서 이를 만족하지 못한 결과일 수도 있으나, 수면다원검사들의 객관적 평가가 남성의 수면장애는 잘 반영하는 반면 여성의 주관적 수면장애는 잘 반영하지 못하는 것으로 해석할 수도 있다. 하루주기리듬의 남녀 차이도 영향이 있을 것으로 추정되는데, 여성에서 아침형 선호가 더 흔히 보고되었을 뿐만 아니라 객관적 검사에서도 여성이 더 짧은 내인성 하루주기를 보이며 최저 체온 도달 시간 및 멜라토닌 농도 최고점이 더 일찍 나타났다. 따라서 여성은 환경적 요인 등에 의해 자신의 생물학적 주기에 비해 늦게 자게 되면, 이로 인한 수면의 질 저하를 초래할 수도 있다.

성인 여성에서 불면증이나 하지불안증후군의 위험은 남성에 비해 높은 반면, 여성에서 폐쇄수면무호흡증 발생의 위험은 더 낮으며 남녀비율은 2:1-4:1 정도로 보고된다. 여성 폐쇄수면무호흡증 환자들은 코골이, 무호흡 등 전형적인 증상보다는 불면, 피로 등 비전형적인 증상을 많이 보고하여 임상적 진단에 어려움을 겪는다. 국내 단일기관에서 수면다원검사를 통해 폐쇄수면무호흡증으로 처음 진단받은 1,224명의 환자를 분석한 결과, 남자에 비해 여자의 구성비율이 낮고(22.6%) 나이가 더 많았으며 불면관련 증상, 에너지 고갈, 주관적으로 나쁜 수면의 질과 우울감을 더 많이 호소했다. 반면 주간과다수면은 훨씬 덜하고, 수면무호흡-저호흡지수

(apnea—hypopnea index, AHI)도 남성에 비해 유의하게 낮았다. 또 다른 국내연구에서도 여자 폐쇄수면무호흡증 환자는 남성에 비해 나이가 더 많고, 수면제 복용비율이 높으며, 불면증심각도지수(insomnia severity index) 점수가 높고 입면장애 호소빈도가 더 높았다. 또한, 생체전기저항측정법(bioelectrical impedance analysis)으로 폐쇄수면무호흡증 환자들의 근육과 지방분포를 분석한 결과, 남자에는 근육량/내장지방영역 비율이 높을수록 무호흡 지수는 감소하지만, 여자에서는 연관성이 없었다.

즉, 폐쇄수면무호흡증에서의 성별간 차이는 비만 및 지방 분포의 차이뿐만 아니라 상기도의 구조 및 기능적 차이, 호르몬의 영향과 같은 다양한 원인으로 설명할 수 있다. 여성 호르몬 중 프로게스테론은 호흡 동인(ventilatory drive)을 촉진하고 상기도의 턱끝혀근(genioglossus)의 움직임을 촉진하는 작용을 한다. 에스트로겐은 그 기전이 명확하지는 않으나 폐쇄수면무호흡증을 예방하는 효과가 있다고 알려져 있는데, 폐경기여성에서 호르몬치료가 수면무호흡에 미치는 영향을 근거로 내세운다. 여성에서 수면관련호흡질환의 유병율은 생애 주기에 따라 급격하게 변화하며 임신기 및 폐경기에 급격히 증가하게 된다.

2 월경 주기와 여성 호르몬이 수면과 하루주기리듬에 미치는 영향

여성의 월경 주기는 일반적으로 25일에서 35일 정도이며, 배란일을 기준으로 두가지 단계로 나뉘어진다(그림 5-2). 28일 주기를 기준으로 했을 때, 일반적으로 주기 시작일(1일)은 월경 시작일을 칭하며 14일 전후로 배란이 일어나게 된다. 배란 전 기간을 난포기(follicular phase)라고 하며 여포자극호르몬(follicle stimulating hormone, FSH)과 에스트라디올이 상승하고 난소 내에서 여포가 성장하는 시기이다. 에스트라디올 농도는 배란 직전 최대로 증가하면서 황체형성호르몬(luteinizing

hormone, LSH)의 급등을 일으키고 12-16시간 이후 배란이 일어나게 된다. 배란이 일어난 후의 시기를 황체기(luteal phase)라고 하는데, 이 시기에는 파열된 난포에서 분비되는 프로게스테론의 농도가 높아지게 되며 에스트라디올의 농도도 높게 유지된다. 배란일로부터 14일가량 경과한 뒤 배란된 난자가 수정되지 않으면, 프로게스테론 및 에스트라디올 농도가 급감하면서 월경이 시작된다. 여성들이 겪는 월경 연관 신체증상은 월경 시작 전 수일간 발생하며, 프로게스테론 및 에스트라디올 농도의 감소와 연관이 있다.

월경 주기에 관여하는 여성 생식 호르몬들은 2차적으로 중추신경계에도 작용하여 수면과 하루주기리듬에도 영향을 미치게 된다. 수면각성의 조절에 관여하는 많은 중추신경계 핵에 에스트로겐과 프로게스테론 호르몬 수용체가 분포할 뿐만 아니라 에스트로겐은 시신경교차위핵(suprachismatic nucleus, SCN)에 작용하여 수면-각성주기를 공고화(consolidation)시키는데 직접적으로 관여하기도 한다.

1) 월경 주기에 따른 수면의 변화

설문조사를 통한 주관적인 수면 평가에서는 다양한 연령대의 여성에서 월경 전후로(후기 황체기 및 초기 난포기) 수면장애를 더 흔히 겪는 것으로 나타났다. 또한 활동기록기를 이용한 객관적 수면 평가에서도 월경 전 총수면시간 및 수면효율의 감소가 보고되기도 하였다. 이러한 변화는 프로게스테론 및 에스트로겐 농도의 급격한 변화와 관련이 있는 것으로 추정되며 월경 전 나타나는 신체 증상 및 월경통 등도 수면에 영향을 미치는 것으로 보인다.

이에 반해 수면다원검사를 이용하여 월경주기에 따른 수면 변화를 관찰한 연구 결과들은 일관되지 않았으며 여성이 주관적으로 느끼는 수면불편감과도 상반되게 나타났다. 대부분의 연구에서 수면잠복기 및 수면효율, 서파수면의 비율 등은 월경 주기에 따라 크게 달라지지 않았으며 이는 월경 주기의 변화에도 수면 항상성은 유지됨을 시사한다. 다만 렘수면은 월경 주기의 영

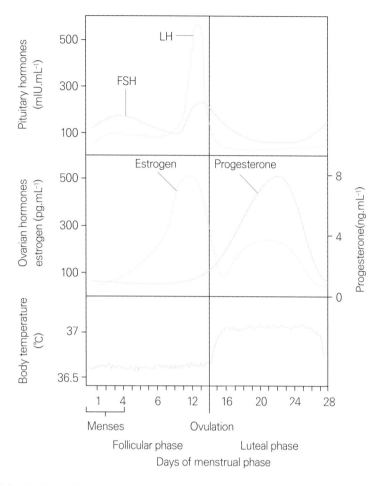

그림 5-2. 여성의 생식관련 호르몬과 기초체온의 월경주기에 따른 변화

출처: Pocock G, Richards CD, Human Physiology: the basis of medicine (Oxford core texts). Oxford University Press; 1999.

향을 받는 것으로 보이는데, 난포기에 비해 황체기에서 렘수면이 더 초기에 나타나고 렘수면의 비율이 낮았다. 또한 황체기에 렘수면의 양과 프로게스테론, 에스트로겐 농도 간 음의 상관관계가 관찰된 연구도 있었다. 이는 월경 주기에 따른 하루주기리듬의 변화 및 월경 주기에 따른 체온 변화와 연관이 있는 것으로 보인다.

월경 주기에 따른 수면의 변화는 수면뇌파 스펙트럼 분석에서 가장 명확하게 관찰된다. 여러 연구에서 빠른 수면방추파에 해당하는 시그마(14.25−15 Hz, sigma) 밴드의 활성도가 난포기에 비해 황체기에서 증가하는 것을 확인했고, 수면방추파의 밀도 및 길이 증가도 관찰되었다. 황체기에서 관찰되는 수면방추파 증가의 기전은

명확하지는 않으나, 황체기에서 높아지고 난포기에 감소하는 프로게스테론 농도 변화와 관련이 있을 것으로 추정된다. 프로게스테론의 대사산물인 알로프레그나놀론(allopregnanolone)은 GABA 수용체와 상호작용하여 동물실험에서 수면잠복기 감소, 비렘수면 증가 및 수면방추파 증가 등 벤조디아제핀을 투여한 것과 유사한 효과를 보여주기도 했다.

마지막으로 수면 중 호흡생리에도 월경주기에 따른 변화가 발생하는데, 프로게스테론 등 여성호르몬 변화의 영향을 받아 난포기보다 황체기에서 상기도저항이 낮고 호흡사건이 더 적게 발생함이 보고된 바 있다.

2) 월경 주기에 따른 하루주기리듬의 변화

여성의 경우 하루주기리듬에 의한 호르몬 분비, 체온, 수면-각성주기의 변화가 월경주기에 의한 변화와 함께 작용하게 된다. 체온의 경우 난포기에는 남성과 여성의 체온 차가 거의 없는 반면에 황체기에서는 프로게스테론의 열 발생 작용(thermogenic action)에 따라 기초체온이 상승하게 되고 야간의 체온 감소폭이 줄어들게 된다. 또한 하루주기리듬에 의한 체온 변화의 폭과 프로게스테론 농도간에 음의 상관관계가 보고되기도 하였다. 이처럼 체온에서 관찰되는 일중변화 진폭은 월경주기의 영향을 받는 반면, 일중변화의 위상(phase)은 월경주기에 따라 변하지 않았다. 또한 하루주기리듬에 의한 멜라토닌의 일중변동은 위상과 진폭 모두에서 월경주기에 따른 차이가 없었다.

3) 피임약/여성호르몬제가 수면과 하루주기리듬에 미치는 영향

에스트로겐과 프로게스틴이 복합된 피임약을 복용했을 때 황체기와 비슷한 수준으로 기초 체온이 상승하는 것이 관찰되었으며 이는 프로게스틴의 작용과 관련이 있을 것으로 보인다. 피임약 복용이 멜라토닌 농도에 미치는 영향은 아직 명확하게 밝혀지지 않았다. 피임약은 수면 구조에도 영향을 미치는데, 피임약을 복용한 여성에서 3단계수면이 감소하고 2단계수면이 증가한다는 보고가 있다. 또한 피임약을 복용중인 여성에서 렘수면잠복기가 더 짧고 렘수면의 길이가 더 길어지는 등 렘수면의 변화가 관찰되었는데, 이는 월경 주기에 따라 렘수면에 변화가 생기는 것과 상통하는 결과이다. 일반 여성의 황체기에서 관찰되었던 것과 마찬가지로 합성 프로게스틴(medroxyprogesterone)을 복용한 여성의 수면뇌파에서 시그마밴드의 활성도가 증가되는 것도 보고되었다.

중년 여성의 폐경기 증상에 사용되는 호르몬제제 또한 수면에 다양한 영향을 미치는 것이 알려져 있다. 이 시기 여성에서 에스트로겐, 프로게스틴, 에스트로겐-프로게스틴 복합제제 모두 수면의 질을 개선하고 일부

수면다원검사 지표를 호전시키는 것이 보고되어 있다. 천연 프로게스테론의 경우 대사물인 알로프레그나놀론이 GABA 수용체에 작용하여 수면 촉진 작용을 할 수 있으므로, 아침에 복용하면 주간과다수면을 일으킬 수 있어 야간 복용이 권고되고 수면 개선 현상도 이와 관련된 것으로 보인다. 에스트로겐 제제가 폐경기 여성의 수면을 호전시키는 기전은 명확하지는 않으나, 에스트로겐의 수면 항상성 강화 작용 및 시상하부의 배쪽시각전뇌영역에서 프로스타글란딘 합성 감소작용 등이 동물실험을 통해 제시된 것과 관련이 있어 보인다. 또한 에스트로겐은 폐경기여성의 안면홍조 증상을 호전시켜 이로 인한 불면증을 경감시키고 수면을 개선시킬 수 있다.

3 임신과 수면

임신 동안 여성의 신체는 급격한 생리적 변화를 겪으며 이는 수면 및 수면장애에도 영향을 미친다. 임신으로 인해 발생하는 호르몬 변화 및 신체의 구조적 변화는 수면 기간을 단축시키고 잦은 각성을 일으키며 수면 중 호흡 생리에도 변화를 일으킨다.

1) 임신 중 호르몬 변화

임신 중 발생하는 호르몬의 변화는 임신 초기부터 나타나며 생식관련 호르몬 외에 멜라토닌, 코티솔 등도 급격한 변화를 겪는다. 이러한 호르몬 변화는 수면-각성 주기에 직접적으로 영향을 미칠뿐만 아니라 수면질환의 위험을 증가시키는 생리적 변화를 초래하기도 한다. 임신 후 프로게스테론의 농도는 임신 전에 비해 10-500배 증가하게 되는데, 앞서 언급한 바와 같이 프로게스테론 대사물질은 GABA 수용체에 작용하게 되면서 비렘수면의 증가와 함께 임신 중 피로 및 주간졸림을 일으키게 된다. 또한 체온상승을 일으키면서 소화기, 자궁, 방광 등의 평활근의 작용을 저해하여 수면에 간접적으로 영향을 미치기도 한다. 에스트로겐 또한 태

반에서 분비되어 임신중 농도가 급증하게 되며, 중추신경계 활성작용을 일으킬 뿐만 아니라 배쪽시각전뇌영역에 선택적으로 작용하여 렘수면을 억제하기도 한다. 그외에도 코티솔, 멜라토닌, 프로락틴, 옥시토신, 성장호르몬, 릴랙신, 렙틴 등 다양한 호르몬의 변화가 수면 중기 이후로는 급격하게 일어나며, 이는 다양한 신체 변화와 함께 수면의 변화를 일으키게 된다.

2) 임신 중 일어나는 생리적 변화와 수면 문제

호르몬 변화 외에도 임산부의 몸에는 급격한 구조적, 대사적 변화가 일어나고 이로 인한 다양한 신체 증상들이 나타난다. 임산부의 75% 가량이 겪는 위식도역류 증상 및 야뇨는 대표적인 수면을 방해하는 신체 증상이다. 또한 신체 구조 변화로 인해 발생하는 근골격계 긴장 및 통증 또한 수면을 방해하는 요소가 될 수 있다. 임신 중기 이후에는 자궁 수축 또한 수면 방해 요인이 되는데, 이는 옥시토신의 농도가 야간에 높아지는 것과 관련이 있다. 신체의 구조적 변화뿐만 아니라, 임신기간 동안 발생하는 대사적 변화도 수면에 영향을 미친다. 대표적으로 철분 및 엽산 대사에 변화가 일어나면서 임신 중 하지불안증후군의 유병률이 증가하게 된다.

임산부에서 관찰되는 수면의 양과 질의 저하는 다양한 연구에서 보고되며 임신 주기에 따라 급격하게 변화하는 것으로 보인다(표 5-1). 임신 초기에는 호르몬의 변화가 주된 작용을 하며, 피로와 주간과다수면 외에 오심, 빈뇨, 기분 변화, 가슴 통증 등을 일으켜 수면 변화에 영향을 미친다. 이 시기에 보고되는 수면의 양적 변화는 수면시간의 증가, 수면잠복기의 지연, 입면후각성시간 증가, 낮잠시간의 증가 등이 있다. 수면의 질 측면에서는 주관적 수면의 질이 임신전에 비해 떨어질 뿐만 아니라 객관적으로도 서파수면의 감소가 관찰되었다. 임신 중기에는 이러한 호르몬 변화가 안정단계에 접어들면서 피로가 감소하고 주관적 및 객관적 수면 지표들도 초기에 비해 호전된다. 수면다원검사 지표 중 수면효율이나 수면후 각성시간 등이 임신 초기에 비해 중기에서 호전되는 것이 보고되었다. 그러나 임신 중기의 후반부터 코골이, 위식도역류, 자궁수축, 다리 쥐남, 하지불안증후군 등의 증상이 나타나고 수면장애가 다시 악화되기 시작한다. 생생한 꿈, 근골격계통증 등도 이 시기 수면의 방해요인으로 꼽힌다.

임신 후기에는 호르몬 변화가 더 심해지는 것과 함께 태아의 성장으로 인한 자궁 크기의 증가가 수면에 주로

표 5-1. 임신기간 동안 일어나는 수면 양상의 변화 및 수면에 영향을 주는 신체 증상들

	제 1삼분기	제 2삼분기	제 3삼분기
수면 양상 변화	TST 증가 낮잠 증가 WASO 증가 SE 감소 SWS 감소	TST 감소 SE 증가 WASO 감소	야간수면시간 감소 낮잠 증가 WASO 증가 SE 감소 1단계수면 증가 SWS, REM 감소
수면에 영향을 주는 신체 증상	야간뇨 근골격계 통증	태아 움직임 자궁 수축 근골격계통증 코골이, 하지불안 발생 시작	빈뇨/야간뇨 자궁수축 근골격계통증 쥐남(Cramp) 호흡곤란 위식도역류 코골이, 하지불안

영향을 미치게 된다. 이 시기에는 비뇨기 증상, 근골격계 통증, 위식도역류, 다리 쥐남 등이 더 심해지며 태아의 움직임, 호흡곤란, 가려움증 등의 신체증상 또한 발생하게 된다. 이로 인해 잦은 수면 중 각성이 유발되며, 임신 후기에 수면장애는 점점 악화되어 대부분(75-98%)의 임산부가 출산 전 수면장애를 겪게 된다. 이 시기에 관찰되는 수면패턴의 변화는 수면잠복기의 연장, 수면효율 저하, 입면후각성시간 증가 등이 있고 야간 수면 시간이 임신 초기 및 중기에 비해 더 감소하게 된다. 또한 수면다원검사에서 1단계수면, 2단계수면의 비율이 증가하고 서파수면과 렘수면이 감소한다.

3) 임신과 수면호흡질환

임산부들은 여러가지 기전에 의해 폐쇄수면무호흡증 등의 수면관련호흡장애의 위험이 높아지게 된다. 호르몬 변화로 인해 미세혈관 확장이 일어나고 점막 부종이 일어나면서 코막힘, 비염 등이 흔히 발생하고 상기도 직경이 좁아진다. 이처럼 상기도저항의 증가로 인해 임산부에서 코골이가 흔히 발생하게 되며 폐쇄성 무호흡이 동반되기도 한다. 또한 임신으로 인한 체중 증가 및 목 주변 연조직의 지방 증가 또한 코골이와 무호흡을 악화시킬 수 있다. 그 외에 임산부에서 발생하는 체액량 증가로 인해 누운 자세에서 상기도저항이 증가할 수 있으며 복압 증가로 인한 상기도 근육 긴장 감소가 유발되기도 한다.

임산부에서 코골이 및 무호흡이 흔히 발생하고 임신 후기로 갈수록 그 빈도가 늘어나는 것은 이미 많은 연구에서 알려져 있다. 임신 전 코골이의 빈도가 7-11%로 보고되는 반면에, 임신 후기에는 그 빈도가 16-25%까지 증가하게 된다. 수면다원검사를 통해 객관적으로 폐쇄수면무호흡증을 평가한 연구는 제한적이긴 하나, 임신 후기에서 15-47%의 빈도로 폐쇄수면무호흡증이 보고되었다. 임신 중 폐쇄수면무호흡증 발생의 위험인자는 명확하지 않으나 일반 인구와 마찬가지로 비만, 나이, 고혈압 등이 연관이 있는 것으로 알려져 있으며 그 외 쌍둥이 임신, 임신 후 체중 증가 등이 위험인자로 제

시되기도 하였다. 임신 중 발생하는 폐쇄수면무호흡증은 수면의 질을 떨어뜨릴 뿐만 아니라, 임신성 고혈압, 자간전증, 임신성 당뇨 등의 임신 합병증의 위험을 증가시키므로 임산부에서 폐쇄수면무호흡증의 스크리닝 및 진단에 대한 관심이 필요하다.

4 폐경기 수면의 변화

폐경은 무월경이 12개월 이상 지속되는 시점을 기준으로 진단한다. 폐경은 단순히 배란과 월경 현상의 종료만은 아니며 중추신경계와 내분비계의 복합적인 변화가 수년에 걸쳐 일어나는 과정이다. 폐경은 40-58세에서 일어날 수 있으나 일반적으로는 47-51.4세에 걸쳐 일어나게 된다. 폐경 초기에는 월경 주기가 불규칙해지기 시작하며, 후기에는 무월경이 60일 이상 지속되면서 난포자극호르몬이 간헐적인 상승을 보인다. 폐경 이행 초기부터 혈관운동증상[안면홍조(hot flash) 및 야간 발한], 유방 통증 등의 증상과 함께 수면장애가 발생하게 되며 폐경 후기로 갈수록 안면 홍조가 심해진다. 폐경이 완료된 이후에도 난포자극호르몬은 2년여간 지속적으로 증가하고 에스트로겐은 감소하면서 혈관운동증상이 일어나게 되며 폐경 후 5-8년은 경과해야 여성호르몬의 변화가 안정기에 도달한다. 일반적으로 폐경기(perimenopause)는 폐경 이행기부터 폐경 후 1년까지를 칭한다.

폐경기에는 다양한 수면 문제가 발생하며, 40-60%의 폐경기 여성이 수면과 관련된 불편감을 호소한다고 보고되었다. 또한 폐경기 여성들이 겪는 주요 증상 중 하나로 수면장애가 거론된다. 잦은 각성으로 인한 수면 유지의 어려움이 이 시기 여성들이 가장 흔히 호소하는 수면 문제이며, 이는 폐경기 후기까지 지속적으로 악화되는 양상을 보였다. 다만 위의 설문지 연구결과와 달리, 수면다원검사 연구에서 보고되는 객관적 수면의 질 감소는 폐경기에서 명확하지 않다. 젊은 여성과 비교하여 폐경기 및 폐경 후 여성에서 총수면시간, 수면분절,

수면효율 등이 차이가 없다는 보고들이 있었다. 또한 일부 연구에서는 폐경 후 여성에서 수면시간의 증가 및 서파수면의 증가 등 수면 구조의 호전을 보이거나, 폐경기 여성에서 수면 시간 및 수면효율은 감소하는데 서파수면은 증가하는 등 혼합된 결과를 나타내기도 하였다. 연령별 수면무호흡 변화를 비교한 국내 연구에서는 30–70세 이전에는 여자의 평균 AHI가 남자에 비해 현저히 낮으나, 70세 이후에는 남녀 모두 비슷하게 높은 값을 보였다(여 34.3/h, 남 34.5/h).

따라서 여성들의 폐경기 및 폐경기 이후 수면을 판단할 때는, 호르몬 변화, 혈관운동증상, 노화, 심리적 증상 등 여러가지 동반 상황을 고려하여 접근해야 하며, 노년기에 접어들면 이전의 여성적 수면 특징이 많이 소실됨을 염두에 두어야 한다.

1) 혈관운동증상 및 호르몬 변화와 수면

안면홍조와 야간 발한은 대표적인 폐경기 증상으로서, 폐경기 여성의 수면장애에 주된 역할을 하는 것으로 추정된다. 많은 연구들에서 이러한 혈관운동증상이 주관적 수면의 질 저하 및 만성 불면과 연관이 있음을 보고하고 있으며 특히 혈관운동증상이 심할 때 만성 불면증이 더 잘 발생하는 경향을 보였다. 또한 최근 연구들에서 안면홍조를 감소시키기 위한 호르몬 및 비호르몬 요법이 주관적 수면의 질을 개선하는 효과가 있음을 보고하기도 하였다.

호르몬 변화의 영향이 폐경기 여성의 수면에 미치는 영향은 대부분 혈관운동증상을 통해 일어나지만, 직접적으로 수면 조절에 관여하기도 한다. 일부 연구에서는 높은 난포자극호르몬 농도가 나이, 체질량지수, 안면홍조 증상 등과는 독립적으로 각성 증가(각성 횟수, 입면 후각성시간)와 연관이 있음을 보여주었다. 또다른 대규모 횡단연구에서는 난포자극호르몬의 빠른 증가가 주관적 수면의 질 저하 및 수면검사에서 관찰되는 수면시간 및 서파수면의 증가와 연관이 관찰되었으며 이는 서파수면의 증가가 수면분절 및 수면의 질 저하에 대한 보상반응으로 나타날 수 있음을 시사한다. 이 시기의

불면증 여성들에게 에스트로겐, 프로게스테론 및 복합제제 등의 호르몬 치료는 수면을 개선시키며 이에 대해서는 앞에서 자세히 기술하였다.

2) 심리적 증상과 폐경기 수면장애

많은 폐경기 여성들이 우울과 불안을 경험한다. 많은 추적관찰 연구에서 폐경기 이후 우울장애가 유의하게 증가하는 것을 확인하였으며, 다른 요인들과는 독립적으로 폐경기 우울장애의 위험을 2배 이상 높이는 것을 확인하였다. 폐경기 여성의 우울 증상은 혈관운동증상과 유의한 연관을 보였는데, 안면 홍조 등으로 인한 수면분절도 우울감에 일부 영향을 미쳤을 것으로 보인다. 우울은 폐경기 여성의 수면을 악화시켜 우울감을 호소하는 폐경기 여성이 다른 폐경기 여성보다 주관적 수면의 질 및 객관적 수면 지표 모두 더 나쁘게 나타났다. 높은 불안 정도와 주관적인 스트레스 또한 중년 여성에서 낮은 수면의 질과 연관성이 보고되었으며 불안은 객관적 수면 지표와도 유의한 연관을 보여주기도 했다. 이처럼 우울과 불안은 혈관운동증상과 함께 폐경기 여성의 수면장애와 복합적인 상호작용을 나타낸다.

여성은 생애주기의 변화(월경, 임신, 갱년기, 노년기)에 따라 호르몬과 생체지수가 변동하면서 남성과 다른 수면장애 관련 특성을 보인다. 수면과 수면장애에 대한 성차(sex differences)를 이해하는 것은 여성의 수면과 동반질환을 제대로 진단하고 치료하며 궁극적으로 예방하기 위한 중요한 첫 걸음이 된다.

▶ **참고문헌**

- Baker FC, Kahan TL, Trinder J, et al. Sleep quality and the sleep electroencephalogram in women with severe premenstrual syndrome. Sleep 2007;30:1283–91.
- Baker FC, Mitchell D, Driver HS. Oral contraceptives alter sleep and raise body temperature in young women. Pflugers Arch 2001;442:729–37.
- Baker FC, Sassoon SA, Kahan T, et al. Perceived poor sleep

quality in the absence of polysomnographic sleep disturbance in women with severe premenstrual syndrome. J Sleep Res 2012;21:535–45.

- Brunner DP, Münch M, Biedermann K, et al. Changes in sleep and sleep electroencephalogram during pregnancy. Sleep 1994;17:576–82.

- Campbell IG, Darchia N, Khaw WY, et al. Sleep EEG evidence of sex differences in adolescent brain maturation. Sleep 2005;28:637–43.

- Choi SJ, Kim D, Hwang Y, et al. Sex Differences in etiologies of sleep disorders. J Sleep Med 2020;17:138–47.

- Cintron D, Lahr BD, Bailey KR, et al. Effects of oral versus transdermal menopausal hormone treatments on self-reported sleep domains and their association with vasomotor symptoms in recently menopausal women enrolled in the Kronos Early Estrogen Prevention Study (KEEPS). Menopause 2018;25:145–53.

- Damianisch K, Rupprecht R, Lancel M. The influence of subchronic administration of the neurosteroid allopregnanolone on sleep in the rat. Neuropsychopharmacology 2001;25:576–84.

- de Zambotti M, Colrain IM, Baker FC. Interaction between reproductive hormones and physiological sleep in women. J Clin Endocrinol Metab 2015;100:1426–33.

- Driver HS, McLean H, Kumar DV, et al. The influence of the menstrual cycle on upper airway resistance and breathing during sleep. Sleep 2005;28:449–56.

- Ford K, Sowers M, Crutchfield M, et al. A longitudinal study of the predictors of prevalence and severity of symptoms commonly associated with menopause. Menopause 2005;12:308–17.

- Freedman RR, Roehrs TA. Sleep disturbance in menopause. Menopause 2007;14:826–9.

- Freeman EW, Sammel MD, Boorman DW, et al. Longitudinal pattern of depressive symptoms around natural menopause. JAMA Psychiatry 2014;71:36–43.

- Gaina A, Sekine M, Hamanishi S, et al. Gender and temporal differences in sleep-wake patterns in Japanese schoolchildren. Sleep 2005;28:337–42.

- Habr F, Raker C, Lin CL, et al. Predictors of gastroesophageal reflux symptoms in pregnant women screened for sleep disordered breathing: a secondary analysis. Clin Res Hepatol Gastroenterol 2013;37:93–9.

- Hedman C, Pohjasvaara T, Tolonen U, et al. Effects of pregnancy on mothers' sleep. Sleep Med 2002;3:37–42.

- Hoppenbrouwers T, Hodgman JE, Harper RM, et al. Respiration during the first six months of life in normal infants: IV. Gender differences. Early Hum Dev 1980;4:167–77.

- Johnson EO, Roth T, Schultz L, et al. Epidemiology of DSMIV insomnia in adolescence: lifetime prevalence, chronicity, and an emergent gender difference. Pediatrics 2006;117:e247–56.

- Kim JR, Song P, Joo EY. Sex differences in obstructive sleep apnea by bioelectrical impedance analysis. J Clin Neurol 2021;17:283–9.

- Lee KA, Shaver JF, Giblin EC, et al. Sleep patterns related to menstrual cycle phase and premenstrual affective symptoms. Sleep 1990;13:403–9.

- Liu X, Liu L, Owens JA, et al. Sleep patterns and sleep problems among schoolchildren in the United States and China. Pediatrics 2005;115:241–9.

- Manconi M, Govoni V, De Vito A, et al. Restless legs syndrome and pregnancy. Neurology 2004;63:1065–9.

- Maslowsky J, Ozer EJ. Developmental trends in sleep duration in adolescence and young adulthood: evidence from a national United States sample. J Adolesc Health 2014;54:691–7.

- Meijer AM, Habekothé HT, Van Den Wittenboer GL. Time in bed, quality of sleep and school functioning of children. J Sleep Res 2000;9:145–53.

- Mindell JA, Jacobson BJ. Sleep disturbances during pregnancy. J Obstet Gynecol Neonatal Nurs 2000;29:590–7.

- Natale V, Adan A, Fabbri M. Season of birth, gender, and social-cultural effects on sleep timing preferences in humans. Sleep 2009;32:423–6.

- O'Brien LM, Bullough AS, Owusu JT, et al. Pregnancy-onset habitual snoring, gestational hypertension, and preeclampsia: prospective cohort study. Am J Obstet Gynecol 2012;207:487.e1–9.

- Ohayon MM. Severe hot flashes are associated with chronic insomnia. Arch Intern Med 2006;166:1262–8.

- Olds T, Blunden S, Petkov J, et al. The relationships between sex, age, geography and time in bed in adolescents: a meta-analysis of data from 23 countries. Sleep Med Rev 2010;14:371–8.

- Paul KN, Turek FW, Kryger MH. Influence of sex on sleep regulatory mechanisms. J Womens Health (Larchmt) 2008;17:1201–8.

- Pengo MF, Won CH, Bourjeily G. Sleep in women across the life span. Chest 2018;154:196–206.

- Pien GW, Pack AI, Jackson N, et al. Risk factors for sleep-disordered breathing in pregnancy. Thorax 2014;69:371–7.

- Plante DT, Goldstein MR. Medroxyprogesterone acetate is associated with increased sleep spindles during non-rapid eye movement sleep in women referred for polysomnography. Psychoneuroendocrinology 2013;38:3160–6.

- Popovic RM, White DP. Upper airway muscle activity in normal women: influence of hormonal status. J Appl Physiol (1985)

1998;84:1055−62.

- Pyun SY, Choi SJ, Jo HJ, et al. Gender differences in Korean patients with obstructive sleep apnea. Sleep Med Res 2020;11:121−8.
- Redline S, Kirchner HL, Quan SF, et al. The effects of age, sex, ethnicity, and sleep−disordered breathing on sleep architecture. Arch Intern Med 2004;164:406−18.
- Reid A, Maldonado CC, Baker FC. Sleep behavior of South African adolescents. Sleep 2002;25:423−7.
- Ryu HR, Kim IY, Suh SY. Gender differences in the relationship between social jet lag, depression, and obesity in Korean children and adolescents. J Sleep Med 2015;12:39−46.
- Shechter A, Boivin DB. Sleep, hormones, and circadian rhythms throughout the menstrual cycle in healthy women and women with premenstrual dysphoric disorder. Int J Endocrinol 2010;2010: 259345.
- Silva BH, Martinez D, Wender MC. A randomized, controlled pilot trial of hormone therapy for menopausal insomnia. Arch Womens Ment Health 2011;14:505−8.
- Sowers MF, Zheng H, Kravitz HM, et al. Sex steroid hormone pro−files are related to sleep measures from polysomnography and the Pittsburgh Sleep Quality Index. Sleep 2008;31:1339−49.
- Thordstein M, Löfgren N, Flisberg A, et al. Sex differences in elec−trocortical activity in human neonates. Neuroreport 2006;17:1165−8.
- Tonetti L, Fabbri M, Natale V. Sex difference in sleep−time prefer−ence and sleep need: a cross−sectional survey among Italian pre−adolescents, adolescents, and adults. Chronobiol Int 2008;25:745−59.
- van den Berg JF, Miedema HM, Tulen JH, et al. Sex differences in subjective and actigraphic sleep measures: a population−based study of elderly persons. Sleep 2009;32:1367−75.
- Van Reen E, Kiesner J. Individual differences in self−reported diffi−culty sleeping across the menstrual cycle. Arch Womens Ment Health 2016;19:599−608.
- Wilson DL, Barnes M, Ellett L, et al. Decreased sleep efficiency, increased wake after sleep onset and increased cortical arousals in late pregnancy. Aust N Z J Obstet Gynaecol 2011;51:38−46.
- Xu Q, Lang CP. Examining the relationship between subjective sleep disturbance and menopause: a systematic review and meta−analysis. Menopause 2014;21:1301−18.
- Zhang B, Wing YK. Sex differences in insomnia: a meta−analysis. Sleep 2006;29:85−93.
- Zheng H, Harlow SD, Kravitz HM, et al. Actigraphy−defined mea−sures of sleep and movement across the menstrual cycle in midlife menstruating women: Study of Women's Health Across the Nation Sleep Study. Menopause 2015;22:66−74.

CHAPTER 06 수면과 꿈

방영롱

1 꿈이란 무엇인가

꿈은 아직까지 현상학적으로 정의될 수 밖에 없는데, 사람마다 그 내용과 형식이 상당히 다양하기 때문이다. 꿈은 수면 중에 생기는 지각, 생각, 감정 등의 모든 정신적 경험 또는 과정이다. 그런데 꿈이란 것은 직접적으로 측정할 수가 없고 수면에서 깼을 때 보고하거나 기록하는 방식으로 측정된다. 그런데 예를 들어 혈압계로 혈압을 재는 것은 혈관 내 카테터로 동시에 혈압을 측정하는 방법으로써 측정 방법의 신뢰도와 타당도를 재현해 낼 수 있을 정도로 충분한 검사인 반면에, 꿈의 보고나 기록은 그 내용을 재현하거나 저장하여 신뢰도 등을 확인할만한 다른 측정방법이 없다는 한계가 있다. 그리고 꿈을 수집하는 방식, 예를 들어 수면 단계(렘수면인지 비렘수면인지) 나 깨우는 방식(자발적인지 인위적인지) 등의 차이에 의해서도 그 내용이 영향을 받을 수 있다. 꿈의 기능에 관해서도 아직 명확하지 않은데, 현상학적 경험으로서의 꿈과 뇌의 생물학적 처리과정으로서의 꿈을 구분하여 의미와 중요성을 밝히려는 노력이 진행되고 있다.

2 우리는 왜 꿈을 꾸는가

지난 100여년동안 꿈을 이해하기 위한 중요한 업적 3가지가 있었는데, 19세기 말에 나온 프로이트의 꿈의 해석과 1950년대에 밝혀진 꿈과 REM (rapid eye movement) 수면의 연관성, 그리고 렘수면 중 뇌간(brain stem)에서 일어나는 무작위 신경 활동에 의해 꿈이 생성된다고 주장하는 모델(activation-synthesis model of dream)이 1970년대에 제안되었다. 그 후, 꿈은 수면 중에 일어나는 오프라인 기억 경화(consolidation)라는 보다 넓은 신경 인지적 프레임으로 접근하고 있는 상태이다. 꿈은 뇌의 활동을 반영하는데 이것은 이전 경험의 기억과 감정을 필연적으로 재활성화하게 된다. 뇌의 신경 활동은 재활성화된 신경네트워크를 변화시키고, 저장된 기억과 감정이 변화되는 과정에서 의식적인 경험이 일어나는 것이 꿈이라는 것이다.

1) 수면 중 뇌의 활동

1990년대에 positron emission tomography (PET)로 시행한 연구에서 서파수면에서 뇌혈류량이 감소하였고 렘수면일 때에는 특정 영역이 활성화 되는 것을 발견하였다. 즉, 의식적 집행기능을 담당하는 등가쪽 전전두엽

(dorsolateral prefrontal) 부위의 활성이 줄어든 반면에 환각을 느끼는 감각 연합 피질(sensory association cortex)와 감정과 연관된 부위인 편도(amygdala), 앞띠이랑(anterior cingulate) 그리고 안쪽 안와전두피질(medial orbitofrontal cortex)의 활성은 증가되는 패턴을 보였는데 렘수면의 특징과 관련이 있어 보인다. 그러나 꿈은 비렘수면 때에도 역시 흔히 회상할 수 있기때문에 꿈 경험의 전반적인 신경 활동은 수면의 모든 단계에서 공통적이라고 말할 수 있다. 최근의 영상 연구에서 비렘수면일 때 전반적인 뇌의 활동이 줄어든 반면에 상대적으로 활동이 강해진 부위도 보고된 바 있는데, 바로 기억과 연관된 뇌 부위였다. 예를 들어 해마의 활성은 서파수면(slow wave sleep)일 때 최고치였는데 깨어있을 때보다 더 높은 활성을 띠기도 했다. 13Hz 이상의 수면방추파(sleep spindle)를 통해 해마와 안쪽 전전두엽의 활성 증가를 확인하기도 하였다. 깨어있을 때의 뇌 활동과 유사한 양상이 비렘수면과 렘수면에서 다시 재생된다는 현상이 사람 실험을 통해 추가로 밝혀지면서 수면 중에 기억이 경화된다는 증거들이 늘어나기 시작하였다.

2) 수면 의존성 기억 경화
(sleep-dependent memory consolidation)

수면에 대한 두 가지 기능 모델이 제안되고 있는데, 그 날 일어난 뇌의 변화들을 회복하고 휴식을 취함으로써 다시 원 상태로 돌아간다는 항상성(homeostatic) 모델과 경화, 통합, 역전 등의 과정을 통해 오프라인 정보 처리과정이라는 진행성(progressive) 모델이다. 꿈 역시 이러한 두 가지 기능을 가지고 있을 것으로 여겨진다. 프로이트는 꿈 작업을 통해 현실 세계의 욕동이 표현되어 원래대로 기능이 회복된다는 맥락으로 전자의 모델을 주장하였다. 하지만 이러한 꿈의 진화적 기능을 아예 의문시하거나 거부하는 의견도 있다. 최근에는 수면이 오프라인 기억 경화의 기능이 있다는 증거들이 쌓이고 있는데, 깨어있을 때 배운 감각적 경험이나 운동 기술, 쌍 단어 연합, 감정 기억 등을 강화시키기도 하고 통찰력이나 창조력을 높이는 것과 연관 있기 때문이

다. 꿈처럼 기억의 경화 역시 수면의 전 단계에 걸쳐 나타나는데, 서파수면일 때는 해마 의존성 기억, 렘수면일 때는 감정 기억, 2단계수면에서는 운동 학습과 관련된 기억들이 저장된다. 꿈은 이러한 수면의 기억 기능과 연관되어 직접 참여 또는 반영되어 나오거나, 또는 처리되는 과정 중에 속하게 되는 것 같다.

3) 수면 단계별 기억 처리와 꿈의 연관성

만일 기억 처리가 수면 단계마다 다르게 활성화 되고 꿈 역시 최소한 비슷하거나 기억 처리과정에 일부 동참하게 된다면, 각 수면 단계마다 꿈 회상의 내용은 달라질 수 있을 것이다. 렘수면에서 깨어난 후의 보고들은 비렘수면과 비교했을 때 내용에서 상당한 차이가 있었는데, 이것은 단순히 비렘수면에서 깨어났을 때 렘수면보다 회상이 어려워서 그런 것 같지는 않다. 오히려 수면의 기억 처리 기능과 꿈의 내용 사이 상동 관계(homology)가 있는 것으로 추정된다. 그 내용은 표 6-1에 정리를 하였다. 이러한 내용들은 자고 있는 피험자를 깨워서 꿈을 회상하여 보고하게 한 결과물이어서, 꿈에 대한 정설로 받아들이기거나 절대적인 구별 기준으로 인식하기 보다는 확률적인 경향성을 나타낸 것으로 보면 된다. 예외적으로, 운동 수행의 향상과 관련되어서는 수면 단계 구분과 관련없이 보고되었다. 하지만 렘수면행동장애는 꿈의 내용을 그대로 행동화 하는 데에 비해서 비렘수면에서는 근 소실이 없고 움직임이 가능한데도 렘수면행동장애와 같은 현상이 일어나지 않는 것을 보면 두 수면 단계 사이에 질적 신경 기전의 차이가 있을 것으로 추측된다.

4) 꿈 내용의 변형

그렇다면 꿈은 수면 중의 기억 처리에 관련된 내용으로 꾸게 되는데, 어떤 방식으로 변형이 일어나는 걸까? 렘수면이든 비렘수면이든 수면단계별로 기억 처리 종류에 차이가 날 수 있겠지만 같은 삽화 기억이 두 수면 단계에서 꿈의 내용으로 쓰일지라도 현실 내용이 그대로 재현(replay)되는 것은 아니다. 프로이트는 꿈은 현실세

표 6-1. 수면 중 일어나는 꿈 내용과 기억 처리의 상동 관계

	렘수면	비렘수면
꿈 내용	• 길고, 생생하고, 이야기 형식, 기이함 (Longer, Vivid, Story-like, Bizzare) • 환각, 감정적, 서술적, 대부분 허구적임 (Hallucinatory, Emotional, Narrative, with frequent fictive movement)	• 직접적인 생각(Direct thinking) • 현실적(Realistic)
기억의 종류	• 시각적 인지와 감정 관련 기억 (Visual perceptual, Emotional memory) • 일반적 의미 기억(Generic sementic memory source) • 운동 수행(Motor task)	• 서술 정보, 짝짓기, 공간적 환경을 통한 길찾기 (Declarative information, Paired associate, Navigation through spatial environments): 주로 해마 의존성 기억으로 서파수면에서 일어남 • 최근 삽화 기억(Recent episodic memory) • 운동 수행: 특히 stage 2에서 일어남

계의 기억과 감정 등을 '압축(condensation)'과 '전치(displacement)' 그리고 '상징화(symbolization)' 등의 과정인 꿈 작업(dream work)을 거쳐 표현된다고 하였다. 그러나 이것은 아직 검증 불가능한 정신 분석적 이론에 머물러 있다. 자다가 깨웠을 때 회상한 꿈 내용 중에 특정(해마 의존성) 삽화 기억과 관련된 내용은 약 3%에 불과하였고 그 외 꿈 내용의 대부분은 깨어 있었을 때의 '주제(theme)'와 '감정(emotion)' 그리고 '성격(characters)'과 높은 연관성을 보였다. 그 중에서 성격은 특정 삽화의 반복과 연관이 있었고, 주제는 해마 외의 의미 기억 시스템의 활성과 연관이 있었다.

여러 실험적 연구들을 통하여, 수면개시 직후의 꿈 내용은 반드시 해마 의존성 기억과 관련 있는 것은 아니었고, 반드시 최근의 감각 입력만 포함되는 것도 아니었다. 오히려 오래되고 강하게 저장되어 있는 기억들이 꿈 시나리오에 사용되고 있었고 이것은 수면 동안 최근의 기억이 이전의 기억들과 재조직화(reorganization)되고 변형(transformation)된다는 것을 의미한다. 그리고 아무 의미가 없더라도 의도적으로 기억하려는 단순 행동만으로도 꿈의 내용에 함입(incorporation)되어 나타났고, 기억된 내용은 아무 상관도 없는 꿈의 시나리오에 함입되기도 하였다. 따라서 뒤죽박죽인 꿈의 보고들이 어떤 무의식적인 욕동의 표현인지는 알 수 없으나 적어

도 수면 중에 일어나는 기억 경화(memory consolidation)라는 과정 또는 상태를 반영한다고 볼 수 있겠다.

5) 꿈의 신경인지모델

뇌에서 기억 네트워크가 활성화 될 때, 변형이 일어나는 것은 피할 수가 없다. 그리고 특정 회로가 활성화 될 때 그것을 의식할 수도 있고 못할 수도 있다. 예를 들어 영유아가 말을 배울 때 신경회로의 자극이 반복적으로 일어나게 되는데, 문법을 배우지 않더라도 거의 완벽한 문법을 구사할 수 있게 된다. 이것은 의식적인 지식이 없어도 뇌가 스스로 유사성과 법칙을 끌어내기 때문이다. 수학적인 통찰이나 이행 추론에 관한 연구에서도 수면이 이러한 과정을 눈에 띄게 향상시켜준다고 한다. 어쨌거나 꿈을 꾸는 중에는 꿈의 생성 과정 중에 접근하는 기억의 변화가 필연적으로 올 수 밖에 없고, 꿈은 수면 의존성 기억 경화와 통합을 위해 진화된 기전의 '부산물'일 가능성이 있다는 것이다. 결국 우리는 이러한 기억 시스템을 직접 관찰하지 못하기 때문에 꿈의 내용을 보고하게 되는데, 꿈 자체가 항상 어떠한 목적이나 중요한 의미가 있는 것은 아닐 수도 있을 것 같다. 다시 말해 소위 말하는 '개꿈'이라는 것이 존재할 수도 있다.

3 꿈의 내용

많은 연구자나 임상의들은 꿈의 내용에 대해 오랫동안 궁금하게 여겨왔다. 꿈이 기능적으로나 생물학적으로 중요하다고 주장이 있는 반면, 꿈은 렘수면 동안의 신경 물리적 활동의 부산물이며 비록 심리적 의미를 가지고 있더라도 그 자체로는 가치가 없다는 주장도 있다. 결국 꿈은 간단하게 정의 내리기 힘들고 다양한 해석이 가능한 스펙트럼내에 있다고 해야할 것이다. 꿈은 수면 정신활동(sleep mentation)이라는 말과 유사하게 쓰이고 있는데, 수면 중에 일어나는 오감이나 신체 느낌 등의 정신적 활동 또는 깨어있을 때의 생생한 이야기 같은 경험을 일컫는다. 꿈의 내용은 다음과 같은 네 가지 맥락을 고려해서 해석해볼 수 있다. 첫째로 꿈은 수면 중에 일어나는 생각의 형태로서 확실히 존재하나 인식하지 못할 수 있고 뇌의 활동을 최소한으로 줄임으로써 외부의 자극으로부터 '지적 기능을 차단'한다는 것이다. 둘째, 꿈은 사람마다 경험한 실제 이벤트의 연속이므로 '상징적인 시뮬레이션'이라고도 부를 수 있다. 셋째, 꿈은 깨어있을 때 사람들이 기억한 내용으로 구성되므로 꿈 경험의 일부 '기억'일 수 있다. 마지막으로 꿈은 자고 있을 때 기억을 바탕으로 연구자가 깨워서 보고하게 한 실험적 결과물인데, 그러한 회상 방식도 꿈에 영향을 주는 것 같다. 이전 실험들을 살펴보면 꿈을 꾸는 자 (dreamer)는 관찰자 또는 참가자로서 항상 포함되어 있고 dreamer 외에 최소한 하나 이상의 대상이(동물이든 사람이든) 나왔다. 그리고 꿈 중에 dreamer와 다른 대상은 하나 이상의 활동이나 사회적 상호작용 등에 다양하게 관련되어 있었다. 그래서 만약 꿈의 내용이 상호작용과 같은 스토리가 있는 형식이라면 잠시 동안의 조각난 생각과 같은 형태의 수면 정신활동과는 구별할 수 있겠다.

1) 꿈을 보고하게 하는 방법들

연구자들은 꿈 경험을 직접적으로 알아내지 않는다. 대신에 꿈의 보고를 통해 경험을 기술하게 하여 수집한 다. 구두의 또는 표기에 의한 보고는 여러가지 요인에 의해 영향을 받을 수 있다. 예를 들어 세팅 장소(집, 실험실, 교실, 정신 치료실 등), 깨우는 방법(자발적, 인위적), 깨우는 시간(수면 초기, 중기, 후기), 깨기 전 수면 단계(렘수면, 비렘수면), 수집 방법(설문지, 꿈 일기), 보고 방법(꿈 꾸는 대상자가 작성, 실험자가 작성, 오디오 녹음), 제공된 실험 지침(깨기 전에 머릿속에 떠오르거나 남은 모든 것을 보고함, 꿈만 보고함), 보고된 내용에 대한 조사(없음, 고정된 질문, 반구조화된 열려있는 질문), 상호작용 설정(실험자나 임상의에게 직접 보고), 꿈꾸고 난 후 보고하는 시간 지연 상태, 연구 대상자의 특성(성별, 성격, 꿈 회상의 습관) 등이 있다. 그래서 이러한 요인들을 어떻게 조절하고 통제하느냐에 따라서 꿈에 대한 결과물이 달라질 수 있음을 유념해야한다. 위와 같은 요소들을 고려할 때 렘수면에서 비렘수면보다 꿈이 더 많이 보고된다고 하는 것은 다음과 같은 이유로 추측된다. 렘수면은 각성의 역치가 낮아서 깨웠을 때 금방 각성상태를 유지할 수 있어 꿈 내용이 의식으로 유입된다. 더구나 꿈 내용도 생생하고 기이해서 떠올리기 쉽다. 반면 비렘수면은 각성의 역치가 높아 깨웠을 때 수면 관성(sleep inertia)이라는 비몽사몽한 상태가 지속되어 꿈을 보고하는 데 시간이 지연될뿐더러, 꿈 내용도 생각과 관련된 내용이라 의식에 떠올리기가 어려운 것이다. 그리고 이러한 꿈의 보고는 수면에서 깨어난 상태에서 이루어지는 것이므로 평소에 잠에서 깨지 않는 사람이라면 꿈을 기억하거나 보고하지 못할 가능성도 크다. 그래서 모두가 꿈을 꾸지만 반드시 꿈을 기억할 수 있는 것은 아니다.

2) 꿈 내용의 분석

꿈의 내용에 대해서는 통계적 경험의 축적의 결과물인 양적 분석과 개개인의 심리적 의미를 가지고 있다는 질적 분석으로 나누어서 접근할 수 있다.

(1) 양적 분석

많은 연구자들이 여러가지 꿈과 관련된 실험을 반복

했을 때 렘수면과 비렘수면에서의 보고가 차이가 있다는 것을 확인하였다. 앞서 표 6-1에서도 확인했듯이 대부분의 연구에서 꿈은 렘수면일 때 더 빈번하고 길며 비렘수면일 때에는 꿈이라기보다는 생각의 형태였다. 비렘수면은 각성 때의 생각과 기억의 연장선으로 보였고 반면 렘수면일때에도 약간의 삽화 기억이 관여하기도 해서 절대적으로 두 꿈의 형태로 내용이 나뉘는 것은 아니다.

렘수면에서의 특징적인 점은 '사회적 상호작용'과 관련된 내용이 보고되는 확률이 높은 것이다. 물론 이것은 비렘수면의 후반부, 즉 렘수면과 가까운 시간대에 깨웠을 때에도 비렘수면의 전반부에 깨웠을 때와 달리 비슷하게 보고되기도 했다. 비렘수면에서 렘수면으로 바뀌면서 꿈의 내용은 '생각' 관련된 것에서 '환각'과 관련된 것으로 바뀌었으며 이것은 하룻밤 동안 신경인지적으로 변화하는 과정(신경전달물질 혹은 특정 활성화되는 뇌 부위)과 꿈 내용이 맞물려 있다고 볼 수 있다. 또한 꿈의 내용은 나이에 따라서도 달라진다. 이것은 꿈이 인지적 정서적 발달과 상당히 연관이 있음을 시사하는 특징이다. 3–5세까지의 아이들은 렘수면 시기의 수면을 회상하지 못했고 5–7세가 되어서야 비로소 꿈 같은(dreamlike) 내용을 말할 수 있게 된다. 11–13세가 되어야 어른과 비슷한 빈도, 길이, 감정, 전체 구조 등의 꿈에 대해 이야기를 할 수 있다. 그리고 18세 이후부터는 꿈의 특징, 사회적 상호작용 등과 관련된 내용들이 극도로 안정화되고 고정되는 것이 여러 연구들을 통해 확인되었다.

(2) 질적 분석

실제로 정신분석치료는 꿈을 개인을 분석하는 소재로 많이 활용하고 있다. 여기서는 그 내용을 간단히만 소개하고자 한다.

① 원인론적 가설

프로이트는 꿈이 수면유지, 즉 잠을 깨지않고 계속 잘 수 있게 하는 일부 목적도 갖고 있다고 보았다. 꿈속에서 무의식의 욕망을 충족하면서 계속 잠을 잘 수 있게 한다고 주장했다. 그러나 불안몽, 손상몽, 처벌몽 등의 악몽들이 오히려 수면을 방해하는 것을 보고는 자아와 초자아의 개념을 도입하여 설명하기 시작했다. 그래서 꿈의 의미를 파악함으로서 평소에는 깨닫지 못하는 개인의 정신 세계, 즉 무의식(또는 이드)에 접근할 수 있다고 주장하였다. 그는 꿈이란 억압되거나 억제된 무의식적인 욕구 충족을 위한 시도인데, 여러가지 '변형'을 통해 꿈으로 나타난다고 했다. 그 이유는 아마도 현실 세계에서는 금지되어 있거나 충격적인 욕구들이기 때문이며, 적절한 수준에서 수용할 수 있게끔 만들어서 꿈에서 깨어나지 않게하기 위한 자아의 노력이라는 것이다. 변형은 왜곡(distortion), 압축(condensation), 전치(displacement), 상징화(symbolization), 퇴행(regression) 등이 쓰인다. 이렇게 꿈을 통해 욕구 충족의 대리만족을 이루게 되면 현실에서의 긴장이 감소된다고 보았다. 즉, 꿈은 겉으로 드러난 발현몽(manifest dream)과 진짜 무의식적 의도가 숨어있는 잠재몽(latent dream)의 이중 구조로 이루어져 있는데, 잠재몽의 의미를 파악함으로써 대상자의 무의식을 이해하는 것을 꿈 해석이라고 주장했다. 그렇게 하면 꿈이 개인의 소원성취와 욕구 불만을 간접적으로 해소하는 기능을 가진다고 말할 수 있을 것이다.

② 목적론적 가설

융은 꿈의 원인보다는 꿈이 어디를 향하는지에 관심을 두었다. 꿈은 당사자에게 부족한 부분, 즉 무시했거나 소홀히 한 부분을 일깨우고 현 상황을 '교정 또는 보상'하기 위해서 꾸는 것이라도 주장하였다. 그래서 프로이트가 말하는 욕구의 충족만을 위해서가 아니라 인간 정신의 전체적인 균형과 통합을 위해서 꾼다고 했다. 인간의 무의식에는 자기 조절능력이 있어서 언제나 인간의 성장과 완전성의 실현을 위한 내적 충동이 있다는 것이고 그러한 표현이 꿈이라는 주장인데, 이런 능력으로 말미암아 예지몽, 외상의 재경험(악몽), 텔레파시몽 등이 있을 수 있다고 하였다.

그렇다면 꿈의 내용과 개인의 성격(personality)과 관련이 있을까? 결론부터 말하자면 심리학적으로 정의된 성격 특질이 매일 밤의 꿈의 내용에 영향을 주는지의 증거들은 혼재되어 있어 아직까지 명확하게 알 수 없다. 하지만 '깨어있을 때의 웰빙 상태', 즉 걱정거리 등은 꿈의 내용(악몽 등)에 영향을 줄 수 있다는 연구 결과들이 있었다. 즉 스트레스를 받을 때 그와 관련된 내용이 꿈으로 나타나는 것은 확인했다. 하지만 꿈이 그 사람의 실제적 적응에 어떤 영향을 주는지에 대해서는 여전히 알 수 없고, 그에 대한 기능적 해석을 앞서 나온 프로이트나 융과 같은 분석가들이 관심을 기울였던 것 같다. 저자 역시 여러가지 증거들을 통해 꿈이 기억과 감정의 처리와 저장 과정에서의 부산물임을 인정하면서도, 그 내용은 각 개인마다의 자서전적인 의미와 경험, 기억들로 구성되어 있기 때문에 어떤 면에서는 분석 가능한 중요한 대상이 될 수 있어서 그에 대한 더 많은 정신의학적 연구가 필요하리라 생각한다.

4 꿈의 신경생물학

1) 꿈과 행동의 연관성

렘수면뿐만 아니라 비렘수면에서도 꿈을 꾸고 깨웠을 때 정신활동을 회상하는 것이 가능하다는 것이 알려졌지만 두 가지 수면에는 아직까지 차이점이 남아있다. 렘수면의 약 82%가 회상이 가능하고 훨씬 빈번하고 길며 기이하고, 시각적이고, 감정적인 반면 비렘수면에서의 정신 회상이 약 43%인 절반에 불과한 것을 보면 뇌의 활동이 다른 것 같다.

(1) 최근의 전기생리학적 발견들

렘수면의 뇌파에서 30-80Hz의 빠른 감마파가 비렘수면에 비해 훨씬 더 많이 측정되는데, 감마파와 같이 빠른 파들은 각성 시 자극에 대한 집중과 활발한 인지력과 관련이 있다. 그래서 렘수면의 감마파는 아마도 인지 및 감각 처리와 기억 처리 그리고 꿈의 이미지 처리

와 관련이 있을 것으로 추측된다. 비렘수면에서는 수면 방추파나 델타파와 같은 느린 파들이 측정되는데 이것은 시상과 피질의 반복적인 상호작용 리듬(corticothalamocortical rhythms)에서 생성되는 것으로 생각된다. 느린 파들은 신경 정지 기간(과분극 또는 활동 감소 상태)과 빠른 신경 점화(탈분극 또는 활동 증가 상태)의 짧은 기간이 교대로 나타나는 방식으로 구성되어 있다.

깨어 있을 때보다 수면 중에 뇌파리듬이 뇌부위별로 많이 달라지는 데 이것을 coherence가 떨어진다고 표현한다. 이것은 아마도 수면 중 뇌의 연결성(connectivity)의 감소로 추측되는데, 렘수면 일 때 뇌의 앞과 뒤 부위의 비연결성으로 인하여 시각적이고 기이한 양상이 나온다고 생각된다. 렘수면의 위상(phasic) 활동인 빠른 눈 움직임(REM-sleep saccades)과 뇌간으로부터 유래된 상승 활동전위인 PGO 파(ponto-geniculo-occipital wave)는 주로 뇌교(pons)와 중뇌(midbrain) 사이의 교차지점인 뇌각뇌교피개(pedunculopontine) 핵에서 유래되는 것 같다. 이러한 위상성 렘수면 눈 움직임 시기에는 뇌 뒤쪽의 일차 시각 피질의 활성과 관련되어 꿈의 시각적 이미지를 형성하고 변연계의 활성과도 관련이 있어서 감정 처리에도 관여하며 인지능력과 집중력을 높이는 현상이 일어나는 것 같다.

(2) 꿈과 뇌 활동

전두엽 피질의 비활성은 인간 수면을 뇌파 등으로 측정했을 때 나타나는 첫 번째 사인 중의 하나이다. 비렘수면일 때는 뇌 부위 전반에 걸쳐서 뇌 활성이 감소하고 비렘수면의 단계가 깊어질 수록 활동은 더 떨어진다. 느린 파는 수면을 시작하면서부터 뇌의 앞부위에서부터 뒤부위로 서서히 퍼지는 형상을 보인다. 반면 렘수면에서는 뇌교(pons), 중뇌(midbrain), 시상(thalamus), 기저핵(basal ganglia), 편도체(amygdala)를 포함한 변연계(limbic system), 시상하부(hypothalamus), 복부 선조(ventral striatum)와 같은 부위의 피질하(subcortical) 뇌부위의 신경 활동이 눈에 띄게 증가한다. 그 외에도 변연계와 관련된 피질인 전방 띠이랑(anterior cingulate), 전방 섬(anterior insula), 브로드만 영역(Brodma-nn area), 안쪽 전전두엽(medial prefrontal cortex), 해마곁이랑(parahippocampal gyrus)과 측두극(temporal lobe)의 후방부, 특정 시각 연합피질(visual association cortex) 등의 활성도 증가한다. 그러나 가쪽 전전두엽 피질(lateral prefrontal cortex)은 비렘수면에서 렘수면으로 바뀌어도 활성이 저하된 상태로 계속 남아있다. 이러한 현상은 아래 **그림 6-1**을 참고한다.

2) 꿈의 신경 화학(neurochemistry)

꿈과 각성 의식 상태의 차이를 설명하기 위한 세 가지 주요 신경화학적 가설이 있다. 첫째, 활성-합성 그리고 활성-입력-조절 모델인데(activation-synthesis and activation-input-modulation models), 렘수면 중의 상향 그물 활성계(ascending reticular activating system, ARAS)에서 상대적으로 콜린성 물질이 아주 많이 증가되는 것이 꿈의 특성과 상당히 연관되어 있다는 점이다. 둘째, 보상 활성 모델(reward activation model)인데, 중뇌의 복측 피개부(ventral tegmental area, 이하 VTA)로부터 시작된 도파민 뉴런의 투사에 의해 변연계와 전

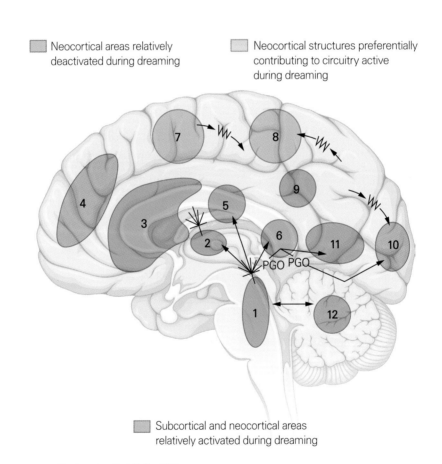

Neocortical areas relatively deactivated during dreaming

Neocortical structures preferentially contributing to circuitry active during dreaming

Subcortical and neocortical areas relatively activated during dreaming

그림 6-1. 꿈을 꾸는 상태에서 나타나는 뇌 부위의 활성도 차이.
Regions 1 and 2, ascending arousal systems; region 3, subcortical and cortical limbic and paralimbic structures; region 4, dorsal lateral prefrontal executive association cortex; region 5, motor initiation and control centers; region 6, thalamocortical relay centers and thalamic subcortical circuitry; region 7, primary motor cortex; region 8, primary sensory cortex; region 9, inferior parietal lobe; region 10, primary visual cortex; region 11, visual association cortex; region 12, cerebellum. BA 40, Brodmann area 40, the temporal-parietal junction; LGN, lateral geniculate nucleus; PGO, ponto-geniculo-occipital waves; RAS, reticular activating system.

전두엽의 보상 네트워크가 자극을 받으면 꿈을 시작하게 하는 동기 펄스를 만들어 낸다. 셋째, 각성 시의 억제성 전달물질인 세로토닌과 노르아트레날린이 없는 상태에서 렘수면 중 도파민이 피질을 자극하면 정신증 유사증상을 초래한다는 것이다. 수면 주기동안 보이는 다양한 신경전달물질의 농도 변화의 경향성을 **그림 6-2**에 나타내었다.

(1) 아세틸콜린

렘수면 때 mesopontine 콜린성 핵에서부터 시상 그리고 전뇌(forebrain)의 활성으로 이어지는데, 아세틸콜린과 같은 물질들이 렘수면과 꿈을 꿀 때 이 부위에 증가한다는 증거들이 있다. 콜린성 자극도 렘수면을 촉진시킬 수 있어서 치매 환자에 쓰이는 cholinesterase inhibitor는 렘수면과 관련된 꿈과 악몽, 입면 시 환각을 증가시킬 수 있음을 유념해야 한다. 니코틴 패치나 니코틴 수용체 부분 효현제인 varenicline도 꿈을 증가시킬 수 있다.

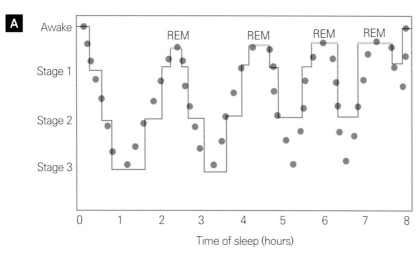

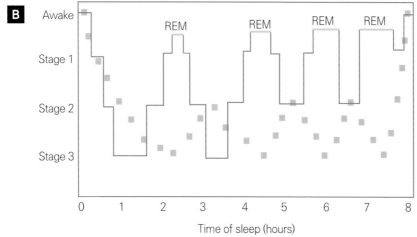

그림 6-2. 수면-각성주기 동안의 신경전달물질의 농도 변화.
(A) 아세틸콜린은 비렘수면이 깊어질수록 낮은 농도 그리고 렘수면일 때 가장 높은 농도를 보인다. **(B)** 반면 도파민, 노르에피네프린, 세로토닌, 히스타민은 대체로 비렘수면의 stage 2에서 가장 높은 농도 그리고 렘수면에서 낮은 농도를 보인다.

(2) 도파민

비렘수면 때 심한 자극성 기억은 선택적으로 꿈에서 처리되면서 재현(replay)되고 우선순위화(prioritization) 된다. 도파민 효현제를 주사했을 때 이러한 특정 기억의 선택적 경화가 확인되었다. 그래서 파킨슨 환자에게 쓰이는 L-dopa는 꿈을 증가시킬 수 있다. 그러나 정신 자극제는 꿈의 증가와 관련이 없기도 하고, 항정신병약으로 꿈을 줄일 수 없거나 혹은 더 심해지기도 한다. 따라서 도파민이 꿈에 미치는 영향은 용량, 수용체 종류와 위치에 따라서 달라지는 것 같다.

렘수면일 때에도 안쪽 전전두엽피질이나 중격핵(nucleus accumbens)에 도파민 농도가 비렘수면에 비해 높아지기도 하였다. 뿐만 아니라 렘수면 때 VTA의 짧은 점화도 증가되는 현상도 관찰되었는데, 이것은 콜린성 흥분으로 인한 이차적 결과로 추측된다.

(3) 세로토닌

세로토닌 재흡수 억제제와 다른 세로토닌성 약물들은 꿈을 증가시킨다. 세로토닌은 렘수면에서는 낮은 농도를 보이는데, 수면 단계가 변하면서 세로토닌 농도가 변하면 꿈에서 '환각'과 관련된 현상을 일으키게 된다. 만일 세로토닌 농도가 떨어지거나 기복이 생기는 상황이 되면 글루타메이트 분비가 증가되면서 지연흥분성 후시냅스전위(prolonged excitatory postsynaptic potentials, EPSPs)를 만드는데, 이것이 환각과 관련된 인지-지각 효과를 일으킨다는 가설이 있다.

▶ 참고문헌

- 이무석. 정신분석에로의 초대. 도서출판 이유. 2006. pp. 76-83.
- Hobson JA, Pace-Schott EF, Stickgold R. Dreaming and the brain: toward a cognitive neuroscience of conscious states. Behav Brain Sci 2000;23:793-842.
- Meir K, Thomas R, William CD. Psychobiology and dreaming. In: Kryger MH, Roth T, Dement WC. Principles and practice of sleep medicine. 6th ed. Philadelphia: Elsevier; 2017. pp. 506-38.
- Stahl SM, Morrissette DA. Stahl's illustrated sleep and wake disorders. Cambridge university press; 2017. pp. 21-2.

PART 2

수면의학의 기초

CHAPTER 07 수면의 신경 조절 기전

김 태

20세기 초반까지도 수면에 대한 개념은 뇌로 유입되는 감각 신호가 줄고 뇌 활성도가 낮아진 뇌상태로 생각했다. 그러나 최근 급속히 발전된 수면의 신경생물학적 이해가 깊어지면서 각성, 급속안구운동 수면(Rapid Eye Movement Sleep, REM 수면), 비급속안구운동 수면(Non-Rapid Eye Movement Sleep, NREM 수면)의 발생과 타이밍을 선택적으로 조절하는 뇌 내 시스템이 밝혀졌다. 이러한 신경 기전의 이해는 뇌과학적으로나 임상적으로 많은 관심을 받고 있다. 수면은 최적의 인지 기능, 면역기능, 신체 건강에 필수적이며 수면장애는 가장 흔한 임상 문제 중의 하나이다. 이번 장에서는 이러한 수면의 기초적인 이해를 위해 포유류의 신경망 중 수면각성 조절에 중요한 역할을 하는 뇌회로를 중심으로 설명하고자 한다.

1 수면각성 상태

각성(wakefulness) 상태는 자발적 운동을 보이고 내적 또는 외적 자극에 반응하는 행동학적 상태로 정의할 수 있다. 비렘수면에 들어가면 의식이 소실되고 강렬한 감각자극을 제외한 대부분의 감각 신호는 차단된다. 렘수면에서는 생생하고 감정적이며 스토리가 있는 꿈이 흔히 나타나는데, 급속안구운동이 나타나고, 호흡과 맥박의 변동폭이 커지는 생리적 변화를 보인다.

수면각성 상태는 뇌파와 근전도를 이용하여 모니터링 한다. 각성 시 뇌파는 낮은 진폭, 빠른 주파수를 보이고 근전도는 다양한 활성도를 나타낸다. 비렘수면에서 뇌파는 델타파(0-4Hz)와 쎄타파(4-7Hz)가 주로 보인다. 각성 시간이 길어질수록 델타파 활성도가 높아진다. 사람의 렘수면에서는 각성 시 뇌파와 비슷한 낮은 진폭과 빠른 활성의 뇌파를 보이나 설치류에서는 등쪽 해마에서부터 발생한 쎄타파가 강력하게 나온다. 또한 근육의 활성도가 억제되는 무긴장증이 발생하여 꿈이 행동화되는 것을 방지한다. 수면 연구에서 뇌파는 매우 중요한 도구이나 기저상태를 반영하는 바이오마커일 뿐 절대적인 기준은 아니다. 예를 들어 뇌파의 델타 활성은 간성 혼수나 간질 발작 후에는 각성 상태에서도 높게 나타날 수 있다. 반대로 벤조디아제핀에 의해 유도된 수면에서는 델타파가 낮게 나타나기도 한다.

2 각성 조절

약 100년 전 유럽을 휩쓸고 갔던 기면성 뇌염(enceph-alitis lethargica)은 수면이 어떻게 뇌에서 조절되는지 의문을 품게 했다. 일부 환자들은 하루 20시간이 넘는 시간을 자면서 몇 달간을 보내기도 했고 어떤 환자는 전혀 잠을 못 이루기도 했다. 비엔나의 신경과 의사 Constantin von Economo는 지속적으로 수면을 취하는 환자들이 중뇌 및 뒷쪽시상하부에 병변이 있는 것을 발견하고 이 부분에 각성 증진 회로가 존재할 것이라 예측했다. 이후 Moruzzi와 Magoun이 마취된 고양이의 망상체를 전기로 자극하면 서파에서 속파로 바뀌는 것을 발견했다. 이러한 실험 결과는 망상체가 감각정보를 통합하여 각성 상태를 유발하고 운동 반응을 일으킨다는 가설과 잘 부합했으나 모든 현상을 설명할 수는 없었다. 이후 각성 신호는 다음과 같은 신경화학적으로 구별되는 다양한 신경회로의 상호작용에 의해 일어난다는

것이 밝혀졌다(그림 7-1).

각성 증진 경로는 중뇌의 중심선 부근에서 시상(thalamus)으로 향하는 배측경로(背側經路, dorsal pathway)와 시상하부(hypothalamus), 기저전뇌(basal forebrain), 대뇌피질로 향하는 복측경로(腹側經路, ventral pathway)로 갈라진다. 배측경로는 시상에서 감각, 운동 반응, 인지기능과 관련된 신호를 처리하는 역할과 관련된다. 동물실험에서 시상으로 가는 GABA 또는 glycine 뉴런을 광유전학적 자극으로 활성화시키면 행동을 멈추고, 자극을 멈추면 다시 움직인다. 시상에 제한적으로 병변이 발생하면 환자는 깨어는 있으나 외부자극에 반응이 없는 식물상태가 되는 반면, 복측경로에 병변이 발생하면 계속 자려고 하고 총수면시간이 증가한다. 정상적인 각성에는 배측경로와 복측경로 모두 필요하지만 기능적으로 구별된다. 복측경로는 적절한 thalamocortical signaling을 통해 의식의 내용을 조절하는 것과 밀접하게 관련되고, 복측경로는 각성 상태 유지하는 기능

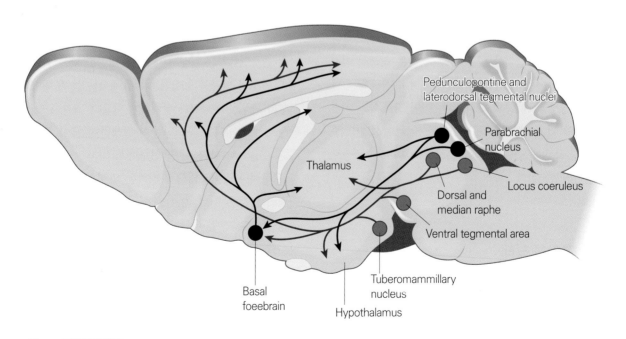

그림 7-1. 각성 증진 경로
출처: dx.doi.org/10.1016/j.neuron.2017.01.014

과 관련되어 있다.

시상은 수면방추파(sleep spindle)를 발생시키는 주요 부위이다. 수면방추파란 비렘수면 시 7–15 Hz의 방추형으로 나타나는 뇌파 형태인데, 시상 망상핵(reticular nucleus of thalamus)과 시상–피질 뉴런(thalamocortical neuron), 피질–시상 뉴런(corticothalamic neuron)의 상호작용 과정에서 발생한다. 비렘수면의 서파(slow wave)는 주로 대뇌피질에서 발생되지만 시상 회로도 관여되는 것으로 알려져 있다.

1) 모노아민(monoamines)

모노아민성 뉴런은 노르에피네프린(norepinephrine), 세로토닌(serotonin), 도파민(dopamine)을 생산하는 세포로서 대뇌피질, 기저전뇌, 외측 시상하부 등으로 투사되어 각성을 유도한다. 일부는 시상의 midline, intralaminar, reticular nulei를 타깃으로 투사하여 thalamocortical signaling을 강화시킨다. 모노아민성 뉴런은 대체로 비슷한 발화 패턴을 보인나. 즉, 각성 시 발화율이 높아지고, 비렘수면 시 발화율이 낮아지며 REM 수면 시에는 발화를 멈춘다.

(1) 노르에피네프린

청반(locus ceruleus, LC)은 전뇌에 존재하는 노르에피네프린의 주요 공급원이다. LC 뉴런은 중추신경계 전반으로 투사하며 신호를 주고받는다. 구심성 투사는 LC로 수렴되고 원심성 투사는 다양한 뇌부위로 확산되는 패턴으로 중추신경계의 '방송국' 같은 역할을 하며 뇌 전반의 상태 변화에 필요한 광범위한 반응을 유발할 수 있다. LC는 자극이나 스트레스에 반응하여 높은 수준의 각성을 유발한다. 노르에피네프린 효현제는 각성을 증가시키고 LC 뉴런을 광유적학적 자극하면 즉각적인 각성 유발 효과를 보인다. LC 활성도는 스트레스, 새로운 자극, 강렬한 자극이 주어질 때 특별히 더 증가한다. 실험동물의 LC에 병변을 발생시키면 사회적, 신체적으로 복잡한 환경에 처해도 각성도가 낮게 유지된다.

(2) 세로토닌

전뇌에 존재하는 세로토닌은 대부분 등쪽 봉선(dorsal raphe nucleus, DRN)에서 발생한다. LC와 유사하게 수면각성 관련 뇌부위와 신호를 주고받을 뿐 아니라, extended amygdala, insula, prefrontal cortex와도 신호를 주고받는다. 초기 연구에서는 DRN에 병변이 있거나 세로토닌이 갑자기 감소시키면 잠을 잘 못 자기 때문에, 세로토닌이 수면을 증진시킨다고 생각했다. 그러나 이러한 상황에서의 수면 감소는 세로토닌의 생리적 기능인 열발생 기능이 방해받아 저체온이 발생했기 때문이다. 최근 연구는 오히려 세로토닌이 각성을 증진시킨다는 증거를 보여준다. 즉 세로토닌의 직접 투여 시 각성 증진 뉴런이 활성화되며, 세로토닌 증가 약물 투여 시 각성이 증가하는 것이 입증되었다. 세로토닌성 뉴런을 활성화시키면 각성이 2배로 늘고 비렘수면은 분절화된다. 단, 이러한 효과는 세로토닌과 동시에 분비되는 글루타메이트의 역할도 존재함을 감안해야 한다.

(3) 도파민

도파민의 각성 증진 효과는 도파민 관련 약물의 강력한 효과를 보면 자명하다. 암페타민(amphetamine)이나 모다피닐(modafinil)은 시냅스의 도파민을 증가시켜 강력한 각성을 유도한다. 반면 항정신병 약물 같은 도파민 길항제는 강력한 진정효과를 나타낸다. 그러나, 도파민 뉴런이 많은 흑질(substantia nigra)이나 복측피개영역(ventral tegmental area, VTA)에서 각성 시 발화가 증가하지 않아 수면각성 조절과 직접적으로 관련이 없는 것으로 생각했다. 하지만 최근 연구에서 VTA 도파민 뉴런은 먹이 공급이나 짝짓기 기회 등 높은 동기를 유발하는 상황에서 활성화되며, 화학유전학(chemogenetics) VTA 억제 시 높은 동기 조건에서도 수면 및 수면 연관 행동이 유발됨을 발견했다. 즉, VTA 도파민 뉴런은 동기가 높아진 상황에서 특이적으로 각성 증진 기능이 있다. 또한 nucleus accumbens나 central nucleus of amygdala에 광유전학적 자극을 주면 즉각 수면에서 깨어난다.

(4) 히스타민

조면유두핵(tuberomammillary nucleus, TMN)은 뇌에서 유일한 히스타민(histamine)의 공급원이다. TMN 뉴런은 대뇌피질, 시상, 기타 각성 증진 영역의 뉴런을 흥분시킨다. 중추성 히스타민 H1 길항제는 진정을 유도하고, H1 수용체나 히스타민이 제거된 마우스는 초기 암기(early dark period)에 각성이 줄어들고 새로운 환경 스트레스에 대한 각성 반응도 감소된다. 반면 히스타민 뉴런에 GABA 수용체가 없는 마우스에서는 히스타민성 뉴런이 더욱 활성화되고 새로운 환경에서 수면잠복기가 길어진다. 최근 연구에서는 히스타민 뉴런에서 GABA가 동시 분비되어 대뇌피질 활성화 및 각성에 시너지 효과를 보였으나 아직 논란이 있다. TMN 뉴런의 선택적 활성화 시 보행운동이 증가하는데, 이것이 동기, 인지, 각성의 다른 측면의 증가 때문인지는 아직 밝혀지지 않았다.

3 각성 조절 뇌회로

1) 기저전뇌(basal forebrain)

기저전뇌는 내측중격(medial septum)으로부터 후방으로 substantia innominata까지 이르는 영역으로 아세틸콜린(acetylcholine), GABA, 글루타메이트(glutamate) 뉴런들이 혼재하고 있다. 이 뉴런들은 대뇌피질로 장거리 연결을 형성하면서도 근거리 연결을 통해 주변 기저전뇌 뉴런들에 영향을 준다. 전반적으로 기저전뇌는 각성을 증진시키는 것으로 알려져 있다. 기저전뇌 자극은 각성을 유발하고, 병변 발생시 뇌파상 서파가 나타나고 혼수상태를 유발하기 때문이다. 기저전뇌는 대뇌피질 활성화 및 각성 상태에 필요한 뇌영역이라 할 수 있다.

기저전뇌 콜린성 뉴런은 각성, 집중, 기억, 감각처리, 피질 가소성 등 대뇌 활성을 빠르게 증진시킨다. 이 뉴런들은 대뇌피질의 피라미드 뉴런(pyramidal neurons)을 직간접적으로 흥분시킨다. 꼬리 쪽 기저전뇌의 콜린성 뉴런은 편도체(amygdala)로 투사하고, 내측중격의

콜린성 뉴런은 해마(hippocampus)로 투사하여 렘수면 중 쎄타 활성을 일으키는데 기여한다. 그러나 콜린성 뉴런의 활성을 변화시켰을 때 주로 대뇌피질의 활성이 영향을 받는 반면 수면각성 상태는 크게 달라지지 않는다. 예를 들어 콜린성 뉴런에 선택적 병변을 일으키거나 억제하면 주로 서파 리듬이 증가하고 비렘수면에서 각성으로의 변화가 감소하기는 하나 총 각성 시간은 감소하지 않는다. 또한 화학유전학으로 선택적 활성화를 시키면 비렘수면 중 서파 활성이 억제되고 불안정해지나 전체 각성 시간에는 효과가 미미하다. 따라서 기저전뇌 콜린성 뉴런이 빠른 피질 활성을 증진시키기는 것은 분명하나 각성 자체에 필요한 것인지는 아직 불분명하다.

반면에 기저전뇌 GABA성 뉴런은 각성을 증진시키는 것이 확인되었다. 이 뉴런은 대뇌피질의 억제성 사이신경세포(inhibitory interneurons)를 억제하여 대뇌피질 활성화를 유도하거나, 시상의 중심선 핵들을 통해 간접적으로 각성에 영향을 준다. 이 뉴런들을 활성화했을 때 각성과 뇌파 활성이 증가하고 억제했을 때 비렘수면의 증가가 뚜렷하게 나타났다. 하지만 기저전뇌의 GABA성 뉴런은 해부학적으로나 기능적으로 일률적이지 않다. Somatostatin, parvalbumin, calretinin, calbindin, Kv2.2 등의 발현에 따라 세부적으로 나뉜다. 그 중 일부는 각성 및 렘수면 시 활성이 높아지는 반면, 일부는 비렘수면 시 활성이 증가한다. 예를 들어 parvalbumin 뉴런을 활성화시키면 각성과 빠른 뇌파가 증가하지만 somatostatin 뉴런을 활성화시키면 오히려 비렘수면이 약간 증가한다.

글루타메이트성 뉴런에 대한 것은 알려진 것이 훨씬 적지만 이 뉴런들도 대뇌피질 활성화와 연관이 있어 보인다. 이 세포들은 대뇌피질과 각성 증진 영역에 투사하고 각성과 렘수면 시 가장 많이 발화한다. 이 뉴런의 활성화 실험에서는 각성 유도 효과가 명확히 확인되지 않았다.

2) PPT/LDT

대뇌다리교뇌덮개핵(pedunculopotine nucleus of

tegmentum, PPT)과 외측등쪽덮개핵(laterodorsal nucleus of tegmentum, LDT)은 교뇌(pons)와 중뇌(midbrain)의 연결 부위에 콜린성 뉴런이 모여 있는 뇌 부위이다. 기저전뇌와 마찬가지로 GABA성 및 글루타메이트성 뉴런도 함께 구성하고 있다. PPT/LDT 콜린성 뉴런은 피질하 구조에 주로 투사하고 대뇌피질 자체에는 신경분포가 많지 않다. 이 뉴런들은 각성과 렘수면 시 가장 빨리 발화하며 PPT 전기 자극 시 빠른 뇌파 활성을 유도한다. 비렘수면 동안 PPT 콜린성 뉴런을 자극하면 서파가 억제되는 것으로 보고되었으나 각성 자체를 증진시키는지는 아직 알려지지 않았다.

PPT/LDT의 글루타메이트성 및 GABA성 뉴런은 빠른 뇌파 활성과 관련되어 발화한다. PPT 글루타메이트성 뉴런을 활성화시키면 각성이 증가하나, GABA성 뉴런 활성화 결과는 알려진 바가 없다.

3) 팔곁핵(parabrachial nucleus, PB)

팔곁핵은 전뇌(forebrain)로 감각 신호를 전달하는 중요한 부위이다. 팔곁핵에 손상을 입으면 동물이나 사람 모두에서 혼수상태 또는 식물상태를 유발하므로 각성 조절의 주요 부위라 할 수 있다. 특히 내측 팔곁핵(medial PB)의 글루타메이트성 뉴런은 기저전뇌로 집중적으로 투사하고 있고, 이 뉴런들을 제거하면 각성이 감소하고 비렘수면 델타파가 증가하므로 각성상태에 필요한 세포이다. 바깥 외측 팔곁핵(external lateral PB)의 글루타메이트성 뉴런은 고탄산혈증(hypercarbia)에 의해 활성화되며 폐쇄성 무호흡 시 각성을 유도한다. 뿐만 아니라 통증, 추위, 오심(nausea) 등 내적 자극도 이 뉴런을 활성화시켜 각성을 증진시킨다.

4) 하이포크레틴 또는 오렉신
(hypocretin or orexin)

하이포크레틴(hypocretin-1, hypocretin-2)은 오렉신(orexin-A, orexin-B)이라고도 불리는 뉴로펩타이드로서 각성과 렘수면을 조절하는 데 필수적이다. 이 뉴런은 외측 시상하부(lateral hypothalamusn, LH)에 산재

하고 있으며 각성 증진 영역을 강력하게 흥분시킨다. 하이포크레틴이 수용체(OX1, OX2)에 결합하면 수분간 타깃 뉴런의 흥분상태를 유발하고, 글루타메이트를 동시 분비하여 활성화에 기여한다.

하이포크레틴은 특히 장시간 각성 유지 기능에 필수적이다. 실험동물의 뇌에서 활동기에 특이적으로 하이포크레틴 뉴런의 활성도가 높아지고 세포 밖 하이포크레틴 농도도 증가한다. 이 뉴런을 선택적으로 활성화시키면 각성 유도 및 각성 증가가 일어나고, 렘수면이 강력하게 억제된다. 하이포크레틴은 기면병(Narcolepsy)에서 특히 중요한 의미를 가진다. 기면병 환자들은 만성적으로 극심한 졸리움과 렘수면 이상을 보인다. 기면병 동물모델에서도 각성기가 짧아지거나 각성에서 바로 렘수면으로 갑작스럽게 이행되는 표현형이 관찰된다. 하이포크레틴 뉴런이 소실되면 장시간의 각성 유지에 어려움이 있지만 총 각성 시간은 크게 감소하지 않는다.

하이포크레틴의 각성 유지 기능에 핵심적인 뇌 부위는 TMN과 LC이다. 이 부분들을 활성화시키면 각성을 개선시킬 수 있다. 한편 LC를 억제하면 하이포크레틴 뉴런의 활성화에 따른 각성 효과가 감소한다. 넓게 투사하는 하이포크레틴 뉴런의 기능을 명확히 하려면 세분화된 연구가 필요하다.

5) LH and PH

외측시상하부(lateral hypothalamus)와 뒤쪽시상하부(posterior hypothalamus)는 임상적으로 손상을 받았을 때 심한 졸리움을 유발하는 부위이다. 이때 환자들은 하루 15-20시간씩 수면을 취한다. 하지만 하이포크레틴 뉴런에만 손상이 온 경우에는 졸리움은 심하나 총 수면량이 늘어나지는 않는다. 이러한 이유로 이 부위의 다른 각성 증진 세포에 대한 연구가 진행되었다. LH GABA성 뉴런은 시상의 망상핵을 신경지배(innervate)하고, 활성화 시 비렘수면에서 각성으로의 즉각적인 이행을 유도한다. 반대로 억제 시 서파를 늘리고 비렘수면을 증가시킨다. 또 다른 일군의 LH GABA성 뉴런은 수면 증진 영역으로 투사하며 활성화 시 각성 증가 효

과를 보인다.

4 비렘수면의 조절: 항상성 비렘수면 조절과 수면유발물질

장기간 각성 유지 후 깊은 비렘수면이 뒤따라 일어나는 현상을 항상성 수면 반응(homeostatic sleep response)이라 하며, 이러한 반응은 비렘수면을 증진시키는 물질과 연관되어 있다. 그동안 adenosine, prostaglandin D2, interleukin-1, TNF-α 등이 수면유발물질(somnogen)로서 제안되어 왔다. 일반적으로 수면유발물질은 각성 시 점차 증가하여 일정 수준에 이르면 수면을 촉진한다.

아데노신은 수면유발물질 중 가장 잘 알려져 있다. 아데노신 세포 밖 농도는 기저전뇌, 대뇌피질, 해마에서 수면박탈 시 증가하고 수면 시 감소한다. 아데노신의 주된 공급원은 성상세포(astrocyte)로 알려져 있고, 성상세포의 adenosine kinase는 아데노신 농도를 조절한다. 아데노신 효현제를 뇌 내 주사하면 비렘수면이 증가하고, 카페인 같은 아데노신 길항제를 투여하면 각성이 증가된다. 카페인의 각성 효과는 각성 증진 영역으로 투사하는 nucleus accumbens의 뉴런들도 일조한다. 아데노신의 수면 유도 효과는 두 가지 효과에 의해 이루어진다. 즉, 아데노신은 아데노신 A1 수용체를 통해 각성 증진 뉴런을 억제하고 아데노신 A2A 수용체를 통해 수면 증진 뉴런을 활성화시킴으로서 수면을 유도하게 된다.

한편, 수면유발물질은 국소적 수면(local sleep)을 반영하는 국소성 피질 서파 증가에도 기여한다. 집중적으로 활성도가 높아진 뇌 부위에서는 수면 시 높은 델타파 활성이 발생한다. 예를 들어 국소적 간질발작 후에 흔히 국소성으로 강한 서파가 나타난다. 또한 새로운 동작성 과업 같은 가벼운 임무를 학습한 후에도 supplementary motor cortex의 해당 영역에서 델타파가 증가한다. 렛드에 몇 시간 정도의 수면박탈을 실시하면 국소성 서파가 시간에 따라 증가 추세를 보이고 동작성 과업의 수행능력도 감소한다. 국소 피질 영역에서의 높은 대사 요구량에 의해 아데노신 및 다른 수면유발물질의 농도가 높아지고 결과적으로 국소 서파가 증가한다. 수면유발물질이 '탑-다운(top-down)' 방식으로 뇌의 전반적 수면을 유발하는지 '바텀-업(bottom-up)' 방식으로 국소적 수면을 유발하는지에 대한 논의는 아직 진행중이다.

5 비렘수면의 신경 회로

비렘수면 유발에 기여하는 신경회로는 다음과 같다 (그림 7-2).

1) 시교차 앞 구역(preoptic area)

폰 에코노모(von Economo)의 기면성 뇌염 연구에서 대부분의 환자에서 뒤쪽 시상하부 병소에 의해 심한 졸음이 발생한 것으로 보고했으나, 일부 환자에서는 정반대의 증상이 있었다. 즉, 시상하부의 가장 앞쪽 영역인 시교차 앞 구역(preoptic area, POA)에 병소가 있는 환자들은 심한 불면증을 호소하였다. 따라서 POA에 수면 증진 뉴런이 존재할 것이라 제안하였고, 이러한 가설은 이후 고양이와 랫드의 병소(lesion) 실험으로 확인되었다. 또한 신경생리 연구에서 비렘수면과 렘수면 동안 POA와 근방의 기저전뇌가 활성화되는 것을 확인하였다.

복외측시교차앞구역(ventrolateral preoptic area, VLPO)과 중앙시교차앞구역(median preoptic area, MnPO)에 수면을 증진시키는 세포가 존재한다. 뉴런의 활성을 기록하기 위한 단일 단위 기록(signle unit recording)과 c-fos 발현을 분석하여 비렘수면 시 활성을 보이는 뉴런이 VLPO와 MnPO에 집중되어 있음을 확인하였다. VLPO에는 GABA 및 갈라닌(galanin)을 생산하는 뉴런이 존재하고, MnPO에는 GABA를 생산하는 뉴런이 존재한다. 이 세포군들은 각성 증진 뇌 영

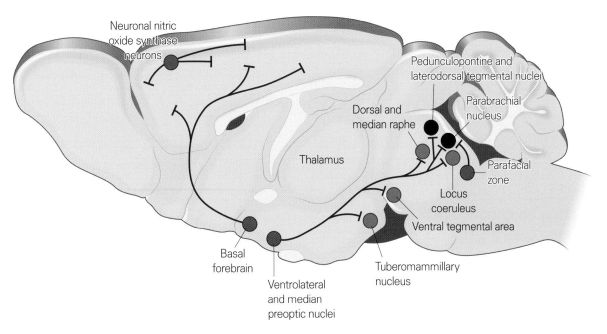

그림 7-2. 비렘수면 증진 경로
출처: dx.doi.org/10.1016/j.neuron.2017.01.014

역들 즉, 기저전뇌, LH, TMN, DRN, PB, LC 등에 집중적으로 투사하여 이들을 억제한다. POA의 GABA성 뉴런의 선택적 자극 시 LH 하이포크레틴 뉴런이 억제되었다. 반대로 VLPO는 각성 증진 영역으로부터 억제성 신경지배를 받는다. 아세틸콜린, 노르에피네프린, 세로토닌은 직접 VLPO 뉴런을 억제하며, 히스타민과 하이포크레틴은 국소 GABA성 사이신경세포를 통해 VLPO 활성을 억제한다.

또한 VLPO와 MnPO는 수면박탈 후 나타나는 항상성 수면 반응을 매개한다. 수면박탈 및 회복수면 시 두 영역의 뉴런들은 빠르게 발화한다. 반대로 아데노신 길항제는 VLPO 활성을 억제한다. VLPO 내에는 두 종류의 세포군이 있다. 한 군은 아데노신에 의해 활성화되고 항상성 수면 압력에 반응하여 수면을 증진시키는 세포들이다. 다른 한 군은 아세틸콜린, 노르에피네프린, 세로토닌 등에 의해 억제되는 세포들로서 각성 증진 세포들의 비활성화에 따라 탈억제되어 수면을 공고화한다.

2) Basal forebrain

대부분의 기저전뇌 뉴런은 각성 시 활성을 보이지만 비렘수면에서 활성을 보이는 뉴런들도 존재한다. 이러한 뉴런은 대부분 GABA성이며 비렘수면이 시작하기 수초 전에 발화를 시작하고 비렘수면 동안 최고 발화율을 보인다. 이렇게 비렘수면 시 활성을 보이는 뉴런의 특성에 대해서는 아직 자세히 밝혀진 것은 없으나, 소마토스타틴(somatostatin)을 생산하는 기저전뇌 뉴런의 경우 주변의 각성 증진 뉴런을 억제하여 비렘수면에 기여할 가능성이 제시되었다.

3) Parafacial zone (PZ)

비렘수면 뇌회로는 주로 POA나 기저전뇌를 중심으로 이루어졌다. 하지만 오래 전 뇌절단 연구에서 꼬리쪽 뇌간에 비렘수면을 촉진하는 뉴런이 존재한다는 보고가 있었다. 입쪽 연수(rostral medulla) 안면신경 기시부의 등쪽 외측 parafacial zone에 비렘수면이 활성을 보이는 뉴런이 발견되었다. 이들은 GABA성 및 글라이신성(glycinergic) 뉴런으로서 비렘수면 시 c-fos을 발현하고, 선택적 병소 유발 시 각성이 증가한다. 이 뉴런의 화학유전학적 활성화에 의해 비렘수면이 증가하고 델타 파워가 회복수면 수준으로 증가한다. 반대로 PZ GABA성 뉴런 억제 시 비렘수면이 현저히 감소한다. 이 뉴런은 PB의 각성 증진 뉴런을 억제하여 비렘수면을 증가시킨다.

4) Cortical sleep-active nNOS neurons

대부분의 대뇌피질 뉴런은 각성 시 활성화되지만 비렘수면 시 활성화되는 일군의 뉴런이 존재한다. 이 뉴런들은 신경성 산화질소 생성효소(neuronal nitric oxide synthase, nNOS)를 생산하는 GABA성 사이신경세포이다. 이 뉴런의 c-fos 발현은 비렘수면 양 및 서파활성도(slow wave activity)와 양의 상관 관계를 보인다. 대뇌피질 nNOS 뉴런은 항상성 수면 압력에 반응하여 장거리 및 피질내 투사를 통해 GABA 및 산화질소를 분비함으로써 대뇌피질 서파를 발생시킨다. nNOS 넉아웃 마우스에서는 비렘수면 에피소드가 짧아지고, 총 비렘수면이 감소하며, 수면박탈에 의한 수면 항상성 반응이 둔화된다.

6 비렘수면 조절 모델

비렘수면은 POA, 기저전뇌, 뇌간, 대뇌피질의 뉴런에 의해 발생되는 것이 분명해 보이나 비렘수면으로의 전환 및 비렘수면의 유지 기전은 아직 명확하게 밝혀지지 않았다. 수면 증진 및 각성 증진 회로의 연결은 상호 억제의 특성을 가지고 있다. 즉, VLPO는 각성 증진 영역을 억제하고 반대로 각성 증진 영역은 VLPO를 억제한다. 이러한 상호억제 회로는 둘 중 한가지 상태만 존재하도록 하는 플립플롭 스위치(flip-flop switch)와 유사하다. 즉, 각성 증진 뉴런이 억제되면 결과적으로 VLPO에 대한 억제력 또한 약화되고 VLPO의 활성이

더욱 강화되어 전반적 뇌상태가 수면 상태로 전환된다. 반대로 VLPO가 억제되면서 각성 증진 뉴런의 활성이 강화되면 따라서 VLPO의 억제가 더욱 강화되고 결과적으로 각성 상태로 전환된다. 이러한 뇌회로의 특성때문에 뇌는 수면과 각성 두 상태 중 한 가지 상태로 빠르게 전환될 수 있고, 안정적으로 유지될 수도 있다. 또한 수면과 각성의 중간상태 즉, 졸린 상태를 최소화할 수 있다. 이러한 상호 억제 회로는 기저전뇌의 비렘수면 증진 뉴런과 뇌간 사이나 대뇌피질 nNOS 뉴런과 각성 증진 뉴런들 사이에도 존재할 개연성이 있으나 아직 확인되지는 않았다.

7 렘수면 조절 신경 회로

렘수면의 발생에는 뇌교(pons)의 신경회로가 중요한 역할을 한다. 초기 렘수면 연구에서 뇌교의 꼬리 쪽 경계를 절단시킨 동물에서는 렘수면 시 정상적인 저진폭의 빠른 뇌파가 발생되나 무긴장증은 나타나지 않았다. 반면 뇌교의 입쪽 경계선에서 절단한 경우 근긴장도 소실은 나타나지만 빠른 뇌파는 나타나지 않았다. 1970년대 후반에는 뇌교에 렘수면을 유발하는 PPT/LDT 콜린성 뉴런과 렘수면을 억제하는 모노아민성 뉴런의 상호 연결에 의해 조절된다고 생각했다. 최근 하부 외배측 피개핵(sublaterodorsal nucleus, SLD)의 글루타메이트성 뉴런이 렘수면에 중추적인 역할을 하는 것으로 이해하는 새로운 모델이 제시되고 있다(그림 7-3).

1) PPT/LDT

PPT/LDT 콜린성 뉴런은 뇌교 렘수면 발생의 핵심 요소로 알려져 왔다. 그러나 최근 이 뉴런들은 핵심요소보다는 조절인자로서 인식되고 있다. 렘수면 시 등쪽 뇌교(dorsal pons)의 아세틸콜린 농도는 각성 수준으로 높아지고, 콜린성 효현제 카바콜(carbachol)을 외측 등쪽뇌교에 미세주사하면 렘수면 유사 상태가 장시간 지속된다. 또한 콜린성 뉴런은 렘수면 및 각성 시 주로 발

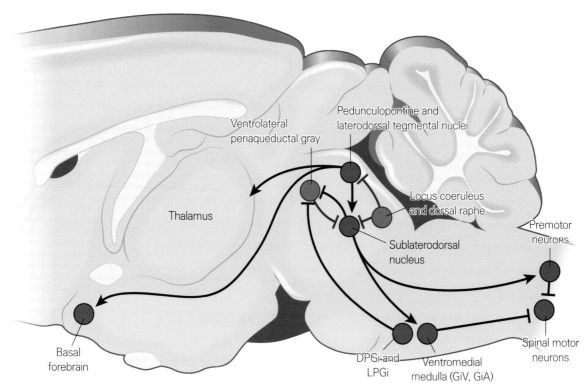

그림 7-3. 렘수면 증진 경로

출처: dx.doi.org/10.1016/j.neuron.2017.01.014

화한다는 것이 밝혀졌다. 실제로 이 뉴런들은 렘수면 전에 발화를 시작하여 렘수면으로의 이행을 돕는 것으로 볼 수 있다.

2) Sublaterodorsal nucleus (SLD)

약 반세기 전 렘수면 시 무긴장증을 유발하는 뇌교 내 핵심 부위가 새롭게 발견되었다. 이 부위의 해부학적 명칭은 Sub-LD (SLD) 또는 sub-ceruleus로서 LDT와 LC의 복측에 있음을 의미한다. 많은 연구에서 SLD의 글루타메이트성 뉴런이 이러한 현상을 유발한다는 것을 밝혔다. c-fos 발현이나 뉴런활성의 단일 단위 기록에서 SLD 뉴런이 렘수면 기간 동안 활성화된다는 것을 확인했다. SLD 뉴런은 렘수면 내내 일정하게 발화하고, 렘수면이 아닌 상태에서 이 뉴런을 약리학적 활성화를 시키면 즉각 렘수면과 유사한 상태 즉, 낮은 전압의 뇌파, 뚜렷한 쎄타파, 무긴장증이 나타나고 장기간 지속된다.

흥미로운 현상은 SLD에 병소를 유발하면 무긴장증이 없는 렘수면 유사 상태가 발생하고, 이때 근육 연축, 점프, 복잡한 행동 등을 보인다. SLD 병소가 주변 구조물까지 확대되면 렘수면 에피소드가 짧아지고 총 렘수면량도 줄어든다. 따라서 SLD는 렘수면 무긴장증에 필요 조건이고 주변 영역과 함께 렘수면 상태를 만들어낸다는 것을 알 수 있다.

렘수면 시 SLD 뉴런은 PPT/LDT의 콜린성 뉴런에 의해 활성화된다. 콜린성 뉴런이 SLD로 투사하고 있다는 점과 SLD가 카바콜에 의해 매우 민감하게 렘수면 증진 효과를 보인다는 것은 이를 뒷받침한다. 특히 카바콜은 SLD 내 뉴런 중에서도 척수 방향 투사 및 렘수면 시 활성화 등의 특성을 가진 뉴런을 특이적으로 흥분시킨다. 그러나 콜린성 자극은 렘수면양이나 에피소드 길이에는 영향을 주지 않는다.

SLD가 무긴장증을 유발하는 기전에 대해서는 아직

여러가지 모델이 있다. 첫째, SLD가 척수 운동 신경을 억제하는 ventromedial medulla (VMM) 뉴런을 활성화시켜 무긴장증을 유발한다는 모델이다. 이 VMM 뉴런은 억제성 글라이신/GABA 뉴런으로서 gigantocellular reticular nucleus (GiV)와 alpha gigantocellular reticular nucleus (GiA)의 inferior olive보다 입쪽에 위치한다. 단일단위기록에서 VMM뉴런은 렘수면 시 가장 빠르게 발화하고, 비렘수면 시 천천히 발화하며, 각성 시 거의 발화하지 않으며, 발화 시 무긴장증이 동반된다. 두 번째로는 연수를 지나서 척수의 억제성 글라이신성/GABA성 사이신경세포를 직접 자극한다는 모델이다. 이러한 맥락에서 척수 배쪽뿔(ventral horn)에서 직접 억제성 사이신경세포를 억제하면 렘수면동안 위상성 운동(phasic movement)을 보인다. 이 두 모델은 상호배타적인 것은 아니며 통합적인 연구가 필요하다.

3) 뇌교의 렘수면 억제 뉴런

렘수면은 각성 상태와 공통점이 많다. 렘수면 시에는 대뇌피질 활성이 비동기화(desynchronization)되어 있고 대사가 높게 증가되어 있으며, 복잡한 정신 활동이 일어난다. 사람과 동물 모두 렘수면에서 각성상태로 빠르게 이행할 수 있다. 그렇다면 렘수면에서 각성으로 이행을 막는 것은 무엇일까?

뇌교의 LC와 DRN 같은 모노아민성 뉴런들이 각성 시에 렘수면이 발생하는 것을 막는다. 이 뉴런들은 렘수면 시 매우 활성화되는 반면 각성 시에는 전혀 발화하지 않는다. 모노아민성 뉴런은 SLD로 투사하여 SLD 내 렘수면 활성 뉴런을 억제함으로써 렘수면을 억제한다. 뿐만 아니라 노르에피네프린과 세로토닌은 PPT/LDT 콜린성 뉴런을 억제한다. 이러한 현상은 모노아민을 증가시키는 항우울제 투여 시 렘수면 억제가 나타나는 것과 같은 맥락이다.

뇌교에 존재하는 또 다른 렘수면 억제 영역으로 ventrolateral periaqueductal gray matter (vlPAG)과 lateral pontine tegmentum (LPT)가 있다. c-fos 발현으로 보면 vlPAG/LPT 뉴런은 렘수면 시 비활성화되고 각성 및 비렘수면 시 활성화되는 것으로 보인다. 하지만 이 뉴런들이 상태 의존적으로 발화하는지는 아직 확실치 않다. vlPAG/LPT 뉴런은 SLD로 GABA성 신경지배를 보내고 있으며 약리학적으로 이 뉴런을 비활성화시키면 렘수면이 증가한다. VMM으로부터 vlPAG으로 오는 GABA성 투사를 활성화시켜도 마찬가지로 렘수면이 증가하고 비렘수면에서 렘수면으로의 이행도 증가한다. 종합하면 vlPAG/LPT 뉴런은 SLD로 보내는 GABA성 투사를 통해 렘수면을 억제한다. 한편, 렘수면 시 vlPAG/LPT는 SLD에서 보내는 GABA성 신경지배에 의해 억제된다. 이러한 vlPAG/LPT와 SLD의 관계는 상호 억제 회로로서 전술한 각성-비렘수면의 플립플롭 모델과 유사하다.

4) 연수 망상체

VMM의 GiV 및 GiA는 렘수면 무긴장증 발생에 핵심적인 부위이다. 이 부위의 뉴런들은 렘수면 시 활성을 보이는 글라이신성 또는 GABA성 세포이다. SLD의 투사를 받고 척수 또는 뇌간의 운동 뉴런에 투사를 한다. 이 뉴런들이 활성화되면 운동 뉴런에 억제성 시냅스후 전위(inhibitory postsynaptic potential, IPSP)가 발생된다. VMM에는 렘수면 시 글루타메이트 농도가 상승하는데, 실험적으로 글루타메이트 신호를 차단하면 무긴장증 없는 렘수면(REM sleep without atonia)이 발생한다. 즉, SLD로부터 나온 글루타메이트성 신호가 VMM 뉴런을 활성화시키고, VMM 뉴런에 의해 렘수면 무긴장증이 발생되는 것이다.

또한 GiV와 GiA의 등쪽 및 외측에 있는 Dorsal paragigantocellular reticular nucleus (DPGi)와 lateral paragigantocellular nucleus (LPGi)는 LC, DRN, vlPAG/LPT와 같은 REM 억제 뉴런을 억제함으로써 렘수면을 증진시킨다. 이러한 부위의 존재는 연수가 무긴장증 발생에만 관여한다는 기존의 이론으로 볼 때 의외의 결과이다.

5) 시상하부에 의한 렘수면 조절

수십 년간 렘수면 연구는 뇌간에 집중되었으나 최근

POA, LH, PH가 렘수면 발생 및 조절에 관여하는 기전이 밝혀졌다. 이 부위의 뉴런들은 비렘수면과 렘수면 모두에서 최고 활성을 나타내나, 일부는 렘수면에서만 활성을 보인다. 정확한 신경화학적 특성을 아직 밝혀지지 않았으나 두 가지 군으로 대별된다. 첫째는 VLPO의 등쪽 및 내측 영역으로서 extended VLPO라고 불리는 부위다. 이 부위의 뉴런들은 갈라닌성 또는 GABA성 뉴런으로서 렘수면 시 활성을 보이고, 그 결과 DRN, LC, vlPAG/LPT 등의 렘수면 억제성 뉴런들을 억제함으로서 렘수면을 증진시키는 것으로 보인다.

두 번째로 melanin-concentrating hormone (MCH)이라는 신경펩타이드를 생산하는 뉴런이 두 번째 군이다. 이 뉴런은 LH와 PH에 산재하고 있으며 SLD에 투사한다. 렘수면 시에 최대 활성을 보이고, 선택적으로 활성화시키면 렘수면이 증가한다. 한편 MCH 뉴런이 비렘수면을 증가시킨다는 보고나 MCH 뉴런 소실 시 비렘수면 이상이 발생한다는 보고도 있다. 대부분의 연구에서 MCH 뉴런을 자극하면 렘수면이 증가하나, MCH 뉴런을 억제하거나 소실시켰을 때 렘수면에 큰 변화가 없었다.

MCH 뉴런은 GABA 또는 글루타메이트의 동시분비를 통해 타깃 뉴런에 영향을 주기도 한다. MCH 뉴런은 GAD65와 GAD67를 가지고 있으면서 vesicular glutamate transporter 2 (vGlut2)도 함께 가지고 있으므로 GABA와 글루타메이트를 모두 분비할 수 있다. 그러나 MCH 뉴런을 선택적으로 활성화시킬 때 GABA가 분비된다는 연구가 있는 반면 글루타메이트만 분비된다는 연구도 있다. 이러한 불일치의 원인은 알려지지 않았다. MCH 뉴런은 LC, DRN, vlPAG/LPT와 같은 렘수면 억제 뉴런에도 투사한다. 종합하면 MCH 뉴런의 글루타메이트는 렘수면 증진 뉴런을 직접 활성화시키고, MCH와 GABA는 렘수면 억제 뉴런을 억제함으로써 렘수면을 증진시킨다.

한편 LH의 하이포크레틴 뉴런은 MCH 뉴런과 혼재되어 있으나 렘수면에 대해 정반대의 효과를 나타낸다. 하이포크레틴 1을 뇌실내 주사하면 렘수면이 수 시간 동안 감소하고, 하이포크레틴 뉴런을 선택적으로 자극하면 렘수면에서 각성으로 이행한다. 반면 하이포크레틴 길항제는 렘수면을 증가시키고 렘수면잠복기를 감소시킨다. 하이포크레틴이 없는 설치류나 기면병 환자에서는 렘수면 조절에 심각한 문제를 보인다. 즉, 렘수면이 하루 중 아무 때나 나타나기도 하고, 무긴장증이나 꿈같은 환각처럼 렘수면 시 나타나는 현상이 각성 상태에서 나타난다. 하이포크레틴 뉴런은 주로 렘수면 억제 영역으로 투사하며, 하이포크레틴 넉아웃 마우스에서 DRN 세로토닌 뉴런에만 하이포크레틴 신호를 회복시키면 각성중 무긴장증 에피소드가 감소한다. 이러한 연구결과를 바탕으로 하이포크레틴 뉴런은 각성 시 활성화되어 각성기에 렘수면을 억제한다는 것을 알 수 있다.

8 렘수면 조절 모델

1975년 Hobson과 McCarley는 PPT/LDT 콜린성 뉴런과 모노아민성 뉴런의 상호작용에 의해 렘수면이 조절된다는 것을 제안했었다. 그러나 지난 10년 동안 렘수면의 핵심 요소는 SLD 글루타메이트성 뉴런이며, 콜린성 및 모노아민성 뉴런은 부수적으로 렘수면 조절을 담당한다는 것이 밝혀졌다. SLD의 상행성 투사 경로는 뇌파 활성화를 유발하고, 하행성 경로는 무긴장증을 유발한다. SLD 뉴런은 렘수면시 vlPAG/LPT의 렘수면 억제 뉴런을 억제하고, 각성 및 비렘수면시 반대로 vlPAG/LPT에 의해 억제된다. 이러한 상호 억제 회로는 확실히 구별되는 렘수면 상태를 형성할 수 있게 한다. 이러한 SLD와 vlPAG/LPT의 상호작용은 다양한 요소에 의해 재조정된다. 즉, PPT/LDT의 아세틸콜린, 연수의 상행성 투사, MCH 뉴런은 렘수면을 증가시키고, 모노아민과 하이포크레틴은 그 반대의 효과를 유발한다.

수면과 각성은 다양한 뇌부위의 상호작용의 결과로 나타나는 역동적인 과정이다. 비렘수면은 비렘수면 증진회로와 각성 증진 회로의 균형에 의해 결정되며, 렘수면은 렘수면 발생 부위인 SLD와 렘수면 억제 회로의 균형에 의해 결정된다. 수면각성 행동을 조절하는 다양한 신경 회로의 해부학, 생리학, 상호작용 등의 깊은 이해를 바탕으로 할 때 아직 해결하지 못한 수면의 미스테리를 풀고 다양한 수면 문제의 근원적 해결책을 발견할 수 있다.

▶ 참고 문헌

- Brown RE, Basheer R, McKenna JT, et al. Control of sleep and wakefulness. Physiol Rev 2012;92:1087–187.
- Jones BE. Arousal and sleep circuits. Neuropsychopharmacology 2020;45:6–20.
- Scammell TE, Arrigoni E, Lipton JO. Neural circuitry of wakefulness and sleep. Neuron 2017;93:747–65.

CHAPTER 08 수면 기전 및 수면장애 연구 신기술

최근 20여년에 걸쳐 수면 기전의 이해를 비롯한 신경과학 분야는 그 이전의 발전 속도와는 비교할 수 없는 급격한 발전을 이룩하였다. 이는 광유전학으로 대표되는 새로운 신경과학 연구방법론의 확립을 빼고는 설명할 수 없다. 동시에 유전자 조작 기술이나 분자생물학적 기술 등 생명과학 분야의 발전이 이를 뒷받침하였다. 뿐만 아니라 신경과학에 적용될 수 있는 광학기법이나 전기전자 기술, 컴퓨터 기술 등이 동시다발적으로 발전하며 상당한 수준의 시너지를 형성하였다. 이 결과로 뇌의 구조와 기능을 이해하는 방식과 속도에 있어 혁명적 변화를 일으켰고 뇌지역 별로 존재하는 다양한 신경세포가 여러 뇌기능에 미치는 영향에 대한 인과적 분석을 가능하게 했다.

수면의 기전과 장애에 관한 연구도 이러한 발전에 직접적인 수혜를 받았다. 어떠한 신경과학자도 잠을 자지 않고 살 수는 없기에 수면 분야는 새로운 신경과학의 등장에서 중요한 관심을 받았다. 새로운 기술이 발전하는 과정에서 상당히 초기에 이들 기술이 수면의 이해에 적용되었고 이를 통해 수면의 이해가 심화되었을 뿐 아니라 기술을 발전시키는 과학자들에게는 중요한 기술 시연의 장을 제공했다.

본 챕터에서는 신경과학 분야의 신기술을 조망하며 동시에 이들 기술이 수면의 기전과 장애 연구에 어떤 기여를 했는지 간략히 살펴볼 예정이다. 또한 급속한 발전에도 불구하고 현재의 기술이 가지는 약점을 간략히 살펴보겠다. 이들 논의는 생쥐를 중심으로 진행하기로 한다.

1 신경 회로 중심의 시각

뇌는 1.4 kg 정도의 기관으로 수백억 개의 신경세포와 이와 맞먹는 수의 교세포로 이루어져 있다. 이 기관은 사람의 체중에서 2% 정도만을 차지하지만, 사람이 움직이고 생명기능의 유지에 필요한 여러가지 기능을 조절할 뿐 아니라 생각이나 기억, 언어 등 사람에 고유한 여러 복잡한 기능을 담당하고 있다. 기초적인 신경해부학 강의를 떠올려 보면, 뇌를 비롯한 중추신경계는 하나의 균질한 조직체계가 아니라 지역에 따라 다른 해부학적 특성과 기능적 특성을 가진 조직 체계이다.

이런 측면에서 뇌는 필연적으로 동일한 세포가 고도로 집적되는 것만으로는 그 본연의 업무를 완수하기 어렵고, 다른 업무를 수행하는 여러 종류의 구성요소로 이루어져 있다. 다른 한편으로 뇌의 기능을 이해하고자 하는 과학자의 입장에서도 서로 다른 역할을 수행하는 신경세포를 적당한 수준의 복잡성으로 분류하는 것이 큰 도움이 된다. 신경세포의 분류를 어떻게 진행할지는 아직 합의에 이르지 못한 복잡한 문제이자 중요한 연구 분야의 하나다. 비록 아직 신경세포의 분류체계가 완성되지는 않았지만, 지금까지의 발전상만 하더라도 수면을 비롯한 뇌과학의 여러 부문의 이해를 혁명적으로 심화하기에 충분하다.

신경세포의 가장 핵심적인 기능은 적당한 상황에 맞게 신호를 생성하고 전달하는 것이다. 이 전달은 대부분의 경우에 신경세포 간의 연결인 시냅스에 의해 단일한 방향으로 정해진다. 지금까지 간단히 언급한 뇌의 해부학적 특성과 신경세포의 분류, 일방향적 연결을 종합하여 생각하면 뇌 어느 지역에 있는 어떤 종류의 신경세포가 어느 지역의 어떤 신경세포와 연결되는지를 이해하는 것, 즉 신경회로의 지도를 이해하는 것이 아주 중요함을 알 수 있다. 여기에다가 각각의 신경회로가 어떤 역할을 수행하는지 규명하는 것이 흔히 시스템 신경과학으로 불리는 현대의 신경과학의 큰 부분을 차지한다. 아래에서는 이러한 신경회로 중심의 신경과학 연구의 핵심 기법과 함께 이를 통해 진보된 수면의 이해에 대해 간단히 소개한다(그림 8-1).

1) 유전자 조작 생쥐를 중심으로 한 모델 동물 제작 기술

우리의 궁극적인 목표는 사람의 수면에 대해 이해하고 각종 수면장애를 극복하는 것이지만, 모델 시스템을 통해 기초적 지식을 쌓는 것이 궁극적 목표 달성에 큰 도움을 준다. 사람에서 혹은 오가노이드와 같이 사람에서 유도된 시스템에서 수면에 직접적으로 관련된 실험이 진행 가능하지 않기 때문이기도 하고, 모델 시스템에서 진행되는 연구가 시간이나 금액 측면에서 경제적이기 때문이기도 하다.

생쥐는 의생명과학 분야의 연구에 가장 널리 쓰이는 동물 모델의 하나다. 포유동물로서 우리와 장기 구성이나 유전자 구성이 상당히 유사하고 번식 속도가 빠르며 산자수가 많아 사육과 유지에 유리하고 무엇보다 개체 수준의 유전자 조작기술이 잘 확립되어 개별 유전자 혹은 이에 기반한 특성을 연구하기에 유리함을 가진다. 구체적으로는 유전자가 결손되어 있거나, 특정한 형태로 유전자가 치환된 모델을 만들기에 가장 용이한 모델 생명체이다. 특정 유전자의 발현 패턴에 따라 작동하는 유전자 스위치(예, Cre DNA recombinase)는 특정 유전자를 발현하는 신경세포들에서 연구자가 원하는 유전자를 발현시켜 해당 뉴런을 인위적으로 활성화시키거나 억제하거나 유전자 발현의 패턴을 바꿀 수 있는 기술의

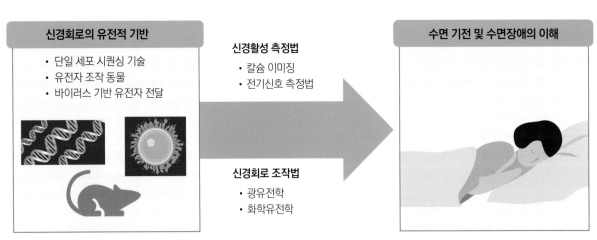

그림 8-1. 신경회로 연구 신기술을 기반으로 한 수면 기전 및 수면장애의 이해

기반을 제공하였다. 최근 CRISPR를 활용한 유전자 편집 기술이 발전하여 이런 장점을 가속화했고, 앞으로 소개할 중요한 유전적 도구들에 대해서는 이미 상당한 수준의 동물 모델이 제작되어 연구자의 필요에 따라 분양도 가능하다.

2) 바이러스 기반 유전자 전달 기술

유전자 조작 동물 모델과 더불어 두뇌의 특정지역에만 유전자를 전달할 수 있는 기술의 발전도 빼 놓을 수 없다. 만약 특정 유전자가 관심 영역에서만 배타적으로 발현한다면, 유전자 발현 패턴에 따른 유전자 스위치를 활용해서 특정 뇌지역의 기능을 연구하는데 쓰일 수도 있다. 하지만 이런 종류의 유전자는 많지 않고, 연구자가 관심을 갖는 지역에서 발현하지 않을 수도 있다. 이런 제한점은 국소적으로 유전자 전달을 한정할 수 있는 기술의 발전 필요성을 제기했고, 바이러스-의존적인 유전자 전달법이 이에 대한 해법을 제시했다.

뇌에 유전자를 전달할 수 있는 바이러스 벡터에는 여러 가지 종류가 있으나 렌티바이러스(lentivirus), 아데노 연관 바이러스(adeno-associated virus, AAV), 광견병 바이러스(rabies virus)와 이의 유도체들이 흔히 쓰이는 바이러스 벡터들이다. 이 중에서도 아데노 연관 바이러스는 숙주의 면역계 활성 능력이 아주 낮은 편이며, 전달된 이후 안정한 에피솜 형태로 오래 발현이 가능하면서도, 숙주의 유전체에 끼어들지 않아 유전자 전달에 의한 이차적 문제가 적어 가장 널리 쓰이고 있다. 바이러스 친화성(tropism)은 혈액이나 뇌 내로 주입된 아데노 연관 바이러스가 어떤 종류의 세포 내로 도입될 것인지 성질을 의미한다. 아데노 연관 바이러스에서 바이러스 친화성은 외피를 형성하는 캡시드 단백질에 의해 결정되기 때문에, 이들 단백질의 다양화를 통해 원하는 종류의 세포나 조직에 특이적으로 유전자를 전달할 수 있다. 실제로 말초신경계에 전달이 쉬운 아데노 연관 바이러스의 개발이나 액손에서 흡수되어 역행적으로 세포체로 전달가능한 아데노 연관 바이러스의 개발은 수면 기전을 비롯한 다양한 신경과학 연구에 활용되고 있

다. 뿐만 아니라 향후 더 많은 바이러스 캡시드 단백질의 개량을 통해 바이러스 벡터의 잠재력 역량을 발전시킬 수 있으리라는 희망을 갖게 한다. 특히 최근에는 캡시드 단백질의 다양화를 위해서 임의적 돌연변이를 통한 라이브러리 구축이나 기계학습을 이용해서 체계적으로 다양화를 진행할 수 있는 방법이 진행되어, 가까운 장래에 임상 현장에서 필요한 전달력을 가지는 바이러스 벡터의 개발이 기대된다.

2 단일 세포 시퀀싱 기술의 발전

수면을 조절하는 신경 세포가 발현하는 유전자의 분석에 관한 기술도 최근 상당한 발전을 이룩하였다. 대표적인 것이 단일 세포 RNA 시퀀싱 기술(Single-cell RNA-seq) 및 단일 핵 RNA 시퀀싱 기술(Single-nucleus RNA-seq)이다(Wang and Navin, 2015; Svensson et al., 2018). 이들은 채취한 뇌지역의 조직을 개별 세포나 개별 세포가 포함하는 핵으로 화학적, 물리적 방법을 통해 분리한 뒤, 각각의 세포나 핵이 가지는 전사체를 분석하는 기술이다.

단일세포의 유전적인 분석을 위해서는 먼저 분석하고자 하는 조직을 단일세포 수준으로 분리하는 단계가 필수적이다. 애초에 분리된 형태로 배양가능한 세포의 경우에는 파이펫팅이나 연속된 희석 등을 통해서 단일 세포 수준으로 분리된 세포를 얻을 수 있다. 필요에 따라서는 보다 특정한 종류의 세포를 선택적으로 분리하기 위해서 형광 활성 세포 분리 기법(Fluorescence-activated single cell sorting: FACS)이나 마이크로 플루이딕 분리 기법이 사용되기도 한다. 이는 두뇌와 같이 이질적인 세포가 모여 복잡한 연결을 형성하고 있는 조직에서는 간단한 일이 아니다. 손상된 세포나 둘 이상의 세포 덩어리가 분리되지 않는 경우도 빈번히 발생할 수 있기에 이를 방지할 수 있는 기술적 장치가 필요한데, 아직까지 뇌조직을 온전하게 단일 세포 수준으로 분리할 수 있는 표준적 기법은 존재하지 않는 실정이다.

이에 신경세포의 경우에는 단일 세포 수준의 분리보다는 단일 핵을 분리하는 기법도 널리 사용된다.

일단 단일 세포 혹은 단일 핵 수준으로 분리된 샘플에서는 시퀀싱 기법을 이용해서 다양한 종류의 분자적 정보에 접근이 가능하다. 해당 단일 세포/핵의 RNA 정보를 얻을 수도 있고 DNA 정보나 후성유전학적인 정보를 얻을 수도 있다. 여기에서는 수면 연구를 포함하는 신경과학 연구에 가장 널리 사용되는 RNA 분석에 집중하여 논의를 진행하도록 하자. 하나의 세포에는 10 pg 정도의 RNA가 포함되어 있고, 이 중 유전자 발현 정보를 포함하는 mRNA는 통상 이것의 1/100 정도로 여겨진다. 그렇기 때문에 일반적인 분석 방법으로는 mRNA의 종류와 발현양을 분석할 수 없고, 전체 전사체 증폭(whole transcriptome amplification) 기법을 통해 전체 유전체를 비교적 그대로 유지한 상태로 증폭시킨 후에야 차세대 시퀀싱 적용이 가능하다. 전체 전사체 증폭은 원래 전사체의 양적 관계를 유지한 채 전체 전사체를 증폭하는 것이 목적이지만, 실험적인 실현 과정에서 이 목적이 그대로 달성하는 것은 간단한 문제가 아니다. 단일 세포 분석법의 초기에 많이 활용되었던 역전사 기반의 기법은 mRNA의 3'쪽에서 역전사를 진행해 오기 때문에 증폭된 전사체에 3'이 많이 포함되는 3' 편향(bias)이 관찰되기 쉬웠다. 이후 개발된 MMLV 역전사 효소를 활용하는 역전사 기반 증폭 기법에서는 이 효소의 특성을 활용하여 주형 전환(template switching)이 가능해짐으로써 3' 편향 제거할 수 있는 기술적 기반을 깃추었다. 전체 전사체 증폭 기법에는 3' 편향 이외에도 다른 종류의 편차가 발생하기 쉬운데, 증폭 과정에서 전체 전사체가 고르게 증폭되지 않고 일부가 보다 더 효율적으로 증폭된다거나 하는 문제들이 발생할 수 있다. 이는 증폭 전 샘플을 분자적으로 바코딩을 한다든지 하는 방식으로 보정이 진행되며 궁극적으로는 시퀀싱 이외의 방법을 통해서 검증해 주어야 한다.

시퀀싱과 독립적인 기법(orthogonal approach)을 통해 단일 세포 수준의 RNA 시퀀싱 결과를 검증하는 것은 기술적인 제약을 극복하기 위한 수단이기도 하지만, 이를 통해 단일 세포 RNA 시퀀싱이라는 기법으로 구축한 포괄적인 세포 지도에 다양한 지식을 추가할 수 있는 길이기도 하다. 대표적으로는 fluorescent in situ hybridization (FISH)과 같은 RNA 가시화 기법을 통해 세포군에 따라 차등적으로 발현하는 유전자의 조직 내 위치 정보를 확보한다거나, 바이러스 벡터 기반의 신경 회로 추적 기법을 통해 세포군의 연결 상태에 대한 정보를 추가하거나, 아니면 전기생리학적 접근법이나 행동 연구를 통해 각 세포군의 차별적인 기능을 연구할 수도 있다.

단일 세포/핵 수준의 RNA 시퀀싱 기법은 수면에 관련된 여러 뇌 지역에도 적용되었다. 외측시상하부영역(lateral hypothalamic area)은 수면을 비롯하여 섭식, 스트레스 반응, 동기 행동 등 다양한 행동적 적응 기제의 발현을 통제하는 뇌 지역이다. 이렇게 다양한 기능을 담당하는 만큼 이 지역을 구성하는 신경세포 종류와 이들이 구성하는 신경회로를 이해하는 것이 중요한 과학적 문제의 하나였다. 2019년 발표된 논문에서는 외측시상하부영역을 미세 절제한 후 개별 신경세포 수준으로 분리하여 각 3,000여 개의 세포를 대상으로 단일 세포 RNA 시퀀싱을 수행하였다. 이를 통해 흥분성 뉴런과 억제성 뉴런을 각각 15개의 분류군으로 나누어, 이를 외측시상하부영역에 대한 일종의 세포 지도로 삼았다. 향후 이들 중 특정 신경세포의 활성을 측정하거나 활성을 제어하는 상황에서 수면을 동시에 탐지함으로써, 수면 기전의 이해를 위한 중요한 자원으로 작동할 것이다. 시상망상핵(thalamic reticular nucleus)도 수면과 각성을 이해하는 데 빼 놓을 수 없는 뇌 영역이다. 이 지역은 안정적인 수면을 유지함과 동시에 깨어 있을 때는 감각 정보의 처리 방식을 통제하는 기능을 수행한다. 시상망상핵이 어떻게 두 종류의 다른 기능을 담당하는 지 이해하고자 MIT의 구핑 펑(Guoping Feng)교수 연구진은 시상망상핵을 미세 절제하여 단일 핵 RNA 시퀀싱을 수행했는데, 기존에 개별적인 연구를 통해 알려졌던 시상망상핵 마커 유전자가 기울기를 형성하며 두 종류의 다른 신경세포를 표지함을 보였다. 두 종류의 시상망상핵 세포군은 신경회로 측면에서도 일차 시상과 고위 시상으로 다른 연결을 형성하였다. 이 중에서도 일차 시상으로 연결되는 시상망상핵의 신경활성을 변조했을 때, 델타파의 세기가 감소하고 비렘수면의 수면방추파 개수가 줄어드는 양상이 관찰되어 두 종류의 신경세포가 수면에서 다른 역할을 담당하는 것을 알 수 있었다.

3 신경 세포의 활성을 조절하는 유전적 도구들

앞서 설명한 유전자 조작 동물 모델의 개발과 바이러스 벡터를 이용한 유전자 전달 기술은 수면 기전과 장애 극복을 위한 의생명과학 연구의 기초 플랫폼을 제공한다. 이들 기술로 인해 특정 종류의 신경세포나 신경회로를 타겟으로 하여 본격적인 연구를 진행할 수 있는 기틀이 마련된 것이다. 여기에 지금부터 설명할 광유전학이나 화학유전학 등 특정한 신경세포만을 원하는 시점에 부작용없이 조절할 수 있는 기술이 함께 적용되어 최근 수면연구의 폭발적 발전을 주도했다.

1) 광유전학 기술(optogenetics)

우리는 주변 환경에 관한 자세한 광학적 정보를 시각 시스템을 통해 받아들일 수 있다. 다른 동물들도 상당 수준의 시각 능력을 갖추고 있는 경우가 많으며, 하등한 동물에서는 구체적 형태나 색상을 인식하지는 못하더라도 주변의 밝기나 명암 정도는 인식할 수 있는 경우가 많다. 예컨대 물 속에 사는 녹조류의 경우 주변의 밝기를 인식하고 더 밝은 쪽으로 나아가는 주광성을 가지고 있다. 이런 주광성은 어떤 분자적 기작을 가지고 구현될까?

이 문제에 관심을 가지고 있던 과학자들은 주광성을 가지는 생명체인 클로미도모나스(Chlamydomonas reinhardtii)에서 빛에 반응하는 분자를 발견하였고, 사람의 광수용체인 로돕신과 비슷하게 생겼지만 빛에 반응하여 양이온 채널로 기능하는 이 광수용체를 chan-nelrhodopsin (ChR)이라고 이름 붙였다(Nagel et al., 2003). ChR에는 1형과 2형이 있는데, 이후 과학자들은 2형의 ChR (ChR2)이 빛을 활용하여 세포의 막전위를 조절하기에 더 적절한 것으로 알아냈다.

ChR2는 청색광에 반응하여 자신의 일부인 채널을 개방하여 주로 Na^+ 이온에 대한 투과율을 증가시켰다. 이는 세포 밖의 $[Na^+]$가 세포 안의 $[Na^+]$보다 높은 신경세포의 막전위의 상승을 가져와서, 신경세포의 활성화로 이어진다. ChR2는 조류에서 유래하지만, 그 작동에 다른 조류 단백질의 도움이 필요로 하지 않는다. 그래서 포유동물이나 다른 생명체에서 빛에 의한 막전위 조절을 시도할 때 다른 유전자를 함께 도입할 필요없이 ChR2 하나만 도입하는 것으로 충분하다. 또한 우리의 광수용체인 rhodopsin과 마찬가지로 ChR2도 retinal (all−trans 형태)을 보조인자로 사용하는데, 신기하게도 포유동물의 신경세포에서는 일차 배양에서나 뇌 내에서는 retinal을 별도로 추가해 주지 않아도 ChR2가 잘 작동하였다. 뿐만 아니라 ChR2는 빛에 대한 반응의 정확성(fidelity)이 높아 빛이 주어졌을 때 거의 100%의 확률로 채널이 열렸고, 빛이 주어진 이후 채널이 열리기까지 시간이나 빛이 꺼진 후 채널이 닫히기까지의 시간도 수 밀리 초 이내로 신경세포 조절에 탁월한 성질을 가지고 있다.

이후 과학자들은 ChR2의 돌연변이를 연구하거나 다른 생명체에서 광수용체를 연구함으로써 빛으로 막전위를 조절할 수 있는 기술, 즉 광유전학의 도구상자를 확장했다. 여기에는 청색광에 가장 잘 반응하는 ChR2와 달리 좀 더 장파장으로 작동가능한 것이나, 반응 속도가 아주 빠르거나 아주 느린 것, 빛에 반응하여 생화학적인 변화를 일으키는 것, Na^+를 주로 유입하는 양이온 채널 대신 H^+ 펌프나 Cl^-채널로 작용하여 신경세포를 억제할 수 있는 것 등 다양하다. 이들은 앞서 설명한 유전자 조작 생쥐 기술이나 바이러스 벡터 기술과 함께 사용되어 원하는 지역의 신경세포를 원하는 시기에 원하는 방식으로 조절할 수 있게 했다.

2) 화학유전학 기술(chemogenetics)

광유전학은 빛에 의해 조절되는 단백질을 이용하기 때문에 타겟 신경세포에 빛을 전달해 줄 수단을 필요로 하고, 이를 위해 쥐나 생쥐와 같은 설치류 모델에서는 보통 광섬유를 침습적 수술을 통해 전달한다. 적외선 혹은 그 보다 더 긴 파장의 빛에 의해 활성화되는 광유전학 채널을 개발하여 광전달을 위해 필요한 뇌수술의 정도를 최소화하려는 노력이 있지만, 수술적 기법에 비해 활용도는 부족한 실정이다. 반면 다른 한편의 연구자들을 화학 물질을 이용해 인위적으로 신경세포의 활성을 조절하려는 노력을 진행하였다. 글루탐산이나 GABA와 같은 신경전달물질 자체나 이들 수용체의 작용제/억제제, 또는 신경조절물질 혹은 그 수용체의 활성을 조작하는 약물을 활용하려는 시도도 흔히 이루어지지만, 여기에서 다룰 기술은 생리학적인 상황의 체내에 존재하지 않는 약물을 이용하여 사람의 유전체에 존재하지 않는 단백질의 활성을 변조하는 기술, 즉 화학유전학(chemogenetics)이다.

화학유전학에서는 앞서 설명한 유전자 조작 동물이나 바이러스 벡터를 통해 특정 뇌지역 또는 신경세포에 화학유전학적 수용체를 발현한다. 그리고 실험이 진행될 때 화학유전학적 리간드를 적당한 방법으로 주입하여 해당 수용체를 활성화 시키거나 억제시키게 된다. 이를 위해서는 화학유전학 리간드가 주입되지 않았거나, 화학유전학적 수용체가 발현하지 않는 경우에는 신경세포의 정상적인 활성에 교란을 야기하지 않아야 한다. 화학유전학적 기법은 광유전학 기법보다 오랜 역사를 가지고 있기는 하지만, 미국 노스캐롤라이나 대학의 Bryan Roth박사 그룹이 신경과학 분야의 광유전학 붐이 일어날 시기 쯤에 제시한 해결책이 긴 역사 속에서 두드러지게 널리 사용되는 해결책을 제시했다. 이것이 바로 DREADD라고 불리는 시스템으로 키메라로 재조합된 G단백질 수용체에 리간드로 clozapine-N-oxide (CNO)를 사용하여 신경세포의 활성을 조절하는 조합이다. 이는 수용체의 크기가 비교적 작은 편이라 바이러스 벡터로 전달이 용이하고, 리간드의 약물동역학적 특성이 우수한 편이라 많은 과학자들에게 사용되었다.

3) 광유전학 및 화학유전학을 이용한 수면기전 연구 사례

DNA 이중나선 구조를 제시한 프란시스 왓슨(Francis Watson)박사는 일찍이 "특정한 종류의 세포만 추적하거나 또는 특정한 세포만 억제할 수 있다면 신경과학 연구의 큰 진전이 있을 것" 이라고 전망했다. 실제로 신경회로 특이적 유전자 발현 조절과 광유전학적, 화학유전학적 기법을 이용한 신경세포의 조절은 수면 연구를 비롯한 신경과학 연구에 큰 진전을 가져왔다. 기존의 연관성만을 살펴보는 연구에서 나아가 특정 신경세포나 신경회로가 수면과 같은 관심 분야에 인과적 기여를 따져볼 수 있게 되었기 때문이다. 예컨대 광유전학적 불활성화는 loss-of-function 실험으로서 해당 신경이 수면의 작동에 필요조건인지를 알려주었고, 광유전학적인 활성화는 gain-of-function 실험으로서 해당 신경이 수면의 작동에 충분조건인지를 알려주었다. 실제로 많은 연구자는 이 기회를 놓치지 않고, 다양한 신경과학 분야의 발전을 만들었다. 수면의 이해도 이런 기술 발전의 수혜를 가장 많이 누린 분야의 하나이다.

앞서 설명했던 외측 시상하부(lateral hypothalamus)에 분포하는 하이포크레틴 신경세포의 경우, 해당 신경세포나 유전자가 수면 조절에 중요한 역할을 하고 결핍시에 기면병에 이를 수 있다는 점이 알려져 있었다. 하지만 이들 신경세포가 정상수면에서 어떤 역할을 하는지, 이들 신경세포의 활성이 수면을 유도하는지 혹은 그저 상관관계만 보일 뿐인지는 기존의 연구기법으로 알기 힘들었다. 신경세포적 특이적인 광유전학 기법은 외측 시상하부의 하이포크레틴(사람 유전자: HCRT; 생쥐 유전자: Hcrt)신경세포가 개체를 수면에서 각성상태로 전환할 수 있는지에 대한 인과적인 연구를 가능하게 했다. 이 연구는 Luis de Lecea 박사 연구그룹에 의해 선구적으로 진행되었는데, 이들은 Hcrt 유전자 중 세포특이적 발현에 중요한 프로모터 부위가 광유전학적 채널 ChR2의 발현을 조절하는 렌티 바이러스 벡터를 제작했다. 그리고 이를 생쥐의 외측 시상하부에 주입하고, 이 지역에 빛을 쬐일 수 있도록 광섬유를 이식했다. 실제로 빛을 쬐었을 때 인근 지역에서 하이포크레틴 신경세포만이 즉각적으로 활성화되는 것을 측정하고는, 이들 신경세포의 활성과 수면각성의 전환을 연구할 준비를 마쳤다. 수면 뇌파를 측정 중인 생쥐에서 하이포크레틴 신경세포를 광유전학적으로 활성화시키자, 수면 상태에서 깨어나는 현상의 비중이 증가했다. 특정한 신경세포의 선택적이고 인위적인 활성이 수면과 각성을 전환시킬 수 있다는 최초의 인과적 증거를 획득한 것이다. 흥미롭게도 이 실험에서 모든 동물이 각성 상태로 돌입하거나 광자극이 각성 상태를 즉각적으로 유도하지는 못했기 때문에 하이포크레틴 뉴런의 자극이 어떻게 수면각성을 조절하는지 남아있는 문제들에 대해 후속 연구가 이어질 수 있는 여지를 남기기도 했다.

4 신경세포 활성 측정 기술의 발전

앞서 살펴본 광유전학이나 화학유전학적 방법은 수면이나 각성과 같은 특정 상황에서 원하는 신경세포 종류의 활성을 강화하거나 억제할 수 있다. 실제로 이런 방법을 통해 생각했던 것보다 훨씬 많은 신경세포들이 수면/각성의 조절에 관여하는 것으로 제시되었다. 하지만 어떤 신경세포가 정상적인 수면/각성 조절에 관여하는지를 이해하기 위해서는 인위적인 조절 실험 만으로는 부족하다. 이들 뉴런이 원래는 수면/각성의 조절에 관여하지 않다가, 인위적인 활성 상황에서 부작용처럼 수면/각성에 영향을 줄 수 있기 때문이다. 그렇기 때문에 지금부터 살펴볼 신경세포 활성이 측정되어 정상적이거나 혹은 비정상적인 수면/각성 조절 상황에서 해당 신경세포가 구별되는 활성의 변화를 보이는지 이해하는 것이 필요하다.

1) 광학적 측정

신경세포의 활성이나 여러가지 분자적 지표를 유전적

표지자를 통해 관찰할 수 있는 기법도 최근 십여년 간 급격한 발전을 이루었다. 이것은 녹색 형광 단백질(green fluorescent protein, GFP)을 비롯한 형광 단백질들의 단백질 공학이 근간을 이룬다. 단백질을 부호화하는 염기 서열에 임의로 혹은 구조에 기반하여 체계적인 돌연변이를 일으키고, 원하는 성질을 빠르게 스크리닝할 수 있는 기술이 이런 발전을 이끌었다. 또한 앞서 설명한 유전자 조작 기법이나 바이러스 벡터를 이용해 원하는 지역의 원하는 세포 종류에 선택적으로 발현할 수 있다는 점이 연구자들에게 큰 매력으로 다가왔다.

유전적 표지자 중 가장 대표적인 것이 유전적 칼슘 표지자(genetically encoded calcium indicator, GECI)이다. 신경세포가 탈분극을 일으키면 전압의존적 칼슘 채널을 통해 세포질의 칼슘 농도가 증가하여 신경세포의 흥분 상태가 야기하는 여러가지 분자적, 생화학적 변화를 야기하게 된다. 그렇기에 신경세포의 세포질에서 칼슘 농도를 알 수 있다면 신경세포의 활성 상태를 알 수 있다. 이 중에서 GCaMP라고 불리는 일련의 GECI가 여러 그룹의 연구자들에 의해 순차적으로 발전되며 오늘날 가장 널리 쓰이고 있다. GCaMP는 추가적인 단백질 모티프를 붙이기 용이하도록 서열이 순환적으로 치환된 GFP (circularly permutated GFP, cpGFP)에 칼슘에 반응하여 서로 결합할 수 있는 칼모듈린(calmodulin)과 여기에 칼슘의존적으로 결합하는 펩타이드인 M13 가 결합된 형태로 만들어졌다. 이 골격을 기본으로 하여 이후 몇 가지 유용한 변이가 추가되며 개별 신경세포에서 활동 전위 하나를 구별할 수 있을 정도의 해상력을 갖춘 표지자로 발전하였다. GCaMP는 칼슘이 있는 상황에서는 형광의 밝기가 더 밝아져 세포질 내 칼슘농도와 형광 세기가 비례하는 직관적인 특성을 가진다.

GCaMP은 세포내 칼슘농도의 변화에 대해 큰 폭으로 밝기 변화를 보이고 그 자체의 광학적 성질도 우수하기에, 살아있는 동물에서 직접 관찰이 가능하며 특히 수면/각성의 변화에 따른 신경활성을 지속적으로 관측할 수 있다. 시상하부의 배내측 지역의 연구 사례가 이런 기법의 유용성을 잘 보여준다. 배내측 시상하부(dorsomedial hypothalamus) 경우 수면과 각성에 관여한다는 이외에 정확한 기능은 잘 알려지지 않았었다. 이 지역에 많이 존재하는 갈라닌 뉴런을 대상으로 GCaMP에 의해 표지되는 칼슘활성을 살아있는 동물에서 이미징 해 본 결과, 수면과 각성에 따라 이들 뉴런은 두 종류의 다른 활성양상을 보였고 아마 렘수면과 비렘수면의 스위치 역할을 하는 것으로 제시되었다.

세포내 칼슘 농도 이외에도 세포 내 혹은 세포 외의 물질의 농도에 반응하거나, 특정 직접 세포막 전위를 관측하는 표지자도 개발되고 있다. 이 중 수면 연구와 깊은 관계를 갖는 것이 ATP 표지자이다. ATP을 비롯한 여러 물질의 세포외 농도를 관측하는 표지자는 그 수용체에 GFP를 결합시키는 형태로 만들어졌고, 수면 중 여러 물질의 농도 변화를 실시간으로 알 수 있게 해 준다.

2) 전기생리학적 측정

앞서 살펴본 단백질 공학에 기반한 이미징 표지자의 발전과 더불어 최근 반도체 기술과 컴퓨터 기술의 발전은 전기생리학적인 측정 기술에도 획기적인 발전을 가져왔다. 전기생리학적인 측정은 신호를 획득할 수 있는 부피가 적은 편이고 특정 신경세포 종류에서만 신호를 읽는 데는 약점이 있지만, 아주 빠른 속도로 신호를 얻을 수 있다는 점이 광학적 신경활성 측정보다 나은 점이다. 이 중 대표적인 것이 초고밀도 전극이 실리콘 프루브에 집적되어 수천 개의 채널을 동시에 측정할 수 있는 뉴로픽셀(Neuropixel)이다. 최신형의 뉴로픽셀 프루브는 신경세포의 크기에 여러 개의 채널이 배치되어 있어, 프루브가 수술적으로 삽입된 선형의 공간에 인접하여 존재하는 거의 모든 세포의 신경 활성을 측정할 수 있다. 그렇기 때문에 상대적으로 저밀도인 프루브에서는 놓치는 신경세포의 신호를 측정할 수 있다는 장점을 가지고 있다. 또한 한 동물에서 수 천 개의 신경세포 활성을 측정할 수 있기 때문에 적은 수의 동물을 가지고도 통계적으로 유의한 결과를 도출할 수 있다. 초고밀도 전기생리학적 측정은 실험동물 뿐 아니라 사람을 대상으로도 진행된 바 있다. 또한 프루브에 연결된 헤드스테이지에 신경신호를 디지털화하는 장치를 직접 연결할 수 있기에 기존의 움직이는 동물에 적용되었던 체외 신경신호 획득법에 비해 전기적 잡음이 적은 신호를 얻을 수 있다. 그럼에도 불구하고 전체적인 프루브의 크기는 일반적인 프루브와 크게 다르지 않아 한 동물에 여러 개의 뉴로픽셀을 이식함으로써 행동하는 동물에서 수 천 개의 신경세포 활성을 동시에 측정할 수 있다.

아직까지 수면 연구에 뉴로픽셀과 같은 최신의 전기적 신호 획득 기법이 사용된 사례는 없다. 하지만 수면 연구가 오랫동안 뇌전도 측정과 같은 신경 신호의 전기적 측정 방법을 활용해 왔음을 감안할 때, 새롭게 개발되는 신경 신호 측정기술이 수면 기전에 대한 새로운 이해를 위한 기법을 제공할 것으로 기대된다.

5 현재 기술의 한계점 및 앞으로의 과제

지금까지 살펴본 것처럼 21세기의 시작과 함께 도래한 신경과학 연구 분야의 급속한 발전은 수면 기전을 연구할 수 있는 기술적 기반을 크게 확장하였다. 이를 적극 활용함으로써 가까운 장래에 수면의 기전에 대한 이해가 크게 발전할 것이다.

하지만 이런 발전은 그저 현재의 발전된 기술을 단순히 적용하는 것만으로 완성되지는 않을 것이다. 현재의 신경회로 이해를 기반으로 수면의 여러 측면을 조절하는 다양한 신경회로가 제시되고 있지만, 대부분은 해당 논문에서 관심을 가지고 있는 특정 신경회로의 역할만을 제시하는 수준에 불과하다. 이런 연구를 통해서 정상적 수면의 조절에 관여하는 다양한 뇌 지역과 이들을 구성하는 신경회로를 찾아내고는 있지만, 이들 지역이 다양하기에 어떤 식으로 다양한 지역과 회로가 상호작용하여 개체의 수면을 결정하는지에 대한 종합적 가설이 필요하다.

아울러 현대의 연구기법을 통해서 보다 자세하고 보다 많은 신경세포의 활성에 대해 접근할 수 있지만, 대부분의 기법들은 연구를 복잡하게 하고 있다. 다양한 신경질환, 정신장애에서 수면의 문제가 관찰되고 이를 해결해야 할 의학적 요구가 상당한 것을 감안할 때, 발전한 연구기법을 어떤 식으로 연구 현장에서 효율적으로 사용하도록 만들 수 있을 지 고민이 필요할 것이다. 인공지능을 활용한 수면 상태의 판정이나 뇌신호의 해석 기법 등을 통해 연구의 문턱을 낮추는 것이 시급하다. 이런 기반 하에서 본 챕터에서 논의한 신기술들을 수면장애 모델 동물들에 적용한다면, 수면장애의 극복이 가속화될 것으로 확신한다.

▶ 참고 문헌

- Adamantidis AR, Zhang F, Aravanis AM, et al. Neural substrates of awakening probed with optogenetic control of hypocretin neurons. Nature 2007;450:420–4.
- Armbruster BN, Li X, Pausch MH, et al. Evolving the lock to fit the key to create a family of G protein–coupled receptors potently activated by an inert ligand. Proc Natl Acad Sci U S A 2007;104:5163–8.
- Boyden ES, Zhang F, Bamberg E, et al. Millisecond–timescale, genetically targeted optical control of neural activity. Nat Neurosci 2005;8:1263–8.
- Chan KY, Jang MJ, Yoo BB, et al. Engineered AAVs for efficient noninvasive gene delivery to the central and peripheral nervous systems. Nat Neurosci 2017;20:1172–9.
- Chen KS, Xu M, Zhang Z, et al. A hypothalamic switch for REM and non–REM sleep. Neuron 2018;97:1168–76,e4.
- Chen TW, Wardill TJ, Sun Y, et al. Ultrasensitive fluorescent proteins for imaging neuronal activity. Nature 2013;499:295–300.
- Daigle TL, Madisen L, Hage TA, et al. A suite of transgenic driver and reporter mouse lines with enhanced brain–cell–type targeting and functionality. Cell 2018;174:465–80.
- Fenno L, Yizhar O, Deisseroth K. The development and application of optogenetics. Annu Rev Neurosci 2011;34:389–412.
- Hsu PD, Lander ES, Zhang F. Development and applications of CRISPR–Cas9 for genome engineering. Cell 2014;157:1262–78.
- Jun JJ, Steinmetz NA, Siegle JH, et al. Fully integrated silicon probes for high–density recording of neural activity. Nature 2017;551:232–6.
- Li C, Samulski RJ. Engineering adeno–associated virus vectors for gene therapy. Nat Rev Genet 2020;21:255–72.
- Li Y, Lopez–Huerta VG, Adiconis X, et al. Distinct subnetworks of the thalamic reticular nucleus. Nature 2020;583:819–24.
- Luo L, Callaway EM, Svoboda K. Genetic dissection of neural circuits: a decade of progress. Neuron 2018;98:256–81.
- Mickelsen LE, Bolisetty M, Chimileski BR, et al. Single–cell transcriptomic analysis of the lateral hypothalamic area reveals molecularly distinct populations of inhibitory and excitatory neurons. Nat Neurosci 2019;22:642–56.
- Nagel G, Szellas T, Huhn W, et al. Channelrhodopsin–2, a directly light–gated cation–selective membrane channel. Proc Natl Acad Sci U S A 2003;100:13940–5.
- Paulk AC, Kfir Y, Khanna AR, et al. Large–scale neural recordings with single neuron resolution using Neuropixels probes in human cortex. Nat Neurosci 2022;25:252–63.
- Steinmetz NA, Aydin C, Lebedeva A, et al. Neuropixels 2.0: a miniaturized high–density probe for stable, longterm brain recordings. Science 2021;372:eabf4588.
- Sternson SM, Roth BL. Chemogenetic tools to interrogate brain functions. Annu Rev Neurosci 2014;37:387–407.
- Svensson V, Vento–Tormo R, Teichmann SA. Exponential scaling of single–cell RNA– seq in the past decade. Nat Protoc 2018;13:599–604.
- Tervo DG, Hwang BY, Viswanathan S, et al. A Designer AAV variant permits efficient retrograde access to projection neurons. Neuron 2016;92:372–82.
- Urai AE, Doiron B, Leifer AM, et al. Large–scale neural recordings call for new insights to link brain and behavior. Nat Neurosci 2022;25:11–9.
- Wang D, Tai PWL, Gao G. Adeno–associated virus vector as a platform for gene therapy delivery. Nat Rev Drug Discov 2019;18:358–78.
- Wang Y, Navin NE. Advances and applications of single–cell sequencing technologies. Mol Cell 2015;58:598–609.
- Wu Z, He K, Chen Y, et al. A sensitive GRAB sensor for detecting extracellular ATP invitro and in vivo. Neuron 2022;110:770–82,e5.

CHAPTER
09 하루주기리듬의 신경조절 기전

임정훈

1 하루주기리듬의 개요

하루주기를 표현하는 형용사 "circadian"은 '대략적인 (around 또는 approximately)'을 의미하는 라틴어 circa 와 '하루(day)'를 의미하는 diem으로부터 유래된 용어 다. 지구의 자전은 빛이나 기온, 습도 등과 같은 생태 환경의 일주기적 변화를 수반하며 이는 박테리아에서 인간에 이르기까지 지구상에 존재하는 대부분 생명체 의 생리 현상에 많은 영향을 줄 수 밖에 없다. 따라서 각 생명체는 하루주기의 외부 환경 변화를 예측하고, 그에 따라 개체의 필수적인 생리 작용을 조절함으로써 종의 생존과 번영을 최적화 할 수 있는 하루주기생체시 계(circadian clock)를 진화한 것으로 알려져 있다.

하루주기리듬을 통해 여러 대사 과정의 생합성과 분 해 작용을 시간적으로 구분하고, 개체 수준에서 에너지 효율을 높이며, 세포의 손상과 복구를 조율하는 등 여 러가지 생리학적 이점을 취할 수 있는 것이다. 일상 생 활에서 하루주기리듬은 인공광(artificial light) 노출, 교 대근무, 해외여행 시 경험하는 시차(jet-lag), 특정 생체 시계 유전자(circadian clock gene)의 돌연변이 등에 의 한 인지기능 저하와 하루주기수면장애의 예에서 쉽게 확인할 수 있다. 인체는 하루주기리듬을 통해 낮 시간

동안 각성과 인지 능력을 유지하는 신경 기전을 활성화 하며, 밤에는 수면에 의한 기억공고화(memory consoli-dation)와 신경세포 간 시냅스 조절(synaptic scaling)에 중요한 기전들의 활성화를 준비한다.

신경계의 하루주기리듬이 손상될 경우 수면, 인지 능 력 뿐만 아니라 이와 관련된 시냅스생성(synaptogene-sis)이나 뇌 대사물질 정화(brain metabolite clearance) 등의 작용이 영향을 받으며 수면장애, 퇴행성 뇌질환 등을 포함한 다양한 신경 질환의 발생에 관여한다. 알 츠하이머, 파킨슨, 헌팅턴병 환자들의 경우 신경독성 단 백질 축적에 의해 정상적인 수면 주기와 호르몬 유전자 발현의 일주기성을 잃게 되며, 이러한 증상은 퇴행성 뇌 질환의 직접적인 병변이 관찰되기 전에 나타난다. 또한 astrocyte, microglia 등과 같은 신경교세포 기능의 일주 기성 조절, 수면 주기에 따른 glymphatic system의 뇌척 수액/독성 단백질 clearance, 생체시계를 통한 산화적 스트레스 조절 등이 퇴행성 뇌질환과 관련되어 있다. 전 장 유전체 연관 분석(genome-wide association study) 을 통해 생체시계 유전자의 변이가 정신분열, 계절성 mood disorder, 양극성장애 등의 risk factor로 작용할 수 있다고 밝혀진 바 있다. 하루주기생체시계는 대부분 의 생리작용을 coordinate하고 있으며 불규칙한 식수면

습관은 대사 기관의 생체시계를 교란할 수 있기 때문에, 하루주기리듬장애는 비만, 당뇨 등의 대사질환, 심혈관 질환, 암 등의 위험 인자로도 작용한다.

2 하루주기리듬의 구성 요소

하루주기리듬은 개념적으로 크게 input pathway, core clock, output pathway의 3가지 구성 요소에 의해 작동된다(그림 9-1A). 이러한 하루주기리듬의 3가지 구성 요소는 core clock을 조절하는 기전의 종류(e.g., 분자생체시계, 신경 활성)와 그 해부학적 작용 범위(e.g., 세포, 조직, 개체 수준)에 따라 각기 다른 세부 구성 요소를 포함한다.

일상 생활에서 하루주기리듬은 하루주기의 환경변화에 대한 생명체의 단순한 생리 반응으로 보여질 수도 있다. 하지만, 장-자크 드 메랑의 미모사 잎 실험에서 constant dark와 같이 외부의 환경 변화가 전혀 없는 free-running 조건에서도 endogenous한 하루주기리듬이 관찰된다. 때문에 다양한 생명체는 하루주기의 생체

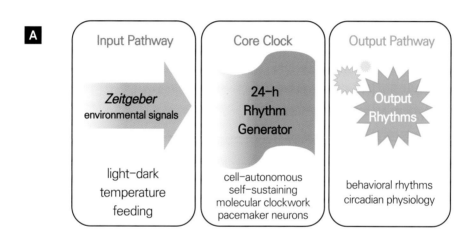

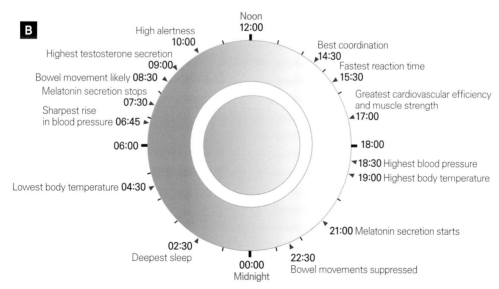

그림 9-1. 하루주기리듬의 구성 요소와 생리현상.
(A) 하루주기리듬을 구성하는 input pathway, core clock, output pathway의 3가지 요소.
(B) 생체 시계에 의해 조절되는 다양한 일주기성 생리작용(adopted from https://commons.wikimedia.org/wiki/File:Biological_clock_human.svg)

리듬을 스스로 생성하여 시간에 따라 생리 작용을 하며, 이에 필요한 모든 정보를 유전적으로 저장하고 있다는 것이 알려졌다. 이러한 하루주기의 생체시계는 개체를 구성하는 각각의 세포 수준에서 작동될 수 있기 때문에 cell-autonomous한 core clock이라고 한다(그림 9-1A). 분자 수준에서 세포의 생리작용은 여러 가지 형태의 주기성(periodicity)을 가질 수 있다. 이 가운데, 일주기 리듬의 생성과 유지에 특화된 기능을 가진 생체시계 유전자들이 존재하며, 이들의 상호작용을 통한 24시간 주기의 유전자 발현 변화가 분자생체시계(molecular clock)로 작용하여 core clock의 근간이 되는 기전을 담당하게 된다.

하루주기리듬의 두번째 구성 요소인 input pathway는 빛이나 기온, 음식섭취 등 외부 환경의 변화로부터 새로운 시간 정보를 인지하여 core clock에 전달하며, 필요에 따라 endogenous한 생체시계를 reset하게 된다(그림 9-1A). 이러한 input pathway는 개체 수준에서 peripheral tissue와 중추신경계간의 신호 전달 뿐만 아니라 단일 세포 수준에서 작동하는 하루주기리듬의 entrainment를 담당하게 된다.

core clock에 의해 발생하는 하루주기리듬은 단일 세포 수준에서의 세포 생리를 조절할 뿐만 아니라 개체 수준의 각 말초 조직에 적절한 time cue를 제공하게 된다. 이를 통해 수면 주기, 인지 기능, 체온, 혈압, 심장박동수, 호르몬 분비, 운동성, 대사 등 다양한 생리 현상의 하루주기리듬을 만들어내며, 이는 하루주기리듬의 세번째 구성 요소인 output pathway를 통해 일어난다(그림 9-1A, B).

3 하루주기리듬조절의 분자생물학적 기전

하루주기리듬의 분자생체시계는 하루주기의 유전자 발현 변화를 근간으로 한다(그림 9-2A, B). 이는 염색체 상에 DNA 염기서열의 형태로 존재하는 각 유전자의 유전 정보를 RNA로 전사(transcription)하는 유전자 발현의 단계를 중심으로 전사-번역 피드백 회로(transcription-translation feedback loop) 현상을 통해 조절된다(그림 9-2C). 이러한 분자 시계는 단일 세포 수준에서 외부환경의 변화에 따라 circadian phase를 cell-autonomous하게 synchronize/entrain할 수 있으며 외부환경의 변화가 없는 조건에서 스스로 하루주기의 유전자 발현을 유지할 수 있다(self-sustaining). 전사 수준에서뿐만 아니라 전사 후 유전자 발현의 모든 조절 단계(post-transcriptional, translational, post-translational)가 관여한다. 핵심 생체시계 유전자를 제외하고 분자생체시계에 의해 조절되는 유전자(clock-controlled gene)는 신체의 조직에 따라 매우 다르며, 이를 통해 다양한 생리현상을 조절할 수 있게 된다.

1) 전사 조절 생체시계 유전자의 전사-번역 피드백 회로

전사 조절 인자로 작용하는 여러 가지 생체시계 유전자들의 발현이 하루주기의 시간에 따라 변화함에 따라 각기 다른 기능을 가지고 있는 단백질 복합체가 형성된다. 이러한 단백질 복합체가 하루 중 특정한 시간에만 염색체 상에 존재하는 유전 정보의 전사 과정을 활성화하거나 억제함에 따라 하루주기의 유전자 발현이 유도되게 된다. 하루주기리듬을 조절하는 생체시계 유전자는 하루주기의 행동 변화가 뚜렷한 초파리나 쥐 등 행동유전학적 동물 모델을 통해 최초로 발굴되었으며, 이를 활용한 분자생체시계의 원리를 규명한 공로로 Jeffrey C. Hall과 Michael Rosbash, Michael W. Young이 2017년 노벨생리의학상을 공동 수상하였다.

생체시계 유전자 CLOCK (clock locomotor output cycles kaput)과 BMAL1 (brain and muscle Arnt-like protein 1; ARNTL 또는 MOP3로도 알려져 있음)로부터 만들어지는 두 가지 단백질은 heterodimeric한 basic HLH (helix-loop-helix)-PER-ARNT-SIM (bHLH-PAS) 단백질 복합체를 형성하고, 각 염색체 부위의 유전자 전사를 개시하는 프로모터(promoter)나 프로모터 활성을 조절하는 enhancer에 존재하는 특정 염기서열

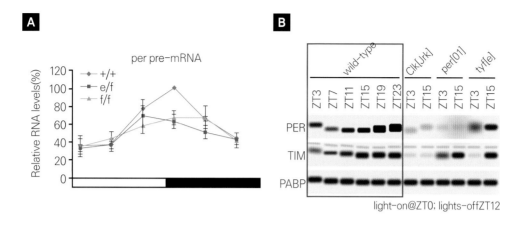

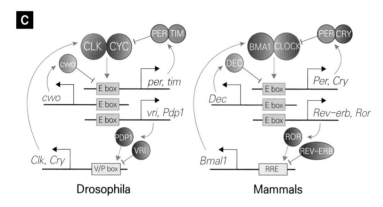

그림 9-2. **분자생체시계에 의한 하루주기의 유전자 발현.**
(A) 생체시계 유전자 per mRNA의 일주기성 발현 변화. **(B)** 생체시계 유전자 PER 단백질의 일주기성 발현 변화. **(C)** 초파리와 포유류에서 작용하는
전사 조절 생체시계 유전자의 전사-번역 피드백 회로.

출처: Lim C, Chung BY, Pitman JL, et al. Clockwork orange encodes a transcriptional repressor important for circadian-clock amplitude in Drosophila. Curr Biol
2007;17:1082–9.
Lim C, Allada R. ATAXIN-2 activates PERIOD translation to sustain circadian rhythms in Drosophila. Science 2013;340:875–9.
Lim C, Allada R. Emerging roles for post-transcriptional regulation in circadian clocks. Nat Neurosci 2013;16:1544–50

(i.e., CACGTG, E-box로 명명됨)에 결합함으로써 해당 유전자의 전사 발현을 활성화 시킨다(그림 9-2C). 이처럼 CLOCK:BMAL1에 의해 전사 단계의 발현이 활성화되는 유전자군에는 분자생체시계를 유지하는 핵심적인 생체시계 유전자 뿐만 아니라, 하루주기리듬에 의한 생리현상 조절에 관여하는 다양한 clock-controlled gene을 포함한다. 뇌신경세포에서는 NPAS2 (neuronal PAS domain protein 2)가 CLOCK을 대체하여 작용할 수 있는 것으로 알려져 있다.

　Period (Per1, Per2, Per3)와 Cryptochrome (Cry1, Cry2)은 CLOCK:BMAL1 전사 활성 복합체에 의해 그

전사 발현이 증가하는 생체시계 유전자로, 이를 통해 만들어진 전령 RNA (messenger RNA)가 세포질 내 번역과정을 통해 단백질로 합성되면, 인산화 효소인 CK1 (casein kinase 1)을 포함하는 거대 단백질 복합체 (CRY:PER:CK1)를 형성하여 핵 안으로 유입되고 그에 따라 CLOCK:BMAL1 전사활성 단백질 복합체의 기능을 저해하게 된다(그림 9-2C). 이 때 CK1은 PER 단백질의 인산화 효소(kinase)로 작용하며 결과적으로 PER 단백질 분해를 촉진하여 생체리듬의 주기를 조절한다. 또한 CRY는 CLOCK:BMAL1 단백질 복합체에 직접적으로 결합하여 PER:CK1 단백질 복합체와의 생화학적 결

합과 인산화를 유도한다. 이로 인해 CLOCK:BMAL1 전사 활성 복합체의 DNA 결합력이 약해지며 동시에 CLOCK:BMAL1 전사 활성 복합체의 기능에 필요한 전사 조절 인자들과의 상호 작용도 억제된다. 결과적으로 CRY:PER:CK1 단백질 복합체에 의해 CLOCK:BMAL1 전사 활성 복합체의 기능이 저해됨에 따라 전사 억제 인자로 작용하는 CRY와 PER 유전자의 전사 발현은 negative feedback을 통해 다시 감소하게 되어 CLOCK:BMAL1 단백질 복합체의 전사 활성화 기능은 회복된다.

한편, BMAL1 유전자의 전사 발현은 프로모터 부위의 ROR-response element (RRE)를 통해 두 개의 전사 조절 인자 ROR(retinoic acid receptor-related orphan receptor)과 REV-ERB(nuclear receptor subfamily 1 group D로도 알려져 있음)에 의해 각각 촉진되거나 억제된다(그림 9-2C). ROR, REV-ERB 유전자의 프로모터에도 CLOCK:BMAL1가 결합할 수 있는 E-box element가 존재함에 따라 추가적인 전사-번역 피드백 회로를 구성하며 CLOCK:BMAL1과 PER:CRY에 의한 primary feedback loop에 의한 하루주기의 유전자 발현이 안정화 된다. 생체시계 유전자들을 중심으로 이러한 전사 활성-억제의 변화가 하루주기로 일어남에 따라 생체 시계에 의해 그 발현이 조절되는 다양한 유전자들(clock-controlled genes)의 일주기성 발현 패턴이 결정되며, 이들이 신체를 구성하는 각 조직에서 특이적으로 작용함에 따라 일주기성 생리현상을 조절하는 clock output 기전으로 작용하게 된다.

전사 개시 단계의 유전자 발현은 특정 DNA 염기서열에 결합하는 전사 조절 인자와 전사 산물인 RNA를 실제로 합성하는 RNA 중합효소(RNA polymerase), 이들과 함께 전사 과정에 공통적으로 작용하는 여러 전사 개시 인자들이 관여한다. 이때, 크로마틴 형태로 응축되어 있는 DNA template에 대한 이들 전사인자들의 접근성이 전사 개시의 효율을 결정하게 된다. 전사 수준에서 하루주기 유전자 발현 조절 또한 다양한 전사조절 인자의 크로마틴 리모델러 기능을 통한 nucleosome dynamics와 long-range promoter-enhancer interaction, histone 단백질의 번역 후 변형(posttranslational modification) 등 후성유전학적 조절 기전에 의해 일어난다.

예를 들어, CLOCK:BMAL1의 경우 histone acetyltransferase로 작용하는 p300/CBP (CREB-binding protein), histone methyltransferase로 작용하는 MLL1 (mixed lineage leukemia 1), histone deacetylase inhibitor로 작용하는 JARID1a과 함께 전사 활성화를 위한 크로마틴 접근성(chromatin accessibility)을 증가시킨다. 이와는 반대로 전사 억제 시기에는 SIN3-HDAC, SIRT1 등의 histone deacetylase 복합체가 CLOCK:BMAL1과 결합하여 그 기능을 저해한다.

2) 전사 후 유전자 발현 제어를 통한 분자생체시계 조절

개체의 각 조직에서 발현되는 유전자의 절반 이상이 생체 시계에 의한 하루주기 발현 변화를 나타내며 여기에는 하루주기의 전사 활성화뿐만 아니라 전사 후 수준에서 일어나는 다양한 유전자 발현 조절 기전이 관여한다. mouse liver에서 관찰되는 soluble 단백질의 20% 정도가 하루주기에 따라 그 양이 변하는데, 이 가운데 절반은 전사 활성 변화가 아닌 전사 후 유전자 발현 조절을 통해 일주기성 발현 변화를 나타낸다고 알려져 있다. Splicing이나 polyadenylation과 같은 RNA processing, m6A(N6 adenosine methylation)나 RNA editing와 같은 RNA modification, microRNA와 다양한 RNA 결합 단백질 기능에 의한 mRNA/단백질 안정성과 단백질 번역 활성 조절 등이 그 예이다. 또한 단백질 번역을 담당하는 리보솜의 생성(ribosome biogenesis)과 단백질 번역 개시 조절 인자의 인산화에 관여하는 mTOR (mammalian target of rapamycin)와 MAPK (mitogen-activated protein kinase)의 신호 전달도 일주기성 생체리듬에 의해 조절됨에 따라 세포 내 전반적인 단백질 합성이 하루 중 특정한 시간(circadian phase)에 가장 활발히 일어난다고 보고된 바 있다. 물론 단백질체 수준에서 관찰되는 이러한 전사 후 유전자 발현 조절의 하루주기리듬뿐만 아니라, 특정 생체시계 유전자의 mRNA와 결합하여 그 안전성과 단백질 번역을 조절하는 생체시계 유전자 기능도 분자생체시계의 작동에 매우 중요한 기여를 한다.

단백질 인산화 효소 CK1에 의한 하루주기리듬조절은 포유류에서 녹조류에 이르기까지 광범위한 종에서 관찰되는 현상이다. PER 단백질의 인산화 정도는 두가지 CK1 인산화 효소(CK1epsilon, CK1delta)와 탈인산화효소 phosphatase 1의 활성에 의해 결정된다. CK1에 의한 PER 단백질 인산화는 beta-TrCP에 의한 PER 단백질의 유비퀴틴화(ubiquitination)와 proteasomal degradation을 차례대로 유도함으로써 하루주기리듬의 주기를 짧게 만든다. PER2 단백질의 경우 위와 같은 "phosphodegron" region과 함께 인산화에 의해 단백질 안정성을 오히려 증가시키는 FASP (familial advanced sleep phase syndrome에서 유래) region도 가지고 있어, 이들 antagonistic한 PER2 단백질의 인산화에 따른 phosphoswitch model이 제시된 바 있다. 이와 유사하게 F-box protein FBLX3는 SKP1-CUL1-F-box protein E3 ligase를 통해 CRY 단백질을 polyubiquitination 시킴으로써 proteasomal degradation을 촉진하나 또다른 F-box protein FBXL21는 CRY 단백질의 유비퀴틴화를 통해 오히려 CRY 단백질을 안정화 시킨다. 이외에도 생체시계 단백질의 인산화와 안정성, 세포 내 위치 변화에 관여하는 AMPK (AMP-activated protein kinase), CDK5 (cyclin-dependent kinase 5), DYRK1A (dual-specificity tyrosine-phosphorylated and regulated kinase 1A), ERK2 (extracellular signal-related kinase 2), GSK-3 (glycogen synthase kinase 3) 등 여러 가지 인산화 효소들이 보고된 바 있다.

CK1에 의한 PER 단백질의 인산화 이외에도 당화 (O-glycosylation)나 아세틸화 등의 단백질 변형은 생체시계 단백질들의 하루주기리듬조절 기능과 분해를 정교하게 조절하는 역할을 담당한다. 특정한 당기(O-N-acetylglucosamine, O-GlcNAc)에 의한 PER 단백질의 당화는 두 가지 효소 OGT (O-GlcNAc transferase)와 OGA (O-GlcNAcase)에 의해 가역적으로 일어나며, 이들 효소의 발현과 활성 또한 하루주기리듬에 의해 조절되는 것으로 알려져 있다. 이러한 PER 단백질 변형은 PER 인산화의 저해를 통해 단백질 안정화에 기여할 뿐만 아니라, 포도당 대사의 활성 정도에 따른 하루주기리듬 조절의 기전으로 작용할 수 있다.

SIRT1 (sirtuin 1)은 NAD+ (nicotinamide adenine dinucleotide) 의존적인 탈아세틸화 효소(deacetylase)로 PER 단백질의 아세틸화를 저해함으로써 결과적으로 같은 라이신 잔기(lysine residue)에서 일어나는 유비퀴틴화를 유도하여 PER 단백질 분해를 촉진하며 PER 인산화에도 영향을 줄 수 있다고 알려져 있다. NAD+는 여러 대사 단계에서 산화환원 반응의 조효소로 작용하는 대사 물질로 세포내 대사 상태에 따라 그 양이 결정되므로 SIRT1에 의한 PER 아세틸화 조절은 대사 활성에 의한 하루주기리듬조절의 또다른 기전이 될 수 있다. BMAL1 또한 histone acetyltransferase TIP60에 의해 아세틸화를 통해 transcription elongation이 조절되며 SUMO2/3에 의한 BMAL1 단백질의 sumolyation은 BMAL1 전사 활성화 기능과 단백질 분해를 촉진한다.

4 하루주기리듬조절의 신경생물학적 기전

개체를 구성하는 거의 모든 세포는 분자생체시계, 즉 하루주기의 유전자 발현을 제어할 수 있는 핵심 생체시계 유전자들을 발현함으로써 단일 세포 수준에서 cell-autonomous한 하루주기리듬을 나타낼 수 있다. 개체 수준에서의 하루주기리듬은 말초 조직을 구성하는 각 세포의 cell-autonomous clock (peripheral clock)이 계층 구조(hierarchy) 형성을 통해 제어됨으로써 작동한다. 하루주기리듬을 제어하는 가장 중요한 뇌 부위는 시상하부(hypothalamus)의 suprachiasmatic nucleus (SCN)로 알려져 있으며, 두 개의 bilaterally paired cluster를 형성하는 20,000여 개의 GABAergic SCN 신경세포로 구성되어 있다(그림 9-3A). 시상하부의 anterior part에 해당되며 optic chiasm의 dorsal 부위, third ventricle의 lateral 부위에 위치하고 있다.

SCN은 개체 수준에서의 일주기성 행동에 필요 충분한 뇌 부위로, 이는 SCN ablation이나 이식 실험을 통해 증명되었다. 또한 ex vivo 배양 등을 통해 isolation 되었을 때에도 spontaneous한 action-potential firing의 하루주기리듬을 나타내는 autonomous time-keeper로 작용한다. SCN clock은 신경전달뿐만 아니라 신경내분비와 자율신경계 신호를 통해 말초 조직의 생체 시계에 time cue를 전달함으로써 하루주기리듬행동과 개체 전반에 걸친 다양한 생리현상(수면, 인지/각성, 체온, 음식섭취 주기, reward, mood, movement 등)을 조절하고 신경세포 수준에서 개체의 "master clock"으로서의 기능을 수행한다(그림 9-3A). 신경 내분비 작용이 환경변화에 대한 항상성 유지 장치로 작용한다면, 하루주기생체시계는 이러한 환경변화를 미리 예측할 수 있도록 하는 장치인 것이다.

1) Circadian pacemaker neuron에 의한 하루주기리듬 계층적 조절

External time cue로 작용하는 light은 retinal rod/cone 광수용체와 photopigment melanopsin을 발현하는 photosensitive retinal ganglion cells을 통해 인지되어 SCN clock을 entrain하게 된다(그림 9-3B). 해부학적으로 melanopsin을 발현하는 ipRGC (intrinsically photosensitive retinal ganglion cells)의 axonal projection은 망막시상하부 트랙(retinohypothalamic tract, RHT)을 구성한다(그림 9-3C). 눈의 망막으로부터 전달되는 빛 신호에 의해 RHT 말단에서 PACAP (neuropeptide pituitary adenylase cyclase-activating polypeptide)와 glutamate이 분비되면, SCN이 이를 인지하여 하루주기리듬의 circadian phase를 재조정(resetting)할 수 있다. Ventral SCN core에 존재하는 retinorecipient neuron은 NMDA-type과 AMPA-type의 glutamate receptor를 통해 depolarization되며, 빛 자극에 의한 신경세포 흥분은 Ca^{2+}/cAMP 신호전달을 통한 Per1/Per2 유전자의 전사를 촉진한다. 이후 core SCN neuron은 GABA와 peptidergic cue를 통해 shell 부위로 이러한 신경세포 활성화 신호를 전달하게 된다. melanopsin은 blue light을 가장 민감하게 흡수하므로 핸드폰과 같은 전자기기에서 발광되는 blue light에 지속적으로 노출될 경우 하루주기리듬의 resetting에 따라 하루주기리듬 교란(circadian misalignment)이 일어남으로써 수면장애가 유발될 수 있다.

SCN shell은 hypothalamus, limbic area, SCN core에 의해 innervated되어 있으며 non-SCN brain과 peripheral body clock의 circadian phase를 setting한다. SCN projection은 여러 hypothalamic nuclei (e.g., preoptic area, paraventricular nucleus, subparaventricular zone, retrochiasmatic area, dorsomedial and ventromedial nuclei, premammillary area)와 subcortical/brainstem 등으로 연결되어 있으며, 이를 통해 arousal, sleep, neuroendocrine status, autonomic status 등이 조절되며, SCN로부터 분비되는 GABA와 특정 neuropeptide의 paracrine secretion을 통해 이루어진다.

SCN은 hypothalamus intermediate neuron을 매개로 endocrine neuron에 주기적인 신호를 보내거나 직접적인 일주기성 호르몬 분비를 통해 non-SCN clock과 peripheral clock을 조절할 수 있다(그림 9-3A). SCN은 해부학적으로 크게 dorsal과 ventral의 두 부위로 나뉘게 되는데, 빛에 반응하는 ventral "core" part는 VIP (vasoactive intestinal peptide), GRP (gastrin-releasing peptide), NT (neurotensin), CALR (calretinin) 등을 발현하는 sub-group으로 나눌 수 있으며 망막(retina; glutamate, aspartate, pituitary adenylate cyclase-activating polypeptide), 중뇌 솔기핵(midbrain raphe nucleus; serotonin), 슬상 간엽(intergeniculate leaflet; neuropeptide Y, GABA) 등과 같은 구심성 신경회로를 통해 신호를 전달받는다. 반면 dorsal "shell" part에는 AVP (arginine vasopressin), mENK (met-enkephalin), AII (angiotensin III) 등을 발현하는 신경세포들이 자리

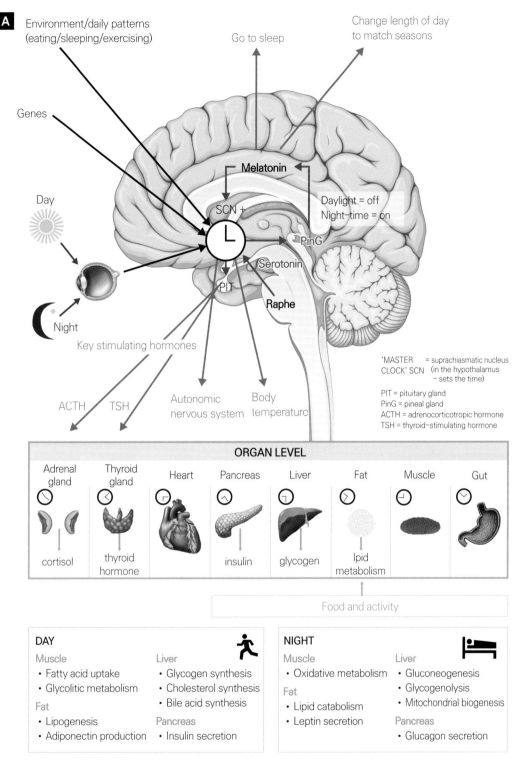

A Environment/daily patterns (eating/sleeping/exercising)

Genes

Day

Night

Go to sleep

Change length of day to match seasons

Melatonin

SCN +

Daylight = off
Night–time = on

PinG

Serotonin

PIT

Raphe

Key stimulating hormones

ACTH   TSH

Autonomic nervous system

Body temperature

'MASTER   = suprachiasmatic nucleus
CLOCK' SCN   (in the hypothalamus
               – sets the time)

PIT = pituitary gland
PinG = pineal gland
ACTH = adrenocorticotropic hormone
TSH = thyroid–stimulating hormone

ORGAN LEVEL							
Adrenal gland	Thyroid gland	Heart	Pancreas	Liver	Fat	Muscle	Gut
cortisol	thyroid hormone		insulin	glycogen	lpid metabolism		

Food and activity

DAY 🏃

Muscle
• Fatty acid uptake
• Glycolitic metabolism

Fat
• Lipogenesis
• Adiponectin production

Liver
• Glycogen synthesis
• Cholesterol synthesis
• Bile acid synthesis

Pancreas
• Insulin secretion

NIGHT 🛏

Muscle
• Oxidative metabolism

Fat
• Lipid catabolism
• Leptin secretion

Liver
• Gluconeogenesis
• Glycogenolysis
• Mitochondrial biogenesis

Pancreas
• Glucagon secretion

그림 9-3. 하루주기리듬을 조절하는 신경 기전.
(A) SCN에 의한 하루주기리듬조절의 신경생물학적 기전. **(B)** SCN의 light input pathway로 작용하는 ipRGC의 신경해부학적 모식도.
(C) ipRGC와 SCN을 연결하는 RHT의 모식도.

(계속)

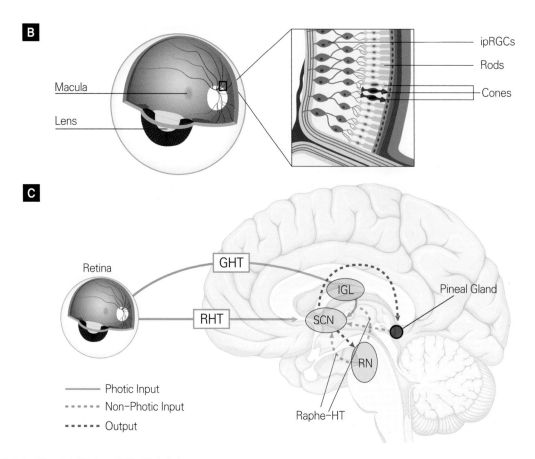

그림 9-3. 하루주기리듬을 조절하는 신경 기전.
(A) SCN에 의한 하루주기리듬의 신경생물학적 기전. **(B)** SCN의 light input pathway로 작용하는 ipRGC의 신경해부학적 모식도.
(C) ipRGC와 SCN을 연결하는 RHT의 모식도.

출처: Modified from https://commons.wikimedia.org/wiki/File:The_master_circadian_clock_in_the_human_brain.jpg; https://commons.wikimedia.org/wiki/File:Overview_of_the_retina_photoreceptors_(a).png; https://commons.wikimedia.org/wiki/File:Input_and_output_pathways_of_the_suprachiasmatic_nuclei_(SCN).png.

잡고 있다.

또한 SCN에 의해 조절되는 동물 행동의 하루주기리듬은 feeding-fasting, rest-activity, 또는 body temperature cycle 조절을 통해 간접적으로 peripheral clock을 조절한다(그림 9-3A). 예를 들면, 생체 내 각 조직에 존재하는 peripheral clock은 일주기성 체온 변화에 민감하게 반응하는 반면 SCN clock은 체온 변화에 크게 반응하지 않기 때문에 SCN clock에 의해 조절되는 체온 변화를 하루주기리듬의 중요한 synchronizing cue로 활용할 수 있다. 이러한 과정에서 heat shock factor는 특정 유전자의 프로모터에 존재하는 heat shock element와 결합하는 전사 활성화 인자로 작용하여 생체시계 유전자 Per2나 heat shock protein과 같은 유전자의 발현을 증가시키게 된다. Time-restricted feeding이나 light-sensitive tissue는 SCN clock과는 독립적으로 peripheral clock을 entrainment하는 기전으로 주목받고 있다.

2) SCN clock의 분자신경생물학적 원리

SCN을 구성하는 circadian pacemaker neuron은 단일세포로 dispersed된 culture 상에서도 생체시계 유전자의 발현과 함께 하루주기의 신경세포 활성 변화를 나타내는데, 이는 spontaneous firing rate, resting membrane potential, intracellular Ca2+ concentration 등을

포함한다. 하지만 이러한 단일신경세포 수준에서의 하루주기리듬은 각 신경세포 별로 각기 다른 주기성(periodicity)과 진폭(amplitude)을 나타낸다. 이와는 대조적으로 organotypic SCN slice culture에서는 VIP나 AVP 등과 같은 신경 펩타이드 발현과 신호전달을 통해 각 세포의 circadian phase가 tight하게 동기화(synchronization)됨으로써 조직 수준에서 매우 robust한 하루주기리듬을 유지할 수 있다. 이러한 현상은 하루주기리듬을 교란하는 외부 자극에 대한 저항성을 가진 매우 견고한 하루주기리듬을 뇌 부위 수준에서 만들어냄으로써 개체의 하루주기리듬을 제어하는 가장 중요한 하루주기 생체시계로 작용할 수 있다고 볼 수 있다.

개체 행동의 주/야행성과 상관없이 SCN의 spontaneous firing rate은 낮 시간 동안 활성화되어 있으며, 이러한 신경 활성은 behavioral state에 의해 결정되는 것이 아니라 circadian time을 encode하는 것으로 여겨진다. 전사 조절 인자로 작용하는 생체시계 유전자들에 의해 SCN 내 발현되는 이온 채널과 이온 채널 조절 유전자들의 발현이 일주기성을 나타냄에 따라, 흥분성/억제성 이온 채널 활성의 하루주기 변화가 이러한 일주기성 신경세포 활성 변화를 제어한다. 또한 신경세포 활성은 각기 다른 뇌 부위에서 생성되는 일주기성 유전자 발현의 circadian phase를 reset함으로써 뇌 전반에 걸친 하루주기리듬의 synchronization하는 기전으로도 작용한다.

신경해부학적으로 coronal plane에서 SCN clock의 circadian phase는 dorsomedial에서 ventrolateral한 방향으로의 wave를 나타낸다. VIP는 SCN core neuron으로부터 분비되며 shell neuron의 VIP receptor 2와 cAMP/Ca2+ signaling을 통해 CREB 의존적인 Per 유전자의 전사를 조절한다. VIP는 10%의 SCN 신경세포에서 주기적으로 발현되며 신경세포 내 cAMP과 ERK (extracellular signal-regulated kinases), DUSP (dual-specificity phosphatase) 신호전달을 통해 SCN clock을 synchronize하는데 중요한 기능을 담당한다. 또한 VIP 신경세포는 억제성 신경전달물질 GABA의 분비를 통해

PVN (paraventricular nucleus)의 CRF (corticotropin-releasing factor) 신경세포 활성을 억제함으로써 corticosterone 분비를 제어하고 수면 조절에 관여하기도 한다. AVP는 20%의 SCN에서 발현되며 AVP 유전자의 프로모터에 CLOCK:BMAL1 전사활성 복합체가 결합할 수 있는 E-box element를 가지고 있어 daytime peak을 갖는 하루주기 발현 리듬을 나타낸다.

SCN clock은 SCN을 구성하는 non-neuronal 세포에 의해서도 조절된다. SCN neuron과 마찬가지로 astrocyte는 하루주기에 따른 morphology 변화와 함께 생체시계 유전자 발현과 Ca2+ wave를 나타내지만, SCN neuron과는 antiphase한 하루주기리듬을 가지고 있다. astrocyte에서 하루주기로 connexin hemichannel을 통해 분비되는 glutamate은 SCN shell을 구성하는 presynaptic neuron의 NMDA receptor를 통해 GABA transmission을 활성화하며 결과적으로 postsynaptic neuron을 silence하고 cAMP 의존적인 Per 유전자의 전사를 억제함으로써 neuronal clock의 period를 조절할 수 있다.

▶ **참고문헌**

- Allada R, Bass J. Circadian mechanisms in medicine. N Engl J Med 2021;384:550-61.
- Brancaccio M, Patton AP, Chesham JE, et al. Astrocytes control circadian timekeeping in the suprachiasmatic nucleus via glutamatergic signaling. Neuron 2017;93:1420-35.
- Cheng AH, Cheng HYM. Genesis of the master circadian pacemaker in mice. Front Neurosci 2021;15:659974.
- Finger AM, Kramer A. Mammalian circadian systems: organization and modern life challenges. Acta Physiol 2021;213:e13548.
- Hastings MH, Maywood ES, Brancaccio M. Generation of circadian rhythms in the suprachiasmatic nucleus. Nat Rev Neurosci 2018;19:453-69.
- Koronowski KB, Sassone-Corsi P. Communicating clocks shape circadian homeostasis. Science 2021;371:eabd0951.
- LeGates TA, Fernandez DC, Hatta S. Light as a central modulator of circadian rhythms, sleep and affect. Nat Rev Neurosci 2014;15:443-54.

• Lim C, Allada R. Emerging roles for post–transcriptional regulation in circadian clocks. Nat Neurosci 2013;16:1544–50.
• Ono D, Honma KI, Honma, S. Roles of neuropeptides, VIP and AVP, in the mammalian central circadian clock. Front Neurosci 2021;15:650154.
• Papazyan R, Zhang Y, Lazar MA. Genetic and epigenomic mech–anisms of mammalian circadian transcription. Nat Struct Mol Biol 2016;23:1045–52.
• Parnell AA, Nobrega AK, Lyons LC. Translating around the clock: multi–level regulation of post–transcriptional processes by the cir–cadian clock. Cell Signal 2021;80:109904.
• Partch CL, Green CB, Takahashi JS. Molecular architecture of the mammalian circadian clock. Trends Cell Biol 2014;24:90–9.
• Philpott JM, Torgrimson MR, Harold RL, et al. Biochemical mecha–nisms of period control within the mammalian circadian clock. Semin Cell Dev Biol 2022;126:71–8.
• Tso CF, Simon T, Greenlaw AC, et al. Astrocytes regulate daily rhythms in the suprachiasmatic nucleus and behavior. Curr Biol 2017;32:1055–61.
• Yi JS, Diaz NM, D'Souza S, et al. The molecular clockwork of mammalian cells. Semin Cell Dev Biol 2022;126:87–96.

CHAPTER 10 수면장애의 뇌영상 연구

김지현

1 하지불안증후군

1) Structural MRI

고해상도의 3D T1-weighted MRI를 이용한 voxel-based morphometry (VBM)는 집단간 회색질과 백색질의 농도(concentration)와 부피(volume)의 미세한 차이를 국소적으로 평가할 수 있다. 또한 피질하 회색질 구조물들의 모양과 부피의 변화를 측정하는 shape analysis와 대뇌 피질의 두께를 측정하여 분석하는 cortical thickness analysis (CTA)를 통해서 판독자의 눈으로 알 수 없는 피질 및 피질하 회색질의 미세한 변화를 파악할 수 있다.

하지불안증후군 환자를 대상으로 시행되었던 VBM을 이용한 연구에서 대조군에 비해 의미 있는 회색질의 변화가 관찰되지 않았다. 그러나 동일한 주제의 다른 연구에서는 하지불안증후군 환자에서 다음의 변화들이 관찰되었는데, thalamus pulvinar의 부피 증가, primary sensorimotor cortex의 부피 감소, ventral hippocampus와 middle orbitofrontal gyrus의 농도 증가, corpus callosum genu, anterior cingulum, precentral gyrus의 부피 감소, hippocampus, parietal cortex, medial frontal cortex, cerebellum의 회백질 부피 감소

등이다. 이 결과는 하지불안증후군에서 통각의 discriminative domain과 affective domain을 담당하는 뇌 영역들이 변화되어 있을 가능성을 의미한다. CTA를 이용한 연구에서 primary sensory cortex의 두께와 좌우 primary sensory cortex를 연결하는 corpus callosum midbody의 두께가 환자군에서 감소되었고 이는 하지불안증후군의 뇌의 감각전달 체계가 변화되어 있음을 의미한다. 그러나 피질하 회색질인 caudate nucleus, hippocampus, globus pallidus, putamen, thalamus의 부피와 모양은 환자-대조군 사이에 의미 있는 차이를 발견하지 못한 연구도 있어 하지불안증후군의 회색질 구조의 변화에 대해서 논란이 있다.

2) Diffusion tensor imaging

diffusion tensor imaging (DTI)는 뇌의 백색질로의 농도와 집약성(integrity)을 측정하고 비교하여 백색질의 변화를 파악할 수 있다. 주로 fractional anisotropy (FA), mean diffusivity (MD), radial diffusivity (RD), axial diffusivity (AD)의 4가지 metrics를 각 voxel 단위에서 계산하여 분석에 이용한다. FA는 물 분자 이동의 방향성을 나타내는 지표로서 낮은 FA는 백색질 손상을 반영한다. MD는 물 분자의 평균 확산 정도를 반영하며

낮은 MD는 세포 내 수분 함량과 관련된 다양한 급성 과정(세포내 부종, reactive gliosis)의 지표가 될 수 있는 반면, 높은 MD는 수분 제한이 적어지는 만성 및 병리학적 백색질 변화(세포외 부종, 세포 손실)를 시사한다. RD와 AD는 각각 수초(myelin) 및 축삭(axon) 변성을 반영하는 지표로 알려져 있다. voxel-based approach 또는 tract-based spatial statistics을 이용한 DTI 연구에서 하지불안증후군 환자의 sensorimotor cortex와 연결되는 백색질, corpus callosum genu, inferior frontal gyrus, temporal region, internal capsule, pons, cerebellum에서 FA의 변화가 관찰되었다. 이는 감각을 담당하는 일차 또는 관련 영역들을 연결하는 백색질로의 집약성이 분열되었음을 반영하며 하지불안증후군이 일종의 central pain disorder라는 가설을 뒷받침한다. DTI 연구들을 종합하면 하지불안증후군에서 sensorimotor network와 limbic/nociceptive network의 변화는 관찰되나 그 통계적 차이가 미미하고 변화된 영역들도 일치하지 않고 통계적으로 의미 있는 차이를 발견하지 못한 연구도 있어 추가적인 연구가 필요하다.

3) Functional MRI

functional MRI (fMRI)는 헤모글로빈을 인체 내재적 조영제로 사용해서 blood oxygen level-dependent (BOLD) 신호를 추적하여 신경세포가 활성화될 때 주변 부위에서 증가하는 혈류량을 파악하여 특정 과제 수행과 관련된 뇌영역을 찾아내는 뇌영상 기법이다. fMRI를 이용한 초기 연구에서 하지의 감각증상은 thalamus와 cerebellum의 활성화와 관계가 있고 주기사지운동증은 red nucleus를 포함하는 brainstem의 활성화와 관계가 있다는 결과를 도출하였다. 근전도로 기록한 tonic activity와 fMRI에서 나타난 sensorimotor cortex의 활성화와의 상관관계가 증명됨으로써 하지불안증후군의 감각 증상은 대뇌의 sensorimotor cortex의 비정상적인 활성화로터 유발된다는 점을 알 수 있다. 발의 dorsiflexion과 plantar flexion을 번갈아 하게 하면서 획득한 task-specific fMRI에서 환자군과 대조군 모두에서 pri-

mary motor cortex, primary somatosensory cortex, somatosensory association cortex, middle cerebellar peduncle에서 BOLD 활성화가 관찰되었고 환자군에서는 dorsolateral prefrontal cortex의 활성화가 대조군에 비해 더 많이 되어 상기 영역이 하지불안증후군의 증상과 연관 있는 주된 영역임을 의미한다. 같은 paradigm의 fMRI 연구는 하지불안증후군의 감각 증상과 동반되는 반복적이고 강박적인 다리 움직임은 striatofronto-limbic area에 의해 매개된다는 점을 보여주었다.

특정 과제를 수행하지 않는 휴지기 상태에서 획득한 BOLD 신호를 분석하여 비침습적으로 corticocortical circuit, corticosubcortical circuit의 기능적 연결성 (functional connectivity)을 측정하는 resting-state fMRI (rs-fMRI) 기법이 최근에 도입되어 다양한 뇌질환에서 resting-state networks를 파악하는 데 유용하게 사용되고 있다. 첫 번째 rs-fMRI 연구는 환자군에서 thalamus와 parahippocampal gyrus, precuneus, precentral gyrus, lingual gyrus 사이의 기능적 연결성이 감소되었고 thalamus와 superior/middle temporal gyri, medial frontal gyrus 사이의 연결성은 증가되어 있음을 증명했다. thalamus와 cortex 사이의 연결성 이상은 감각을 조절하고 처리하는 과정이 손상되어 있다는 것을 시사하며 하지불안증후군이 체성 감각 처리가 결핍이 되어 있는 질환임을 의미한다. 환자군에서의 sensorimotor 영역과 visual processing 영역의 amplitude of low-frequency fluctuations (ALFF)는 대조군에 비해 감소되었고 insula, hippocampus, parahippocampus, posterior parietal area, brainstem의 ALFF는 증가되어 있었다. 환자들에게 high-frequency repetitive transcranial magnetic stimulation 치료를 시행한 결과 IRLSSG Rating Scale score가 감소되었고 sensorimotor 영역과 visual processing 영역에서 감소되었던 ALFF 값이 증가함을 보였다.

graph theory 분석 연구에서는 약물 복용력이 없는 하지불안증후군 환자의 cuneus, fusiform gyrus, paracentral lobe, precuneus 영역에서 기능적 연결성 강도

의 감소가 관찰되었고 superior frontal gyrus, thalamus 에서는 증가가 관찰되었다. 하지불안증후군 환자의 sensory thalamic network, ventral attention network, dorsal attention network, basal ganglia-thalamic network, cingulate network의 기능적 연결성이 대조군에 비해 증가되었고 증가된 정도는 증상과 양의 상관관계를 증명한 연구도 있었다. 이는 하지불안증후군의 병태 생리학적 기전이 기존에 알려진 sensorimotor system의 이상 외에 감각 수용의 attention control system에도 이상이 있음을 제시해 주는 결과이다. 또한, 각성 상태에서 외부의 자극에 집중하지 않고 휴식을 취할 때 활성화되며 self-awareness의 유지에 핵심적인 역할을 하는 default mode network (DMN)에 속하는 영역들(middle frontal gyrus, anterior cingulate cortex, posterior cingulate cortex)과 caudate nucleus, insula, thalamus, putamen의 regional homogeneity (ReHo)가 증가된 보고도 있었다. 다른 연구는 하지불안 증상이 없는 상태에서도 DMN의 기능적 연결성이 감소되었고 sensorimotor network의 연결성은 증가되었다고 보고하였다. 이 연구는 하지불안 증상은 DMN의 연결성 이상으로 유발되고 이를 보상하기 위해 thalamus가 포함된 sensorimotor network의 연결성이 증가한다는 가설을 제시하였다. 기존의 fMRI 연구 결과들은 하지불안증후군이 감각 정보의 전달, 조절 기능에 이상이 있는 network disorder임을 제시한다.

2 기면병

1) Structural MRI

최근 뇌영상 기술의 발전으로 시상하부(hypothalamus)와 오렉신(orexin) 네트워크의 이상이 기면병 병태 생리의 핵심적인 역할을 하고 있음이 확인되고 있다. 초기 VBM 연구는 기면병 환자의 frontal, temporal, occipital, precentral gyri, insula, cuneus에서 회백질 부피의 감소를 보고하면서 기면병에서 대뇌피질에 구조

적 이상이 동반될 가능성을 제시하였다. 후속 연구는 hypothalamus, nucleus accumbens, cerebellar vermis 의 회백질 부피 감소를 보고하면서 기면병에서 hypothalamus의 구조적 이상을 처음으로 증명하였고 동종의 연구에서도 시상하부의 부피 감소가 재차 증명되었다. hypothalamus의 변화 외에 hypothalamus와 구조적, 기능적으로 연결되어 있는 thalamus, insula, nucleus accumbens, cingulate cortex, brainstem, frontal lobe, temporal lobe, occipital lobe 등의 구조물에도 부피와 두께의 이상이 반복적으로 증명되었다. 또한 amygdala와 hippocampus의 부피 감소도 보고되면서 변연계(limbic system) 이상이 기면병에서 동반될 가능성이 제시되었다. 특히, hippocampus의 CA1 sector와 amygdala의 centromedial area가 선택적으로 위축되어 있으며 위축 정도는 주간과다수면과 REM sleep latency와 상관관계가 있음을 증명하여 amygdalo-hippocampus circuit 이상이 탈력발작을 동반한 기면병의 주된 병태생리학적 기전으로 작용한다는 것을 제시하였다. VBM 연구들을 대상으로 activation likelihood estimation 기법을 적용한 메타분석은 hypothalamus, thalamus, globus pallidus, nucleus accumbens, anterior cingulate cortex, frontal cortex, temporal cortex의 회백질 부피 감소를 나타냈다. 위에서 열거한 결과들을 종합하면 기면병에서 orexin을 생성하는 hypothalamus와 orexin pathway의 구조적 이상이 동반되고, 이는 기면병의 특징적인 증상인 주간과다수면, 탈력발작, 특징인 감정 처리 이상을 설명할 수 있다.

2) Diffusion tensor imaging

현재까지 7편의 DTI 연구가 발표되었는데, 주로 신경 세포 내에서 전반적인 물의 움직임을 반영하는 지표인 MD와 myelin fiber integrity를 반영하는 지표인 FA를 측정하여 백색질의 변화를 파악하였다. 첫 번째 연구에서 orbitofrontal cortex, anterior cingulate cortex의 MD 증가와 FA 감소 소견이 탈력발작을 동반한 기면병 환자에서 나타났다. FA 변화를 동반하지 않는 MD 증

가는 hypothalamus, ventral tegmental area, dorsal raphe nuclei에서 관찰되어 orexin pathway인 hypothalamus와 연결된 dorsal midbrain, corticolimbic areas의 구조적 집약성이 기면병에서 파괴되어 있음을 시사한다. tract-based spatial statistics 기법을 적용한 연구에서는 기면병 환자의 hypothalamus, midbrain, medulla oblongata, caudate nucleus, frontal white matter에서 FA가 감소되었고 midbrain, pons, corona radiata, fronto-parietal gyri에서 FA가 증가되었다. 이 연구 역시 기면병이 hypothalamic orexin system의 미세구조적 이상을 동반한다는 점을 제시했다. 탈력발작을 동반한 기면병 환자는 대조군에 비해 inferior frontal gyrus와 amygdala에서 MD 증가, postcentral gyrus에서 MD 감소를 보였으나 이 소견은 탈력발작을 동반하지 않는 기면병 환자에서는 나타나지 않았다. 같은 paradigm의 연구에서도 기면병 환자의 cingulate cortex, corpus callosum genu, orbitofrontal white matter, thalamus, internal capsule에서 FA의 감소가 관찰되었다. DTI 연구들을 종합하면 기면병은 orexin pathway인 hypothalamus와 brainstem의 미세구조 이상을 동반한다는 점을 알 수 있다. 최근의 연구에 의하면 광범위한 백색질로의 FA, RD, AD가 탈력발작을 동반한 환자들에서 환자들의 1촌 친척과 대조군에 비해 증가 혹은 감소하였고 이 소견은 hypothalamic orexin deficiency에 따른 변화라고 여겨진다. 탈력발작을 동반하는 기면병 환자들에서 동반하지 않는 기면병 환자들에 비해 dorsal midbrain의 FA 감소를 나타냄으로 탈력발작에 특이적인 영역은 midbrain이라고 주장하였다. 연구 결과들이 일치하지 않는 것은 작은 표본수, 분석의 통계적 방법의 차이, 임상 양상의 다양성 등에서 비롯될 수 있으므로 이를 극복하기 위해서는 많은 환자들과 고해상도의 DTI를 이용하여 분석하는 것이 중요하다.

3) Functional MRI

task-specific fMRI를 이용하여 기면병에서 감정 처리 이상 유무를 관찰한 연구들이 있다. 우스꽝스러운 사진을 보여주는 event-related fMRI 분석 결과 탈력발작을 동반하는 기면병 환자들에서 hypothalamus, anterior cingulate, medial prefrontal cortex의 BOLD 신호가 감소되었고 amygdala의 BOLD 신호는 증가되었다. 매우 중요한 결과로 비정상적인 hypothalamic-amygdala 상호작용으로 유머에 대한 과도한 감정 반응이 탈력발작을 유발할 수 있다는 가설을 뒷받침한다. orexin이 보상 관련 행동(reward-related behaviors)에 영향을 미친다는 주장이 동물실험을 근거로 제시되었다. hypothalamus에서 생성되는 orexin이 부족하여 발생하는 기면병 환자들을 대상으로 reward processing에 대한 뇌의 이상 반응 유무를 알아본 fMRI 연구에서 high reward expectancy에 대한 정상적인 ventral tegmental area의 modulation 과정이 환자에서는 일어나지 않았고 winning 중에는 ventral striatum (nucleus accumbens)의 활성도가 감소된 소견을 보였다. 반대로 환자들은 positive outcome에 대한 amygdala와 dorsal striatum의 반응이 비정상적으로 증가되었고 이 결과는 기면병에서 orexin 부족으로 인해 비정상적인 reward processing이 발생하고 ventral tegmental area와 ventral striatum에서 측정되는 비정상적인 fMRI 신호가 동반된다는 가설을 뒷받침한다. 전기자극과 같은 통증자극에 대한 central pain matrix의 활성도를 본 연구에서 환자들은 정상인에서 관찰되는 증가된 amygdala 반응을 보이지 않았고 amygdala와 medical prefrontal cortex 사이의 functional coupling도 감소되었다. 기면병 환자는 emotional learning이 비정상적이고 이 과정에 hypothalamic orexin system과 amygdala 침범이 관여한다는 것을 증명해 주는 결과이다.

rs-fMRI 연구에서 환자군의 limbic system과 DMN 영역들 사이의 기능적 연결성은 감소하고 visual network에서는 증가하였다. 또한 small-world network properties가 분열되어 있고 졸림증 정도와 impulsiveness는 caudate와 posterior cingulate cortex의 nodal topological properties와 상관관계를 보였다. hypothesis-driven approach의 대표적인 seed-based functional connectivity를 분석한 연구에서 lateral hypothalamus와 hippocampus, parahippocampal gyrus, superior parietal lobule 사이의 기능적 연결성이 환자군에서 저하되었고 amygdala와 다른 영역들 사이의 연결성은 증가 혹은 감소되었다. hypothalmic-hippocampal network는 orexin에 의해 매개되며 기억력과 학습능력을 담당한다고 알려져 있어 이 연구에서 증명된 hypothalmic-hippocampal network dysconnectivity와 amygdala dysconnectivity는 기면병 환자에서 흔히 나타나는 기억 처리, 감정 처리의 장애를 설명할 수 있다.

3 렘수면행동장애

1) Structural MRI

최근 10년 동안 시행된 VBM, MRI volumetry 연구들은 정상인과 비교해서 렘수면행동장애 환자들의 putamen, caudate nucleus, pallidum의 부피 감소를 보고하였다. dopamine transporter SPECT에서 관찰되는 striatum의 시냅스 전 도파민 신경의 변성을 뒷받침하는 결과이다. 수면 주기와 연관된 thalamic nuclei에 대한 연구에서 부피의 감소와 증가가 보고되었다. thalamus는 복잡한 구조물이므로 조직학적 특징을 근거로 하는 새로운 thalamic segmentation를 이용한 추가적인 연구가 렘수면행동장애에서의 thalamic nuclei의 역할에 대한 근거를 제시해 줄 것이다. 해마와 연관된 구조물의 위축은 루이소체치매, 환각과 치매를 동반한 파킨슨병에서 보고되었고, 렘수면행동장애가 신경퇴행성질환의 전구 질환으로 여겨지므로 렘수면행동장애에서도 해마의 위축이 예상되었다. 그러나 해마 부피의 증가, 해마 부피의 감소, parahippocampal gyrus 부피의 감소도 보고되는 등 일관되지 않은 결과를 보였다. 해마의 모양 분석 연구는 정상군에 비해 우측 posterior hippocampus의 부피 감소를 보고하였고 특히 hippocampal subfields 중 CA1, CA4, dentate gyrus에서 더욱 심한 위축이 관찰되었는데, 이 결과는 루이소체치매

와 파킨슨병에서의 결과와 일치한다.

렘수면행동장애의 기본적인 병태생리는 렘수면 시 근긴장을 조절하는 뇌간 핵의 기능 이상으로 추정된다. 수면단계를 조절하는 위치인 pontine tegmental portion과 dorsal medulla의 회백질 감소가 관찰되었으나, 기존 연구에 사용된 1.5 Tesla 또는 3 Tesla MR scanner 로는 뇌간의 구조 변화를 규명하는 데 한계가 있으므로 추후 7 Tesla MRI를 이용한 연구가 필요하다.

렘수면행동장애의 병태생리의 중심은 뇌간의 핵에 있지만, 파킨슨병, 루이소체치매, 다계통위축증 환자에서 신피질의 구조 변성이 확인됨에 따라 렘수면행동장애에서도 신피질의 변화에 대한 연구가 수행되었다. 렘수면행동장애 환자의 lingual gyrus, fusiform gyrus, lateral occipital cortex, orbitofrontal cortex, cingulate cortex, dorsolateral frontal cortex의 두께 감소가 CTA 연구를 통해 확인되었다. parietal cortex의 위축도 확인되었는데 특히 postcentral gyrus와 superior parietal cortex에서 위축의 정도가 두드러진다. VBM 연구에서도 frontal lobe, cingulate cortex, occipital lobe, parietal lobe, temporal lobe의 회백질 부피의 감소가 관찰되었다. 위에서 열거한 대부분의 연구는 렘수면행동장애 환자의 앞쪽과 뒤쪽 피질의 변성에 대한 근거들을 제시하였으나 좀더 많은 환자수를 대상으로 한 연구에서는 주로 앞쪽 피질의 변화가 현저하고 질환의 이환기간과 발병시기와 관계가 있었다. 파킨슨병이나 루이소체치매로 이행되는 환자의 특정한 피질 변화 패턴을 찾으려는 노력이 계속되고 있으나 예측을 가능하게 하는 구조적인 표지자는 아직 증명되지 못했다. synucleinopathy 질환으로 이행된 환자군과 3년 동안의 추적 관찰에서 이행되지 않은 환자군 사이의 피질의 변화에 대해 초기의 MRI를 분석한 결과 이행된 환자들의 좌측 superior frontal, 우측 precentral, 우측 lateral occipital gyri에서 광범위한 피질 두께의 감소가 관찰되었다. 이 연구는 RBD에서 synucleinopathy 질환으로의 전환을 예측하는 MRI의 변화를 보여줬기 때문에 중요한 의미가 있지만 표본수가 작아서 추가적인 연구가 필요하다.

한 추적연구에서 superior parietal cortex, precuneus, occipital pole, lateral orbitofrontal gyrus의 영역에서 위축이 진행하였음이 확인되었고 이는 앞서 언급한 파킨슨병과 루이소체치매에서의 피질 변화와 유사한 패턴을 보인다. 종합하면 MRI 분석을 통해 측정한 대뇌 피질의 두께는 렘수면행동장애에서의 phenoconversion의 구조적인 표지자라고 할 수 있다.

2) Diffusion tensor imaging

첫 DTI 연구에서 렘수면행동장애 환자들의 pons와 substantia nigra에서 AD가 감소하고 internal capsule과 olfactory regions에서 FA가 증가했다. 후속 연구에서도 mesencephalic tegmentum, rostral pons, substantia nigra의 FA가 감소하였고 pontine tegmentum에서 MD가 증가하였다. 이 결과들은 렘수면행동장애에서 렘수면을 조절한다고 알려진 뇌간의 미세구조의 변성이 동반된다는 것을 의미한다. 렘수면행동장애를 동반한 파킨슨병 환자는 de novo 파킨슨병 환자와 비교해 corpus callosum, internal/external capsule, superior/inferior longitudinal fasciculus, corticospinal tract, forceps major, corona radiata 등의 광범위한 백색질로에서 MD가 증가되었다. 이 결과를 근거로 렘수면행동장애의 전구 증상을 동반하는 파킨슨병은 동반하지 않는 파킨슨병에 비해 광범위한 백색질의 위축을 나타내므로 상대적으로 불량한 예후를 보인다는 것을 예측할 수 있다.

3) Functional MRI

첫 rs-fMRI 연구는 seed-based functional connectivity 분석을 통해 렘수면행동장애 환자에서 좌측 substantia nigra와 좌측 putamen 사이의 연결성 저하와 우측 substantia nigra와 cuneus/precuneus 사이의 연결성 증가를 보고하면서 변질된 nigrostriatal connectivity와 nigrocortical connectivity를 강조하였다. 이후의 연구에서 렘수면행동장애 환자군과 파킨슨병 환자군 모두에서 정상인에 비해 basal ganglia network 내 에서와

basal ganglia와 전두엽 사이의 기능성 연결성이 비슷한 정도로 저하되어 있음이 증명되었다. 렘수면행동장애의 basal ganglia의 연결성 이상이 초기 파킨슨병과 같다는 점에 착안하여, basal ganglia 기능적 연결성을 뇌영상 표지자로 사용하면 파킨슨병으로 전환되는 위험군에 속하는 환자를 구분할 수 있을 것이다. 렘수면행동장애의 striato-thalamo-pallidal network의 연결성 저하는 후속 연구들에 의해 재차 증명되어 rs-fMRI가 신경퇴행성을 예측하는 뇌영상 생체표지자로 유용하게 사용될 수 있음을 의미한다.

basal ganglia 외에 다른 뇌영역의 이상도 보고되고 있는데, left thalamus와 right cuneus, left fusiform gyrus, left lingual gyrus 사이의 기능적 연결성이 증가되어 있고 이는 언어 기능과 상관 관계가 있었다. 또한, brainstem과 cerebellum, temporal lobe, anterior cingulate cortex 사이의 기능적 연결성이 저하되어 있었고 저하된 정도는 자율신경 척도와 음의 상관 관계를 보여, RBD는 중추성 자율신경 네트워크(central autonomic network) 이상을 동반하는 질환임을 시사했다.

4 폐쇄수면무호흡증

1) Structural MRI

치료받지 않은 중등도 이상의 폐쇄수면무호흡증 환자 353명을 포함한 15개의 VBM 연구(2003-2016)를 대상으로 한 메타분석에서 superior frontal gyri, premotor cortex, middle temporal gyrus, anterior cingulate cortex, cerebellum에서 회백질의 위축이 보고되었다. 그러나 개별 연구들을 살펴보면, 회백질의 위축 또는 비대 또는 변화가 없는 등 다양하고 일관되지 않은 결과가 도출되었을 뿐만 아니라 이러한 회백질의 변화는 특징적인 패턴 없이 광범위한 뇌 영역에서 관찰되었다. 또한, 메타분석에서 나타난 회백질 위축 정도는 연령, 성별, 비만도, 주간과다수면 정도, 무호흡 중증도 같은 인구 통계학적 및 임상적 변수와 상관관계가 있음을 보

여주어 이 변수들에 의해 부분적으로 발생할 가능성을 제시하였다. 환자 및 정상인 표본수, 분석 소프트웨어, MRI 데이터 전처리 과정, 통계처리방법(특히 다중비교에 대한 사후검정)의 차이가 VBM 연구의 결과가 일치하지 않음을 설명할 수 있다.

775명이 참여한 코호트 연구에서, 수면다원검사에서 기록된 평균 산소포화도와 hippocampus, thalamus, putamen, angular gyrus, amygdala, caudate, inferior frontal gyrus, supramarginal gyrus의 부피 사이에 음의 상관관계를 보여 수면무호흡에서 동반되는 저산소혈증이 특정 뇌영역의 위축을 초래할 수 있다는 점을 시사한다. 312명의 참가자를 대상으로 한 다른 연구에서는 중등도-고도의 폐쇄수면무호흡증 환자들에게 15년 후에 MRI를 시행하여 경도 환자와 정상인과 비교하여 대뇌피질과 피질하 구조물의 부피 차이가 발견되지 않아 수면무호흡이 뇌의 위축을 초래하지 않는다는 것을 의미한다. 그러나 건강한 사람들이 추적관찰이 더 잘되기 때문에 이러한 선택 편향(selection bias)에 의한 음성의 결과가 도출되었을 가능성도 있다. 최근의 연구들을 종합하면 수면무호흡이 회백질 위축을 유발하는가의 여부는 아직 불분명하다.

폐쇄수면무호흡증이 뇌에 미치는 영향을 더 정확히 평가하기 위해서는 다양한 뇌영상 기법을 이용한 연구가 필요하다. 정상적인 인지기능을 가진 치료받은 적 없는 96명(평균 연령 69세)의 중등도-고도의 폐쇄수면무호흡증 환자는 경도 환자와 정상인에 비해 precuneus/posterior cingulate cortex에서 회백질의 비후, 포도당 대사의 증가, 혈류량 증가, amyloid 침착이 관찰되었다. 흥미롭게도 precuneus/posterior cingulate cortex 영역은 알츠하이머병의 초기에 변화를 보이는 특징적인 병소이기도 하므로 두 질환 사이에 연관성이 존재함을 시사한다. 그러나 다른 연구에서는 인지기능이 정상인 중등도-고도의 폐쇄수면무호흡증 환자(평균 연령 59세)는 정상인과 비교하여 posterior cingulate cortex에 피질 두께의 변화 없이 amyloid의 침착을 보였으며 앞서 기술한 연구 결과와는 상충된다. 이는 amyloid 축적이 반

드시 회백질 변화를 동반하지 않는다는 것을 의미하며 posterior cingulate cortex 회백질의 비대가 amyloid 침착에 대한 반응으로 중년보다 고령에서 더 증가되었음을 시사한다. 71명의 참가자(무호흡지수 0.2-96.6)에서 MRI 시행하여 상관분석을 하였는데, 저산소혈증은 left lateral prefrontal cortex, right frontal pole, right lateral parietal lobules, left posterior cingulate cortex의 두께와 양의 상관관계를 보였고 무호흡지수는 amygdala의 부피와 양의 상관관계를 나타냈다. 주관적인 인지기능 저하를 호소하는 환자들의 저산소혈증은 양측 temporal cortex의 두께 감소와 관련이 있는 반면 수면분절은 postcentral gyrus, pericalcarine, pars opercularis의 두께 증가와 hippocampus, amygdala의 부피 증가와 관련이 있었다. 흥미롭게도 temporal cortex의 위축은 낮은 verbal encoding과 상관관계를 보여, 회백질 위축이 잠재적으로 저산소혈증의 결과로 인지 증상과 관련되어 있음을 시사한다. 그러나 수면무호흡의 중등도와 회백질 구조 사이의 연관성을 발견하지 못한 결과도 발표되었다. 졸림증과 인지기능 저하는 특정 영역의 회백질 위축과 관련이 있고 무증상이거나 경도의 폐쇄수면무호흡증은 회백질의 비대를 동반하거나 구조적 변화를 동반하지 않는 경향을 보인다. 현재까지 발표된 연구 결과를 종합하면, 폐쇄수면무호흡증에서 회백질의 위축과 비대가 공존하는데 이는 상충되는 결과보다는 질환의 이질성에 기인하는 결과로 보여진다. 즉, 인구 통계학적 요인(연령, 성별), 임상적 요인(인지기능, 졸림, 자율 신경계 조절), 병리학적 요인(amyloid 침착, 저산소증, 수면분절)들이 다양하게 뇌구조의 변화에 영향을 미칠 수 있음을 시사한다.

2) Diffusion tensor imaging

지난 20년 동안 뇌의 허혈성 손상을 반영하는 white matter hyperintensities (WMH)가 폐쇄수면무호흡증에서 광범위하게 연구되었다. WMH는 노년층에서 매우 흔하게 발견되나 뇌졸중과 인지기능 저하의 위험 요인과 관련이 있다. 중년층과 노년층을 대상으로 한 대부

분의 연구에서 WMH burden은 경도의 수면무호흡에서는 높지 않으나 중등도-고도의 수면무호흡에서 높다고 알려져 있고 이는 특정 수준의 수면무호흡의 중증도가 WMH를 유발할 수 있음을 시사한다. 그러나 주간 과다수면이나 인지기능 저하가 없는 중등도-고도의 폐쇄수면무호흡증 환자에서 더 높은 WMH burden이 관찰되지 않았으며, 이는 수면무호흡 자체보다는 특정 임상 증상이 WMH에 더 영향을 미쳤음을 의미한다. 최근의 연구에서는 백색질 손상에 대한 잠재적 의미를 파악하기 위해 혈액 표지자와 함께 WMH burden을 평가했다. 세포 노화의 지표인 짧은 telomere 길이는 중등도-고도의 수면무호흡에서 더 높은 WMH burden과 연관되었다고 보고하였다. 또한, 저산소혈증이 심할수록 WMH burden과 염증 수치가 높았다. 상기 결과들은 염증이나 노화 촉진 등의 수면무호흡과 관련된 병태생리학적 변화가 백색질 손상에 기여했음을 의미한다.

중등도-고도의 폐쇄수면무호흡증 환자를 대상으로 한 초기 DTI 연구에서 백색질 손상을 시사하는 FA 감소와 MD, RD, AD의 감소가 광범위한 영역에서 관찰되었다. 후속 연구들도 다양한 백질로의 FA 감소를 재차 증명하였고 FA 감소는 전신 염증, 자율신경계 기능 이상, 수면무호흡증후군에서의 인지기능장애와 관련이 있다고 제안하였다. 그러나 MD, RD, AD 등의 확산도를 반영하는 지표들에 대해서는 일치하지 않는 소견을 보였는데, 이 연구에서 고도의 폐쇄수면무호흡증 환자는 정상인에 비해 MD, RD, AD의 증가가 관찰되었고 AD에 비해 더 뚜렷하고 광범위한 RD 변화가 관찰되었다. 일관되지 않은 백색질의 변화를 명확하게 설명할 수는 없으나 무호흡의 중증도가 중요한 변수로 작용할 수 있다. 경도의 폐쇄수면무호흡증 환자 비율이 높지만 뇌에 대한 영향은 아직 정립되어 있지 않다. 135명의 폐쇄수면무호흡증 환자(경도의 수면무호흡, 76.3%)는 정상인에 비해 transverse temporal, cingulate, medial frontal, middle/superior frontal 영역에서 FA 감소, cingulate, temporal 영역에서 MD 증가, frontal, temporal 영역에서 RD 증가를 나타냈다. 다른 연구에서는 경도의

폐쇄수면무호흡증 환자는 대조군에 비해 여러 영역에서 MD, RD, AD의 감소를 나타낸 반면 FA는 두 군 사이에 차이를 보이지 않았다. 종합하면 수면무호흡증후군에서의 백색질의 변화는 일관되게 관찰되고 있으나 개별 DTI 지표의 변화는 연구들마다 결과가 매우 상이하여 아직 정립이 되어 있지 않다. 인구 통계학적 변수, 증상의 심한 정도, 동반된 질환, 인지기능 저하 등의 임상적 변수의 차이로 인해 연구들마다 상이한 결과가 도출이 될 수 있으므로 추후 균질한 특성을 갖는 환자들을 대상으로 하는 연구가 필요하다.

3) Functional MRI

large-scale network 중 DMN, salience network, central executive network에 초점을 맞춘 rs-fMRI 연구가 주로 시행되었다. 특히 DMN의 이상이 가장 많이 보고되었는데, 6개의 연구들은 data-driven approach (independent component analysis, regional homogeneity analysis, amplitude of low-frequency fluctuation, degree centrality, graph theory)와 hypothesis-driven approach (seed-based connectivity)의 분석 기법을 이용하여 환자들에서 정상인과 비교하여 DMN과 다른 영역들 사이의 기능적 연결성 이상을 보고하였다. anterior DMN의 기능적 이상은 일관되게 보고되었으나 posterior DMN의 변화에 대해서는 상충되는 결과들도 존재한다. 이 결과는 폐쇄수면무호흡증에서 흔히 동반되는 인지기능 장애와 관련 지어 설명할 수 있다.

폐쇄수면무호흡증 환자들에서 medial prefrontal cortex과 left dorsolateral prefrontal cortex의 회백질 부피 감소와 함께 기능적 연결성 저하가 관찰되어 central executive network의 구조적, 기능적 이상이 존재함을 짐작케 한다. 다른 rs-fMRI 연구에서도 dorsal amygdala와 prefrontal cortex 사이의 기능적 연결성이 저하되었고 이는 폐쇄수면무호흡증 환자에서 동반되는 감정 장애와 전두엽 인지기능 저하를 부분적으로 설명할 수 있는 결과이다. salient network의 핵심 영역인 anterior insula와 DMN 사이의 연결성이 저하되어 있고 right anterior insula와 medial prefrontal cortex 사이의 연결성 정도는 수면무호흡의 중증도와 상관 관계가 있다. 또한 right anterior insula와 posterior cingulate cortex 연결성 저하 정도는 우울증 점수와 working memory 수행과 상관관계를 보여, 분열된 salient network이 수면무호흡에서의 인지기능 장애를 예측하게 하는 영상 표지자로 사용될 수 있음을 시사한다. 같은 주제의 연구에서도 insula와 frontal, parietal, cingulate, temporal, limbic, basal ganglia, thalamus, occipital, cerebellar, brainstem 사이의 기능적 연결성이 증가 혹은 감소되어 있고 이들 중 일부는 무호흡지수, 수면의 질 평가 점수, 우울감/불안감 점수와 상관관계를 보여, 폐쇄수면무호흡증이 비정상적인 autonomic, affective, sensorimotor, cognitive control networks를 동반한다는 점을 제시한다. graph theory 연구에서 비교적 일관되게 global network properties와 local network properties의 변화가 보고되었다. 만성적으로 수면 중 발생하는 저산소혈증이 기능적 network를 변질시키고 여러 뇌영역의 기능에 악영향을 미치는 것으로 이해되고 있다. 기존의 연구들을 토대로 추후에 resting-state functional network의 변화가 어떤 임상적 변수들에 영향을 받는가, 양압기 치료 후에 변질된 연결성이 정상으로 회복되는가, rs-fMRI에 machine learning, deep learning 알고리즘을 적용하여 진단에 도움이 되는가에 대한 추가적인 연구가 필요하다.

▶ 참고문헌

- Astrakas LG, Konitsiotis S, Margariti P, et al. T2 relaxometry and fMRI of the brain in late-onset restless legs syndrome. Neurology 2008;71:911-6.
- Ballotta D, Talami F, Pizza F, et al. Hypothalamus and amygdala functional connectivity at rest in narcolepsy type 1. Neuroimage Clin 2021;31:102748.
- Baril AA, Gagnon K, Brayet P, et al. Gray matter hypertrophy and thickening with obstructive sleep apnea in middle-aged and older adults. Am J Respir Crit Care Med 2017;195:1509-18.
- Baril AA, Gagnon K, Descoteaux M, et al. Cerebral white matter diffusion properties and free-water with obstructive sleep apnea severity in older adults. Hum Brain Mapp 2020;41:2686-701.
- Belke M, Heverhagen JT, Keil B, et al. DTI and VBM reveal white matter changes without associated gray matter changes in patients with idiopathic restless legs syndrome. Brain Behav 2015;5:e00327.
- Buskova J, Vaneckova M, Sonka K, et al. Reduced hypothalamic gray matter in narcolepsy with cataplexy. Neuro Endocrinol Lett 2006;27:769-72.
- Byun JI, Kim HW, Kang H, et al. Altered resting-state thalamo-occipital functional connectivity is associated with cognition in isolated rapid eye movement sleep behavior disorder. Sleep Med 2020;69:198-203.
- Campabadal A, Inguanzo A, Segura B, et al. Cortical gray matter progression in idiopathic REM sleep behavior disorder and its relation to cognitive decline. Neuroimage Clin 2020;28:102421.
- Campabadal A, Segura B, Junque C, et al. Cortical gray matter and hippocampal atrophy in idiopathic rapid eye movement sleep behavior disorder. Front Neurol 2019;10:312.
- Campabadal A, Segura B, Junque C, et al. Structural and functional magnetic resonance imaging in isolated REM sleep behavior disorder: a systematic review of studies using neuroimaging software. Sleep Med Rev 2021;59:101495.
- Castronovo V, Scifo P, Castellano A, et al. White matter integrity in obstructive sleep apnea before and after treatment. Sleep 2014;37:1465-75.
- Celle S, Delon-Martin C, Roche F, et al. Desperately seeking grey matter volume changes in sleep apnea: a methodological review of magnetic resonance brain voxel-based morphometry studies. Sleep Med Rev 2016;25:112-20.
- Celle S, Roche F, Peyron R, et al. Lack of specific gray matter alterations in restless legs syndrome in elderly subjects. J Neurol 2010;257:344-8.
- Chang Y, Chang HW, Song H, et al. Gray matter alteration in patients with restless legs syndrome: a voxel-based morphometry study. Clin Imaging 2015;39:20-5.
- Chang Y, Paik JS, Lee HJ, et al. Altered white matter integrity in primary restless legs syndrome patients: diffusion tensor imaging study. Neurol Res 2014;36:769-74.
- Chen L, Fan X, Li H, et al. Topological reorganization of the default mode network in severe male obstructive sleep apnea. Front Neurol 2018;9:363.
- Chen M, Li Y, Chen J, et al. Structural and functional brain alterations in patients with idiopathic rapid eye movement sleep behavior disorder. J Neuroradiol 2022;49:66-72.

- Comley RA, Cervenka S, Palhagen SE, et al. A comparison of gray matter density in restless legs syndrome patients and matched controls using voxel-based morphometry. J Neuroimaging 2012;22:28-32.
- Dayan E, Browner N. Alterations in striato-thalamo-pallidal intrinsic functional connectivity as a prodrome of Parkinson's disease. Neuroimage Clin 2017;16:313-8.
- Draganski B, Geisler P, Hajak G, et al. Hypothalamic gray matter changes in narcoleptic patients. Nat Med 2002;8:1186-8.
- Ellmore TM, Castriotta RJ, Hendley KL, et al. Altered nigrostriatal and nigrocortical functional connectivity in rapid eye movement sleep behavior disorder. Sleep 2013;36:1885-92.
- Ellmore TM, Hood AJ, Castriotta RJ, et al. Reduced volume of the putamen in REM sleep behavior disorder patients. Parkinsonism Relat Disord 2010;16:645-9.
- Etgen T, Draganski B, Ilg C, et al. Bilateral thalamic gray matter changes in patients with restless legs syndrome. Neuroimage 2005;24:1242-7.
- Fulong X, Spruyt K, Chao L, et al. Resting-state brain network topological properties and the correlation with neuropsychological assessment in adolescent narcolepsy. Sleep 2020;43:zsaa018.
- Hanyu H, Inoue Y, Sakurai H, et al. Voxel-based magnetic resonance imaging study of structural brain changes in patients with idiopathic REM sleep behavior disorder. Parkinsonism Relat Disord 2012;18:136-9.
- Hornyak M, Ahrendts JC, Spiegelhalder K, et al. Voxel-based morphometry in unmedicated patients with restless legs syndrome. Sleep Med 2007;9:22-6.
- Joo EY, Jeon S, Lee M, et al. Analysis of cortical thickness in narcolepsy patients with cataplexy. Sleep 2011;34:1357-64.
- Joo EY, Kim SH, Kim ST, Hong SB. Hippocampal volume and memory in narcoleptics with cataplexy. Sleep Med 2012;13:396-401.
- Kim H, Suh S, Joo EY, et al. Morphological alterations in amygdalo-hippocampal substructures in narcolepsy patients with cataplexy. Brain Imaging Behav 2016;10:984-94.
- Kim SJ, Lyoo IK, Lee YS, et al. Gray matter deficits in young adults with narcolepsy. Acta Neurol Scand 2009;119:61-7.
- Koo DL, Kim HR, Kim H, et al. White matter tract-specific alterations in male patients with untreated obstructive sleep apnea are associated with worse cognitive function. Sleep 2020;43:zsz247.
- Kreckova M, Kemlink D, Sonka K, et al. Anterior hippocampus volume loss in narcolepsy with cataplexy. J Sleep Res 2019;28:e12785.
- Ku J, Cho YW, Lee YS, et al. Functional connectivity alternation of the thalamus in restless legs syndrome patients during the asymptomatic period: a resting-state connectivity study using functional magnetic resonance imaging. Sleep Med 2014;15:289-94.
- Ku J, Lee YS, Chang H, et al. Default mode network disturbances in restless legs syndrome/Willis-Ekbom disease. Sleep Med 2016;23:6-11.
- Kumar R, Pham TT, Macey PM, et al. Abnormal myelin and axonal integrity in recently diagnosed patients with obstructive sleep apnea. Sleep 2014;37:723-32.
- Lee BY, Kim J, Connor JR, et al. Involvement of the central somatosensory system in restless legs syndrome a neuroimaging study. Neurology 2018;90:e1834-41.
- Lee MH, Yun CH, Min A, et al. Altered structural brain network resulting from white matter injury in obstructive sleep apnea. Sleep 2019;42:zsz120.
- Li G, Chen Z, Zhou L, et al. Altered structure and functional connectivity of the central autonomic network in idiopathic rapid eye movement sleep behaviour disorder. J Sleep Res 2021;30:e13136.
- Lindemann K, Muller HP, Ludolph AC, et al. Microstructure of the midbrain and cervical spinal cord in idiopathic restless legs syndrome: a diffusion tensor imaging study. Sleep 2016;39:423-8.
- Liu C, Dai Z, Zhang R, et al. Mapping intrinsic functional brain changes and repetitive transcranial magnetic stimulation neuromodulation in idiopathic restless legs syndrome: a resting-state functional magnetic resonance imaging study. Sleep Med 2015;16:785-91.
- Liu C, Wang J, Hou Y, et al. Mapping the changed hubs and corresponding functional connectivity in idiopathic restless legs syndrome. Sleep Med 2018;45:132-9.
- Marchi NA, Ramponi C, Hirotsu C, et al. Mean oxygen saturation during sleep is related to specific brain atrophy pattern. Ann Neurol 2020;87:921-30.
- Menzler K, Belke M, Unger MM, et al. DTI reveals hypothalamic and brainstem white matter lesions in patients with idiopathic narcolepsy. Sleep Med 2012;13:736-42.
- Nakamura M, Nishida S, Hayashida K, et al. Differences in brain morphological findings between narcolepsy with and without cataplexy. PLoS One 2013;8:e81059.
- Park B, Palomares JA, Woo MA, et al. Disrupted functional brain network organization in patients with obstructive sleep apnea. Brain Behav 2016;6:e00441.
- Park HR, Kim HR, Seong JK, et al. Localizing deficits in white matter tracts of patients with narcolepsy with cataplexy: tract-specific statistical analysis. Brain Imaging Behav 2020;14:1674-81.
- Park KM, Lee HJ, Lee BI, et al. Alterations of the brain network in idiopathic rapid eye movement sleep behavior disorder: structural

connectivity analysis. Sleep Breath 2019;23:587–93.

- Pereira JB, Weintraub D, Chahine L, et al. Cortical thinning in patients with REM sleep behavior disorder is associated with clinical progression. NPJ Parkinsons Dis 2019;5:7.
- Ponz A, Khatami R, Poryazova R, et al. Abnormal activity in reward brain circuits in human narcolepsy with cataplexy. Ann Neurol 2010;67:190–200.
- Ponz A, Khatami R, Poryazova R, et al. Reduced amygdala activity during aversive conditioning in human narcolepsy. Ann Neurol 2010;67:394–8.
- Pyatigorskaya N, Gaurav R, Arnaldi D, et al. Magnetic resonance imaging biomarkers to assess substantia nigra damage in idiopathic rapid eye movement sleep behavior disorder. Sleep 2017;40.
- Rahayel S, Montplaisir J, Monchi O, et al. Patterns of cortical thinning in idiopathic rapid eye movement sleep behavior disorder. Movement Disord 2015;30:680–7.
- Rahayel S, Postuma RB, Montplaisir J, et al. Abnormal gray matter shape, thickness, and volume in the motor cortico–subcortical loop in idiopathic rapid eye movement sleep behavior disorder: association with clinical and motor features. Cereb Cortex 2018;28:658–71.
- Rahayel S, Postuma RB, Montplaisir J, et al. Cortical and subcortical gray matter bases of cognitive deficits in REM sleep behavior disorder. Neurology 2018;90:e1759–70.
- Rizzo G, Manners D, Vetrugno R, et al. Combined brain voxel–based morphometry and diffusion tensor imaging study in idiopathic restless legs syndrome patients. Eur J Neurol 2012;19:1045–9.
- Rizzo G, Tonon C, Testa C, et al. Abnormal medial thalamic metabolism in patients with idiopathic restless legs syndrome. Brain 2012;135:3712–20.
- Rolinski M, Griffanti L, Piccini P, et al. Basal ganglia dysfunction in idiopathic REM sleep behaviour disorder parallels that in early Parkinson's disease. Brain 2016;139:2224–34.
- Schaer M, Poryazova R, Schwartz S, et al. Cortical morphometry in narcolepsy with cataplexy. J Sleep Res 2012;21:487–94.
- Scherfler C, Frauscher B, Schocke M, et al. White and gray matter abnormalities in narcolepsy with cataplexy. Sleep 2012;35:345–51.
- Scherfler C, Frauscher B, Schocke M, et al. White and gray matter abnormalities in idiopathic rapid eye movement sleep behavior disorder: a diffusion–tensor imaging and voxel–based morphometry study. Ann Neurol 2011;69:400–7.
- Schwartz S, Ponz A, Poryazova R, et al. Abnormal activity in hypothalamus and amygdala during humour processing in human narcolepsy with cataplexy. Brain 2008;131:514–22.
- Shi Y, Chen L, Chen T, et al. A Meta–analysis of voxel–based brain

morphometry studies in obstructive sleep apnea. Sci Rep 2017;7:10095.

- Spiegelhalder K, Feige B, Paul D, et al. Cerebral correlates of muscle tone fluctuations in restless legs syndrome: a pilot study with combined functional magnetic resonance imaging and anterior tibial muscle electromyography. Sleep Med 2008;9:177–83.
- Tezer FI, Erdal A, Gumusyayla S, et al. Differences in diffusion tensor imaging changes between narcolepsy with and without cataplexy. Sleep Med 2018;52:128–33.
- Unger MM, Belke M, Menzler K, et al. Diffusion tensor imaging in idiopathic REM sleep behavior disorder reveals microstructural changes in the brainstem, substantia nigra, olfactory region, and other brain regions. Sleep 2010;33:767–73.
- Unrath A, Muller HP, Ludolph AC, et al. Cerebral white matter alterations in idiopathic restless legs syndrome, as measured by diffusion tensor imaging. Movement Disord 2008;23:1250–5.
- Wada M, Mimura M, Noda Y, et al. Neuroimaging correlates of narcolepsy with cataplexy: a s ystematic review. Neurosci Res 2019;142:16–29.
- Yu H, Chen L, Li H, et al. Abnormal resting–state functional connectivity of amygdala subregions in patients with obstructive sleep apnea. Neuropsychiatr Dis Treat 2019;15:977–87.
- Zhang J, Weaver TE, Zhong Z, et al. White matter structural differences in OSA patients experiencing residual daytime sleepiness with high CPAP use: a non–Gaussian diffusion MRI study. Sleep Med 2019;53:51–9.
- Zhang Q, Wang D, Qin W, et al. Altered resting–state brain activity in obstructive sleep apnea. Sleep 2013;36:651–9B.
- Zhuo YY, Wu YC, Xu YH, et al. Combined resting state functional magnetic resonance imaging and diffusion tensor imaging study in patients with idiopathic restless legs syndrome. Sleep Med 2017;38:96–103.

CHAPTER 11 인공지능과 수면의학

홍정경 / 홍준기 / 김대우 / 정동연 / 이동헌

1 인공지능이란 무엇인가

인공지능(Artificial Intelligence, AI)은 기계 혹은 시스템에 의해 만들어진 지능으로, 마치 사람처럼 주변 환경과 상호작용하는 다양한 방법을 총칭한다. 최근 의학계에서도 인공지능을 이용한 연구가 활발히 이루어지는 가운데 '인공지능', '머신러닝(Machine Learning)', '딥러닝(Deep Learning)' 등 용어를 이해하고 구분할 필요가 있다. 머신러닝은 인공지능과 혼용되어 사용되기도 하는데, 사실은 인공지능의 하위 개념이다. 머신러닝에 대해 처음으로 정의한 사람은 아서 사무엘(Arthur L. Samuel)로 1959년 이와 같이 정의했다: "일일이 코드로 명시하지 않은 동작을 기기가 스스로 데이터로부터 학습하여 실행할 수 있도록 하는 알고리즘을 개발하는 연구 분야이다".

기존 프로그래밍 방식은 사람이 데이터를 분석하는 알고리즘을 직접 구성했다. 사람이 알고리즘을 일일이 구성하는 방식으로는, 예측이 어렵거나 복잡도가 높은 분석을 구현하는 데에 한계가 있었다. 예를 들어 이미지 분석, 자율주행, 자연어 처리와 같은 문제풀이 분야에서는, 인위적으로 모든 가능성을 일일이 예측해 알고리즘을 구성할 수가 없었다. 하지만 머신러닝 기법이 가능해지면서 이런 어려운 문제풀이가 가능해졌다. 머신러닝은 컴퓨터가 직접 데이터를 학습함으로써 데이터 속에 담겨 있는 일련의 규칙성을 찾아내는 기법으로, 직접 발견한 규칙성을 통해 환경에 반응하거나 데이터 사이의 문제에 대한 답을 찾아낸다. 복잡도가 높은 분야더라도 머신러닝을 이용해 방대한 양의 데이터를 인공지능이 스스로 학습하도록 함으로써 필요한 규칙성과 알고리즘을 컴퓨터가 스스로 찾아낼 수 있게 된 것이다. 이때 컴퓨터가 스스로 찾아내는 규칙성과 알고리즘의 복잡도는 사람이 구성한 알고리즘보다 훨씬 높은 복잡도가 가능하다.

간단한 예시로, 4를 입력했을 때 5가 출력되고, 10을 입력했을 때 8이 출력되는 문제풀이를 한다고 가정한다. (x=4, y=5)와 (x=10, y=8)이라는 두 개의 짝지은 데이터를 통해 찾을 수 있는 규칙 중 하나는 다음과 같다 (그림 11-1).

이 예시에서는 데이터간 관계가 단순하기 때문에 '일차 함수'를 함수의 형태로 가정했고, 두 개의 짝지은 데이터만으로도 계수(0.5)와 상수(3)를 찾을 수 있었다. 하지만 입력 데이터(input)와 출력 데이터(output)의 관계가 복잡할수록 규칙을 정확하게 표현하기 위해 더 자세하고 표현력이 높은 복잡한 형태의 함수가 필요하다. 머

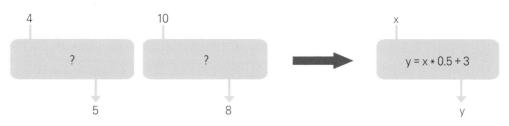

그림 11-1. 인공지능 문제 풀이의 간단한 예시.
(x: 입력 데이터, y: 출력 데이터). 보통의 문제풀이에서는 새로운 입력 데이터에 대해 인공지능 모델이 정확한 출력 데이터를 예측하는 것을 목표로 한다.

신러닝은 이처럼 입력 데이터로부터 출력 데이터를 예측하기 위한 목적으로, 함수의 계수들을 기계가 스스로 찾도록 하는 방법이다. 이 때 이미 정답으로 알고 있는 출력 데이터를 라벨(label)이라고 부르기도 한다.

머신러닝의 정확도는 인공지능 모델의 예측이 얼마나 실제 데이터와 일치하는지에 따라 평가할 수 있다. 학습된 모델의 최종 성능을 평가할 때에는 학습 과정에서 사용된 적 없는 처음 보는 데이터를 사용하는 것이 바람직하다. 따라서 모델의 머신러닝 학습용 데이터와 성능 평가용 데이터를 중복되지 않게 미리 데이터를 분리해놓는 것이 일반적이다. 머신러닝 학습에 사용된 데이터는 '학습 데이터(train data)'라 하고, 모델의 최적 성능 탐색을 위해 사용된 데이터는 '검증 데이터(validation data)'라 하고, 최종적으로 선정된 모델의 성능을 평가하기 위한 데이터는 '테스트 데이터(test data)'라 부른다. 검증 데이터와 테스트 데이터는 명확히 다른 목적을 갖는다. '검증 데이터'는 인공지능을 학습하면서 언제 학습을 멈추는 것이 최적인지를 판단하는 데 사용되고 '테스트 데이터는' 그렇게 해서 최종 선정된 모델을 최종 평가하는 데 사용된다.

딥러닝은 머신러닝의 하위 개념으로, 다양한 수많은 함수의 형태 중에 '인공신경망(neural network)'을 함수의 형태로 가정한 경우이다. 딥러닝의 개괄적인 형태는 다음과 같다(그림 11-2).

$$a_5 = g\left(W_{3,5} \cdot a_3 + W_{4,5} \cdot a_4\right)$$
$$= g\left(W_{3,5} \cdot g\left(W_{1,3} \cdot a_1 + W_{2,3} \cdot a_2\right) + W_{4,5} \cdot g\left(W_{1,4} \cdot a_1 + W_{2,4} \cdot a_2\right)\right)$$

그림 11-2. 인공신경망에 대한 모사.
(왼쪽) x (1, 2, 3, 4, 5)는 각각 하나의 뉴런을 대표한다. a는 뉴런의 출력을 나타내고, W는 뉴런 간의 연결 강도를 나타낸다. 함수 g를 통해 활성화 여부가 반영될 수 있다. 활성화 여부에 따라 출력 크기가 다르게 결정될 수 있기 때문이다. (오른쪽) 이와 같이 뉴런이 여러 층이 쌓여 인공신경망을 구성하게 된다.

딥러닝에 사용되는 인공신경망은 인간의 신경세포인 뉴런(neuron)의 동작과정을 함수로 모사한 것이다. 인간의 뇌에는 약 860억 개의 뉴런이 있는데, 뉴런간 신호 전달은 기본적으로 다음과 같이 시냅스를 통해 이루어진다. 하나의 뉴런은 수상돌기(dendrite)를 통해 다수의 뉴런으로부터 자극을 받을 수 있다. 들어온 자극이 일정 수준 이상이 되어 역치(threshold)를 넘기게 되면, 뉴런은 활동전위(action potential)를 일으키며 흥분상태가 되고, 축삭(axon)을 통해 다음 뉴런에게 자극을 전달하게 된다. 인공뉴런은 이런 인공뉴런을 그대로 모사한 것으로 유사한 방식으로 작동한다. 보통 **그림 11-2**처럼 층층이 작동하는 것으로 표현하는데, 한 층에 위치한 인공뉴런들은 각각 그 다음 층에 위치한 '다수'의 인공뉴런에 자극을 전달할 수 있다. 이때 인공뉴런 간의 연결강도는 각기 다를 수 있다. 마치 인간 뉴런의 시냅스 연결강도가 제각각 다른 것과 비슷하다. 이 연결강도를 수식으로 표현하게 되면 가중치(weight)이다. 하나의 인공뉴런(x)에 입력된 자극의 총합은 가중합산(weighted sum)으로 표현할 수 있고, 이 가중합산 자극 크기가 역치를 넘어야 활성화될 수 있을 것이다(함수g). 함수 g는 디자인에 따라 다를 수 있지만, 대체로 역치 초과 여부에 따라 활동전위를 일으키는지 유무의 개념을 내포하도록 한다. 함수g를 통해 활성화된 인공뉴런과 그렇지 않은 인공뉴런의 출력(다음 층 인공뉴런들에게 전달할 자극) 크기가 다르게 결정될 수 있다. 예를 들어, 그

림 11-2의 4번 인공뉴런의 경우, 1번과 2번 인공뉴런으로 받은 자극의 총합은 $(W_{1,4} \times a_1 + W_{2,4} \times a_2)$이고, 4번 인공뉴런의 최종 출력인 a_4는 $g(W_{1,4} \times a_1 + W_{2,4} \times a_2)$로 표현할 수 있다. 860억개의 뉴런이 겹겹이 복잡하게 얽히고 쌓여 작동하는 것처럼, 인공신경망의 함수 역시 여러 겹이 층층이 쌓이며 함수가 세분화될 수 있다. 인공신경망의 함수가 세분화되는 만큼 점점 더 복잡한 관계를 수식으로 표현하고 문제를 풀 수 있게 된다. 더 나아가 인공신경망을 제대로 구성하기만 한다면 어떠한 규칙성도 딥러닝을 이용해 모델화할 수 있다는 사실이 수학적으로 증명됐다. 다만 인공신경망 함수가 세분화될수록 계수의 수가 증가하기 때문에 더 방대한 양의 학습 데이터를 요하게 되고, 많은 양의 컴퓨팅 자원이 필요하다. 따라서 갖고 있는 데이터의 양과 자원에 따라 적절한 복잡도의 모델을 결정하는 것이 중요하다.

인공신경망의 함수를 세분화하다 보면 이는 무수한 계수를 갖는 함수로 표현될 수 있다. 일차방정식처럼 단순한 함수는 특정 공식을 이용해 쉽게 계수를 구할 수 있지만, 무수한 계수를 갖는 복잡한 인공신경망에 대해 계수를 구하는 것은 매우 어려운 일이다. 이렇듯 복잡한 인공신경망의 계수를 구하기 위해서는 "경사하강법(Gradient descent)"이라는 기법을 사용한다(**그림 11-3**). 이 방법은 짝지은 데이터(입력−출력)가 주어졌을 때 가능한 방식으로, 입력 데이터에 대해 인공신경망이 예측한 결과와 실제 정답 라벨을 비교해가며, 정답을 맞힐

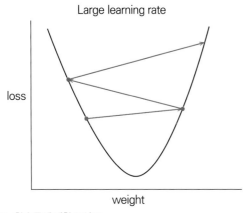
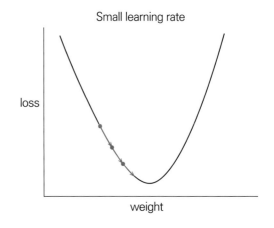

그림 11-3. 학습률에 대한 모식도

수 있는 방향으로 인공신경망의 계수를 조금씩 조정하는 방법이다. 학습이 되지 않은 상태에서의 첫 예측은 무작위로 시작하게 된다. 이후 자신의 출력값을 정답 라벨과 비교해가며 점차 스스로 알고리즘을 조정해 나가게 되는데, 이 과정을 학습이라고 한다. 자신의 출력값과 정답 라벨과의 차이 정도를 손실(loss)이라고 할 때, 최적의 모델은 손실값이 최소가 되도록 하는 것이다. 이 때 하나의 데이터를 통해 얼마나 빠르게 학습할지를 결정하는 값이 학습률(learning rate)이다. 학습률이 작으면 학습이 너무 천천히 진행되어 유한한 데이터 내에서 최소손실값에 도달하지 못할 수 있다. 반대로 학습률이 너무 커도 문제가 될 수 있는데, 초반의 데이터에만 너무 과적합(overfitting)돼 전체 데이터에 대해 학습하기 어려워지거나 최소손실값을 놓칠 수 있다.

인공신경망은 특화된 구조와 기능에 따라 다양한 종류가 개발되어 있고, 서로 다른 인공신경망을 조합하여 구성할 수도 있다. 인공신경망의 예시였던 **그림 11-2**는 사실 FCNN (Fully Connected Neural Network)이라고 하는 인공신경망으로 각 층의 모든 뉴런이 다음 층의 모든 뉴런에 연결되는 구조이다. 그 외에도 이미지 처리 분야에 혁신적인 발전을 가져온 CNN (Convolutional Neural Network)도 널리 사용되는 인공신경망 중 하나이다. CNN에서는 뉴런과 뉴런을 연결하는 구조가 대뇌 시각피질의 다층 구조를 모사하고 있다. 그 외에도 시계열이나 순위 데이터를 분석하기에 용이한 RNN (Recurrent Neural Network)과 RNN의 특별한 유형인 LSTM (Long Short–Term Memory)도 많이 알려져있다. 이들은 시퀀스 데이터(sequence data)를 순서대로 하나씩 분석하는 방법으로 자연어나 소리와 같이 순차적으로 일어나는 데이터를 처리하는 데 특화돼 있다. 앞 순서에서 분석했던 데이터들의 맥락과 정보를 저장하고, 뒤에 오는 순서의 데이터 분석 시 앞 데이터에서 분석한 정보를 함께 사용한다. 이렇게 정보의 앞뒤 맥락이 고려되기 때문에 시계열적 연관성이 있는 순차적 데이터의 분석에 특히 유용하다. 이 중에서도 LSTM은 어떤 정보를 장기 저장할지를 판단하는 인공신경망이

추가되는 것이 특징이다. 데이터의 종류에 따라 잘 작용할 수 있는 인공신경망이 다를 수 있다. 최근에는 이미지, 자연어, 오디오 등 다양한 데이터 종류별로 최적화된 인공신경망이 연구되고 있다. 딥러닝 모델의 성능은 설계된 인공신경망과 학습에 사용된 데이터로부터 가장 많이 좌우될 것이다. 즉, 데이터의 종류와 예측 목표에 따라 가장 적합한 인공신경망을 사용하는 것이 중요하고, 양질의 데이터 확보와 입력이 중요할 것이다.

최근 들어 '인공지능 기법'을 적용했다고 하는 기술들은 이 딥러닝 기법을 사용하는 것이 대부분이다. 일상생활에서 접할 기회가 많은 음성인식 기술이나 번역기, 또 안면인식 기술 등도 모두 딥러닝 기법을 통해 학습한 인공지능 기술이 적용됐다. 의학 분야에서 딥러닝이 가장 먼저 각광받은 영역은 영상의학에서의 적용이다. 가슴X선을 이용한 폐암 스크리닝이나 뇌영상에 인공지능을 적용해 응급도를 선별하는 등 기술은 이미 상당히 발전됐다. 이 외에도 병리판독과 피부병변 등 이미지 데이터에 대한 인공지능 기술 적용이 의학 분야에서 비교적 빨리 연구됐다. 한편, 시계열 데이터에 대한 딥러닝 기술의 발달에 따라, 심전도나 맥파를 이용한 부정맥 확인 등 생체신호 분석에도 연구가 활발히 진행되고 있다. 유사하게 수면다원검사에서 측정된 다양한 생체신호를 입력으로 수면 단계를 예측하는 인공지능도 개발이 가능하며, 이미 전세계적으로 다수의 연구가 이루어지고 있다.

② 수면다원검사의 수면단계 자동판독 인공지능 모델

수면의학에서도 인공지능을 활용하고자 하는 시도가 늘어나고 있다. 그 중에서도 가장 많은 연구가 수행되고 주목받았던 주제는 단연 수면단계 자동판독이다. 수면다원검사 판독은 사람이 일일이 수기 판독하는 노동 집약적인 과정으로, 자동판독을 이용해 효율을 높이기 위한 시도가 다수 진행됐다. 초기에는 피처(feature) 추

출을 수작업으로 진행한 이후 자동판독을 적용하는 방식들이 주로 적용됐으나, 2017년부터는 수작업을 거치지 않고 측정된 신호 데이터에서 바로 자동판독을 하는 딥러닝 모델들이 본격적으로 보고됐다. 수년간 연구자들의 다양한 실험과 노력으로 입력 데이터의 선정과 인공신경망 디자인의 진화가 이뤄졌다. 최신 수면단계 자동판독 인공지능의 정확도는 낮게는 85%, 높게는 88%로 보고됐으며, 수기 판독자간 일치도(inter-rater reliability)가 82.6%인 점을 감안했을 때 정확도 측면에서 상당히 고무적인 수준이다.

수면다원검사 판독은 30초짜리 에폭(epoch)마다 뇌파, 안전도, 근전도 등의 생체신호를 통해 각성(W), 비렘수면 1단계(N1), 비렘수면 2단계(N2), 비렘수면 3단계(N3), 렘수면(R) 중 하나의 수면단계로 판독하게 된다. 이를 인공지능으로 자동판독하기 위해서는 뇌파, 안전위도, 근전도 등의 생체신호를 입력 데이터로 하여 수면단계를 출력해야 한다. 이때 수기 판독된 수면 단계가 정답 라벨이 되며, 충분한 수의 짝지은 수면다원검사 데이터(생체신호-수면단계)를 통해 인공지능은 이들을 자체 분석하여 정답을 맞출 수 있는 규칙성과 알고리즘을 찾게 된다. 수면다원검사를 이용한 수면단계 자동판독 인공지능 모델은 수면 기사의 판독을 모사한 것으로, 수작업 수면단계 판독과 동일하게 에폭을 단위로 생체신호를 입력으로 받고 출력 또한 에폭을 단위로 수면 단계를 예측하는 것이 보통이다. 한 가지 유의할 점은 수면단계 판독에서 때로는 명백한 한 가지 정답이 없을 수도 있다는 것이다. 수면다원검사가 수면을 살펴볼 수 있는 표준 진단 방법이고, 전문가들이 모여 수면 단계를 판단하는 기준을 약속했지만, 그럼에도 어느 에폭들은 지나치게 애매해 판독자 사이에서도 수면단계에 대한 의견이 일치하지 않을 수 있다.

여타 인공지능과 다름없이 수면다원검사 자동판독 인공지능을 학습시키는 데 가장 중요한 것은 데이터 그 자체이다. 가장 기본적인 수면단계 자동판독 인공지능 모델은 뇌파, 안전위도, 근전도 신호를 입력으로 하고 1D-CNN이나 RNN 등 시간적 연관성을 분석하는 인

공신경망을 주 구성으로 하여 에폭 내 신호들의 패턴을 분석하게 된다[피처추출(feature extraction) 단계]. 일차적으로 분석한 피처를 이차 분석 인공신경망을 거쳐 해당 에폭의 수면 단계를 추정하게 된다[분류(classification) 단계]. 인공지능의 알고리즘을 살펴보기 위한 추가분석 연구에 따르면, 실제 인공신경망이 수면단계 추정을 위해 집중하는 피처는 수기 판독에서 중요도가 높은 피처와 상당수 일치한다(예: 알파파, 세타파, 델타파, K-complex, 수면방추파 등 특징적인 뇌파 파형, 안구 움직임, 근전도 변화 등). 이처럼 초기의 기본 모델들은 수작업 판독과 유사하게 출발해 수면단계 판독 기준에 사용되는 뇌파, 안전위도, 근전도 신호를 함께 입력했다. 기술이 발전하면서 자동판독 정확도가 빠르게 높아졌고 단일 혹은 소수의 생체신호만 입력해 비슷한 수준의 수면단계 예측 정확도에 도달한 모델들도 등장했다. 단일 신호로써 수면단계 판독을 위해서 가장 많이 이용되는 것은 뇌파다. 단일 생체신호로 뇌파만 이용한 경우가 안전위도 또는 근전도만을 이용한 경우보다 월등하게 높은 성능을 보이는 것으로 확인됐다. 그럼에도 뇌파만 단독으로 이용하는 것보다 뇌파와 안전위도를 함께 입력하는 것이 인공지능의 성능을 조금 더 개선시킬 수 있었다. 반면, 두 가지 신호에 더해 근전도까지 추가 입력했을 때 정확도의 향상은 크지 않았다. 뇌파만 고려했을 때, 전두엽, 중앙부, 후두엽 뇌파를 모두 사용할지 아니면 일부만 사용할지, 또 하나만 사용한다면 어느 영역의 뇌파가 수면단계 예측에 가장 효과적인지에 대한 연구도 있다. 이처럼 최소한의 데이터 입력으로도 정확도를 유지할 수 있도록 더 정교한 인공지능을 개발하기 위한 노력들은 계속 이루어지고 있다.

입력 데이터 종류의 선택뿐만 아니라, 인공신경망 설계에 따라서도 인공지능의 성능이 달라질 수 있다. 수면단계 분석에는 시계열 데이터에 많이 사용되는 1D-CNN 또는 RNN 등 인공신경망이 기본으로 사용된다. 초기 수면단계 자동판독 인공지능 모델은 한 에폭의 신호를 입력 받고, 한 에폭에 대해 수면 단계 예측을 출력하는 방식으로 개발됐다[일대일(one-to-one)

방식]. 따라서 초기 수면단계 자동판독 인공지능 모델은 한 에폭 내에서 뇌파의 패턴, 안구 움직임, 근전도의 활성화 등을 분석했고, "에폭 내 피처(intra-epoch feature)"에 보다 집중하였다. 하지만 수작업 판독에서는 앞뒤 에폭을 함께 고려해서 판독해야 하는 경우가 더러 있다. 더욱 정교하게 수작업 판독을 모사하기 위해서, 이처럼 전후 에폭을 함께 살펴보고 판독하는 것이 인공지능 모델 설계에서도 주목받게 됐다. 인공지능 기술의 발전이 이루어지며 한 단일 에폭의 수면단계 예측을 위해 전후 다수 에폭의 신호를 함께 입력받아 분석하는 인공지능 모델이 개발됐다. 한 번에 5-30개 에폭을 단위로 입력하고, 가운데 위치한 하나의 에폭에 대해서만 수면 단계를 예측하여 출력하는 방식이다[다대일(many-to-one)]. 이 방식에서는, 먼저 단일 에폭별로 피처를 추출한 뒤, 연속된 다수 에폭의 피처를 연결해 "에폭 간 피처(inter-epoch feature)"를 분석하여 타겟 에폭의 수면단계를 예측한다. 이로써 예측하고자 하는 타겟 에폭(현 시점)의 과거와 미래 신호 정보를 함께 분석하여 수면 단계를 추론하는 것이다. 한 발 더 나아가 최근에는 입력 데이터만 다수의 에폭 신호를 넣는 것이 아니라 출력도 다수 에폭의 수면 단계를 한번에 예측하는 형태도 개발됐다[다대다(many-to-many)]. 그 장점

으로는 수면 단계가 변화하는 맥락까지 파악할 수 있다는 점이다. 이 형태의 인공지능 모델은 다수의 연속된 에폭, 즉 시퀀스(sequence)의 수면 단계를 한번에 예측하는데, 이때 수면 단계가 변화하는 빈도 및 경향성까지 같이 학습해 수면 단계 추론에 활용하게 된다. 즉 입력 신호의 시간적 맥락뿐 아니라 출력되는 수면 단계의 맥락까지 고려하는 형태의 인공지능이다. 최근에는 다대다 형태를 기본으로 더 정교하고 특화된 인공지능 모델과 학습 방법이 개발되고 있다(그림 11-4).

수면다원검사의 수면단계 자동판독 인공지능 모델이 이토록 정교하고 높은 성능을 보이고 있음에도 임상 현장에서 사용되기 위해서는 보완되어야 할 점들이 있다. 첫째, 수면장애(예: 수면관련호흡장애, 사건수면 등)를 가진 사람에 대해 인공지능의 자동판독 결과 정확도가 떨어질 수 있다. 둘째, 인공지능의 블랙박스 성질 때문에 개별 예측에 대한 추정 근거를 알기 어렵다. 셋째, 병원에서 시행되는 수면다원검사의 결과는 일정하게 높은 정확도가 요구되는데, 아직은 개인별 또는 상황별 성능의 기복을 보일 수 있는 인공지능 모델의 자동판독이 전면 수작업 판독을 대체하기는 이르다. 미국수면학회에서도 권고하는 바처럼, 인공지능 모델이 수면다원검사의 수작업 판독을 전면 대체하기보다는 판독 효율을

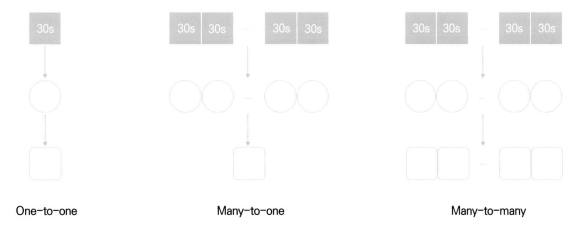

One-to-one   Many-to-one   Many-to-many

그림 11-4. 수면단계 자동판독 인공지능의 에폭별 판독 모식도.
하나 또는 다수의 에폭 데이터 입력(짙은 색 박스)에 대해, 피처(원형)를 추출하여 수면 단계로 출력(밝은 색 박스)한다. 하나 또는 다수의 에폭 데이터를 동시에 입력하는지, 이를 이용해 하나 또는 다수의 에폭에 대해 예측을 출력하는지에 따라 일대일(1:1), 다대일(N:1), 다대다(N:M)형태로 나뉜다.

높일 수 있는 보조 역할로 사용될 것을 목표로 개발하는 것이 우선이다. 이상적인 인공지능 모델 제안으로, 에폭별로 수면단계 예측과 동시에 해당 예측의 확신 정도를 함께 출력하는 모델이 보고된 바 있다. 이런 모델을 활용하면 인공지능 모델이 일차적으로 자동판독을 한 후, 자동판독의 확신 정도가 낮은 에폭에 한해서 수기 판독을 통한 재검토를 시행할 수 있을 것이다. 이런 보조 역할의 인공지능 모델은 최종 결과의 정확도를 보장하는 동시 효율도 높일 수 있다. 한편, 블랙박스 성질을 극복하기 위해, 인공지능 모델의 판단 근거를 알아볼 수 있는 "설명가능한 인공지능 모델(explainable AI)"에 대한 연구도 최근에 많은 발전을 이루고 있다. 의료 영역에서 인공지능이 본격적으로 사용되기 위해서는 설명 가능한 인공지능 모델 또는 사람과 상호작용 및 협력이 가능한 인공지능 모델이 적극 개발 및 활용돼야 할 것이다. 향후 이와 같이 인공지능 모델과 사람의 협업에 대한 지속적인 연구를 통해 미래의 수면검사실은 인공지능과 사람이 공존하며 더 효율적인 작동이 가능할 것이다.

3 수면다원검사 이외 다양한 생체 신호를 이용한 수면 모니터링 인공지능

인공지능은 데이터를 통해 학습하기 때문에 수면다원검사처럼 판독규칙이 있는 경우 외에, 심박변이도 혹은 호흡패턴으로부터 수면단계를 추정하는 규칙성을 직접 찾아내는 방식으로 적용할 수 있다. 인공지능을 활용하게 되면서 이전보다 덜 가공된 그리고 더 적은 개수의 생체 신호만을 이용해서도 수면단계 예측이 가능하게 됐고, 각기 다른 생체 신호를 이용한 다양한 수면 모니터링 방법도 다수 발달하게 됐다. 이런 추세에 따라 간편하게 수면을 모니터링할 수 있는 새로운 방법들이 제시되고, 기존 방법들도 딥러닝을 이용해 더 향상된 성능을 보고하고 있다.

앞서 언급한 것처럼, 연구자들은 수면다원검사에 이용된 다수의 센서 중 단일 신호를 사용하거나 두 세 가지 신호의 조합만으로도 수면단계 자동판독이 가능할 수 있는 인공지능을 개발했다. 게다가, 이 역시 사용자 편의성을 더 극대화하기 위해 웨어러블기기를 적극 활용 또는 개발하고 있다. 이 방법들의 공통적인 장점으로는, 검사실에서 진행돼야만 했던 수면다원검사의 제한점을 보완해, 집에서 개인이 간편하게 수면을 모니터링할 수 있는 가능성을 제시한다는 것이다.

수면다원검사를 이용한 수면단계 예측에서 뇌파가 가장 핵심적인 역할이었던 만큼, 뇌파를 측정해 인공지능 모델을 거쳐 수면단계를 예측하려는 시도들이 있다. 수면 중 착용이 필요하기 때문에 건식 전극과 무선 형태를 이용해 사용성을 높인 헤드밴드 형식의 상용화된 웨어러블기기가 있으며, 이 중 성능이 높은 기기는 내장된 뇌파와 가속도계 측정 결합을 통해 수면 단계 예측 정확도를 83.5%까지 보고했다.

반면 뇌파를 이용하지 않은 경우 아직까지 5단계 수면분류(W, N1, N2, N3, R)가 어렵다. 그 이유는 뇌파 없이 N1과 N2를 구분하는 것은 어려운 과제이기 때문이다. 많은 연구에서는 N1과 N2를 합쳐서 '얕은 수면(light sleep) 단계'로 보고, 4단계 수면분류로 대신 성능을 보고하고 있다. 이 외에도 각성과 비렘수면, 렘수면만 구분하는 3단계 분류, 그리고 각성과 수면상태만 구분 짓는 2단계 분류도 사용된다. 뇌파를 사용하지 않은 인공지능 모델에서 가장 높은 정확도를 보이는 것이 4단계 분류 기준 79% 정도이다.

뇌파를 이용하지 않은 수면 모니터링 방법 중에 가장 많이 활용되는 신호는 활동기록기이다. 활동기록기는 가속도계를 이용해 활동도를 나타내며 활동도가 높으면 깨어있는 것으로, 그리고 활동도가 낮으면 자고 있는 것으로 판단하고 있다. 그 다음으로 연구가 많이 진행된 생체신호로는 심박변이도(heart rate variability, HRV)가 있다. 심박변이도는 심진도 혹은 광용적맥파(photoplethysmography, PPG)로부터 얻을 수 있다. 심박변이는 자율신경계의 활성화 정도를 반영하는데, 수면 단계에 따라 자율신경계 활성화 정도가 변하기 때문에 심박변이를 이용해 수면단계를 예측할 수 있다. 일반적으로 비렘수면의 경우 수면이 깊어질수록 부교감신경계가 우세해지며 심박수와 혈압의 감소를 보인다. 반면, 렘수면은 교감신경계 우세에 따라 각성 상태와 유사한 수준의 심박수와 혈압을 보인다. 수면 중 각성 역시 교감신경계의 활성이 동반돼 자율신경계의 변화를 통해 측정이 가능하다. 마지막으로, 비슷한 원리로 호흡 패턴을 수면단계 예측에 이용할 수도 있다. 호흡의 속도와 불규칙성 등이 자율신경계에 따라 변화되는 점을 이용해 수면단계를 추론할 수 있다.

뇌파 이외의 신호들은 보통 두 가지 이상을 조합하여 성능을 높이고 있다. 활동기록기와 심박변이도의 경우 두 가지 신호 모두 수면 단계 판단을 위한 기준이 상대적으로 단순하므로 머신러닝 기법으로도 분석이 가능하다. 활동기록기와 심박변이도 각각 주요 피처를 추출한 이후 머신러닝을 이용해 수면단계를 예측할 수 있었다. 딥러닝 기법에서는, 활동기록기와 심박변이도가 가공되지 않은 채 수집된 신호 원본 그대로 사용되거나, 이를 일차적으로 전처리한 시계열 데이터가 그대로 입력된다. 4단계 수면분류 기준으로, 활동기록기와 심박변이도를 이용한 수면단계 예측 정확도는 머신러닝 기법에서 63%, 딥러닝 기법 이용시 70%로 보고됐다. 그 외, 심전도와 호흡 패턴만을 이용한 수면단계 예측 모델도 보고됐다. 심전도와 호흡 패턴을 서로 다른 형태의 인공신경망을 이용해 각각 피처를 추출한 이후, 두 피처를 합쳐서 분석했다. 피처 추출에는 마찬가지로 LSTM과 CNN 인공신경망을 이용했다. 둘 중 하나의 신호만 이용 시에는 호흡 패턴을 이용한 모델이 심전도를 이용한 모델보다 높은 성능을 보였고, 예상대로 두 신호를 함께 사용했을 때 가장 높은 성능을 달성할 수 있었다. 뇌파를 사용한 정확도에는 못 미치지만, 뇌파를 전혀 사용하지 않고 4단계 수면분류 정확도 70%까지 달성한 것은 주목할 부분이다. 뿐만 아니라, 이로써 전통적인 수면다원검사에서 수면단계 판독에 필요한 뇌파, 안전도, 근전도를 전혀 이용하지 않고, 심전도나 호흡 측정만으로 수면단계를 예측할 수 있는 가능성이 열리게 됐다.

활동기록기나 심박변이도는 웨어러블기기로 쉽게 측정할 수 있다. 활동기록기는 애초에 손목에 착용하는 웨어러블 형태의 기기로 개발되어 왔으며, 심박변이도는 광용적맥파를 이용하면 손쉽게 측정할 수 있다. 상용화된 기기 중 스마트워치나 스마트링의 경우에도 광용적맥파를 이용해 심박변이도를 측정하고, 가속도계를 통해 활동기록기 정보까지 얻을 수 있다. 아직까지는 딥러닝 기술까지 연결되지 않고 있지만, 잠재적으로 인공지능을 활용한 수면 단계 예측까지 가능할 것으로 보인다. 이처럼 검사실 밖 일상생활에서 간편하게 측정이 가능하며, 상대적으로 많은 양의 정보를 수집할 수 있는 점이 웨어러블기기들의 장점이다. 하지만 단점으로는 수면 중 착용이 불편해 실생활에서 꾸준히 이용하기 어렵다는 점이 꼽힌다. 이러한 문제를 겨냥하여 침대 설치식 수면 모니터링 기기도 출시됐다. 압전센서를 매트리스 밑에 까는 형태의 슬립 패드 기기는 심박과 호흡 움직임을 감지한다.

한편, 주목할 만한 것은 비접촉식 수면 모니터링 방법의 대두다. 비접촉식 수면 모니터링 기기들은 주로 레이더나 와이파이와 같은 전자파를 이용해 생체신호 및 신체 움직임을 측정하거나, 음성신호 분석을 통해 호흡음과 신체 움직임 소리를 추출하여 호흡 패턴과 수면단계를 추정한다. 레이더나 와이파이 등의 전자파를 이용하는 경우, 큰 움직임을 감지하는 것은 비교적 쉬운 일이나, 흉곽의 움직임과 같은 미세 움직임을 통해 심박과 호흡운동을 감지하기 위해서는 높은 해상도를 요하게 되며, 거리에 따른 신호의 감쇄와 주변 노이즈에 의한 간섭 등의 난제를 해결해야 한다. 수면 중 사운드 신호는 수면에 관한 다양한 정보를 담고 있다. 수면 중 사운드를 이용한 수면 분석은 초기에는 수면관련호흡장애와 코골이 스크리닝 목적으로 많이 사용됐고, 최근에는 수면단계 예측까지 가능하다. 호흡의 속도와 규칙성이 수면 단계에 따라 변화할 뿐만 아니라 호흡음의 주파수 특성 또한 수면 단계나 수면 중 호흡 이벤트에 따라 변하게 되기 때문이다. 하지만 이런 주파수의 시간에 따른 변화 분석 등은 더 고도화되고 복잡한 수준의 인공지능이 요구된다. 과거에는 양질의 사운드를 얻는 것이 중요해 기도와 가까운 신체에 부착 또는 단거리에서 수집하거나 전문의 고가 마이크 장비를 이용해야 하는 등 사운드 데이터 수집 과정 자체에서 제한이 많았다. 하지만 인공지능의 발달이 이뤄지면서 일반적인 휴대용 기기로 거리의 제한 없이 녹음한 사운드를 이용해 수면을 모니터링하는 인공지능 모델들이 보고되고 있다.

수면다원검사는 표준 검사로써 다양한 수면장애를 진단하기 위해, 또 정확한 수면 측정이 필요할 때 여전히 유용할 것이다. 가정환경 수면 모니터링이 높은 정확도를 요하는 수면다원검사의 진단 목적을 온전히 대체할 수는 없을 것이다. 하지만 하룻밤 검사가 아닌 반복 측정이 가능한 점, 실험실 환경이 아닌 자신의 평상시 수면 환경에서 일상 수면을 그대로 반영할 수 있다는 점 등의 장점이 있다. 일상에서 지속적인 모니터링 용도로, 수면다원검사와는 다른 역할로써 널리 활용될 수 있을 것으로 기대된다. 사용 대상에 있어, 수면장애가 있는 환자만 아니라 건강한 사람까지도 간편하게 수면 모니터링이 가능하다. 단, 미래에도 지속적으로 정확도와 편리성을 높이는 노력이 지속돼야 하며, 가정환경에서 수집된 데이터의 확보와 이에 따른 새로운 기준 정립이 필요하다.

인공지능이라는 기술의 발달로, 새로운 형식의 데이터 분석이 가능해졌으며, 이는 새로운 통찰로 이어질 수 있다. 새로운 통찰이 수면의학의 발전을 어디로 이끌지는 미지수이나, 어쩌면 30초 에폭으로 국한되어 있던 수면 판독의 패러다임, 또 눈에 보이는 생체 신호 변화 그 이상의 새로운 수면 현상이나 병리를 발견하게 될지도 모른다. 이 장에서는 최근 활발하게 개척되고 있는 새로운 연구 분야의 동향과 선망을 소개한 것으로, 진행중인 시도들과 전진하는 방향과 흐름을 소개하고자 했다. 따라서 이 장에서 소개한 내용은 기술의 진보와 발달에 따라 빠르게 변화하고 도태될 수 있는 내용으로 고착된 이론이 아님 점을 염두에 두어야 한다.

▶ 참고문헌

- Andreotti F, Phan H, Cooray N, et al. Multichannel sleep stage classification and transfer learning using convolutional neural networks. Annu Int Conf IEEE Eng Med Biol Soc 2018;2018:171-4.
- Andreotti F, Phan H, De Vos M. Visualising convolutional neural network decisions in automatic sleep scoring. In CEUR Workshop Proceedings 2018;70-81.
- Arnal PJ, Thorey V, Debellemaniere E, et al. The Dreem Headband compared to polysomnography for electroencephalographic signal acquisition and sleep staging. Sleep 2020;43:zsaa097.
- Banluesombatkul N, Ouppaphan P, Leelaarporn P, et al. MetaSleepLearner: a pilot study on fast adaptation of bio-signals-based sleep stage classifier to new individual subject using meta-learning. IEEE J Biomed Health Inform 2021;25:1949-63.
- Chambon S, Galtier MN, Arnal PJ, et al. A deep learning architecture for temporal sleep stage classification using multivariate and multimodal time series. IEEE Trans Neural Syst Rehabil Eng 2018;26:758-69.
- Ding F, Cotton-Clay A, Fava L, et al. Polysomnographic validation of an under-mattress monitoring device in estimating sleep architecture and obstructive sleep apnea in adults. Sleep Med 2022;96:20-7.
- Goldstein CA, Berry RB, Kent DT, et al. Artificial intelligence in sleep medicine: background and implications for clinicians. J Clin Sleep Med 2020;16:609-18.
- Guillot A, Thorey V. RobustSleepNet: transfer learning for automated sleep staging at scale. IEEE Trans Neural Syst Rehabil Eng 2021;29:1441-51.
- Hong J, Tran HH, Jung J, et al. End-to-end sleep staging using nocturnal sounds from microphone chips for mobile devices. Nat Sci Sleep. 2022;14:1187-201.
- Hong JK, Lee T, Delos Reyes RD, et al. Confidence-based framework using deep learning for automated sleep stage scoring. Nat Sci Sleep 2021;13:2239-50.
- Kim HJ, Lee M, Lee SW. End-to-end automatic sleep stage classification using spectral-temporal sleep features. Annu Int Conf IEEE Eng Med Biol Soc 2020;2020:3452-5.
- Phan H, Andreotti F, Cooray N, et al. Automatic sleep stage classification using single-channel EEG: learning sequential features with attention-based recurrent neural networks. Annu Int Conf IEEE Eng Med Biol Soc 2018;2018:1452-5.
- Phan H, Andreotti F, Cooray N, et al. SeqSleepNet: End-to-end hierarchical recurrent neural network for sequence-to-sequence automatic sleep staging. IEEE Trans Neural Syst Rehabil Eng

2019;27:400-10.

- Phan H, Chen OY, Tran MC, et al. XSleepNet: Multi-view sequential model for automatic sleep staging. IEEE Trans Pattern Anal Mach Intell 2022;44:5903-15.

- Selvaraju RR, Cogswell M, Das A, et al. Grad-cam: visual explanations from deep networks via gradient-based localization. IEEE 2017;618-26.

- Seo H, Back H, Lee S, et al. Intra- and inter-epoch temporal context network (IITNet) using sub-epoch features for automatic sleep scoring on raw single-channel EEG. Biomed Signal Process Control 2020;61:102037.

- Sokolovsky M, Guerrero F, Paisarnsrisomsuk S, et al. Deep learning for automated feature discovery and classification of sleep stages. IEEE/ACM Trans Comput Biol Bioinform 2020;17:1835-45.

- Sun H, Ganglberger W, Panneerselvam E, et al. Sleep staging from electrocardiography and respiration with deep learning. Sleep. 2020;43:zsz306.

- Walch O, Huang Y, Forger D, et al. Sleep stage prediction with raw acceleration and photoplethysmography heart rate data derived from a consumer wearable device. Sleep 2019;42:zsz180.

- Yan R, Li F, Zhou DD, Ristaniemi T, et al. Automatic sleep scoring: a deep learning architecture for multi-modality time series. J Neurosci Methods 2021;348:108971.

- Zhai B, Perez-Pozuelo I, Clifton EA, et al. Making sense of sleep: multimodal sleep stage classification in a large, diverse population using movement and cardiac sensing. Proc ACM Interact Mob Wearable Ubiquitous Technol 2020;4:1-33.

CHAPTER 12 수면장애 환자의 임상적 접근

이상암

수면장애는 일반 성인 집단에서 매우 흔하다. 수면장애는 환자의 삶의 질을 떨어뜨리고 교통사고와 같은 안전사고를 야기할 수 있으며 내과, 신경과, 혹은 정신 질환을 야기하거나 악화시킬 수 있다. 수면의학에서는 환자의 증상을 자세히 그리고 정확히 듣는 문진이 중요한데, 이는 문진으로 파악된 증상에 따라 감별해야 할 질환이 다르기 때문이다. 진단 검사는 그 자체의 결과만으로 환자를 진단하는 독립적인 검사이기보다는 문진 등 다른 임상 소견과 함께 해석되어야 하는 보조적인 검사이다. 어떤 환자가 수면 검사가 필요한지, 어떤 수면 검사가 특정 환자에게 적절한지 그리고 검사 결과를 어떻게 해석해야 할지 등을 결정하는데 임상적 경험과 판단이 필요하다. 여기에서는 수면장애를 가진 환자를 어떻게 접근할 것인지에 대해 간략히 기술한다(표 12-1).

1 주요 수면장애 증상에 대한 수면력

수면장애에 대한 접근은 환자가 호소하는 주증상을 정확히 파악하는 것으로부터 출발한다. 수면 병력을 조사할 때 포함되어야 할 내용은 표 12-2와 같다. 주증상을 배우자나 수면동반자(bed partner)로부터 들었다면,

표 12-1. 수면장애 환자에 대한 진단적 접근

임상 상담
시진(환자 모습을 관찰함)
수면장애의 빈도와 특성, 그리고 그로 인한 악영향
배우자 또는 수면동반자의 관찰 내용
내과 및 정신 질환 병력
약물 사용
가족력, 사회력(Social history), 수면환경

수면일기 및 설문지
수면일기(Sleep log)
Pittsburgh Sleep Quality Index
Epworth Sleepiness Scale
Insomnia Severity Index

신체검사

수면검사
수면다원검사
수면잠복기반복검사
이동형수면호흡검사(Home sleep apnea test)

보조검사
혈액검사(Chemistry, Endocrine, Immune, etc)
머리뼈측정영상촬영(Cephalometric X-ray)
뇌자기공명영상(Brain MRI)
신경심리검사(Neuropsychological test)

표 12-2. 수면 병력에서 평가해야 할 내용

수면습관

잠자리에 드는 시간
잠드는 데 걸리는 시간
아침에 깨는 시간
수면 중 깨는 횟수
중간에 깨서 다시 잠드는 데 걸리는 시간
평일과 주일의 차이

아침 증상

입마름
잠에 취한 상태(Sleep drunkenness)
아침두통(Morning headache)
코막힘(Nasal congestion)

주간 증상

졸음 및 잠이 오는 상황
운전 중 졸음
졸음으로 인한 사고
기억장애
집중력저하
피곤
흥분성(Irritability)
낮잠

배우자 또는 수면동반자의 관찰

코골이
무호흡
숨막힘(Choking), 숨헐떡임(Gasping)
각성(Arousals)

수면관련운동

주기사지운동
하지불안 증상
하지 근경련
꿈 관련 행동

기면병 증상

탈력발작
환각
수면마비
자동행동(Automatic behavior)

비뇨생식 증상

야뇨
성기능장애

심리사회병력, 의학병력, 및 가족력

직업 및 가족 환경
알코올, 니코틴, 카페인 등의 사용
운동
우울증 또는 불안증

환자 본인이 이 증상을 인지하고 있는지 확인해야 한다. 수면장애의 주요 증상은 밤에 잠을 이루기 힘든 불면증, 낮에 활동을 방해하는 졸음, 그리고 수면 중 나타나는 움직임이나 행동이다. 이러한 주증상에 따라 표 12-3과 같이 감별해야 할 질환이 정해진다.

수면장애의 야간증상에는 두 종류가 있다. 하나는 수면 중에 일어나는 증상이고 다른 하나는 수면에서 깬 직후에 나타나는 증상이다. 전자는 코골이, 무호흡, 팔 또는 다리의 움직임, 입에서 무언가 씹는 움직임, 자면서 걷는 몽유증상, 잠꼬대, 과격한 행동 등인데, 환자 본인은 모르는 경우가 많아서 배우자나 수면동반자에 의해 종종 보고된다. 후자는 두통, 쌕쌕거림(wheezing), 호흡곤란(shortness of breath), 심장의 두근거림, 속쓰림(heartburn), 하지 근경련(leg cramp), 마비의 느낌, 저린 느낌 등인데, 이 증상들은 환자가 분명히 인지한다. 환자의 주증상을 파악한 다음에는 주증상이 얼마나 지속하는지, 어떤 상황에서 일어나는지, 어떤 인자에 의해 악화하거나 호전하는지 그리고 어떤 증상과 연관하

표 12-3. 수면장애의 주증상에 따른 감별진단

잠을 잘 수 없거나, 잠을 유지할 수 없다.

정신생리불면증(Psychophysiologic insomnia)
부적절한 수면위생
약물(예를 들면, 스테로이드)
신경계질환(예를 들면, 파킨슨병)
정신질환(우울증, 불안증)
수면무호흡
하지불안증후군

낮에 많이 존다.

불충분한 수면
폐쇄수면무호흡증, 주기사지운동장애, 내과질환 등에 의한
　수면파괴
기면병 또는 다른 내인성 과다수면(Intrinsic hypersomnia)
약물

자는 동안에 이상한 행동을 한다.

뇌전증발작
비렘수면 각성장애
렘수면행동장애
율동운동장애(Rhythmic movement disorder)
정신성 발작(Psychogenic seizure)

는지 등등 좀 더 세부적인 정보를 얻는다.

아침에 느끼는 증상, 즉, 코막힘(nasal congestion), 입마름(dry mouth), 아침두통(morning headache) 등이 있는지 알아본다. 이러한 증상은 폐쇄수면무호흡증을 시사한다. 졸음을 야기하는 활동 등을 포함한 주간 증상이 얼마나 심한지 확인한다. 낮잠을 얼마나 자주 얼마나 많이 자는지, 탈력발작(cataplexy), 입면환각(hypnogogic hallucination), 수면마비(sleep paralysis), 자동행동(automatic behavior) 등이 있는지 확인한다.

1) 불면증

불면증의 주요 3대 증상은 '잠에 들기 힘들다', '자주 깬다' 그리고 '너무 일찍 깨서 다시 잠들기 힘들다'는 것이다. 이러한 증상들은 서로 다른 원인에 의해 생기기 때문에, 불면증의 형태는 원인 질환의 감별에 중요한 단서를 제공한다. 예를 들어, 폐쇄수면무호흡증 환자는 잠드는 것이 힘들어 수시간을 각성 상태로 누워있다는 호소는 하지 않고, 수면 중 자주 깬다는 수면유지불면증 형태를 호소한다. 불면증이 이른 소아기에 발생해서 호전없이 지속된다면, 이는 특발불면증(idiopathic insomnia)을 시사한다. 스트레스와 불면증과의 관계도 중요한데, 최근의 가족 사망과 같이 스트레스의 원인이 명확하다면, 이는 적응(adjustment) 수면장애를 시사한다. 암과 그 치료, 통증 증후군, 위장관 질환 등과 같은 건강상태도 불면증을 야기하거나 악화시킬 수 있다.

일부 불면증 환자는 잠자리를 준비하면서, "오늘밤은 어떻게 자나, 잠을 못 자면 내일 일을 제대로 할 수 없을 텐데"라고 걱정하고, 그래서 잠자리에 누워서는 어떻게든 오지 않는 잠을 자려고 노력한다. 이는 정신생리불면증(psychophysiological insomnia)의 특징이다. 따라서 문진을 통해 불면증을 야기하는 부적응 행동(mal-adaptive behavior)과 사고 형태를 찾는 것이 중요하다.

2) 주간과다수면

주간과다수면(daytime sleepiness)이 있는 환자는 졸려서 주간 활동을 하기 힘들다고 호소하고 주로 졸음운

전으로 병원을 찾게 된다. 일부 환자는 밤에 좀 더 잠을 자면 될 것 같다고 하고 일부 환자는 밤에 많이 자도 낮에 졸음 오는 것은 마찬가지라고 한다. 환자는 또한 집중하기 힘들고 기억력이 저하되며 쉽게 흥분하게 된다고 한다.

어떤 상황에서 졸음이 오는지는 문제의 심각성을 파악하는 데 도움이 된다. 집에서 TV를 보거나 신문을 읽으면서 조는 것은 별 문제되지 않는다. 그러나 운전할 때 또는 대화를 할 때 조는 것은 병적 졸음으로 인한 것일 소지가 많아서 검사를 통해 원인을 파악해야 한다.

무호흡 같은 증상으로 또는 기면병 같은 신경계질환으로 수면이 파괴되면 충분히 수면을 취한다 하더라도 과다주간졸음이 생긴다. 따라서 코골이, 무호흡, 숨막힘(choking), 숨헐떡임(gasping) 등의 폐쇄수면무호흡증 증상이 있는지 또한 탈력발작, 수면마비, 입면환각 등의 기면병 증상이 있는지 확인이 필요하다. 그러나 수면부족(insufficient sleep)만으로도 과다주간졸음이 생기기 때문에 주간졸음을 호소하는 환자에서는 취침시간 및 기상시간 등 수면부족의 가능성을 우선 점검해야 한다. 추가로, 밤에 불면증이 있고 낮에 주간졸음이 있으면 하루주기율동수면장애도 고려해야 한다.

3) 수면 중 움직임이나 행동

잠자면서 반복적으로 움직이거나 이상한 행동을 하는지를 알아보아야 한다. 주로 배우자나 수면동반자로부터 정보를 얻는데, 증상이 수면 시작 후 얼마 있다가 나타나는지, 수면 중 어느 시기에 심한지, 증상이 있을 때 환자의 반응은 어느 정도인지 등이다. 환자가 증상을 아침에 일어나 기억할 수 있는지도 중요하다. 수면의 첫1/3에 심한 비명을 지르는데, 아침에 기억하지 못한다면 야경증(sleep terror)을 시사하고 수면 후반기에 꿈과 연관된 행동을 한다면 렘수면행동장애를 시사한다. 수면 중 증상이 항상 같은 양상(stereotyped behavior)이거나 근긴장이상 자세(dystonic posturing)를 보이면 뇌전증발작(epileptic seizure)을 시사한다.

2 약물사용 및 병력

다양한 종류의 약물이 수면 및 각성에 영향을 미치기 때문에 수면장애 환자에서 약물 사용에 대해 조사하는 것은 중요하다. Theophylline과 다른 기관지확장제는 직접적으로 그리고 이뇨제는 간접적으로 수면을 방해한다. 안정제나 수면제를 만성적으로 사용해도 수면을 방해하고 식욕억제제나 항히스타민제도 수면을 방해한다. 처방약뿐만이 아니라 비처방약(nonprescription medication)이나 약초 보조제(herbal supplements)도 수면에 영향을 주는 것이 있기 때문에 복용여부를 조사해야 한다.

질병에 대한 현 병력이나 과거 병력을 조사해야 하는데, 그 이유는 다양한 질환이 수면장애를 일으킬 수 있기 때문이다. 병력 조사와 함께, 체계별 문진을 통해 수면장애를 야기할 수 있는 질환의 증상을 알아본다. 심혈관계 및 호흡계 문진이 특히 중요한데, 이는 수면 중 산소 공급과 관련이 있기 때문이다. 수면장애를 야기하는 질환에는 경련성 질환, 파킨슨증상, 치매, 관절염, 천식, 울혈심장질환, 편두통 등과 통증을 동반하는 모든 질환이 포함된다. 갑상샘저하증, 말단비대증, 쿠싱증후군, 알레르기비염, 그리고 몇몇 점액다당증(mucopolysaccharidosis) 등은 폐쇄수면무호흡증을 야기하고 빈혈이나 신장질환은 하지불안증후군 또는 주기사지운동장애를 야기하거나 악화시킬 수 있다. 두부손상으로 인한 뇌진탕후증후군은 수면의 연속성이 깨지는 수면장애를 종종 동반한다. 폐쇄수면무호흡증이 의심되면, 편도절제, 갈린입천장복원, 코의 외상이나 수술, 입 또는 얼굴 부위의 수술 병력을 추가로 얻어야 한다.

공황장애를 포함한 불안장애와 기분장애는 불면증을 흔히 동반하고, 주간과다수면은 우울증의 중요한 증상 중 하나이다. 조현병(schizophrenia)이나 다른 정신질환이 악화하면 심한 수면장애를 종종 동반한다.

내과 또는 정신 질환이 있는 환자에서는 기저질환의 중증도에 따라 수면장애의 정도가 달라진다. 예를 들어, 울혈심부전이 있는 환자에서, 불면증의 정도는 앉아숨쉬기(orthopnea)나 돌발야간호흡곤란의 중증도와 관련이 있다. 이러한 관련성은 우울증, 천식, 위식도역류, 관절염 등과 관련된 수면장애를 가진 환자에서도 관찰된다. 야뇨증(nocturia)은 특히 노인에서 수면장애의 흔한 원인이다.

3 가족력 및 사회력

기면병, 폐쇄수면무호흡증, 주기사지운동, 유뇨증(enuresis), 야경증, 몽유병(sleepwalking), 불면증 등의 수면장애 병력이 가족 중에 있는지 확인해야 한다. 이는 수면장애, 특히 기면병, 폐쇄수면무호흡증, 사건수면 등이 유전성 경향을 갖고 있기 때문이다.

교육수준, 결혼여부, 직업상태, 인간관계의 만족도 등을 조사하는 것은 수면장애가 얼마나 환자의 일상생활에 영향을 미치고 있는지 파악하는 데 도움이 된다. 환자가 주간졸음을 호소할 때는 잠재적인 직업위해(occupational hazard)가 얼마나 심각한지 파악해야 하고 교대근무자인 경우에는 작업환경이 적절한지, 그리고 작업 및 사회 기능이 유지되고 있는지 평가해야 한다. 소아 및 청소년에서는 학업성취도(school performance)를 평가해야 한다.

알코올, 니코틴, 카페인, 불법약물(illicit drug) 등을 얼마나 사용하는지 파악한다. 음주는 폐쇄수면무호흡증, 코골이, 불면증 등을 악화시킨다. 주말에 과음을 하면 주초에 졸음을 호소할 수 있다. 카페인 사용은 카페인에 감수성이 있는 사람에서 심한 수면장애를 유발하고 니코틴 의존성은 야간각성을 유발한다. Cocaine, amphetamine, barbiturate, opiate 등은 수면구조(sleep architecture)를 파괴시킨다.

수면 환경에 대한 질문은 수면장애를 야기하거나 악화시키는 요인을 찾는 데 중요하다. 소음, 낮거나 높은 실내온도, 불편한 침구 그리고 자주 바뀌는 수면 조건 등은 수면유지를 힘들게 하고 환경수면장애를 시사한다.

4 수면일기 및 설문지

수면일기(sleep log)는 불면증 또는 하루주기율동수면장애 환자에서 특히 유용하다. 다양한 종류의 수면일기가 있는데, 잠자리에 드는 시간, 수면에 들 때까지 걸리는 시간, 수면 중에 깬 횟수와 깨어 있었던 시간, 마지막으로 깬 시간, 낮잠의 횟수 등을 기록한 2주간의 수면일기가 일반적이다. 수면일기를 이용하면, 하루주기율동수면장애을 쉽게 알아 볼 수 있고 불면증의 중증도를 평가할 수 있다. 또한 수면일기는 환자와 의사 모두가 미처 인지하지 못했던 문제를 파악할 수 있게 하는 정보를 제공할 수 있다. 몇몇 환자는 수면일기를 통해 자신의 수면상태가 자신이 생각했던 것보다 훨씬 더 좋다는 것을 알게 되면서 안심하게 된다.

수면설문지는 수면각성 습관에 관한 광범위한 정보를 좀 더 빨리 얻는 데 도움이 된다. Epworth Sleepiness Scale은 주간졸음의 여부를 평가하는 데 유용한 검증된 수면척도이다. 환자는 8가지 상황에서 얼마나 쉽게 조는지 0점에서 3점까지 평가하는 데, 최고 점수는 24점이고 11점 이상이면 임상적으로 의미 있는 주간과다수면을 의미한다. Pittsburgh Sleep Quality Index는 전반적인 수면질을 평가하는 데 유용하게 사용되고 있고 최고 점수는 21점이며 5점 이상이면 수면질이 나쁘다고 여긴다.

5 신체검사

수면장애 환자의 신체검사는 시진으로 시작한다. 목이 굵거나 비만이면 폐쇄수면무호흡증을 고려한다. 정신운동지연(psychomotor slowing), 불량한 개인위생, 둔화정동(blunted affect), 슬픈 얼굴표정 등은 주요우울증(major depression)을 시사한다.

폐쇄수면무호흡증을 의심하는 환자에서는 두경부 진찰이 중요하다(표 12-4). 하악골형성저하증(mandibular hypoplasia), 두개골유합증(craniosynostosis), 하악후퇴

표 12-4. 수면장애 환자의 신체검사

두경부
가득 찬 입인두(Oropharynx): 편도, 물렁입천장, 목젖, 혀
하악후퇴(Retrognathia), 작은턱증(Micrognathia), 작은 상악, 작은 구강내공간
만성코충혈, 비대코선반(Enlarged turbinate), 코중격만곡 (Deviated nasal septum)
목둘레
심혈관계
고혈압
심부전
발목부종
신경계
중추신경계 질환 평가(예를 들면, 파킨슨병, 치매, 근긴장디스트로피)

(retrognathia), 머리얼굴기형(craniofacial anomaly) 등은 Pierre Robin 증후군, Treacher Collins증후군, Crouzon병, 연골무형성증(achondroplasia) 등을 시사하고, 이들 질환은 수면관련호흡장애를 흔히 동반한다. 외상의 병력이 있으면, 코중격만곡(deviated nasal septum)으로 코의 폐쇄가 있는지 확인한다. 폐쇄수면무호흡증을 시사하는 소견은 편도주위기둥(peritonsillar pillars), 물렁입천장, 목젖, 또는 뒤입인두(posterior oropharynx)의 부종과 홍반(erythema), 길게 늘어진 물렁입천장과 목젖, 비대한 혀, 비대한 편도조직 등이다.

가슴청진은 야간천식발작 때 날숨 쌕쌕거림을 확인할 수 있다. 척주측후만증(kyphoscoliosis)과 같은 흉곽의 이상은 환기능력을 저하시켜 호흡저하 및 야간 호흡곤란을 유발할 수 있다. 심한 폐쇄수면무호흡증 환자는 간비대(hepatomegaly), 복수(ascites), 발목부종 등의 우심실부전(right-sided heart failure)과 같은 소견을 보일 수 있다.

복부진찰에서 간비대는 알코올 남용으로 인한 수면장애를 시사한다. 관절염으로 인한 수면장애 환자의 진찰에서는 관절의 부기와 기형, 관절의 운동범위 감소 등을 관찰할 수 있다.

정신상태검사 또는 신경계 진찰에서는 수면장애를

야기할 수 있는 정신질환이나 신경계질환을 찾아낼 수 있다. 단기기억, 판단, 언어기능, abstract reasoning 등의 장애는 불면증이나 야간 혼동을 야기하는 치매를 시사한다. 조증이나 우울증은 불면증을 야기한다. 망상사고(delusional thought)와 초조(agitation)는 급성 정신증이 불면증의 원인이라는 것을 시사한다.

6 진단검사

초기 평가가 완료되면, 감별진단을 위해 적절한 진단검사를 시행한다. 진단이 분명한 경우라도 객관적인 진단검사가 필요할 수 있는데, 이는 의사가 적절한 치료방법을 결정하기 위해 질환의 중증도를 파악할 필요가 있기 때문이다.

수면검사에는 검사실 수면다원검사(in-lab polysomnography), 이동형수면호흡검사(home sleep apnea test), 야간산소포화도측정(overnight oximetry), 활동기록기(wrist actigraphy), 수면잠복기반복검사(multiple sleep latency test) 등이 있다. 특정 질환이 의심되면 뇌파, 뇌자기공명영상, 신경심리검사, 혈액검사, 폐기능검사 등을 보조적으로 시행할 수 있다.

▶ **참고문헌**

- Malow BA. Approach to the patient with disordered sleep. In: Kryger MH, Roth T, Dement WC. Principles and practice of sleep medicine. 5th ed. Philadelphia: Elsevier; 2011. pp. 641-6.
- Shelgikar AV, Chervin R. Approach to and evaluation of sleep disorders. Continuum (Minneap Minn) 2013;19(1 Sleep Disorders):32-49.
- Silber MH. Diagnostic approach and investigation in sleep medicine. Continuum (Minneap Minn) 2017;23(4, Sleep Neurology):973-88.
- Thorpy MJ. Approach to the patient with a sleep complaint. Semin Neurol 2004;24:225-35.

01 불면장애

주가원

1 임상양상

불면은 일생에 누구나 한번쯤은 경험할 수 있는 흔한 수면장애로 세명 중 한 명은 불면증을 경험하게 된다. 일생 중 어느 시기에나 발생할 수 있으나, 보통 청년기에 첫번째 삽화가 나타는 경우가 흔하며, 여성, 노인, 정신과적 질환 및 만성신체질환을 가지고 있는 군에서 더 많은 것으로 보고된다. 특히 여성의 경우 폐경기에 불면증이 생길 수 있고, 열감, 홍조 등 다른 증상들이 해소된 후에도 불면증이 지속되기도 한다. 과거에는 불면 양상을 열이나 기침, 통증 등과 같은 하나의 증상으로 고려하였다면, 현재는 하나의 독립된 질환으로 간주하여, 공존하는 질환과 별개로 다양한 불면장애의 양상들을 통해 진단 및 치료의 필요성을 강조하고 있다. 국제수면장애분류(International Classification of Sleep Disorders, ICSD) 및 정신질환의 진단 및 통계 편람(Diagnostic and Statistical Manual of Mental Disorders, DSM) 모두 불면증은 주관적인 증상으로 정의되며, 주간 기능저하 호소가 동반되는 것을 주 진단기준으로 정의한다.

불면장애의 주된 증상은 잠들기 어렵거나, 잠든 이후 자주 깨거나, 평소보다 일찍 깨어난 이후 다시 잠들기 어려움 호소를 동반한 수면의 양 또는 질의 주관적 불만이다. 이런 수면의 어려움은 수면을 취할 수 있는 기회가 있음에도 1주일에 3번 이상 어려움이 생기고 이로 인해 주간의 졸음 및 피로감, 수행능력 저하, 기분변화 등을 유발하여 사회적, 직업적 또는 다른 중요한 기능 영역에서 임상적으로 현저한 고통이나 손상을 야기한다. 불면은 다른 정신질환, 다른 수면장애 및 의학적 상태의 경과 중에 발생할 수도 있고 혹은 독립적으로 발생할 수도 있다.

불면의 여러 양상은 수면 중 다른 시간대에 발생할 수 있다. 수면개시불면증(또는 초기불면증)은 잠자리에 들 때 수면을 시작하는 것이 어려운 것을 말한다. 수면유지불면증(또는 중기불면증)은 밤 시간 동안 빈번하게 혹은 지속적으로 각성되는 것을 말한다. 후기 불면증은 이른 아침 각성되고 다시 잠들기 어려운 것을 말한다. 수면유지의 문제는 불면증의 가장 흔한 단일 증상으로 이후 잠들기가 어려운 증상이 뒤따르고 결국 이들 증상이 함께 나타나는 것이 가장 흔한 양상이다. 이런 유형은 변화될 수 있는데 한때는 수면개시의 어려움만을 호소하였던 개인이 나중에는 수면유지의 어려움을 호소할 수 있고, 반대로 수면유지의 어려움만을 호소하였던 개인이 나중에는 수면개시의 어려움을 호소할 수도 있다.

비회복성 수면은 충분한 시간동안 수면을 취했음에도 일어났을 때 피로가 풀리지 않는 느낌을 주는 수면의 질 저하를 의미한다. 수면개시나 수면유지의 어려움과 관련해 발생하고 단독으로 발생하는 경우는 드물다. 또한 이 증상은 무호흡 등 다른 수면장애와 관련하여 보고될 수도 있다. 만약 비회복성 수면이 독립적으로 발생하였으나 빈도, 기간, 낮 시간 동안의 고통 및 손상을 고려하였을 때 모든 진단기준을 만족한다면 달리 명시된 불면장애 혹은 명시되지 않는 불면장애로 진단할 수 있다.

개인별로 불면을 호소하는 기간도 다양하게 나타난다. 대부분의 사람들은 잠들기 어렵거나, 자주 깨는 등의 불면을 일시적으로 경험한다. 이런 일시적인 불면은 대개 주간의 사건과 연관이 된다. 생활 사건이나 새로운 취업, 교대근무 등 수면 일정의 변화로 인해 불면을 수일 정도 경험하였다가 처음의 유발사건이 사라지거나 이에 적응하게 되면 자연적으로 호전되는 양상으로 보고된다. 그러나 일부 스트레스에 취약한 개인의 경우 초기 유발 사건이 종료된 이후에도 불면이 오래 지속되기도 한다. 이는 불면에 대한 잘못된 조건화 요인과 증가된 각성 때문에 불면이 지속된다고 여겨진다. 또는 1–3개월 이내로 지속되는 삽화성 불면을 경험하거나 불면이 3개월 이상 만성적으로 이어지는 경우도 있으며, 불면 삽화가 일년에 2번 이상 자주 반복되며 재발하는 경우도 있다. 일부에서는 명확한 유발 원인 없이 점진적으로 발생하는 경우도 있다.

불면은 생리적, 인지적 각성과 수면을 방해하는 조건화 요인을 흔히 동반하고 있다. 자려고 노력할수록, 잠에 대한 집착과 잘못된 기대 등 원하는 잠을 이룰 수 없는 좌절감이 더욱 잠을 이루지 못하게 한다. 또한 지속되는 불면증이 있는 사람은 불면을 겪는 동안 부적응적인 수면 습관(예, 침대에서 많은 시간을 보내는 것, 불규칙한 수면 일정, 낮잠)이나 부적응적인 인지(예, 불면에 대한 공포, 낮 시간 기능 손상에 대한 우려, 시간 확인)가 형성될 수 있다. 불면의 기간이 길어질수록 부적응적 행동으로 인하여 조건화된 각성을 더 악화시키고 수면 문제를 지속시킨다. 이들은 수면과 연관된 침대, 침실 등이 불면을 유발하는 자극이 될 수 있으며, 못 자는 것에 대해 과도한 걱정을 한다. 잠을 자려고 지나친 노력을 하며, 자려고 할 때 무엇인가에 대해 반복적으로 생각하고 자신의 생각을 비우지 못한다. 자려고 할 때 근육이 긴장되고 가슴 두근거림이나 과호흡 등 불안이 여러 신체 증상으로 나타난다. 저녁 식사 이후가 되면 야간시간이 돌아오는 것에 불안, 초조를 느끼고 자신의 침실이 아닌 곳에서는 오히려 더 쉽게 잠드는 것이 그 특징이 되겠다. 예로, 실직 후 불안, 기분저하와 함께 불면을 겪었던 개인이 재취업을 한 이후 기분은 호전되었음에도 불면으로 인한 주간 졸리움을 쫓아내는 자가약물로의 카페인 음료 양이 늘어 있거나, 낮잠의 습관화, 수면 중 각성 시 누워서 TV나 휴대폰을 보는 등 행동의 변화와 불면에 대한 걱정 및 익일의 주간 기능에 대한 수면의 중요성을 과대해석 하는 등의 인지 변화로 인해 불면이 오랫동안 지속될 수 있다.

불면의 양상은 환자의 후향적 자가보고, 수면일기 또는 활동기록기나 수면다원검사와 같은 여러 방법에 의해 정량화 할 수 있다. 하지만 이는 환자의 주관적인 지각과 일치하지 않을 수 있으며 개인은 1시간 이내의 수면시간을 보고하며 불면을 호소하나, 동거인의 관찰 상에서는 충분한 수면시간이 보고되는 등 인지 불일치가 생기는 경우도 있음을 고려해야 한다. 하지만 진단의 목적이 아니더라도 불면증의 심각도를 정량화 하고 주관적 인지의 변화를 평가하기 위해 사용될 수 있겠다. 그 예로, 수면개시 문제는 주관적인 수면잠복기가 20–30분 이상인 경우로 정의되고, 수면유지 문제는 수면개시 이후에 20–30분 이상의 주관적인 각성으로 정의된다. 이른 아침 각성을 정의하는 기준은 없지만, 대개 평소의 기상 시간보다 30분 이상 일찍 깨거나 전체 수면 시간이 6시간 30분이 안되어 깨는 경우다. 마지막 각성시간 뿐만 아니라 전날 저녁 잠자리에 든 시간도 고려하는 것이 필수적이다. 새벽 4시에 깨는 것이 오후 9시에 잠드는 사람과 오후 11시에 잠드는 사람에서 같은 임상적 심각성을 의미하지는 않는다. 수면을 유지하는 능력이 연령에 따라 감소하고 주 수면 기간의 시간대가 연령에 따라 변하기 때문에 이런 양상도 증상을 판단하는 데 고려되어야 한다. 또한 정상적인 수면 시간은 사람에 따라 상당히 다를 수 있다. 수면을 조금밖에 필요로 하지 않는 사람들이 자신의 수면 시간에 대해 염려할 수도 있다. 이들은 입면과 수면유지의 어려움이 없으며 피로감, 과민성 등의 특징적인 주간 증상이 없다는 점에서 불면증 환자들과 다르다. 그러나 이들 중 일부는 좀 더 긴 시간 동안 잠을 자길 원하거나 자려고 노력할 수 있고 침대에 오랜 시간 누워있는 양상을 보일 수도 있다.

불면증은 주간의 과도한 졸음, 다양한 신체 증상 호소, 피로감, 기력 저하와 같은 다양한 주간 증상이 동반된다. 대개 피곤하고, 기운이 없고 온몸이 나른하고, 주의 집중력이 떨어지고, 체력이 감소하고 두통, 눈흐림, 복통, 설사, 근육통 등 자잘한 신체 증상들을 매우 다양하게 호소한다. 이 중 주간과다수면은 노인에서 좀 더 흔하고 만성 통증이나 수면무호흡 등 다른 의학적 상태가 동반이환 되었을 때 흔하다. 불면을 호소하는 개인들은 피로하거나 초췌한 모습을 하고 있거나, 반대로 과각성되고 초조한 모습이기도 하다. 그러나 이런 모습이 일관성이 없고, 신체 검진상 비정상적인 특징은 없는 경우가 많다. 스트레스와 관련된 정신생리적 증상(예, 긴장성 두통, 근육의 긴장 또는 근육의 통증, 소화기계 증상)의 발생율은 증가할 수 있겠다. 하지만 야간 수면 교란을 겪는 모든 환자가 고통을 받거나 기능손상이 발생하는 것은 아니다. 스스로 잘잔다고 생각하는 건강한 성인에서도 두세 차례 깼다가 잠드는 일은 흔하게 발생된다. 그러므로 불면장애의 진단은 야간 수면 문제와 관련하여 현저한 낮 시간 고통이나 기능 손상이 발생하는지를 함께 평가하여야 한다.

우울, 불안, 인지 변화는 수면장애에 흔히 동반하기에 이들은 치료계획을 세우고 실제 치료를 할 때 반드시 고려되어야 한다. 특정 정신질환의 진단기준을 만족하지는 않는 경도의 불안이나 우울과 같은 증상이 나타나기도 하고 낮 시간의 기능에 미치는 수면부족의 영향

에 과도한 관심을 보이기도 한다. 혹은 다른 신체질환의 치료 시에 수면의 중요성이 강조되어(예. 항암치료 시에 면역력 강화를 위해 충분한 수면이 필요하다고 교육) 수면의 양과 질에 대한 불안이 증가되어 있기도 한다. 관련된 기분 변화로는 전형적으로 과민해지거나 기분의 변동성이 커지고 때로는 우울이나 불안 증상이 발생하기도 한다. 불면증이 있는 개인들은 자가보고 심리검사에서 경증의 우울이나 불안, 걱정이 많은 인지 양상, 감정 중심의 내재화 방식의 갈등 해소 및 신체에 몰두하는 양상의 항목에서 높은 점수를 보일 수 있다. 최근 한 연구에서는 짧은 수면시간을 가진 불면증군이 우울, 피로, 건강에 대한 걱정, 신체증상에 집중된 불안 등의 심리적 요소와 연관이 있고 정상수면시간을 가지는 불면증군은 수면인지오류와 연관이 있으며, 이들은 우울, 반추, 불안, 침습적 사고 등과 연관이 있음을 보고하여 다른 기전이 있을 수 있음을 시사하기도 하였다. 많은 연구에서 불면증이 대부분의 정신질환과의 공존이 매우 높으며 우울, 불안, 자살 등의 위험인자임을 보고하고 있다. 그 뿐 아니라 지속적 수면 교란은 이후의 정신질환과 물질사용장애 발생의 위험요소임이 알려져 있다. 수면장애는 정신장애 삽화의 전구기 증상으로 나타나기도 하므로 수면 변화는 임상적으로 기분장애 및 기타 흔한 정신질환을 동반하는 의학적 질환의 유용한 지표로 사용된다 인지능력의 손상으로 주의, 집중 기억력, 단순한 손동작 수행 능력의 저하가 발생할 수 있다. 특히 객관적으로 짧은 수면시간을 갖는 경우 처리속도, 주의력 전환, 단기시각기억력이 저하되어 있는 것으로 보고되었다. 즉 객관적으로 짧은 수면시간을 갖는 경우 주의력 전환 손상과 연관된 것으로 확인된다. 최근 메타분석에서도 불면증군이 작업기억, 삽화기억, 일부 실행기능 등의 여러 인지기능영역에서 경도에서 중등도의 정도 수행이 떨어지는 것으로 보고되었다. 또한 불면장애가 있는 개인에서 신경인지 기능의 손상 양상의 일관성은 없으나 복잡성을 요하거나 수행 전략을 자주 바꾸어야 하는 과제를 수행하는 데 있어서의 손상이 있을 수 있어 불면증이 있는 개인들은 흔히 인지 능력을 유

지하는 데 많은 노력이 필요하다.

불면이 다른 임상적 문제를 동반하는 것은 상당히 흔하므로 공존 가능성이 있는 내과적, 신경과적 상태를 고려해야 한다. 이에 의학적 면담 시 간단한 신체 진찰이 도움이 된다. 불면증과 흔히 동반하는 신체 질환으로는 호흡관련 수면장애, 심장과 폐의 장애(예, 울혈성 심부전, 만성폐쇄수면무호흡증), 신경퇴행성 질환(예, 알츠하이머병), 근골격계 장애(예, 골관절염), 내분비질환(갑상선기능항진증)이 흔하다. 이러한 장애들은 수면을 방해할 뿐만 아니라 수면 중 증상이 악화되기도 한다(예, 렘수면 중 무호흡이 길어지거나 심장부정맥 발생, 치매 환자에서 혼돈 각성, 복합부분발작환자에서 발작). 그러므로 면담 시 구강내 시진, 갑상샘 촉진, 흉부 청진 등 신체 진찰이 불면증을 평가하는데 도움이 될 수 있겠다. 수면부족이 이어지는 개인은 고혈압이나 혈당 조절이 잘 되지 않는 양상이 나타나기도 한다. 정상 혈압인 불면증 환자가 일반인에 비해 야간 수축기 혈압이 높고, 주간야간 수축기 혈압하락(night-to day blood pressure dipping)이 감소되며 심박변이도가 손상되어 있음이 일관되게 보고되고 있다. 뿐만 아니라 식욕을 억제하는 호르몬인 렙틴의 분비가 감소하여 식욕이 강해져 체중증가를 호소하거나, 혈중 포도당 대사에 영향을 미쳐 당뇨병의 발생율을 높이고 당뇨환자의 경우 혈당 조절이 잘 되지 않는 것으로 보고된다. 이런 자료들을 종합해보면 불면이 심혈관 질환의 위험요소로써 심혈관 사망률을 높이고 체중 증가나 비만 등을 통하여 당뇨 등의 의학적 사망률을 높인다는 의견이 제시되고 있다.

이런 여러 부가적인 증상으로 인해 지속적인 불면을 호소하는 이들은 상대적으로 입원 비율, 상담 비율, 약물 사용 빈도, 건강관리 서비스의 이용률이 더 높고 1차의료기관의 방문이나 응급실 이용이 더 많다는 연구 결과들도 있다. 결근이나 생산성 손실과 같은 직업 문제, 졸음 운전으로 인한 교통사고 비용 등 사회적 간접비용이 증가되며, 알코올 의존 및 다른 정신질환의 동반을 촉발하여 삶의 질이 간접적으로 떨어진다고 보고

되고 있어 불면에 대한 평가와 관리가 더욱 강조되고 있다.

2 평가척도

불면을 주소로 내원한 대부분의 환자들은 주간의 피로감, 잠을 전혀 자지 못했다는 등 매우 다양하고, 일관되지 않은 주관적인 증상을 호소하며, 불면의 원인도 매우 다양하다. 그렇기에 진단을 위해서는 의사의 임상적 면담을 통한 병력 청취가 가장 중요한 역할을 하게 된다. 그와 더불어 다양한 객관적이고 과학적인 측정결과를 기반으로 진단을 내리고자 하는 노력이 지속되고 있다. 활동기록기, 수면다원검사 등 여러 개발된 평가도구들은 최대한 주관적 평가를 배재하고자 개발이 되어, 대부분 정성적이기보다는 정량적으로 얻어지며, 진단 평가뿐 아니라 증상의 심각도 평가, 치료를 통한 변화 추적, 타 의료진과의 의사소통의 원활함 등의 이점이 있다. 또한 새로운 양상을 발견하게 되는 계기가 되기도 한다. 하지만 불면장애의 경우 진단 목적을 위해서 활용되기에는 수면다원검사 등의 측정도구는 치료 세팅에 따라 흔히 활용되기에는 어려움이 있고, 배제진단을 위한 도구라는 제한점이 있다. 그러므로 일차적으로는 임상적 면담을 통해 전반적인 정보를 얻고, 자기평가도구나 수면일기 등을 작성하게 하는 것이 도움이 될 수 있겠다.

1) Insomnia Severity Index (ISI)

Insomnia Severity Index는 DSM-IV와 ICSD (International Classification of Sleep Disorders)의 진단 준거에 따라 불면증의 심각성을 평가하고자 고안된 것이다. 총 7문항으로 구성되어 있으며, 입면, 수면유지, 이른 각성 등 증상 각각의 심각도, 수면 양상에의 만족도, 수면으로 인한 주간 기능 저하 수준 및 수면 문제를 걱정하는 정도를 평가하며 리커드 방식의 5점 척도이다. 각 문항에 대해 0점(전혀 없다)에서 4점(매우 심하다)으로

평가하게 되어 있으며, 점수 합계가 8점 이상이면 불면을 의심할 수 있으며 총점이 높을수록 불면증이 심각한 것으로 해석된다. 총 문항의 합산 점수가 8점에서 14점일 시 역치 하 불면증, 15점에서 21점일 시 중등도 임상적 불면증, 22점에서 28점일 시 심각한 수준의 임상적 불면증이라 판단할 수 있다고 제안되었다. 한글판은 조용원 등(2014)에 의해 번안하여 표준화되었다.

2) Pittsburgh Sleep Quality Index (PSQI)

Pittsburgh Sleep Quality Index는 수면의 질을 평가하기 위하여 피츠버그 대학 수면센터에서 개발되어 전 세계적으로 사용되고 있는 척도(Buysse, Reynolds, Monk, Berman, & Kupfer, 1989)로서 총 19문항으로 구성되어 있고 수면의 7가지 측면을 조사하고 있다. 수면의 질, 수면 시간, 수면 습관, 수면의 어려움, 낮 시간의 기능 저하 등을 포함하고 있으며, 각각의 항목에 대해 0에서 3점 범위를 가진다. 모든 항목에서 0점은 아무 어려움 없음을 나타내며 3점은 심각한 어려움을 나타낸다. 7가지 측면의 점수를 모두 더하여 최저 0점에서 최대 21점의 총점수를 산출하며, 점수가 높을수록 수면의 질이 낮음을 의미한다. 이는 손승일 등(2012)에 의해 번안되고 표준화되었다. Buysse 등(1989)은 전체 점수가 5점 미만인 경우 'good sleeper', 5점 이상인 경우를 'poor sleeper'로 분류하였으며, 한국어판 수면의 질 지수(손승일 등 2012)에서는 전체 점수가 8.5점 이상인 경우를 'poor sleeper'로 분류하였다.

3) Dysfunctional Belief and attitudes about Sleep scales-16 (DBAS-16)

Dysfunctional Belief and Attitudes about Slerep scale-16, DBAS-16은 Morin (1993) 등이 수면에 대한 역기능적 신념 및 태도를 평가하기 위하여 개발한 총 30문항의 자기 보고식 척도를 Morin 등(2007)이 16문항으로 구성하여 타당화한 것이다. 각 문항의 수면에 대한 기술에 대해 동의 여부를 0점(전혀 동의하지 않는다)에서 10점(전적으로 동의한다)까지 평가하는 리커트

척도로 점수가 높을수록 수면에 대한 비합리적인 신념과 태도를 많이 갖고 있는 것을 의미한다. 이 척도는 1) 불면증의 원인에 대한 개념적 오류, 2) 불면증의 결과에 대한 잘못된 귀인, 혹은 확대, 3) 수면에 대한 비현실적 기대, 4) 수면에 대한 통제 및 예측에 대한 지각적 감소, 5) 수면을 촉진시키는 행동에 대한 잘못된 신념 등의 인지적 특징을 포함하고 있어 불면증 인지행동치료 시에도 유용하게 활용될 수 있다. 한글판은 유은승 등(2009)가 번역하고 타당도와 신뢰도를 입증하였다.

4) Athens Insomnia Scale

Athens Insomnia Scale은 공인된 기준에 근거한 불면의 심각도 측정을 위해 Soldatos 등(2000)에 의해 개발되었다. ICD-10 진단 기준을 차용해서 구성된 8문항으로 이루어진 간단한 자기 보고식 설문지다. 총 여덟 문항 중 처음 다섯 문항은 잠이 들기가 어려움 등 주로 수면의 양과 질에 초점을 두었고 다음 세 문항은 안녕감의 정도, 낮 동안의 기능 등 낮에 미치는 불면증의 영향에 초점을 둔 것으로 지난 한 달간 적어도 일주일에 3일 이상 문제가 있었을 때 0-3점 사이에서 선택하고 0점은 '문제가 전혀 없다', 3점은 '매우 심각하다'에 해당된다. 총점은 24점으로 점수가 높을수록 심각한 수면 문제가 있으며, 임상적 불면증의 절단점은 6점으로 제시하였다

5) 수면일기(sleep logs, sleep diary)

수면일기는 불면증의 평가 및 불면증 인지행동치료에서 주된 자료로 활용된다. 전날 밤의 수면에 대해 다음날 아침 직접 기록하는 방식으로 취침 시간, 기상 시간, 수면잠복기, 야간각성 시간 등을 기록하도록 되어 있으며, 이에 대한 평가는 일부 연구에서 특정 절단점으로 불면장애를 예측하는데 유용하다고 보고되기도 하나 일관된 절단기준이 제시되지는 않았다. 수면일기는 매일 기록하게 되므로 지난 수일 이상을 평가하는 설문지보다는 회상의 오류를 상대적으로 덜 받으며, 개인의 수면 습관의 규칙성을 파악할 수 있다는 장점이 있다.

그러므로 불면장애나 하루주기리듬장애의 진단 평가에 필수적이지는 않으나 보조 수단으로 활용될 수 있겠다. 다만 기록이 누락되거나 수면일기를 작성하는 것 때문에 각성도의 증가로 불면증이 악화될 수도 있다는 단점이 있다.

▶ 참고문헌

- 유은승, 고영건, 성기혜 외. 한국판 수면에 대한 역기능적 신념 및 태도 척도에 대한 타당화 연구. 한국임상심리학회지 2009;28:309-20.
- Bastien CH, Vallieres A, Morin CM. Validation of the Insomnia Severity Index as an outcome measure for insomnia research. Sleep Med 2001;2:297-307.
- Cho YW, Song ML, Morin CM. Validation of a Korean version of the insomnia severity index. J Clin Neurol 2014;10:210-5.
- Jeong HS, Jeon Y, Ma J, et al. Validation of the Athens Insomnia Scale for screening insomnia in South Korean firefighters and rescue workers. Qual Life Res 2015;24:2391-5.
- Seung Il Sohn, Do Hyung Kim, Mi Young Lee, et al. The reliability and validity of the Korean version of the Pittsburgh Sleep Quality Index. Sleep Breath 2012;16:803-12.
- Soldatos CR, Dikeos DG, Paparrigopoulos TJ. Athens Insomnia Scale: validation of an instrument based on ICD-10 criteria. J Psychosom Res 2000;48:555-60.

02 수면관련호흡장애

김현직

폐쇄수면무호흡증(Obstructive sleep apnea)은 상기도의 허탈로 인한 수면 중 반복적인 호흡 정지(무호흡) 또는 부분적인 상부 기도 폐쇄(저호흡)가 특징적으로 발생하는 수면관련호흡장애(sleep-related breathing disorder) 중 하나이며 코골이, 무호흡, 수면 중 반복된 각성, 주간과다수면 등이 이 질환으로 진단된 환자들이 보이는 대표적인 증상이다. 폐쇄수면무호흡증은 심각한 신경인지장애 및 심혈관계 질환 등의 합병증을 환자에게 유발할 수 있고 환자 본인뿐 아니라 수면동반자의 수면의 질을 떨어뜨릴 수 있으며 유병률과 생리학적 결과를 고려할 때 특정 환자에서 수면다원검사 등을 통해서 정확하게 진단을 하는 것이 중요하며 다양한 수면장애와의 감별을 위해서 환자 및 보호자에 대한 병력 청취, 설문 검사, 신체 검사, 방사선 검사 등 다양한 진단 방법을 통한 환자 진찰이 필수적이다. 폐쇄수면무호흡증 환자에서 나타나는 대표적인 증상에 대한 환자 혹은 수면동반자에 대한 병력 청취와 설문 검사는 수면다원검사 시행 전에 반드시 시행되어야 하는 중요한 진단 단계이며 폐쇄수면무호흡증이나 수면관련호흡장애가 의심되는 환자를 선별하는 데 필수적이므로 환자를 치료하는 의사들은 병력 청취 및 설문 검사에 대한 다양한 임상 지식을 갖추어야 한다.

1 임상양상

병력 청취는 모든 수면장애의 진단에 포괄적으로 접근하는 첫 단계이며 충분한 병력 청취 및 상담을 통해 환자의 신뢰도를 증가시켜야 한다. 그래야 환자들은 의사의 지시를 이해하고 치료방침에 협조하게 된다. 수면관련호흡장애 질환이 의심되는 환자의 수면 중 혹은 낮 동안의 증상을 물어보고 수면동반자의 상담을 통해 환자의 수면에 대한 다양한 정보를 얻을 수 있다. 폐쇄수면무호흡증의 경우 코골이, 무호흡, 숨이 막히거나 깨는 증상, 몸부림, 심장 두근거림에 의한 수면장애, 수면 중 화장실 사용, 수면 다한증, 아침 구강건조증, 아침두통, 주간과다수면 등을 물어볼 수 있고, 주기사지운동장애의 경우 수면 중 혹은 수면을 취하려는 동안에 하지의 불편함을 느끼는지, 수면 중 하지경련증상이 있는지 등을 물어볼 수 있다. 환자의 약물 치료나 수술에 대한 과거력을 확인하여야 하며 여성의 경우는 월경 주기, 임신력, 폐경 등에 대해서도 알아보는게 권장된다.

수면일기를 이용하면 환자의 자고 깨는 스케줄, 수면 잠복기의 평균 시간과 가변성, 수면 중 각성과 빈도, 총 수면시간, 주간과다수면, 그리고 낮 시간의 피로도에 대해서 알 수 있으며 수면과 연관되어 사용하는 약물과

표 13-2-1. 폐쇄수면무호흡증의 주요 증상

A. 주간 증상
졸음(Drowsiness or daytime sleepiness)
아침두통(Morning headache)
피로감, 권태감(Fatigue, boredom)
학습 혹은 업무 수행 능력 감퇴(Decreased ability to learn or perform work)
기억력 장애(Memory impairment)
우울감(Melancholy or Depressed mode)
발기부전(Erectile dysfunction)
B. 야간 증상
코골이(Snoring)
수면동반자에 의해 관찰되는 무호흡(Apnea observed by sleep patner)
수면 중 갑작스러운 기도 폐쇄 혹은 숨막힘으로 깨는 증상 (Sudden airway obstruction or waking up from choking during sleep)

알코올 섭취에 대한 정보를 얻을 수 있다. 고혈압, 심부전, 부정맥 등의 동반 여부를 확인하고 대사성 질환에 대해서도 물어보아야 한다.

폐쇄수면무호흡증을 의심할 수 있는 대표적인 증상은 표 13-2-1과 같으며 수면장애 의심 환자의 내원 시 반드시 해당 증상이 유무에 대해서 물어보는 것이 보다 정확한 진단 및 다음 단계의 검사를 진행하는데 도움이 된다.

2 평가척도

폐쇄수면무호흡증 환자의 진단의 표준으로 되어 있는 수면다원검사는 가장 객관적으로 폐쇄수면무호흡증을 진단할 수 있는 방법이나 이들 환자의 동반된 증상, 즉 주간과다수면, 활동력 저하, 인지장애 등의 주관적 증상까지 정확하게 파악하기는 어렵고 환자가 호소하는 증상과 의사가 파악한 질병 관련 내용이 일치하지 않는 사례들도 있으므로 다양한 설문조사와 병력 청취가 진

단과정에서 포함되면 환자의 치료 방법 결정에 유용하다. 수면다원검사를 시행하기 전에 특히 폐쇄수면무호흡증 의심 환자의 진단율을 높이고 심각도를 평가하는데 적합한 다양한 설문지가 현재 임상에서 사용되고 있다.

수면의 전반적인 질을 확인할 수 있는 설문으로는 Pittsburgh Sleep Quality Index (PSQI)와 Calgary Sleep Apnea Quality of Life Index (SAQLI) 등이 있다. Pittsburgh Sleep Quality Index는 19개 문항으로 구성되어 있으며 5분 이내의 짧은 시간 내에 마칠 수 있는 비교적 간단한 문항으로 주관적 수면의 질, 수면 잠복 시간, 수면 시간, 수면 효과, 수면기능장애, 수면제 사용과 수면 장애 등 7가지 항목에 0-3점으로 평가하며 총 점수 5점 이상인 경우 수면 장애를 의심할 수 있다. Calgary Sleep Apnea Quality of Life Index는 한국어 버전이 개발되어 있으며 설문 조사 시간이 길며 훈련된 설문 조사자가 필요한 단점이 있으나 반복 검사에서 신뢰성이 높으며 전반적인 삶의 질을 나타내는 36-Item Short Form Health Survey (SF-36)와도 연관성이 높은 장점이 있다.

주간과다수면은 Stanford Sleepiness Scale (SSS)과 Epworth Sleepiness Scale (ESS)을 사용할 수 있다. Stanford Sleepiness Scale은 환자의 졸림 상태를 1-7점으로 분류하였으며, 수면장애에 의한 주간과다수면 정도의 정도를 확인할 수 있다. ESS는 TV 시청이나 대화 등 8가지 일상적인 상황에서 잠을 자고 싶은 정도를 0-3점으로 분류하여 총점이 10점 이상인 경우 심한 주간과다수면이 있는 것으로 판단할 수 있다. ESS는 폐쇄수면무호흡증뿐만 아니라 주간 기면병이나 수면 과다 환자에서도 점수가 높을 수 있다. 폐쇄수면무호흡증 환자에서 ESS 점수는 수면다원검사의 호흡장애지수와 유의한 상관관계를 가지고 있으며 양압기 및 수술적 치료 효과 확인에 유용하게 사용될 수 있다.

폐쇄수면무호흡증 환자에게는 주로 STOP-BANG Questionnaire, Berlin Questionnaire와 Pediatric Sleep Questionnaire 등의 설문지가 사용된다. STOP Questionnaire는 폐쇄수면무호흡증 환자를 선별하기 위하여 2008년 University of Toronto에서 만들어진 사용자 친화적이고 간결한 설문지이다. 이 설문지는 코골이(Snoring), 주간 피로도(Tiredness during daytime), 객관적 무호흡(Observed apnea), 고혈압(high blood Pressure)의 4가지 항목으로 구성되어 있으며 4가지 설문에 "예/아니오"로 대답하게 되고 4가지 항목 중 2가지 이상에서 양성인 경우 고위험군으로 분류하게 된다. STOP-BANG Questionnaire는 주관적인 지각과 임상적 특징을 설문에 추가하였으며 STOP 설문 내용을 포함하여 총 8개의 항목으로 구성된다. BANG은 체질량지수(Body mass index), 나이(Age), 목둘레(Neck circumference), 성별(Gender)의 첫 글자에서 따온 것으로 해당 질문에 빠르고 간단하게 작성할 수 있도록 "예/아니오" 답변으로 구성되고 각 질문에 대해 "예"라고 답하면 1점, "아니오"로 답하면 0점으로 점수화 한다. 점수 1은 체질량 지수가 > 35 kg/m², 나이가 > 50세, 목둘레가 남성 ≥ 43 cm, 여성 ≥ 41 cm 이상, 남성인 경우로 정의하였다. STOP-BANG Questionnaire는 설문지의 민감도가 더욱 향상되었고 특히 중등도 및 중증 폐쇄수면무호흡증이 있는 환자를 선별하는데 매우 우수하다고 알려져 있다.

폐쇄수면무호흡증에 대한 선별 설문지는 다양한 인구집단에 대해 정확하고 적절하게 수행할 수 있어야 하는데 STOP-BANG Questionnaire는 민감도가 높아, 설문지를 작성한 환자의 점수가 5점 이상이면 특히 중증의 폐쇄수면무호흡증의 가능성이 높아진다. 이러한 환자에게는 수면다원검사를 가능한 빨리 진행해야 하며 설문결과가 빠른 진단과 치료에 도움을 준다. 반면, 일반 모집단에서는 설문지의 특이성(Specificity)이 높기 때문에 수면다원검사에 대한 불필요한 의뢰를 방지할 수 있다.

Berlin Questionnaire는 1996년 독일 베를린에서 120명의 수면전문의들에 의해 만들어진 설문지로서 10개의 문항으로 이루어져 있으며 무호흡지수와 유의한 상관관계를 보여 폐쇄수면무호흡증 환자의 진단 시 선별 검사로 유용하게 사용될 수 있다. Berlin Questionnaire는 수면 행동과 각성시 수면과 피로도, 비만과 고혈압에 대한 항목 등 폐쇄수면무호흡증 증상과 위험 요인을 포함하여 3가지 영역으로 나누어져 있다. 카테고리 1은 코골이에 관한 다섯 개의 문항, 카테고리 2는 주간과다수면에 대한 세 개의 문항, 카테고리 3은 고혈압 여부를 묻는 문항으로 구성되어 있다. 카테고리 1, 2는 각 카테고리내 질문에 대한 답변 합산 결과가 2점 이상인 경우 양성으로 판단하고, 카테고리 3은 고혈압이 있거나 체질량지수가 30 이상인 경우 양성으로 판정한다. 이들 세 가지 카테고리 중 두가지 이상이 양성인 경우 고위험군으로 분류하며 현재 국문판이 개발되어 있다.

Pediatric Sleep Questionnaire는 2-18세 소아의 코골이, 무호흡, 구호흡 등 수면과 연관된 호흡장애, 주간졸음증, 집중력 장애 등의 22개 항목을 부모에게 '예, 아니오'의 형태로 물어본다. 8가지 항목 이상에 양성인 경우 폐쇄수면무호흡증을 의심할 수 있으며 질병의 선별검사로 유용하게 사용되고 있다. 그 외에도 삶의 질 평가를 위한 설문으로 SF-36을 흔히 사용한다. SF-36은 신체적, 정신적 건강 상태를 비롯한 건강에 영향을 미치는 신체적 기능, 신체적 역할 제한, 통증, 일반 건강, 활력, 사회적 기능, 정신적 역할 제한, 정신 건강 등의 건강 수준 8개 영역을 측정한다. SF-36은 환자의 건강 상태뿐만 아니라 치료 효과의 판정에도 이용될 수 있다.

현재까지 폐쇄수면무호흡증의 진단에 대한 민감도와 특이도가 모두 높은 설문지는 없지만 설문조사의 시행 여부는 폐쇄수면무호흡증 환자의 진단 및 치료 방법 결정, 치료 적용 여부의 판단에 유용하므로 임상에서 반드시 시행하는 것이 권고된다. 최근에 발표되는 여러 연구들을 참고하면 이러한 설문 조사 및 병력 청취는 폐쇄수면무호흡증의 가능성 평가 및 예측에 도움을 주지만 다양한 수면관련호흡장애 모두를 진단하거나 배제할 수 있는 정보를 제공하지는 못한다. 환자의 병력 청취 및 설문지 조사 결과는 질환 진단 과정에서의 참고 자료로 활용되어야 하며 수면 전문의의 소견과 환자 설문 결과가 맞지 않는 내용이 있더라도 폐쇄수면무호흡증의 진단을 위해서는 반드시 시행하여야 하며 수면다원검사가 빠르게 진행하기 어려운 경우 혹은 치료 전후의 환자의 주관적 증상 및 기저 질환의 개선, 변화 등을 평가할 때 설문 조사는 좋은 대안이 된다.

▶ 참고문헌

- 대한비과학회. 코골이와 수면무호흡증. 아이엠이즈컴퍼니; 2016. pp. 44-7.
- Buysse DJ, Reynolds CF 3rd, Monk TH, et al. The Pittsburgh Sleep Quality Index: a new instrument for psychiatric practice and research. Psychiatry Res 1989;28:193-213.
- Chiu HY, Chen PY, Chuang LP, et al. Diagnostic accuracy of the Berlin questionnaire, STOP-BANG, STOP, and Epworth sleepiness scale in detecting obstructive sleep apnea: a bivariate meta-analysis. Sleep Med Rev 2017;36:57-70.
- Chung F, Abdullah HR, Liao P. STOP-Bang Questionnaire: a practical approach to screen for obstructive sleep apnea. Chest 2016;149:631-8.
- Flemons W, Reimer MA. Measurement properties of the Calgary sleep apnea quality of life index. Am J Respir Crit Care Med 2002;165:159-64.
- Johns MW. A new method for measuring daytime sleepiness: the Epworth sleepiness scale. Sleep 1991;14:540-5.
- Kwon C, Shin SY, Lee KH, et al. Usefulness of Berlin and STOP questionnaires as a screening test for sleep apnea in Korea. Kor J Otorhinolaryngol Head Neck Surg 2010;53:768-72.
- Senaratna CV, Perret JL, Matheson MC, et al. Validity of the Berlin questionnaire in detecting obstructive sleep apnea: a systematic review and meta-analysis. Sleep Med Rev 2017;36:116-24.

03 주간과다수면

변정익

과다수면(Hypersomnia, Hypersomnolence)은 일반적으로 주간과다수면(Excessive Daytime Sleepiness, EDS)과 같이 사용하는 용어이다. 일반적으로 3개월 이상 깨어 있는 시간 중 각성을 유지하기 힘들고 의도하지 않고 부적절하게 잠들게 되는 증상이 거의 매일 나타나는 경우 주간과다수면이 있다고 하며, 이것은 단순 피로와 구분해야 한다. 졸음은 단순하거나 지루한 일을 할 때 더 심하고 때로는 말하는 중에도 갑자기 잠에 빠져들기도 하며 운전 중 졸음을 참지 못하여 교통사고를 유발하기도 한다. 따라서 주간과다수면은 삶의 질, 업무에 영향을 주며 교통사고의 20%가량의 원인으로 안전과도 연관되어 있어 중요하다.

주간과다수면은 흔한 증상으로 전체 인구의 4-20%에서 1주일에 3번 이상 증상이 나타난다는 보고가 있다. 국내에서는 고등학생의 15.9%에서, 일반인구의 12.2%에서 주간과다수면이 있다고 보고하고 있다. 주간과다수면은 일차적으로 기면병(Narcolepsy), 특발과다수면(Idiopathic Hypersomnia)의 증상으로 나타날 수 있지만, 수면부족, 수면무호흡, 하지불안증후군과 같은 수면장애와 동반하여 이차적으로 나타날 수 있다. 주간과다수면의 임상 증상과, 설문지를 통한 평가 방법에 대하여 알아보고자 한다.

1 임상양상

유럽수면전문가 의견에 따르면 과다수면은 크게 주간과다수면(Excessive Daytime Sleepiness)과 주간과다수면욕구(Excessive Need for Sleep) 형식으로 나타날 수 있다.

1) 주간과다수면

(1) 하루 대부분 피로와는 구별되는 낮에 졸림 증상이 있음.
(2) 단조로운 상황에서 깨어 있기가 어렵고 의도하지 않게 낮잠을 자거나 때때로 수면발작(sleep attack)이 나타나기도 함.
(3) 규칙적인 낮잠이 필요할 수 있음.
(4) 지속적인 집중과 각성을 유지하기 어려움
(5) 주간과다수면과 연관된 자동행동(autonomic behavior)이 나타남. 이런 자동행동은 미세수면(microsleep)때문에 나타난다고 알려져 있다.

주간과다수면은 자주 인지장애 특히 기억력 저하, 성급하거나 산만한 정서장애와 동반하여 나타나는 경우도 있으며 두통을 동반하기도 한다.

- 주간과다수면 기준: 매일 또는 거의 매일 (2)번 증상이 나타나거나 (1)번 증상과 적어도 하나 이상의 다른 증상이 매일 반복됨.

2) 주간과다수면욕구

(1) 평소 생활에서 수면욕구가 증가하여 24시간 중 적어도 10시간 이상 잠을 자거나 또는 적어도 9시간 이상 밤에 잠을 잠.

(2) 주간과다수면에 적어도 아래 증상 중 하나 이상이 존재하거나 비몽사몽상태(sleep inertia)이거나 잠에 취한 상태(sleep drunkenness)가 있음.

(3) 더 자더라도 (2)의 증상이 완전히 없어지지 않음.

- 주간과다수면욕구 기준: 매일 또는 거의 매일 위의 3가지 증상이 나타남.

2 평가척도

주간과다수면에 대한 평가 위해 몇 가지 설문지가 개발되어 있다. 설문지를 통해 주관적인 주간과다수면 정도를 확인할 수 있다. 때때로 객관적인 졸림을 평가하는 다중 수면잠복기검사(Multiple Sleep Latency Test, MSLT)와 차이가 있을 수 있지만 대상자가 졸림을 어떻게 생각하는지 평가하는데 유용하다. 어떤 대상자는 졸림 증상을 과소평가할 수 있고 때로 과대평가하는 경우도 있어 주의가 필요하다.

1) Epworth Sleepiness Scale (ESS)

Epworth Sleepiness Scale은 다양한 수면장애에서 주간과다수면을 평가하기 위하여 가장 많이 사용되는 설문지이다. 최근 일상생활 중 8개 상황에서 졸림 정도를 0–3점으로 [0점(전혀 졸리지 않는다), 1점(조금 졸리다), 2점(상당히 졸리다), 3점(매우 많이 졸리다)로 표기하는 것으로]] 총 24점이다. 다양한 상황에서 졸림 정도를 평가하며 최근 이런 상황에 처하지 않더라도 그 상황에서

얼마나 졸릴지 생각하여 기록하게 한다. 이를 통해 졸림 정도를 평가할 수 있으며 일반적으로 Epworth Sleepiness Scale 점수 10점이 넘을 때 주간과다수면이 있다는 것을 시사하며 Epworth Sleepiness Scale 17점이 넘을 때는 심한 EDS로 평가한다. 하지만 수면무호흡과 같은 수면장애를 검사하는 도구로는 사용할 수 없다.

일반적으로 Epworth Sleepiness Scale의 내적 합치도는 0.74–0.88로 알려져 있으며 국내에서 Epworth Sleepiness Scale 설문지 연구결과 내적 합치도가 정상군에서는 Crohbach's alpha 0.73으로 괜찮았고 폐쇄수면무호흡증 환자에서는 0.9로 높았다. 또한 Epworth Sleepiness Scale 점수는 수면잠복기와 수면무호흡이 심한 정도와 상관관계가 있었다.

2) Stanford Sleepiness Scale

Stanford Sleepiness Scale은 설문 시행 당시 각성도를 1–7점(1점: 가장 각성도가 높음, 활력 있음, 7점: 가장 졸림). Stanford Sleepiness Scale은 Epworth Sleepiness Scale과 다르게 특정한 시간에 졸림 정도를 정량적으로 평가할 수 있다.

3) Pediatric Daytime Sleepiness Scal

Pediatric Daytime Sleepiness Scale는 소아용으로 많이 사용되는 설문지이다. 처음 11–15세 학생을 대상으로 개발되었고 추가로 5–17세 소아에서도 검증되었다. 총 8개 문항으로 되어 있으며 0–4점으로 채점하게 되고 점수가 높을수록 전체 수면시간이 짧고 학업성적도 낮았다. 내적 합치도가 Chronbach's alpha 0.8로 높았고 국내청소년을 대상으로 진행한 연구에서도 Cronbach's alpha가 0.67이었다.

주간과다수면 심각도
(1) 설문지 Epworth Sleepiness Scale 점수
(2) 의도적이거나 비의도적인 낮잠의 빈도(/일 또는 /주)
(3) 주간과다수면과 연관된 합병증의 존재 여부(인지기능저하, 사고여부)

주간과다수면욕구 심각도

(1) 증상이 없던 시기와 비교하여 충분히 잠을 잘 수 있는 기회가 주어졌을 때 24시간 동안 수면에 든 시간.
(2) 수면 또는 낮잠 이후 비몽사몽상태(Sleep inertia)이거나 잠에 취한 상태(Sleep drunkenness)가 나타나는 빈도와 기간

▶ 참고문헌

- 대한신경과학회. 신경학. 제3판. 서울: 범문에듀케이션; 2017.
- Cho YW, Lee JH, Son HK, et al. The reliability and validity of the Korean version of the Epworth sleepiness scale. Sleep Breath 2011;15:377–84.
- Joo S, Baik I, Yi H, et al. Prevalence of excessive daytime sleepiness and associated factors in the adult population of Korea. Sleep Med 2009;10:182–8.
- Joo S, Shin C, Kim J, et al. Prevalence and correlates of excessive daytime sleepiness in high school students in Korea. Psychiatry Clin Neurosci 2005;59:433–40.
- Lammers GJ, Bassetti CLA, Dolenc–Groselj L, et al. Diagnosis of central disorders of hypersomnolence: a reappraisal by European experts. Sleep Med Rev 2020;52:101306.
- MacLean AW, Fekken GC, Saskin P, et al. Psychometric evaluation of the Stanford Sleepiness Scale. J Sleep Res 1992;1:35–9.
- Ohayon MM. From wakefulness to excessive sleepiness: what we know and still need to know. Sleep Med Rev 2008;12:129–41.
- Rhie S, Lee S, Chae KY. Sleep patterns and school performance of Korean adolescents assessed using a Korean version of the pediatric daytime sleepiness scale. Korean J Pediatr 2011;54:29–35.

PART 3 수면장애 환자의 임상적 접근

04 하루주기리듬수면각성장애

송파멜라

하루주기리듬(circadian rhythm)은 하루주기로 변동하는 내인적 생물학적 리듬을 일컫는다. 하루주기리듬은 생명체의 유전적으로 결정되며, 일반적으로 24.2-25시간으로 24시간보다 조금 더 길고 개인 마다 조금씩 차이가 있다. 하루주기리듬은 지구자전시간을 기준으로 하는 '24시간의 하루'에 매일 동기화된다. 동기화는 매일 하루주기리듬을 24시간의 하루로 재조정(reset) 한다는 것이다. 재조정을 위해서 필요한 외인적 시간 알림은 외부자극(Zeitgeber)이다. 여러 가지 외부자극(Zeitgeber) 중 빛자극이 가장 강력한 시간 재조정(reset) 역할을 한다. 적절한 수면이란 개인의 하루주기리듬-수면선호시간이 적절한 밤시간에 이루어질 때이다.

1 임상양상

하루주기리듬수면장애란 만성적 또는 반복적으로 발생하는 수면각성장애로, 내인적 하루주기리듬이 외인전 요인(낮-밤 변동)과 동기화 되지 않는 것에 기인하는 경우와, 환경적, 사회적, 직업적 요인으로 변경된 수면각성리듬에 기인하는 경우를 모두 포함한다. 이처럼 개인의 하루주기리듬-수면선호시간이 실제 밤시간과 일치하지 않으면 잠들고 싶을 때 잠들지 못하거나 깨어나야 할 때 심한 졸림증을 경험할 수 있다.

1) 대표적인 하루주기리듬수면장애의 임상적 특징

(1) 지연수면각성리듬장애(delayed sleep-wake phase disorder, DSWPD)는 정상시간대보다 뒤로 밀려진 수면-각성주기를 선호하며, 취침시간이 통상적인 시간보다 2시간 이상 지연되어 있는 경우이다. 자유롭게 취침시간을 정한다면 늦게 잠들지만, 잠들고 나면 정상수면을 유지하고 기상한다. 하지만, 일반적인 출근시간, 등교시간 등 사회적 시간에 적응해야 하는 경우에 수면장애가 초래된다. 일반적인 취침시간에는 잠들지 못하는 불면증을 호소하고 일반적인 기상시간대에는 기상하기 어렵고 졸음증을 경험한다. 결과적으로 수면장애는 물론이고 일상생활 또는 사생활에 지장을 초래하는 경우 진단한다.

(2) 전진수면각성리듬장애(advanced sleep-wake phase disorder, ASWPD)는 정상시간대보다 앞당겨진 수면-각성주기를 선호하며, 취침시간이 통상적인 시간보다 2시간 이상 빨라져 있다. DSWPD 및 ASWPD 모두 선호하는 수면시간에

취침하면 이후 수면은 정상이다. 하지만 사회적 시간과 부조화를 보이는 경우 일상생활 또는 사회생활에 지장을 초래하기도 한다.

(3) 불규칙한 수면-각성주기질환(irregular sleep-wake rhythm disorder)은 만성적인 불규칙한 수면-각성주기를 경험한다. 만성적 또는 반복적인 하루주기리듬의 소실에 의하여 야간의 불면증과 주간의 졸림증을 경험한다. 신경퇴행성 질환에 흔히 관찰되며 24시간에 걸쳐 수면과 각성이 분절되어 나타나며 그 중 가장 긴 수면이 4시간보다 짧다.

(4) 교대근무장애(shift work disorder)은 교대근무와 연관된 불면증 및 주간과다수면과 같은 수면증상을 경험한다. 교대근무는 통상적인 근무시간이 아닌 시간에 근무하는 것을 뜻하며, 배정된 근무시간이 하루주기리듬과 불일치하면 불면증, 졸음증을 경험한다.

(5) 시차장애(jet lag disorder)은 2개 이상의 시간대를 비행 여행 시 도착지의 시작과 하루주기리듬의 불일치로 인한 수면장애이다.

하루주기리듬수면장애의 대부분이 내인적 하루주기리듬이 외인전 요인(낮-밤 변동)과 동기화 되지 않는 경우이므로, 개인의 내인적 하루주기리듬(circadian rhythm)에 대한 평가가 진단에 중요하다. 하루주기리듬에 대한 평가는 생리적검사를 통한 측정법과 수면-각성에 대한 설문법이 있다. 생리적검사는 내인적 하루주기인자인 멜라토닌의 분비시작점(dim light melatonin onset, DLMO)을 측정하는 것이 가장 정확한 방법이지만, dim light 조건에서의 검체 체취는 일상진료 현장에서 수행하기 어렵다.

조금 더 간단한 방법으로는 수면각성을 수면일기로 기록하는 방법과, 수면-각성주기에 대한 개인의 선호도를 알아보는 설문을 통하여 개인별 하루주기성향을 평가할 수 있다. 설문지는 Morningness-Eveningness Questionnaire (MEQ)와 Munich Chronotype Questionnaire (MCTQ)가 가장 잘 알려져 있다.

2 평가척도

1) 수면일기(sleep diary or sleep log)

수면일기(sleep log, sleep diary)는 24시간의 그래프에 취침시간, 기상시간 및 수면과 관련된 모든 활동을 직접 기록하는 일기로 최소한 7일(가능하면 14일) 작성한다. 수면일기에는 수면시간과 관련된 내용과, 수면과 관련된 사건을 모두 기록한다(그림 13-4-1).

(1) 수면일기 기록방법

1. 기록안내
① 매일매일 기록하고, 가능하면 기상 후 1시간 이내에 기록하세요
② 만약 기록을 하지 못한 날이 있으면 빈칸으로 두세요
③ 수면에 영향을 주는 특별한 일은 관련내용을 간단히 적어주세요(예: 열이나서 밤늦게 응급실로 갔다)
④ 기록은 가장 근접한 예상시간을 적어주세요

2. 기록방법
① 기상한 아침의 날짜를 기입하세요
② 수면과 관련된 시간을 기록하세요
　침대에 들어간 시각[아래방향 화살표 ↓]
　잠든 시각
　잠들 때까지 걸린 시간
　수면 중에 깬 횟수/깨어 있었던 시간(원인),
　잠에서 깬 시각
　침대에서 나온 시각[윗방향 화살표 ↑]
　깨고 나서 침대에서 나올 때까지 걸린 시간
　총수면시간[검게 색칠하세요]
　낮잠시간/횟수
③ 수면과 관련된 사건을 기록하세요
　알코올 및 카페인 음료 복용 시간/횟수/마지막 복용 시각
　수면관련 약물과 복용시간
　식사시간/운동시간
　수면 전, TV/컴퓨터/스마트폰/태블릿 사용 시간/시각
④ 수면평가

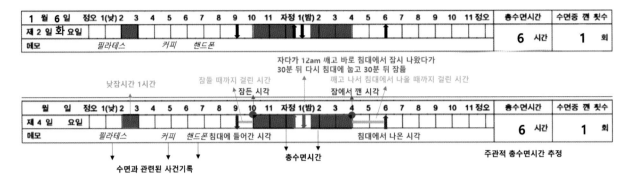

그림 13-4-1. 수면일기 기록 예시와 설명

A 지연수면각성리듬장애

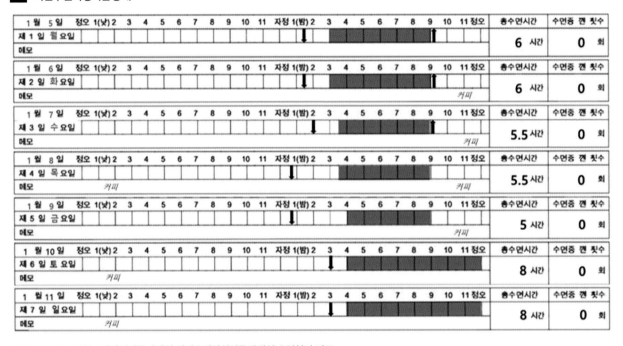

그림 13-4-2. 지연수면각성리듬장애와 전진수면각성리듬장애의 수면일기 비교.
(A) 지연수면각성리듬장애의 1주일 수면일기 결과이다. 새벽 12-1시경 잠자리에 들지만, 잠들지 못하고 1-3시간 정도의 sleep latency를 보이다가 새벽 3-4시경 잠든다. 아침 9시에 고정적으로 기상을 하며 총수면시간을 5.5-6시간을 유지한다. 반면 토요일과 일요일은 일찍 기상해야 하는 요인이 없어 정오시간에 깨지 않고 숙면을 취하며, 총수면시간이 8시간 정도로 늘어나는 수면패턴을 확인할 수 있다.

(계속)

B 전진수면각성리듬장애

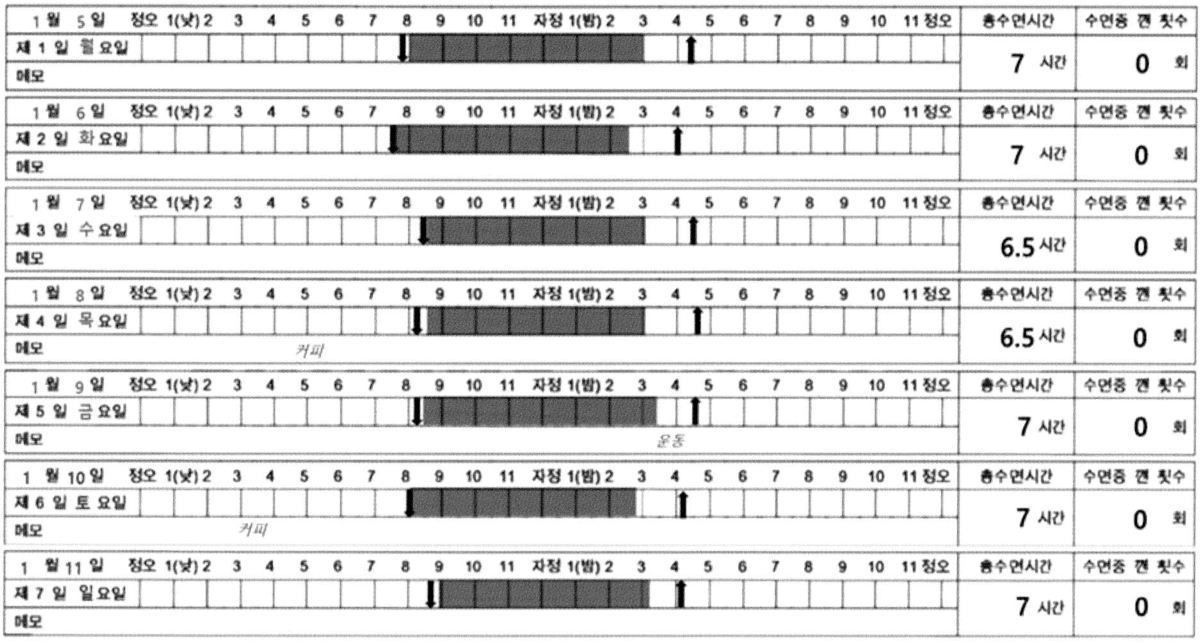

그림 13-4-2. **지연수면각성리듬장애과 전진수면각성리듬장애의 수면일기 비교.** (계속)
(B) 전진수면각성리듬장애의 1주일 수면일기 결과이다. 오후 7시 반-8시경 잠자리에 들고 바로 잠들며 새벽 3시경에 깬다. 더 잠들지 못하고 잠자리에서 1.5시간 정도 있다가 아침 4-4시 반에 침대에서 나온다. 총 수면 시간은 6시 반-7시간으로 일단 잠이 들면 일반적인 수면시간을 유지하는 수면 패턴을 확인할 수 있다

하루주기유형(chronotype)은 개인의 수면각성 선호도로 아침형, 중간형, 저녁형으로 분류하며, 저녁형 성향을 가질수록 더 늦게 잠을 자는 성향을 보인다

1) Morningness-Eveningness Questionnaire (MEQ)

수면습관과, 이와 관련된 행동습관 및 특정 가상활동을 할 때 선호하는 활동 시간대를 알아보는 설문지이다. 설문지로 19개의 문항으로 이루어져 있다. 선호하는 기상시각이나 취침시각 및 하루 24시간 중 특정 가상활동을 수행한다면 더 선호하는 시간을 구간으로 선택한다. 19개 문항의 총 합계 점수는 16-86점으로 점수에 따라 하루주기유형(chronotype)을 구별하며 점수가 낮은 쪽이 저녁형이다. 아침형(morning type 59-86점), 중간형(neither type 42-58점), 저녁형(evening type 16-41점)으로 한다.

MEQ는 한국어로 번역되어 사용되고 있으며, 설문항목의 채점표에 따라 총 점수를 합산하여 하루주기유형을 평가한다.

2) Munich Chronotype Questionnaire (MCTQ)

수면시간, 빛 노출, 하루주기성향에 대한 주관적 설문을 근무일(주중)과 휴일(주말)을 구분하여 확인한다. MEQ와는 달리 수면시간을 기록하며, 이 중 가장 깊게 잠든 중간수면(midsleep time, MS)을 계산할 수 있다. 하루주기유형(chronotype)은 중간수면(midsleep time, MS)이 수면 중 어느 시점인지 계산하는 방법으로 평가할 수 있다. K-MCTQ는 한국어로 번역되어 사용되고 있으며, 설문지에 기록된 수면시간으로 중간수면(midsleep time, MS)을 평가할 수 있다.

하지만 MS만으로 평가가 어려운 경우에는 MSF, MSFsc를 사용하기도 한다. Midsleep time on free days (MSF)의 경우 근무일(주중)과 휴일(주말)의 중간수면 (midsleep time, MS)은 1–3시간 이상 차이가 나는 경우에 사용하며, 일반적으로 저녁형에서 더 큰 차이를 보인다. 이처럼 근무일(주중)과 휴일(주말)의 중간수면시간이 다른 경우, 휴일(주말)과 중간수면(midsleep time on free day, MSF)의 차이를 하루주기유형평가에 사용한다.

$$\text{MSF}_{\text{(mid-sleep time on freedays)}} = \text{sleep onset on free days} + \frac{\text{sleep duration on free days}}{2}$$

$$\text{MSF}_{\text{SC}}_{\substack{\text{(mid-sleep time} \\ \text{on freedays} \\ \text{corrected for} \\ \text{sleep debt} \\ \text{on workdays)}}} = \text{MSF} - \frac{(\text{sleep duration on free days} - \text{average weekly sleep duration})}{2}$$

Average weekly sleep duration

$$= \frac{(5 \times \text{주중 sleep duration} + 2 \times \text{주말 sleep duration})}{7}$$

Sleep onset: 수면 시작 시각
Sleep duration: 수면 종료 시각에서 수면 시작 시각을 뺀 것

극단적 저녁형의 MSFsc 예시

수면시간
주중: 3am 잠들고 9am 기상, 수면시간 6시간
주말: 4am 잠들고 2pm 기상, 수면시간 10시간

MSF (mid-sleep time on freedays) = 9
MSFsc (mid-sleep time on freedays corrected for sleep debt on workdays) = 7.572

$$\text{MSF}_{\text{(mid-sleep time on freedays)}} = 4 + \frac{10}{2}$$

$$\text{MSF}_{\text{SC}}_{\substack{\text{(mid-sleep time} \\ \text{on freedays} \\ \text{corrected for} \\ \text{sleep debt on} \\ \text{workdays})}} = 9 - \frac{(10 - 7.143)}{7} = 7.572$$

Average weekly sleep duration

$$= \frac{(5 \times 6 + 2 \times 10)}{7} = 7.143$$

[기준]
< 2.17 극단적 아침형, > 7.25 극단적 저녁형

그림 13-4-3. MSFsc 수식 및 예시

만약, 근무일(주중) 수면시간이 휴일(주말) 수면시간보다 짧은 경우는 MSF가 과대평가될 수 있다. 이는 근무일(주중)에는 수면부족이 누적되고, 휴일(주말)에 수면시간 연장을 통하여 수면부족을 보상하기 때문이다. 휴일(주말)에 보상되는 수면시간은 근무일(주중)에 부족하였던 시간만큼 보정하여 평가하여야 하며, MCTQ-MSFSc (mid-sleep time on freedays corrected for sleep debt on work days)를 통하여 보정할 수 있다. MSFsc의 결과 값이 < 2.17 의 경우 극단적 아침형, > 7.25의 경우 극단적 저녁형으로 한다[MSFsc는 휴일(주말)의 수면시간이 근무일(주중)의 수면시간보다 같거나 클 때 사용한다(그림 13-4-3)].

▶ **참고문헌**

- 김성재. 20-39세 성인에서 한국판 아침형-저녁형 설문(MEQ-K)의 표준화 연구. 강원대학교 대학원 2012.
- Carney CE, Buysse DJ, Ancoli-Israel S, et al. The consensus sleep diary: standardizing prospective sleep self-monitoring. Sleep 2012;35:287-302.
- Horne JA, Ostberg O. A self-assessment questionnaire to determine morningness-eveningness in human circadian rhythms. Int J Chronobiol 1976;4:97-110.
- Roenneberg T, Kuehnle T, Juda M, et al. Epidemiology of the human circadian clock. Sleep Med Rev 2007;11:429-38.
- Roenneberg T, Wirz-Justice A, Merrow M. Life between clocks: daily temporal patterns of human chronotypes. J Biol Rhythms 2003;18:80-90.
- Suh S, Kim SH, Ryu H, et al. Validation of the Korean Munich chronotype questionnaire. Sleep Breath 2018;22:773-9.

05 수면관련리듬운동장애

김근태

수면관련리듬운동장애는 단순하고 전형적인 운동증상이 수면과 관련되어 나타나서 수면을 방해하는 질환을 뜻한다. International Classification of Sleep Disorders (ICSD)-3에 의하면 수면관련리듬운동장애는 10개의 세부 진단으로 구성되어 있으며, 표 13-5-1과 같다. 각각의 수면관련운동장애의 주요 증상을 정리하면 다음과 같다.

1 임상양상

수면관련리듬운동장애는 그 이름에서도 알 수 있듯이, 운동 증상의 양상으로 분류하는 수면장애이므로 동반하는 운동 증상의 분류가 진단의 중심이다. 환자 본인은 입면 시 또는 수면 중에 나타나는 증상에 대해서 알지 못하는 경우도 있다. 따라서 환자의 주관적인 증상뿐만 아니라 증상에 대한 목격자의 증언을 포함한 병력 청취가 진단에 중요하다. 중요한 것은 이 운동 증상들이 수면에 영향을 주거나 낮 동안의 삶에 지장을 초래하는 것이 확인되어야 비로소 수면장애로 진단할 수 있다는 것이다. 수면관련리듬운동장애의 종류에 따른 주요 증상을 정리하면 다음과 같다.

표 13-5-1. 수면관련리듬운동장애

Restless legs syndrome
Periodic limb movement disorder
Sleep-related bruxism
Sleep-related leg cramps
Sleep-related rhythmic movement disorder
Benign sleep myoclonus of infancy
Propriospinal myoclonus at sleep onset
Sleep-related movement disorder due to a medical disorder
Sleep-related movement disorder due to a medication or substance
Sleep-related movement disorder, unspecified

1) 하지불안증후군

하지불안증후군은 다리를 움직이고 싶은 충동이 특징인 만성신경계질환으로서, 환자의 주관적 증상을 바탕으로 진단하며 이 진단기준이 곧 주요 증상이다. 국제 하지불안증후군 연구그룹(International Restless Legs Syndrome Study Group, IRLSSG)의 2014년 진단기준에는 다섯 가지 항목이 있다. 첫째는 다리를 움직이고 싶은 충동이다. 둘째는 움직이지 않을 때 시작되거나 더 심해지는 양상이다. 셋째는 다리를 움직이면 이러한 증상이 호전되거나 사라지는 것이다. 넷째는 증상이 자기 전 저녁 무렵에 심해지는 특징이다. 다섯째는 다른 질환의 배제이므로, 앞의 네 가지가 하지불안증후군의 주요 증상이라고 할 수 있겠다.

2) 주기사지운동장애

주기사지운동장애에서는 바빈스키 징후와 흡사한 움직임이 주기적으로 반복되어 나타난다. 하지불안증후군이나 수면무호흡, 렘수면행동장애 등에서 주기사지운동증이 드물지 않으므로, 주기사지운동장애를 진단하기 위해서는 수면장애를 동반하는 주기사지운동장애를 확인한 후 다른 질환을 배제하는 것이 중요하다.

3) 수면이갈이

잘 알려진 바와 같이, 턱근육의 움직임으로 주기성 움직임과 함께 소음을 만드는 것이 주요 증상이다. 수면 중에, 양쪽 턱근육이 시간차를 두고 약 1 Hz 내외의 주기로 수축함으로써 턱의 움직임을 발생시킨다. 이러한 수면 중 움직임으로 인하여 턱의 통증이나 피로감이 있거나 측두부 통증이 동반될 수 있다.

4) 수면관련다리동통

그 이름에서도 알 수 있듯이, 수면 중에 발생하는 근육의 강한 수축이 불수의적으로 발생하면서 통증을 동반한다. 흔히 나타나는 부위는 종아리이며 증상의 지속 시간은 통상적으로 10분 이내이다.

5) 수면관련율동성운동장애

입면 시나 수면 중에 비교적 큰 근육들이 작용하여 율동성 있는 반복적 움직임을 보인다. 머리나 다리를 흔들거나 찧거나, 구르거나, 굴리는 등의 움직임을 보일 수 있으며 성인보다는 주로 1세 이하의 소아에서 흔하게 관찰할 수 있다.

6) 영아기양성수면근간대경련

6개월 이하의 영아에서, 근간대경련이 사지 또는 체간에 대칭적으로 발생한다. 비렘수면에서 발생하며 각성 시에는 발생하지 않는다. 뇌전증과의 감별이 중요하다.

7) 입면시척수고유근육간대경련

신체의 축을 이루는 몸통, 엉덩이, 어깨, 무릎에서 관찰되는 근육간대경련 양상의 움찔거림이 나타난다. 이러한 신체의 축에 해당하는 부위 중 하나의 부위에서 다른 부위로 일정한 패턴을 갖고 퍼져가는 것이 입면시척수고유근육간대경련의 특징이다.

8) 기타

내과적 질환에 의한 수면관련리듬운동장애, 약물 또는 물질에 의한 수면관련리듬운동장애, 기타 수면관련리듬운동장애는 증상이 비특이적이므로 병력과 환자의 상태, 동반질환, 복용하는 약물 등을 종합적으로 판단해야한다.

---

2 평가척도

수면관련리듬운동장애의 진단은 증상을 기준으로 하므로, 진단과 평가 과정에서 설문지를 유용하게 사용할 수 있다. 특히 하지불안증후군에서 다양한 설문지가 개발되어 널리 사용하고 있으며 나머지 수면관련운동장애는 수면다원검사가 필요하거나 전형적인 증상으로 진단한다. 따라서 여기서는 주로 하지불안증후군의 진단과 평가에 사용하는 설문지를 중심으로 기술하겠다(표 13-5-2).

1) Cambridge-Hopkins diagnostic questionnaire

하지불안증후군 진단에 사용할 수 있는 설문지이다. 자기완성형 설문검사지로서, 하지불안증후군의 진단기

표 13-5-2. 하지불안증후군에서 사용하는 대표적인 설문지

진단	Cambridge-Hopkins diagnostic questionnaire Hopkins telephone diagnostic interview Restless Legs Syndrome Diagnostic Index (RLS-DI) Pediatric Emory Restless Legs Syndrome Diagnostic Questionnaire
심각도	International Restless Legs Scale (IRLS) Restless Legs Syndrome-6 (RLS-6)
삶의 질	Restless Legs Syndrome Quality of Life Instrument (RLS-QLI) Kohnen Restless Legs Syndrome-Quality of Life instrument
증상 격화	Augmentation Severity Rating Scale
기타	Visual Analog Scale (VAS) Clinical Global Impressions-Severity (CGI-S) Clinical Global Impressions-Improvement (CGI-I)

준과 함께 수면관련다리동통과 자세성다리불편감을 감별할 수 있는 문항이 있다. 결과에 따라 "하지불안증후군", "하지불안증후군 아님", "하지불안증후군의 가능성이 있음"의 3가지 그룹으로 분류한다.

2) Hopkins telephone diagnostic interview

하지불안증후군 진단에 사용할 수 있는 설문지이다. 환자가 작성하는 것이 아니라 검사자가 유선으로 질문하는 검사지이며, 미리 정해진 순서에 따라 질문하여 환자의 반응을 체크하고 평가한다. 이 설문지 또한, 결과에 따라서 "하지불안증후군", "하지불안증후군이 아님", "하지불안증후군의 가능성이 있음"의 3가지 그룹으로 분류한다.

3) Restless Legs Syndrome Diagnostic Index

하지불안증후군 진단에 사용할 수 있는 설문지이다. 하시불안증후군의 주요 증상에 대한 항복 외에 가족력, 약물에 대한 반응, 수면다원검사 결과 등을 추가하여 10개의 문항으로 구성하였다. 수면장애를 주로 다루는 진료실에서 하지불안증후군을 진단하고 소위 RLS mimics에 해당하는 수면장애를 감별하는 데 도움이 된다.

4) Pediatric Emory Restless Legs Syndrome Diagnostic Questionnaire

소아의 하지불안증후군 진단에 사용할 수 있는 설문지로서, 콩팥병이 있는 소아를 대상으로 사용하기 시작했다. 총 47개 문항이 두 부분으로 구성되어있다. 첫 번째 부분의 5개 질문은 선별을 위한 질문이며 여기서 하지불안증후군을 의심할 수 있다면 세부 증상에 대해서 연령별 설문이 이루어진다.

5) International Restless Legs Scale

하지불안증후군의 심각도 평가에 사용하는 척도이다. 하지불안증후군과 관련하여 임상이나 연구에서 가장 널리 쓰이고 있다. 검사 시점으로부터 약 2주 동안의 하지불안증후군 증상에 대해서 평가한다. 검사자가 환자에게 총 10개의 증상 심각도 문항을 질문하고 환자가 0점(증상 없음)부터 4점(아주 심함)으로 응답하므로 총 40점 만점이다. 소아와 청소년을 대상으로 한 연구에서도 사용된 바 있다.

6) Restless Legs Syndrome-6

하지불안증후군 증상의 심각도를 평가하는 척도로서, 주로 낮 동안의 증상을 평가한다. 총 6개의 문항에

서 0점(증상 없음)부터 10점(아주 심함)으로 응답하여 만점은 60점이다.

7) Restless Legs Syndrome Quality of Life Instrument

하지불안증후군 환자에서 삶의 질을 평가하기 위한 도구로 개발되었으며 총 4개 그룹의 18개 문항으로 구성되어 있다. 환자가 지난 4주 동안의 삶의 질에 대해서 답하는 자기완성형 설문지이다.

8) Kohnen Restless Legs Syndrome-Quality of Life instrument

하지불안증후군이 삶의 질에 미치는 영향을 평가하기 위한 도구이다. 총 5개 그룹의 12개의 문항으로 나누어져 있으며 환자가 지난 1주일에 대해서 답하는 자기완성형 문항으로 이루어져 있다.

9) Augmentation Severity Rating Scale

하지불안증후군의 증강현상(augmentation)을 평가하기 위한 도구로서, 지난 1주일 동안의 증상현상의 증상을 묻는다. 하지불안증후군 증상의 시작 시간, 증상의 잠복기, 그리고 증상이 발생하는 신체 부위를 확인하는 3개의 문항으로 이루어져 있다.

10) 기타

일반적인 질병에서도 널리 사용하는 시각 통증 등급 (visual analog scale), Clinical Global Impressions-Severity (CGI-S) 또는 Clinical Global Impressions-Improvement (CGI-I)등을 증상의 심각도 평가와 치료에 대한 반응 평가 등에서 흔히 사용하고 있다.

수면관련리듬운동장애에 대한 접근은 주요 증상(비교적 반복적이고 전형적인 수면관련 움직임)의 확인에서 시작한다. 하지만 정확한 진단을 위해서는 자세한 병력 청취와 함께 다양한 감별진단을 배제하는 것이 중요하다. 한편 내과적 질환에 의한 수면관련리듬운동장애, 약물 또는 물질에 의한 수면관련리듬운동장애 등

은 증상이 비특이적이다. 따라서 병력과 환자의 상태, 검사 소견 등을 포괄적으로 평가하고 판단하는 넓은 시야가 필요하다. 수면관련운동장애는 하지불안증후군을 중심으로 진단을 위한 설문지, 증상의 심각도와 삶의 질에 대한 척도가 개발되어 있으므로, 진단과 평가에서 적절한 도구를 선택하여 활용한다면 임상적 상황이나 연구 설계에서 큰 도움이 될 것이다.

▶ 참고문헌

- 김지현, 선우준상, 송파멜라 외. 증례로 배우는 수면장애. 서울: 범문에듀케이션; 2020. pp. 34.
- 대한신경과학회. 신경학. 제3판. 서울: 범문에듀케이션; 2017. pp. 539-2.
- Allen RP, Burchell BJ, MacDonald B, et al. Validation of the self-completed Cambridge-Hopkins questionnaire (CH-RLSq) for ascertainment of restless legs syndrome (RLS) in a population survey. Sleep Med 2009;10:1097-100.
- Allen RP, Picchietti DL, Garcia-Borreguero D, et al. Restless legs syndrome/Willis-Ekbom disease diagnostic criteria: updated International Restless Legs Syndrome Study Group (IRLSSG) consensus criteria—history, rationale, description, and significance. Sleep Med 2014;15:860-73.
- Atkinson MJ, Allen RP, DuChane J, et al. Validation of the Restless Legs Syndrome Quality of Life Instrument (RLS-QLI): findings of a consortium of national experts and the RLS Foundation. Qual Life Res 2004;13:679-93.
- Benes H, Kohnen R. Validation of an algorithm for the diagnosis of restless legs syndrome: the restless legs syndrome-diagnostic index (RLS-DI). Sleep Med 2009;10:515-23.
- Furudate N, Komada Y, Kobayashi M, et al. Daytime dysfunction in children with restless legs syndrome. J Neurol Sci 2014;336:232-6.
- García-Borreguero D, Kohnen R, Högl B, et al. Validation of the Augmentation Severity Rating Scale (ASRS): a multicentric, prospective study with levodopa on restless legs syndrome. Sleep Med 2007;8:455-63.
- Gogo E, van Sluijs RM, Cheung T, et al. Objectively confirmed prevalence of sleep-related rhythmic movement disorder in preschool children. Sleep Med 2019;53:16-21.
- Hening WA, Allen RP, Washburn M, et al. Validation of the Hopkins telephone diagnostic interview for restless legs syndrome. Sleep Med 2008;9:283-9.

PART 3

수면장애 환자의 임상적 접근

- Kohnen R, Martinez-Martin P, Benes H, et al. Rating of daytime and nighttime symptoms in RLS: validation of the RLS-6 scale of restless legs syndrome/Willis-Ekbom disease. Sleep Med 2016;20:116-22.
- Kohnen R, Martinez-Martin P, Benes H, et al. Validation of the Kohnen restless legs syndrome-quality of life instrument. Sleep Med 2016;24:10-7.
- Monderer RS, Wu WP, Thorpy MJ. Nocturnal leg cramps. Curr Neurol Neurosci Rep 2010;10:53-9.
- Palinkas M, De Luca Canto G, Rodrigues LA, et al. Comparative capabilities of clinical assessment, diagnostic criteria, and polysomnography in detecting sleep bruxism. J Clin Sleep Med 2015;11:1319-25.
- Riar SK, Leu RM, Turner-Green TC, et al. Restless legs syndrome in children with chronic kidney disease. Pediatr Nephrol 2013;28:773-95.
- Sateia MJ. International classification of sleep disorders-third edition: highlights and modifications. Chest 2014;146:1387-94.
- Silva GE, Goodwin JL, Vana KD, et al. Restless legs syndrome, sleep, and quality of life among adolescents and young adults. J Clin Sleep Med 2014;10:779-86.
- Trotti LM. Restless legs syndrome and sleep-related movement disorders. Continuum (Minneap Minn) 2017;23(4, Sleep Neurology):1005-16.
- van der Salm SM, Erro R, Cordivari C, et al. Propriospinal myoclonus: clinical reappraisal and review of literature. Neurology 2014;83:1862-70.
- Walters AS, LeBrocq C, Dhar A, et al. Validation of the International Restless Legs Syndrome Study Group rating scale for restless legs syndrome. Sleep Med 2003;4:121-32.
- Walters AS. Clinical identification of the simple sleep-related movement disorders. Chest 2007;131:1260-6.

06 사건수면

선우준상

사건수면(parasomnia)은 잠에 빠져들거나 깨어날 때, 혹은 잠을 자고 있을 때 원하지 않게 발생하는 신체적·물리적 사건이나 경험을 일컫는다. 사건수면은 특정 수면단계 또는 수면각성 상태의 변환과 관련되어 발생하는 비정상 복합운동을 특징으로 하고, 자율신경증상, 근육 긴장도 증가, 중추신경계 활성화, 꿈 등의 다양한 증상이 동반되어 나타난다. 제3판 국제수면장애분류(International Classification of Sleep Disorders, ICSD-3)에서 사건수면은 삽화가 발생하는 수면단계에 따라 크게 3가지로 구분된다: 1) 비렘(non-rapid eye movement, NREM)관련 사건수면, 2) 렘(rapid eye movement, REM)관련 사건수면, 3) 기타 사건수면(표 13-6-1).

의식상태는 크게 각성과 수면으로 구분되고 수면은 다시 비렘수면과 렘수면으로 나뉜다. 수면과 각성은 이분법적으로 구분되는 상호 배타적인 상태가 아니라 주기적으로 변화하는 연속된 스펙트럼에 해당한다. 각성 및 수면 상태간의 변환(transition)은 각 상태를 조절하는 신경구조물의 활성도가 변화하고 재구성되는 과정을 통해 일어난다. 만일 수면 중 변환 과정이 불완전하게 일어나면 일시적으로 각성과 수면관련 뇌활동이 공존하게 되는 해리(dissociation) 상태가 유발된다. 사건

표 13-6-1. 제3판 국제수면장애분류에 따른 사건수면의 분류

1. 비렘관련사건수면
각성장애
혼돈각성
몽유병
야경증
수면관련섭식장애
2. 렘관련사건수면
렘수면행동장애
반복단독수면마비
악몽장애
3. 기타 사건수면
폭발머리증후군
수면관련환각
유뇨증
의학적 질환으로 인한 사건수면
약물 또는 물질로 인한 사건수면
상세불명 사건수면
4. 단독증상 및 정상변형
잠꼬대

수면은 이런 수면각성 상태의 해리에서 기인하기 때문에 수면 상태가 변환되는 시점에 호발하고 임상적으로 수면과 각성 상태의 상반된 특징이 혼합되어 발현한다. 예를 들어, 비렘관련사건수면인 각성장애는 깊은 수면에서 발생하는 불완전한 각성으로 인해 인지기능이 없으나(비렘수면) 복합운동행동이나 자율신경 활성화(각성)가 나타난다. 사건수면 삽화 중 측정한 뇌파에서 운동 및 대상(cingulate)피질은 각성 수준으로 활성화되지만 전두엽과 두정엽 피질에는 수면상태를 시사하는 뇌활동이 관찰되었고, 이는 수면각성 상태의 해리를 뒷받침한다. 그 외에도 보행중추의 활성화, 수면관성, 수면상태의 불안정 등이 비렘관련사건수면의 질병기전에 기여한다. 렘관련사건수면 역시 각성과 렘수면 간의 해리로 인해 렘수면의 특징적인 요소들과 관련된 증상들이 나타난다. 예를 들어, 수면마비는 렘수면 중 골격근의 무긴장(atonia)이 각성 상태를 침범하여 발생하고, 렘수면행동장애는 렘수면 중의 근긴장도가 각성 또는 비렘수면 수준으로 증가하는 것이 주된 발병기전이다.

1 임상양상

1) 비렘관련사건수면 (NREM-related parasomnia)

(1) 각성장애(Disorders of arousal)

각성장애는 가장 흔하고 대표적인 비렘관련사건수면으로 혼돈각성(confusional arousal), 몽유병(sleepwalking), 야경증(sleep terror)으로 구성된다. 소아기에 가장 흔하게 발생하고 나이가 들수록 빈도가 감소한다. 소아에서는 대개 양성으로 간주되지만, 성인에서는 수면 중 신체손상이나 사회생활의 문제로 인해 병원을 찾게 되는 경우가 더 흔하다. 각성장애는 특징적으로 서파수면 (slow wave sleep) 중 불완전한 각성에 의해 발생하기 때문에 3단계수면이 우세한 수면 전반기에 주로 발생하는 경향이 있다. 사건수면 삽화 중에 환자는 외부자극에 반응이 없고 혼돈을 보이며 대부분 삽화를 기억하지 못하는 특징이 있고, 이는 각성에 대한 증가된 역치를 시사한다. ICSD-3에서 정의하는 각성장애의 진단기준은 다음 5가지를 모두 만족해야 한다: 1) 수면 중 불완전 각성 삽화의 반복, 2) 삽화 중 개입하려는 시도에 부적절하게 반응하거나 반응이 없음, 3) 인지기능이나 꿈의 이미지가 없거나 제한적, 4) 삽화에 대한 부분적 또는 완전한 기억상실, 5) 삽화가 다른 수면장애, 정신장애, 의학적 상태, 약물 혹은 물질 사용으로 더 잘 설명되지 않음.

수면박탈(sleep deprivation)은 각성장애를 유발하는 대표적인 인자로 사건수면의 발생 빈도뿐만 아니라 행동증상의 중증도까지 증가시킨다. 정상인에서 수면박탈은 다음날 회복수면에서 서파수면을 증가시키지만 몽유병 환자에서는 서파수면의 보상이 일어나지 않고 서파수면 중 각성이 오히려 증가하는 경향이 있다. 수면박탈로 증가된 수면압력에 대한 비정상적인 반응은 각성장애 환자에서 서파수면 조절의 내재적 기능장애가 질병기전에 관여할 가능성을 시사한다.

수면 중 각성을 유발하는 외적 요인들도 각성장애를 유발시키는데 그 중 수면관련호흡장애(sleep-related breathing disorder)가 대표적이다. 무호흡 등 비정상적인 호흡사건은 수면 중 각성을 유발하고 여기에 각성장애 환자들의 내재적인 비정상 각성반응이 더해져 몽유병과 같은 사건수면 삽화가 유발되는 것으로 해석된다. 수면관련호흡장애가 동반된 몽유병 환자들은 상당수에서 성공적인 지속기도양압기를 통해 유발요인이 제거되면 사건수면도 함께 해결된다.

각성장애의 임상증상은 불완전 각성, 운동증상, 자율신경계 활성화의 세가지 패턴으로 구성된다. 불완전 각성은 가장 흔한 증상으로 눈을 뜨거나 고개를 움직이는 단순한 행동부터 얼굴을 비비거나 하품을 하는 복잡한 행동까지 포함된다. 여기에 잠자리를 떠나려는 운동증상과 공포, 비명, 빈맥 등의 자율신경계 활성화 증상이 동반되는지 여부에 따라서 혼돈각성, 몽유병, 야경증이 임상적으로 구분된다. 혼돈각성은 불완전한 각

표 13-6-2. 각성장애의 임상양상 비교

	혼돈각성	몽유병	야경증
발병 연령	2-10세	5-10세	2-10세
발생 빈도	3-4회/주부터 1-2회/월	3-4회/주부터 1-2회/월	3-4회/주부터 1-2회/월
지속 시간	0.5-10분	2-30분	1-10분
임상 양상	잠에서 깨어 두리번거리지만 공포나 잠자리를 떠나는 행동은 없음.	대개 혼돈각성으로 시작되고 잠자리 밖으로 나와 걸어다님. 복합운동행동이 동반될 수 있음.	날카로운 비명과 같은 공포 삽화와 빈맥, 발한, 빈호흡 등의 자율신경계 활성화 증상이 동반됨.
발생 시기	수면의 첫 1/3	수면의 첫 1/3	수면의 첫 1/3

성으로 눈을 뜨고 두리번거리는 증상을 보이지만 뚜렷한 운동증상이나 자율신경증상은 동반되지 않는다. 몽유병은 불완전 각성으로 시작하여 잠자리를 벗어나 걸어 다니는 운동증상이 있지만 자율신경증상은 없다. 옷 입기나 운전 등의 복합운동행동이 동반될 수 있다. 마지막으로 야경증은 울음이나 날카로운 비명 및 강렬한 공포를 시사하는 행동들과 빈맥, 빈호흡, 피부 홍조, 발한, 동공확대 등의 자율신경계 활성화 증상이 특징적으로 나타난다(표 13-6-2).

(2) 수면관련섭식장애
(sleep-related eating disorder, SRED)

수면관련섭식장애는 비렘관련사건수면의 특수한 형태로 수면에서 깨어난 이후에 불수의적이고 통제되지 않는 섭식 삽화가 반복되는 것이 특징이다. 대개는 탄수화물이나 지방이 많은 고칼로리 음식을 섭취하지만 때때로 기괴한 음식을 먹는 경우도 있다. 수면관련섭식장애는 각성장애와 마찬가지로 주로 수면 전반기에 불완전 각성에 의해 발생하며 삽화 중 인지가 저하된다. 다음날 회상하는 정도는 다양할 수 있으나 대개 섭식 삽화를 기억하지 못한다. 이와 같은 특징들로 인해 과거에 기타 사건수면으로 분류되었다가 ICSD-3부터 비렘관련사건수면에 편입되었다. 수면관련섭식장애와 관련된 섭식 행동은 다음과 같은 특징이 있다: 1) 특이한 음식의 조합(땅콩버터와 스테이크 등)이나 먹을 수 없거나

독성 물질(냉동피자, 매니큐어 등)을 섭취, 2) 음식을 찾거나 요리하는 과정에서 신체손상(주방용품 조작에 의한 열상 또는 뜨거운 음식 관련 화상 등)이 발생, 3) 반복된 야간 섭식으로 건강에 해로운 결과(충치, 비만, 당뇨 및 고지혈증의 악화 등)가 발생. ICSD-3의 진단기준을 만족하려면 위 세가지 중 한가지 이상이 있어야 한다.

수면관련섭식장애는 남성보다 여성에서 호발하고 20대-30대 젊은 성인에서 주로 발생한다. 섭식삽화는 하룻밤에도 여러 차례 나타날 수 있고 대개 만성적인 경과를 보인다. 동반된 수면장애로 몽유병이 가장 흔하지만 하지불안증후군, 주기사지운동장애, 폐쇄수면무호흡증도 동반될 수 있다. 몽유병과 마찬가지로 동반된 수면장애를 치료하면 수면관련섭식장애가 같이 해결되는 경우가 흔하다. 수면관련섭식장애는 수면제, 항우울제, 항정신병약 등 다양한 정신과 약물과 연관성이 잘 알려져 있으며, 그 중 졸피뎀이 수면관련섭식장애를 유발 혹은 악화시키는 대표적인 약물이다.

수면관련섭식장애 외에 야간에 발생하는 비정상적인 섭식행동과 관련된 질환으로 야간섭식증후군(night eating syndrome)이 있다. 이는 수면의 하루주기리듬은 정상으로 보존되지만 음식물 섭취에 대한 하루주기가 상대적으로 지연된 것이 특징이다. 야간섭식증후군에서는 과도한 섭식행동이 저녁식사와 취침시간 사이에 발생하고, 삽화 중 각성상태가 정상이며 다음날 삽화를

기억한다는 점에서 수면관련섭식장애와 구분된다. 야간 섭식증후군 환자는 기괴한 음식이나 먹을 수 없는 음식은 섭취하지 않는다는 점도 중요한 감별점이다.

2) 렘관련사건수면(REM-related parasomnia)

사건수면 삽화가 주로 렘수면 중에 발생하는 질환을 렘관련사건수면으로 정의하며 렘수면행동장애, 반복단독수면마비, 악몽장애가 포함된다.

(1) 렘수면행동장애
(REM sleep behavior disorder, RBD)

렘수면행동장애는 렘수면 중 꿈을 재현하는 행동(dream-enacting behavior)을 특징으로 하는 사건수면이다. 수면 중 이상행동은 말하기, 노래 부르기, 소리지르기, 팔다리 움찔거림 등의 단순한 운동증상부터 박수치기, 주먹질, 발차기 등의 복잡하고 과격한 움직임까지 다양하게 나타날 수 있다. 수면 중 폭력적인 움직임이 발생하는 경우 환자 본인과 수면동반자에 신체 손상을 유발할 수 있다. 렘수면행동장애와 관련된 꿈은 싸우거나 무언가로부터 쫓기는 공격적인 내용이 흔하고 공포와 분노 등 감정적인 요소가 흔히 동반된다. 비렘관련사건수면과는 다르게 렘수면행동장애는 삽화 중 잠에서 깨면 혼돈 없이 의식이 명료하고 대개 꿈의 내용을 잘 기억한다. 또한 렘수면 중에 삽화가 발생하므로 수면 후반부에 주로 발생한다. 렘수면 중에는 정상적으로 골격근의 긴장도가 최저수준으로 감소되어야 하는데, 렘수면행동장애 환자에서는 렘수면 중 무긴장이 소실되어 근긴장도가 비렘수면 또는 각성 수준으로 증가하는 것이 특징이다. 따라서, 수면다원검사를 통해 렘수면 중 과도한 긴장성 및 위상성 근전도 활동, 즉 렘수면무긴장소실(REM sleep without atonia, RWA)을 확인하는 것이 렘수면행동장애의 진단에 필수적이다.

렘수면행동장애는 알코올 금단이나 렘수면을 억제하는 약물의 중단, 모노아민산화효소억제제, 선택적세로토닌재흡수억제제와 세로토닌-노르에피네프린재흡수억제제 등의 항우울제 복용에 의해서 유발될 수 있다. 또

한 기면병, 뇌졸중, 다발성경화증, 자가면역질환 등 다양한 신경학적 질환들과 연관되어 발생할 수 있는데, 특히 파킨슨병, 루이소체치매, 다계통위축증과 같은 신경퇴행성 알파-시뉴클레인병증(α-synucleinopathy)과 흔히 연관된다. 이와 같은 이차적인 원인이나 동반된 신경학적 질환 없이 발생하는 경우를 특발성(idiopathic) 또는 단독(isolated) 렘수면행동장애라고 정의한다. 특발성 렘수면행동장애는 60세 이상의 남성에서 주로 발생하고 일반 성인에서 유병률이 0.5-1.0%의 드문 질환이다. 주목할 점은, 렘수면행동장애 진단 후 10년 이상 경과하면 70% 이상의 환자에서 파킨슨병을 비롯한 알파-시뉴클레인병증이 발생하기 때문에 향후 신경퇴행질환의 발생을 예측하는 가장 강력한 임상지표로서 의미가 크다. 렘수면행동장애 진단 당시부터 일부 환자들에서 운동기능저하, 후각기능장애, 경도인지장애, 자율신경이상 등의 신경퇴행질환과 관련된 임상징후가 관찰되며, 이들은 향후 파킨슨병이나 치매 발생의 위험인자로 작용한다.

(2) 반복단독수면마비
(recurrent isolated sleep paralysis)

반복단독수면마비는 잠에 들거나 깨어날 때 말을 하지 못하고 몸통과 팔다리의 자발적인 움직임이 불가능한 상태가 반복되는 질환이다. 호흡은 영향을 받지 않으며 의식은 명료하게 유지되고 삽화를 기억할 수 있다. 삽화는 수 초에서 수 분까지 지속되고 대개 저절로 회복되나, 외부 감각자극(예를 들어, 누군가가 만지거나 시계 알람 소리)에 의해서 중단될 수 있다. 처음 마비를 경험하는 경우에는 강렬한 불안감을 호소하는 경우가 흔하고, 삽화 중 환시나 환청도 동반될 수 있다. 반복단독수면마비는 렘수면과 각성 상태가 변환되는 시기에 발생하며, 알파파가 렘수면을 침범하거나 렘수면의 무긴장이 각성상태를 침범하는 상태해리가 병태생리로 이해되고 있다. 수면부족과 시차 또는 교대근무로 인한 불규칙한 수면각성은 렘수면과 각성 간의 상태해리를 악화시켜 반복단독수면마비의 유발요인으로 작용한다.

수면자세와 관련하여 앙와위 자세에서 증상이 더 흔하게 발생한다. 수면마비의 이차적인 원인으로 정신질환, 약물복용 및 다른 수면장애, 특히 기면병이 반드시 배제되어야 한다.

(3) 악몽장애(nightmare disorder)

악몽장애는 극도로 불쾌하고 기억에 남는 꿈이 반복되는 것이 특징이며, 이로 인해 지속되는 불쾌감이나 취침 불안, 수면에 대한 두려움, 집중력 저하 등 이차적인 고통이나 장애를 유발하는 경우로 정의한다. 악몽장애 삽화는 주로 렘수면에서 발생하고 생존에 대한 위협과 이를 회피하기 위한 노력과 관련된 내용이다. 발한이나 빈호흡 등의 신체증상과 공포, 분노, 슬픔 등의 감정이 악몽을 꾸는 도중과 악몽에서 깬 뒤에 나타날 수 있다. 베타차단제, 선택적세로토닌재흡수억제제 등의 약물복용이나 알코올금단이 악몽장애를 유발할 수 있으며, 렘수면행동장애, 기면병 등의 수면장애나 불안장애, 외상후스트레스질환(posttraumatic stress disorder) 등의 정신질환의 증상으로도 나타날 수 있다. 외상후악몽(posttraumatic nightmare)은 경험했던 외상과 관련된 내용 및 감정이 직접적으로 반영되는 반면, 특발악몽은 보다 상상의 이야기를 묘사하는 점에서 차이가 있다. 또한 외상후악몽은 특발악몽보다 수면 중 각성, 공격성 및 무력감이 더 심하게 나타난다. 야경증과의 감별은 악몽장애는 잠에서 깬 뒤 의식이 명료하고 꿈의 내용을 생생히 기억하는 반면, 야경증에서는 각성이 불완전하고 위로가 되지 않으며 삽화를 기억하지 못한다. 악몽장애는 수면 중 비정상적인 각성도 증가와 공포기억을 삭제하는 기능의 저하가 복합적으로 작용하여 발생한다고 알려져 있다. 동반된 폐쇄수면무호흡증은 수면 중 각성을 악화시켜 악몽장애의 유발 또는 악화인자로 작용한다.

3) 야간발작과 사건수면의 감별

사건수면이 의심되는 경우에 유사한 수면 중 이상행동 증상을 보이지만 병태생리와 경과가 다른 여러 질환들을 신중히 감별해야 하며 그 중 야간발작(nocturnal seizure)이 대표적이다. 야간발작은 사건수면과 매우 유사하게 발현할 수 있으며, 특히 주간발작의 병력이 없는 환자의 경우, 발작 후 의식소실이나 혼돈이 동반되지 않는 경우는 사건수면과 임상적인 구분이 더욱 어렵다. 야간발작으로 발현하는 뇌전증을 과거에는 야간전두엽뇌전증(nocturnal frontal lobe epilepsy)으로 불렸으나 현재는 수면관련과다운동뇌전증(sleep-related hyper-motor epilepsy, SHE)으로 명칭이 변경되었다. 이는 발작의 발생이 야간이 아니라 수면과 관련되고, 전두엽 외 영역에서도 발작이 기인할 수 있으며, 발작의 임상양상(semiology)이 주로 과다운동 패턴이기 때문이다. 수면관련과다운동뇌전증 환자의 상당수에서 두피에서 측정한 뇌파에서 발작사이 뇌전증모양방전(intercital epileptiform discharge)이나 발작방전(ictal discharge)이 관찰되지 않고 움직임 및 근전도 잡파로 인해 삽화 중 뇌파 결과가 판독 불가능한 경우가 흔하기 때문에 뇌파검사의 진단적 가치는 제한된다. 따라서 뇌파 결과가 정상이라도 수면관련과다운동뇌전증의 진단을 배제할 수 없다. 그럼에도 불구하고 수면관련과다운동뇌전증의 확진을 위해서는 야간수면다원검사를 통해 발작 삽화에 대한 비디오-뇌파 기록이 필요하며, 이를 위해 국제 10-20 전극 시스템에 따라 19개 이상의 전극을 포함하여 뇌파를 기록 및 판독해야 한다.

수면관련과다운동뇌전증에서 야간발작은 갑자기 시작되어 대개 2분 이내로 짧고 정형화된 움직임 패턴을 보인다. 야간발작은 주로 비렘수면 중에 발생하고 특히 N2에서 발생 빈도가 가장 높다. 가장 흔한 패턴은 과다운동발작으로 발을 차거나 구르고 몸통을 흔드는 움직임이다. 발성, 비대칭 강직(tonic) 또는 근긴장이상(dystonic) 발작, 머리/안구 편위가 동반될 수 있다. 반면, 사건수면에서는 근긴장이상과 같은 추체외로(extrapyramidal) 움직임은 잘 관찰되지 않는다. 수면관련과다운동뇌전증은 사건수면에 비해서 삽화의 빈도가 더 높고 하루 밤에도 여러 차례 반복되어 나타날 수 있다. 보다 중요한 감별점은 사건수면의 임상양상은 밤마다 다양

표 13-6-3. 수면관련과다운동뇌전증과 비렘관련사건수면의 비교

	수면관련과다운동뇌전증	비렘관련사건수면
발병 연령	13 ± 10세(유아부터 성인까지 다양)	10세 미만
수면 단계	다양(주로 N2)	수면 전반기(주로 N3)
임상 양상	격렬한 과다운동, 정형화된 패턴을 보임	복잡한 움직임, 일관되지 않고 변동 가능
발생 빈도	10-30회/월	1-5회/월
하룻밤 동안 빈도	하루 밤에 3 ± 3회 반복	하루 밤에 1회 발생
지속시간	10초-3분	30초-30분
발작기 뇌파	44%에서 정상, 8%에서 뇌전증모양방전	고진폭 서파
자율신경증상	흔함(빈맥, 빈호흡 등)	야경증에서 발생 가능

할 수 있지만, 뇌전증발작은 매우 기이한 움직임이더라도 항상 같은 형태로 일관된 증상을 보인다는 점이다(표 13-6-3).

2 평가척도

사건수면에 대한 평가는 삽화에 대한 자세한 병력청취에서 시작되며 삽화에 대한 전반적인 기술뿐 아니라 수면 중 발생하는 시점, 삽화에 대한 기억, 발병 연령, 가족력, 유발 또는 악화인자, 동반된 수면장애나 정신질환 등에 대한 평가가 필요하다. 신경학적 검진을 통해서 동반된 신경계질환이 있는지 평가해야 한다. 수면다원검사가 진단에 중요한 역할을 하지만 모든 사건수면의 진단에 수면다원검사가 반드시 필요하지는 않다. 렘수면행동장애의 진단에는 렘수면무긴장소실을 확인하기 위해 수면다원검사가 필수적이나, 그 외 사건수면에서 수면다원검사의 적응증은 폭력적이거나 해로운 행동과 관련된 경우, 수면 중 이상행동으로 가족들에게 피해를 입히는 경우, 주간과다수면이나 기타 기능장애를 유발하는 경우, 또는 다른 동반된 수면장애에 대한 감별이 필요한 경우이다. 하지만, 수면다원검사는 자원과 시간이 소모되는 검사이며, 경우에 따라 접근성이 제한될 수 있고, 많은 수의 환자를 스크리닝하기 위한 목적으로는 활용이 어렵다. 또한 수면 중 이상행동이 수면다원검사를 하는 하룻밤 동안 발현되지 않을 수 있고, 야간변동(night-to-night variability)으로 인해 하룻밤의 수면다원검사로 평소 수면상태 및 임상양상을 평가하기에 제한이 있다. 따라서 실제 임상에서 사건수면의 스크리닝 및 초기 추정진단을 위한 목적으로 간단하면서 구조화된 설문지가 유용하게 활용될 수 있다. 사건수면 중 렘수면행동장애에 대한 설문지가 많이 개발되어 이를 중점적으로 고찰하며 추가로 사건수면의 스크리닝을 포함하는 일반 수면 설문지와 기타 사건수면에 대한 설문지를 다룬다.

1) 사건수면을 포함하는 일반 수면 설문지

(1) Global Sleep Assessment Questionnaire

Global Sleep Assessment Questionnaire는 수면장애를 스크리닝하기 위한 목적으로 개발된 자가보고식 설문지로, 불면증, 주간과다수면, 폐쇄수면무호흡증, 하지불안증후군, 주기사지운동장애, 사건수면 등을 포함한 총 11개의 항목으로 구성된다. 각 항목별로 지난 4주 동안 증상을 얼마나 경험했는지를 전혀 "없다(0점)", "가끔 그렇다(1점)", "대개 그렇다(2점)", "항상 그렇다(3점)"의 선택지로 평가한다. Global Sleep Assessment Questionnaire는 간결하면서 포괄적인 평가가 장점으로

일차진료에서 수면장애의 스크리닝 도구로 사용하기에 적합하다. 하지만, 사건수면에 대한 질문은 "잠잘 때 악몽을 꾸거나, 소리를 지르거나, 걷거나, 주먹으로 치거나, 또는 발로 찬 적이 얼마나 자주 있습니까?" 한 개로 구성되며 렘수면행동장애의 증상에 초점을 맞추고 있어 비렘관련사건수면이나 악몽장애 등 다른 사건수면에 대한 평가에는 제한이 있다.

(2) SLEEP-50

SLEEP-50 설문지는 주관적인 수면증상에 대한 자가보고 설문지로 이름에서 알 수 있듯이 총 50개 항목으로 구성되며 각 항목은 지난 4주 동안의 증상에 대해서 4점 척도로 평가한다. 설문지는 폐쇄수면무호흡증, 불면증, 기면병, 하지불안증후군/주기사지운동장애, 하루주기리듬수면각성장애, 몽유병, 악몽장애의 7개 수면질환에 대한 평가와 수면위생, 일상기능에 대한 평가를 포함한다. 사건수면 중 몽유병에 대한 3개 항목은 다음과 같다: 1) 때때로 자는 중에 걸어 다닌다; 2) 잠들기 시작한 곳과 다른 장소에서 때때로 깬다; 3) 나는 밤중에 내가 한 행동의 증거를 발견하는데 이를 기억하지 못한다. 악몽장애는 5개 항목으로 구성되며 다음과 같다; 1) 깜짝 놀라는 꿈을 꾼다; 2) 이러한 꿈 때문에 깬다; 3) 꿈의 내용을 기억한다; 4) 이런 꿈 이후 즉각적으로 정신을 차릴 수 있다; 5) 이런 꿈을 꾸는 중이나 후에 신체적인 증상들이 있다(움직임, 발한, 심계항진, 호흡곤란 등). 만일 첫 번째 질문에서 깜짝 놀라는 꿈을 꾸지 않는다면, 이후 4개 질문은 생략한다. 3번째와 4번째 질문은 악몽장애(꿈을 생생히 기억하고 완전 각성)와 야경증(기억 상실 및 불완전 각성)의 감별에 활용 가능하다.

2) 렘수면행동장애 설문지

(1) REM sleep behavior disorder screening questionnaire

REM sleep behavior disorder screening questionnaire는 렘수면행동장애의 스크리닝을 위한 설문으로 개발되었고 총 10개의 항목으로 구성된다. 자가보고식 설문이나 진단 정확도를 높이기 위해서 배우자 또는 같이 자는 사람이 입력에 참여할 것을 권장한다. 1~4번 항목은 꿈 및 그와 관련된 수면 중 이상행동, 5번 항목은 신체 손상에 대한 질문이다. 6번 항목은 수면 중 움직임에 대한 4개 질문으로 구성되며 발성, 갑작스런 사지 움직임, 복합적인 행동, 잠자리 주변 물건들을 떨어뜨리는지를 평가한다. 7~8번 항목은 수면 중 각성, 9번 항목은 수면 방해, 10번 항목은 동반된 신경과적 질환에 대한 질문이다. 각 질문은 증상 유무에 따라서 "예" 또는 "아니오"로 응답하며, 총점은 0점에서 13점까지 가능하다. 총점 5점을 컷오프로 했을 때 렘수면행동장애의 진단에 민감도 96%, 특이도 56%로 보였다. 민감도가 높아 스크리닝 도구로 유용하지만, 특이도가 낮기 때문에 위양성을 배제하기 위한 임상평가 및 수면다원검사와 같은 추가적인 진단 절차가 필요하다. 한글판 설문지에 대한 타당도 연구가 수행됐고 정상 대조군과 비교해서 특발성 렘수면행동장애 환자를 구분하는 최적의 컷오프는 4.5점으로 보고됐고 민감도 89.4%, 특이도 98.3%를 보였다.

(2) REM sleep behavior disorder questionnaire

REM sleep behavior disorder questionnaire는 렘수면행동장애의 임상양상과 관련된 13개의 항목으로 구성되며, 각 항목에 대해서 평생 발생 여부와 최근 1년 빈도를 모두 조사한다. 평생 발생 여부는 "예(1점)" 또는 "아니오(0점)"로 응답하고, 최근 1년 빈도는 5점 척도[없음(0점), 1년에 한 두 번(1점), 1달에 한 두 번(2점), 1주일에 한 두 번(3점), 1주일에 3회 이상(4점)]으로 응답한다. 13개 항목은 2개 요인으로 구분되며 요인 1 (1번~5번과 13번 항목)은 꿈과 관련된 증상, 요인 2 (6번~12번 항목)는 수면 중 행동증상과 관련된 질문들로 구분된다. REM sleep behavior disorder questionnaire 점수는 평생 발생과 최근 1년 빈도 점수를 모두 더하여 구하는데, 요인 2에 해당하는 7개 항목은 임상적 중요성을 고려하여 2배 가중치를 더하여 계산하고 총점의 범위는 0점부터 100점까지이다. 렘수면행동장애 환자와 대조군을 구분하는 최적의 컷오프 점수는 18/19점으로 민감노 82.2%, 특이도 86.9%를 보였다. REM sleep behavior disorder questionnaire는 최근 1년의 증상 빈도를 평가하기 때문에 렘수면행동장애의 진단뿐 아니라 치료 반응에 대한 평가가 가능하다. 일본에서 시행한 타당도 연구에서 1년간 치료 후 점수 변화를 비교한 결과 REM sleep behavior disorder questionnaire의 총점과 최근 1년 빈도 점수 모두 유의하게 감소했다. 또한 총점의 변화는 clinical global impression improvement (CGI-I) 점수와 유의한 상관관계 보여 REM sleep behavior disorder questionnaire가 렘수면행동장애 증상의 모니터링에도 활용 가능함을 뒷받침한다. 한글판 설문지 (RBDQ-KR)에 대한 타당도와 신뢰도는 2017년에 검증됐고 최적 컷오프 점수는 18/19점으로 민감도 93.3%, 특이도 89.5%를 보였다. 한글판 설문지에서는 요인분석 결과 4번 항목(폭력적이거나 공격적인 내용의 꿈)이 요인 2로 구분되었다. 추가로, 보다 단기간의 치료효과를 추적평가하기 위해 REM sleep behavior disorder questionnaire를 수정한 RBDQ-3M이 있다. 평가 항목은 동일하지만 최근 3개월의 증상 빈도를 대상으로 4점 척도[없음(0점), 한 달에 한 번 미만(1점), 한 달에 한두 번(2점), 1주일에 한 번 이상(3점)]로 평가한다. RBDQ-3M의 총점은 0점에서 60점까지이다.

(3) REM Sleep Behavior Disorder Single-Question Screen

REM Sleep Behavior Disorder Single-Question Screen는 렘수면행동장애를 선별하기 위한 간단한 설문으로 개발되었다. "당신은 잠자는 동안 꿈을 재현하는 행동을 한다고 듣거나 스스로 의심한 적이 있습니까 (예: 주먹질, 팔을 허공에 휘두르거나 뛰기 등)?"라는 1개의 질문에 대해서 "예" 또는 "아니오"로 응답한다. 242명의 렘수면행동장애 환자와 242명의 대조군을 대상으로 타당도 검증을 위한 국제 다기관 연구 결과 민감도

93.8%, 타당도 87.2%를 보였다. 질문 1개의 단순한 구성임에도 진단 성능이 양호한 점을 고려하면 대규모 역학 연구에서 추정 렘수면행동장애(probable RBD)를 선별하는 도구로 적합하다.

3) 기타 사건수면 설문지

(1) Munich Parasomnia Screening

Munich Parasomnia Screening은 성인에서 사건수면과 수면관련리듬운동장애를 평가하기 위한 설문지로 총 21개 항목을 포함한다. 각 항목의 답변은 7가지 선택지[전혀 없다(0점), 과거에 있었으나 현재는 없다(1점), 1년에 한 번 미만(2점), 1년에 한 번 이상(3점), 1달에 한 번 이상(4점), 1주일에 한 번 이상(5점), 거의 매일 밤(6점)]로 구성되며 이를 통해 평생 유병률과 현재 발생 빈도를 평가한다. 악몽장애, 수면움찔(hypnic jerks), 수면관련다리근육경련(sleep-related leg cramps), 수면이갈이(bruxism), 잠꼬대 등의 흔한 질환부터 수면관련섭식장애, 반복단독수면마비, 수면관련리듬운동장애, 렘수면행동장애 등 드문 질환까지 사건수면과 수면관련리듬운동장애에 대한 포괄적인 평가가 가능한 것이 Munich Parasomnia Screening의 장점이다. 타당도 연구에서 민감도 75%-100%, 특이도 86%-100% 수준으로 만족할 만한 결과를 보여 수면 중 이상행동으로 내원한 환자에서 스크리닝 목적으로 활용 가능한 도구이다.

(2) Paris Arousal Disorders Severity Scale

Paris Arousal Disorder Severity Scale은 각성장애의 진단 및 중증도를 평가하기 위한 목적으로 개발된 설문지이다. 지난 1년동안 경험한 수면 중 이상행동을 조사하며 수면 중 행동증상(파트A), 삽화 빈도(파트B), 사건수면이 미치는 영향(파트C)의 세 파트로 구성된다. 수면 중 행동증상은 각성장애 증상과 관련된 총 17개 항목으로 소리를 지른다, 잠자리에서 일어나 앉는다, 침실 밖으로 나간다, 가벼운 물건을 다루거나 옮긴다 등이 있다. 그리고 비렘관련사건수면 중 수면관련섭식장애(음

식이나 음료를 준비하거나 먹는다)와 sexsomnia(본의 아니게 성행위를 한다)에 대한 항목이 포함된다. 각 항목에 대해서 지난 1년동안 경험한 적이 있는지에 따라서 전혀(0점), 가끔(1점), 자주(2점) 중 하나를 선택하여 응답한다. 삽화 빈도는 7점 척도[매일 두 번 이상(6점), 매일(5점), 주 1회 이상(4점), 월 1회 이상(3점), 연 1회 이상(2점), 1년에 한번 미만(1점), 전혀 없음(0점)]로 응답한다. 사건수면이 미치는 영향은 수면방해, 신체손상, 피로, 정신장애 등 5개 항목에 대해서 전혀(0점), 가끔(1점), 자주(2점) 중 하나를 선택한다. Paris Arousal Disorder Severity Scale 총점은 0점부터 50점까지다. 각 성장애 중 몽유병과 야경증 환자를 대상으로 수행한 타당도 연구 결과 총점 컷오프 13/14점에서 민감도 83.6%, 특이도 87.8%의 성능을 보였다. 렘수면행동장애 환자군과의 구분에서도 민감도 83.6%, 특이도 89.5%의 결과를 보였다. 각성장애를 포함한 비렘관련사건수면 환자의 스크리닝 및 중증도의 추적 관찰에 사용 가능하다.

(3) Disturbing Dreams and Nightmare Severity Index

Disturbing Dreams and Nightmare Severity Index 는 악몽의 빈도와 그로 인한 고통을 평가하는 자가보고식 설문지이다. 총 5개 항목으로 구성되어 1주일 동안 악몽을 꾼 날의 수(0–7일)와 1주일 동안 꾼 악몽의 횟수(0–14회)로 악몽의 빈도를 평가하고, 악몽으로 인한 각성[전혀 없음(0점)–항상(4점)], 악몽 문제의 심각도[문제 없음(0점)–매우 심함(6점)], 악몽의 강도[없음(0점)–매우 심함(6점)]의 세 항목으로 악몽의 고통을 평가한다. 총점은 0점부터 37점까지 분포하고 10점을 초과하는 경우 만성악몽장애를 시사한다. 한글판 설문지에 대한 타당도와 신뢰도가 검증되었다.

사건수면은 각성–수면 상태의 해리로 인해 발생하는 수면장애이며 다양한 임상증상과 병태생리를 갖는 이질적인 수면장애들로 구성된 증후군이다. 사건수면은 드문 질환이지만 본인과 수면동반자에게 수면 중 신체손상의 위험을 가할 수 있어 주의가 필요하다. 또한 대개 양성 질환이지만 일부에서 다른 신경학적 질환이나 수면장애와 연관될 수 있기 때문에 사건수면의 정확한 진단이 임상적으로 중요하다. 사건수면의 삽화뿐 아니라 관련된 인자들에 대한 자세한 병력청취가 필수적이며 일부 사건수면에서 설문지가 스크리닝 및 중증도 평가에 효과적으로 활용될 수 있다. 사건수면의 병태생리를 이해하고 진단 효율을 개선하기 위해 앞으로 더 많은 연구가 필요하다.

▶ 참고문헌

- American Academy of Sleep Medicine. International classification of sleep disorders. 3rd ed. American Academy of Sleep Medicine; 2014.
- Arnulf I, Zhang B, Uguccioni G, et al. A scale for assessing the severity of arousal disorders. Sleep 2014;37:127–36.
- Derry CP, Harvey AS, Walker MC, et al. NREM arousal parasomnias and their distinction from nocturnal frontal lobe epilepsy: a video EEG analysis. Sleep 2009;32:1637–44.
- Espa F, Dauvilliers Y, Ondze B, et al. Arousal reactions in sleepwalking and night terrors in adults: the role of respiratory events. Sleep 2002;25:871–5.
- Fulda S, Hornyak M, Müller K, et al. Development and validation of the Munich Parasomnia Screening (MUPS). Somnologie 2008;12:56–65.
- Howell MJ, Schenck CH, Crow SJ. A review of nighttime eating disorders. Sleep Med Rev 2009;13:23–34.
- Krakow BJ, Melendrez DC, Johnston LG, et al. Sleep Dynamic Therapy for Cerro Grande Fire evacuees with posttraumatic stress symptoms: a preliminary report. J Clin Psychiatry 2002;63:673–84.
- Lee R, Krakow B, Suh S. Psychometric properties of the Disturbing Dream and Nightmare Severity Index–Korean version. J Clin Sleep Med 2021;17:471–7.
- Lee SA, Paek JH, Han SH, et al. The utility of a Korean version of the REM sleep behavior disorder screening questionnaire in patients with obstructive sleep apnea. J Neurol Sci 2015;358:328–32.
- Li SX, Lam SP, Zhang J, et al. A prospective, naturalistic follow-up study of treatment outcomes with clonazepam in rapid eye movement sleep behavior disorder. Sleep Med 2016;21:114–20.

- Li SX, Wing YK, Lam SP, et al. Validation of a new REM sleep behavior disorder questionnaire (RBDQ-HK). Sleep Med 2010;11:43-8.
- Postuma RB, Arnulf I, Hogl B, et al. A single-question screen for rapid eye movement sleep behavior disorder: a multicenter validation study. Mov Disord 2012;27:913-6.
- Postuma RB, Iranzo A, Hu M, et al. Risk and predictors of dementia and parkinsonism in idiopathic REM sleep behaviour disorder: a multicentre study. Brain 2019;142:744-59.
- Provini F, Plazzi G, Tinuper P, et al. Nocturnal frontal lobe epilepsy: a clinical and polygraphic overview of 100 consecutive cases. Brain 1999;122:1017-31.
- Roth T, Zammit G, Kushida C, et al. A new questionnaire to detect sleep disorders. Sleep Med 2002;3:99-108.
- Schenck CH, Bundlie SR, Ettinger MG, et al. Chronic behavioral disorders of human REM sleep: a new category of parasomnia. Sleep 1986;9:293-308.
- Spoormaker VI, Verbeek I, van den Bout J, et al. Initial validation of the SLEEP-50 questionnaire. Behav Sleep Med 2005;3:227-46.
- Stiasny-Kolster K, Mayer G, Schafer S, et al. The REM sleep behavior disorder screening questionnaire--a new diagnostic instrument. Mov Disord 2007;22:2386-93.
- Takeuchi T, Miyasita A, Sasaki Y, et al. Isolated sleep paralysis elicited by sleep interruption. Sleep 1992;15:217-25.
- Terzaghi M, Sartori I, Tassi L, et al. Evidence of dissociated arousal states during NREM parasomnia from an intracerebral neurophysiological study. Sleep 2009;32:409-12.
- Tinuper P, Bisulli F, Cross JH, et al. Definition and diagnostic criteria of sleep-related hypermotor epilepsy. Neurology 2016;86:1834-42.
- Winkelman JW. Clinical and polysomnographic features of sleeprelated eating disorder. J Clin Psychiatry 1998;59:14-9.
- You S, Moon HJ, Do SY, et al. The REM Sleep Behavior Disorder Screening Questionnaire: Validation Study of the Korean Version (RBDQ-KR). J C lin Sleep Med 2017;13:1429-33.

07 정신심리학적 평가

이정석

수면문제와 정신장애 사이에는 밀접한 관계가 있다. 특히 불면증은 기분장애를 가진 환자에게 아주 흔한 증상이고, 주요우울장애 환자의 90%에서 불면증을 가지고 있다고 한다. 아침 일찍 깨고 다시 잠들지 못하는 현상은 우울증의 특징적인 증상 중 하나이다. 불안장애를 가진 환자들은 흔히 잠들기가 어렵고, 잠이 들어도 여러 번 깨고 수면유지가 안 되는 경향이 있는데, 이러한 문제들은 종종 불안, 걱정, 반추 등의 증상에서 기인한다.

정신과 환자 집단에서 수면장애의 유병률이 매우 높다는 사실은 잘 알려져 있는데, 수면문제는 정신장애를 가진 환자에게 흔할 뿐만 아니라, 종종 정신과적 증상들을 악화시키기도 한다. 그러나 정신장애와 수면장애 사이의 인관관계가 명확히 입증되지는 않았다.

스트레스-취약성 대처 모델(stress-vulnerability coping model)은 정신 질환에 취약한 사람들에게 수면 방해가 위험요인이 될 수 있다고 가정한다. 어떤 사람들은 생물학적으로 어떤 정신장애에 취약할 수 있고, 스트레스 사건이 그 과정을 촉진할 수 있는데, 수면부족이나 수면 질 저하가 신경생리학적, 신경 내분비적, 그리고 행동적인 위험인자로 작용할 수 있다. 한편 수면시간의 증가, 수면 질의 개선은 정신장애 치료에 도움이 된다. 그러나 일부 정신장애(예: 우울증)에서는 정신 상태가 개선된다고 반드시 수면 구조가 정상화되는 것은 아니다.

정신장애에서의 수면문제는 불면증에 초점이 맞춰져 있고, 오랫동안 불면증은 정신장애의 "증상"으로 인식되어 왔다. 수면문제, 특히 불면증을 호소하면서 동시에 우울이나 불안 증상이 있다면, 정신장애에 대한 평가를 해야 한다. 정신장애 진단은 자세한 병력청취, 임상증상들로 하지만, 임상에서 쉽게 평가할 수 있는 자가척도들이 있다. 여기에 각 질환의 임상양상과 자가평가척도를 알아보고자 한다.

1 주요우울장애에서의 불면증

1) 임상양상

주요우울장애는 평소의 정상적인 기분과 비교하여, 최소 2주 이상 기분이 우울해 있거나 흥미나 즐거움의 상실을 보일 때 진단된다. 우울한 기분이나 흥미 또는 즐거움의 상실이 거의 매일, 하루 종일 나타나야 하고, 진단을 위해서는 동일한 2주 기간 동안 다음 중 최소 4가지 이상이 추가로 존재해야 한다:

- 체중 조절을 하고 있는 않는 상태에서 의미 있는 체중의 감소(예, 1개월 동안 5% 이상의 체중 변화)나 체중의 증가
- 거의 매일 나타나는 불면이나 주간과다수면
- 거의 매일 나타나는 정신운동 초조나 지연(객관적으로 관찰 가능함)
- 거의 매일 나타나는 피로나 활력의 상실
- 거의 매일 무가치감 또는 과도하거나 부적절한 죄책감(망상적일 수도 있는)을 느낌
- 거의 매일 나타나는 사고력이나 집중력의 감소 또는 우유부단함
- 반복적인 죽음에 대한 생각(단지 죽음에 대한 두려움이 아닌), 구체적인 계획 없이 반복되는 자살 사고, 또는 자살 시도나 자살 수행에 대한 구체적인 계획

진단 기준을 만족하기 위해서는, 위에 열거된 증상들이 사회적, 직업적 또는 다른 중요한 기능 영역에서 임상적으로 현저한 고통이나 손상을 초래해야 한다.

수면 문제는 우울증의 가장 흔한 증상이면서, 초기 증상 중 하나이다. 흔한 수면증상은 수면개시 및 수면유지불면증, 이른 아침 기상(early morning awakening) 그리고 회복되지 않는 수면(nonrestorative sleep)이며, 수면 증가(주간과다수면)나 불안한 꿈이 동반될 수도 있다.

불면증을 가진 사람의 약 15-20%와 주간과다수면을 가진 사람의 10%에서 주요우울장애를 동반한다. 수면 문제가 없는 사람의 MDD 발생률은 1% 미만이고 불면이나 과수면이 더 심할수록, 우울장애 증상이 더 심한 경향이 있다.

불면증은, 우울증이 불면을 유발한다는 일반적인 개념과는 달리, 주요우울장애의 첫 삽화가 시작되기 전에 발생하기도 한다. 특히 노인에서는 불면이 주요우울장애 삽화보다 먼저 시작되는 경향이 있다. 환자가 이전에 주요우울장애, 양극성장애 등의 기분장애를 앓은 적이 있는 경우 불면증의 발생은 재발의 전조일 가능성이 높다.

2) 우울척도

자기평가형 척도(self-rating scale)는 환자가 직접 작성하는 것으로 비교적 짧은 시간에 적용이 가능하여 우울증상의 선별이나 증상의 평가에 일차적으로 사용되고 있다. 국내에서 사용 중인 우울증 척도들로는 Beck Depression Inventory, 융 우울척도(Zung self-rated depression scale, 이하 SDS), 역학용 우울척도(Center for epidemiologic studies depression scale, 이하 CES-D) 등이 대표적이며, 모두 한국어판으로 표준화되어 사용되고 있다. 자기평가형 척도들은 현재 정신과 영역에서의 우울증평가뿐 아니라 일차의료에서의 선별검사, 일반 인구를 대상으로 하는 선별검사, 우울증 역학조사 등에 광범위하게 사용되고 있으며 주관적 평가를 토대로 하는 검사 도구들이지만 상당한 정도의 진단적 민감도를 가지고 있어 적절하게 활용한다면 임상적으로 아주 유용한 검사도구가 될 수 있다.

(1) Beck Depression Inventory

자기 평가형 설문지 중 가장 널리 사용되고 있는 Beck Depression Inventory는 1961년에 Beck 등에 의해 최초로 개발되었으며 13세 이상의 청소년과 성인을 대상으로 우울증상의 심각도(severity)를 평가하는 데 사용되고 있다. 주로 선별용으로 사용되고 있고 점수만으로는 우울증을 진단할 수 없다. Beck Depression Inventory는 우울증의 인지적, 정서적, 동기적, 신체적 증상 영역을 포함하는 21문항으로 구성되어 있고 많은 연구들을 통해 신뢰도와 타당성이 확인되었으며 한국에서도 변역 및 표준화되어 사용되고 있다. 한국에서는 1986년 한홍무 등에 의해 한국판 Beck Depression Inventory가 처음 개발되었으며, 이후에도 이영호와 송종용, 이민규 등에 의해 한 국어로 번역되어 만족할 만한 내적 일관성과 평가자간 타당도, 다른 우울증 평가 척도들과 중등도 이상의 상관관계를 보였다.

Beck Depression Inventory는 최근 1-2주일 간의 기

분증상을 평가하고 각각의 문항은 0-3점의 4점 척도로 되어 있으며, 결과는 0-63점까지 분포되어 있다. 점수의 증가는 우울 증상의 심각성을 나타낸다. 이용호 등이 표준화한 한국판 Beck Depression Inventory의 경우 0-9이 '정상', 10-15는 '가벼운 우울(mild depression)', 16-23은 '중등도의 우울(moderate depression)', 24-63은 '심한 우울(severe depression)'을 의미한다. 이 연구에서는 우울환자 집단(39명)의 평균점수는 23.46점(표준편차 8.43), 일반인 집단(51명)의 평균점수는 8.43(표준편차 5.39)였으며 우울집단 선별을 위한 절단점으로는 16점을 제시하였다.

2 범불안장애에서의 불면증

1) 임상양상

범불안장애는 통제하기 어려운 과도한 불안과 걱정이 특징이며 사회적, 직업적 또는 다른 중요한 기능영역에서 임상적으로 심각한 수준의 고통이나 기능저하를 일으킨다. 진단을 위해서는 증상이 6개월 이상 지속되어야 하고 다음 6개 증상 중 3개 이상이 있어야 한다

- 안절부절못하거나 낭떠러지 끝에 서 있는 느낌
- 쉽게 피곤해짐
- 집중하기 힘들거나 머릿속이 하얗게 되는 것
- 과민성
- 근육의 긴장
- 수면 교란(잠들기 어렵거나 유지가 어렵거나 밤새 뒤척이면서 불만족스러운 수면 상태)

불면증과 범불안장애는 흔하게 동반하는 질환이며, 수면증상은 범불안장애 진단을 위한 핵심 6가지 증상 중의 하나이다. GAD가 있는 사람은 취침 시간이 가까워짐에 따라 걱정이 증가하는 경향이 있다. 대조적으로 일차 불면증을 가진 환자들은 숙면을 취하는 것에 대해 걱정하는 반면, 범불안장애를 가진 환자들의 걱정은 낮 동안에 있었던 일들에 초점이 맞춰져 있다.

2) 불안척도

(1) State-Trait Anxiety Inventory

불안을 평가하는 평가도구들 중 자기보고식 검사로는 State-Trait Anxiety Inventory, Beck Anxiety Inventory, Zung's self-reating Anxiety scale, Hospital Anxiety-Depression Scale 등이 대표적이다. 이 중 Spielberger 등이 개발한 State-Trait Anxiety Inventory는 현재까지 불안의 정도를 측정하기 위해 가장 널리 사용되는 자기보고형 검사이다. 이 검사에서 불안은 상태형(state form)과 특성형(trait form)으로 나누어져 있는데, 특성불안은 "과거와 현재, 그리고 미래의 불안 경향성으로 비교적 안정된 개인적 차이"를 의미하고 심리적 긴장에 영향을 받지 않는 특성이 있다. 반면 상태불안은 "긴장과 불안에 대한 주관적이고 의식적으로 지각된, 인간의 일시적인 감정상태로 강도가 다양하고 시간의 경과에 따라 변화하는 주관적이며 의식적인 불안상태"를 의미하며, 자율신경계의 활동을 고조시키며 긴장과 염려의 느낌을 지속적으로 지각하게 하는 것이다.

State-Trait Anxiety Inventory는 총 40문항으로 사람들이 "일반적으로" 어떻게 느끼는가(특성 불안)를 묻는 20개 문항과 사람들이 "현재" 어떻게 느끼는가(상태 불안)를 묻는 20개 문항으로 구성되어 있다. 각 문항은 1-4점으로 평가되는데, 각 문항마다 '그렇지 않다'는 1점, '가끔 그렇다'는 2점, '자주 그렇다'는 3점, '거의 언제나 그렇다'는 4점으로 채점하고, 문항의 성격에 따라 반대로 채점하는 문항도 있다. 개인이 얻을 수 있는 점수의 범위는 상태불안 및 특성불안 안에서 각각 20-80점까지이며, 점수가 높을수록 불안 수준이 높은 것을 의미한다.

특성 불안 척도는 임상 실제에 있어서 신경증적 불안 문제를 겪고 있는 사람들을 대상으로 환자집단과 정상집단을 구분하기 위한 도구로 사용될 수 있고 상태 불안 척도는 상담, 심리치료, 그리고 행동 치료 등에서 환자나 내담자가 경험하는 일시적인 불안을 민감하게 포착해낼 수 있으며 스트레스, 불안 그리고 학습 등에 관

한 실험 연구에서 상태 불안의 변화를 특정하기 위하여 사용되고 있다.

▶ 참고문헌

- 권준수. DSM-5 정신질환의 진단 및 통계 편람. 제5판. 학지사; 2013.
- 한덕웅, 이창호, 탁진국. Spielberger 상태-특성 불안 검사의 표준화. 학생지도연구 1993;10:214-22.
- Avidan A. Review of sleep medicine, 4th ed. Philadelphia: Elsevier; 2018. pp. 322-6.
- Lee JH, Shin CM, Ko YH, et al. The reliability and validity studies of the Korean version of the perceived stress scale. Korean J Psychosom Med 2012;20:127-34.
- Lee KS, Bae HL, Kim DH. Factor analysis of the Korean version of the state-trait anxiety inventory in patients with anxiety disorders. Anxiety and Mood 2008;4:104-10.
- Lee YH, Song JY. A study of the reliability and the validity of the BDI, SDS, and MMPI-D scales. Korean J Clin Psychol 1991;10:98-113.
- Yu BK, Lee HK, Lee KS. Inventory second edition (BDI-II): in a university student sample. Korean J Biol Psychiatry 2011;18:126-33.

01 수면다원검사

신원철

수면다원검사(polysomnography, PSG)는 수면 중 나타나는 전기생리변화를 기록하여 수면의 구조와 수면의 질, 신체의 변화를 측정해서 수면의 단계와 각성을 결정하고, 수면무호흡(sleep apnea), 주간과다수면(excessive daytime sleepiness), 불면증, 주기사지운동장애(periodic limb movement disorder, PLMD), 수면 중 이상행동 같은 여러 수면장애를 진단하는 표준화된 검사도구이다.

수면다원검사는 수면 중 뇌파(electroencephalography, EEG), 안전위도(electro-ocluography, EOG), 하악근전도(chin electromyogram, chin EMG), 다리 근전도(leg electromyogram, leg EMG), 심전도(electrocardiogram, ECG), 코골이(snoring), 코와 입의 공기흐름(nasal and oral airflow), 호흡노력(respiratory effort based on chest and abdomen excursion), 혈중산소포화농도, 체위 같은 여러 가지 생체신호를 기록하게 된다.

수면관련호흡장애(폐쇄수면무호흡증, 중추수면무호흡증, 상기도저항증후군, 수면관련환기증후군 등)의 진단과 심각도 평가, 양압기 압력처방검사 시행과 추적 평가, 수술 전 코골이와 폐쇄수면무호흡증 평가, 폐쇄수면무호흡증 환자에게 구강내장치, 수술적 치료 후 평가, 수축기나 이완기 신부전이 있으면서 수면관련호흡장애

가 있는 환자 평가, 만성심부전 치료를 적절히 하여도 수면관련증상이 동반되는 환자에 대한 평가, 수면관련 증상이 동반된 신경근육질환 환자에 대한 평가, 주간과 다수면(기면병, 특발과다수면 등) 진단과 심각도 평가 및 추적 평가, 수면 중 이상행동(렘수면행동장애, 몽유병, 야경증, 악몽, 리듬성운동장애, 이갈이, 기타 사건수면이나 야간뇌전발작 등)의 진단과 추적 평가, 주기사지운동증 및 하지불안증후군의 진단 및 추적 평가, 치료가 잘 되지 않는 만성불면증의 수면장애를 찾기 위해서 시행한다.

1 검사의 종류

수면다원검사는 밤에 검사를 하는 야간수면다원검사(overnight PSG), 지속기도양압력측정수면다원검사(CPAP titration PSG), 주간과다수면을 측정하기 위해 낮에 검사하는 수면잠복기반복검사(multiple sleep latency test, MSLT)와 각성유지검사(wakefulness maintenance test, MWT), 그리고 하루주기 변화를 확인하는 활동기록기(actigraphy)로 구분할 수 있다.

수면다원검사는 부착하는 센서와 수면기사의 여부에

따라 4가지로 구분할 수 있다. 수면검사실에서 표준화된 뇌파, 근전도, 안전위도 검사, 심전도, 호흡량측정기, 가슴운동과 복부운동측정기, 산소포화도의 수면다원검사에서 부착하는 모든 센서를 부착하면서 수면기사가 환자의 상태를 지속적으로 관찰하고 처치하면서 진행하는 level I 검사, 수면검사실에서 모든 수면다원검사의 센서를 부착하고 검사하지만 수면기사 없이 진행하는 level II 검사, 호흡 관련 센서와 심전도, 그리고 산소포화도를 포함하여 최소 4가지 센서를 부착하고 수면기사 없이 하는 level III 검사, 여러 가지 신체에 부착하는 센서 중 1가지 이상 부착하고 수면기사 없이 진행하는 level IV 검사로 분류 할 수 있다. 최근에는 폐쇄수면무호흡증의 진단을 목적으로 level III, level IV 검사를 집에서 검사하는 가정수면검사(home sleep test, HST)를 이용하고 있다.

2 신체신호 기록

수면다원사는 수면의 단계와 수면 중에 나타나는 생리적인 변화를 기록하기 위해서 여러 신체신호를 동시에 기록할 수 있는 센서를 부착하고 검사한다. 수면단계를 알기 위해 뇌파, 안전, 턱근전도를, 수면 중 심폐기능의 생리적인 변화를 기록하기 위해 심전도, 코골이센서, 호흡량측정기, 혈액의 산소측정센서, 그리고 수면 중 움직임을 기록하기 위해서는 다리 근전도, 체위센서(position sensor)를 부착하며, 피검자의 움직임을 알기 위해 적외선카메라를 이용한 비디오감시를 같이 하게 된다.

1) 뇌파

뇌파는 수면단계분석을 위한 기본적인 구성 요소로, 보통 3–6개의 전극(F3, F4, C3, C4, O1, O2)을 부착하여 수면단계를 판정한다.

2) 안전위도 검사

안전위도 검사는 잠들기 직전 또는 얕은 비렘수면기 때 나타나는 느린눈운동(slow eye movement)과 렘수면 동안의 급속눈운동(rapid eye movement, REM)을 관찰하기 위해서 필요하다. 안구운동의 기록은 우측 안구의 바깥쪽 눈가에서 1 cm 위에 전극을 위치시키고(E2), 좌측 안구 바깥쪽 눈가에서 1 cm 아래에 또 하나의 전극(E1)을 부착함으로써 사방으로 움직이는 눈의 움직임을 기록한다.

3) 턱근전도

수면 중 일어나는 근긴장을 측정하기 위해서 필요하며 일반적으로 턱(하악)의 중앙 아래 끝 부위에서 상방 1 cm 부위, 턱 중앙 아래 끝 부위에서 하방으로 2 cm의 좌우 2 cm 부위에 전극을 부착한다.

4) 심전도

수면검사에서는 심전도 전극II (lead II)를 사용한다. 전극은 우측 쇄골(clavicle)의 바로 아랫부분 늑간부위(intercostal area)와 좌측 4–5번째 좌측 늑골 부위에 부착한다.

5) 하지근전도

하지근전도 센서를 엄지발가락과 발목의 발등굽힘(dorsiflexion)을 일으키는 근육인 양쪽 전경골근(tibialis anterior muscle)에 붙여 수면 중 다리의 움직임을 기록한다.

6) 호흡 측정

열기류감지기(thermistor)와 코압력변환기(nasal pressure transducer)를 통해 호흡 변화를 측정한다. 열기류감지기는 환자의 호흡에 따른 공기의 온도의 변화를 파형으로 나타내며, 코 아래에 붙여서 뾰족한 두 센서를 콧구멍 바로 아래에 위치시켜 무호흡(apnea) 등의 호흡 변화를 기록한다. 코압력변환기(nasal pressure transducer)는 호흡에 따라 코 속에 흐르는 공기의 압력을 측정하는 센서를 콧구멍 속으로 위치시켜 저호흡(hypopnea)과 공기흐름저항(airflow resistance)을 기록한다.

7) 가슴운동과 복부운동측정

가슴운동측정기(흉부밴드)는 유두를 연결하는 선 위에 위치하도록 하며, 복부운동측정기(복부밴드)는 배꼽을 지나는 선 위에 위치하도록 한다.

8) 코골이센서

코골이센서는 코골이와 상기도의 진동을 측정한다. 환자에게 발성이나 거친 숨을 쉬도록 했을 때 진동이 가장 잘 느껴지는 곳에 부착하게 되는데, 대개 성대가운데 부분에 붙이지만 부착의 편이를 위하여 성대좌측 혹은 우측에 붙일 수도 있다.

9) 혈중산소포화도감시

산소측정기(oximetry)를 이용하여 혈중산소포화도(oxygen saturation)를 측정한다.

10) 수면 중 체위감시

체위센서는 직류 장비로 검사 중 피검자의 체위를 측정한다. 가슴운동측정기에 붙이며 환자의 체위를 바로 누운자세(supine position), 옆(좌, 우)누운자세(lateral decubitus), 엎드린자세(prone position), 선자세로 표시한다.

11) 비디오감시

적외선 카메라를 이용하여 소등 상태에서 수면 중에 피검자의 모습 뿐만 아니라 발생하는 사건들[(수면 무호흡(sleep apnea), 주기사지운동장애와 같은 수면관련리듬운동장애, 렘수면행동장애(REM sleep behavior disorder, RBD), 몽유병(sleep walking), 잠꼬대(sleep talking)]과 같은 사건수면 및 야간 뇌전발작 등을 녹화한다.

12) 호흡노력

식도압력측정검사(esophageal pressure monitoring)는 압력센서가 달린 얇은 튜브를 코를 통해서 식도에 삽입하여 수면 중 호흡노력(respiratory effort) 시 발생되는 식도 내의 음압을 측정하는 방법이다. 이는 호흡노력각성(respiratory effort-related arousal, RERA)을 측정하는 가장 좋은 방법으로 상기도저항증후군(upper airway resistance syndrome) 진단의 기본요소가 된다.

13) 호기말 이산화탄소(end-tidal carbon dioxide) 측정

호기말 이산화탄소분압측정(capnography)은 호기 때의 이산화탄소 정도를 측정하는데, 허파꽈리 내의 이산화탄소농도와 거의 일치한다. 수면 중 저환기(sleep hypoventilation)를 관찰할 때 가장 좋은 검사장비다. 그 외에도 수면무호흡이 심한 정도나 기저폐질환을 발견할 때도 유용하다.

14) 기타 감시

수면 중 음경발기 측정은 성기능장애를 호소하는 수면장애 환자의 진단에 도움이 될 수 있다.

15) 채널들의 민감도 및 필터 세팅

각각의 전극을 부착한 후 전기저항을 반드시 검사해야 하는데 이상적으로는 $5\ k\Omega$ 이하이어야 하며 $10\ k\Omega$까지도 허용할수 있다. 초당 $10\ mm$ 속도로 기록하며, 필터와 민감도를 각 채널별로 적절히 조절하여야 한다.

3 검사 결과의 판정

검사를 통해 기록된 데이터로 수면단계, 심전도이상, 호흡이상(무호흡, 저호흡 등), 코골이, 산소포화도, 다리의 이상운동, 이갈이, 잠꼬대, 기타 사건수면(parasomnia)의 발생을 분석하여 판정하게 된다.

수면을 렘수면과 1, 2, 3단계로 구분되는 비렘수면

(non-REM sleep)으로 구분하고 이에 대한 각각의 판정 규정을 제시한 1968년 "R & K rule"을 그동안 수면단계 판정의 기준으로 사용하여 왔다. 2007년 미국수면의학회(American Academy of Sleep Medicine, AASM)에서는 수면단계를 N1단계, N2단계, N3단계, 렘수면(stage R)으로 새로 분류하고, 수면 중 나타나는 각성, 호흡이상, 움직임에 대한 새로운 판정기준을 제시하는 매뉴얼(manual for scoring sleep stages and associated events)을 개발하여 보급하였고, 이후 이 매뉴얼을 지속적으로 수정, 갱신하고 있다. 대부분의 수면센터에서는 이를 근거하여 수면다원검사 기록을 판정하고 있다.

▶ **참고문헌**

- American Academy of Sleep Medicine. The AASM Manual for the Scoring of Sleep and Associated Events Summary of Updates in Version 2.6.
- Carskadon MA, Rechtsschaffen. Monitoring and Staging Human Sleep. In: Kryger MH, Roth T, Dement WC. Principles and practice of sleep medicine. 4th ed. Philadelphia: Elsevier; 2005. pp. 1359-77.
- Kryger MH, Roth T, Dement WC, et al. Principles and practice of sleep medicine. 4th ed. Philadelphia: Elsevier; 2005.
- Spriggs WH. Essentials of Polysomnography. 1st ed. Mississauga: Jones and Bartlett Publishers; 2010.

4 임상적응증

수면다원검사는 수면생리를 이해하고 다양한 수면장애를 진단하고 치료하는 데 이용된다.

폐쇄수면무호흡-저호흡증후군(obstructive sleep apnea-hypopnea syndrome), 중추수면무호흡증, 상기도저항증후군, 비만저환기증후군(obesity hypoventilation syndrome)같은 수면관련호흡장애(sleep breathing disorder)를 진단하기 위해서는 수면다원검사가 필수적이다. 또한 폐쇄수면무호흡증의 치료와 효과판정을 위해서는 지속기도양압력측정수면다원검사를 하여야 한다.

기면병(narcolepsy), 특발과다수면(idiopathic hypersomnia), Klein-Levin증후군, 외상후과다수면과 같은 주간과다수면의 진단과 평가, 추적평가를 위해서 야간수면다원검사와 수면잠복기반복검사가 필요하다.

렘수면행동장애, 몽유병(somnambulism), 야경증(sleep terror), 악몽, 이갈이 같은 사건수면, 야간 뇌전증발작, 그리고 주기사지운동장애, 하지불안증후군, 치료되지 않는 만성불면증의 평가를 위해서도 수면다원검사를 할 수 있다.

02 이동형수면호흡검사

김현준 / 최수정

대상자의 수면 상태나 수면장애에 대한 정보를 얻을 수 있는 방법에는 간단한 설문지부터 정식 수면다원검사(polysomnography, PSG)까지 다양한 방식이 있다. 정확한 상태 평가나 진단을 위해서는 수면다원검사가 필요하지만 간단히 스크리닝(screening) 목적으로는 설문지를 이용할 수도 있으며, 최근에는 스마트폰 애플리케이션(smartphone application)이나 웨어러블기기(wearable device)를 이용해서 자신의 수면 상태를 측정하는 경우도 흔하게 볼 수 있다. 본 chapter에서는 이동형 수면검사장치와 웨어러블기기, 스마트폰 그리고 활동기록기(actigraphy)에 대해 알아보고자 한다.

수면다원검사는 뇌파(electroencephalography, EEG), 안전위도(electrooculography, EOG), electromyography (EMG), 심전도(electrocardiogram, EKG), nasal pressure transducer, oronasal thermistor, respiratory effort belt, pulse oximetry, position sensor 등의 다양한 sensor를 이용해 수면 중의 다양한 신호를 측정한다. 이런 신호들을 분석하여 수면단계, 수면의 질, 수면 자세, 호흡 상태 등을 확인하고 이를 통해 다양한 수면장애를 진단할 수 있다. 그러나 수면다원검사는 수면다원검사실에서 잘 훈련된 검사자에 의해 시행되어야 하며 또한 수면 전문의의 manual scoring이 필수적으로 필요하다.

이를 위해서는 수면다원검사실과 검사기기 등의 공간과 장비가 필요하며 수면 검사자나 수면 전문의와 같은 인력도 필요하다. 환자의 입장에서도 비용과 시간이 필요하며 환자에 따라 낯선 환경에서 많은 센서를 착용하고 자게 되면 평소와 같은 수면을 취하지 못하는 1st night effect가 생길 수도 있다. 이런 이유로 좀 더 간편하고 시간과 비용적인 측면에서도 효과적이고 간편한 장비들이 개발되어 왔다.

1 검사의 종류

이런 기기들은 경우에 따라 이동형수면호흡검사(portable sleep monitoring device), 가정수면검사(home sleep test), 이동형수면호흡검사(home sleep apnea test) 등의 명칭들이 사용된다. 미국수면학회(American Academy of Sleep Medicine, AASM)에서는 수면검사기기를 검사실의 장비와 측정하는 항목의 종류 그리고 검사 중에 검사자가 있는지 등에 따라 type I-IV로 분류한다(표 14-2-1). 먼저 Type I은 수면다원검사실에서 검사자의 감독하에서 하룻밤 동안 시행되는 것으로, 뇌파, 심전도, respiration sensor 등이 포함된

표 14-2-1. 수면검사 기기의 분류

Type	Description
I	Standard in-laboratory technician-attended overnight PSG
II	Same technology as type 1 (PSG) however, technologist is not present during the recording
III	More than four, at a minimum include ✓ 2 respiratory variables (Airflow) ✓ 1 cardiac signal (Pulse or EKG) ✓ Oxyhemoglobin saturation by pulse oxymetry Generally, no EEG signals are monitored.
IV	Records only 1-2 variables including oxyhemoglobin saturation

16개(최소 7개 이상) 채널이 있어야 한다. Type II는 type I에서 사용되는 장비를 동일하게 사용하지만 검사자가 감독하지 않고 시행된다는 점이 다르다. Type III는 최소 4개 이상의 채널(oxymetry, airflow, respiratory effort)을 가진 휴대용 장비로 보다 간편하게 검사를 시행한다. Type IV는 보통 oxymetry를 포함한 1개 혹은 2개만의 채널을 이용하므로 상대적으로 적은 정보를 얻을 수 있다는 단점이 있지만 더 간편하다는 장점도 있다. 일반적으로 검사의 정확도나 유용성은 type I이 가장 높고 IV가 가장 낮지만, 간편성, 편의성 등은 반대로 type IV가 가장 높고 type I이 가장 낮다.

최근에는 전통적인 분류법에 해당하지 않는 새로운 기기들도 많이 개발되어 사용되고 있다. 현재 국내에서 사용 가능한 이동형수면호흡검사는 표 14-2-2와 같다. AASM에서는 2018년 position statement에서 가정용 수면무호흡검사장치(home sleep apnea test, HSAT)에 대해 다음과 같이 입장문을 발표하였다. HSAT는 반드시 의사가 환자의 과거력을 확인하고 대면 혹은 원격을 통한 검사를 한 다음 결정되어야 하며 무증상의 대중에서 일반적인 스크리닝 목적으로 사용되면 안 되고 raw data는 반드시 숙련된 수면 전문가가 확인한 다음에 정확한 진단과 적절한 치료가 이루어져야 한다고 하였다. 따라서 이동형수면호흡검사는적절한 대상자와 상황에서 적절한 목적으로 선택되어야 하며 수면다원검사와 마찬가지로 전문가에 의해 manual scoring으로 판독된

다면 유용하게 사용될 것으로 생각된다.

이러한 이동형수면호흡검사이외에도 전자 기기의 발달로 최근에는 몸에 착용하는 형태의 기기인 다양한 종류의 웨어러블기기(wearable device)들이 상용화되고 있다. 웨어러블기기는 시계, 귀걸이, 목걸이, 반지 등의 여러 타입들로 개발되어 사용되고 있다. 여러 타입들 중에서 배터리 사용 시간, 신체와의 밀착 정도, 착용감, 일상 생활에서의 편의성 등의 이유로 손목에 차는 형태의 기기가 가장 흔하게 사용되는 데 크게 스마트밴드(smart band)와 스마트워치(smart watch)로 나눌 수 있다. 스마트밴드는 간단한 기기로 단순히 심박수, 걸음수, 수면 상태 등을 측정하여 스마트폰에 전송해 주는 비교적 간단한 기능만을 가지고 있으며 최근에는 양방향으로 스마트폰과 정보를 주고받을 수 있게 발전되었다. 스마트워치는 스마트밴드보다 좀 더 복잡하고 발전된 형태의 기기로 자체의 Operating System (OS)을 가지고 있으며 큰 화면 사이즈, WiFi나 LTE와 같은 자체적인 통신 수단을 가지고 있다. 스마트밴드나 스마트워치 형태의 대부분의 기기에서 수면 상태 측정 기능을 가지고 있어서 착용자가 손쉽게 본인의 수면 상태를 확인할 수 있다는 장점이 있다. 스마트워치는 스마트밴드에 비해 다양한 기능이 있지만 무겁고 가격이 비싸다는 단점이 있다. 현재 국내에서 사용이 가능한 웨어러블 기기는 표 14-2-3과 같다. 2018년 AASM은 이런 기기들의 정확도에 대한 근거가 부족하므로 사용에 주의가 필요

표 14-2-2. 국내에서 사용중인 이동형 수면 측정 장치

상품명	WatchPAT	NOX		Alice PDx	Somte	ApneaLink Air™	Embletta MPR				
		A1	T3				MPR	MPR PG	ST Proxy	ST+ Proxy	TX Proxy (online)
제조사	Itamar	NOX Medical		Philips Respironics	Compumedics	ResMed	Natus Medical (Embla System)				
국내유통사	광우메딕스	광우메딕스		Vital Air	광원	ResMed Healthcare Korea	ResMed Healthcare Korea				
Type	3	1-2	3	2-3	3	3	4	3	2	2	1
Channel	7	26	9	12-16	8	4	7	12	34-54	16	8
EEG		O(6)	O(최대4)	O					O(2)	O(6)	
EMG		O(3)	O(최대2)	O					O(4)	O(5)	
EOG		O(2)	O(최대2)	O					O(2)	O(2)	
EKG		O(1)	O(최대2)	O					O(1)	O(1)	
Airflow		O(1)	O(1)								
Oronasal thermal sensor		O(1)	O(1)	O			O				
Nasal pressure transducer		O	O	O	O	O	O	O			
Oxymetry	O	O	O	O	O	O	O	O			
Snore sensor	O	Microphone	Microphone		O		Audio sound	O			
Respiratory effort		O(2)	O(2)	O	O	O	O(2)	O(2)			
Body position	O	O	O	O	O		O	O			
Peripheral arterial tone	O										
bipolar		O(4)	O(2)								
On-line study		O									O
DC channel		O						O(1)			O(6)
Communication		UTP/Bluetooth	Micro 5 pin								O

하며 적절한 의학적 평가가 이루어진 후 환자와 의사간의 상호 작용을 높이는 목적으로는 활용하도록 권고하였다. 웨어러블기기가 수면을 평가하는 원리는 크게 두 가지이다. 먼저 활동기록기를 이용해 움직임을 측정하여 움직임이 거의 없으면 수면 상태로 움직임이 많으면 각성 상태로 판단한다. 그러나 이런 방식에는 몇 가지 한계가 있다. 활동기록기를 사용하므로 환자가 수면 중에 움직임이나 뒤척임이 많으면 실제 수면 중이라도 각성으로 판독할 수 있고, 반대로 각성 중에 움직임이 없이 누워 있으면 이를 수면 상태로 잘 못 판단할 수도 있다. 두번째는 심박동(heart rate)을 측정하고 이를 분석하여 수면 유무 및 수면단계를 파악한다. 각각의 기기들은 고유의 분석 알고리즘(algorithm)을 이용하여 심박동을 분석하며 각성, 수면 후 각성, 수면효율, 수면단계, 얕은 수면, 깊은 수면, 렘수면을 판단하기도 한다. 심박동 분석 방식은 대상자의 심박변이도(heart rate variability, HRV)를 측정하여 이를 분석한다. 측정된 대상자의 심박동을 수학적으로 분석하여 SDNN, RMSSD, NN50, pNN50, HRV triangular index, VLF, LF, HF, TP, LF/HF 등의 변수들을 계산한 다음 기기마다 자체의 알고리즘을 이용하여 수면 상태나 단계를 판단한다. 전통적으로 HRV는 심전도를 이용하여 RR interval을 측정하여 이를 분석하지만, 웨어러블 기기에서는 광혈류 측정(photoplethysmography, PPG)을 이용하여 심박동을 측정하여 이를 분석한다. 또한 대부분의 웨어러블기기는 마이크가 없어서 착용자의 수면 중 소리를 분석할 수 없어서 코골이나 수면무호흡을 측정할 수 없다는 단점이 있다. 최근 출시된 몇몇 웨어러블기기의 경우 산소포화도를 측정할 수 있어서 이를 이용하여 수면무호흡 유무를 간접접으로 추측할 수 있지만 정확하지는 않다. 웨어러블기기의 수면 상태 평가의 정확도는 연구에 따라 다양한 결과를 보였고 최근 동일한 대상자에서 동시에 웨어러블기기와 수면다원검사를 실시하여 비교한 연구에서 상관관계는 있지만 실제 수면 상태를 정확하게 측정하지는 못한다고 보고되기도 하여 사용과 해석에 주의가 필요하다.

수면상태나 코골이, 수면무호흡을 측정할 수 있는 스마트폰 어플리케이션도 Google Play와 Apple App Store에서 쉽게 찾아볼 수 있다. 스마트폰 어플리케이션은 일반적으로 3가지 방식으로 대상자의 수면정보를 획득한다. 첫번째가 탑재된 자가보고형 설문지를 분석하는 방법으로 Epworth Sleepiness Scale, Berlin Questionnaire, STOP BANG Questionnaire 등과 같은 설문 응답을 분석하여 수면 상태나 수면호흡장애를 예측하는 방식이다. 두번째는 웨어러블기기와 마찬가지로 활동기록기를 이용하는 방식이 있으며, 마지막으로 수면 중 소리를 녹음하여 코골이나 무호흡을 분석하는 방식이다. 활동기록이나 녹음 방식의 경우 스마트폰을 놓은 위치에 따라 다르게 측정될 수 있으며 외부의 소음 때문에 부정확하게 측정될 수 있다는 제한점이 있다. 어플리케이션에 따라 이런 방식들을 단독 혹은 복합적으로 사용하여 수면 상태를 분석하지만 이러한 스마트폰 어플리케이션에서 얻은 결과들은 수면다원검사 결과와 비교했을 때 정확도가 낮은 것으로 보고되고 있다. 따라서 스마트폰 어플리케이션 단독으로 수면 상태를 평가하거나 수면무호흡을 진단하는 목적으로 사용해서는 안되며 웨어러블기기와 마찬가지로 제한적인 목적으로만 사용해야 할 것으로 생각된다.

지금부터 웨어러블기기 중 활용도가 가장 높은 활동기록기에 대해 좀 더 자세히 살펴보도록 하겠다.

2 활동기록기

활동기록기는 1970년대에 처음 사용되었는데, 대상자의 움직임을 1초-5분 단위의 epochs 간격으로 디지털 신호로 바꿔 수면각성 또는 휴식(rest)-각성자료를 수집하는 장치로 일반적으로는 30초와 1분 epoch를 가장 보편적으로 사용하고 있다. 수면다원검사보다는 정확도가 떨어지지만, 환자의 일상 환경에서 측정이 가능하여 생활습관을 추정할 수 있고, 길게는 4개월까지 장시간 자료를 수집할 수 있다는 장점이 있어 미국수면학회는 수면 및 하루주기리듬장애(circadian rhythm disorder)가 의심되는 환자들은 활동기록기를 사용하도록 실무 가이드라인에서 추천하고 있다.

활동기록기는 대상자의 활동 종류를 정확히 알 수 없기 때문에 수면일기를 함께 작성하도록 해서 잠자리에 들어가는 시각, 기상시각, 낮잠시각, 수영이나 샤워 등으로 활동기록기를 미착용한 시간, 활동 내용 등을 표시하도록 해야 좀 더 정확한 분석을 할 수 있다. 활동기록기에서 rest 또는 sleep을 판단하는 방법은 4가지 방법이 있는데, 대상자가 취침시각과 기상시각에 대한 정보를 활동기록기에 부착된 버튼을 눌러서 표시하는 이벤트 마커, 수기로 작성한 수면일기 정보, 빛의 양이 1 lux 미만으로 5 epochs 이상 지속될 때, 활동량이 0으로 5 epochs 이상 지속될 때이다. 이와 같은 4가지 정보에 기반하여 대상자의 취침시간을 판단하게 된다.

최근에는 활동기록기에 광센서를 추가하여 산포포화도가 측정 가능한 기기가 있기는 하나, 일반적으로 활동기록기에서 제공되는 수면 정보는 총수면시간(total sleep time, TST), 입면잠복기(sleep onset latency), 수면 후 각성시간(wakefulness after sleep onset, WASO), 각성 회수(nocturnal awakening), 수면효율(sleep efficiency) 등이 있다. 이 중 TST는 수면다원검사결과와의 일치도가 0.89-0.90으로 높아 신뢰성이 높은 지표이며, WASO와 수면효율도 비교적 수용할만한 일관성을 보이나 입면잠복기는 일치도가 높지 않은 것으로 보고되는 연구들도 많다. 그럼에도 활동기록기는 수면다원검사를 시행하기 어려운 소아나 노인, 중환자실 환자 등의 수면을 평가하기 위한 목적 외에도 활동량 및 활동주기의 규칙성 등을 평가할 수 있어서 기초대사량 평가 및 각종 질환과의 관련성 등을 조사하는 등 질환의 예측과 예방, 개별적 맞춤 치료 목적으로 임상 및 연구 영역에서 다양하게 활용되고 있다.

진단적 목적으로 활동기록기검사를 시행하는 주요 질환들은 다음과 같다(그림 14-2-1). 먼저 하루주기리듬

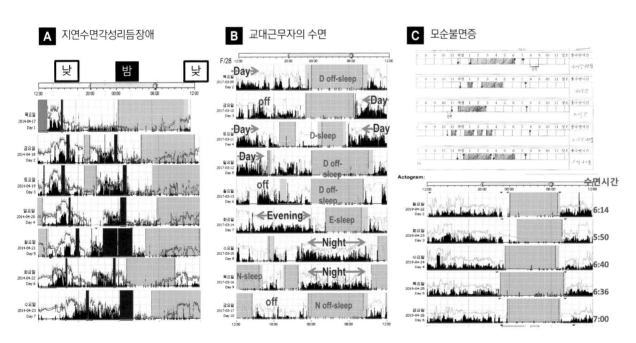

그림 14-2-1. 활동기록기 결과 사례. 매일의 취침-기상 시각(하늘색 가로막대가 수면시간), 활동량(검정색 세로 막대), 빛 노출량(노랑-파란색 점의 빛 스펙트럼) 등을 시각화하여 생활습관을 한눈에 볼 수 있다. **(A)** 지연수면각성리듬장애(delayed sleep-wake phase disorder). 휴일의 취침시각이 3-5AM, 기상시각은 11AM-1PM으로 수면시간이 지연되어 있고, 평일에 수면시간을 전진하려 시도하나 다시 지연되는 것을 볼 수 있다. 진한 파란색은 미착용 시간대. **(B)** 교대근무자의 수면. 교대근무 형태에 따라 수면시간대가 심하게 변동되는 것이 관찰된다. **(C)** 모순불면증. 수면일기에 기록한 대상자가 인식하는 수면시간은 2시간 40분-5시간 40분이나 활동기록기로 평가된 수면시간은 5시간 50분-7시간으로 수면인식의 차이가 있다.

표 14-2-3. 국내에서 사용중인 수면 상태 측정 기능을 탑재한 웨어러블기기

형태	Smart Band					Smartwatch						
제조사	Xiaomi	Samsung	Fitbit	Fitbit	Fitbit	Samsung	Apple	Apple	Zepp Health	Zepp Health	Fitbit	Fitbit
제품명	Mi Band 7 pro	Galaxy Fit2	Fitbit Charge 5	Fitbit Luxe	Fitbit Inspire 3	Galaxy Watch 5	Apple Watch 8	Apple Watchs SE (2nd gen)	Amazfit GTR 4	Amazfit GTS 4	Fitbit Sense 2	Fitbit Versa 4
깊은수면	○	○	○	○	○	○	○	○	○	○	○	○
얕은수면	○	○	○	○	○	○	○	○	○	○	○	○
REM	○	○	○	○	○	○	○	○	○	○	○	○
깨어있는시간	○	○	○	○	○	○	○	○	○	○	○	○
수면점수	○	○	○	○	○	○			○	○	○	○
수면효율	○	○							○	○		
실제수면시간	○	○	○	○	○	○	○	○	○	○	○	○
산소포화도	○		○	○	○	○	○		○	○	○	○

장애나 교대근무수면장애 진단을 위해서는 활동기록기를 7–14일 정도 기록해서 수면시간대를 확인한다. 주간과다수면은 수면다원검사와 수면잠복기반복검사(Multiple sleep latency test, MSLT)로 기면병을 감별 진단하는 것이 표준방법이기는 하나, 불충분한수면증후군이나 교대근무, 하루주기리듬장애를 감별하기 위해서 활동기록기 자료를 함께 수집하는 경우도 있다. 주간과다수면 중 특발성 주간과다수면 진단을 위해서는 수면에 제한을 두지 않은 상태로 7일 이상 활동기록기로 기록 후 일 평균 수면시간이 11시간이 넘는 경우 진단을 하게 된다. 불충분한수면증후군의 경우 수면일기나 활동기록기 자료를 통해 주중에 비해 휴일에 수면시간이 현저하게 증가하는 것을 확인할 수 있다. 불면증의 경우에는 모순불면증(paradoxical insomnia, 이전 명칭은 sleep state misperception)과 같이 주관적 수면시간과 객관적 수면시간의 차이가 큰 환자를 감별하기 위해서 활동기록기 검사를 시행한다. 특히 주관적 수면시간을 5시간 미만으로 호소하는 환자들의 경우는 주관적 수면일기만으로는 일상생활에서 수면을 추정할 수 없으므로 활동기록기 검사가 필요하다. 폐쇄수면무호흡증의 경우에도 산소포화도 측정이 가능한 가정용수면무호흡 측정기(HSAT)를 활용하여 무호흡 정도를 측정할 수 있다.

이러한 진단적 목적 외에도 불면증 환자나 하루주기 수면리듬장애 환자에게 개별 맞춤 치료를 제공한 후 치료 효과나 순응도를 판단하기 위해서도 활동기록기는 흔히 사용된다. 그러나 대부분의 나라에서 활동기록기는 의료기기가 아닌 wellness 제품으로 승인이 되어 있어, 보험청구가 어려운 경우가 많다는 제한점이 있다. 활동기록기는 장기간 사용으로 비용 효과성이 우수한 검사로 알려져 있지만, 국내에서도 비급여로 산정되어 있어 비용제한 때문에 임상적 활용에 장벽으로 작용하고 있다.

▶ 참고문헌

- 김지현, 선우준상, 송파멜라 외. 증례로 배우는 수면장애. 서울: 범문에듀케이션; 2020.
- Acker J, Golubnitschaja O, Buttner-Teleaga A, et al. Wrist actigraphic approach in primary, secondary and tertiary care based on the principles of predictive, preventive and personalised (3P) medicine. EPMA Journal 2021;12:349–63.
- Behar J, Roebuck A, Domingos JS, et al. A review of current sleep screening applications for smartphones. Physiol Meas 2013;34:R29–46.
- Collop NA, Anderson WM, Boehlecke B, et al. Clinical guidelines for the use of unattended portable monitors in the diagnosis of obstructive sleep apnea in adult patients. Portable Monitoring Task Force of the American Academy of Sleep Medicine. J Clin Sleep Med 2007;3:737–47.
- Khosla S, Deak MC, Gault D, et al. Consumer sleep technology: an American academy of sleep medicine position statement. J Clin Sleep Med 2018;14:877–80.
- Kim KB, Park DY, Song YJ, et al. Consumer-grade sleep trackers are still not up to par compared to polysomnography. Sleep Breath 2022;26:1573–82;doi: 10.1007/s11325-021-02493-y.
- Levin KH, Chauvel P. Clinical neurophysiology: basis and technical aspects. 3rd ed. Amsterdam: Elsevier; 2019. pp. 371–9.
- Smith MT, McCrae CS, Cheung J, et al. Use of actigraphy for the evaluation of sleep disorders and circadian rhythm sleep-wake disorders: an American Academy of Sleep Medicine systematic review, meta-analysis, and GRADE assessment. J Clin Sleep Med 2018;14:1209–30.
- Smith MT, McCrae CS, Cheung J, et al. Use of actigraphy for the evaluation of sleep disorders and circadian rhythm sleep-wake disorders: an American Academy of Sleep Medicine clinical practice guideline. J Clin Sleep Med 2018;14:1231–7.
- Ucak S, Dissanayake HU, Sutherland K, et al. Heart rate variability and obstructive sleep apnea: current perspectives and novel technologies. J Sleep Res 2021;30:e13274.

03 주간과다수면 평가

양광익

졸림을 측정하는 것은 수면장애 평가에서 중요한 요소이다. 수면잠복기반복검사(multiple sleep latency test, MSLT), 각성유지검사(maintain wakefulness test, MWT)는 졸림과 각성 정도를 측정하는 객관적 검사 도구로 사용하고 있다. 이 두 가지 검사는 미국수면의학회(American Academy of Sleep Medicine)에서 1992년 처음 제시한 이후 임상적용의 유효성 및 검사수행이 적립되어 왔다. 단지 소아에서도 수행하고 있지만 검사 수행 및 결과 해석에 대한 근거는 아직 부족하다.

1 수면잠복기반복검사

수면잠복기반복검사는 일정한 간격으로 5회 수면잠복기 검사를 통해 수면잠복기 및 렘수면 출현을 측정함으로써 주간과다수면 정도를 객관적으로 평가함으로써 기면병 및 특발과다수면을 진단하고 여러 수면장애치료에도 불구하고 지속적인 졸림을 호소하는 경우에 시행한다. 각성을 일으키는 외부 영향이 배제 된 상태에서 검사를 수행함으로써 졸림의 경향을 평가하는데 수면잠복기가 짧을수록 주간과다수면의 경향이 크다. 적응증은 **표 14-3-1**에 정리되었으며 검사는 **표 14-3-2, 14-3-3**에 의해 검사를 수행한다.

표 14-3-1. 수면잠복기반복검사 적응증

1. 심한 주간과다수면이 있거나 기면병이 의심되는 경우
2. 특발과다수면이 의심되는 경우
3. 수면무호흡, 주기사지운동장애 등 주간과다수면을 일으킬 수 있는 다른 수면장애에 대해 적절한 치료에도 불구하고 주간과다수면이 개선 되지 않는 경우
4. 반복 시행할 수 있는 경우 　A. 검사 중 외부의 환경적 요인이 작용하거나 검사가 적절히 시행되지 않았을 경우 　B. 검사 결과가 애매 모호하거나 해석이 불가능 할 경우 　C. 기면병이 강하게 의심이 되나 검사에서 확진 되지 않았을 경우

1) 수면잠복기반복검사(MSLT) 수행

표 14-3-2. 검사 전 준비

1. 적절한 수면의 시기와 지속 시간에 대한 목표 설정이 필요하다. 적절한 수면에 대해서는 검사 전 2주일 동안의 수면일기 작성으로 문서화하고, 가능하면 활동기록기검사도 시행한다.

2. 폐쇄수면무호흡증 등의 수면장애에 대하여 치료를 받는 환자가 MSLT를 시행하는 경우, 기존에 처방된 치료가 적절하게 수립되고 효과적으로 작용하고 있는지를 확인해야하며, 임상적으로 안정된 상태에서 MSLT가 시행되도록 한다. 양압기를 사용하는 폐쇄수면무호흡증 환자의 경우, 양압기의 데이터를 확인하여 적절한 양압기 사용을 확인한다. 수면관련호흡장애에 대하여 비양압기 치료를 시행하는 경우, 치료가 적절하고 효율적으로 시행되는지에 대해 환자의 자진보고를 통해 확인할 필요가 있다. 치료가 적절히 이루어지지 않고 있다고 판단될 경우에는 검사 일정을 조정하는 것을 고려한다. 양압기/비양압기 치료를 유지하며 MSLT 시행 전날 밤 PSG를 진행한다.

3. 임상의는 처방 약제, 처방전 없이 구입 가능한 약물, 한방 치료 및 기타 약물들을 고려하여 계획을 수립해야한다. 검사 전 2주일간은 검사에 영향을 줄 수 있는 자극제, 진정제, 렘수면을 억제할 수 있는 약물 등을 중단한다. 환자의 건강을 해칠 수 있는 약물을 조절할 경우에는 임상적인 판단이 필요하다. 환자가 검사 시행 전에 처방 약물 혹은 처방전 없이 복용하는 약물을 사용할 경우에는 임상의와 상의하여 약물 복용 관련 지시를 받도록 한다.

4. 카페인 금단 증상이 MSLT 검사 결과에 교란효과를 줄 수 있으므로, 검사 시행 전에 임상의가 환자와 면담하여 적절한 카페인 섭취량에 대해 상의해야 한다. 검사 시행 전에 카페인 섭취를 중단하는 것이 목적이지만, 완전히 중단하기에 앞서 점차 감량하는 과정이 필요할 수도 있다.

표 14-3-3. 검사 수행

1. MSLT는 전날 밤 야간 PSG가 선행되어야 한다. 검사 기록(Time in Bed)이 최소 7시간 이상이며 총수면시간이 최소 6시간 이상인지 확인하고, 총수면시간이 환자의 평소 수면시간과 일치하는지 확인한다.

2. 환자는 편안하고 검사 환경에 적절한 의복을 착용해야 하고, 검사로 인해 불편감을 느끼지 않아야 한다. PSG와 MSLT 사이에 옷을 갈아입을 필요는 없다.

3. 환자는 검사 당일 알코올, 대마 및 기타 진정제와 각성제 사용을 중단해야 한다. 니코틴 사용도 피해야 하며, 불가피한 경우 nap trial 시작 30분 전까지만 사용하게 한다.

4. 양압기/비양압기 치료를 유지하여 PSG와 MSLT를 시행하도록 한다. 양압기는 집에서 사용하던 설정과 마스크를 사용한다.

5. MSLT를 위한 recording montage는 최소한 3개의 뇌파 기록 전극을 포함해야 하며, 이는 적어도 각각 1개 이상의 frontal (F3-M2 또는 F4-M1), central (C3-M2 또는 C4-M1) 그리고 occipital (O1-M2 또는 O2-M1) 전극을 포함해야 한다. 좌안과 우안의 안전위도, 턱 또는 턱밑의 EMG, 심전도가 포함되어야 한다. PSG 검사에 쓰이는 다른 기록 장치나 센서는 불필요하며 환자의 편의를 위해 제거하도록 한다.

6. Nap trial 동안 녹음 및 녹화가 진행되어야 하며, 판독의에게 제공되어야 한다. 검사 진행 시, 소리와 영상을 통해 환자를 관찰해야 하지만, nap trial 사이의 영상과 소리를 저장하는 것은 재량에 따라 결정한다.

7. 전날 PSG 검사를 마치고 잠에서 깨어난 뒤 90-180분 후에 시작한다. 2시간 간격으로 5회 시행한다. 단, 4회 검사 동안의 평균 잠복기가 8분 이하이고, 두 번 이상의 SOREM 관찰되면(nap trial 도중 2회 이상의 SOREM이 확인되거나 nap trial 도중 1회와 PSG에서 1회 확인된 경우 모두) 전문가 판단하에 4회만 시행할 수도 있다.

8. 각 nap trial 시행 전, 환자는 화장실을 이용할 수 있고 다른 편의를 위한 문의를 할 수 있다.

9. 수면 검사실은 어둡고 조용해야 하고 적절한 온도를 유지해야 한다.

10. 환자는 모든 nap trial 수행 시 누워서 진행해야 한다.

11. 각 nap trial 시행 전, 환자에게 다음과 같이 시행한다(bio-calibration).
　① 편안하게 누워서 30초간 눈을 뜨고 있게 한다.
　② 30초간 눈을 감게 한다.
　③ 머리는 움직이지 말고 눈만 오른쪽, 왼쪽, 오른쪽, 왼쪽, 오른쪽, 왼쪽을 보게 한다.
　④ 천천히 눈을 5회 깜박인다.
　⑤ 어금니를 꽉 물어 보도록 한다.

12. "가만히 누워 계세요. 편안한 자세를 취하시고, 눈을 감고 잠을 자도록 하세요" 라고 지시 하고 곧바로 검사실 불을 끄고 검사를 시행한다.

13. 각 nap trial은 20분동안 환자가 잠을 자지 않을 경우 종료한다. 만약 입면(sleep onset)이 확인되면 추가적으로 15분 동안 검사를 더 진행하며, 중간에 발생하는 수면과 각성에 관계없이 진행한다. 입면은 어느 수면 단계인지와 관계 없이 기록되는 첫 번째 epoch으로 정의한다.

14. 전자기기 사용 등의 자극적인 활동이나 핸드폰의 사용은 각 nap trial이 시작되기 30분 전에 중단하여야 한다. 강도 높은 육체 활동과 햇빛/밝은 빛에 대한 노출은 검사를 시행하는 날 내내 피하도록 한다.

15. Nap trial 사이에, 환자는 침대에서 나와 있도록 해야하고 잠을 자지 않도록 해야한다.

16. 첫 번째 nap trial 이 시작되기 1시간 전까지 가벼운 아침식사를 마치도록 하고 2번째 nap trial이 끝난 직후 가벼운 점심 식사를 하도록 한다.

17. MSLT 결과에 영향을 미치려는 의도가 있든 아니든 간에 불법적인 약물 및 물질의 사용을 확인하기위해 소변 약물 검사를 시행할 수 있다.

2) 검사결과 해석

　5번의 검사 결과에서 각각의 불을 끈 후 수면에 도달하는 데 걸린 시간인 수면잠복기(sleep latency), 평균수면잠복기(mean sleep latency), 입면시렘수면(Sleep Onset REM, SOREM), 입면시렘수면 횟수(number of SOREM), 렘수면잠복기(REM latency) 등을 측정한다. 정상인은 평균수면잠복기가 10분 이상이며 렘수면은 관찰되지 않는다. 평균수면잠복기가 8분 이하이면 병적인 상태로 간주한다.

- 수면잠복기(sleep latency): 검사실 불을 끄고 난 후부터 첫 수면으로 기록되는 epoch이 나타날 때까지의 시간.
  - 입면(sleep onset)은 검사실 불을 끄고 난 후부터 첫 번째 수면 단계(1단계를 포함한 어느 수면 단계도 상관 없음)가 나타나는 시점으로 정의한다.
  - 20분이 경과 해도 잠들지 않는 경우는 수면잠복기를 20분으로 계산 한다.
- 렘수면잠복기(REM sleep latency): 첫 번째 수면 시작에서 렘수면까지의 시간
- 평균수면잠복기(mean sleep latency): 각 수면잠복기 검사에서 얻은 수면잠복기들의 평균
- 입면시렘수면(sleep onset REM sleep, SOREM): sleep onset부터 15분 이내에 출현하는 렘수면
- 입면시렘수면 횟수(number of sleep-onset REM periods): 각 수면잠복기검사에서 SOREM이 출현한 총 횟수

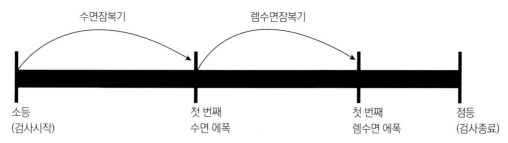

그림 14-3-1. **다중수면잠복기검사**

2 각성유지검사

1) 각성유지검사(MWT) 수행

각성유지검사는 MSLT와는 달리 각성을 일으킬 자극이 없는 환경에서 일정 기간 각성을 유지하도록 함으로써 각성 유지 능력을 평가하는 검사이다. 일정한 간격으로 총 4번을 시행하여 평균수면잠복기 값을 얻는다. 검사수행은 표 14-3-4, 14-3-5에 의해 검사를 수행한다.

2) 검사결과 해석

각성유지검사 시행 후 평균수면잠복기는 30.4 ± 11.2분으로 정상 대조군을 대상으로 한 연구는 있지만 정상 범위에 대해선 아직 정립되지 않았다. 단지 임상 적용에서는 각성에 대한 치료 전후 시행함으로써 치료 효과를 비교해 볼 수 있다.

표 14-3-4. **환자 정보 기록 및 검사 보고**

1. 환자 인구 통계 자료(이름, 생일, 검사일, 체질량지수, 환자 등록 번호)

2. 협진 의뢰 및 담당의사, 수면 기사의 이름

3. MSLT 시행 전 24시간 동안 복용한 약물과 2주간의 약물 사용 변화를 기록. 약물 검사를 시행한 경우에는 시행한 약물 검사의 종류를 기록한다.

4. 검사 전 시행한 수면일기, 활동기록기, 양압기 다운로드 자료 등을 문서화한다.

5. 시작시간, 종료시간, 총수면시간, 수면잠복기, 각 검사 시 렘수면잠복기의 기록. 수면잠복기는 검사를 위해 불을 소등한 시간부터 어느 단계든지 수면 단계(N1, N2, N3 또는 R)가 처음 나온 epoch까지 걸린 시간으로 정의한다. 렘수면잠복기는 수면의 첫 번째 epoch 부터 렘수면의 첫 번째 epoch까지의 시간으로 정의한다.

6. 평균수면잠복기, 입면기렘수면 횟수, PSG 동안 입면시렘수면 출현 유무를 기록. 각 검사에서 환자가 잠들지 않았다면, 수면잠복기는 40분이며 평균수면잠복기 계산에 포함한다.

7. 이상적인 검사 시간이나 조건에서 벗어날 경우(카페인, 니코틴, 낮잠, 휴대 전화, 화재 경보 또는 다른 자극적인 활동들)는 수면 기사가 기록한다.

표 14-3-5. 각성유지검사 수행

◆ **검사 전 준비**

일반적으로 MSLT와 동일하다.

◆ **검사의 수행**

1. 검사 전 수면 스케줄, 양압기 사용 또는 다른 치료들에 대한 임상적 자료를 확인한다. MWT는 환자가 주로 취하는 수면시간 이후 시행되어야 한다. MWT 시행 전날 밤의 PSG 시행은 재량에 따라 시행 유무를 결정할 수 있다.

2. 환자는 편안하고 검사 환경에 적절한 의복을 착용해야 하고, 검사로 인해 불편감을 느끼지 않아야 한다. PSG와 MWT 사이에 옷을 갈아입을 필요는 없다.

3. 환자는 검사 당일 알코올, 대마 및 기타 진정제와 각성제 사용을 중단해야 한다.

4. MWT 전날 수면을 취할 때, 양압기/비양압기 치료를 유지하여 수면을 취하도록 한다. PSG 를 시행한다면, 양압기는 집에서 사용하던 설정과 마스크 인터페이스에 맞춰 조절한다. MWT 시행에서는 양압기를 사용하지 않는다.

5. MWT를 위한 recording montage는 MSLT와 동일하다.

6. Wake trial 동안 녹음 및 녹화는 MSLT와 동일하다.

7. 검사는 40분씩 4회의 wake trial로 진행한다. 집에서 전날 밤 동안 수면을 취하고 난 뒤, 잠에서 깨어 난지 90-180분 후에 검사를 시작한다. 앞선 trial의 시작 시간으로부터 2시간 뒤에 다음 trial을 진행한다.

8. 각 wake trial 시행 전, 환자는 화장실을 이용할 수 있고 다른 편의를 위한 문의를 할 수 있다.

9. 수면 검사실은 희미하게 불이 켜져 있어야 하며, 조용하고, 검사 진행 동안 적절한 온도로 유지되어야 한다. 조명은 0.1-0.13 lux 정도의 밝기로 조절하고, 조명은 환자의 머리맡에서 90 cm 떨어진 곳에 바닥에서 30 cm 높이로 위치시킨다. 첫 검사 시행 전, 환자에게 검사실 환경에 적응할 충분한 시간을 준다.

10. 환자는 침대나 리클라이닝 의자에 앉아서 검사를 진행한다.

11. 각 trial 시행 전 bio-calibration은 MSLT와 동일하게 시행한다.

12. 검사를 시작하면, 환자에게 "가능한 오랫동안 앉아서 깨어있는 상태를 유지해보세요. 정면을 보시고, 조명은 똑바로 쳐다보지 않도록 하세요."라고 안내하고 수면검사실의 조명을 끈다.

13. 1단계 수면이 연속으로 3 epochs 확인되거나, 다른 단계 수면이 1 epoch 이라도 확인되거나, 검사 시작 후 40분이 지나면 검사를 종료한다.

14. 흡연이나 전자기기 사용 등의 자극적인 활동 및 핸드폰의 사용은 각 wake trial이 시작되기 30분 전에 중단하여야 한다. 강도 높은 육체활동과 햇빛/밝은 빛에 대한 노출은 검사를 시행하는 날 내내 피하도록 한다.

15. Wake trial 사이에, 환자는 침대에서 나와 있도록 해야하고 잠을 자지 않도록 해야한다.

16. 첫 번째 wake trial이 시작되기 1시간 전까지 가벼운 아침식사를 마치도록 하고, 두 번째 wake trial이 끝난 직후 가벼운 점심 식사를 하도록 한다.

17. MWT 결과에 영향을 미치려는 의도가 있든 아니든 간에 불법적인 약물 및 물질의 사용을 확인하기위해 소변 약물 검사를 시행할 수 있다.

◆ **환자 정보 기록 및 검사 보고**

1. 일반적으로 MSLT와 동일하다.

2. 4회의 wake trial에서 평균수면잠복기를 계산한다. 각 검사에서 환자가 잠들지 않았다면, 40분이 수면잠복기 수치로 이용되고 평균수면잠복기 계산에 포함된다.

▶ 참고문헌

· Krahn LE, Arand DL, Avidan AY, et al. Recommended protocols for the Multiple Sleep Latency Test and the Maintenance of Wakefulness Test in adults: guidance from the American Academy of Sleep Medicine. J Clin Sleep Med 2021;17:2489-98.
· Standards of Practice Committee of the American Academy of Sleep Medicine. Practice parameters for clinical use of the multiple sleep latency test and the maintenance of wakefulness test. Sleep 2005;28:113-21.

04 기도형태평가

김동규

일반적으로 정상인은 비강에서 경구개까지 상기도가 골격구조에 연조직이 덮여 있는 상태로 존재하기 때문에 내부에서 음압이 발생하더라도 골격구조가 지지하기 때문에 폐쇄가 나타나지 않는다. 그러나 연구개부터 구인두, 설근부, 하인두까지는 상기도 주위에 골격구조가 없이 연조직만 존재하기 때문에 음압에 의하여 쉽게 폐쇄가 일어날 수 있다(그림 14-4-1). 그러므로 수면장애를 호소하는 환자의 상기도의 모습 및 역할을 평가하는 것은 매우 중요하다. 게다가, 폐쇄수면무호흡증 환자에서 상기도 폐쇄 부위의 정확한 진단 및 평가는 수술 및 비수술적 치료 성공률의 향상으로 이어질 수 있다. 왜냐하면, 수면다원검사는 수면장애를 진단하거나 수면무호흡의 중증도를 판정할 수 있는 표준 진단법이지만 환자에서 실제 수면 시에 상기도가 어떠한 모습으로 나타나는지는 알 수 없다는 한계점을 지니기 때문이다. 따라서 환자의 치료 순응도를 높이면서 동시에 치료 성공률을 높이기 위해서는 상기도 평가가 수면다원검사와 함께 이루어지는 것이 바람직하다. 이 장에서는 수면 및 각성 상태에서 상기도를 평가하는 다양한 방법에 대해 기술해보고자 한다.

1 임상적 신체 진찰

외래 환경에서 매우 쉽게 수행할 수 있는 상기도 평가 방법이다. 우선, 시진을 통해서 환자가 안면기형, 하악후퇴증(retrognathia)이나 소하악증(micrognathia)은 없는지 관찰해야 한다. 이를 통해 환자의 상기도를 이루는 전반적인 골격에 이상소견이 있는지 여부를 판단할 수 있다. 다음으로 비경이나 비내시경을 이용한 각성 시 비강의 전반적인 모습을 관찰하는 방법이 있다. 임상의는 비강 검사 시에 비중격만곡증, 하비갑개 비후, 비용종 유무 등 비강 내 구조적 이상소견과 더불어 비부비동염이나 알레르기비염과 같은 염증성 질환의 동반 여부를 확인할 수 있다. 그리고 이를 통해 단순 코골이 환자의 치료 방법 결정 및 폐쇄수면무호흡증 환자의 양압기 순응도의 향상을 위한 추가 처치 유무를 판단할 수 있다. 또한, 구인두강 검사를 통해 각성 시의 구개편도의 크기, 연구개의 모습, 목젖의 길이 및 인두 주름과 같은 구인두강의 미묘한 특징을 평가할 수 있다. Friedman stage 혹은 modified Mallampati score는 이러한 구인두강의 특징을 객관화하여 보여주는 가장 대표적인 병기시스템이다(그림 14-4-2). 그러나 이는 각성 상태에서 이루어지므로 수면의 다양한 단계 중 발생하

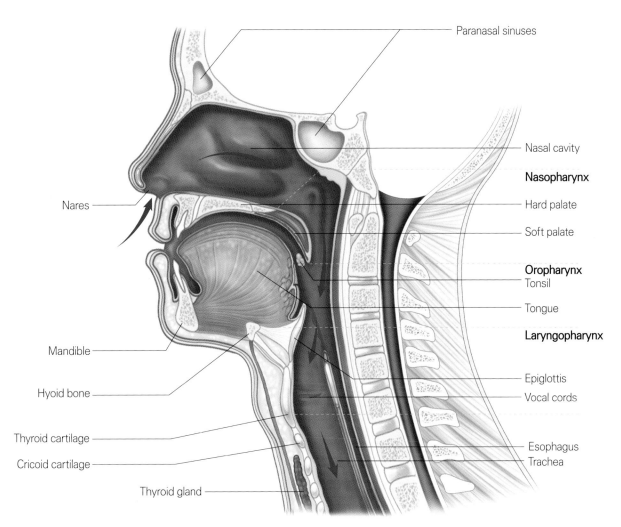

그림 14-4-1. **Structures of upper airway**

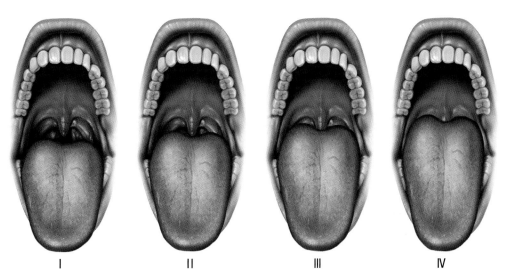

그림 14-4-2. **Modified Mallampati classification**

는 상기도 근육의 근긴장도 변동에 따른 상기도 상태를 반영하지 못한다는 점을 고려해야 한다. 한편, 굴곡성 내시경을 이용하면 상기도 전체의 모양과 크기를 평가할 수 있다는 장점이 있다. 이를 이용한 각성 시 상기도 검사 방법으로 대표적인 것이 Müller maneuver이다. 이는 valsalva법을 역으로 하는 검사로 환자는 앉거나 누운 자세로 최대한 코와 입을 닫은 상태로 숨을 마시고 이때 성문 상부, 구개수 끝, 비인두 등 상기도 전반을 임상의가 굴곡성 내시경을 통해 평가하는 방법이다. 그러나 Müller maneuver는 주관적인 검사이기 때문에 검사자마다 해석을 달리 할 수 있고 재현도가 다를 수 있다는 단점을 지니고 있으며 환자가 완전한 흡기 노력(full inspiratory effort)을 보이지 못하는 경우 부정확한 상기도 평가가 될 수 있다는 한계점을 지닌다. 이러한 단점에도 불구하고 유일하게 각성 시 상기도의 함입성(collapsibility)을 측정할 수 있는 검사 방법이다.

2 영상 검사

여러 영상 검사들 중 두개계측 방사선 촬영(cepha-lometry)은 상기도를 이루는 여러 구조물들(골 및 연부조직)의 위치와 상호관계를 동시에 잘 보여주는 특징을 지닌다. 게다가 일정한 위치와 거리에서 촬영하기 때문에 재현성이 높다는 장점이 있어 환자의 상기도 평가에서 가장 흔히 사용되는 검사법 중 하나이다. 특히 상하악 전방이동술(maxillomandibular advancement, MMA)과 같은 수술적 치료 혹은 하악전진장치(man-dibular advancement devices)를 고려할 때 유용하다고 알려져 있다. 그러나 2차원 이미지만을 제공하고, 각성 상태에서 평가를 하며 상당한 양의 방사선에 환자를 노출시킨다는 단점을 지니고 있다. 한편, 컴퓨터 단층 촬영(CT) 및 자기 공명 영상(MRI)은 두개계측 방사선 촬영보다 정교한 영상을 제공하고 객관적인 단면적 및 부피 분석을 할 수 있다는 장점을 지닌다. 컴퓨터 단층 촬영은 전체 기도를 확인할 수 있으며, 기도의 정확한 측

정이 가능하고, 횡단면 및 3차원적인 평가가 가능하며, 비침습적인 검사라는 장점이 있다. 반면에 상대적으로 비싸고 한면에 전체 인두의 기도를 담을 수 없으며, 짧은 시간만 기록할 수 있고, 방사선에 노출된다는 단점도 존재한다. 오늘날에는 Cine 컴퓨터 단층 촬영 또는 초고속 컴퓨터 단층 촬영을 사용하여 적은 방사능 노출로도 여러 이미지를 얻을 수는 있으나 자기 공명 영상에 비해 컴퓨터 단층 촬영은 상기도의 지방에 대한 해상도가 낮다는 한계점이 있다. 자기 공명 영상은 컴퓨터 단층 촬영과 비교하여 연조직에 대한 높은 해상도, 방사선 노출이 없는 구조의 3차원 평가가 가능하다는 점이 특별한 장점으로 특히 방사선 위험이 없기 때문에 소아의 상기도에서 가장 좋은 영상학적 진단법이다. 또한 동적 자기 공명 영상(dynamic MR)을 사용하면 수면 중 상기도의 동적 폐쇄 및 허탈(collapsibility)을 평가하는 데 매우 유용하다. 그러나 검사 시 발생하는 소음으로 인해 편안한 환경에서 검사가 진행되기 어렵다는 점, 고가의 검사 비용 등의 한계점으로 인해 일반적으로 고려되는 영상 검사는 아니다. 비교적 최근에 도입된 상기도 평가방법으로는 수면 비디오투시촬영(Sleep videofluoroscopy)이 있다. 이는 진정제를 투여하여 가수면 상태를 유도한 뒤 투시촬영을 실시하여 상기도의 측면 영상을 획득하고 이를 분석하여 상기도를 평가하는 방법이다. 이 검사법은 누운 자세에서 그리고 정상수면과 유사한 가수면 상태에서 검사를 시행하게 된다는 점과, 기도뿐 아니라 주위 구조물인 설골과 하악의 관계를 볼 수 있다는 점, 비디오 영상으로 역동적인 기도의 모습 및 기도 전체의 모습을 관찰할 수 있어 여러 곳의 상기도 폐쇄가 동시에 발생하여도 이를 확인할 수 있다는 점이 특별한 장점이다. 단점으로는 투시 장비 및 진정제 사용이 필요하다는 점과 상기도 구조물들의 상호 중첩이 발생하면 이로 인해 상기도 평가에 제한이 나타날 수 있다는 점이 있다.

3 음향 분석

음향 분석(acoustic analysis)은 기본적으로 소리가 기도의 단면적에 따라 임피던스의 변화로 인해 다르게 반사되는 원리를 이용한 방법이다. 이는 영상 검사와 달리 방사선에 노출되지 않아 안전하게 시행될 수 있으며, 영상 검사와 비교할 때 상대적으로 저렴하다는 장점이 있다. 특히, 비교적 쉽게 비침습적으로 시행할 수 있어 수면다원검사를 시행하는 도중이나 환자 스스로 집에서 검사를 진행할 수 있는 상기도 평가 방법이다. 음향 분석은 주로 상기도의 폐쇄 부위가 연구개인지 설근부 인지를 구별하는데 주안점을 두며, 선별 검사의 방법으로 유용하게 쓸 수 있지만 음향 분석의 민감도와 특이도에 대한 의문이 남아 있어, 치료법을 결정하는 평가 방법으로 제한점을 지닌다.

4 다채널 압력 측정 검사

다채널 압력 측정 검사(multi-channel pressure measurement)는 다수의 압력센서가 달린 얇은 카테터(catheter)를 비강을 통해 하인두와 식도의 일부까지 집어넣은 후 압력이 증가한 부분을 폐쇄부위로 해석하는 방법이다. 이는 환자가 잠자는 동안 착용 할 수 있으므로 수면 시 기록이 가능하며, 기준이 되는 압력센서를 연구개의 끝부분에 위치시켜 이를 기준으로 상하부 상기도 폐쇄를 구분할 수 있다. 그러므로 임상의에게 폐쇄수면무호흡증 환자의 상기도 폐쇄 부위에 대한 정확한 예측을 가능하게 하여 이를 바탕으로 수술적 치료의 성공률을 높이는데 크게 기여할 수 있다. 그러나 동시에 발생하는 상기도의 다중 폐쇄 형태를 감별할 수 없으며, 호흡 중에 카테터가 움직이면 압력센서도 움직이므로 측정치의 정확성에 대한 한계점을 지닌다. 그리고 무엇보다도 일부 환자들은 밤새 카테터를 넣고 있는 것을 견디기가 어렵다는 단점을 지니고 있다.

5 약물 유도 수면내시경

약물 유도 수면내시경(drug induced sleep endoscopt, DISE)은 약물로 유도된 수면이긴 하지만, 수면 중 상기도를 3차원적으로 시각화 할 수 있다는 장점을 지닌 상기도 평가방법이다. 그러므로 기존의 상기도 평가방법에 비해 약물 유도 수면내시경으로 수면 중 상기도의 변화와 관련된 많은 양의 정보를 얻을 수 있다. 일반적으로 흔히 사용되는 진정제는 midazolam 또는 propopol이지만, 두 약물이 모두 사용되기도 하며 다른 종류의 진정제가 사용되기도 한다. 진정을 유도하는 방법에는 IV bolus, 지속적 주입(continuous infusion), 목표 농도주입법(target controlled infusion) 등이 있다. 약물 유도 수면은 자연적인 생리학적 수면과 다르지만 여러 선행 연구를 통해 진정에 사용되는 약물이 인후두의 다른 부분에 수면과 동일한 효과가 생긴다고 가정할 수 있으므로 관찰된 상기도 폐쇄 정도를 자연적인 수면상태에서 발생한 것으로 임상적으로 판단할 수 있다. 오늘날 약물 유도 수면내시경의 결과를 기술하는 방법은 아직 통일되어 있지 않아 매우 다양하다. 그러나 일반적으로는 해부학적 구조별(velum, oropharynx, tongue base, epiglottis) 폐쇄의 정도(none, partial, complete)와 폐쇄의 양상(anteroposterior, lateral, circumferential)을 기술하는 분류방법이 가장 널리 사용되며 이는 약물 유도 수면내시경의 장점을 살리는 가장 기본적인 폐쇄부위 기술방법이다. 그러나 약물 유도 수면내시경 검사는 약물에 의해 유도된 수면 때 나타나는 상기도의 변화(폐쇄)가 정상수면 시의 상기도 변화를 얼마나 정확히 반영하는지에 대한 의문이 남아있으며, 약물에 의한 수면의 유도는 상기도 근육의 과도한 이완을 가져올 수 있어 위양성 소견을 보일 수 있다는 단점을 지닌다. 따라서 이를 보완하기 위해 약물 유도 수면내시경을 시행하는 경우 바이스펙트럼 지수(Bispectral Index, BIS)를 통해 진정의 심도를 결정하면서 검사를 진행한다. 이러한 제한점 이외에도 검사자 간 일치도, 앙와위에 국한된 환자의 자세, 내시경 자체로 인한 상기도 공간의 감소로 인한 교란요소, 기도 주위의 연부조직과 골격을 평가가 불가능하다는 점, 구개와 설근부 부위를 동시에 평가가 불가능 하다는 것과 같은 다른 제한점들도 존재한다.

지금까지 다양한 상기도 평가 방법을 살펴보았다. 이를 통해 수면 및 각성 상태에서 상기도의 변화를 정확히 파악하는 것은 수면관련호흡장애 환자의 치료 과정에서 매우 중요하다고 할 수 있다. 마지막으로 다양한 전신 질환들, 가령 말단비대증(acromegaly), 대설증(macroglossia)이 동반되어 있는 다운증후군(Down syndrome), 골격계 이상을 보이는 Treacher-Collins 증후군 및 비만 등은 상기도 폐쇄에 주요한 원인이 되기 때문에 수면관련호흡장애 환자의 상기도를 평가할 때 이러한 부분을 반드시 염두에 두는 것이 필요하다.

▶ 참고문헌

- Cho JH. Evaluation of obstruction site in obstructive sleep apnea. Korean J Otorhinolaryngol-Head Neck Surg 2012;55:681-5.
- De Vito A, Carrasco Llatas M, Ravesloot MJ, et al. European position paper on drug-induced sleep endoscopy: 2017 Update. Clin Otolaryngol 2018;43:1541-52.
- Hong SN, Won TB, Kim JW, et al. Upper airway evaluation in patients with obstructive sleep apnea. Sleep Med Res 2016;7:1-9.
- Kezirian EJ, Hohenhorst W, de Vries N. Drug-induced sleep endoscopy: the VOTE classification. Eur Arch Otorhinolaryngol 2011;268:1233-6.
- Kim DK, Lee WH, Lee CH, et al. Interrater reliability of sleep videofluoroscopy for airway obstruction in obstructive sleep apnea. Laryngoscope 2014;124:1267-71.
- Shepard JW Jr, Gefter WB, Guilleminault C, et al. Evaluation of the upper airway in patients with obstructive sleep apnea. Sleep 1991;14:361-71.
- Shi Nee Tan, Yang HC, Lim SC. Anatomy and pathophysiology of upper airway obstructive sleep apnoea: review of the current literature. Sleep Med Res 2021;12:1-8.
- Stuck BA, Maurer JT. Airway evaluation in obstructive sleep apnea. Sleep Med Rev 2008;12:411-36.
- Thakkar K, Yao M. Diagnostic studies in obstructive sleep apnea. Otolaryngol Clin North Am 2007;40:785-805.
- Won TB. Contemporary methods of upper airway evaluation in obstructive sleep apnea patients. Korean J Otorhinolaryngol-Head Neck Surg 2013;56:7-13.

PART 4

수면장애 각론

01 불면장애 역학

윤진상 / 김주완

1 일반 인구에서 불면증 유병률

불면은 지각하거나 호소하는 정도에서 개인차이가 심하고 불면증이라는 진단을 위하여 객관적 검사가 필요하지도 않다. 불면은 신체질환, 정신장애 및 다른 수면장애에 흔히 동반되는 증상이면서 또한 불면장애라는 독립적인 수면장애이다. 최근에는 불면증이 특정 질환이나 장애의 공존여부와 무관하게 그 정도가 심하고 지속적이면 불면장애로 진단한다. 실제로 국제수면장애 진단분류(International Classification of Sleep Disorders, ICSD) 3판, 정신질환의 진단 및 통계 편람(Diagnostic and Statistical Manual of Mental Disorders, DSM) 5판 및 국제질병분류(International Classification of Diseases, ICD) 11판 등에서는 불면증의 진단명에 일차성 및 이차성의 상태를 구별하지 않는다.

일반 인구에서 불면증의 유병률 정보는 보통 불면의 임상적 의의나 원인을 고려하지 않고 설문지나 인터뷰 방법으로 얻어지며, 이때 적용하는 불면증의 정의나 기준이 다양하다. 즉 수면의 어려움 유무를 묻는 다소 임의적이고 간단한 증상부터 특정한 진단기준이나 척도를 엄격히 적용하는 방법까지 다양하다. 따라서 보고된 불면증의 유병률에는 단지 불편하거나 불량한 수면과 같이 가벼운 정도의 불면을 폭넓게 포함하는 경우도 있고, 치료가 필요한 심각한 불면증만을 진단해서 조사하는 경우도 있다. 표 15-1-1은 일반 인구에서 불면증의 유병률이 조사 내용, 방법, 대상과 지역에 따라 대략 5-50% 정도로 매우 다양함을 보여준다.

DSM-5에서는 일반 인구를 기반으로 추정하면, 성인의 1/3이 불면증을 호소하고 10-15%는 불면증으로 인해 주간에 기능저하를 일으키고, 6-10%는 불면장애의 진단기준을 만족시킨다고 한다. 하지만 불면장애의 유병률은 진단기준, 국가나 지역, 조사시기에 따라서도 차이를 보인다. 미국에서 2008년부터 2009년에 걸쳐 일반인 10,094명을 대상으로 설문지 조사를 시행한 결과, 불면증 진단은 DSM-IV-TR기준으로 22.1%였으나 ICD-10 기준으로는 3.9%에 그쳤다. 영국의 경우 1993년 8903명, 2000년 6,175명, 2007년 5425명을 인터뷰로 조사하였을 때 불면증 유병률은 DSM-IV 기준으로 각각 3.1%, 5.0%, 5.8%였다. 일본에서 2000년 발표된 역학연구는 3,030명을 대상으로 구조화된 설문지로 인터뷰 조사를 하였는데, 불면증의 유병률이 21.4%였고, 수면 개시의 어려움, 유지의 어려움, 이른 아침 각성의 유병률은 각각 8.3%, 15.0%, 8.0%였다.

국내의 대단위 연구로서 2002년 발표된 논문에 따르

표 15-1-1. 일반 인구에서 불면증의 유병률/발병률

참고문헌	대상	불면 정의/진단기준	조사방법	유병률/발병률	국가/지역
Bixler 등(1979)	1,006명 18세 이상	증상: 수면개시의 어려움 또는 수면유지의 어려움 또는 이른 아침 각성 기간: 현재 및 과거	설문조사	증상 유병률: 42.5% 수면개시의 어려움: 23.4% 수면유지의 어려움: 26.9% 이른 아침 각성: 17.1%	미국
Ford 와 Kamerow (1989)	7,954명 18-65세	증상: 수면개시의 어려움 또는 수면유지의 어려움 또는 이른 아침 각성 빈도/기간: 2주 이상, 　　지난 6개월	구조화된 인터뷰	증상 유병률: 10.2% 남성: 7.9% 여성: 12.1% 증상 발병률: 6.2% 남성: 5.4% 여성: 6.8%	미국
Husby와 Lingjaerde (1990)	14,667명 20-54세	증상: 불면의 경험 유무 기간/빈도: 불명	설문조사	증상 유병률: 34.9% 남성: 29.9% 여성: 41.7%	노르웨이
Tynjala 등(1993)	40,202명 11-16세	증상: 수면개시의 어려움 빈도: 주당 2회 이상	설문조사	증상 유병률 11-12세: 16.4-33.2% 13-14세: 11.5-25.3% 15-16세: 10.8-26.6%	유럽 11개 국가
Leger 등(2000)	12,778명 18세 이상	증상: 야간 증상(수면개시의 어려움 　또는 수면유지의 어려움 　또는 이른 아침 각성 또는 　비회복성 수면) 및 주간기능의 손상 여부 빈도/기간: 주당 3회 이상, 　　지난 4주	설문조사	증상 유병률 한 종류의 야간 증상, 29%; 한 종류의 야간 증상+주간기능의 　손상, 19%; 적어도 두 종류 이상의 야간 증상 　+주간기능의 손상, 9%	프랑스
Kim 등(2000)	3,030명 20세 이상	증상: 수면개시의 어려움 또는 수면유지의 어려움 또는 이른 아침 각성 기간/빈도: 지난 1개월	구조화된 인터뷰	증상 유병률: 21.4% 수면개시의 어려움: 8.3% 수면유지의 어려움: 15.0% 이른 아침 각성: 8.0%	일본
Ohayon과 Hong (2002)	3,719명 15세 이상	증상: 수면개시의 어려움 또는 수면유지의 어려움 또는 이른 아침 각성 또는 비회복성 수면 기간/빈도: 주당 3회 이상 진단 기준: DSM-IV	구조화된 전화 인터뷰	증상 유병률: 17.0% 수면개시의 어려움: 4.0% 수면유지의 어려움: 11.5% 이른 아침 각성: 1.5% 비회복 수면: 4.7% 진단 유병률: 5%	한국
Roth 등(2011)	10,094명 18세 이상	진단기준: DSM-IV-TR 또는 ICD-10 또는 RDC/ICSD-2	구조화된 전화 인터뷰	DSM-IV-TR 진단: 22.1% ICD-10 진단: 3.9% RDC/ICSD-2 진단: 14.7%	미국

참고문헌	대상	불면 정의/진단기준	조사방법	유병률/발병률	국가/지역
Calem 등(2012)	20,503명 (1993년, 8903명; 2000년, 6175명; 2007년, 5425명) 16-64세	증상: 수면개시의 어려움 또는 수면유지의 어려움 진단기준: DSM-IV criteria 기간/빈도: 지난 주	구조화된 인터뷰	1993년 - 증상 유병률: 35.0% - DSM-IV 진단: 3.1% 2000년 - 증상 유병률: 38.0% - DSM-IV 진단: 5.0% 2007년 - 증상 유병률: 38.6% - DSM-IV 진단: 5.8%	영국
La 등(2020)	2,695명 19-69세	증상(ISI 10점 이상): 수면개시의 어려움 수면유지의 어려움 이른 아침 각성 기간/빈도: 지난 1개월	구조화된 전화 인터뷰	증상 유병률: 10.7% 수면개시의 어려움: 6.8% 수면유지의 어려움: 6.5% 이른 아침 각성: 6.5%	한국

DIS, Diagnostic Interview Schedule; DSM-IV-TR, Diagnostic and Statistical Manual of Mental Disorders, 4th Edition, Text Revision; ICD-10, International Classification of Diseases, Tenth Edition; RDC/ICSD-2, Research Diagnostic Criteria/International Classification of Sleep Disorders, Second Edition; ISI, Insomnia Severity Index; PSQI, Pittsburgh Sleep Quality Index

면 15세 이상의 일반인을 대표할 수 있는 3,719명에서 불면증의 발병률은 17%였는데, 불면의 형태로 수면개시의 어려움, 유지의 어려움, 이른 아침 각성, 비회복성 수면의 발생이 각각 4.0%, 11.5%, 1.8%, 4.7%였고, 불면증 진단 유병률은 DSM-IV 기준으로 5%였다. 불면증을 가진 사람 가운데 50% 이상이 주간 활동에 중대한 영향을 받았지만, 의학적 도움을 찾는 사람은 6.8%로 매우 낮았다. 2020년 발표된 국내의 다른 연구는 19세부터 69세까지의 성인 2,695명을 조사하여 Insomnia Severity Index (ISI) 10점 이상의 불면증 유병률은 10.7%였고 그 아형으로 수면개시의 어려움, 유지의 어려움, 이른 아침 각성이 각각 6.8%, 6.5%, 6.5%였다. 또한 이 연구에서 수면의 질이 불량한 사람을 Pittsburgh Sleep Quality Index 6점 이상으로 정의할 때에 26.5%였다.

2 불면증의 기간을 고려한 유병률

불면의 지속기간은 불면의 원인, 경과 및 치료 방향에서 의미를 갖기 때문에 임상에서는 불면의 기간이 며칠이면 일시적(transient, acute), 수주면 단기(short-term, subacute), 수개월 이상이면 만성(chronic, long-term)으로 구분하기도 한다. 현재 ICSD-3와 DSM-5에서는 만성불면장애 또는 불면장애의 진단기준을 만족하는 기간을 3개월로 하고 있다. 하지만 일반인 대상의 불면증 역학조사는 불면의 지속기간을 특별히 일시적, 단기, 만성 등으로 구분하지 않기 때문에 불면의 기간을 고려한 유병률 정보는 부족하다. 1979년과 1991년 미국에서 성인 대상의 전국적 설문조사에 따르면, 응답자의 약 1/3이 지난 1년 동안 불면증을 경험하였는데, 이 중 약 1/2 이상은 그런 불면이 가끔 발생했고 별로 힘들지 않았다고 하여 이들은 불면이 일시적이거나 단기간이었음을 시사하였다. 연구에 따라 차이가 있지만 일반 인구에서 만성불면장애 유병률은 10%, 일시적 불면증은 30–35%로 추정된다.

3 수면제 사용과 불면증 유병률

불면증의 가장 신속하고 편리한 치료는 약물이고 여기에는 수면제, 진정수면효과가 있는 각종 향정신성약물, 비처방 수면제, 술 등을 이용한다. 따라서 이런 약물의 사용 정도를 파악하면 역으로 불면증의 유병률을 대강 유추해 볼 수도 있을 것이다. 1985년 발표된 미국 연구는 시설에 거주하지 않는 18세 이상의 성인 가운데 지난 해에 어떻게든 불면을 경험한 사람이 35%이고 수면제를 처방 받은 사람은 2.6%, 비처방 수면제의 사용자는 3.1%였다. 수면제를 처방 받는 사람의 11%는 1년 이상을 규칙적으로 사용하였다. 수면제의 사용은 1980년 이후로 증가되는 경향이며 여성과 노인에서 더 많이 처방되고 있다. 예컨대 1995년 발표된 스웨덴 연구는 65세 이상의 연금 수령자에서 남성의 13.5%, 여성의 22.3%가 수면제를 사용하였다. 영국의 경우 일반 인구에서 수면제 사용은 1993년 0.4%에서 2000년 0.8%로 2배가 증가하였다. 국내에서 2002년부터 2013년까지 약 100만명 환자의 국민건강보험 자료를 분석한 연구에서, ICD-10 코드로 불면증이 입력되었거나 1주일 이상 수면제가 처방된 경우를 불면증 환자라고 정의했을 때 2013년 기준 불면증 진단은 5.78%였다. 특히 여성의 경우 2002년 3.10%에서 2013년 7.20%, 남성의 경우 2002년 1.62%에서 2013년 4.32%로 남녀 모두에서 약 2배 증가하였다.

4 신체질환과 불면증 유병률

신체질환의 통증과 불편은 숙면을 방해하므로 신체질환을 가진 환자는 일반인보다 더 흔하게 불면증이나 불면장애를 경험한다. 2009년 국내에서 지역사회 노인 인구 1,200명정도를 분석한 연구에 따르면, 신체질환이 없는 집단에 비해 2–3가지 신체질환이 있으면 불면증의 유병률은 1.5배 높았고 4가지 이상 신체질환이 있으면 2.3배 높았다. 대만의 한 연구에서 2013년 환자 994,556명의 건강보험자료를 분석한 결과, 불면증 유병률은 ICD-9-CM 기준으로 4.17%였다. 신체질환과 불면증의 연관성에 대한 연구는 주로 암, 류마티스, 폐, 심장, 신장 및 신경계 질환에서 이루어졌는데, 특히 암환자에서 불면증 유병률이 높았다. 2009년 프랑스에서 발표된 991명의 암환자 코호트 연구에서는 암 진단을 받을 당시에 28.5% 환자에서 불면증이 진단되었는데, 유방암 환자에서 36.0%로 가장 높게, 전립선 암에서 15.8%로 가장 낮게 동반되었다.

5 정신장애와 불면증 유병률

불면과 정신장애는 상호 긴밀하게 연관되어 있다. 불면은 과민성, 우울, 불안, 집중력 저하, 피로감, 무력감 같은 정신적 증상을 흔히 유발하므로 불안장애나 우울장애와 같은 정신장애의 위험인자이기도 하다. 한 연구는 7,954명을 1년에 걸쳐 2차례 구조화된 면담을 시행한 결과, 기저에 불면장애가 있는 사람이 1년 뒤까지 불면 증상이 지속되면 새로운 주요 우울삽화가 발생할 확률은 40배로 높았고, 강박장애, 공포증, 공황장애는 25배였다고 한다. 또한 만성불면장애 환자의 35%는 다른 정신장애 진단을 만족한다고 한다. 한편 불면은 그 자체가 정신장애의 흔한 증상으로서 기분장애나 불안장애의 진단기준에 포함된다. 양극성장애를 포함한 기분장애의 80%는 우울삽화 시에 불면증을 경험한다. 2018년 3,573명의 주요우울장애 환자를 조사한 연구는 85.2%에서 불면증이 있다고 보고하였다. 1980년부터 1984년까지 미국에서 시행된 대규모 지역사회 조사에 따르면 주요우울장애, 알코올 남용, 기분부전, 공황장애, 약물남용, 조현병, 신체화장애에서 불면증이 각각 25%, 12%, 12%, 9%, 8%, 8%, 2% 동반 되었다. 불면은 조현병, 알츠하이머 치매의 진단기준에는 포함되지 않지만 이들 질환에서도 흔하게 보고된다.

6 다른 수면장애와 불면증 유병률

수면무호흡, 렘수면행동장애, 기면병, 하지불안증후군 등 대부분의 수면장애에서 불면증이 동반되고, 이때 불면장애의 진단을 만족시키면 이 진단을 병행할 수 있다. 수면장애들에서 불면장애가 동반되면 치료나 예후가 좋지 않다고 알려졌다. 수면무호흡과 불면증은 흔히 공존한다. 2021년 호주에서 시행한 일반인 2,044명의 설문조사에서 불면증 진단은 303명(14.8%)이었으며, 이 중 수면무호흡 동반 진단은 31명(10.2%)였다. 또한 수면무호흡 진단은 139명(6.8%)이었으며, 이 중 동반 진단된 불면증은 31명(22.3%)였다. 2019년 1,280명의 렘수면행동장애 환자를 조사한 연구에서 불면증을 보고한 환자는 31.8%였다. 기면병은 수면분절이 흔하여 야간수면을 방해하고 불면증으로 표출되기도 하고 기면병 치료에 사용되는 약물들의 가장 흔한 부작용도 불면이다. 하지불안증후군 역시 수면개시 및 수면유지의 어려움 같은 불면증을 초래한다. 하지만 임상에서 특정 수면장애와 불면장애가 함께 진단되는 정도는 잘 파악되지 않고 있다.

7 원인 및 위험인자

불면증의 지속기간에 따른 원인들은 다음과 같이 정리할 수 있다. 수일에 그치는 일시적 불면증은 보통 일상생활과 환경의 변화에 의해서 야기된다. 예컨대, 신체질환이나 입원 같은 급성 스트레스, 비행시차, 교대근무와 같은 수면 스케줄의 변화를 들 수 있다. 수 주일 지속되는 단기적 불면증은 흔히 직업이나 가정사와 관련된 상황적 스트레스에 의해서 야기된다. 예컨대, 심각한 신체질환, 직장에서의 해고, 재정적 손실, 이혼, 사별 등을 들 수 있다. 또한 우울증이나 조현병 같은 정신의

학적 장애의 급성 삽화에 의해서 유발된다. 수개월 이상 지속되는 불면증은 정신생리적 요인, 만성 신체질환, 정신장애, 다른 수면장애(예컨대, 수면무호흡, 하지불안증후군, 수면각성리듬장애), 중추신경계 약물 사용(예컨대, 알코올) 등이다.

불면증의 발생 과정, 불면증을 유발하고 지속시키는 요인들의 상호관계, 일시적 불면증이 만성화로 지속되는 과정 등은 불면증의 모델(models of insomnia) 편에서 상세하게 다루어질 것이므로 여기서는 불면증에 취약할 수 있는 다양한 조건이나 위험인자들을 살펴보고자 한다. 첫째는 개인의 소인적/기질적/성격적 요인이다. 소위 불안지수가 높고 걱정을 잘하는 경향, 예민하고 과각성의 경향을 갖는 사람은 기본적으로 불면증에 취약하다. 둘째는 수면위생 및 환경과 관련한 요인이다. 스트레스, 불량한 수면위생, 신체질환, 정신장애 및 다른 수면장애는 불면증을 유발하기 쉬운 조건들이다. 셋째는 생리적/유전적 요인이다. 여기에는 대표적으로 여성과 노화, 불면의 가족력 등을 들 수 있다. 이들을 좀 더 살펴보면 다음과 같다.

불면증은 나이가 들수록 증가한다. 65세 이상의 노인에서 약 1/3이 다소 지속적인 불면증을 가지고 있다고 한다. 오스트레일리아에서 70세 이상의 노인들을 조사하였을 때 여성의 18%, 남성의 12.6%는 거의 매일 불면증을 보였다. 외국의 경우 소아 청소년에서도 불면증의 유병률은 매우 다양하게 조사되고 있으며, 대략 10% 이상으로 보고된다. 중년에서의 불면증 유병률은 10% 내외로 보고되었다. 불면 양상에서 수면개시의 어려움은 젊은 나이에서, 수면유지의 어려움 및 이른 아침 각성은 중년 이후에 더 빈번한 경향을 보인다.

불면증은 여성이 남성보다 약 1.5배로 빈번하다. 특히 폐경기 및 그 이후에는 그 차이가 더 분명해진다. 한국인 1,025,340명을 분석한 연구에서도 불면장애의 유병률은 여성과 남성에서 각각 7.20%, 4.32%로 여성이 남성보다 불면장애에 더 취약하였다.

최근 많은 연구들에서 불면장애와 유전 관련성을 보고하고 있다. 쌍둥이 연구들에서는 21-57% 유전가능성

을 보고하고 있으며 가족 발병률의 경우 34−55%였다. 불면증과 관련된 후보유전자로는 Apoε4, PER3[4/4], HLA DQB1*0602, homozygous Clock gene 3111C/C Clock, 그리고 5−HTTLPR의 short (s−) allele이 있다. 가장 널리 알려진 단일염기서열변이로는 ROR1, PLCB1, EPHA4, CACNA1A STK39, USP25, MARP10, GABRB1, DLG2 등이 보고되고 있다.

직업에 따라 다양한 불면증을 호소하기도 한다. 40개 직종의 사람 6,268명을 설문지로 조사한 연구에 따르면 버스기사의 18.9%가 잠들기 어려움을 호소하였다. 남성 노동자의 28.1%, 여성 청소부의 26.6%에서 야간 수면유지의 어려움을 호소하였다. 특히 교대근무자들은 수면장애가 매우 흔하며, 대부분 근무 시간에 따른 하루주기리듬의 교란이 원인이다.

이미 기술하였듯이 신체질환, 정신장애 및 다른 수면장애는 그 자체가 불면증이나 불면장애를 일으키는 원인 및 위험인자로 작용한다.

수면제를 갑자기 중단하면 반동불면(rebound insomnia)이 발생할 수 있다. 반동불면은 역가가 높고 작용시간이 짧은 수면제를 갑자기 중단할 때 발생하기 쉬운데, 심지어 단지 하루 복용한 후에도 발생할 수 있다. 또한 수면제의 투여 기간보다는 투여 용량과 더 관련이 있다고 알려졌다. 수면다원검사를 통한 연구를 보면, 반동불면은 수면제 중단 후의 첫 번째 및 두 번째 밤에 수면잠복기가 늘어나고 수면 후 각성이 증가하면서 결국 총 수면 시간이 감소함을 보여준다.

다양한 약물이 중추신경계에 작용하여 불면증을 초래할 수 있다. 사교적 약물로 분류되는 니코틴, 알코올, 카페인 역시 불면증을 유발하거나 악화시킬 수 있다. 니코틴은 각성과 흥분을 유발하는 물질이다. 흡연자는 비흡연자에 비해 수면의 질이 낮고 불면증이 더 높다. 알코올은 일반인, 불면증 또는 알코올중독 환자에서 수면유도제로 흔히 사용되고 있다. 취침 전 음주는 수면을 유도할 수 있지만 수면의 질 특히 후반부 수면에 악영향을 준다. 카페인이 각성도를 높이고 전체 수면시간을 감소시킴은 잘 알려져 있다.

▶ 참고문헌

- Aernout E, Benradia I, Hazo JB, et al. International study of the prevalence and factors associated with insomnia in the general population. Sleep Med 2021;82:186−92.
- American Academy of Sleep Medicine. International classification of sleep disorders. 3rd ed. Darien, IL: American Academy of Sleep Medicine; 2014.
- American Psychiatric Association. Diagnostic and statistical manual of mental disorders. 5th ed. Washington DC: American Psychiatric Press; 2013.
- Benca RM. Sleep in psychiatric disorders. Neurol Clin 1996;14:739−64.
- Bixler EO, Kales A, Soldatos CR, et al., Prevalence of sleep disorders in the Los Angeles metropolitan area. Am J Psychiatry 1979;136:1257−62.
- Buysse DJ, Reynolds CF, Kupfer DJ. Diagnostic concordance for DSM−IV sleep disorders: a report from the APA/NIMH DSM−IV field trial. Sleep 1994;17:630−7.
- Calem M, Bisla J, Begum A, et al. Increased prevalence of insomnia and changes in hypnotics use in England over 15 years: analysis of the 1993, 2000, and 2007 National Psychiatric Morbidity Surveys. Sleep 2012;35:377−84.
- Chung SH, Cho SW, Jo MW, et al. The prevalence and incidence of insomnia in Korea during 2005 to 2013. Psychiatry Investig 2020;17:533−40.
- Duffy JF, Zitting KM, Chinoy ED. Aging and Circadian Rhythms. Sleep Med Clin 2015;10:423−34.
- Ford DE, Kamerow DB. Epidemiologic study of sleep disturbances and psychiatric disorders. An opportunity for prevention? JAMA 1989;262:1479−84.
- Geoffroy PA, Hoertel N, Etain B. Insomnia and hypersomnia in major depressive episode: prevalence, sociodemographic characteristics and psychiatric comorbidity in a population−based study. J Affect Disord 2018;226:132−41.
- Hornyak M, Feige B, Voderholzer U, et al., Polysomnography findings in patients with restless legs syndrome and in healthy controls: a comparative observational study. Sleep 2007;30:861−5.
- Hsu YW, Ho CH, Wang JJ, et al. Longitudinal trends of the health-care−seeking prevalence and incidence of insomnia in Taiwan: an 8−year nationally representative study. Sleep Med 2013;14:843−9.
- Husby R, Lingjaerde O. Prevalence of reported sleeplessness in northern Norway in relation to sex, age and season. Acta Psychiatr Scand 1990;81:542−7.
- Kales A, Scharf M, Kales J. Rebound insomnia: a new clinical syn-

drome. Science 1978;201:1039–40.

- Kim JM, Stewart R, Kim SW. Insomnia, depression, and physical disorders in late life: a 2-year longitudinal community study in Koreans. Sleep 2009;32:1221–8.
- Kim K, Uchiyama M, Okawa M, et al. An epidemiological study of insomnia among the Japanese general population. Sleep 2000;23:41–7.
- Kotis JB, Rosen RC, Holzer, et al. CNS side effects of centrallyactive antihypertensive agents: a prospective, placebo-controlled study of sleep, mood state, and cognitive and sexual function in hypertensive males. Psychopharmacology 1990;102:163–70.
- La YK, Choi YH, Chu, MK et, al. Gender differences influence over insomnia in Korean population: a cross-sectional study. PLoS One 2020;15:e0227190.
- Leger D, Guilleminault C, Dreyfus JP, et al. Prevalence of insomnia in a sur vey of 12,778 adults in France. J Sleep Res 2000;9:35–42.
- Levenson JC, Kay DB, Buysse DJ. The pathophysiology of insomnia. Chest 2015;147:1179–92.
- Mellinger GD, Balter MB, Uhelenhuth EH. Insomnia and its treatment. Arch Gen Psychiatry 1985;42:225–32.
- Merlotti L, Roehrs T, Zorick F, et al. Rebound insomnia: duration of use and individual differences. J Clin Psychopharmacol 1991;11:368–73.
- Ohayon MM, Hong SC. Prevalence of insomnia and associated factors in South Korea. J Psychosom Res 2002;53:593–600.
- Palagini L, Biber K, Riemann D. The genetics of insomnia––evidence for epigenetic mechanisms? Sleep Med Rev 2014;18:225–35.
- Parkes JD, Chen SY, Clift SJ, et al. The clinical diagnosis of the narcoleptic syndrome. J Sleep Res 1998;7:41–52.
- Postuma RB, Iranzo A, Hu M, et al. Risk and predictors of dementia and parkinsonism in idiopathic REM sleep behaviour disorder: a multicentre study. Brain 2019;142:744–59.
- Roth T, Coulouvrat C, Hajak G, et al. Prevalence and perceived health associated with insomnia based on DSM-IV-TR; International Statistical Classification of Diseases and Related Health Problems, Tenth Revision; and Research Diagnostic Criteria/International Classification of Sleep Disorders, Second Ed criteria: results from the America Insomnia Survey. Biol Psychiatry 2011;69:592–600.
- Savard J, Villa J, Ivers H, Simard S. Prevalence, natural course, and risk factors of insomnia comorbid with cancer over a 2-month period. J Clin Oncol 2009;27:5233–9.
- Shelton PS, Hocking LB. Zopidem for dementia-related insomnia and nighttime wandering. Ann Pharmacother 1997;31:319–21.
- Sweetman A, Melaku YA, Lack L, et al. Prevalence and associations of comorbid insomnia and sleep apnoea in an Australian population-based sample. Sleep Med 2021;82:9–17.
- Tsuno N, Besset A, Ritchie K. Sleep and depression. J Clin Psychiatry 2005;66:1254–69.
- Tynjälä J, Kannas L, Välimaa R. How young Europeans sleep. Health Educ Res 1993;8:69–80.
- Weissman MM, Greenwald S, Niño-Murcia G, et al. The morbidity of insomnia uncomplicated by psychiatric disorders. Gen Hosp Psychiatry 1997;19:245–50.

PART

4

수면장애 각론

02 불면장애의 모델

전홍준

불면증의 병태생리를 설명하는 모델 중 잘 알려진 것에는 총 9가지의 모델이 있다. 각각의 모델은 어떻게 불면증이 생겨서 만성화 되는지에 대한 고유의 관점을 가지고 있다.

1 Stimulus Control Model

자극조절(stimulus control)이란 1972년 Bootzin에 의해 처음 제안된 개념으로 같은 자극이라 할지라도 어떻게 조건화 되는가에 따라 다양한 반응으로 나타난다는 가설이다. 즉 불면증이 있는 사람에게는 침실, 침대와 같이 일반적으로는 수면과 연관되어야 할 단서들이 수면 이외의 다른 행동과 흔히 결합되는 것을 관찰할 수 있다. 예를 들어 불면증이 있는 사람들은 잠이 쉽게 오지 않기 때문에, 잠을 자야 할 시간에 침대에 누워서 책을 읽거나 TV를 시청하는 것 등의 행동을 보일 수 있다. 하지만 이런 행동은 종종 졸린 느낌이 잠으로 이어지지 않는 부정적인 결과, 즉 stimulus dyscontrol을 가져온다. 이 자극조절 모델은 현재에도 불면증의 행동치료에 적극적으로 사용되고 있으며, 그 효과도 입증된 바 있다. 그럼에도 불구하고 자극조절 모델이 불면증의

병태생리를 모두 설명해 주는 것은 아니다. 자극조절이론과 반대되는 행동들이 도리어 수면의 연속성을 증가시킨다는 연구결과도 있다. 자극조절이론이 불면증 치료에 있어 갖는 중요성은 다른 치료 요소와 따로 떼어 생각하기 어렵다. 왜냐하면 불면증 환자의 행동치료로서의 자극조절법 지침 안에는 여러 치료 요소가 혼재되어 있기 때문이다. 에를 들어 동일한 시간에 일어나라는 지침은 수면부족을 일부러 유발함으로써 다음날 수면을 더 잘 취하게 해주는 요소가 있다.

2 Three-Factor Model (3P Model)

이 모델은 Spielman model 이라고 불리기도 하며 급성 증상으로서의 불면증이 어떻게 발생하여 만성화 되는지를 설명해주는 모델로 유용한 가치를 지닌다. 이 모델에서 각각의 P는 1) predisposing factor, 2) precipitating factor 그리고 3) perpetuating factor를 가리킨다. 처음의 두 가지 요소 즉, predisposing factor와 precipitating factor는 급성기 불면증이 나타나는 과정을 설명해주며, 다른 정신과 장애의 발병을 설명할 때 흔히 사용되는 stress-diathesis model과 유사하다. 마지막 per-

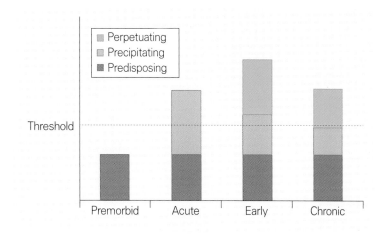

그림 15-2-1. **The 3P Model**

petuating factor는 불면증이 어떻게 만성화 되는지를 설명한다. Predisposing factor는 생물학적, 심리적 그리고 사회적 요인을 망라하며 불면증 증상 발생에 취약한 이유에 초점을 맞춘다. Precipitating factor는 불면증이 발생한 직접적인 계기가 되는 요소를 의미하는데 소위 이 "trigger"는 나양한 스트레스 유발 사건으로부터 발생하는 경우가 가장 흔하다. Perpetuating factor는 만성불면증의 발생 기전을 잘 설명해주는 요소로 세 가지 요소 중 유일하게 교정 가능한 요소로서 그 중요성이 강조된다. 불면증이 있는 사람은 불면증에 대응하기 위한 여러가지 보상 행동(compensatory behavior)을 하는데 여기에는 침대에 지나치게 오래 누워 있거나 낮잠을 자는 등 불면증을 지속시키는 행동 등이 흔히 포함되고 이를 perpetuating factor라고 한다. 이러한 3-P model 그림 15-2-1에 표현되어 있다. 여기에 고전적 조건화(Pavlovian conditioning)를 4번째 P로 추가한 4-P model이 제안되기도 하였다.

　3-P 모델은 임상적 경험뿐 아니라 수면-각성의 two process model에도 잘 부합하기 때문에 매력적인 불면증 모델로 인정받고 있다. 그리고 3-P 모델에서 기인한 수면제한법(sleep restriction therapy)도 불면증의 행동 치료로서 상당히 효과적이다. 하지만 이 모델에도 몇 가지 제한점이 제기되고 있다. 첫 번째로, 사람마다 불면증의 발생에 대한 고유의 취약성이 있을 수 있다. 따라서 어떤 사람은 불면증의 발생에 매우 취약하기도 하고 또 어떤 사람은 불면증이 거의 발생하지 않는 사람도 있지만 이 3-P 모델은 이 같은 점을 충분히 설명해주지 못한다. 그리고 많은 경우에 불면증의 발생이 스트레스에 대한 적응적 반응으로 설명될 수 있다는 점도 이 모델이 가지는 한계 중 하나이다. 마지막으로 수면제한 요법이 단독으로 시행될 경우에 불면장애의 치료효과가 어느정도 되는지에 대한 연구결과가 부족하다는 것도 이 모델의 제한점으로 거론되고 있다. 이 모델이 더 인정받기 위해서는 predisposing factor에 대한 분자생물학적, 유전적 연구가 뒷받침 되어야 하며 문화적 요소에 대한 연구도 이루어져야 한다.

3 Microanalytic Model

　이 모델은 Morin이 제안하였으며 불면증을 지속시키는 데 기여하는 4가지의 요소들이 서로 어떠한 영향을 미치는 지를 설명하고 있다(그림 15-2-2). 이 4가지 요소는 각각 각성(arousal), 비적응적 인지(dysfunctional cognitions), 부적응적 습관(maladaptive habits) 그리고 불면증의 결과(consequences)를 가리킨다. 이 모델의 핵

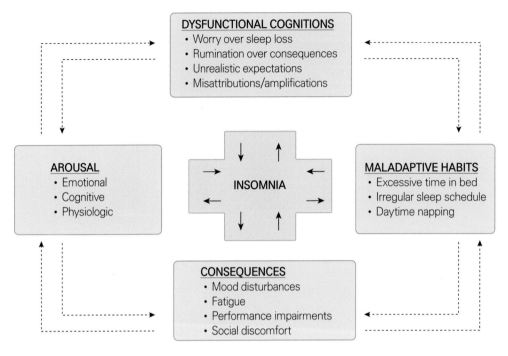

그림 15-2-2. The Microanalytic Model

심적인 개념은 불면증이 발생하면 그에 따른 결과가 반드시 발생하며 이러한 결과로 인해 불면증이 지속되거나 향후 불면증이 재발하기 쉬운 상태로 진행한다는 것이다. 이 모델은 불면증이 스스로 강화되는 측면을 잘 부각하였다는 장점이 있으며 치료의 목표로 삼아야할 4가지 요소를 잘 제시하였다는 것이지만 불면증의 원인(etiology)에 대한 설명이 없다는 점이 제한점으로 생각된다. 각 요소가 불면증의 치료에 있어서 가지는 개별적인 가치에 대한 연구가 필요하다.

4 Neurocognitive Model

Neurocognitive model은 기본적으로 3-P model을 바탕으로 하고 있다. 이 모델의 특징은 불면증을 발생시키는 요소로서 과각성(hyperarousal)을 강조하는데, 과각성 가운데서도 대뇌피질의 과각성(cortical hyperarousal)을 불면증 발생의 핵심 병인론으로 설명하고 있

다. 이 모델에 따르면, 과각성은 결국 감각과 정보를 처리하는 과정에 이상을 일으켜 잠이 들기 어렵게 만들거나 잠을 유지하는 것을 방해하게 되며, 수면상태 오지각(sleep state misperception)도 이러한 처리과정의 이상의 결과로서 발생한다(그림 15-2-3). Neurocognitive model은 4-P model과 마찬가지로 불면과 관련된 고전적 조건화를 중요한 요소로 보며, 고전적 조건화의 결과로 발생하는 과각성이 항진된 감각 및 정보의 처리 및 장기기억을 초래함으로써 불면증의 악화에 기여한다는 관점을 제시한다. 이 모델은 불면증에서 발생하는 과각성에 대한 다원론적인 관점을 제공하며 정량적 뇌파(quantitative encephalography)나 유발전위검사(evoked potential) 그리고 양전자 단층촬영(positron emission tomography) 등의 검사로부터 증가된 감각 및 정보처리과정에 대한 핵심적 가설이 뒷받침되고 있다. 다만 급성기 불면증이 발생하는 과정에 대한 설명이 부족하며 하루주기 및 항상성 요소의 영향등이 배제되어 있는 것이 제한점으로 생각되고 있다.

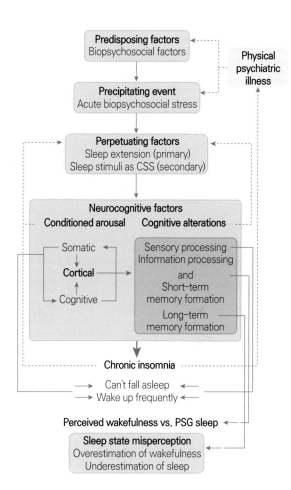

그림 15-2-3. The Neurocognitive Model

5 Two-Factor Model

이 모델은 Bonnet과 Arand에 의해 제안되었으며, 불면증과 주간과다수면 모두를 포함하는 모델이다. 이 모델의 핵심적인 개념은 기저 각성수준(basal arousal level)과 수면 필요(sleep requirement)가 서로 어떻게 조합되는지에 따라 불면증이 발생기도 하며 주간과다수면이 발생하기도 한다는 것이다. 그림 15-2-4에 보이듯이 불면증은 기저 각성수준이 높으면서 수면 필요가 짧을 때 발생하게 된다. 즉 수면이 반드시 필요하지 않은 상황에서 잠을 자기 위해 노력할 때 불면증이 발생하며, 이 과정에서 높은 기저 각성수준이 적당한 수면을 취하는 것을 방해한다는 것이다. 이 모델은 수면오지각의 발생 또한 포함하며 이는 기저 각성수준이 높으면서 수면 필요가 길 때 발생하게 된다. 다시 말해서 수면을 취하는 데는 별 문제가 없지만 높은 기저 각성수준으로 인해 수면을 깨어있는 것으로 잘못 인식한다는 것이다. 이 모델의 특징은 기저 과각성과 수면유지(sleep continuity)에 따라 원발성 불면증(primary insomnia 또는 psychosocial insomnia), 수면오지각 등의 수면장애를 구분할 수 있으며 여기에 과각성을 조절요인(moderator)으로 포함시켰다는 점이며, 다양한 관찰 및 실험 연구를 통해 불면증과 과각성과의 연관성이 입증된 바 있다. 뿐만 아니라 이 모델은 벤조디아제핀계 약물과 같이

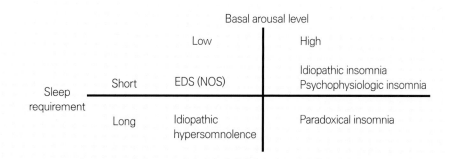

그림 15-2-4. The Two-Factor Model

PART
4

수면장애 각론

중추신경계에서 각성수준을 조절하는 약 그리고 멜라토닌 효현제나 히스타민 길항제, 오렉신 길항제와 같이 수면 필요를 조절하는 약이 불면증에 효과가 있다는 점에서 임상적 의의를 가진다. 비약물적 치료에서도 이완 훈련(relaxation training)이나 자극조절법(stimulus control therapy) 등이 기저 각성수준을 낮추는 것을 목표로 하고 있다.

6 Sleep Interfering-Interpretation Process Model

이 모델은 Lundh와 Broman에 의해 제안된 것으로 불면증의 발생 원인을 두 가지로 규정한다. 그 중 하나는 수면 방해 요인(sleep interfering)이고 다른 하나는 수면 해석 요인(sleep interpretation)이다(그림 15-2-5). 수면 방해 요인으로는 각성에 영향을 미치는 4가지 요소 및 각성 그 자체를 들 수 있다. 수면 방해 요인에 포함되는 4가지 요소는 각각 각성 민감성(arousability), 자극-각성 관련 인자(stimulus-arousal associations), 행동 및 인지 전략(behavioral and cognitive strategies), 그리고 대인관계(interpersonal relations)이다. 그림 15-2-5에서 나타나듯이 이러한 4가지 요소는 결국 생리적, 정서적, 인지적 각성으로 이어져서 불면증의 발생에 기여하게 된다. 수면 해석 요인 또한 두 단계로 나누어진다. 첫번째 단계에는 3가지 요소가 포함되어 있다. 이것들은 각각 낮 동안의 기능에 대한 불면의 영향의 과도한 기인(attributions), 완벽주의적인 가치 판단(perfectionism), 그리고 수면의 필요성, 불면의 결과 등에 대한 비적응적 믿음(beliefs)이며 이러한 요소들이 결국 수

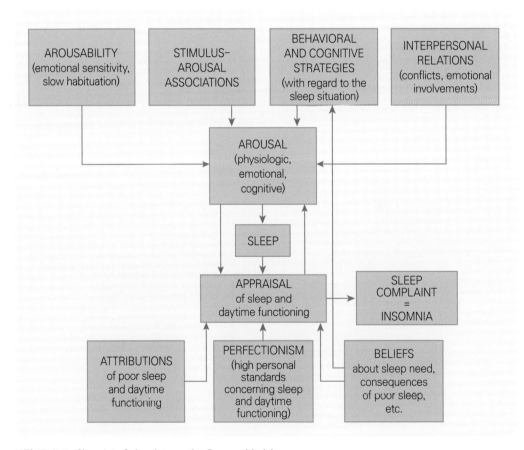

그림 15-2-5. **Sleep Interfering-Interpreting Process Model**

면과 낮 동안의 기능에 대한 잘못된 평가(appraisal)를 거쳐 불면증을 발생시키게 된다고 이 모델은 제시한다.

각성 민감성이나 대인관계와 같이 서로 다른 개인들의 개별적 요인이 불면증의 발생에 크게 기여한다는 관점이 이 모델 고유의 특징이며 이로 인해 같은 스트레스에도 불구하고 개인에 따라 불면증이 발생하는 여부가 다르다는 점이 설명될 수 있다.

7 Psychobiologic Inhibition Model

이 모델에서는 수면을 잘 취하기 위해 반드시 필요한 요소로 자동성(automaticity)과 가소성(plasticity)의 중

요성이 강조된다. 여기서 자동성이란 잠이 들 때 별다른 노력없이 불수의적으로 잠이 드는 것을 의미하며 가소성이란 현실의 다양한 상황에 적응하는 능력을 의미한다. 스트레스로 인한 생리적, 심리적 과각성이 이러한 자동성과 가소성을 방해(inhibition)하는 것이 불면증의 발생에 핵심적인 요소라는 것이 이 모델이 제시하는 관점이다. 스트레스에 대한 급성기 반응으로서의 불면증을 경험하고 있는 사람의 관심(attention)이 스트레스의 원인으로부터 불면증 그 자체로 옮겨가고, 자동적으로 잠을 사지 못하게 되면서 잠을 자려는 의도(intention)가 노력(effort)으로 이어질 때 만성적인 불면증이 발생할 수 있다(그림 15-2-6).

이 모델이 가지는 장점은 급성 불면증과 만성불면장

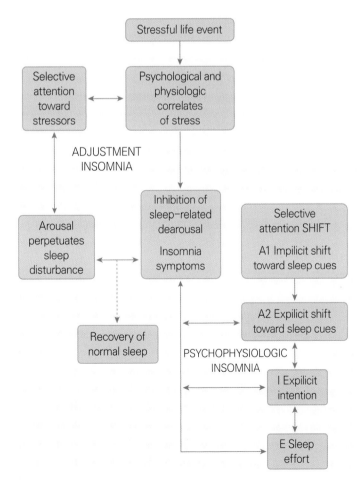

그림 15-2-6. The Psychobiologic Inhibition Model

애의 발생 기전을 명확히 구분해서 설명하고 있다는 것이다. **그림 15-2-6**에서 급성 불면증은 적응 불면증(adjustment insomnia)으로, 만성불면장애는 정신생리 불면증(psychophysiological insomnia)으로 표현되어 있다. 또한 스트레스의 원인으로부터 불면증으로 관심이 옮겨가는 과정이 불면증이 만성화되는 기전이라는 것이 여러 연구로부터 입증된 바 있다. 뿐만 아니라 다른 불면증 모델이 과각성을 주로 강조하는 데 반해서, 이 모델은 수면 시 발생하는 자동적인 각성 감소(dearousal)가 방해되는 것을 불면증의 원인으로 강조했다는 점도 특징 중 하나이다.

8 Cognitive Model

이 모델은 Harvey에 의해 제안된 것으로 불안장애의

발생 기전을 설명할 때 활용되어 온 개념들을 차용하였다(**그림 15-2-7**). 이 모델에 따르면 불면증을 만성화 시키는 데 수면과 관련된 걱정들(sleep-related worries), 선택적 주의(selective attention), 수면과 관련된 위협을 감지하는 것(detection of sleep-related threats) 등이 기여하며, 이들이 각성 수준을 점차 높여 결국 잠이 드는 것이나 잠을 유지하는 것을 방해한다. 즉 급성 불면 증상이 있는 사람이 자신이 수면 문제가 있다는 것을 인식하고, 수면과 관련된 걱정에 빠져들게 되면서 수면과 관련된 위협적인 요소나 불면증으로 인한 결과들에 선택적으로 주의를 기울이게 되며, 모니터링하게 되면서 최종적으로 두려운 결과를 예방하기 위한 일종의 안전 행동(safety behavior)에 몰두하게 되면서 불면증이 만성화 된다. 여기에서 수면과 관련된 걱정에는 수면 시간, 수면의 질, 그리고 수면부족에 의한 건강 악화 등에 대한 사고나 반추가 포함되며 수면관련 위협에 대한 선택

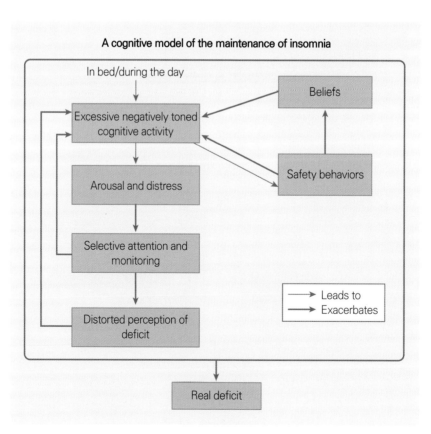

그림 15-2-7. The Cognitive Model

적 주의에는 졸음이나 각성, 통증과 같은 내적인 요소와 빛이나 소음과 같은 외적인 요소가 모두 포함된다. 수면과 관련된 위협을 감지하는 것은 수면을 방해한다고 생각되는 내외적인 요소에 대한 믿음과 결합하게 되고 결국 다음날에 일어나는 부정적인 일(예를 들어 지각 등)을 모두 수면부족으로 기인하게 된다. 마지막으로 안전 행동에는 수면 기회를 늘리려는 시도와 같은 보상 행동과 사회적 위축과 같은 회피 행동이 모두 포함된다.

이 모델이 가지는 장점은 불면증이 만성화되는 기전에 기여하는 요소들을(수면과 관련된 걱정들, 선택적 주의, 위협에 대한 감지, 모니터링 등) 잘 특정하고 있는데 있다. 그리고 이러한 요소들이 실제로 불면증을 유발하는지에 대한 많은 실험적 연구들과 관찰 연구들이 이 모델을 뒷받침 하고 있으며, 불면증 인지행동치료의 구성요소 중 하나인 인지치료(cognitive therapy)의 효과 또한 이 모델이 유효함을 증명하는 것 중 하나이다.

9 Neurobiological Model

이 모델은 가장 최근에 제안된 모델로 불면증의 발생과 관련된 뇌 활동 및 기능의 변화에 초점을 맞추고 있다(그림 15-2-8). 즉, Buysse 등이 주장한 바와 같이 불면증을 수면각성조절장애로 보며, 비렘수면동안 발생하는 일부 신경계의 유사 각성 활동(wake-like activity)이 그 원인이라고 지목한다. 전전두엽, 두정엽, 부변연계, 시상, 시상하부-뇌간 각성 중추 등의 부위에서 발생하는 이러한 국소적인 뇌 활동의 증가는 다른 말로는 국소적인 각성이라고 부를 수 있으며 수면을 취하고 있는 도중에도 주변 환경을 인식하는 현상과 관련이 되어 있다고 생각된다. 시상하부-뇌간 부위는 수면의 개시 및 유지와 관련되어 있고, 시상 및 두정엽은 감각 및 정보 처리와 관련되어 있으며, 부변연계는 감정의 처리, 전전두엽은 행동의 결정 여부와 관련되어 있기 때문에 수면 중

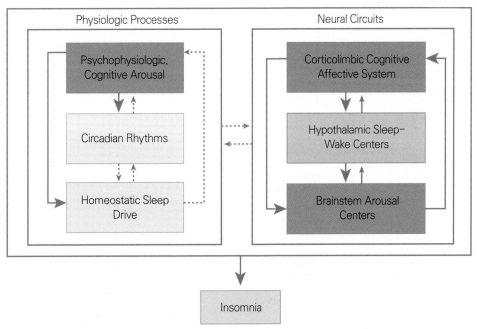

그림 15-2-8. **The Neurobiologic Model**

발생하는 이러 한 부위의 기능 이상이 불면증으로 발현
될 수 있는 것이다.

이 모델의 장점은 수면과 관련된 최근의 신경생리학
적 발견을 토대로 구체적인 불면증의 기전을 제시하고
있다는 점이며, 불면증을 일종의 하이브리드 상태, 즉
일정 부분은 자고, 일정 부분은 깨어있는 상태로 규정
한다. 이러한 방식으로 불면증을 정의함으로써 주관적
불면증(수면오지각)과 객관적 불면증을 명료하게 구분
할 수 있게 된다. 하지만 불면증이 왜 발생하는지에 대
한 원인론이 포함되어 있지 않은 것이 단점이라고 할 수
있다.

▶ 참고문헌

- Bonnet MH, Arand DL. Hyperarousal and insomnia. Sleep Med Rev 1997;1:97-108.
- Bootzin RR. Stimulus control treatment for Insomnia. In: Proceedings of the 80th Annual Convention of American Psychological Association. 1972. pp. 395-6.
- Buysse D, Germain A, Hall M, et al. Neurobiological model of insomnia. Drug Discov Today Dis Mod 2011;8:129-37.
- Cano G, Mochizuki T, Saper CB. Neural circuitry of stress-induced insomnia in rats. J Neurosci 2008;28:10167-84.
- Ellis JG, Gehrman P, Espie CA, et al. Acute insomnia: current conceptualizations and future directions. Sleep Med Rev 2012;16:5-14.
- Espie CA, Broomfield NM, MacMahon KMA, et al. The attention-intentioneffort pathway in the development of psychophysiologic insomnia: an invited theoretical review. Sleep Med Rev 2006;10:215-45.
- Harvey AG. A cognitive model of insomnia. Behav Res Ther 2002;40:869-93.
- Lundh LG, Broman JE. Insomnia as an interaction between sleep-interfering and sleep-interpreting processes. J Psychosom Res 2000;49:299-310.
- Merica H, Fortune RD. A neuronal transition probability model for the evolution of power in the sigma and delta frequency bands of sleep EEG. Physiol Behav 1997;62:585-9.
- Morin CM, Hauri PJ, Espie CA, et al. Nonpharmacologic treatment of chronic insomnia: an American academy of sleep medicine review. Sleep 1999;22:1134-56.
- Perlis ML, Giles DE, Mendelson WB, et al. Psychophysiological insomnia: the behavioural model and a neurocognitive perspective. J Sleep Res 1997;6:179-88.
- Riemann D, Nissen C, Palagini L, et al. The neurobiology, investigation and treatment of chronic insomnia. Lancet Neurol 2015;14:547-58.
- Spielman A, Caruso L, Glovinsky P. A behavioral perspective on insomnia treatment. Psychiatr Clin North Am 1987;10:541-53.
- Winkelman JW. Clinical practice. Insomnia disorder. N Engl J Med 2015;373:1437-44.
- Zhao L, Wang E, Zhang X, et al. Cortical structural connectivity alterations in primary insomnia: insights from MRI-based morphometric correlation analysis. Biomed Res Int 2015;2015:817595.

03 불면장애 평가 및 진단

김지현

1 평가 및 진단

불면증은 누구나 경험할 수 있는 흔한 증상으로 잠들기가 어렵거나 잠든 이후에 자주 깨거나 새벽에 원하는 시간보다 일찍 깨는 증상을 포함한다. 일반적으로 한 가지 이상의 증상이 공존하는 경우가 흔하다. 의학적인 관심이 필요한 불면증은 자려는 기회와 환경이 충분히 주어졌음에도 상기 증상들에 의해 지속적인 수면에 어려움이 있고 그로 인한 주간 기능의 저하가 따르는 경우를 의미한다.

2014년에 출간된 국제수면장애 분류 3판에서 불면증은 이전에 출간된 2판에 비해 만성불면장애, 단기불면장애 및 기타 불면장애로 간략하게 분류하고 있다(표 15-3-1)

불면장애는 잠을 잘 충분한 기회나 적절한 환경이 주어짐에도 불구하고, 1) 잠들기가 어렵거나 2) 잠을 유지

하기 어렵거나 3) 원하는 시간보다 일찍 깨는 증상, 4) 적절한 시각에 자러 가는 것에 저항이 있거나 5) 부모나 간병인의 중재가 없이는 잠을 자지 않는 증상의 5가지 중 한 가지 또는 그 이상의 증상이 있으며 불면증으로 인해 주간 기능의 장애가 있거나 본인의 수면에 대해 만족하지 않는 경우를 의미한다. 적절한 시각에 자러 가는 것에 저항이 있거나 중재가 없이는 잠을 자지 않는 증상은 어린이나 치매 노인에서 생길 수 있는 증상이다. 만성불면장애의 진단은 위와 같은 불면증이 1주일에 3회 이상, 3달 이상 지속된 경우에 내릴 수 있다. 단기불면장애의 진단은 증상의 지속시간이 3개월 미만인 경우로 정의한다.

수면장애와 동반된 주간 증상은 피곤, 무기력, 집중력, 기억력 저하 및 기분장애, 학업, 사회생활이나 직업생활의 장애뿐만 아니라 본인의 수면에 대한 걱정 및 불만족을 포함한다(표 15-3-2).

국제수면장애분류 3판 외에 DSM-V에 의한 불면증의 진단 역시 유사하다. 이전 DSM-IV에서 사용하던 진단명인 일차불면증(primary insomnia) 대신 불면장애로 명칭이 바뀌었다. 수면의 양이나 질에 대해 만족하지 못하면서 잠들기가 어렵거나, 자주 깨거나, 한번 깬 후에 잠들기가 어렵거나, 이른 아침에 일찍 깨어 잠들기

표 15-3-1. 불면증의 분류

불면증
만성불면장애: 1주일에 3회 이상, 3개월 이상
단기불면장애: 3개월 미만
기타 불면장애

표 15-3-2. 불면과 동반되는 주간증상

불면증의 주간증상(환자나 환자의 보호자, 간병인에 의해 보고)
1) 피곤/무기력
2) 집중 및 기억 저하
3) 사회생활, 가정 생활, 직업, 학업의 장애
4) 기분장애/짜증
5) 주간과다수면
6) 행동문제/과행동, 충동, 공격성
7) 동기부여/에너지/의욕 부족
8) 실수나 사고가 잘 생기는 경향
9) 수면에 대해 걱정하거나 수면에 불만족

가 어려운 증상 중 한 가지 이상이 존재하고 사회, 직업, 학업, 행동이나 다른 기능의 문제가 있으며, 불면이 3개월 이상 지속되며 적어도 일주일에 3번 이상 있는 경우에 진단할 수 있다. ICSD-3와 마찬가지로 잠을 잘 충분한 기회나 환경이 주어짐에도 불구하고 잠을 잘 자지 못하는 경우를 의미한다. 또한 다른 수면장애나 정신질환, 신체질환으로 인해 적절하게 설명할 수 없는 경우로 정의하고 있다.

이전에는 불면증(insomnia)이라고 하였으나 현재는 ICSD-3나 DSM-V에서 불면장애(insomnia disorder)로의 진단명의 변화는 불면증이 다른 수면장애나 내과, 신경과, 정신질환과 동반된 '증상'이 아닌 독자적인 임상 경과를 가지는 '독립적인 질환'임을 표명하는 것이다. 불면증 발생 초기 즉, 급성 불면증 또는 단기불면장애에서 불면증을 유발시킨 요인이 소실되거나 관련 질환의 호전이 있더라도 불면증이 지속되는 임상 경과를 보여주는 연구들이 많이 보고되었다. 만성불면장애의 발생기전을 참조하면 '만성불면장애'라는 용어를 적용한 것을 이해할 수 있을 것이다(chapter 15-2. 불면장애의 모델).

임상에서 불면장애의 진단은 상기 진단기준에서 보는 것처럼, 수면다원검사나 활동기록기와 같은 객관적인 검사에 인해 진단하는 것이 아닌, 환자의 주관적인 증상에 의해 이루어지게 된다. 기간과 빈도 외에는 수면잠복기나 총수면시간, 입면후각성시간 등에 대한 정량적인 진단기준은 없다. 주관적으로 호소하는 수면잠복기 30분 이상, 입면후각성시간 30분 이상이라는 기준을 불면장애의 연구를 위해 사용하곤 한다. 약 2주의 수면일기를 통하여 정량화하려는 연구들이 있었으며 약물 연구를 위해서는 수면다원검사의 정량적인 기준을 이용하는 경우가 흔하다. 종종 불면증을 호소하는 환자들은 수면을 취하고도 수면을 취하지 않았다고 하는 수면 양에 대한 과소평가 또는 오해(misperception)를 가지는 경우가 흔하다. 기존 연구에서 일차불면증으로 분류한 환자들의 수면다원검사소견에서도 총수면시간은 대조군에 비해 그다지 짧지 않다.

따라서 불면증을 가진 환자들, 특히 만성불면장애를 가진 환자들의 실제 수면시간이 꼭 짧다고 할 수는 없으며 수면박탈이나 자발적으로 수면을 적게 취하는 것과 구분을 하는 것이 필요하다. 이런 의미에서 '짧은 수면시간을 가지는 불면증'의 아형은 임상적인 의미와 예후가 다를 수 있음을 제시하며 이 아형을 따로 구분할 것을 제시하는 연구가 있고 이 아형에 대해서 아래에 기술하였다.

불면증을 주소로 병원에 내원하는 환자들은 이미 잠에 대한 불만과 불편감으로 내원하게 되므로 불면장애의 진단은 어렵지 않다. 그러나 자세한 병력청취는 불면장애를 진단하고 감별진단 및 초기에 불면증을 유발시키는데 연관된 내과 또는 정신과 질환이나 약물 복용, 다른 동반수면장애가 있는지를 파악하기 위해 꼭 필요하다. 감별진단을 해야하는 다른 수면장애와 불면증의 원인이 될 수 있는 요소 및 질환들을 파악하고 추가 검사가 필요한지 알 수 있다(표 15-3-3).

그 외에 불면을 주소로 내원하지 않은 다른 질환이나 비특이적인 증상을 가진 환자의 진료시 불면장애가 동반되어 있는지 파악하여 함께 치료하는 것은 다른 질환의 치료에 결정적인 역할을 할 수 있어 동반된 불면장애에 대한 병력청취와 진단이 매우 중요하다. 다양한 내과, 정신과, 신경계 질환들에서 불면증의 이환율이 매우 높은 편이다. 특히 우울증에서 불면증의 유병률이

표 15-3-3. 불면증 환자의 진료 시 병력청취 사항

1. 주소	잠들기 어려운지, 잠이 든 후에도 자주 깨는지, 일찍 깨서 잠이 안 오는지, 잠의 질이 좋지 않은지, 실제 수면 시간
2. 불면증이 시작된 시점의 상황	유발상황이나 요인, 시작 연령, 이전의 불면증 과거력 불면증 이전의 수면각성리듬(주중과 주말)
3. 수면각성리듬(주중 및 주말 또는 근무일과 휴일별 각각)	현재 취침 시각, 각성 시각, 실제 잠자리에 누워있는 시간, 잠드는 데 걸리는 시간, 잠들고 난 이후 깨어 있던 시간, 깨는 횟수, 낮잠, 낮에 누워있는 시간, 주관적인 총수면시간
4. 주간증상	주간과다수면, 피곤, 집중력 저하, 기억력 저하, 정서 변화
5. 불면증의 치료 과거력 또는 현재 치료	약물 종류 및 빈도, 효과, 행동치료 여부 등
6. 불면증 지속 요소(행동, 인지)	수면을 위해 환자가 잠자리에 일찍 눕거나 늦게까지 누워있는 행동, 자기전 수면을 위해 환자가 취하는 행동, TV 나 라디오를 틀고 자는 행동, 낮에 잠을 자려고 또는 피곤하기 때문에 누워있는 행동, 수면에 대한 걱정 및 조건 각성 여부
7. 수면환경 및 수면위생 관련	잠자는 환경(빛, 소음 등) 카페인, 음주, 흡연, 취침 중 시계 및 휴대폰 사용여부
8. 직업 및 주간에 하는 일	근무시간, 교대근무 여부
9. 과거력(내과, 신경과, 정신과 및 기타 질환)	수면에 미치는 영향
10. 현재 복용약 또는 건강보조제	수면제를 포함한 내과 및 정신과 등 처방 받고 있는 약물 수면을 위해 환자가 복용하는 건강보조제나 식품
11. 정서	우울증, 불안, 자살생각
12. 타 수면장애 증상	코골이, 무호흡, 하지불안증후군, 하루주기리듬수면각성장애양상
13. 가족력	불면증이나 정신과 질환의 여부

출처: 김지현 등. 증례로 배우는 수면장애. 범문에듀케이션; 2020.

표 15-3-4. 불면을 일으킬 수 있는 흔한 수면장애 및 정신 질환

진단명	주요 불면증	동반 주간 증상
하지불안증후군	입면장애, 수면유지불면증	다리나 신체부위를 움직이고 싶은 충동
주기사지운동장애	수면유지불면증	
하루주기리듬수면각성장애 – 지연수면각성리듬장애 – 전진위상수면각성장애	입면장애 새벽에 일찍 깸	기상의 어려움, 주간과다수면 입면의 장애는 없음
수면관련호흡장애	수면유지불면증, 입면장애	개운하지 못함, 주간과다수면
기면병	수면유지불면증	주간과다수면
우울장애	입면장애, 수면유지불면증	우울감, 자살 생각, 흥미 소실

높고 서로 상호작용으로 증상을 악화시킬 수 있어 함께 치료가 필요하다. 감별해야하는 수면장애와 간략한 증상에 대해서는 표 15-3-4에 기술되어 있다.

이전 DSM-IV 및 국제수면장애분류 2판에서는 다른 질환으로 인해 설명할 수 없는 불면증상을 가진 경우를 일차불면증으로 분류하였고 국제수면장애분류 2판에서는 몇가지 아형으로 분류하였다. 국제수면장애 분류 3판에서는 2판에 포함된 일차수면장애의 아형으로 진단하는 것을 권유하고 있지 않다. 실제, 대부분의 불면장애들이 이전 수면장애 분류에 포함된 한 가지 아형의 임상 증상이 아닌 여러 아형들의 특징을 동반하고 있기 때문이다. 단, 이전 진단기준에서 분류된 불면증의 아형들을 이해하는 것이 만성불면장애를 가진 환자들의 특성을 이해하는 데 도움이 되므로 국제수면장애분류 3판에서도 설명되어 있다. 여기에서도 언급하기로 한다.

1) 정신생리불면증(psychophysiologic insomnia)

만성불면장애의 대부분의 환자들이 보이는 특징적인 불면증 아형이다. 높아진 각성도와 불면증을 일으키는 학습된 수면방해연상(sleep-preventing association)이 특징적이다. 평소 자려고 하는 환경에서는 잠이 오지 않고 잠을 자려고 하지 않을때(예: 저녁에 TV를 볼 때) 또는 집 외의 다른 장소에서 잘 때는 오히려 잠이 빨리 들기도 한다. 잠에 대해 지나치게 집중하고 잠에 대해 걱정하며 취침시간에 특히 인지 각성 및 신체적인 각성이 증가하게 된다.

2) 특발불면증(idiopathic insomnia)

유아나 어린이에서 시작하여 장기간 수면장애를 호소하는 증상이 특징으로 시간적인 변화가 없고 지속적인 양상을 취하는 원인불명의 질환이다. 유전자나 병태생리가 밝혀지지 않았으며 유병률에 대한 정보도 없다.

3) 역설불면증(paradoxical insomnia)

이전엔 수면상태오해(sleep state misperception)라고 불렸고 환자들은 실제 수면을 취한 시간보다 현저하게 잠을 자지 않은 것으로 인지한다. 객관적인 검사로 측정한 수면에 비해 자신이 취한 수면의 양을 과소평가한다. 전형적인 역설불면증을 가진 환자는 밤새 한두 시간 이하로 수면을 취하며 이러한 불면증을 가진 기간이 수년이라고 표현한다. 환자가 표현하는 불면으로 인한 주간기능의 저하나 불편감 또는 주간과다수면의 정도가 환자가 인지하는 수면시간의 정도와 불일치하는 특징을 가진다. 대부분의 만성불면장애 환자들은 어느 정도는 수면 시간에 대한 과소평가를 하는 경우가 흔하다.

4) 부적절한 수면위생

양질의 수면과 정상적인 주간 각성을 유지하는데 방해가 되는 일상생활과 습관을 가지는 것으로 주간 낮잠, 매우 불규칙한 수면/각성 일정, 수면을 방해하는 물질(커피, 음주, 담배) 섭취, 잠자리에서의 수면 이외의 활동을 하거나 수면에 편안한 환경(소음이나 빛)을 가지지 못하는 경우가 포함된다.

5) 소아의 행동성불면증

소아수면장애는 다른 장에서 다루어질 것이므로 여기에서는 간단히 언급하도록 하겠다.

부모나 돌보는 사람의 부적절한 수면훈련이나 제한설정으로 인해 유발되는 것으로 추정된다. 수면개시연상유형(sleep-onset initiation)은 특정 자극이나 대상이 없으면 잠이 들지 못하거나 깼다가 다시 잠들기 어려운 경우를 말한다. 제한설정유형(limit-setting)은 보호자나 부모의 취침 시각에 대한 설정이 불규칙하여 취침이 지연되거나 취침을 거부하는 형태를 의미한다.

6) 불면장애의 진단 및 감별진단에 도움이 될 수 있는 검사 도구

불면증의 진단을 위해서 이용할 수 있는 징보 및 검사에는 환자의 병력 청취(표 15-3-3), 수면일기, 설문지, 활동기록기 및 수면다원검사가 있다(그림 15-3-1,2).

병력 청취 외에 이용할 수 있는 불면증의 진단 도구

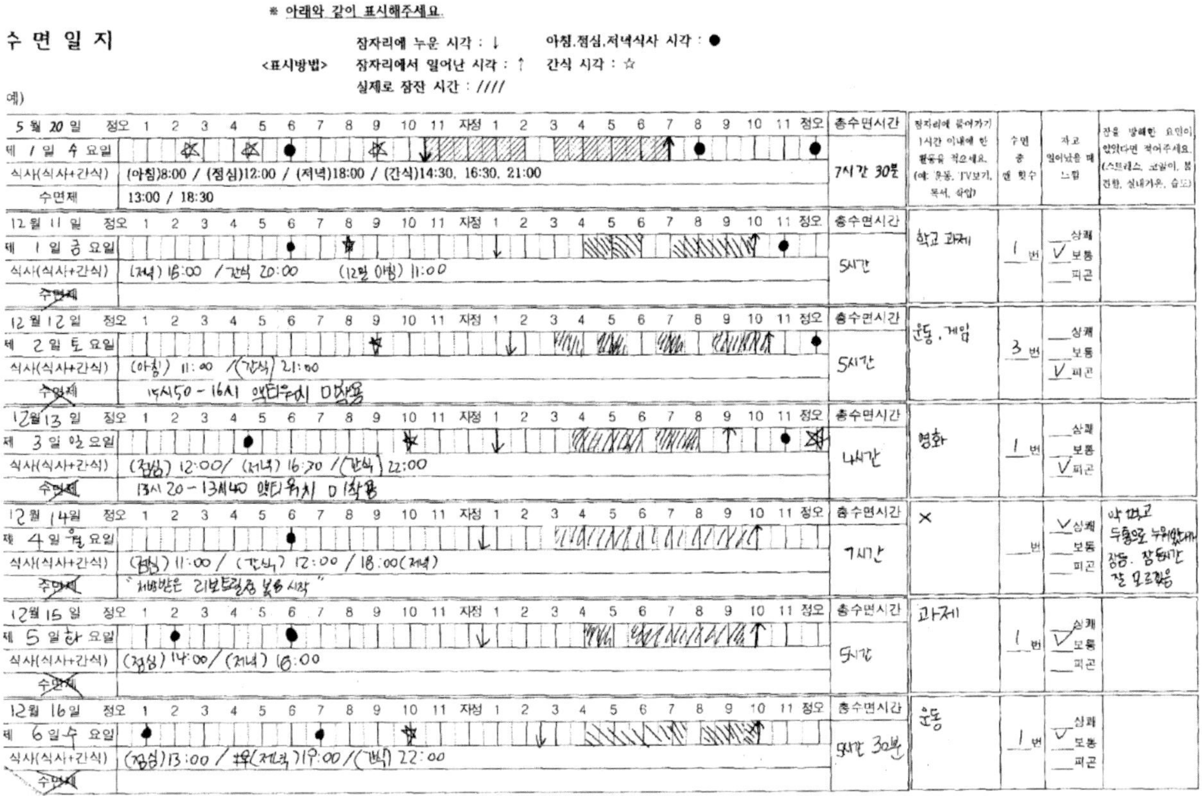

그림 15-3-1. **수면일기의 예**

로는 환자가 직접 작성하는 수면일기(일지)가 있다(그림 15-3-1). 최소 2주 이상 환자가 직접 작성한 수면일기는 치료 전 환자의 수면 양상을 알 수 있는 기본 자료이다. 주중과 주말을 모두 포함하는 것이 필요하다. 대략적인 수면각성양상을 파악할 수 있고 환자의 취침 시각, 기상 시각, 잠자리에 누워있는 시간, 불면증의 심각도와 빈도를 제공하고 환자가 주관적으로 인지하는 수면 시간을 알 수 있다. 수면일기 자료는 '수면제한'과 같은 행동치료를 할 수 있는 근거를 제공하며 치료 시작 및 진행에 꼭 필요하다. 단, 일기를 환자가 제대로 쓰지 못하는 경우가 종종 있고 일부 환자에서 일기 작성을 정확하게 하려다가 각성이 더 증가함을 호소하는 경우가 있다.

다양한 수면 설문 중 Insomnia Severity Index나 Pittsburgh Sleep Quality Index는 불면증의 스크리닝으로 사용할 수 있다. 수면문제로 내원한 환자의 진료 보조도구로 사용하거나 타질환을 가진 환자에서 수면문제나 불면증의 유무를 스크리닝하기위해 시행할 수 있다. Insomnia Severity Index는 불면장애의 치료에 대한 반응을 추적관찰할 때 사용하기 편리하다.

활동기록기는 시계처럼 손목에 착용하고 움직임의 가속도를 측정하여 휴식–활동을 측정하여 수면과 각성을 확인하는 도구로 수면일기를 함께 기록하여 보정이 필요하다(그림 15-3-2). 불면 주소로 내원한 환자 중 하루주기리듬수면각성장애의 감별진단에 도움이 되며 적어도 2주 이상의 착용을 권유하고 있다. 활동기록기는 수면일기보다 객관적으로 수면각성양상 및 하루주기리듬을 파악할 수 있다는 장점이 있고 수면일기를 작성하기 어려운 고령의 성인에서 사용할 수 있다는 장점이 있다. 일기에 작성하지 않은 낮동안의 활동도가 감소한 부분과 밤에 활동도가 증가한 부분으로 밤에 깨어있는

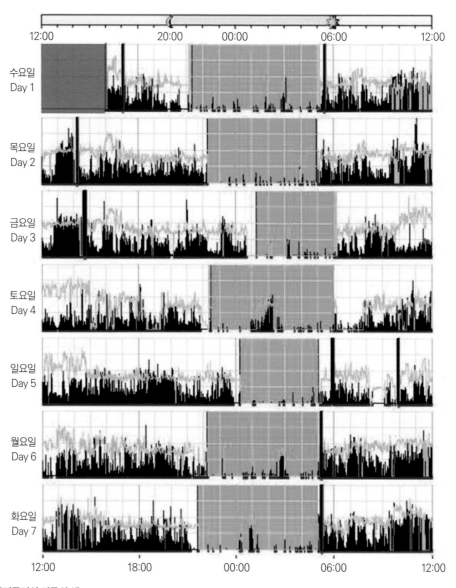

그림 15-3-2. 활동기록기의 기록의 예

시간을 확인할 수 있다. 또한 대부분의 최신 모델들은 광센서를 가지고 있어 착용 중 소매로 활동기록기를 덮지 않는다면 환자의 빛의 노출정도도 파악할 수 있다. 그러나 손목의 움직임으로 휴식과 활동을 감지하는 기구이므로, 움직임이 없는 깨어 있는 시간을 수면으로 인지하여 수면을 과평가할 수 있으므로 수면잠복기 및 수면시간이 아주 정확하다고 할 수 없다. 수면일기의 참조 및 임상적인 고려가 필요하다.

수면다원검사는 객관적으로 수면시간과 수면의 질을 측정할 수 있는 표준화된 진단검사이다. 그러나 불면장애의 진단을 위해서는 일차적으로 권유하지는 않는다. 실제 일차불면증과 정상 환자를 수면다원검사로 구분하려고 했을때 민감도와 특이도가 높지 않음이 보고되었다. 그러나 수면무호흡과 동반된 동반불면증이 흔하며 불면장애의 치료와 함께 수면무호흡도 치료가 필요하므로 폐쇄수면무호흡증의 증상이 동반되어 있거나 잠이 들은 후에 자주 깨는 수면유지불면이 있는 환자에서, 특히 신체 진찰 중 수면무호흡을 시사하는 경우 수면다원검사를 초기부터 고려할 수 있고 수면무호흡을 함께 치료하는 경우 수면유지불면증이 호전될 수 있는 기회가 높다.

불면장애를 가진 환자가, 환자 본인이 인지하는 것처럼 총수면시간이 반드시 짧은 것은 아니며 환자가 저평가하는 경우가 흔하다. 그러나 불면장애를 가진 환자들 중 Vgontzas들은 짧은 수면시간을 가진 불면장애의 아형, 즉 객관적인 짧은 수면시간을 가진 불면증(insomnia with objective short sleep duration) 아형을 제시하였고 이 때 수면시간의 기준을 6시간으로 제시하였다. 이 아형은 일반적인 만성불면장애와 비교하여 생리적인 과각성으로 특징지어지며, 심혈관계 질환과 같은 내과 질환의 발생이 높고 불면증이 지속적일 가능성이 높은 것으로 알려져 있다. 또한 최근 만성불면장애의 표준치료로 간주되는 불면증 인지행동치료에 대한 반응이 낮음을 보여주었다.

▶ 참고문헌

- 김지현, 선우준상, 송파멜라 외. 증례로 배우는 수면장애. 범문에듀케이션; 2020.
- American Academy of Sleep Medicine. International classification of sleep disorders. 3rd ed. Darien, IL: American Academy of Sleep Medicine; 2014.
- Cho YW, Song ML, Morin CM. Validation of a Korean version of the insomnia severity index. J Clin Neurol 2014;10:210-5.
- Schutte-Rodin S, Broch L, Buysse D, et al. Clinical guideline for the evaluation and management of chronic insomnia in adults. J Clin Sleep Med 2008;4:487-504.
- Sohn SI, Kim DH, Lee MY, et al. The reliability and validity of the Korean version of the Pitts- burgh Sleep Quality Index. Sleep Breath 2012;16:803-12.
- Taylor DJ, Mallory LJ, Lichstein KL, et al. Comorbidity of chronic insomnia with medical problems. Sleep 2007;30:213-8.
- Vgontzas AN, Fernadez-Mendoza J, Liao D, et al. Insomnia with objective short sleep duration: the most biologically severe pheno-type of the disorder. Sleep Med Review 2013;17:241-54.
- Vgontzas AN, Puzino K, Fernandez-Mendoza J, et al. Effects of trazodone versus cognitive behavioral therapy in the insomnia with short sleep duration phenotype: a preliminary study. J Clin Sleep Med 2020;16:2009-19.

PART 4 수면장애 각론

04 불면증 인지행동치료

서수연 / 정석훈

1 불면증 인지행동치료

불면증 인지행동치료(Cognitive-behavioral therapy for insomnia; CBT-I)는 불면증을 위한 비약물적인 치료이며, 약물의 사용을 최소화하고 약물의 부작용을 줄이면서 수면을 개선시킬 수 있기 때문에 치료자나 환자 입장에서 약물치료보다 선호하는 치료법이다. 또한 미국 National Institute of Health (NIH)와 British Medical Association, American College of Physicians 에서 불면증을 위한 일차치료 방안으로 권고하고 있다. 불면증 인지행동치료는 불면증을 유발하고 지속시키는 요인들을 완화하거나 제거하여 불면증을 치료하는 것을 목표로 한다. 보통 4-8회기로 구조화 되어 있지만, 경우에 따라서는 1회기의 치료만으로도 수면이 개선되기도 한다. 불면증 인지행동치료는 자극조절법(stimulus control therapy), 수면제한법(sleep restriction therapy), 이완요법(relaxation techniques) 등의 행동 치료 요법과 수면에 대한 역기능적 사고를 개선하는 인지치료(cognitive therapy)로 구성된 치료법으로, 각 구성 요소를 기계적으로 적용하기보다는 환자의 주호소 증상에 맞춰 유연하게 회기를 구성하는 것이 필요하다. 행동 치료 요법들은 단시간에 빠른 수면개선 효과를 얻을 수 있고,

인지치료를 통해 장기적으로 치료 효과를 유지할 수 있어, 행동 치료 요법과 인지치료를 균형있게 갖추는 것이 좋다.

첫 회기에서는 환자의 불면증에 대한 진단 및 평가를 하게 된다. 현재 수면 패턴 및 하루주기리듬, 불면증의 지속 시기, 불면증의 원인이 될만한 스트레스 요인, 신체적 및 정신적 공존 질환 등을 파악하게 되는데, 또한 첫 회기에서는 간단한 수면습관교육 및 수면위생 개입, 수면일지 작성에 관한 소개를 하게 된다. 수면일기는 불면증 환자들의 수면 각성 패턴을 한 눈에 확인할 수 있는 도구로, 주(week) 단위로 수집이 된다. 표준화된 수면일기(Consensus Sleep Diary)를 가장 많이 활용하며, 불면증에 대한 감별 진단뿐 아니라 불면증 인지행동치료 회기를 진행하는 동안 치료의 경과 및 효과를 파악하는데에도 활용된다. 수면일기를 통해 수면 잠복기(Sleep Onset Latency; SOL), 입면후각성시간(Wake After Sleep Onset; WASO), 각성 횟수(number of awakenings; NWAK), 침대에 누워있는 총 시간(Time in Bed; TIB), 총수면시간(Total Sleep Time; TST), 그리고 수면효율(Sleep Efficiency; SE) 등의 수면 지표를 계산할 수 있다. 그 외에도, 낮잠의 횟수와 시간, 복용하는 수면제의 종류와 양, 주관적으로 느끼는 수면의

질 등을 기록하게 할 수도 있다. 회기를 시작하기 전에 1주일 간 수면일기를 작성하게 하여 수면–각성 패턴을 미리 수집하는 것도 환자의 수면 문제를 빠르게 파악하는 데 도움이 된다.

1) 수면위생(sleep hygiene)

수면위생은 1977년 Hauri에 의해 처음 소개된 수면습관 교정법으로, 현재는 단독으로 사용되기보다는 다른 치료 요법과 병행하여 사용되고 있다. 수면위생은 수면 환경(예: 침실 내 환경을 최적화하기)에 대한 교육과, 자기 전 수면에 수면을 방해하는 행동(예: 격렬한 운동이나 음주) 피하기 등과 같은 잘못된 수면습관에 대한 교육을 통하여 불면증을 비약물적으로 해결하고 미래의 재발을 예방한다. 취침시간 전에 과식, 과음, 혹은 흡연 피하기, 카페인 들어간 음료는 취침시간 6시간 전부터는 마시지 않기, 낮잠 제한, 침실 환경을 쾌적하게 바꾸기 등이 있다.

활용할 수 있는 지침들은 다음과 같다.

① 다음날 피곤하지 않을 정도만 주무십시오. 잠자리에 누워있는 시간을 줄이면 수면의 질이 높아질 수 있으나 잠자리에 누워있는 시간이 너무 길면 잠이 얕아지고 자주 깨게 됩니다.

② 아침에 규칙적인 시간에 일어나는 것이 중요합니다. 이는 밤에 잠드는 시간을 규칙적으로 만드는 데 매우 중요합니다.

③ 매일 적당량의 운동을 지속하는 것은 잠을 잘 자는데 도움이 됩니다. 그러나 어쩌다 한 번 운동을 열심히 했다고 해서 잠을 자는데 도움이 되지는 않습니다.

④ 자는 동안 심한 소음은 잠을 방해하기 때문에 조용한 환경을 만드는 것이 좋습니다.

⑤ 침실이 너무 더우면 잠을 방해합니다. 너무 추운 경우에도 마찬가지입니다. 침실이 덥거나 춥지 않도록 온도를 유지하십시오.

⑥ 배가 고프면 잠에 방해가 됩니다. 우유나 스낵과 같은 간단한 음식을 드시는 것이 도움이 됩니다.

⑦ 일시적인 수면제는 도움이 되지만 장기적인 수면제 사용은 피하는 것이 좋습니다.

⑧ 저녁에 카페인이 들어간 음료를 마시는 것은 잠을 방해합니다.

⑨ 술은 잠을 빠르게 들게는 하지만 중간에 자주 깨도록 만듭니다.

⑩ 잠에 들기 위해 너무 너무 애를 쓰지 마십시오. 잠이 오지 않고 긴장이 되고 힘들 때에는 차라리 너무 환하지 않게 불을 켜고 독서를 하거나 음악을 듣는 것이 수면에 도움이 됩니다.

2) 자극조절법(stimulus control therapy)

자극조절법은 Bootzin에 의해 처음 개발되었으며, 고전적 조건화 원리를 기반으로 잠자리에서의 각성을 줄이고, 잠자리와 수면의 연결고리를 강화하도록 재학습하는 치료 요법이다. 치료 지침은 다음과 같다. (1) 졸릴 때에만 잠자리에 든다. (2) 잠자리는 잠을 자거나 성관계를 위해서만 사용한다. (3) 잠이 오지 않는다면 잠자리에서 나와, 졸리울 때까지는 다시 눕지 않는다. (4) 매일 같은 시간에 기상해서 규칙적인 수면과 각성 리듬을 만든다. (5) 낮잠을 자지 않는다. 이런 지침은 잠자리와 침실을 수면을 유발할 수 있는 강한 자극으로 인식하도록 재학습하게 한다. 단독 요법으로도 효과적이라는 연구 결과가 있다.

다음의 지침을 활용하도록 한다.

① 졸릴 때에만 자리에 누우십시오.

② 잠이 오지 않으면 20분 내지 30분 정도 후에 다시 일어나십시오.

③ 거실에 앉아서 스탠드만 켜 놓고 책을 읽거나 TV를 보거나 음악을 듣거나 하십시오.

④ 졸리면 다시 잠자리로 들어가서 잠을 청하십시오.

⑤ ②–④의 과정을 반복하십시오.

⑥ 기상시간을 일정하게 유지하십시오.

⑦ 잠자리는 잠을 자는 용도로만 사용하십시오.

⑧ 낮잠은 피하는 것이 좋습니다. 정 졸리다면 40분

이내로만 주무십시오.

3) 수면제한법(sleep restriction therapy)

수면제한법은 Spielman 등에 의하여 처음 소개되었으며, 잠자리에 누워있는 시간을 제한해 경도의 수면박탈을 유발하여 분절된 수면을 통합하는 치료요법이다. 수면제한법은 환자가 잠자리에 누워있는 시간을 제한하고, 환자의 수면 항상성 욕구를 높여 수면 통합(sleep consolidation)을 하는 것을 목표로 한다. 수면제한법을 적용하기 위해서는 수면일기를 바탕으로 잠자리에 누워있는 시간(TIB)과 총수면시간(TST)을 계산해야 한다. 이때, 두 지표는 최소 2주 이상의 수면일기를 바탕으로 산출하는 것을 권장한다. 두 지표를 통해 수면효율(TST/TIB X 100)을 구하게 되고, 치료기간 동안 지속적으로 평가하면서, 수면효율이 85% 이상이면 잠자리에 누워있는 시간을 더 늘리게 되고(원칙적으로 1주일에 15-30분 증가), 85% 이하이면 잠자리에 누워있는 시간을 줄인다. 수면제한법은 임상가마다 시행하는 방법이 다를 수 있기 때문에 최근 표준화를 위한 노력들이 진행되고 있다. 연구에 따르면 다음 사항들을 기반으로 시행할 것을 제안한다. (1) 치료 초반에 수면일기, 질문지 혹은 객관적 수면검사를 통해 잠을 자는 시간대를 처방하고, (2) 최소한의 잠자는 시간대를 정하여, 너무 짧게 잠자리에 누워있게 하지는 않도록 하고, (3) 수면일기를 바탕으로, 수면효율이 90% 이상이면 잠자리에 누워있는 시간을 증가, 85% 미만이면 감소, 85-89% 정도이면 유지하고, (4) 하루주기 유형과 환자의 선호도에 따라 잠자는 시간대를 정하고, (5) 낮잠 시간을 어떻게 할 것인지에 대한 지침을 제공할 것을 권장했다. 낮잠을 금지하는 것을 원칙으로 하는 경우도 있으나 안전상의 문제가 있을 수 있어 완화하기도 한다. 또한, 환자의 총수면시간과 관계없이 잠자리에서 보내는 시간을 5-5.5시간 이하로 제한하지는 않는다. 잠자리에서 보내는 총시간을 너무 급격하게 줄이는 것에 대해 불안해 하는 환자들에게는 수면 압축(sleep compression)이라는 치료요법을 사용할 수 있다. 이는 잠자리에서 보내는 시간을 너무 급격하게 줄이기 보다는 점진적으로 줄이고, 낮잠자는 것을 허용한다.

다음의 지침을 활용하도록 한다.
① 자신이 원하는 기상시간을 정하십시오.
② 몇 시간 정도를 자면 만족할지를 생각해 보십시오.
③ 이를 바탕으로 취침시간을 정하십시오.
④ 수면효율이 85% 이하라면 잠자리에 누워 있는 시간을 15분씩 줄이십시오.
⑤ 수면효율이 90% 이상에 도달하면 잠자리에 누워 있는 시간을 15분씩 늘리십시오.

4) 인지치료(cognitive therapy)

인지치료는 불면증을 지속시키는 왜곡된 역기능적 생각들을 합리적이고 현실적인 생각으로 대체하는 치료 법이다. 잠을 못 자는 것에 대한 파국적 생각, 수면에 대한 비현실적 기대는 잠에 대한 스트레스를 증가시켜 불면증을 오히려 악화시키는 악순환이 발생한다. 수면에 대한 잘못된 생각을 수정하여 수면과 관련된 불안이나 과다 각성을 감소시킬 수 있다. 수면에 대한 역기능적 사고들은 여러가지가 있는데, 예를 들어, 불면증상이 다음날 낮 동안의 일상 생활에 악영향을 미칠까 지나치게 걱정하거나, 8시간 이상은 꼭 자야한다는 생각을 갖는 것들이다. 이러한 역기능적 사고를 현실적이고 적응적 사고로 대체하는 것이 인지치료의 목표이다.

인지치료는 회기 내에서 환자에게 자동사고에 대해 기록하게 하거나 수면에 대한 역기능적 신념 및 태도 질문지(Dysfunctional Beliefs and Attitudes about Sleep Scale)를 통해 평가한다. 수면과 관련된 잘못된 자동사고들을 바탕으로, 환자가 자동사고를 대체할 수 있는 현실적이고 적응적 사고로 바꿀 수 있게 소크라테스식 질문법을 통해 진행된다. 임상가는 환자가 가지고 있는 자동사고에 대한 근거 혹은 반증에 대해 검토하고, 불면증으로 인해 발생할 수 있는 가장 최악의 결과와 그 가능성, 그 생각이 사실이라면 환자에게 어떤 의미인지에 대해 상담을 하고, 경직된 생각을 수정하는 작업을 한다. 인지치료는 전통적인 인지치료를 응용한 치료이기 때문에 인지치료에 대한 이해와 훈련이 필요하다.

5) 이완요법(relaxation technique)

이완요법은 불면증을 유발하는 과다각성을 줄이는 데 효과적이며, 특히 입면 불면증이 심한 환자에게 도움이 될 수 있다. 가장 흔하게 적용하는 이완요법은 점진적 근육이완법(progressive muscle relaxation)과 복식호흡(diaphragmic breathing) 등이 있다. 복식호흡은 가슴이 아니라 복부를 이용하여 숨을 쉬는 방법으로, 복부에 의식을 집중하고 천천히 깊게 호흡하는 것을 말한다. 복식호흡 시 호흡에 집중을 하고 호흡에 수반되어 일어나고 변화되는 감각에 주의를 기울이다 보면 몸과 마음이 편안해지는 것을 느낄 수 있게 된다. 점진적 근육이완법은 몸의 근육근에 힘을 주었다가 이완하는 요법으로, 이 방식을 몸 전체의 근육근에 대해 차례대로 적용한다. 어떤 특정한 이완요법이 불면증 증상에 더 효과적인지에 대한 연구는 없다.

복식호흡은 다음의 지시를 활용한다.

① 편안한 자세로 눕거나 앉아서 두 눈을 감으십시오.
② 왼쪽 손은 배 위에, 오른쪽 손은 가슴에 올려놓으십시오.
③ 약 5초간 코로 천천히 가능한 한 깊게 숨을 들이쉬면서 배를 최대한 내미십시오.
④ 배가 부풀어 오르는 것을 느끼면서 숨을 들이마시되, 가슴이 움직이지 않도록 하십시오.
⑤ 숨을 최대한 들이마신 상태에서 1초 정도 숨을 멈춥니다.
⑥ 약 5초간 천천히 숨을 끝까지 내 쉽니다.
⑦ 한 번 시행 시 5분간, 하루 중에 자주 시행하시기 바랍니다.

② 불면증 인지행동치료의 효과성에 대한 근거

불면증 인지행동치료의 효과성에 대한 연구는 1990년대 이후 많이 이뤄졌다. 만성불면장애 환자들을 대상으로 대면상담과 무선임상할당 실험설계를 활용한 연구들만 선택한 메타분석 연구에서는 불면증 인지행동치료 적용 이후 수면잠복기가 평균 19.03분 감소, 입면 후각성시간이 26분 감소, 총수면시간이 7.61분 증가, 그리고 수면효율성이 9.91% 증가했다. 불면증 인지행동치료와 약물 치료를 비교할 경우, 약물치료의 효과는 단기간(1주일 이내)에는 불면증 인지행동치료보다 크지만, 4−8주 이내에는 효과가 동일하게 나타난다. 다만 약물치료는 약물을 중단할 경우 치료 효과가 유지되지 않는다는 단점이 있다. Morin 등이 시행한 연구에서는 불면증 인지행동치료, 약물치료군, 불면증 인지행동치료와 약물치료 병행군, 그리고 위약군을 비교한 결과, 불면증 인지행동치료 치료군 혹은 불면증 인지행동치료와 약물치료 병행군이 약물치료군에 비해 6개월 후에도 장기적 치료효과를 유지하는 것으로 보고하였다. 불면증 인지행동치료는 불면증을 유발하는 수면각성 패턴의 문제점을 교정하고 수면에 대한 역기능적 생각을 수정하여 치료 효과를 장기적으로 유지시키기 때문에, 약물치료에 비하여 보다 근본적으로 불면증을 해결하여 장기적으로 효과가 지속되게 한다. 최근에는 불면증 인지행동치료 단독 치료보다 불면증 인지행동치료와 약물치료를 병행하는 것이 효과면에서 더 우세하다는 연구가 있다. Morin 등은 불면증 인지행동치료 단독치료군과 zolpidem을 병행한 군을 비교하여, 치료 직후 치료율은 60−61%, 관해율은 39−44%로 비슷한 결과를 보였다고 보고하였다. 그러나 6개월 추적 조사 결과에서는 불면증 인지행동치료와 약물치료를 동시에 받은 집단이 단독치료 집단보다 더 높은 관해율을 보인것으로 보고하였다.

불면증 인지행동치료는 수면제를 중단하기를 원하거나 수면제의 의존성에 대해 우려하는 환자들에게도 좋은 대안이 될 수 있다. 연구에 의하면 수면제를 복용하고 있는 만성불면장애 환자들에게 불면증 인지행동치료를 적용한 후에, 수면제 제한에 대한 지시를 하지 않았음에도 불구하고 수면제 복용이 23.5% 감소하였으며, 환자들의 수면잠복기, 입면후각성시간, 수면효율, Insomnia Severity Index와 수면에 대한 부정적인 태도가 모두 감소하였다. 즉, 불면증 인지행동치료는 수면제를 장기 복용하는 경우에 대체 치료법이 될 수 있는 가능성이 있다.

3 공존하는 신체 및 정신 질환이 있는 경우의 치료 효과성

불면증이 신체 질환 혹은 정신 질환과 공존하는 유병률은 약 28% 정도로 알려져 있다. 종단 연구에 의하면 불면증은 정신 질환을 유발하는 위험인자 중 하나이며, 공존하는 정신 질환을 치료한 이후에도 불면증이 잔여 증상으로 남을 수 있다. 만성 통증 환자는 불면증 증상과 이로 인한 주간의 기능 장애가 있을 확률이 세 배 높은 것으로 보고되었고, 당뇨병, 심장병, 그리고 만성 허리 통증 환자에서의 불면증 유병률은 16-33%로 알려져 있다. 이처럼 만성 신체 질환을 앓고 있는 환자들에게서 불면증 및 수면장애의 비율은 일반 인구 집단에 비해 훨씬 높게 보고되고 있다. 다양한 공존 질환을 대상으로 시행한 불면증 인지행동치료의 효과성은 여러 연구를 통해 입증된 바 있다. 공존 질환이 있는 불면증 환자를 대상으로 한 불면증 인지행동치료의 효과성 메타분석 연구에 의하면, 불면증 인지행동치료는 치료 후 수면의 질, 불면증 심각도를 개선시켰으며, 수면일기로 측정한 잠복기는 평균 20분 감소, 입면후각성시간은 17분 감소, 수면효율성은 9% 증가하였으며 18개월 후까지 치료효과가 지속된다고 보고하였다. 유사한 메타분석에서 불면증 인지행동치료를 받은 공존실환이 있는 불면증 환자들은 통제군(18%)에 비해 36%가 관해 상태로 보고되었으며, 수면 효율, 수면잠복기, 입면후각성시간,

수면의 질 모두 중간에서 큰 효과 크기를 보고하였다. 총수면시간은 작은 효과 크기를 보고하였으며, 신체적 공존질환이 있는 불면증 환자보다 공존하는 정신장애가 있는 환자들이 치료를 통해 더 큰 개선을 보였다고 보고하였다.

수면박탈이 면역 체계, 통증 지각 능력, 신진대사 기능, 인지 기능과 기분에 부정적인 영향을 준다는 연구 결과를 토대로, 불면증 인지행동치료가 정신 질환 및 신체 질환과 공존하는 불면증에 효과가 있다면 환자의 건강을 증진하는 데 큰 도움이 될 것으로 기대해 볼 수 있다. 특히 불면증 인지행동치료는 불면증 증상을 완화하여 공존 질환의 증상 또한 감소시킬 수 있고, 공존 질환의 재발을 방지하는 데에도 도움을 준다는 보고가 있다. 주요우울장애에 대한 치료 효과 연구에 의하면, 우울증에 대한 치료 없이 불면증 인지행동치료 단독 적용 시에도 우울증 증상 경감 및 자살 생각을 감소시켰다고 보고되었다. 특히 공존 질환에 대한 치료에 사용되는 약물과 수면제와의 상호작용이 우려되는 경우, 여러 약물을 많이 사용하게 되는 만성 질환자 혹은 노인, 그리고 약물 남용자 등에서 불면증 인지행동치료를 통해 수면제 복용을 줄일 수 있다면, 약물간의 상호작용 및 부작용을 줄이는 데 도움이 될 수 있다.

반대로, 공존 신체 질환 혹은 정신 질환은 불면증 인지행동치료 자체에 대한 순응도를 저하시킬 수도 있다. 예를 들어, 만성 통증 환자는 통증이나 피로감 때문에 잠자리에서 오랜 시간을 보낼 수 있고, 우울증 환자 역시 잠자리를 도피처로 사용하여, 암 환자들은 항암치료 및 방사선 치료 등으로 주간의 피로감을 호소한다. 이러한 영향으로 주간에 누워서 지내는 시간이 많고 낮잠을 자는 시간이 길어질 수도 있다. 이러한 경우에는 수면 제한법에서 제안하는 기상 시간을 지키는 것이 어려워질 수 있다. 공존 질환을 치료하기 위해 사용되는 약물이 불면증 치료를 방해할 수도 있는데, 예를 들어, 통증 환자에게 사용되는 마약성 진통제 또한 환자를 주간 과다수면을 유발할 수 있다.

불면증 인지행동치료는 불면증과 병발하는 정신 질

환에도 효과가 있다. DSM-5의 진단기준에 의하면 수면장애는 여러 정신질환의 진단기준의 하나로 포함되어 있다. 주요우울장애의 진단 기준에는 "거의 매일 나타나는 불면이나 주간과다수면", "거의 매일의 피로나 활력 상실"이 포함되어 있으며, 불면증 증상은 자살 시도 환자들에게 나타나는 10가지 초기 경고 증상 중 하나로 보고하고 있다(Substance Abuse and Mental health Services Administration, SAMSHA). 양극성장애의 진단 기준에는 "수면에 대한 욕구 감소", 범불안장애의 진단 기준에는 "수면 장애"와 "쉽게 피로해짐", 그리고 외상후 스트레스 장애에는 "외상에 대한 반복적이고 괴로운 꿈"과 "잠들기 어려움 또는 수면을 유지하기 어려움"이 포함되어 있다. 이와 같이, 많은 정신 질환의 진단기준에 수면과 관련된 항목이 포함됐다는 점을 고려할때, 불면증 인지행동치료를 이용한 불면증 치료가 정신 질환의 증상 개선에 도움이 될 수 있음을 알 수 있다.

4 불면증 인지행동치료 시 고려할 점

불면증 인지행동치료를 시행할 때 고려해야 할 점은, 어떤 환자가 불면증 인지행동치료 적용 대상이 될 것인가 하는 점이다. 일반적으로 불면증 인지행동치료에 소요되는 시간은 주당 1시간씩 4-6주 정도인데, 기간은 환자의 불면증 심각도, 공존 질환, 사용 중인 약물 등에 따라서도 달라질 수 있다. 다만 이 기간 동안 규칙적으로 치료자에게 방문할 수 있어야 불면증 인지행동치료의 적응이 용이하기 때문에 개인의 직업 환경이나 신체 질환 정도 또한 불면증 인지행동치료의 순응도에 영향을 미친다. 또한 환자가 빠른 효과를 기대할 경우에도 불면증 인지행동치료에 대한 순응도가 낮아질 수 있으며 오히려 약물치료를 선호하게 될 수도 있다. 치료자에게 자주 내원하는 것이 여의치 않은 경우에는 불면증 인지행동치료를 단기간에 시행하는 것도 방법이 될 수는 있다. 환자가 호소하는 불면증의 임상양상, 불면증의 원인, 수면-각성주기 패턴에 따라 다르나, 불면증 인

지행동치료 기법 중 수면제한법은 비교적 쉽고 빠르게 적용할 수 있는 기법이어서 단기 치료에 좀 더 적절하다. 불안 증상이 더 두드러진 경우에는 이완요법을 시행하는 것을 우선으로 할 수도 있으며, 수면습관이 제대로 갖춰지지 않은 경우라면 수면위생 교육만으로도 개선이 될 수도 있다. 잠에 대한 역기능적 사고가 심한 경우에는 인지치료만으로도 도움이 되는 경우도 있다. 그러나 한 가지 기법만으로 불면증 증상을 완전히 개선시킬 수 있는 것은 아니기 때문에 환자 상황에 맞게 적절한 기간과 기법 적용을 고민하는 것이 필요하다.

5 다양한 형태의 불면증 인지행동치료

불면증 인지행동치료는 1:1로 적용할 수도 있으나, 집단치료로 적용하는 것이 비용-효과 면에서 유리할 수도 있다. 여러 명의 환자로 구성된 집단으로 적용하게 되면, 치료자 입장에서는 시간을 절약할 수 있고, 환자들 역시 서로 간의 증상과 호전 과정, 치료에 대한 순응도 등을 같이 관찰하면서 지지하고 치료를 진행할 수 있어 도움이 될 수 있다. 자조집단의 형태로 불면증 인지행동치료를 진행하거나 DVD 등을 활용하여 진행하는 방식도 시도되었다. 불면증 인지행동치료 적용에 가장 큰 방해 요인은 치료에 대한 접근성인데, 기관에 내원하여 치료를 진행할 시간적 여유가 없는 환자들을 위하여 전화 혹은 인터넷 기반으로 불면증 인지행동치료를 제공하는 방법이 제시되고 있다. 웹사이트에 게시된 정보와 이미지, 영상 등을 활용하여 불면증 인지행동치료가 다양한 형태로 제공될 수 있다는 장점이 있다. 인터넷 기반 불면증 인지행동치료는 치료자가 같이 참여하지 않고 자동적으로 치료가 진행되는 방식과 치료자가 같이 참여하여 진행하는 방식이 있다. 온라인 기반 불면증 인지행동치료은 접근성, 시간적 제한에서 자유롭다는 점, 정보를 특화하여 전달할 수 있다는 점, 다양한 화면구성을 할 수 있다는 점, 치료 효과를 조망하여 보여줄 수 있다는 점 등의 장점이 있는 반면, 순응도

문제, 기술적 문제, 개인정보 보호 문제 등의 단점도 있을 수 있다. 온라인 기반 불면증 인지행동치료와 마찬가지로 디지털 어플리케이션 기반 불면증 인지행동치료 역시 낮은 순응도 문제가 있으며, 치료자와 함께 참여하는 방식이 아니라는 한계점도 있다. 다만, 이러한 다양한 플랫폼 기반의 불면증 인지행동치료가 대면치료와 동일한 효과를 나타내는지, 치료 효과가 지속되는지 등에 대한 연구는 향후 더 필요하다.

▶ 참고문헌

- Bootzin RR. Stimulus control treatment for insomnia. 80th Annual Convention, APA 1972.
- Carney CE, Buysse DJ, Ancoli-Israel S, et al. The consensus sleep diary: standardizing prospective sleep self-monitoring. Sleep 2012;35:287-302.
- Dolan DC, Taylor DJ, Bramoweth AD, et al. Cognitive-behavioral therapy of insomnia: a clinical case series study of patients with comorbid disorders and using hypnotic medications. Behav Res Ther 2010;48:321-7.
- Edinger JD, Wohlgemuth WK, Radtke RA, et al. Does cognitive-behavioral insomnia therapy alter dysfunctional beliefs about sleep? Sleep 2001;1:24:591-9.
- Ellis JG, Cushing T, Germain A. Treating acute insomnia: a randomized controlled trial of a "sing-shot" of cognitive behavioral therapy for insomnia. Sleep 2015;38:971-8.
- Geiger-Brown JM, Rogers VE, Liu W, et al. Cognitive behavioral therapy in persons with comorbid insomnia: a meta-analysis. Sleep Med Rev 2015;23:54-67.
- Harvey AG, Bélanger L, Talbot L, et al. Comparative efficacy of behavior therapy, cognitive therapy, and cognitive behavior therapy for chronic insomnia: a randomized controlled trial. J Consult Clin Psychol 2014;82:670-83.
- Hasan F, Tu YK, Yang CM, et al. Comparative efficacy of digital cognitive behavioral therapy for insomnia: a systematic review and network meta-analysis. Sleep Med Rev 2022;61:101567.
- Kyle SD, Aquino MRJ, Miller CB, et al. Towards standardization and improved understanding of sleep restriction therapy for insomnia disorder: a systematic examination of CBT-I trial content. Sleep Med Rev 2015;23:83-8.
- Lichstein KL, Riedel BW, Wilson NM, et al. Relaxation and sleep

- compression for late-life insomnia: a placebo-controlled trial. J Consult Clin Psychol 2001;69:227-39.
- Manber R, Bernert RA, Suh SY, et al. CBT for insomnia in patients with high and low depressive symptom severity: adherence and clinical outcomes. J Clin Sleep Med 2011;7:645-52.
- Morin CM, Bootzin RR, Buysse DJ, et al. Psychological and behavioral treatment of insomnia: update of the recent evidence (1998-2004). Sleep 2006;29:1398-414.
- Morin CM, Colecchi C, Stone J, et al. Behavioral and pharmacological therapies for late-life insomnia: a randomized controlled trial. JAMA 1999;281:991-9.
- Morin CM, Culbert JP, Schwartz SM. Nonpharmacological interventions for insomnia: a meta-analysis of treatment efficacy. Am J Psychiatry 1994;151:1172-80.
- Morin CM, Hauri PJ, Espie CA, et al. Nonpharmacologic treatment of chronic insomnia. An American academy of sleep medicine review. Sleep 1999;22:1134-56.
- Morin CM, Vallières A, Guay B, et al. Cognitive behavioral therapy, singly and combined with medication, for persistent insomnia: a randomized controlled trial. JAMA 2009;301:2005-15.
- Morin CM, Vallières A, Ivers H. Dysfunctional beliefs and attitudes about sleep (DBAS): validation of a brief version (DBAS-16). Sleep 2007;30:1547-54.
- Ohayon MM. Relationship between chronic painful physical condition and insomnia. J Psychiatr Res 2005;39:151-9.
- Qaseem A, Kansagara D, Forciea MA, et al. Management of chronic insomnia disorder in adults: a clinical practice guidline from the American college of physicians. Ann Intern Med 2016;165:125-33.
- Raglan GB, Swanson LM, Arnedt JT. Cognitive behavioral therapy for insomnia in patients with medical and psychiatric comorbidities. Sleep Med Clin 2019;14:167-75.
- Sánchez-Ortuño MM, Edinger JD. Cognitive-behavioral therapy for the management of insomnia comorbid with mental disorders. Curr Psychiatry Rep 2012;14:519-28.
- Siebern AT, Manber R. New developments in cognitive behavioral therapy as the first-line treatment of insomnia. Psychol Res Behav Manag 2011;4:21-8.
- Smith MT, Huang MI, Manber R. Cognitive behavior therapy for chronic insomnia occurring within the context of medical and psychiatric disorders. Clin Psychol Rev 2005;25:559-92.
- Spielman AJ, Saskin P, Thorpy MJ. Treatment of chronic insomnia by restriction of time in bed. Sleep 1987;10:45-56.
- Stepanski EJ, Wyatt JK. Use of sleep hygiene in the treatment of insomnia. Sleep Med Rev 2003;7:215-25.

- Thakral M, Korff MV, McCurry SM, et al. Changes in dysfunctional beliefs about sleep after cognitive behavioral therapy for insomnia: a systematic literature review and meta-analysis. Sleep Med Rev 2020;49:101230.
- Trauer JM, Qian MY, Doyle JS, et al. Cognitive behavioral therapy for chronic insomnia: a systematic review and meta-analysis. Ann Intern Med 2015;163:191-204.
- Uyumaz BE, Feijs L, Hu J. A review of digital Cognitive Behavioral therapy for insomnia (CBT-I Apps): are they designed for engagement? Int J Environ Res Public Health 2021;18:2929.
- Wu JQ, Appleman ER, Salazar RD, et al. Cognitive behavioral therapy for insomnia comorbid with psychiatric and medical conditions a meta-analysis. JAMA Intern Med 2015;175:1461-72.

PART
4

수면장애 각론

05 불면장애 약물치료

최하연

불면증 인지행동치료(cognitive behavior therapy for insomnia, CBT–I)를 적용하기가 어렵거나, 적용하더라도 증상의 개선을 보이지 않는 경우 임상의는 인지행동치료와 함께 약물을 처방하거나, 경우에 따라 약물만 처방하기도 한다. 약물치료는 일반적으로 널리 사용되지만, 장기간의 약물치료에 대한 효과 및 안전성에 대한 근거는 불충분하다. 그렇기에 임상의는 환자의 병력과 부작용 이력 등에 따라 가능한 단기간 동안 신중하게 약물을 처방하여야 한다. 이를 위하여 국내에서는 대한신경정신의학회에서 불면증 임상진료지침(2019)이 발간된 바 있다. 표 15-5-1에 국내에서 수면제로 주로 사용되는 약물들을 정리하였다.

1 수면제의 종류

1) Benzodiazepine

Benzodiazepine은 gamma aminobutryric acid A (GABA–A) 수용복합체에 있는 benzodiazepine 수용체에 효현제로 작용하여 중추신경계의 가장 흔한 억제성 신경전달물질인 GABA와 GABA–A 수용복합체 간의 결합을 촉진한다. Benzodiazepine 수용체 중 제1형 수

표 15-5-1. 국내에서 불면증에 사용되는 약물

Drugs	Most common dosage
A. Benzodiazepines	
Flurazepam*	15–30 mg
Triazolam*	0.125–0.25 mg
Flunitrazepam*	1 mg
Brotizolam*	0.25 mg
Clonazepam	0.5 mg
B. Non-benzodiazepine	
Non-benzodiazepine GABA modulator (Z-class)	
Zolpidem Immediate-release*	5–10 mg
Zolpidem Controlled-release*	6.25–12.5 mg
Eszopiclone*	1–3 mg
Antidepressants	
Trazodone	25–50 mg
Mirtazapine	7.5–30 mg
Amitriptyline	10–30 mg
Doxepin*	3–6 mg
Antihistamines	
Doxylamine*	25 mg
Diphenhydramine*	25–50 mg
Melatonin	
Prolonged-release melatonin*	2 mg

* Approved by Korean Food and Drug Administration (KFDA).
GABA: γ–aminobutyric acid.

용체는 수면과 관계가 있고 제2형 수용체는 근이완효과, 정신운동기능 저하, 항경련효과와 관련이 있다. 또한 제3형 수용체는 금단증상이나 내성과 관련이 있다. Benzodiazepine은 미국 내에서 2010년 기준으로 Z-class drug 같은 benzodiazepine 수용체 효현제와 항우울제인 trazodone에 이어 3번째로 많이 처방되는 불면증 치료 약물이다. Flurazepam, triazolam, flunitrazepam, brotizolam은 식약청(Korean Food and Drug Administration, KFDA)에서 단기간 불면증 치료(4주 이하)에 승인을 받았으며 lorazepam, clonazepam, diazepam, etizolam 등은 KFDA 승인은 받지 못하였으나 임상 현장에서는 off-label로 불면증의 치료에 쓰이고 있다. 미국 식약청(Food and Drug Administration, FDA)으로부터 불면증 치료에 승인된 benzodiazepine은 estazolam, flurazepam, temazepam, triazolam, quazepam 총 5가지로 단기간 사용(4주 이하)에 한하여 허가되어 있다. 잠이 들기 어려운 불면증의 경우 속효성 benzodiazepine을, 수면유지가 어렵거나 너무 일찍 깨는 경우 지속성 benzodiazepine 처방을 고려해 볼 수 있다.

AASM (American Academy of Sleep Medicine) 진료지침(2017년)에 따르면 benzodiazepine이 수면 잠복기를 감소시키고 총수면시간을 늘리며 수면 중 각성을 줄이고 수면의 질을 높이는 것으로 나타났다. 그러나 benzodiazepine의 부작용이 치료 효과보다 심각한 경우가 많으며 특히 4주 이상의 치료에서 benzodiazepine의 효과를 검증하기 위한 자료는 부족하다는 결론을 함께 내리고 있다. ESRS 진료지침(2017년)에서도 4주 이하 단기간 치료에서 benzodiazepine이 효과가 있으나 장기간 사용시 그 효과가 충분히 입증되지 못하였으며 부작용의 가능성이 높아 장기 처방은 권장되지 않으며 매일 복용하는 환자들의 경우 필요 시 간헐적으로만 복용하도록 교육할 것을 강력히 권고하고 있다. ACP (American College of Physicians) 진료지침(2016년)에서도 일반 인구나 노인 인구 집단에서 만성불면장애에서의 benzodiazepine의 효과에 대한 충분한 근거가 없는 상태로 일반적으로는 사용이 권고되지 않고 불면증 인지행동치료가 충분한 효과를 거두지 못한 경우 제한적으로 단기간만 사용하도록 권장하고 있다.

상기 언급한 내용들을 근거로 하여 2019년에 발간된 한국판 불면증 임상진료지침 역시 불면증에서의 benzodiazepine의 사용은 4주 이하의 단기간으로 제한할 것을 권고한다. 그럼에도 장기간 사용할 경우 내성 및 의존, 중단 시 금단증상이 생길 수 있고 이는 특히 triazolam과 같이 반감기가 짧은 약제에서 더 흔하다. 흔한 부작용으로는 다음 날까지 이어지는 주간과다수면, 운동실조, 어지럼증 및 인지기능 저하가 있으며 직장에서의 업무 수행 기능이 저하되거나, 졸음 운전으로 인한 교통사고로 이어질 수도 있다. 부작용은 대체로 약물 용량이 늘어남에 따라 증가하는 경향이 있으므로 benzodiazepine 계열 약물 처방 시 가급적 최소 용량으로 시작하고 증상 호전 여부와 부작용 유무를 고려하여 용량을 조절하는 것이 바람직하다. 특히 노인에서 benzodiazepine 장기간 사용 시 인지기능이 저하될 수 있고 섬망을 비롯하여 근이완 효과에 따른 낙상과 골절 등의 부작용 발생 가능성이 높다.

2) Z-class drugs

Z-class drug는 non-benzodiazepine hypnotics이며 benzodiazepine 수용체 효현제(benzodiazepine receptor agonist, BzRA)의 일종이다. Benzodiazepine과 마찬가지로 $GABA_A$ 수용체에 작용하나 주로 제1형 수용체에만 선택적으로 결합하여 수면에 대한 효과만 주로 나타내도록 만들어졌다. 식약청(KFDA)에서 불면증 치료제로 승인된 z-class drug는 zolpidem과 eszopiclone이다. 미국 FDA에서 불면증 치료제로 사용이 승인된 약물은 zolpidem, zaleplon, zopiclone이다. 우리나라의 경우 2016년에 보건복지부 주관하에 진행된 연구보고에 따르면 불면증 치료약물로 zolpidem이 가장 높은 빈도로 처방되고 있으며 처방건수도 점점 증가하는 추세를 보인다. 최근 미국에서 시행된 대규모 연구결과에 따르면 BzRA는 가장 많이 처방되는 수면제이며 그 중

87.5%가 zolpidem으로, 압도적으로 높은 비율을 차지
한다.

Zolpidem의 효과에 대한 연구에 따르면, zolpidem은
수면잠복기를 줄이고 총수면시간을 증가시키며, 수면의
질을 향상시킨다. Zolpidem의 흔한 부작용으로 두통,
어지럼증, 졸림 등이 발생할 수 있으나 benzodiazepine
에 비해서는 상대적으로 부작용이 덜하다. 그러나 zolp-
idem은 몽유병(sleepwalking)이나 수면관련식이장애
(sleep related eating disorder), 기억상실, 환각, 자살 위
험성 증가 등 심각한 부작용 발생을 증가시키므로 사용
에 주의해야 한다. 또한 zolpidem 역시 benzodiazepine
과 마찬가지로 내성과 의존 및 금단의 위험성이 있다.

Zolpidem IR (immediate-release)의 적정 처방용량은
5-10 mg이며 zolpidem CR (controlled-release)의 경우
6.25-12.5 mg을 적정 용량으로 볼 수 있다. 노인에게서
는 부작용 우려로 인하여 zolpidem은 5 mg, 장기지속
형 제제는 6.25 mg을 처방하는 것이 권장된다.

AASM 진료지침(2017년)에 의하면 성인에서 수면 개
시 및 수면유지불면증이 있는 경우 zolpidem 사용을 제
안하고 있다. ESRS (European Sleep Research Society)
진료지침(2017년)에 따르면 zolpidem을 포함하는 ben-
zodiazepine 수용체 효현제는 4주 이하 단기간 사용할
경우 benzodiazepine과 비슷한 수준으로 불면증을 완
화시키는 효과가 있다. 그러나 benzodiazepine과 마찬
가지로 부작용의 우려로 4주 이상 장기간 사용은 권고
되지 않으며 매일 복용하기보다는 필요시 간헐적으로만
복용하는 것이 바람직하다. ACP 진료지침(2016년) 역시
zolpidem이 수면잠복기와 총수면시간을 늘리는 효과가
있으나 장기간 사용의 이득과 위험성에 관련된 근거 자
료가 부족하므로 4-5주 이하의 단기간 사용을 제안하
고 있다. 상기 언급한 내용들을 근거로 하여 2019년에
발간된 한국판 불면증 임상진료지침에서 불면증에서의
z-class drug의 사용은 4주 이하의 단기간으로 제한할
것을 권고하였다.

3) Melatonin

Melatonin은 송과체에서 분비되는 호르몬으로 일주
기 리듬의 조절에 관여한다. Melatonin 지속형 방출제
(prolonged-release)는 국내에서는 유일하게 처방 가능
한 melatonin 제제로 2014년부터 55세 이상의 불면증
환자에게서 사용이 승인되었다. Melatonin 지속형 제제
는 잠자리에 들기 2시간 전에 복용하도록 권장하고 있
으며 적정 용량은 2 mg이다. 반감기가 35-50분으로 짧
아 충분한 효과를 발휘하지 못했던 기존의 melatonin
제제와는 달리 지속형 방출제의 경우 melatonin이 체내
에서 분비되는 패턴과 유사하게 8-10시간에 걸쳐 농도
가 유지되어 수면 구조를 개선시킨다. 미국에서는 건강
기능식품으로 의사의 처방 없이 melatonin 속효성 제제
가 널리 사용되고 있다.

Ramelteon은 melatonin 수용체 효현제로 미국 FDA
로부터 불면증 치료에 승인 받았고 AASM 진료지침
(2017년)에서도 수면개시불면증에 사용을 권고하고 있
으나 우리나라에서는 아직 허가되지 않았다. AASM 진
료지침(2017년)에 의하면 ramelteon과는 달리 melato-
nin 제제의 경우 수면개시불면증이나 수면유지불면증
에 사용하는 것은 효과에 대한 근거 수준이 불충분하
여 권장되지 않는다. ESRS 진료지침(2017년)과 ACP 진
료지침(2016년)에서도 마찬가지 이유로 불면증에서의
melatonin 사용을 권장하지 않고 있다. 다만 상기 지침
들에서는 melatonin 지속형 방출제와 속효성 제제를 명
확하게 구분하여 효과를 판정하지 않고 포괄적으로 검
토하였기 때문에 melatonin 지속형 방출제만을 고려할
때 권장 여부에 대해서는 정확히 언급되지 않고 있다.
또한 아직까지 melatonin 지속형 방출제에 관련된 연구
가 충분히 이루어지지 않았다는 점을 고려할 때 mela-
tonin 지속형 방출제에 대한 추가적인 연구가 필요할 것
으로 보인다. Melatonin 지속형 방출제의 경우 GABA
수용체에 작용하지 않아 benzodiazcpine이나 benzodi-
azepine 수용체 효현제와 같은 수면제들과 비교할 때
인지기능 저하나 낙상 등의 부작용이 적고 반동성 불면
이나 의존, 내성 및 금단 증상이 적어 노인인구나 암환

자 등 상대적으로 약물 부작용에 취약한 경우에 기존 수면제를 대체할 대안이 될 수 있다.

Ramelteon은 melatonin MT_1, MT_2 수용체 효현제로서 메타분석 연구 결과 수면잠복기를 줄이고 수면의 질과 효율을 높이는 데 어느 정도 효과가 있는 것으로 보고되었다. 다만, 임상적으로 충분한 유의성을 확보하지는 못했고 총수면시간을 유의하게 증가시키지는 못했다. 다만, 주간과다수면 이외에는 유의한 부작용이 관찰되지 않아 위험 대비 이득이 크다고 판단하여 AASM 진료지침(2017년)에서는 수면개시불면증에서 사용할 수 있는 것으로 권고되었고 ACP 진료지침(2016년)에서는 고령 환자에게서 사용할 수 있는 것으로 권고되었다. 다만, 아직 국내에는 시판이 되고 있지 않다.

4) Orexin antagonist

Orexin/hypocretin은 perifornical area와 lateral hypothalamus의 orexin producing neuron에서 분비되는 neuropeptide로서 각성 유지에 중요한 역할을 한다. Orexin OX1, OX2 수용체를 차단하면 불면증이 개선될 것으로 제안되었고 이에 따라 dual orexin 수용체 길항체(DORA)가 개발되었다. Suvorexant는 미국 FDA에서 2014년 불면증 치료제로 승인된 dual orexin 수용체 길항체(DORA)이다. 두 개의 RCT 연구 결과, 수면잠복기와 총수면시간에서는 임상적으로 유의한 수준의 개선효과를 나타내지는 못했으나, 수면효율과 수면의 질 개선 효과에서는 임상적 유의성이 관찰되었다. 또한, 부작용 측면에서도 위약에 비해 유의한 수준에서 차이가 나는 부작용이 관찰되지 않았다. AASM 진료지침(2017년)에서는 수면유지불면증에 사용할 수 있는 것으로 제안되었고, ACP 진료지침(2016년)에서는 수면장애에 사용할 수 있는 것으로 제안되었다. 국내에서는 아직 사용되지 않고 있다.

5) Antidepressants

여러 새로운 형태의 항우울제의 개발로, 삼환계 항우울제는 최근에는 항우울제로는 잘 사용되지 않고 통증

이나 수면 조절 목적으로 주로 사용되고 있다. 여러 삼환계 항우울제들이 수면 조절 용도로 사용되었지만 그중 doxepin은 유일하게 미국 FDA로부터 불면증 치료제로 승인을 받은 약물이다. 불면증에 대한 작용기전은 histamine H_1 수용체에 대한 길항작용인 것으로 추측되고 있다. Doxepin과 관련된 주 임상연구에서는 doxepin 3 mg, 6 mg 투약 시 위약 대조군에 비해 입면후 각성시간(wake after sleep onset, WASO), 총수면시간 및 수면효율이 유의하게 개선되었음이 보고되었다. 다만 메타분석 연구 결과, 수면개시불면증의 호전 효과는 관찰되지 않았으며 수면유지불면증에 효과적인 것으로 분석되었다. 설사, 주간과다수면과 두통의 부작용이 보고되어 있으나 benzodiazepine이나 z-drug에 비해 부작용 측면에서 장점이 있고 낙상의 위험이 상대적으로 적어 노인에게 처방 시 장점이 있을 수 있다.

Trazodone은 $5-HT_{2A}$ 수용체 길항작용을 갖고 있고 50 mg에서는 histamine H_1 수용체와 α-adrenergic 수용체에 대한 길항작용이 나타나 수면제의 역할을 하게 된다. 따라서 보통 25-50 mg의 저용량에서 off-label로 수면제로 사용되고 있다. Trazodone의 불면증에 대한 효과는 주로 WASO 감소 및 총수면시간, 수면효율과 서파수면을 증가시키는 것으로 작용하고, 수면잠복기를 줄이는 효과는 없는 것으로 보고되어 수면개시불면증보다는 수면유지불면증에 좀 더 도움이 되는 것으로 보인다. 통상적으로 두통이나 기립성 저혈압 등의 부작용이 발생할 수 있으나 남용의 문제는 상대적으로 덜하다. AASM 진료지침(2017년)에서는 진료지침 발간 당시 trazodone에 대한 메타분석 연구가 출간되지 않아 그 효능을 입증한 객관적 연구가 없어, 유효성 및 위험성을 평가한 연구결과의 부재를 이유로 불면증 치료로서 trazodone을 일차선택제로 사용하지 말 것을 제안하였다. 그러나 AASM 진료지침의 발간 직후, 발표된 trazodone의 메타분석 연구에서 trazodone이 불면증 치료제로서 효과적이고 안전한 것으로 보고한 바 있다. 따라서, 대한신경정신의학회(2019) 임상진료지침에서는 trazodone이 유지장애에 도움이 되는 것으로 평가하였으며, 임

상 상황에 맞게 적절히 사용할 수 있을 것으로 생각된다.

Mirtazapine은 불면증뿐 아니라 우울증이 같이 동반된 경우 사용할 수 있는 약제로, 항우울제 중에서 수면유도 효과 및 서파수면의 증가 효과가 비교적 큰 약물로 알려져 있다. H_1 길항작용을 통하여 수면을 유도하고 5-HT$_{2A/2C}$ 수용체에 대한 길항작용을 통하여 델타수면을 유도하는 효과를 나타내는 것으로 알려져 있는데, 항우울 효과를 위하여 통상적으로 7.5-45 mg 사용되는 데 반하여 우울증 환자에서의 수면유도 효과를 위해서는 보통 30 mg 이하에서 따라 사용된다. 다만 과도한 진정효과와 체중 및 식욕 증가, 입마름 등의 문제가 우울증 환자의 치료에서 주로 관찰되는 부작용들로 알려져 있다.

6) Antihistamines

Antihistamine은 histamine H_1 수용체 길항작용을 통해서 수면작용을 나타낸다. 국내 식약청에서는 doxylamine과 diphenhydramine이 불면증의 보조치료를 목적으로 사용이 가능하도록 허가가 되어 있다. Doxylamine의 경우에는 25 mg을 사용하도록 되어 있지만, 중증근무력증, 급성 협우각형 녹내장, 약물 중독 환자 등에는 사용에 주의를 요한다. Diphenhydramine은 일시적 불면증 개선 목적으로 50 mg를 사용하도록 되어 있지만 환자에 따라 25 mg으로 감량할 필요가 있다. 천식발작, 만성기관지염에 의한 호흡곤란, 녹내장, 전립선비대 등 하부 요로 폐색성 질환 등의 환자에게서는 사용에 주의를 요한다. AASM 진료지침(2017년)에서는 diphenhydramine이 수면잠복기와 총수면시간을 개선시킨다는 연구 결과는 있으나 유의한 수준을 상회한다고 보기 어렵고, 불면증에 대한 메타분석 연구는 이뤄진 바가 없으며 ESRS 진료지침(2017년)에서도 antihistamine을 불면증 개선 목적으로 사용하지는 않도록 권고하였다.

7) Antipsychotics

수면제로 사용되기보다는 약 자체가 갖고 있는 진정효과를 이용하여 수면을 유도할 목적으로 간간히 사용된다. 그러나 항정신병약물 사용 시 대사증후군이나, 추체외로증상 및 항콜린성 부작용, 무월경이나 유즙 분비 등의 부작용이 발생할 수 있기 때문에, 정신병적 증상이나 기분 증상, 또는 섬망이 동반되어 있지 않은 일차성 불면증 환자에게서 추천되지는 않는다. 정신병적 증상이나 기분 증상을 조절하기 위하여 통상적으로 사용되는 용량에 비해 낮은 용량에서 사용되며 quetiapine(보통 25-50 mg), olanzapine(보통 2.5-5 mg) 등이 경우에 따라 제한적으로 사용되고 있다.

8) Phytotherapy (valerian, hops)

Valerian, 즉 쥐오줌풀 뿌리를 건조하여 차로 음용하는 것으로 일종의 식물치료(phytotherapy)라 할 수 있는 방법이다. 화학적 의약품에 대한 거부감 때문에 불면증 개선 목적으로 오래 전부터 널리 이용되어왔다. Valerian이나 호프 hop 등의 약초들의 수면 개선 효과를 검증하고자 연구가 이뤄진 바가 있기는 하나, 불면증 개선에 대한 임상적 유의성을 얻지는 못했다. AASM 진료지침(2017년)과 ESRS 진료지침(2017년)에서 모두 불면증에서의 valerian 사용은 권장하지 않았다.

2 불면증의 임상 양상에 따른 약물의 선택

임상에서 불면증 양상을 크게 수면개시불면증과 수면유지불면증으로 나누어 각 상황에 맞는 약제를 적절히 선택해야 한다. 두 가지 상황이 혼재되기도 하며, 약물 용량에 따라서도 치료 효과가 달라지기에 임상 상황에 맞게 각 임상의가 적절하게 판단하여 사용하여야 한다.

1) 수면개시불면증(sleep initiation disorder)

Z-class 약물인 zolpidem IR 제형을 일차적으로 선택해 볼 수 있고 zolpidem CR 역시 수면개시불면증에 사용될 수 있다. Triazolam과 같은 benzodiazepine도 투약 가능하겠다. 국내에는 아직 도입되지 않았으나 ramelteon도 수면개시불면증에 권고되었다.

2) 수면유지불면증(sleep maintenance disorder)

수면유지불면증에는 zolpidem CR나 doxepin, trazodone과 같은 항우울제를 사용해 볼 수 있다. 55세 이상의 환자라면 melatonin 지속형 방출제도 사용해 볼 수 있다. 국내에는 도입되지 않았지만 suvorexant도 수면유지장애에 권고되었다.

3 수면제 복용 시간

ACP 진료지침(2016년), AASM 진료지침(2017년) 및 ESRS 진료지침(2017년)에서는 수면제 복용 시점에 대한 지침은 없었다. 그러나 수면제의 효과를 최적화 하기 위해 환자가 수면제를 복용하는 시점을 고려하는 것은 매우 중요하다. 이러한 점을 보완하기 위하여 대한신경정신의학회(2019) 임상진료지침에서는 수면제 복용 시간에 대한 지침을 권고하였다. 이를 위해서 "자고 싶은 시간"이 아니라 "수면-각성주기를 고려할 때 잠이 오는 시간"에 수면제를 복용해야 한다. 수면제 복용 시기와 주관적 만족도의 관계를 조사한 연구에서, 만족한 그룹은 수면제 투여 후 기상 시간(pills to wake up time, PTW)이 7.2시간, 불만족 그룹은 9.3시간이었다. 이러한 결과를 바탕으로, 같은 연구자들은 환자의 만족도를 높이기 위해 취침 30분 전보다 기상 7시간 전에 수면제를 복용할 것을 제안했습니다. 물론, 개인마다 약력학적 및 약동학적 차이가 있고 그 효과에 대한 근거가 제한적이므로 이러한 제안은 적용되지 않을 수 있다. 멜라토닌 지속형 방출제의 농도는 복용 후 1.6-2.6시간에 최고조에 달하므로 취침 1-2시간 전에 복용하는 것이 효과적이다. 약물의 작용 지속시간과 수면-각성주기를 고려하여 아침 기상 9시간 전에 복용하는 것을 권고할 수 있다.

4 불면증의 단기요법과 장기요법

ACP 진료지침(2016년)에서는 수면제를 4-5주 정도만 사용하기를 권고하였고, 장기적인 불면증을 CBT-I를 교육받고 조절하도록 권고하였다. 또한 많은 문헌들에서 수면제는 4주 이내로 처방하도록 안내되어 있고, 국내에서도 zolpidem은 4주 이내, triazolam은 3주 이내로 처방하도록 되어 있다. 그러나 실제 임상에서는 수면제를 장기적으로 복용하는 것이 불가피한 경우가 많기 때문에 수면제 장기 복용 시의 이익 대비 위험(benefit to risk)을 평가할 필요가 있다.

ESRS 진료지침(2017년)에서는 12주 이상 수면제 장기 처방에 관한 연구들을 검토하였고, 그 결과 수면제의 효과는 장기적 사용에도 불구하고 비교적 안정적으로 유지되었던 것으로 평가하였다. 다만 아직까지 수면제의 장기 복용의 효과 및 안전성에 대한 메타분석 연구 결과는 없기 때문에 benzodiazepine과 z-drug는 장기간 사용하지 않는 것으로 권고하고 있다. ACP 진료지침(2016년) 역시, 수면제 장기 사용의 이익 대비 위험을 평가하기에는 충분한 자료가 확보되어 있지 않기 때문에, 미국 FDA의 승인 대로 4-5주 이내의 짧은 기간 동안만 사용하는 것으로 권고하였다.

델파이 기법을 사용하여 수면진정제의 안전사용지침에 대해 2019년에 발표한 국내 논문에 따르면, 수면진정제 사용 후 4주-3개월이 경과하는 시점에서 투약 감량 및 중단을 계획하는데, 4주 이상 투약 시 금단증상이 없다면 1/4 용량씩 감량하여 2주마다 경과관찰을 하고 금단 증상이 있다면 반감기가 긴 약물로 교체하여 1/4 용량씩 감량 및 2주마다 경과관찰하도록 권고하였다.

▶ 참고문헌

- 대한신경정신의학회. 불면증 임상진료지침: 불면증의 진단과 치료. 대한신경정신의학회; 2019.
- American Psychiatric Association. Diagnostic and statistical manual of mental disorders (DSM-5®). American Psychiatric Pub; 2013.
- Billioti de Gage S, Pariente A, Begaud B. Is there really a link between benzodiazepine use and the risk of dementia? Expert Opin Drug Saf 2015;14:733-47.
- Buscemi N, Vandermeer B, Friesen C, et al. The efficacy and safety of drug treatments for chronic insomnia in adults: a meta-analysis of RCTs. J Gen Intern Med 2007;22:1335-50.
- Chung S, Youn S, Park B, et al. The effectiveness of prolonged-release melatonin in primary insomnia patients with a regular sleep-wake cycle. Sleep Med Res 2016;7:16-20.
- Chung S, Youn S, Yi K, et al. Sleeping pill administration time and patient subjective satisfaction. J Clin Sleep Med 2016;12:57-62.
- FDA requires lower dosing of zolpidem. Med Lett Drugs Ther 2013;55:5.
- Flurazepam, triazolam, flunitrazepam, and brotizolam. Available from: www.druginfo.co.kr.
- French DD, Spehar AM, Campbell RR, et al. Outpatient benzodiazepine prescribing, adverse events, and costs. In: Henriksen K, Battles JB, Marks ES, et al. Advances in patient safety: from research to implementation (Volume 1: Research Findings). Agency for Healthcare Research and Quality; 2005. pp. 185-98.
- Generali JA, Cada DJ. Trazodone: insomnia (adults). Hosp Pharm 2015;50:367-9.
- Jaffer KY, Chang T, Vanle B, et al. Trazodone for insomnia: a systematic review. Innov Clin Neurosci 2017;14:24-34.
- MacFarlane J, Morin CM, Montplaisir J. Hypnotics in insomnia: the experience of zolpidem. Clin Ther 2014;36:1676-701.
- Morin CM, Koetter U, Bastien C, et al. Valerian-hops combination and diphenhydramine for treating insomnia: a randomized placebo-controlled clinical trial. Sleep 2005;28:1465-71.
- Nam Y, Cho C, Lee Y, et al. Development of safety usage guidelines for sedative hypnotics using the Delphi technique. Sleep Med Psychophysiol 2019;26:2.
- Qaseem A, Kansagara D, Forciea MA, et al. Clinical guidelines committee of the American college of physicians. Management of chronic insomnia disorder in adults: a clinical practice guideline from the American college of physicians. Ann Intern Med 2016;165:125-33.
- Riemann D, Baglioni C, Bassetti C, et al. European guideline for the diagnosis and treatment of insomnia. J Sleep Res 2017;26:675-700.
- Sadock B. Kaplan and Sadock's synopsis of psychiatry: behavioral sciences/clinical psychiatry. 11th ed. LWW; 2014.
- Sateia MJ, Buysse DJ, Krystal AD, et al. Clinical practice guideline for the pharmacologic treatment of chronic insomnia in adults: an American academy of sleep medicine clinical practice guideline. J Clin Sleep Med 2017;13:307-49.
- Sateia MJ. International classification of sleep disorders. Chest 2014;146:1387-94.
- Stahl SM. Mechanism of action of trazodone: a multifunctional drug. CNS spectr 2009;14:536-46.
- Vande Griend JP, Anderson SL. Histamine-1 receptor antagonism for treatment of insomnia. J Am Pharm Assoc 2012;52:e210-9.
- Wade AG, Ford I, Crawford G, et al. Efficacy of prolonged release melatonin in insomnia patients aged 55-80 years: quality of sleep and next-day alertness outcomes. Curr Med Res Opin 2007;23:2597-605.
- Wong CK, Marshall NS, Grunstein RR, et al. Spontaneous adverse event reports associated with zolpidem in the United States 2003-2012. J Clin Sleep Med 2017;13:223-34.
- Yeung WF, Chung KF, Yung KP, et al. Doxepin for insomnia: a systematic review of randomized placebo-controlled trials. Sleep Med Rev 2015;19:75-83.
- Yi XY, Ni SF, Ghadami MR, et al. Trazodone for the treatment of insomnia: a meta-analysis of randomized placebo-controlled trials. Sleep Med 2018;45:25-32.
- Youn S, Han CC, Park B, et al. The effects of the new guidance 'take your sleeping pills 7h before your wake-up time': a pilot study. Sleep Biol Rhythms 2016;14:397-404.

01 I형 및 II형 기면병

홍승철

기면병은 심한 주간과다수면이 특징인 수면장애로, 중추과다수면장애(Central disorders of hypersomnolence)에 속한다. 중추과다수면장애는 중추성 기원의 주간과다수면(Excessive Daytime Sleepiness, EDS)이 있는 질환군을 총칭하며, 이러한 증상의 원인이 야간수면 분절이나 하루주기리듬수면장애, 혹은 수면과 관련된 호흡질환이 아니어야 한다. 국제수면장애 분류 3판 (International Classification of Sleep Disorders, ICSD-3)에 따르면, 중추과다수면장애는 탈력발작을 동반하는 기면병(1형 기면병), 탈력발작을 동반하지 않는 기면병(2형 기면병), 특발성 과다수면증, 그리고 클라라인-레빈 증후군을 포함한다. 이 중 가장 대표적인 질환이 기면병이다. 기면병의 증상으로서의 주간과다수면은 피곤 혹은 피로와는 다르며, 잠으로 빠져드는 경향 혹은 각성을 유지하기 힘든 상태로, 이는 수면조절중추의 신경학적 이상 관점에서 설명할 수 있다.

1 기면병의 정의

기면병은 낮에 졸림증을 호소하는 질환 중 가장 대표적인 질환으로, 심한 주간과다수면 및 렘수면의 증상들

인 탈력발작(cataplexy), 수면마비(sleep paralysis), 입면 환각(hypnagogic hallucination)과 야간수면장애(nocturnal sleep disturbance) 등의 증상들이 특징적으로 나타난다.

2 역학

미국을 포함한 서양에서의 유병률이 0.0013-0.067%로 보고되고 있으며 가장 높은 유병률을 보고한 국가는 일본으로 0.16%이고 이스라엘에서의 유병률이 가장 낮아 0.002%이다. 국내에서는 청소년을 대상으로 역학 연구가 진행된 바 있으며 탈력발작이 없는 기면병 유병률이 0.053%이고 탈력발작이 동반된 경우는 0.015%이다. 기면병의 호발 연령은 15-25세(1st peak)와 30-40세 (2nd peak)이며 흔하지 않지만 모든 연령층에서 기면병이 발병할 수 있다.

3 임상양상

기면병의 전통적인 4대 증상(tetrad)은 주간과다수면,

탈력발작, 수면마비, 입면 시 혹은 출면 시 환각(hypna-gogic 또는 hypnopompic hallucination)이며 이후에 야간 수면장애를 더하여 5대 증상(pentad)이라고 하게 되었다. 탈력발작은 기면병의 특징적인 증상으로 웃음, 화, 농담 등 감정에 의해 촉발되어 근육의 힘이 빠지는 현상으로 얼굴근육에 힘이 빠져서 얼굴 표정이 일그러지거나, 입이 벌어지기도 하고, 고개를 떨구는 경우도 있다. 또한 손에 힘이 빠져서 물건을 떨어뜨리기도 하며, 양측 무릎에 힘이 빠져 바닥에 쓰러지기도 한다. 탈력발작이 있는 동안에 환자의 의식은 유지되고 탈력발작 삽화에 대해 대부분 기억한다. 탈력발작은 보통 수 초에서 수 분간 지속되고 다시 회복된다. 탈력발작은 기면병에서만 나타나는 특징적인 증상(a pathognomonic finding)이므로 전형적인 탈력발작이 확인되면 기면병 진단의 중요한 근거가 된다.

하지만 모든 기면병 환자에서 탈력발작이 일어나는 것은 아니다. 기면병 환자 군에서 탈력발작은 70–80%에서 발견되며, 주간과다수면과 탈력발작이 함께 나타날 때는 1형 기면병, 탈력발작 증상 없이 주간과다수면만 나타날 때는 2형 기면병이라고 한다.

수면마비는 잠들기 전 혹은 잠에서 깨어날 때 의식은 깨어 있지만 근육에 힘이 빠져 몸을 움직일 수 없는 상태로서 몇 분간 지속되다가 저절로 회복되므로 수면마비를 두렵게 생각할 필요는 없다. 입면 시 혹은 출면 시 환각은 흔히 수면마비와 같이 발생하는데 무서운 동물 등이 보인다고 하며 1–2분 내에 정상감각으로 회복한다.

4 원인 및 병태생리

기면병의 원인에는 환경적 요인과 유전적 요인이 모두 작용한다. 먼저 환경적 요인으로는 스트레스, 감염, 밤과 낮이 바뀌는 경우 및 두부외상 등이 있다. 유전적 요인으로는 소위 기면병 유전자로 불리는 HLA-DR2, HLA-DQB1*0602가 관여한다고 알려져 있다. 사람 백혈구 항원복합체(human leukocyte antigen complex, HLAC)를 분석하였을 때, 탈력발작을 동반한 기면병 환자 중 인종에 상관없이 85% 이상에서 HLA-DQB1*0602가 양성으로 관찰되었다. HLA-DQB1은 기면병 외에도 1형 당뇨병 등 자가면역 질환들의 발병과도 관련 있는 것으로 알려져 있다. 그 중 HLA-DQB1*0602 대립형질은 기면병의 탈력발작과 연관이 있으며, 이 대립형질을 가진 환자들에서 나타나는 자가면역반응에 의한 뇌 속 하이포크레틴(hypocretin; orexin으로도 불림) 세포 파괴 및 하이포크레틴 농도 감소가 기면병의 한 원인으로 생각되고 있다.

신경펩타이드인 하이포크레틴의 중요한 기능은 각성을 유지하고 렘수면을 억제하는 것으로, 하이포크레틴이 부족하면 깨어있는 상태에서 렘수면이 나타나 탈력발작, 수면마비, 입면 시 환각 등의 증상을 일으킬 수 있다. 탈력발작을 가진 기면병 환자의 약 90%는 뇌척수액에서 하이포크레틴이 110 pg/mL 이하로 떨어져 있었으며, 하이포크레틴의 감소는 DSM-5, ICSD-3에서 기면병 진단 기준에도 포함된다.

HLA-DQB1*0602는 일반인구에서도 13–35%에서 양성으로 나타나기 때문에 이를 바탕으로 기면병을 진단하기는 어려우나, 하이포크레틴이 저하되어 있는 환자는 대부분 HLA-DQB1*0602가 양성이므로, 침습적인 뇌척수액 검사로 하이포크레틴을 측정하기 전에 HLA-DQB1*0602를 검사하는 것이 도움이 된다.

주목할 점은 탈력발작을 동반하는 1형 기면병 환자에서 HLA-DQB1*0602의 자가면역체계 이상과 하이포크레틴 결핍이 모두 관찰되므로, 탈력발작은 하이포크레틴 결핍을 예측할 수 있는 가장 강력한 인자라는 것이다. 그에 비해 탈력발작이 없는 2형 기면병에서는 이러한 자가면역체계 이상과 하이포크레틴 부족이 뚜렷이 나타나지는 않는다.

또한 2009년도에는 신종플루에 감염되었거나 판데믹스(Pandemrix)라는 신종플루 백신을 접종 받은 소아청소년층에서 기면병의 발병이 급증하였는데, 이는 백신에 포함되어 있는 신종플루 항원이 하이포크레틴과 구조적으로 유사하여 백신접종으로 인해 활성화된 면역

반응으로 인해 하이포크레틴 세포가 파괴되어 기면병이 발병하였다고 해석되기도 한다. 백신 접종 후 기면병이 발병한 사례는 HLA−DQB1*0602 대립형질을 가진 환자에서 주로 나타났으므로, 이 두 가지 병인 사이에 상관관계가 존재함을 시사한다.

5 기면병의 진단

미국수면학회인 American Academy of Sleep Medicine (AASM)에서는 기면병과 다른 주간과다수면을 치료하기에 앞서 정확한 진단을 확립하는 것이 중요함을 강조하고 있다. 임상적 병력 청취를 통해 주간과다수면을 유발할 수 있는 다른 질환들(불충분한수면증후군, 폐쇄수면무호흡증, 하루주기리듬수면장애, 비정형 우울증, 특정 항우울제나 항경련제와 같은 약제 유발 졸림증 등)을 반드시 감별해야 하며, 각성제 처방 유무와 관계없이 이러한 질환의 치료가 선행되어야 한다.

주간과다수면 정도를 측정하는 데에는 주관적인 척도로서 Epworth Sleepiness Scale 및 Stanford Sleepiness Scale이 주로 사용되며, 수면일기와 활동기록기 등을 통해 환자의 수면 패턴을 알아볼 수 있다. 현재까지 기면병 진단에 있어 가장 중요한 검사(Gold Standard)는 수면잠복기반복검사(Multiple Sleep Latency Test; MSLT)이나, 일반적으로 기면병과 다른 동반이환 질환 등을 감별하기 위해 수면잠복기반복검사를 시행하기 전날에 야간수면다원검사(nocturnal polysomnography)를 시행하는 것이 권고되고 있다. 야간수면다원검사를 전날 시행하는 이유는 첫째로 6시간 반 이상의 수면시간을 확보하고 둘째는 주간과다수면을 일으키는 다른 수면장애를 감별하기 위함이다.

임상적으로는, 10대 또는 20대에서 심한 주간과다수면이 3개월 이상 지속되면 기면병으로 진단될 가능성이 높으므로 확진을 위한 야간수면다원검사와 수면잠복기반복검사를 권고할 수 있다. 특히 심한 주간과다수면과 함께 탈력발작이 동반된 경우 기면병으로 진단될 가능성

이 매우 높다. 또한 기면병 환자는 가족 중 졸린 사람이 있는 경우가 많으므로 가족력을 확인하는 것이 도움이 된다.

DSM−5에서 기면병은 다음과 같이 진단하고 있다.

◆ 기면병(narcolepsy)의 DSM−5 진단기준

A. 억누를 수 없는 수면 욕구, 깜빡 잠이 드는 것, 또는 낮잠이 하루에 반복적으로 나타난다. 이런 양상은 지난 3개월 동안 적어도 일주일에 3회 이상씩 발생해야 한다.

B. 다음 중 한 가지 이상이 나타난다.
 1. (a)나 (b)로 정의되는 탈력발작이 1개월에 수차례 발생함
  (a) 장기간 이환된 환자의 경우, 웃음이나 농담에 의해 유발되어 짧은 시간 동안(수초에서 수분) 의식이 있는 상태에서 양측 근육 긴장의 갑작스러운 소실이 나타나는 삽화
  (b) 아동이나 발병 6개월 이내의 환자의 경우, 분명한 감정 계기 없이 혀를 내밀거나 근육긴장저하를 동반하면서 얼굴을 찡그리거나 턱이 처지는 삽화
 2. 뇌척수액의 하이포크레틴 면역 반응성 수치를 이용하여 측정된 하이포크레틴 결핍증(동일한 검사에서 측정된 정상 수치의 1/3 이하 또는 110 pg/mL 이하). 뇌척수액의 낮은 하이포크레틴 수치는 급성 뇌손상, 염증 또는 감염으로 인해 발생한 것이 아니어야 함
 3. 야간수면다원검사에서 렘수면잠복기가 15분 이내로 나타나거나 또는 다중 수면잠복기반복검사에서 평균수면잠복기가 8분 이내로 나타나고, 2회 이상의 수면개시렘수면(Sleep-onset REM, SOREM; 수면개시 15분내에 나타나는 렘수면)이 나타남

ICSD−3에서 기면병은 1형, 2형으로 나누어 다음과 같이 진단한다.

◆ 국제수면장애 분류 3판(International Classification of Sleep Disorders, ICSD−3)의 기면병 진단기준

1형 기면병(Type 1 Narcolepsy)
매일같이 억누를 수 없는 수면 욕구를 느끼거나 깜빡 잠이 드는 일이 3개월 이상 지속되고, 이와 함께 다음의 두 가지 중 한 가지를 만족하여야 한다.
1) (a) 탈력발작이 있으면서 (b)수면잠복기반복검사에서 평균수면잠복기가 8분 이하이고 수면개시렘수면이 2차례 이상 나타나야 한다. 이때 야간수면다원검사에서수면개시렘수면이 나타난 경우, 수면잠복기반복검사에서 입면 후 렘수면이 한 번 나온 것으로 간주할 수 있다.
2) 뇌척수액에서 하이포크레틴을 측정하여 정상인에 비해 1/3 이하이거나 110 pg/mL 이하여야 한다.

2형 기면병(Type 2 Narcolepsy)

ICSD-3에서 2형 기면병은 다음 다섯 가지 진단기준을 모두 만족하여야 진단을 할 수 있다.

A. 매일같이 억누를 수 없는 수면 욕구를 느끼거나 깜빡 잠이 드는 일이 3개월 이상 지속된다.

B. 수면잠복기반복검사에서 평균수면잠복기가 8분 이하이고 수면개시렘수면이 2차례 이상 나타나야 한다. 이때 야간수면다원검사에서 수면개시렘수면이 나타난 경우, 다중 수면잠복기반복검사에서 입면 후 렘수면이 한 번 나온 것으로 간주할 수 있다.

C. 탈력발작이 없어야 한다.

D. 뇌척수액에서 하이포크레틴을 측정하여 정상인에 비해 1/3 이상이거나 110 pg/mL 이상이어야 한다.

E. 이러한 과수면과 수면검사 결과는 수면부족, 폐쇄수면무호흡증, 수면위상지연장애 혹은 약물이나 물질의 영향으로 더 잘 설명되지 않아야 한다.

6 감별진단과 동반 이환장애

1) 클라인-레빈 증후군(Kleine-Levin syndrome)

오랜 시간을 자는 삽화가 반복적으로 나타나며 삽화 중간에는 정상수면과 각성 상태를 보인다. 삽화가 시작되면 18-20시간 동안 잠을 자며 과식, 지나친 성욕, 무절제함을 보이는데 한 삽화는 몇 일에서 몇 주간 지속된다. 동반 증상이 없이 과수면상태만을 보일 때 단일 증상 과수면(monosymptomatic hypersomnia)으로 진단하기도 한다. 유병률은 100만명에 한 명 정도로 나타나는 희귀한 수면장애이다. 치료는 리튬이 효과적이라고 보고되고 있다.

2) 특발성 과다수면증(idiopathic hypersomnia)

특발과다수면에서는 야간 수면이 긴 경우가 흔하지만 그렇지 않은 경우도 있다. 기면병과 같이 낮에 졸리는 증상을 특징으로 하지만 기면병에서 흔히 관찰되는 탈력발작, 수면마비, 입면 시 환각 같은 증상이 없고 야간 수면도 기면병과 달리 잘 유지된다. 원인으로는 중추신경계 이상을 고려할 수 있다. 하이포크레틴 시스템의 결함을 보고하기도 한다. 야간 수면시간이 길고 중간에

깨지는 않지만, 자고 일어나도 더 자고 싶고 개운해지지 않는 특징을 가지고 있다. 낮잠을 자도 긴 시간을 자고, 개운하지 않고, 쉽게 잠에서 깨어나지 못한다. 편두통, 두통, 어지러움, 실신, 기립성 저혈압, 손발이 차가운 증상이 동반되기도 한다.

3) 행동으로 유발된 수면부족증후군(behaviorally induced insufficient sleep syndrome)

적절한 수면시간을 취하지 못해 주간과다수면, 피로, 집중력 저하, 짜증 등의 증상이 나타난다.

7 치료

기면병은 조기진단과 치료가 필요하고, 치료는 환자의 삶의 질을 향상시킨다. 기면병의 치료는 약물 치료가 주가 되며 주간과다수면과 탈력발작에 대해 나누어서 생각할 수 있다. 주간과다수면에는 중추신경자극제를 사용하며, 대표적인 약제로 메틸페니데이트(Methylphenidate) 중 속효성 제제와 모다피닐(Modafinil) 그리고 아모다피닐(Armodafinil)을 들 수 있다. 메틸페니데이트는 도파민의 분비를 촉진하고 재흡수를 차단하는 약물로 주간과다수면 치료에 효과적이며, 작용시간이 짧은 속효성 제재가 주로 사용된다. 그러나 내성 및 의존성의 위험성이 있고 심계항진, 식욕저하, 교감신경계 자극 등의 부작용이 있다. 모다피닐 및 이의 유사체인 아모다피닐의 주요 작용기전은 아직 뚜렷하지 않지만 도파민과 하이포크레틴을 활성화시키며 α1-adrenergic 효현작용도 있다고 알려져 있다. 낮 시간 동안 각성을 높여 주간과다수면 증상을 약 70-80% 정도 줄여주며, 내성 및 의존성의 위험이 거의 없고 부작용도 심하지 않아 널리 사용되고 있다. 이외에 소디움 옥시베이트(Sodium oxybate, Xyrem)이라는 약은 γ-Aminobutyric acid (GABA$_B$) 수용체에 작용하는 물약으로, 잠자기 직전과 자는 도중에 6-9그램 정도를 나누어서 복용하며, 깊은 잠을 유도하여 주간과다수면을 줄여주고 탈력발작도 감

소시키는 효과가 있다. 이 외에도 각성 작용이 있는 히스타민을 증가시키는 약제인 피톨리산트(Pitolisant)는 주간과다수면과 탈력발작 증상 모두를 경감시켜주는 효과를 가지고 있다. 최근에는 하이포크레틴의 부족으로 발생하는 기면병의 원인 치료를 목표로 한 하이포크레틴 수용체 활성화 약제가 개발되어 임상시험 중에 있다.

탈력발작과 수면마비, 입면 시 환각 등에는 렘수면을 감소시키는 작용이 있는 항우울제를 사용한다. 탈력발작에는 특히 노르에피네프린 신경전달을 촉진시키는 약제가 효과적이라고 알려져 있다. 임상에서는 특히 노르에피네프린을 증가시키는 벤라팍신(Venlafaxine)이 효과가 좋아서 널리 사용되고 있다. 이외에도 클로미프라민(Clomipramine), 둘록세틴(Duloxetine) 등이 탈력발작에 사용되고 있다. 플루옥세틴(Fluoxetine)과 같은 선택적 세로토닌 선택차단제(SSRI)는 고용량으로 사용해야

탈력발작에 효과가 있다고 알려져 있다.

약물치료 외에 환자가 지켜야 할 사항은 수면위생을 잘 지키고 밤에 충분한 수면을 취하는 것이다. 수면시간이 불충분하면 같은 양의 수면을 취한 정상인보다 주간과다수면이 훨씬 심하게 나타나기 때문이다.

국내에서 사용되는 약물을 중심으로 표 16-1-1에 기면병 치료약제를 제시하였다.

8 경과 및 예후

기면병의 임상경과와 예후에 대한 연구들을 종합해 볼 때 탈력발작이 있는 1형 기면병은 관해가 되는 경우가 거의 없는 만성질환으로 생각된다. 주간과다수면과 탈력발작은 중추신경자극제와 항우울제를 통해 만족스럽게 조절할 수 있지만 투약 없이 증상의 호전을 기대하

표 16-1-1. 기면병 치료에 사용되는 약물

약물	치료용량
주간과다수면 치료	
Modafinil	100–600 mg/day
Armodafinil	50–250 mg/day
Sodium oxybate(GHB)*, **	6–9 g/day (divided in two doses)
Methylphenidate	10–60 mg/day
Solriamfetol*	75–150 mg/day
Pitolisant**	10–40 mg/day
탈력발작 치료	
Sodium oxybate(GHB)*, **	6–9 g/day (divided in two doses)
Pitolisant**	10–40 mg/day
항우울제(Antidepressants)	
Venlafaxine	75–300 mg/day
Fluoxetine	20–60 mg/day
Clomipramine	25–200 mg/day
Imipramine	25–200 mg/day
Duloxetin	30–120 mg/day

* 국내에서 판매되지 않음
** 주간과다수면과 탈력발작 모두에서 효과가 있음

기는 어렵다.

반면 탈력발작이 없는 2형 기면병의 경우 연구마다 차이는 있지만 진단을 받고 나서 5년이 지난 후에 약 1/3에서 관해를 보인다고 한다. 그동안의 연구에서는 1형 기면병에서 기면병 유전자가 90% 이상 나타나고 주간과다수면은 더 심하며 하이포크레틴의 저하(110 pg/mL 이하)도 90% 이상 나타나는 것이 특징으로, 증상이 평생 지속되고 다중 수면잠복기 추적검사시에 시간이 지나도 기면병으로 진단이 되는 반면, 2형 기면병은 시간경과에 따라 증상이 완화될 수 있으며 다중수면잠복기 추적 검사 시에 기면병 진단기준에 맞는 경우는 50% 정도로 낮아진다.

1형 기면병에서는 자가면역체계 이상과 하이포크레틴 부족과 같은 병태생리가 관찰되고 추적 검사에서도 일관되게 기면병으로 진단이 유지되는 반면, 2형 기면병은 이와 같은 병태생리가 분명히 밝혀져 있지 않고 치료 및 추적 시 다수에서 관해 되는 경과를 보인다는 점에서 구별된다.

9 증례

▶ 1형 기면병 증례(Type 1 Narcolepsy)

31세 남자 환자가 낮에 졸리는 증상과 쓰러지는 증상을 호소하며 수면클리닉에 방문하였다. 내원 2년 전 환자는 건축 인테리어 관련 일을 하며 지내던 중, 심한 두통, 시야 흐림, 심한 주간과다수면 등의 증상으로 병원에 내원하여 고알도스테론혈증 진단받았으며 당시 환자는 부신종양제거 수술을 받은 뒤 두통과 시야 흐림의 증상은 호전되었으나 낮에 심한 졸림은 지속되었다고 한다. 하지만 환자는 기운이 없어서 그런 것이라며 대수롭지 않게 여기고 그런대로 지냈다고 한다. 내원 1년 전부터 환자는 심한 주간과다수면으로 일을 제대로 하지 못해 상사한테 꾸중을 듣기도 하고, 운전할 때 심한 졸음으로 사고가 날 뻔했다고 한다. 또한 환자는 집에서 식사 시간을 제외하면 거의 모든 시간 수면을 취하면서 같이 살고 있는 어머니와 갈등이 생기기도 하였다고

한다. 그럼에도 환자는 몸이 안 좋아서 그런 것이라 생각하고 운동을 하며 졸음을 극복해보고자 하였다고 한다. 내원 1달 전 환자는 잠을 자는 도중 가위에 눌리는 일이 잦아지고 잠을 설치곤 하였다고 한다. 더불어 환자는 운전을 하는 중 심한 졸음이 몰려와 길가에 차를 세우고 잠을 자기도 하였으며, 웃거나 화가 날 때 갑자기 팔다리에 힘이 빠져 쓰러지는 일도 나타났다고 한다.

그 후 신경과와 내분비내과 내원하여 다양한 검사를 받았으나 특이사항을 찾을 수 없었으며 수면 클리닉 방문을 권유 받았다. 환자의 BMI (Body Mass Index)는 23.8이었고 주간과다수면 척도인 Epworth Sleepiness Scale은 18점이었다.

진단을 위하여 야간수면검사와 다중수면잠복기 검사를 시행하였다. 야간수면검사에서 무호흡-저호흡지수(Apnea Hypopnea Index)는 2.4로 관찰되어 수면무호흡은 없는 것으로 확인되었다. 4차례 시행한 다중수면잠복기 검사에서 평균수면잠복기(Mean Sleep Latency)가 0.8분, 수면개시 렘수면이 4차례 모두 관찰되었다. HLA 검사에서 HLA-DQB1*0602가 양성이었다.

이 환자에서 나타나는 탈력발작, 수면마비, 야간수면장애 등 기면병의 특징적인 증상들과 수면검사결과를 종합하여 탈력발작을 동반한 기면병으로 진단을 내릴 수 있었다. 낮에 졸리는 증상에 대해서는 모다피닐 300 mg을 사용하고 탈력발작에 대해서는 항우울제인 벤라팍신 225 mg을 복용하면서 두 가지 증상이 부분적으로 조절되고 있으나 힘들게 일상적인 생활을 영위하고 있다.

▶ 2형 기면병 증례(Type 2 Narcolepsy)

20세 여자 환자 주간과다수면이 심해서 학교생활이 하기 힘들다며 수면클리닉에 방문하였다. 본 환자는 6년 전부터 충분한 수면을 취한 후에도 지속적으로 피곤함을 느꼈다고 한다. 당시 환자는 중학생으로, 수업 중 조는 일이 자주 발생하였다고 한다. 환자는 이를 대수롭지 않게 생각하며 수업 후 쉬는 시간마다 낮잠을 자면서 그런대로 지냈다고 한다. 내원 5년 전, 환자는 피곤한 증상이 지속되어 수업 후 쉬는 시간에 낮잠을 자야만 일상생활이 가능한 상태가 되

었다고 한다. 이 시기에 환자는 친구와 대화를 하다가 잠에 드는 일이 발생하여 심각성을 느꼈다고 한다.

환자의 내외과적 과거력 특이소견 없었고, 환자의 BMI는 18.6으로 정상이었다. 가족 중에 오빠가 기면병이 있었으며, 주간과다수면 척도 Epworth Sleepiness Scale은 18점이었다. 야간수면다원검사 결과 총 수면 시간 470분이었으며, 잠자리에 든지 약 12분만에 수면을 시작하였고 렘수면은 97분만에 나타났다. 다음 날 진행된 수면잠복기반복검사에서 평균수면잠복기가 2.4분으로 8분 미만이었으며, 수면개시렘수면은 3회 관찰되었다.

이 환자에서 주간과다수면과 수면검사 결과를 종합하여 탈력발작이 동반되지 않은 기면병인 2형 기면병으로 진단을 내릴 수 있었다. 낮에 졸리는 증상에 대해서는 모다피닐 200 mg을 투여하고 있으며 주간과다수면이 경감되어 비교적 정상적으로 일상 생활을 하고 있다.

▶ **참고문헌**

- Aldrich MS, Chervin RD, Malow BA. Value of the multiple sleep latency test (MSLT) for the diagnosis of narcolepsy. Sleep 1997;20:620–9.
- American Academy of Sleep Medicine. International classification of sleep disorders. 3rd ed. Darien, IL: American Academy of Sleep Medicine; 2014.
- Andlauer O, Moore H, Hong SC, et al. Predictors of hypocretin (orexin) deficiency in narcolepsy without cataplexy. Sleep 2021;35:1247–55.
- Avidan A. Review of sleep medicine. 4th ed. Elsevier; 2012.
- Bauman CR, Mignot E, Lammers GJ, et al. Challenges in diagnosing narcolepsy without cataplexy: a consensus statement. Sleep 2014;37:1035–42.
- Billiard M. Narcolepsy: current treatment options and future approaches. Neuropsychiatr Dis Treat 2008;4:557–66.
- Bogan RK, Feldman NT, Lankford A, et al. A doubleblind, placebo-controlled, randomized, cross-over study of the efficacy and safety of ADX-N05 for the treatment of excessive daytime sleepiness in adult subjects with narcolepsy. Sleep 2013;36:A257.
- Brooks S, Mignot E. Narcolepsy and idiopathic hypersomnia. Sleep Medicine 2002.
- Broughton R, Mamelak M. The treatment of narcolepsy-cataplexy with nocturnal gamma hydroxybutyrate. Can J Neurol Sci 1979;6:1–6.
- Dauvilliers Y, Bassetti C, Lammers GJ, et al. Pitolisant versus placebo or modafinil in patients with narcolepsy: a double-blind, randomised trial. Lancet Neurology 2013;12:1068–75.
- Folkerts M, Rosenthal L, Roehrs T, et al. The reliability of the diagnostic features in patients with narcolepsy. Biol Psychiatry 1996;1;40:208–14.
- Haba-Rubio J, Rossetti AO, Tafti M, et al. Narcolepsy with cataplexy associated with H1N1 vaccination. Rev Neurol 2011;167:563–6.
- Hong SC, Jeong JH, Shin YK, et al. A study of HLA typing, CSF hypocretin-1 measurements, and MSLT testing for the diagnosis of narcolepsy in 163 Korean patients with unexplained excessive daytime sleepiness. Sleep 2006;29:1429–38.
- Huang YS, Guilleminault C, Lin CH, et al. Multiple sleep latency test in narcolepsy type 1 and narcolepsy type 2: a 5-year follow-up study. J Sleep Res 2018;27:e12700.
- Kryger MH, Roth T, Dement WC. Principles and practice of sleep medicine. 6th ed. Philadelphia: Elsevier; 2017.
- Lee Chiong T, Sat eia M, Carskadon M. Sleep medicine. Philadelphia: Hanley & Belfus; 2002.
- Mignot E, Hayduk R, Black J, et al. HLADQB1*0602 is associated with narcolepsy in 509 narcoleptic patients. Sleep 1997;20:1012–20.
- Mignot E, Lin L, Rogers W, et al. Complex HLA-DR and -DQ interactions confer risk of narcolepsy-cataplexy in three ethnic groups. Am J Hum Genet 2001;68:686–99.
- Mignot E. History of narcolepsy at Stanford university. Immunol Res 2014;58:315–39.
- Nishino S, Ripley B, Overeem S, et al. Hypocretin (orexin) deficiency in human narcolepsy. Lancet 2000;355:39–40.
- Pelin Z, Guilleminault C, Risch N, et al. HLA-DQB1*0602 homozygosity increases relative risk for narcolepsy but not disease severity in two ethnic groups. US Modafinil in Narcolepsy Multicenter Study Group. Tissue Antigens 1998;51:96–100.
- Ruoff C, Pizza F, Trotti LM, et al. The MSLT is repeatable in narcolepsy type 1 but not narcolepsy type 2: a retrospective patient study. J Clin Sleep Med 2018;14:65–74.
- Trotti LM, Staab BA, Rye DB. Test-retest reliability of the multiple sleep latency test in narcolepsy without cataplexy and idiopathic hypersomnia. J Clin Sleep Med 2013;9:789–95.
- Um YH, Kim TW, Jeong JH, et al. A longitudinal follow-up study on Multiple Sleep Latency Test and Body Mass Index of patients with narcolepsy type 1 in Korea. J Clin Sleep Med 2017;13:1441–4.
- Weinhold SL, Seeck-Hirschner M, Nowak A, et al. The effect of intranasal orexin-A (hypocretin-1) on sleep, wakefulness and

attention in narcolepsy with cataplexy. Behav Brain Res 2014;262:8–13.

- Wozniak DR, Quinnell TG. Unmet needs of patients with narcolepsy: perspectives on emerging treatment options. Nat Sci Sleep 2015;7:51–61.

02 특발과다수면 및 클라인-레빈 증후군

조재욱

1 특발과다수면

특발과다수면(idiopathic hypersomnia)은 주간과다수면의 중추장애(Central Disorders of Hypersomnia)에 해당하는 수면장애다. 1956년 체코슬로바키아 신경과 의사이자 신경생리학자인 베드리히 로스(Bedřich Roth)가 처음 환자 증례를 보고한 후 1976년부터 특발과다수면(Idiopathic hypersomnia)이라는 병명이 사용되었다. 그러나 꽤 오랜 시간이 흘렀음에도 불구하고 뚜렷한 유발요인이 밝혀져 있지 않으며, 정확한 유병률과 발생률도 아직 알려져 있지 않다. 기면병 유병률의 1/10–1/2정도 될 것으로 추측할 뿐이며 중추과다수면 중에서도 드문 질환이다.

1) 병인과 병태생리

'특발'이란 단어가 의미하듯 아직 특별한 병태생리가 알려져 있지 않은 이질적인(heterogeneous) 질환으로 생각된다. Aminergic arousal system의 조절장애가 유력한 가설로 제기되기도 하였으며, 억제성 $GABA_A$ 수용체 신호전달체계의 변이로 각성이 잘 유지되지 않는다는 가설도 있다. 하루주기리듬의 장애, 혹은 전염단핵구증(infectious mononucleosis)과 연관된 자가면역 기전이 제시되기도 하였다.

2) 증상

하루 24시간 중 평균 11시간 이상 수면을 취하여 대부분의 시간 동안 잠을 자거나 잠에 취한 것처럼 보이고 알람 소리에 맞춰 일어나기도 힘들어 하는 경우가 많다. 수면효율도 90% 이상으로 높은 편이다. 주간과다수면이 있으며 낮잠도 길게 자는 편으로 1시간 이상 자기도 하는데, 자고 일어나도 개운하지 않다고 느낀다. 깨어있을 때 신경이 예민하거나 의식이 명료하지 않고 혼동된 상태로 보이는 경우도 있다. 특발과다수면의 인지기능에 대한 연구는 아직 드문데, 주의집중력이 떨어진다는 결과가 있다.

자율신경 기능 이상을 동반하여 두통, 기립성 저혈압, 온도조절장애, 레이노드 증후군 등이 같이 생길 수 있다. 이러한 자율신경 이상 증상들은 환자들의 졸림증의 정도와 비례하고 삶의 질을 떨어트리는 것으로 알려졌으나 아직 정확한 기전은 잘 모른다.

3) 진단

특발과다수면의 진단을 위한 생물표지자(biomarker)는 없다. 국제수면장애분류(International Classification of Sleep Disorders, ICSD)가 2판에서 3판으로 개정되면서 수면시간이 긴 아형(with long sleep time)과 길지 않은 아형(without long sleep time)으로 나누던 진단기준상의 분류는 임상적 유용성이 떨어져 없어졌다. 국제수면장애분류 제3판(3rd version)의 특발과다수면의 진단기준은 표 16-2-1과 같다. 진단을 위해서는 병력 청취, 신체진찰, 수면검사 등을 통해 주간과다수면을 유발하는 다양한 질환들을 감별할 필요가 있다. 우선 수면시간이 부족해서 낮에 졸리는 불충분한수면증후군(insufficient sleep syndrome)이 아닌지, 실제로 하루 총수면시간이 어느 정도 되는지 약 1주 정도의 수면일기와 활동기록기 등의 검사로 측정하는 것이 필요하다. 진단을 위해서는 활동기록기 상 하루 총수면시간(야간 수면시간과 낮잠의 총합)이 평균 11시간 이상이어야 한다. 수면부족 환자는 주중보다 주말의 수면시간이 약 2-3시간 더 긴 경우가 많고, 길게 자는 사람(long sleeper)은 본인이 원하는 만큼 충분히 수면을 취하면 주간과다수면이 없다는 점에서 특발과다수면과 차이가 있다. 하지만 활동기록기로 측정한 하루 수면시간이 얼마나 정확하고 유용한지에 대해서는 아직 논란이 있어 추가적인 연구가 필요하다.

수면다원검사와 연이어 시행하는 수면잠복기반복검사를 통해서는 다양한 수면장애를 배제할 수 있다. 주간과다수면의 가장 흔한 원인 중 하나인 폐쇄수면무호흡증의 유무를 확인할 수 있으며, 지속기도양압기 등으로 수면무호흡을 치료받던 환자라면 적절한 치료 후에도 남아 있는 주간과다수면이 특발과다수면으로 오인될 수도 있다. 제2형 기면병과도 임상증상이 비슷할 수 있는데, 기면병의 경우 수면마비나 입면환각 등의 증상이 동반되는 경우가 더 많으며, 짧은 낮잠을 잔 후 주간과다수면이 많이 호전되는 특징이 있으나 특발과다수면은 낮잠을 오래 자고 난 후에도 여전히 졸리다는 점이 특징적이다. 또한 수면잠복기반복검사에서 평균수면잠복기는 동일하게 짧지만(8분 이하) 입면기렘수면이 없거나 적은 소견으로(2회 미만) 진단적으로 구별된다. 만약 수면시간이 길고 주간과다수면이 주기성을 가지고 있다

표 16-2-1. 특발과다수면의 진단기준

기준 A-F가 모두 충족되어야 함
A. 적어도 3개월 동안 매일 억누를 수 없는 수면 욕구가 있거나 낮에 잠에 빠져듦
B. 탈력발작은 없음
C. 수면잠복기반복검사에서 입면기렘수면이 2회 미만이거나,
D. 다음 중 적어도 하나가 있어야 함 　1. 수면잠복기반복검사에서 평균수면잠복기가 8분 이하 　2. 만성 수면부족을 교정 후 시행한 24시간 수면다원검사 혹은 수면일기와 함께 평가된 활동기록기에서 24시간 동안의 총수면 시간이 660분 이상(일반적으로는 12-14시간)이 되어야 함
E. 수면부족이 배제되어야 함
F. 주간과다수면 그리고/또는 수면잠복기반복검사 결과가 다른 수면장애, 의학적 또는 정신장애, 또는 약물 등으로 설명되지 않음

면 클라인-레빈증후군(Kleine-Levin syndrome)을 고려할 수 있다. 만성피로증후군의 경우 주간과다수면보다는 피로감을 더 호소하고 수면잠복기반복검사에서 평균 수면잠복기가 정상이라는 특징이 있다.

주간과다수면을 유발할 수 있는 내과 및 신경계 질환들도 배제해야 한다. 간, 신장, 갑상샘기능 이상으로 초래되는 대사뇌병증(metabolic encephalopathy)도 주간과다수면을 동반할 수 있어 혈액검사 등을 고려할 수 있다. 시상, 시상하부, 뇌줄기의 염증, 종양 등 구조적 병변 또한 과도한 졸림증상을 유발할 수 있다. 외상 후 과다수면(Posttraumatic hypersomnia)도 드물지 않으므로 졸림증 발생 6-18개월 전 외상의 병력이 없는지 확인한다.

4) 치료

주간과다수면의 치료로 정식 FDA (Food and Drug Administration) 승인을 받은 약물은 아직 없지만 치료 약물은 기면병 환자와 비슷하며 뇌자극제에 대한 반응은 기면병에 비해 좋지 않은 편이다. 주로 modafinil과 amphetamine이 효과가 좋아 우선적으로 고려할 수 있지만 기존 연구에서는 50-70%의 환자에게만 효과가 있

었다. 이러한 물질들은 각성에 중요한 신경전달물질인 도파민의 농도를 증가시킴으로서 치료 효과를 나타내는 것으로 생각된다. 국내에서는 amphetamine을 처방할 수 없으므로 modafinil이나 armodafinil 혹은 methyl-phenidate를 처방할 수 있다. 최근 메타분석 연구는 modafinil이 특발과다수면의 주간과다수면 치료에 효과가 있다는 결과를 보여주었다. Modafinil의 경우 100 mg부터 시작해서 점차 증량하여 600 mg까지 시도해 볼 수 있다.

2021년 발표된 미국 수면학회(The American Academy of Sleep Medicine, AASM) 가이드라인에서는 특발과다수면에 유일하게 modafinil을 사용할 것을 권고하였다. 하지만 유럽 European Medicines Agency (EMA)에서는 modafinil을 기면병 치료에만 쓰도록 제한하였다.

Clarithromycin이 주간과다수면 치료에 효과가 있다는 보고도 있으나 아직은 근거가 부족하다. AASM에서는 심근경색, 항생제 사용과 관련된 부작용 등이 없을 것으로 기대되는 환자 혹은 부작용보다 치료효과가 더 클 것으로 기대되는 환자에게 선택적으로 사용하도록 권고하였다. Pitolisant도 특발과다수면 환자의 주간과다졸림증을 줄이는 효과가 있었다는 관찰연구가 있지만 추가적인 연구가 더 필요하다. 기면병 치료 목적으로 많이 사용하는 sodium oxybate도 효과가 있다는 연구결과가 있으나 아직 증거가 부족한 상태다.

5) 예후

주로 10-20대 청소년기에 발병하였다가 대부분 변화 없이 증상이 지속되지만 11-25%의 환자에서 자연 회복에 도달한다는 연구결과가 있다. 일상 생활 도중 잠에 빠져들거나 과도하게 졸린 증상 때문에 사고의 위험에 노출되기 쉬워서 직장생활이나 학업에 지장을 받는 경우도 많다.

2 클라인-레빈 증후군

클라인-레빈 증후군(Klein-Levin Syndrome)은 반복적으로 과도한 주간과다수면이 발생하는 것을 특징으로 하는 아주 드문 질환이다. 1925년 주기적인 주간과다수면 증례들을 보고한 Willi Kleine과 1930년 과식증을 동반한 주기적 과다수면증 증례를 발표한 Max Levin의 이름을 따서 병명이 완성되었다. 정확한 유병률은 아직 모르지만, 백만명 당 1-5명으로 추정된다. 81%의 환자가 10대에 처음 발생하여 초발 연령 중간 값은 대략 15세 전후이며 30세 이후 초발하는 경우는 드물다. 남녀 성비는 2:1 정도의 비율로 남성에게서 호발하는 것으로 알려져 있다.

1) 병인

워낙 드문 질환이라 아직 정확한 병인이 뚜렷하게 밝혀져 있지 않다. 수면, 식욕, 성욕 등과 관련된 증상이 발생함을 미루어 시상하부(hypothalamus)의 이상으로 인해 발생할 것이란 가설이 있으나 아직 연관성이 확립되지 못했다. HLA DQB1 * 0201 발현 빈도가 높다는 연구결과가 있었지만 보다 추가적인 연구가 더 필요하다. 673명의 환자를 대상으로 한 전장유전체 연관분석 연구(Gene-wide association studies)에서는 양극성 장애와 조현병과 관련된 TRANK1 유전자 변이가 클라인-레빈 증후군 발병과 연관이 있을 것이란 결과를 보이기도 했다. 그 외 두부 외상, 마리화나 등 여러가지 독소, 감염, 세로토닌 혹은 도파민 신경전달물질의 대사장애, 여행, 알코올, 수면부족, 열, 자가면역 등이 가능한 병인으로 꼽히고 있다. 특히 엡스타인바 바이러스(Epstein-Barr Virus, EBV), 바리셀라 조스터 바이러스(Varicella Zoster Virus, VZV), 아시아 인플루엔자 바이러스(Asian influenza virus), 엔테로바이러스(entero-virus), 타이포이드 백신(typhoid vaccine), 그리고 연쇄구균(Streptococcus) 등의 바이러스 감염이 삽화에 선행되었다는 보고가 있으며, 특히 상기도감염 혹은 독감유사증상(flu-like symptom)이 클라인-레빈 증후군 삽화

시기의 시작과 연관이 있다는 보고가 많아 자가면역 기전이 병의 발병과 관련된다는 가설을 뒷받침한다.

최근에는 코로나(Coronavirus disease-19, COVID-19) 감염 이후 클라인-레빈 증후군이 재발한 증례들이 보고되어, severe acute respiratory syndrome coronavirus 2 (SARS-CoV-2)가 병의 재발 혹은 삽화 발생과의 연관성이 거론되고 있다.

2) 병태생리

정확한 병태생리도 밝혀져 있지 않지만 임상증상이 시상 혹은 시상하부에 종양 등의 병변이 있는 환자들과 유사한 점에서 이 구조물들이 병리적으로 중요할 것으로 추측된다. 하지만 대부분의 CT나 MRI는 정상인 경우가 많아서 구조적 병변보다는 기능적인 비정상이 발병과 더 관련이 있다고 생각된다. SPECT 등을 이용한 여러 기능적신경영상연구(functional neuroimaging study)에서는 삽화 시기에 시상, 시상하부, 측두엽, 편도(amygdala) 등의 뇌관류 저하 소견을 볼 수 있었으며, 일부 연구에서는 삽화가 끝난 시기에 시상의 저관류가 모두 호전됨을 보여 주었다. PET연구에서는 삽화 시기에 시상과 조가비핵(putamen)의 포도당 대사과다증과 더불어, 후두엽, 좌측 혀이랑(lingual gyrus), 우측 모이랑(angular gyrus)과 측두엽의 포도당 대사의 감소가 보였다.

3) 증상

반복적으로 발생하는 주간과다수면이 특징인데, 삽화는 매우 갑작스럽게 시작한다. 삽화 전 전구증상으로 심한 졸림증이 나타날 수 있다. 주간과다수면이 발생하는 삽화 시기에는 식사나 용변 등을 하는 시간을 제외한 하루 18-20시간 정도 잠을 자야 하며, 수면 욕구가 굉장히 강렬해서 만약 잠을 자지 못하도록 간섭을 받는다면 환자는 매우 과민 하거나 공격적으로 반응할 수 있다. 잠을 자지 않는 동안에는 깨어 있어도 마치 꿈을 꾸는 듯 비현실적으로 주변을 인식하고 환상 및 망각을 경험하기도 한다. 그 외에 인지장애, 정신 및 행동장애

를 동반하기도 하는데, 매우 무기력하고 무관심하거나 지남력이 떨어져 의식이 혼돈 상태가 되기도 한다. 무언증이나 발음이 부정확한 언어장애, 혹은 기억력 저하가 발생하는 경우도 있다.

삽화 시기에 과도한 성욕 혹은 식욕을 보이는 환자들도 있다. 과거 연구에서는 무려 75%의 환자가 삽화 시기에 섭식장애를 보였는데, 대부분 게걸스럽게 과식을 하여 체중이 증가하였다. 성욕 과다도 50%의 환자에서 관찰될 정도로 흔한데, 특히 남성 환자에게서 더 흔하며 성적 행위 혹은 부적절한 성적 행동이나 발언 등이 증가하는 경향을 보인다.

하지만 수일에서 수 주 정도의 삽화시기가 끝나면 저절로 호전이 되어 정상적인 생활패턴으로 되돌아가는 특징이 있다. 또한, 발병 초기에는 주간과다수면이 뚜렷하지만 삽화가 반복될수록 주간과다수면보다는 엄청난 피로감이 더 자주 나타난다.

4) 진단

일반적으로 1년에 1회 이상 삽화가 나타나며 최소 18개월에 한 번은 삽화 시기가 나타나야 진단할 수 있다. 안타깝게도 아직 진단을 위한 생물지표(biomarker)는 없다. 국제수면장애분류 제3판(International Classification of Sleep Disorders, ICSD 3rd version)에 따른 클라인-레빈 증후군의 진단기준은 표 16-2-2와 같다.

진단은 수면검사보다는 병력청취가 더 중요하다. 대표적 증상인 주간과다수면, 과식증, 과다성욕의 유무를 확인하고 평소 수면 습관이 어떠했는지, 과거 비슷한 주간과다수면이 언제 시작되고 끝났는지, 얼마나 자주 나타났는지 문진으로 주기적으로 반복되는 특징적인 패턴이 있는지 확인이 필요하다.

다음으로 비슷한 증상을 유발할 수 있는 다른 의학적, 신경과적, 정신과적 질환을 배제한다. 주간과다졸림증을 유발하는 보다 흔한 수면장애들을 감별해야 하는데, 폐쇄수면무호흡증, 기면병, 특발과다수면, 부족한 수면 등은 삽화 시기의 특별한 주기성없이 거의 매일 발생한다. 반복되는 졸림증은 양극성장애, 우울증, 계절

표 16-2-2. 클라인-레빈 증후군의 진단기준

기준 A-F가 모두 충족되어야 함

A. 적어도 2회 이상 주간과다수면이 반복되는 삽화를 경험해야 하며, 각각의 삽화는 2일에서 5주까지 지속됨.

B. 삽화는 보통 1년에 1회 이상 발생하며, 적어도 18개월마다 1회 발생함.

C. 삽화 시기가 아닌 동안에는 각성상태, 인지기능, 행동, 감정 상태가 정상임.

D. 삽화 시기에는 다음 중 적어도 하나 이상의 증상이 있음.
   1. 인지기능장애
   2. 지각변화
   3. 섭식장애(거식증 혹은 과식증)
   4. 탈억제성 행동(성욕 과다 등)

E. 주간과다수면 및 관련 증상들이 다른 수면장애, 의학적, 신경과 혹은 정신과적 질환(특히 양극성장애), 혹은 약물의 사용으로 더 잘 설명되지 않음.

정동장애와 같은 정신과적 질환에서도 나타날 수 있다. 이런 질환에서는 삽화 시기가 비교적 덜 갑작스럽게 시작하거나 사라지며 삽화 사이 시기에도 어느 정도 지속되는 양상이 있다.

수면검사는 일반적인 야간수면다원검사보다는 24시간 검사시간 동안 총수면시간이 얼마나 되는지 확인하는 것이 도움이 된다. 수면검사에서는 총수면시간이 12-18시간으로 늘어난 경향을 관찰할 수 있으며 수면효율은 줄어들고 1단계수면 혹은 2단계수면이 늘어나는 경향이 있다. 수면잠복기반복검사는 상황에 따라 할 수 있는데, 정상일 수도 있고 기면병 환자와 비슷하게 짧은 수면잠복기와 수 회의 입면기렘수면이 관찰되는 결과가 나올 수도 있다. 뇌파검사에서는 대부분의 경우 전반적인 서파(slow wave)가 관찰된다.

CT 혹은 MRI 등의 뇌영상검사는 정상인 경우가 많아, 다른 뇌질환의 감별진단이 필요한 경우 외엔 수면장애의 진단목적으로 시행하지는 않는다. 제3뇌실의 종양, 뇌염, 다발성경화증, 두부외상, 포르피린증, 라임병 등이 비슷한 증상을 보일 수 있다.

뇌척수액 내의 하이포크레틴(hypocretin) 농도를 측정하기도 하지만 아직 진단적 가치가 확실하지 않다. 과거 연구에서는 삽화 사이 기간에 하이포크레틴 농도가 정상이었다가 삽화 시기에 감소하였다는 보고가 있으나 그 감소폭의 정도가 기면병처럼 크지 않거나 삽화시기에도 정상인 증례도 있어, 아직 정확한 경향이나 참고치가 확립되지 않았다.

5) 치료

치료는 크게 삽화 시기의 약물치료, 재발을 방지하기 위한 삽화간 기간 치료, 환자와 가족들의 교육과 심리적 지지 등으로 나누어 볼 수 있다.

(1) 약물치료

주간과다수면에 효과가 있다고 확인된 약물은 아직 없다. 기면병의 주간과다수면에 흔히 사용하는 modafinil, methylphenidate 등의 뇌자극 약물이나 amantadine을 사용하였을 때 20-40%의 환자에게서만 주간과다수면의 호전을 보였고 인지기능은 향상시키지는 못했다. 그러나 여전히 일부에서는 amantadine을 최소 1번은 시도해 볼 것을 권유하고 있다. 뇌자극약물은 졸림증에만 효과가 있고 이상행동이나 인지기능을 호전시키지 못할 뿐 아니라 약 복용 후 오히려 더 공격적인 행동을 보일 수 있어 클라인-레빈 증후군 환자에게 처방할 때는 신중하는 게 좋다.

1년에 4회 이상 자주 증상이 반복되어 나타나는 환자에게는 재발 방지를 위해 lithium치료를 고려해 볼 수 있다. 25-80%의 환자에게서 재발 횟수를 줄이거나 삽화 기간을 줄이는 데 효과가 있는 것으로 알려져 있으나, 갑상샘이나 신장에 무리를 줄 수 있기 때문에 치료농도 범위에 해당하는지 혈중약물농도를 잘 관찰할 필요가 있다. Carbamazepine이 비정상적인 행동을 줄일 수 있으나 그 외 항경련제나 항우울제는 큰 효과가 없다.

(2) 비약물적 치료

가족들에게 질환을 설명하고 환자를 잘 관찰하도록 교육하는 것이 중요하다. 증상이 발생하면 익숙하고 편안한 집에서 잠을 자고 생활하도록 하는 것이 좋으며 일부러 잠에서 깨도록 환자를 자극하는 것을 피하도록 한다. 삽화 시기에는 교통사고의 위험성이 있으므로 운전을 금지해야 하며, 가족들이 주기적으로 환자를 살펴보면서 식사를 거르거나 과식하지 않는지 확인하도록 한다.

최근에는 비강광생물조절(intranasal Photobiomodulation) 방법으로 완치시킨 증례가 보고되었으나 병의 자연관해인지치료 효과 때문인지 추가적인 연구가 필요하다.

6) 예후

시간이 지나면 저절로 완치되는 비교적 양호한 경과를 보인다. 삽화가 반복될수록 증상의 강도가 약해지고 횟수도 줄어들며 약 6년 정도 재발하지 않으면 완치된 것으로 간주한다. 유병 기간의 중간값은 과다성욕이 동반되었을 때 21년, 없을 경우에는 10년으로 알려져 있다. 이렇게 저절로 완치되는 경향이 있다 보니 장기적인 합병증은 아직 알려진 바가 없다.

▶ 참고문헌

- Ambati A, Hillary R, Leu-Semenescu S, et al. Kleine-Levin syndrome is associated with birth difficulties and genetic variants in the TRANK1 geneloci. Proc Natl Acad Sci USA 2021;118:e2005753118.
- American Academy of Sleep Medicine. International classification of sleep disorders. 3rd ed. Darien, IL: American Academy of Sleep Medicine; 2014.
- Anderson KN, Pilsworth S, Sharples LD, et al. Idiopathic hypersomnia: a study of 77 cases. Sleep 2007;30:1274-81.
- Arnulf I, Lin L, Gadoth N, et al. Kleine-Levin syndrome: a systematic study of 108 patients. Ann Neurol 2008;63:482-93.
- Arnulf I, Rico TJ, Mignot E. Diagnosis, disease course, and management of patients with Kleine-Levin syndrome. Lancet Neurol 2012;11:918-28.
- Arnulf I, Zeitzer JM, File J, et al. Kleine-Levin syndrome: a systematic review of 186 cases in the literature. Brain 2005;128:2763-76.
- Assi B, Yapo-Ehounoud C, Baby MB, et al. The Kleine-Levin syndrome: a rare disease with often delayed diagnosis-a report of two cases in the department of neurology of the university hospital of Cocody (Côte d'Ivoire). Case Rep Neurol Med 2016;2016:8929413.
- Bassetti C, Aldrich MS. Idiopathic hypersomnia. A series of 42 patients. Brain 1997;120:1423-35.
- Billiard M, Jaussent I, Dauvilliers Y, et al. Recurrent hypersomnia: a review of 339 cases. Sleep Med Rev 2011;15:247-57.
- Dauvilliers Y, Baumann CR, Carlander B, et al. CSF hypocretin-1 levels in narcolepsy, Kleine-Levin syndrome, and other hypersomnias and neurological conditions. J Neurol Neurosurg Psychiatry 2003;74:1667-73.
- Faull KF, Thiemann S, King RJ, et al. Monoamine interactions in narcolepsy and hypersomnia: reanalysis. Sleep 1989;12:185-6.
- Gadoth N, Oksenberg A. Kleine-Levin syndrome; an update and mini-review. Brain & Development 2017;39:665-71.
- Hamper M, Cassano P, Lombard J. Treatment of Kleine-Levin syndrome with intranasal photobiomodulation and methylene blue. Cereus 2021;13:e18596.
- Marčić M, Marčić L, Marčić B. SARS-CoV-2 infection causes relapse of Kleine-Levin syndrome: case report and review of literature. Neurol Int 2021;13:328-34.
- Maski K, Trotti LM, Kotagal S, et al. Treatment of central disorders of hypersomnolence: an American academy of sleep medicine clinical practice guideline. J Clin Sleep Med 2021;17:1881-93.
- Miglis MG, Schneider L, Kim P, et al. Frequency and severity of autonomic symptoms in idiopathic hypersomnia. J Clin Sleep Med 2020;16:749-56.
- Nasrullah A, Javed A, Ashraf O, et al. Possible role of COVID-19 in the relapse of Klein-Levin syndrome. Respir Med Case Rep 2021;33:101445.
- Pérez-Carbonell L, Leschziner G. Clinical update on central hypersomnias. J Thorac Dis 2018;10(Suppl 1):S112-23.
- Ramm M, Jafarpour A, Boentert M, et al. The Perception and Attention Functions test battery as a measure of neurocognitive impairment in patients with suspected central disorders of hypersomnolence. J Sleep Res 2018;27:273-80.
- Shah F, Gupta V. Kleine-Levin syndrome (KLS). StatPearls Publishing; 2022.
- Trotti LM, Becker LA, Friederich Murray C, et al. Medications for daytime sleepiness in individuals with idiopathic hypersomnia. Cochrane Database Syst Rev 2021;5:CD012714.

03 약물과 의학적 상황에 의한 주간과다수면

김원주

1 약물에 의한 주간과다수면

약물에 의한 이차성 과다수면은 약물, 진정제 또는 자극제의 금단으로 발생하게 된다. 진정 효과가 있는 약물들은 매우 다양하여 수면제, 항불안제, 항우울제, 신경이완제, 항히스타민제, 항뇌전증제(lamotrigine은 제외), 항파킨슨제, 항콜린제, 진통제 등이 주간과다수면을 발생시킬 수 있다. 고혈압 약제 중에서 베타-아드레날린 수용체 차단제들은 불면증을 일으킬 수 있으나 알파-2 작용제인 clonidine은 30-75%에서 주간과다수면이 발생되며, 베타와 알파-1 차단제인 carvedilol과 labetalol은 10% 이하로 주간과다수면이 발생한다. 다른 기전의 고혈압제에서는 Reserpine은 졸리움이 생길 수 있고 알파길항제인 prazosin과 terazosin은 일시적인 졸리움을 일으킬 수 있다.

1세대 항히스타민제는 지용성이며 혈액뇌장벽을 잘 통과하고 무스카린 콜린 수용체와 알파-아드레날린 수용체에도 작용하기 때문에 주간과다수면이 흔하게 발생한다. 히스타민-2 길항제는 혈액뇌장벽을 잘 통과하지 못하기 때문에 수면에 영향을 미치지는 않지만 신장기능이 저하된 환자에서는 보통용량에서도 졸리움과 의식 혼동이 발생하기도 한다.

주간과다수면을 일으키는 물질로는 알코올이나 마약 성분인 대마초 등의 남용이 있다. 이러한 물질들은 급성 효과로 중독에 의한 증상이 생기고 만성 복용을 할 경우에는 내성이 생기며 의존성에 의하여 나타나는 효과가 있다. 알코올은 개인이 쉽게 구입할 수 있는 물질로서 알코올 중독이나 남용이 흔하게 발생한다. 개인의 감수성과 섭취량에 따라 주간과다수면과 반대로 신경 자극 효과가 나타난다. 알코올은 취침시간에 섭취하면 수면잠복기를 단축시켜서 수면을 유도하고 비렘수면이 증가하지만, 반감기가 짧기 때문에 수면 후반부에는 금단 증상과 유사한 현상이 발생하여 렘수면과 꿈의 증가와 교감신경계의 각성이 나타나게 된다. 알코올에 의존이 생기면 알코올 없이 수면에 들지 못하고 전체수면시간도 감소하게 된다. 정기적인 알코올 섭취가 하루주기 리듬에도 영향을 미친다. 알코올 금단에 의한 수면장애는 알코올을 중단하고도 2년 정도 까지도 지속된다. 대마초는 cannabidiol과 delta-9 tetrahydrocannabinol 성분들이 endocannabinoid계를 통하여 하루주기조절계와 관련을 가지며 수면-각성주기에 영향을 미친다. delta-9 tetrahydrocannabinol은 주간과다수면을 일으키지만 만성적으로 복용하면 내성이 생기게 된다. Cannabidiol은 적은 용량에서는 각성효과가 있지만 160

mg/일의 용량으로 복용하면 주간과다수면이 생긴다.

자극제를 급작스럽게 중단하여도 주간과다수면이 발생하게 된다. 만성적으로 amphetamines을 복용하다가 중단한 경우에, 주간과다수면이 중단한 날부터 증가하게 되지만 야간 수면은 6일 후부터 감소하게 되며, 주간과다수면도 10일 후부터 감소하게 된다. 이에 비례하여 수면장애도 악화된다. 카페인을 과다하게 섭취하다가 중단하게 되어도 주간과다수면이 발생할 수 있다. 이러한 영향은 다른 자극제들인 theophylline, 니코틴, 스테로이드제 중단 후에도 주간과다수면이 생긴다. 비스테로이드소염제는 프로스타글란딘 D_2를 감소시키고 멜라토닌의 생성 억제와 중심 체온의 저하를 방해하여 자극제의 역할을 하지만 통증의 감소로 인하여 수면에 도움을 주기 때문에 수면에 양면적인 영향을 미친다.

약물에 의한 주간과다수면을 진단 하기 위해서는 자세한 병력과 복용하고 있는 약물을 확인하는 것이 제일 중요하다. 의심되는 약물이나 물질을 확인하기 위하여 소변이나 혈청에서 의심되는 약물검사를 시행하는 것이 필요할 수도 있다. 또한 원인이 되는 약물들을 확인한 후에 이들을 중단하고 나서 환자들의 주간과다수면이 호전되는지를 관찰하는 것도 진단에 도움이 된다. 수면다원검사는 다른 수면장애가 동반되는지를 확인하는 데 도움이 되지만 반드시 필요하지는 않다.

진단기준

기준 A-C가 모두 충족되어야 함

A. 메일 억누를 수 없는 수면 욕구가 있거나 낮에 잠에 빠져듦
B. 주간과다수면은 약물이나 물질 사용 또는 각성을 촉진하는 약물이나 물질의 금단에 따른 결과로 발생됨
C. 치료되지 않은 다른 수면장애, 의학적, 신경학적 질병 또는 정신과적 장애로 더 잘 설명되지 않음

1) 내과적 상태에 의한 주간과다수면

주간과다수면은 다양한 내과적 또는 신경학적 질병과 관련이 있다. 이러한 질병이 주간과다수면을 일으키는 기전은 질병들의 특징적인 증상과 관련되어 나타나거나 특정한 수면질병이 동반되는 경우 또는 질병의 치료를 위하여 투여되는 약물의 영향으로 발생할 수 있기 때문에 감별진단이 필요하다. 수면무호흡과 내과적 질병에 의한 주간과다수면이 발생하는 경우에 수면무호흡장애를 치료하였는데도 주간과다수면이 지속되는 경우에만 내과적 질병이 원인으로 진단을 내릴 수 있다. 주간과다수면은 신경퇴행성질병, 대사뇌병증, 두부외상, 뇌졸중, 뇌종양, 뇌염, 중추장애, 만성감염, 류마티스질환, 암, 유전질환을 포함하는 다양한 원인에 의해 발생될 수 있다. 원인 질환 중에서 대표적인 질환들을 서술한다.

(1) 치매

치매가 있는 환자에서 주간과다수면이 동반되는 경우가 많지만 주간과다수면을 유발시키는 원인은 알려져 있지 않다. 이 경우에도 동반되는 수면질병이나 복용하고 있는 약물의 영향을 확인하여 치료를 한 후에도 주간과다수면이 지속되면 자극제 등을 사용하여야 한다.

(2) 파킨슨병

파킨슨병에서 주간과다수면을 일으키는 원인은 우울증, 무호흡, 하지불안증후군 등도 있지만 내재적 주간과다수면도 있다. 파킨슨 환자의 1/3에서 주간과다수면을 호소하고 있다. 약물복용을 하지 않는 초기에는 주간과다수면이 흔하지 않지만 병이 진행되면서 점차적으로 주간과다수면의 발생이 매년 6%씩 증가한다. 일부 환자에서는 도파민 길항제에 의한 수면발작과 같이 갑작스럽고 참지 못하는 졸리움도 보고되었고 이 경우에 도파민 약물을 중단하면 호전된다는 보고가 있다. 그러나 심한 파킨슨병 상태에서는 이러한 다른 수면장애나 약물과 관련없이 주간과다수면이 발생하는 경우도 있다.

(3) 두부외상

수면각성장애는 두부외상에서 흔하게 동반된다. 연구에 의하면 두부외상을 경험하고 6개월이 경과한 환자들 중에서 72%가 수면각성장애를 가지고 있고 이 증상이 수년간 지속된다고 보고하였다. 두부외상 환자에서

도 시상하부, 중뇌, 뇌간 부위에 병변이 발생할수록 수면과 하루주기에 영향을 많이 받는다. 수면각성장애 중에서 주간과다수면도 흔하게 동반되며, 24시간 이상 지속된 혼수와 두개골 골절을 경험한 환자에서 주간과다수면이 더 많이 발생한다. 외상에 의한 뇌손상은 일차적으로 두개골 골절, 뇌내출혈, 뇌타박상, 광범위한 축삭 손상에 의하여 급성으로 영향을 주는 원인과 뇌손상 후 수시간에서 수일 내에 발생하는 이차적인 영향으로 인한 뇌압상승, 저산소증, 허혈, 부종 등이 신경세포의 저산소증과 당대사에 영향을 미침으로 수면-각성주기에 영향을 준다. 이러한 일차적, 이차적 원인들에 의하여 신경화학적변화가 발생한다. Glutamine과 aspartate 등 흥분성 신경전달물질의 세포바깥으로 증가, 세포안으로 칼슘 유입의 과다, 자유라디칼의 증가, 세포자멸사, 미토콘드리아 기능 이상과 염증 물질의 증가로 신경계의 변화가 생기게 된다. 인간에서 두부외상 후 신경전달물질의 신호전달계의 이상을 측정한 연구는 흔하지 않다. 그러나 두부외상 후 뇌척수액에서의 하이포크레틴의 변화에 대한 결과가 보고 되었다. 이 연구에서 두부외상 후 4일 이내에 환자로부터 수집된 뇌척수액을 분석하여 보니 환자의 하이포크레틴 양이 기면병환자 수준으로 급격하게 저하됨을 발견하였다. 그러나 수개월 후 다시 채취한 뇌척수액에서는 하이포크레틴 양이 정상으로 회복됨을 보여, 이러한 두부외상 후 급성기에 발생하는 수면장애의 원인에하이포크레틴이 관여됨을 증명하였다. 병리학적으로도 심한 두부외상을 받은 환자의 시상하부 하이포크레틴 신경세포가 21-27% 정도 감소되었고 각성을 유지하는 tuberomammillary핵의 히스타민생성 신경세포도 41% 정도의 감소가 관찰되어, 이러한 변화가 두부외상 환자의 주간과다수면과 관련이 있다고 할 수 있다. 또한 경두개자기자극 검사에서도 수면과다를 호소하는 환자들에게서는 피질의 과소흥분성을 관찰하여 흥분성 하이포크레틴계의 장애가 주간과다수면의 원인이라고 추정하였다. 이외에도 장기간의 진정, 통증, 동반되는 정신적질병등에 의한 주간과다수면이 발생할 수 있기 때문에 치료가 가능한 원인이 있는

지를 확인하여야 한다.

(4) 기면뇌염

von Economo 뇌염으로도 불리운다. 1917년부터 1925년 동안 범유행하였다. 기면뇌염의 증상은 열, 두통, 구역이 생기며 주간과다수면, 동안 기능장애와 안검하수가 발생하며 사망률이 40%이었다. 1925년 이후에는 발생건수가 급격하게 줄어들며 이후에는 간헐적인 증례가 보고되었다. 기면뇌염의 신경학적 후유증은 뇌염후 파킨슨증상이 나타난다. 그러나 기면뇌염의 원인은 밝혀지지 않았다. 기면뇌염의 임상적 양상은 3가지로 나뉘며 이 중에 수면-눈근육마비 양상이 제일 흔하며 진행될수록 수면상태가 증가하게 된다. 이러한 수면상태는 수 주에서 수개월 지속되며 혼수상태까지 진행되며 50%가 사망에 이르게 된다. 병리학적으로는 혈관주위에 림프구가 침범되어 있고 작은 출혈도 관찰된다. 뇌염후 파킨슨 증상을 보이는 환자는 흑질 부위에 심한 위축과 신경아교증 현상이 관찰되고 신경세포에서 신경원섬유매듭이 관찰된다.

(5) 유전질환

주간과다수면과 관련된 유전질환들도 다양하게 존재한다. 주간과다수면을 나타내는 대표적인 질환이 프래더-윌리(Prader-Willi)증후군으로 임상증상으로는 저신장, 비만, 성선기능저하증, 지적장애, 근육긴장 저하, 사시, 고체온증, 작은턱, 행동장애, 인식능력의 장애, 과도한 식욕, 말단왜소증, 잠복고환증, 수면장애가 나타난다. 염색체는 15q11.2-q13에 위치하는 프라더-윌리 증후군 영역의 결손 이상이 있다. 주간과다수면은 시상하부의 기능장애로 추정하고 있지만 병리적 증명이 부족하다. 또한 말초화학수용체의 기능장애에 의한 저산소증과 고탄산혈증에 대한 빠른 반응을 하지 못하는 호흡장애도 주간과다수면에 영향을 미친다고 추정한다.

이밖에도 C형 Niemann Pick 병, Norrie 병, 근긴장디스트로피, Moebius 증후군, 유약 X (fragile X)증후군 등 유전질환에서 주간과다수면이 발생한다. 그러나 이

들은 폐쇄수면무호흡증이 흔하게 동반되기도 하여, 수면다원검사에서 감별진단을 하고 이들을 치료 한 후에도 주간과다수면이 지속되면 유전질환과 관련되었다고 진단해야 한다.

(6) 갑상선저하증

갑상선저하증에서 주간과다수면이 흔하게 동반된다. 그러나 주간과다수면의 원인으로는 갑상선호르몬의 저하뿐만 아니라 폐쇄수면무호흡증도 흔하게 동반된다. 즉 호르몬저하에 따른 체중증가, 갑상선 근병증, 호흡 충동 저하, 상기도 조직의 뮤코다당류 축적과 갑상선종의 크기가 증가되며 폐쇄수면무호흡증이 발생할 수 있다.

(7) 신부전

만성신부전 환자에게서 제일 흔한 수면장애는 주간과다수면이다. 이는 혈액투석이나 복막투석 환자 모두에게도 발생하는 장애로 이와 관계되는 기전으로는 요독뇌병, 부갑상선 호르몬의 과잉에 의한 독성작용, 신경전달 물질의 변화와 투석에 따른 시토카인의 일부인 interleukin-1 (IL-1), tumor necrosis factor alpha (TNFα)의 증가가 수면을 증가시킬 수 있다. 또한 산염기 균형과 삼투압의 급격한 변화에도 영향을 받을 수 있다. 만성신부전 환자들은 이러한 내재적 요소뿐만 아니라 다른 수면장애를 많이 동반하고 있기 때문에 이러한 감별도 치료에 중요하다. 하지불안증후군이 많이 동반되며 폐쇄수면무호흡증과 주기사지운동장애, 하지의 근간대경련도 흔하게 동반되며 수면의 질을 저하시키게 된다.

(8) 위식도역류

수면관련위식도역류가 발생하는 이유는 상부 위식도 괄약근 압력이 수면초기에는 40 mmHg에서 20 mmHg로 감소되고 수면 중에는 8 mmHg가 더 감소된다. 하부 위식도괄약근도 일시적으로 이완이 되며 위식도역류를 일으키게 된다. 위식도역류는 낮보다는 수면 동안 발생하며 더 강한 영향을 미친다. Zolpidem을 복용하면 위식도역류를 악화시킨다. 위식도역류는 각성을 일으키지 않아 식도에서 산의 제거 속도를 늦추게 된다. 또한 위식도역류는 반복적인 흡인이나 폐렴, 수면관련천식, 수면관련후두연축을 일으키는 등의 이차적 수면장애를 일으키며 주간졸음과 일의 능률을 감소시킨다.

(9) 월경관련과다수면

월경관련과다수면은 청소년기의 초경부터 폐경기까지 전체 연령에서 시작될 수 있는 주기적과다수면이다. 월경관련과다수면은 월경 2-3일전부터 나타나서 월경이 끝날 때까지 지속된다. 아직 원인을 설명하는 기전은 밝혀져 있지 않다. 그러나 에스트로겐을 투여하면 예방되는 경우가 있고, 자극제는 에스트로겐에 반응이 없거나 에스트로겐을 투여할 수 없는 경우에 사용한다.

(10) 수면병

수면병은 원생동물 Trypanosoma brucei에 의해 발생하는 수막뇌염이다. 이 기생충은 아프리카의 풍토병으로 약 500,000건이 발생되었다. 체체파리에 쏘여 인간에게 전염된다. 수면병은 초기에는 림프소절에 병변을 일으키며 수개월에 걸쳐 점차 중추신경계를 침범하여 주간과다수면과 야간의 불면증을 발생시킨다. 이 병은 추체외로 징후, 운동실조, 보행 장애, 발작, 혼수 및 사망으로 진행될 수 있다. 뇌척수액검사에서 세포가 증가하고 뇌압의 상승, 단백질과 Ig의 상승이 관찰되고 후기에는 뇌척수액에서 trypanosome이 관찰된다. 병리학적으로는 대뇌 반구와 뇌간에서 탈수초 병변이 나타난다.

진단기준

기준 A-D가 모두 충족되어야 함

A. 적어도 3개월 동안 매일 억누를 수 없는 수면 욕구가 있거나 낮에 잠에 빠져듦

B. 주간과다수면은 주요 의학적 또는 신경학적 상태의 결과로 발생됨

C. 수면잠복기반복검사에서 평균수면잠복기는 8분 이하이며 입면기렘수면은 2회 미만이어야 함[1]

D. 주간과다수면은 치료되지 않은 다른 수면장애[2], 정신과적 장애 또는 약물의 효과로 더 잘 설명되지 않음

주석

1. 폐쇄수면무호흡증 치료 후 잔여 주간과다수면의 경우에는 수면잠복기반복검사에서 평균수면잠복기가 8분을 초과할 수 있다.
2. 기면병 기준에 충족되면, 의학적 질병으로 인한 주간과다수면보다는 의학적 질병으로 인한 기면병1형 또는 2형으로 진단해야 한다.
3. 수면검사 시행이 불가능한 중증의 신경학적 또는 의학적 질병이 있거나 검사를 원하지 않는 환자의 경우 임상적 기준에 의해 진단할 수 있다.

▶ 참고문헌

- Babson KA, Sottile J, Morabito D. Cannabis, cannabinoids, and sleep: a review of the literature. Curr Psychiatry Rep 2017;19:23.
- Baumann CR, Stocker R, Imhof HG, et al. Hypocretin-1 (orexin A) deficiency in acute traumatic brain injury. Neurology 2005;65:147-9.
- Dumas M, Bouteille B, Buguet A. Progress in human African trypanosomiasis, sleeping sickness. Springer; 1999. pp. 344.
- Guilleminault C, Brooks SN. Excessive daytime sleepiness: a challenge for the practising neurologist. Brain 2001;124:1482-91.
- Hanly P. Sleep disorders and end-stage renal disease. Curr Opin Pulm Med 2008;14:543-50.
- Harding SM. Sleep related gastroesophageal reflux. The tip of the iceberg is showing! J Clin Sleep Med 2007;3:514-5.
- Komaroff AL, Fagioli LR, Geiger AM, et al. An examination of the working case definition of chronic fatigue syndrome. Am J Med 1996;100:56-64.
- Miller CM, Husain AM. Should women with obstructive sleep apnea syndrome be screened for hypothyroidism? Sleep Breath 2003;7:185-8.
- Paykel ES, Fleminger R, Watson JP. Psychiatric side effects of antihypertensive drugs other than reserpine. J Clin Psychopharmacol 1982;2:14-39.
- Pearce CJ, Wallin JD. Labetalol and other agents that block both alpha- and beta-adrenergic receptors. Cleve Clin J Med 1994;61:59-69.
- Silber M Al, Kotagal S, Scammell T, et al. Central disorders of hypersomnolence. In: Sateia M. International classification of sleep disorders. American Academy of Sleep Medicine; 2014. pp. 171-5.

04 주간과다수면의 약물학적 치료

엄유현

본 단원에서는 가장 대표적인 중추과다수면장애(central disorders of hypersomnolence)인 기면병(narcolepsy), 클라인-레빈 증후군(Klein-Levin syndrome, KLS), 특발과다수면(idiopathic hypersomnia, IH)의 치료에 상용되고 있는 약물과 그 기전, 부작용에 대해 기술하고자 한다. 그리고 주간과다수면 약물치료의 최신 동향에 대해 간략히 기술하고자 한다.

1 기면병의 약물치료

기면병의 치료에 주로 처방하는 약물은 크게 과도한 주간과다수면(excessive daytime sleepiness, EDS)과 탈력발작(cataplexy)을 조절하는 약물로 나뉜다. 과도한 주간과다수면에는 주로 Modafinil과 Methylphenidate와 같은 중추신경 자극제(central nervous system stimulant)를 처방하게 되며 탈력발작의 경우 렘수면(rapid eye movement sleep, REM sleep)을 감소시키는 작용이 있는 항우울제를 주로 처방한다. 그리고 아직 국내 임상현장에 도입되어 있지는 않지만 탈력발작과 주간과다수면에 모두 효과를 보이는 소디움 옥시베이트(sodium oxybate)에 대해서도 기면병 환자를 치료하는 임상가라

면 알고 있어야 할 약물이라 할 수 있겠다.

1) 주간과다수면 조절을 위한 중추신경 자극제

(1) Modafinil

Modafinil은 1980년대에 프랑스에서 개발된 약물로 미국 식약처(Food and Drug Administration, FDA)로부터 기면병, 양압기 치료 환자에서의 잔여 졸림증, 교대 근무와 관련된 과도한 졸림증에 적응증을 받았다. 국내에서는 기면병의 치료에 적응증을 가지고 있으며, 그 기전에 대해서는 논란이 아직 있지만 주로 도파민의 직접적 재흡수 억제를 통한 도파민의 활성화, 노르아드레날린의 간접적 재흡수 억제, 오렉신(orexin) 활성화를 통해 각성을 유발시키는 것으로 알려져 있다. Modafinil은 L-이성질체(isomer)와 D-이성질체가 혼합된 라세믹체(racemic mixture)로 제조되어 시판되는 한 종류가 있고, R-이성질체(isomer) 단일 성분으로 제조되는 한 종류가 있다. Modafinil은 다른 중추신경 자극제에 비해 낮은 체내 용해도와 낮은 역가를 가지고 있어 비교적 낮은 의존 위험도를 가지는 것으로 알려져 있다. Modafinil은 하루 한 번 또는 두 번(아침, 점심) 처방을 하여 기면병 환자의 주간과다수면을 조절할 수

있는데 보통 200 mg 아침 처방을 시작으로 최대 400 mg 일일 처방까지 증량할 수 있겠다. R-이성질체의 R-modafinil의 경우 혼합된 라세믹체에 비해 역가가 두 배로, 1일 50 mg으로 시작하여 환자 증상에 따라 최대 250 mg까지 증량하여 유지할 수 있겠다. Modafinil의 주요 부작용으로는 오심과 두통이 있고 설사, 구갈증, 불안, 현훈 등이 보고되어 있다. Modafinil 적응에 있어 수주가 걸리기도 하여 약물을 성급히 중단하기 보다는 약물 용량의 적절히 감량하며 부작용의 경과를 지켜볼 수 있다. 단, 특정 인구에서 유전적인 이유로 modafinil 을 복용하였을 때 치명적인 스티븐스-존슨증후군(Stevens_Johnson syndrome, SJS)을 경험하는 것으로 알려져 있어 환자가 modafinil 복약 후 SJS를 의심할 수 있는 피부 병변을 보고한다면 즉시 약물 복약을 중단하도록 권고해야 한다. Modafinil은 임신 분류(Pregnancy category) C에 해당되며 임신을 계획하고 있는 가임기 여성이나 임산부에게 처방 시 그 득과 실에 대해 충분히 상의하고 정보제공을 하여야 한다.

(2) Methylphenidate

Methylphenidate는 Modafinil보다 앞서 상용되던 약물로 주로 기면병 환자들의 주간과다수면 조절 목적으로 처방한다. 국내에서는 주의력 결핍 과다행동장애(Attention deficit hyperactivity disorder, ADHD)와 기면병에 적응증을 가지고 있다. Modafinil보다 값이 싸고 높은 역가를 가지고 있는 반면 속효성 Methylphenidate는 부작용과 남용 및 의존의 위험성 때문에 처방에 있어 주의가 필요하다. 보통은 기면병 환자가 modafinil, R-modafinil, sodium oxybate를 복약하고 있음에도 주간과다수면의 완화가 충분하지 않을 시 추가로 methylphenidate를 추가하거나, 또는 상기 약물들을 복용할 수 없는 상황일 때 methylphenidate를 처방한다. Methylphenidate는 도파민과 노르에피네프린의 재흡수를 억제하여 각성을 활성화 시키는 것으로 알려져 있다. Modafinil을 대체하는 목적으로 처방할 시 1일 20-40 mg까지 증량하여 유지할 수 있다. 보통 5 mg씩 2회 분

복하는 것으로 처방을 시작하여 환자의 반응을 보며 증량할 수 있다. 60 mg 이상의 methylphenidate 처방은 부정맥과 다른 정신건강의학과적 문제들을 유발시킬 소지가 있어 추천되지 않는다. 그리고 특별히 각성도가 필요한 업무 수행을 앞두고 있거나 주간과다수면이 심화되는 점심 식후 각성 목적으로 modafinil을 복약하고 있는 환자에서도 5-10 mg을 추가 처방할 수 있다. Methylphenidate의 주요 부작용으로는 식욕부진, 불면, 체중감소, 구역감이 있을 수 있다. Methylphenidate는 임신 분류(Pregnancy category) C에 해당되며, 임신을 계획하고 있는 가임기 여성이나 임산부에게 처방 시 그 득과 실에 대해 충분히 상의하고 정보제공을 하여야 한다.

2) 탈력발작 조절을 위한 항우울제

탈력발작 조절을 위해 상용되는 항우울제로는 venlafaxine, duloxetine, fluoxetine, clomipramine이 있다. Venlafaxine, duloxetine은 대표적인 세로토닌 노르에피네프린 재흡수 억제제(Serotonin-norepinephrine reuptake inhibitor, SNRI)이며, clomipramine은 삼환계 항우울제(Tricyclic antidepressants, TCA)이고 fluoxetine은 선택적 세로토닌 재흡수 억제제(Selective serotonin reuptake inhibitor, SSRI)이다. 탈력발작 조절을 위한 항우울제는 주로 노르에피네프린 증가를 통한 렘수면 억제에 주요 기전을 두고 있다. 실제로 venlafaxine, duloxetine 모두 SNRI로 노르에피네프린 증가를 통해 렘수면을 억제하며 TCA인 clomipramine의 경우도 노르에피네프린 재흡수를 억제시킨다. Fluoxetine의 경우 그 활성화된 대사체인 norfluoxetine이 아드레날린 효과를 증가시켜 렘수면 억제에 도움이 된다. 탈력발작 조절을 위해 처방되는 항우울제의 경우 기면병 환자들이 보고하는 주간과다수면에는 큰 효과를 발휘하지 못하는 경우가 많으며, 렘수면의 이상으로 유발될 수 있는 입면환각이나 수면마비에 일부 효과를 나타낸다. Clomipramine의 경우 항콜린 효과로 인해 변비, 구갈과 같은 부작용이 있을 수 있어 보통은 SNRI 계열의 venlafaxine과 duloxetine을 일차적으로 시도해 본다. Fluoxetine의 경우 SNRI보다는 탈력발작 효과가 떨어지는 경우가 많으나 우울증이 동반된 기면병 환자에서 높은 치료 용량까지 증량하였을 때 우울증과 탈력발작에 효과가 나타나는 경우가 있어 시도해 볼만 하다. SNRI와 SSRI는 소화불량, 변비등의 부작용이 있을 수 있고 이것이 약물을 중단하는 주요 원인이 될 수 있기에 처방 후 환자와 부작용에 대해 소통하는 것이 중요하겠다. 상기 모든 항우울제는 임신 분류(Pregnancy category) C에 해당되며, 임신을 계획하고 있는 가임기 여성이나 임산부에게 처방 시 그 득과 실에 대해 충분히 상의하고 정보제공을 하여야 한다.

3) Sodium oxybate

Sodium oxybate의 경우 마약의 일부로 여겨지는 국내 정서와 낙인 문제로 국내 도입이 지연 되며처방되지 않고 있지만 미국에서는 기면병의 모든 증상 완화에 효과를 인정받고 FDA 허가를 받은 약물이다. B형 감마-아미노뷰티르산(γ-aminobutyric acid type B, GABA-B) 또는 γ-하이드록시뷰티르산(γ-hydroxybutyric acid, GHB) 수용체에 작용하는 것으로 알려져 있다. 아직 어떻게 sodium oxybate가 기면병의 주간과다수면과 탈력발작에 효과를 나타내는지에 대해서는 논란의 여지가 있다. Sodium oxybate는 도파민 분비를 억제 하고 강력한 진정 작용을 가지고 있다. Sodium oxybate가 기면병 환자들의 야간 수면분절 문제에는 즉각 효과를 발휘하고, 탈력발작에 대해서는 천천히 그 효과를 발휘하는 경우가 많다. Sodium oxybate는 주로 하루 4.5 g을 두 번으로 나누어 복약하게 한다. 취침 전에 한 번, 그리고 수면 도중 깨어 한 번을 복약하게 하고 그 효과를 관찰하게 된다. 환자의 상태에 따라 하루 6-9 mg까지 증량하고 지켜 보게 된다. 부작용으로 구역감이나 불안의 증가 등이 있을 수 있다. 심한 탈력발작이나 주간과다수면이 심한 환자군에서 venlafaxine이나 modafinil과 병용할 수 있도록 처방할 수 있다. Sodium oxybate는 임신 분류(Pregnancy category) B에 해당되며 임신을

계획하고 있는 가임기 여성이나 임산부에게 처방 시 그 득과 실에 대해 충분히 상의하고 정보제공을 하여야 한다.

2 기타 과다수면에서의 약물치료

1) 클라인-레빈 증후군(Klein-Levin syndrome, KLS)의 약물치료

KLS는 반복되는 과다수면과 함께 인지장애, 공격성과 같은 이상행동, 과식증, 성욕과다증과 같은 증상이 동반되는 질환이다. 지금까지 KLS의 일차적 치료로 내세울 만한 약물은 알려지지 않은 상황이다. 과다수면 삽화가 시작되는 시기에 modafinil이 효과적인 것으로 알려져 있다. 하지만 이 또한 증상의 조절이고 삽화의 지속 시간은 줄일 수 있어도 재발 위험은 줄이지 못한다는 연구보고가 있었다. Lithium이 과다수면 삽화 예방 효과가 있다고 알려져 있지만 이 또한 충분한 근거가 부족한 상황이다. Cochrane 그룹에 의한 연구 결과에 따르면 lithium, melatonin, benzodiazepine, acyclovir와 같은 모든 약물이 위약군이나 약물을 복약하지 않은 군에 비해 유의한 효과를 발휘하지 못했다고 하였다. KLS의 약물치료에 대한 후속 연구들이 더 많이 필요한 실정이다.

2) 특발과다수면의 약물치료

특발과다수면의 주요 치료제로 승인 받은 약물은 없다. Modafinil이나 methylphenidate가 기면병 환자에서와 마찬가지로 특발과다수면 환자에서 주간과다수면을 조절하는 데 효과가 있다고 보고가 된 바 있다. 이 외에도 Dextroamphetamine이 주관적 주간과다수면의 완화에 효과가 있었다는 보고가 있었으며 sodium oxybate도 특발과다수면 환자에서 부분적으로 효과가 있을 수 있다는 보고가 있었다. 히스타민 수용체에 작용하여 히스타민을 활성화 시키는 pitolisant도 치료 저항성 특발과다수면 환자에서 일부 유의미한 치료 반응이

있었지만 부작용과 효과 부족으로 인해 치료 지속력은 떨어지는 것으로 나타났다. 이 밖에도 삼환계의 비암페타민계열의 자극제인 Mazindol이나 GABA-A 수용체 길항제인 flumanezil이 일부 특발과다수면 환자 대상으로 연구가 된 바 있으며 일부에서 치료 효과가 보고된 바 있다. 하지만 아직까지 특발과다수면에 특이적인 약물치료는 부재한 상황으로 후속 연구들이 필요한 실정이다.

3 주간과다수면 대상 최신 약물 동향

주간과다수면에 대해 비교적 최신 약물로 알려진 것은 Pitolisant와 Solriamfetol이다. Pitolisant는 히스타민 3 (H3) 수용체의 길항제/역작용제로 알려져 있으며 기면병 환자에서 주간과다수면에 효과가 있다는 보고가 있었다. 그리고 modafinil과 sodium oxybate와 비교하여서도 우수한 안전성이 보고된 바 있다. 두통, 불면, 구역감과 같은 부작용이 보고되었다. Solriamfetol은 도파민-노르에피네프린 재흡수 억제제로 개발된 약물로 methylphenidate와 bupropion과 유사한 기전을 가지고 있다. 기면병 환자를 대상으로 한 연구에서 solriamfetol은 비교적 우수한 효과를 나타냈다. Solriamfetol은 용량에 비례하게 수축기, 이완기 혈압을 올리는 것으로 알려져 있어 불안정한 심혈관계 질환이 있거나 부정맥이 있는 환자군에서는 추천되지 않는다는 보고가 있었다.

▶ 참고문헌

- Gadoth N, Oksenberg A. Kleine-Levin syndrome; an update and mini-review. Brain Dev 2017;39:665-71.
- Hashemian SM, Farhadi T. A review on modafinil: the characteristics, function, and use in critical care. J Drug Assess 2020;9:82-6.
- Javaheri S, Javaheri S. Update on persistent excessive daytime sleepiness in OSA. Chest 2020; 158:776-86.
- Mignot EJ. A practical guide to the therapy of narcolepsy and hypersomnia syndromes. Neurotherapeutics 2012;9:739-52.
- Oliveira MM, Conti C, Prado GF. Pharmacological treatment for Kleine-Levin syndrome. Cochrane Database Syst Rev 2016;2016:CD006685.
- Romigi A, Vitrani G, Lo Giudice T, et al. Profile of pitolisant in the management of narcolepsy: design, development, and place in therapy. Drug Des Devel Ther 2018;12:2665-75.
- Schinkelshoek MS, Fronczek R, Lammers GJ. Update on the treatment of idiopathic hypersomnia. Curr Sleep Medicine Rep 2019;5:207-14.
- Szakacs Z, Dauvilliers Y, Mikhaylov V, et al. Safety and efficacy of pitolisant on cataplexy in patients with narcolepsy: a randomised, double-blind, placebo-controlled trial. Lancet Neurol 2017;16:200-20.
- Thorpy, MJ, Dauvilliers Y. Clinical and practical considerations in the pharmacologic management of narcolepsy. Sleep Med 2015;16:9-18.

01 앞당겨진형 및 뒤처진형

김성재

인간의 행동습관이나 생리현상은 대부분 하루주기로 반복되는 하루주기리듬성(circadian rhythmicity)을 가지고 있다. 2만여개의 신경 세포로 구성된 시신경교차위핵(suprachiasmatic nucleus, SCN)은 우리 몸의 생체시계로 알려져 있다. SCN은 하루주기조정자(circadian pacemaker)로서 자생적 방식(self-sustained manner)으로 하루주기의 내인성리듬을 만들어 내고 이러한 내인성리듬을 외적 환경에 entrainment시키는 역할을 한다. 통상 하루주기리듬은 이러한 내인성리듬이 외적 환경과 동조화(synchronization)된 리듬으로 이해할 수 있다.

수면각성습관은 하루주기리듬 특성이 가장 잘 드러나는 행동습관 중 하나이다. 하루주기리듬장애란 이러한 수면각성 습관이 외적 환경 시간대에 적절히 조화되지 못하고 어긋나는 것(misaligned)으로 정의할 수 있으며 학업적으로 직업적으로 상당한 고통을 초래하게 된다. 흔한 하루주기리듬장애로서 지연수면각성리듬장애(Delayed Sleep-Wake Phase Disorder, DSWPD)는 요구되는 수면 시간대에 비해, 수면각성 습관이 지연되어 나타나는 경우이고, 반대로 전진수면각성리듬장애(Advanced Sleep-Wake Phase Disorder, ASWPD)는 너무 일찍 나타나는 경우라 할 수 있다(그림 17-1-1).

1 지연수면각성리듬장애

1) 역학

DSPWD의 유병률은 전체 인구집단에서는 통상 1% 내외로 보고되며, 청소년에서는 3%에서 16% 수준으로 상대적으로 높은 유병률을 보여준다. 국내 DSPWD의 유병률에 대한 조사연구는 아직 보고된 적이 없다.

2) 임상양상

DSPWD 환자들은 통상적으로 요구되는 수면각성 시간대에서 최소 2시간 이상 지연된 수면각성 습관의 특징을 보여준다. 일반적으로 DSPWD 환자들은 2-6 am 이전에 잠들기가 어렵고 10 am-1 pm 이전에 일어나기가 어렵다. 따라서 이른 아침이나 오전 시간대 비몽사몽(sleep inertia: extreme difficulty awakening and confusion)을 호소하며 늦은 저녁이 되어서야 정신이 맑아지고 활동적인 양상을 보여주게 된다. 휴일에는 자신의 선호도에 맞추어, 늦은 시간까지 수면을 취하는 경향을 보인다. 또한 이들은 늦게 잠이 드는 특성상, 컴퓨터 게임이나 TV시청 등 야간 빛 자극의 노출위험성이 커지게 되며 이러한 빛 자극의 증가는 수면위상을 더욱 지연시키는 요인으로 작용할 수 있다. DSPWD 환

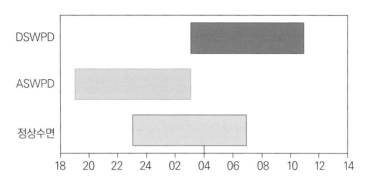

그림 17-1-1. DSWPD/ ASWPD에서 수면각성 습관의 모식도.
DSWPD환자들은 보통 새벽 2시이전에는 잠들기 어렵기 때문에 입면불면증 호소가 흔한 반면, ASWPD환자들은 초저녁에 잠들기 때문에 조기각성 불면증 호소가 일반적임.

자들이 만일 자신의 선호시간대에 잠을 자고 기상한다면 그 자체로는 아무런 문제가 되지 않을 수 있지만 출근이나 등교시간에 맞추어, 기상해야 한다면 만성수면 부족에 시달리게 된다.

3) 동반특성

DSPWD 환자들은 불면증 해소나 주간각성 유지를 위해 알코올이나 수면제, 각성제 등의 약물 의존도가 클 수 있다. 이들은 일반인구에 비해 기분장애, 불안장애 또는 물질사용장애의 동반 빈도가 상대적으로 높다고 알려져 있다. 특히, 우울증은 가장 흔한 동반질환으로 이들의 절반이상이 평생 한 번은 우울증을 경험한다고 보고되기도 한다.

4) 임상경과

DSPWD는 아동기에도 나타날 수 있지만, 평균 발병 연령은 대략 20세전후로 청소년기에 호발하는 것으로 알려져 있다. DSPWD는 심리적, 환경적, 내과적 요인 등 다양한 요인들에 의해 촉발될 수 있다. 치료를 받지 않을 경우, 만성화되는 경향을 보이며 이럴 경우 학업성취도 저하, 자존감 저하, 직업적 손상, 사회적응 문제 등 다양한 문제로 이어질 수 있다. 일반적으로 수면각성위상은 나이가 들수록 앞당겨지는 특성이 있기에 연령증가에 따른 DSPWD 증상의 완화를 기대해 볼 수 있다.

5) 원인

DSPWD의 발생기전은 유전적 취약성에 더해 생리적, 행동학적 및 환경적 요인이 복합적으로 작용한 결과로 이해될 수 있다. DSPWD의 생리적 원인으로 받아들여지는 가설은 다음과 같다.

(1) 빛 자극에 대한 생체리듬의 반응성 변화

빛은 생체시계의 가장 중요한 동조인자로서 빛 자극에 대한 생체시계의 반응성이 DSPWD환자들은 일반인과 다를 수가 있다. 통상 야간에 주어진 빛은 하루주기리듬 위상의 지연 효과, 조간에 주어진 빛은 하루주기리듬 위상의 전진효과를 발휘하게 된다. 이들의 경우 야간 빛의 과민성을 가지며, 조간 빛에 대해서는 둔감하여, 결과적으로 하루주기리듬 위상지연 효과가 커질 수밖에 없다. 실제 일반인에 비해 DSPWD 환자들은 야간 빛에 대한 과도한 멜라토닌 억제반응, 즉 위상지연효과와 연관되며, 조간 빛에 대한 하루주기리듬 위상의 전진효과는 감소된 양상을 보여준다. 이렇게 지연된 수면각성습관으로 말미암아, 이들의 야간 빛 노출시간은 더욱 늘어나고 조간 빛 노출시간은 줄어들어, 결과적으로 이들의 변화된 수면각성 습관은 하루주기리듬 위상을 더욱 지연시키고 만성화 시키는 요인으로 작용할 수 있다.

(2) 수면항상성의 변화

통상 수면부족은 수면압(sleep pressure)의 증가를 가져오며, 이러한 수면압의 증가는 수면각성시간을 앞당기는 효과를 나타낸다. 하지만 DSWPD 환자들은 수면부족상태에 놓이더라도 수면항상성이 정상적으로 작동되지 않아 충분한 정도의 수면압의 증가를 기대할 수 없게 되며, 이러한 이유로 DSWPD의 병리가 만성화 된다는 설명이다. 실제 DSWPD 환자들은 수면박탈 후, 수면압의 증가가 정상인에 비해 훨씬 작게 나타나는 것으로 보고된다.

6) 진단

(1) 병력청취

우선적으로 병력청취를 통해, 일간 변동성 없이 지연 상태의 수면각성 습관을 보이는지를 확인한다. 그리고 그것으로 말미암아 초래되는 불면증 유무 그리고 사회적, 직업적 또는 기타 영역에서의 기능손상 정도를 평가해야 한다.

(2) 수면일기 및 활동기록기 평가

최소 일주일 이상의 수면일기 작성과 활동기록기 평가를 통해, 실제 환자가 보고하는 수면각성 습관이 일간변동성 없이 대체적으로 지연되어 있는지를 객관적으로 확인할 필요성이 있다(그림 17-1-2).

(3) 아침형-저녁형 설문지 평가

환자의 하루주기선호도를 확인하는데, Horne& Östberg의 아침형-저녁형 설문(morningness-eveningness questionnaire, MEQ)또는 Munich 하루주기 유형 설문(Munich Chronotype Questionnaire) 평가가 유용할 수 있다. 이들 설문지는 국내에서 이미 표준화되어 이용되고 있다.

(4) 하루주기 생리지표(physiologic markers of circadian timing) 평가

심부체온 최저점(core body temperature minimum, Tmin)이나 약광멜라토닌분비시작점(dim light melatonin onset, DLMO) 등의 생리지표에 대한 실험실적 평가는 DSPD진단에 가장 신뢰성 있는 평가 방법으로 고려되고 있다. DLMO는 일정 시간 간격으로 채취된 타액이나 혈액 샘플들로부터 각 멜라토닌 농도를 측정하고 이에 기반하여 결정된다. DSWPD 환자들에서 이러한 생리지표의 위상지연을 기대할 수 있으며 DLMO는 대체적으로 오후 10시 이후에 발현되는 양상을 보인다.

(5) 수면다원검사

DSWPD 진단에 수면다원검사는 반드시 요구되지 않지만 수면무호흡이나 사건수면 등 다른 수면장애가 의심되거나 배제할 필요성이 있는 경우 시행할 수 있다.

7) 감별진단

(1) 사회적, 행동학적 요인에 의한 감별

사회적, 행동학적 요인 역시 수면각성 습관을 지연시키는데, 상당한 영향을 미칠 수 있다. 청소년기에는 사회 부적응(social maladjustment), 역기능적 가정(family dysfunction), 학교 회피(school avoidance), 정동장애(affective disorders) 등이 기여요인으로서 고려될 수 있기에, 이러한 요인에 의한 감별 진단이 요구된다.

(2) 일반적 불면질환과의 감별

일반적인 불면질환 환자들과는 달리, DSWPD환자들은 자신이 선호하는 시간대에 수면이 이루어진다면 불면증 호소로 이어지지 않는다.

(3) 과다졸음질환과의 감별

DSWPD환자의 과다졸음은 자신이 선호하는 시간대보다 앞서, 기상을 했을 때 나타나게 된다. 그렇기에 주간보다 조간 졸음성향이 클 수 있으며 수면각성 주기에 따른 변화를 보이는 것이 특징적이다.

Actogram:

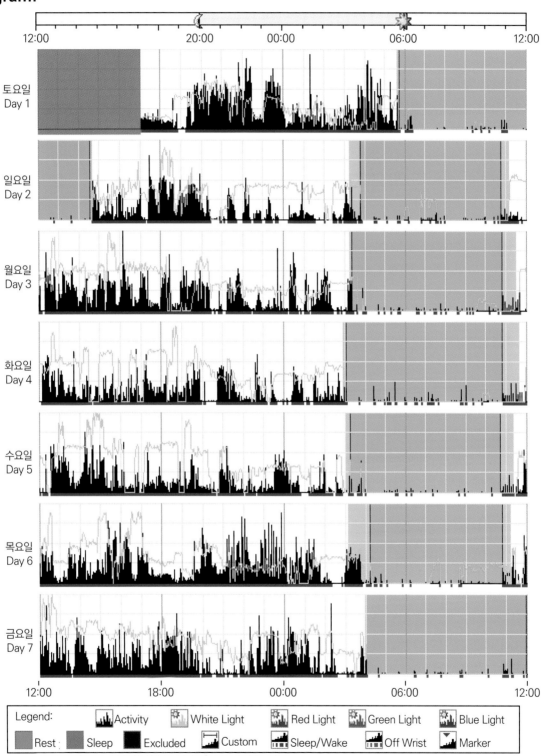

그림 17-1-2. **DSWPD 환자(41세, 남자)의 7일간의 활동기록기 액토그람.**
입면은 평균 am 3시에, 기상은 평균 am 11시 30분으로 평가됨.

8) 치료

치료 목표는 요구되는 외적 환경주기에 맞추어, DSWPD환자의 수면각성 위상을 재정렬시키는 것이다. 치료 전 동반된 신체적 질환이나 정신과적 장애를 평가하고 치료하는 것이 요구되며 수면위생 원칙들을 준수하고 관리하는 것이 필수적이다. DSWPD의 치료로는 생체리듬조절치료법, 광치료, 멜라토닌 복용 등이 있으며 아침의 광치료와 이른 저녁의 멜라토닌 병행요법이 가장 효과적인 치료법으로 고려되고 있다.

(1) 생체리듬조절치료법(chronotherapy)

5–6일에 거쳐 수면시각을 3시간씩 의도적으로 지연시켜 나감으로써 수면각성시간의 타이밍을 원하는 시간에 이르도록 재조정하는 치료법이다. 하지만 엄격한 수면 스케줄 관리가 요구되기 때문에 통상 실험실적 상황에서만 적용하고 실제 임상에서 적용하기에는 한계가 있다.

(2) 밝은 광치료(bright light therapy)

현재 가장 흔히 사용되는 치료법 중 하나임. 빛 자극에 대한 위상반응곡선(phase response curve, PRC)의 위상전진부분에 해당되는 시간대에서 강한 빛의 자극을 줌으로써 지연된 하루주기리듬 위상을 점진적으로 앞당길 수 있다. 특히, 심부체온 최저점 직후에 빛을 주어졌을 때, 하루주기리듬 위상전진 효과가 가장 크게 발휘될 수 있다. 표준화된 광치료 기준은 마련되어 있지는 않지만, 일반적으로 오전 7–9시 사이에 2,000–2,500 lux의 빛의 세기로 2시간 동안 광치료를 적용해 볼 수 있다. 또한 빛 자극에 대한 PRC의 위상후진부분에 해당되는 시간대(통상 저녁시간대에 해당됨)에는 빛에 대한 노출을 피해야 한다. 한편, 상당수 DSWPD환자들은 광치료를 받기 위해 적절한 오전시간대에 맞춰, 제때 기상하기 어렵다는 문제가 있다. 또한 하루주기리듬의 위상이 극도로 지연된 DSWPD환자의 경우, 오전시간대 빛 자극이 PRC의 위상후진부분에 해당될 수 있기 때문에 오전 광치료가 위상지연효과를 오히려 심화

시킬 수 있다는 것을 염두해 둘 필요가 있다.

(3) 멜라토닌 제제(melatonin)

멜라토닌 복용도 생체 시계를 재조정할 수 있는데, 빛 자극과는 반대로 저녁에 복용하면 하루주기리듬을 전진시키고, 아침에 복용하면 지연시키는 효과를 가진다. 약광멜라토닌분비시작점을 기준으로 약 6시간 전에 멜라토닌을 투여했을 경우, 하루주기리듬 위상전진효과가 가장 크게 발휘되어 나타날 수 있다. 한편, 하루주기리듬 위상전진효과를 발휘하기 위해 요구되는 멜라토닌 용량은 약 0.1–0.5 mg으로 시판되는 제제의 10분의 1에서 50분의 1에 불과하다. 고용량의 멜라토닌 제제를 복용할 경우, spillover effect로 인해 오히려 위상전진효과가 상쇄될 수 있다는 점을 유념할 필요가 있다.

2 전진수면각성리듬장애

1) 역학

DSWPD와는 달리, ASPWD는 중년과 노인층에서 흔한 것으로 보고되며, 중년인구층에서 그것의 유병률은 대략 1% 내외로 추산된다.

2) 임상양상

ASPWD 환자들의 통상적 수면각성 시간대는 수면이 6–7 pm, 기상이 2 am–5 am 으로 앞당겨져 있다. 따라서 ASPWD 환자들은 전형적으로 이른 오후나 초저녁에 버티기 힘든 수면욕구를 느끼며 잠은 쉽게 드나 이른 아침까지 수면이 유지되지 못하고 밤중에 깨서 다시 잠들지 못하는 불면증 호소가 일반적이다. 설령 취침시간을 의도적으로 늦추더라도 이러한 조기각성은 지속되는 양상을 보인다. ASPWD는 아동기에도 나타날 수 있지만 중년기에 호발하고 평생 지속되는 것으로 추정된다. DSPWD와 마찬가지로 치료를 받지 않을 경우, 만성화 되는 경향이 있다.

3) 원인

가족력을 가지는 ASPWD는 상염색체 우성유전의 결과로 알려져 있다. 특히, 젊은 연령에 발병하는 ASPWD의 경우, 이러한 유전적 소인의 영향을 의심해 볼 수 있다. 이러한 유전적 소인에 더해 내인성 하루주기리듬의 주기가 24시간보다 짧아진 결과로 추정되고 있으며, 이론상 빛 자극에 대한 PRC의 위상전진에 해당되는 시간대의 증가를 고려할 수 있다.

4) 진단

DSWPD의 진단과정과 마찬가지로, ASWPD 진단시 우선적으로 병력청취를 통해, 환자의 수면각성 습관이 일간변동성 없는 안정상태로 전진되어 있는지를 확인하고 그것으로 말미암아 초래되는 불면증 유무 그리고 사회적, 직업적 또는 기타 영역에서의 기능손상 정도를 평가해야 한다. 이와 함께 활동기록기 측정이나 DLMO와 같은 하루주기 생리지표를 활용하여 ASWPD 환자의 수면각성 습관이 얼마나 전진되어 나타나는지를 객관적으로 평가할 수 있다. 수면무호흡이나 사건수면 등 다른 수면장애가 의심되거나 배제할 필요성이 있는 경우를 제외하고 수면다원검사는 ASDWPD 진단에 필수적으로 요구되지 않는다.

5) 치료

ASWPD의 가장 효과적인 치료법 역시 밝은 광치료로 하루주기리듬의 지연효과를 발휘하기 위해 오후 7-9시 사이의 초저녁에 적용할 수 있다. 미국수면학회는 2시간의 밝은 광치료와 함께 수면위생 준수를 권고하고 있다. 한편 이른 아침에 멜라토닌의 투여가 이론적으로 하루주기리듬을 지연시키는 게 가능할지 모르지만, 이에 대한 임상적 안정성과 효과성은 입증된 바가 없다. 수면 시각을 이틀마다 3시간씩 전진시켜 나감으로써 원하는 수면시간에 이르게 하는 생체리듬조절치료법을 시행할 수 있으나 DSWPD와 마찬가지로 임상적으로 시행하기에는 어려움이 있다.

▶ 참고문헌

- American Academy of Sleep Medicine. International classification of sleep disorders. 3rd ed. Darien, IL: American Academy of Sleep Medicine; 2014.
- Aoki H, Ozeki Y, Yamada N. Hypersensitivity of melatonin suppression in response to light in patients with delayed sleep phase syndrome. Chronobiol Int 2001;18:263-71.
- Auger RR, Burgess HJ, Emens JS, et al. Clinical practice guideline for the treatment of intrinsic circadian rhythm sleep-wake disorders: advanced sleepwake phase disorder (ASWPD), delayed sleep-wake phase disorder (DSWPD), non-24-hour sleep-wake rhythm disorder (N24SWD), and irregular sleep-wake rhythm disorder (ISWRD). An update for 2015: an American academy of sleep medicine clinical practice guideline. J Clin Sleep Med 20015;11:1199-236.
- Czeisler CA, Richardson GS, Coleman RM, et al. Chronotherapy: resetting the circadian clocks of patients with delayed sleep phase insomnia. Sleep 1981;4:1-21.
- Dodson ER, Zee PC. Therapeutics for circadian rhythm sleep disorders. Sleep Med Clin 2010;5:701-15.
- Jones CR, Campbell SS, Zone SE, et al. Familial advanced sleep-phase syndrome: a short-period circadian rhythm variant in humans. Nat Med 1999;5:1062-5.
- Kim SJ, Benloucif S, Reid KJ, et al. Phase-shifting response to light in older adults. J Physiol 2014;592:189-202.
- Kripke DF, Rex KM, Ancoli-Israel S, et al. Delayed sleep phase cases and controls. J Circadian Rhythms 2008;6:1-14.
- Lee JH, Kim SJ, Lee SY, et al. Reliability and validity of the Korean version of Morningness-Eveningness Questionnaire in adults aged 20-39 years. Chronobiol Int 2014;31:479-86.
- Paine SJ, Fink J, Gander PH, et al. Identifying advanced and delayed sleep phase disorders in the general population: a national survey of New Zealand adults. Chronobiol Int 2014;31:627-36.
- Regestein QR, Monk TH. Delayed sleep phase syndrome: a review of its clinical aspects. Am J Psychiatry 1995;152:602-8.
- Reid KJ, Chang AM, Dubocovich ML, et al. Familial advanced sleep phase syndrome. Arch Neurol 2001;58:1089-94.
- Reid KJ, Jaksa AA, Eisengart JB, et al. Systematic evaluation of Axis-I DSM diagnoses in delayed sleep phase disorder and evening-type circadian preference. Sleep Med 2012;13:1171-7.
- Reid KJ, Zee PC. Circadian disorders of the sleep-wake cycle. In: Kryger MH, Roth T, Dement WC. Principles and practice of sleep medicine. Elsevier; 2005. pp. 691-701.

PART
4

수면장애 각론

- Saxvig IW, Pallesen S, Wilhelmsen-Langeland A, et al. Prevalence and correlates of delayed sleep phase in high school students. Sleep Med 2012;13:193-9.
- Schrader H, Bovim G, Sand T. The prevalence of delayed and advanced sleep phase syndromes. J Sleep Res 1993;2:51-5.
- Sivertsen B, Pallesen S, Stormark KM, et al. Delayed sleep phase syndrome in adolescents: prevalence and correlates in a large population based study. BMC Public Health 2013;13:1-10.
- Suh SY, Kim SH, Ryu HR, et al. Validation of the korean munich chronotype questionnaire. Sleep Breath 2018;22:773-9.
- Uchiyama M, Okawa M, Shibui K, et al. Poor compensatory function for sleep loss as a pathogenic factor in patients with delayed sleep phase syndrome. Sleep 2000;23:553-8.
- Zhu L, Zee PC. Circadian rhythm sleep disorders. Neurol Clin 2012;30:1167-91.

02 불규칙형 및 비-24시간형

이서영

1 불규칙수면각성리듬장애

1) 서론

불규칙수면각성리듬장애(Irregular Sleep−Wake rhythm disorder, ISWRD)는 규칙적인 수면 각성 주기가 없는 경우로, 주로 밤낮 없이 여러 번의 짧은 수면을 갖는다.

2) 역학과 위험요인

ISWRD의 정확한 유병율은 알려져 있지 않다. 모든 나이에 발생할 수 있지만, 나이가 들수록 빈도가 높아지고, 신경퇴행성질환자에서 주로 관찰된다. 일몰반응(sundowning)이 있는 알츠하이머 환자에서 그렇지 않은 환자에 비해 더 수면이 분절되고, 하루주기리듬의 진폭이 낮은 경향이 있다. 발달지연이나 자폐, 뇌손상, 조현병−특히 양성 증상을 갖는 환자에서도 발견된다.

3) 병태생리

ISWRD는 시신경교차위핵(suprachiasmatic nucleus) 자체의 신경 병리와 멜라토닌 분비 감소의 기저 상태와, 하루주기리듬에 필요한 자극의 감소라는 악화 요인 때문에 발생하는 것으로 추정된다. 치매 환자가 흔히 겪게 되는 환경, 즉 요양 시설의 활동이 적고 빛 노출이 적은 생활이 ISWRD를 지속시키며, 약물도 영향을 준다. ISWD와 비24시간형수면각성리듬장애가 Angelman 증후군(chromosome 15q11−q13 이상)에서 흔하며, William 증후군에서 보고되었다. Smith−Magenis 증후군(chromosome 17p 이상)도 앞의 두 질환과 같이 지능발달 장애와 수면문제가 잦다. 이들 질환에서 멜라토닌 농도와 진폭의 감소가 관찰되어, 멜라토닌 합성에 관여하는 효소나 멜라토닌 수용체를 코딩하는 유전자의 변이(variant)나 다형성(polymorphism) 또는 생체시계유전자의 다형성(clock gene polymorphism)이 ISWRD를 유발할 것으로 추정된다.

4) 증상

대체로 4시간 이내의 분절된 수면이 밤낮에 걸쳐 무작위로 분포한다(그림 17-2-1). 환자들은 야간에 불면을 호소하거나 주간과다수면/잦은 낮잠을 호소한다. 전체 수면 시간은 같은 연령대의 평균과 비슷하다.

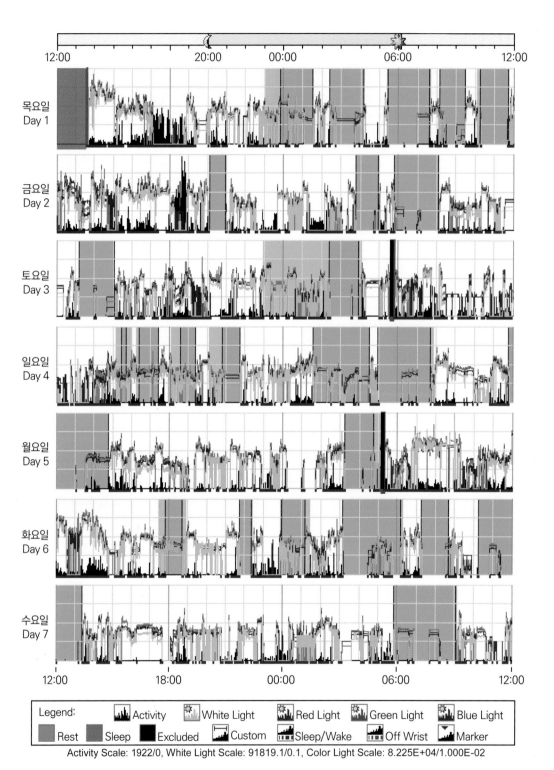

Activity Scale: 1922/0, White Light Scale: 91819.1/0.1, Color Light Scale: 8.225E+04/1.000E-02

그림 17-2-1. 불규칙수면각성리듬을 보이는 30세 남자의 활동 기록

출처: 성균관대학교 삼성서울병원 신경과 주은연 교수 제공

5) 진단

ICSD-3의 진단 기준은 다음의 네 가지를 모두 충족하는 것이다.

A. 예정된 수면시간(일반적으로 밤) 동안의 불면 또는 과한 주간과다수면(낮잠)을 특징으로 하는 불규칙한 수면이 만성적이거나 반복적으로 있음(병력 청취)

B. 3개월 이상 증상의 지속

C. 수면일기와 활동기록기를 적어도 7일, 바람직하게는 14일동안 기록하여 24시간 주기에 주요 수면기간(major sleep period)이 없이 여러 번의 불규칙한 수면 삽화(적어도 3회)가 나오는 것을 확인

D. 다른 수면장애, 의학적/신경학적 질환, 정신 질환, 약물로 잘 설명되지 않음

6) 치료

하루주기리듬의 진폭을 키우고 확고히 하기 위해, 환경 조절, 광치료, 멜라토닌을 이용할 수 있다. AASM 2015년 지침에서 ISWD의 치료로 추천한 것은 노인 치매 환자에서 광치료와 소아/청소년에서 멜라토닌뿐이다. 수면제나 각성제는 추천되지 않는다.

(1) 환경 및 행동

낮 시간에 사회적 교류와 신체적 활동을 독려하고 밤에는 소음과 빛을 제한한다. 야간뇨와 같이 잠을 방해하는 요소가 있는지 확인하여 해결해야 한다. 규칙적인 수면각성리듬 처방 및 시간에 맞춘 주간 신체 활동은 연구가 잘 되어 있지는 않지만 광치료와 함께 시도할 가치가 있다.

(2) 광치료

ISWD만을 선택적으로 한 연구는 아니지만 치매 환자나 시설에 입소한 노인들을 대상으로 한 대조 연구에서, 광치료 군이 수면과 행동 문제에 호전을 보였다. 치료 프로토콜은 오전 9시에서 11시에 3,000-5,000 lux의 빛을 1 m 거리에 두고 자주 쳐다보게 하거나 공동 거실에 오전 9시에서 오후 6시까지 1,000 lux의 빛을 주었다.

(3) 멜라토닌

고연령 치매 환자에서 시행한 대조 연구에서 단독으로 사용하는 경우 정서에 부정적인 영향과 금단 증상이 관찰되었으나 광치료와 병합하여 치료할 때는 추가적인 효과를 보였다. 용량은 2.5-5 mg이었다. 소아 및 청소년의 경우, 대체로 발달장애가 있는 환자에서 2-10 mg을 투여하였고, 모든 연구에서 수면의 향상을 보이고 의미 있는 부작용은 없었다.

2 비24시간형수면각성리듬장애

1) 서론

수면각성의 주기가 24시간 명암의 주기에 동기화가 되지 않는 경우로, 자유진행장애(free-running disorder)라고도 한다. 사람의 생체리듬은 평균 24.2시간으로 지구 환경의 주기보다 길지만, 정상적으로는 빛이나 다른 시간 신호에 의해 24시간의 환경 주기에 맞추게 된다. 그러나 이러한 자극을 받을 수 없거나 신호에 적절히 반응하지 못하면, 수면각성, 식사 등이 점차 지연된다.

2) 역학과 위험요인

비24시간형수면각성리듬장애(Non-24 Hour Sleep-Wake rhythm disorder, N24SWD)의 정확한 유병률은 알려져 있지 않다. 시력을 잃은 경우 모든 연령에서 발생할 수 있으며 50-80%에서 관찰된다. 시각 장애가 없는 환자에서 N24SWD의 유병률은 알려져 있지 않으나 드문 것으로 추정된다. 10대에 발병하는 경우가 63%로 많고 남자가 72%로 많다. 신경 발달 장애나 자폐가 있는 소아에서 보고되었다. 정신질환이 선행하거나 N24SWD 진단 이후 우울증이 발생하는 위험이 높게 보고되었다.

3) 병태생리

시상하부의 하루주기리듬의 박동조율기(pacemaker)가 24시간 환경 주기에 동조하는 데 실패한 것으로, 강력한 시간 신호(zeitgeber)인 빛을 지각하지 못해서 생기는 경우가 가장 많다. 시력이 있는 경우는 사회적 환경적 시간 신호의 감소나 기존의 수면장애가 기여하는 것으로 보인다. Rett 증후군(거의 전적으로 소녀에서 발생하고 심한 발달장애와 사회적 교류가 어려움), Angelman 증후군(chromosome 15q11−q13 이상)이 있는 소아에서 기술되었다. 지적으로 정상인 소아/청소년에서 부적절한 환경 노출 (예를 들어 빛 노출이 주간에 적고, 야간에 과할 때) 발생한 경우도 보고되었다. 이들은 정신적 문제로 사회적 교류를 피하거나 다른 질병으로 인해 오랫동안 활동을 하지 못했을 가능성이 높다. 하루주기리듬의 박동조율기를 조절하는 데 기여하는 casein kinase I epsilon (CKIε)의 다형성과 지연수면각성리듬장애(delayed sleep−wake phase disorder, DSWPD) 및 N24SWD과의 관련성이 보고되었고, 이를 바탕으로 N24SWD와 DSWPD의 공통의 병태생리도 제안된 바 있다.

4) 증상

밤에 잠을 들지 못하거나 낮에 졸림/낮잠이 만성적으로 있는데, 정상적인 시기가 간헐적으로 있다. 수면 각성 주기는 24시간보다 짧거나 전형적으로는 길다. 대체로 수면 위상이 지연되어 있어, 수면시작불면증이 흔하다. 처음에는 DSWPD로 발현했다가 차차 N24SWD가 되는 경우가 종종 있으며, DSWPD의 하루주기치료가 N24SWD를 유발하기도 한다. 시력이 있는 N24SWD 57명의 증례 보고에서 하루주기는 24.4−26.5시간, 수면시간은 평균 9.3시간으로 평균보다 길었다.

5) 진단

ICSD−3의 진단 기준은 다음의 네 가지를 모두 충족하는 것이다.

A. 24시간의 낮밤 주기와 내재적 수면각성 성향의 하루주기리듬 사이의 불일치 때문에 불면증 또는 주간과다수면이 무증상 삽화와 번갈아 나타남

B. 3개월 이상 증상의 지속

C. 수면일기와 활동기록기를 적어도 14일, 시각 장애인의 경우 바람직하게는 더 길게 기록하여, 24시간보다 긴 하루주기로 인해 매일 지연되는 수면과 각성 양상을 확인(그림 17-2-2)

D. 다른 수면장애, 의학적/신경학적 질환, 정신 질환, 약물로 잘 설명되지 않음

주석

1) 환자는 점차적으로 지연되는 수면각성 양상과 간헐적인 불면증 및 과도한 졸림을 나타낼 수 있다. 수면각성 성향의 하루주기리듬 대비 환자가 잠을 자려고 시도하는 시간의 관계에 따라, 개별적으로 증상이 다를 수 있다. 매일 지연되는 정도는 내재적 하루주기의 길이에 따라 다르며, 30분 이내일 수도 있고 (일주기가 24시간에 가까우면), 1시간 이상일 수도(하루주기가 25시간 이상인 경우) 있다.

2) 증상 삽화는 전형적으로 수면잠복기가 점차 길어지고 수면 개시 시각이 지연되는 것으로 시작한다. 수면성향리듬(sleep propensity rhythm)이 낮시간으로 전환되면 환자는 밤에 잠들기가 어렵고 낮에 깨어 있기가 어렵게 된다. 수면각성향리듬(sleep-wake propensity rhythm)이 더 이동하면, 환자는 늦은 오후와 저녁에 졸리거나 쪽잠을 자며, 이른 수면개시 시각과 짧은 수면잠복기를 보이게 된다.

3) 다른 하루주기리듬, 즉 dim light melatonin onset (DLMO)나 소변의 6-sulfatoxymelatonin 리듬을 2-4주 간격으로 두 번(하루주기 이동을 확인할 충분한 시간 간격) 측정하여 비동조화된 리듬을 확인하는 것도 바람직하다.

6) 치료

하루주기리듬의 동기화를 위해 환경 조절, 광치료, 멜라토닌 및 멜라토닌 길항제를 이용할 수 있다. AASM 2015년 지침에서 N24SWD의 치료로 추천한 것은 시력을 잃은 환자에서 멜라토닌뿐이다. 수면제나 각성제는 추천되지 않는다.

(1) 환경 및 행동

수면각성리듬 조정(sleep−wake scheduling) 및 신체 활동은 건강한 사람에서 하루주기 pacemaker를 재설정하는 것으로 알려져 있다. 시력을 잃은 사람에서도

Actogram:

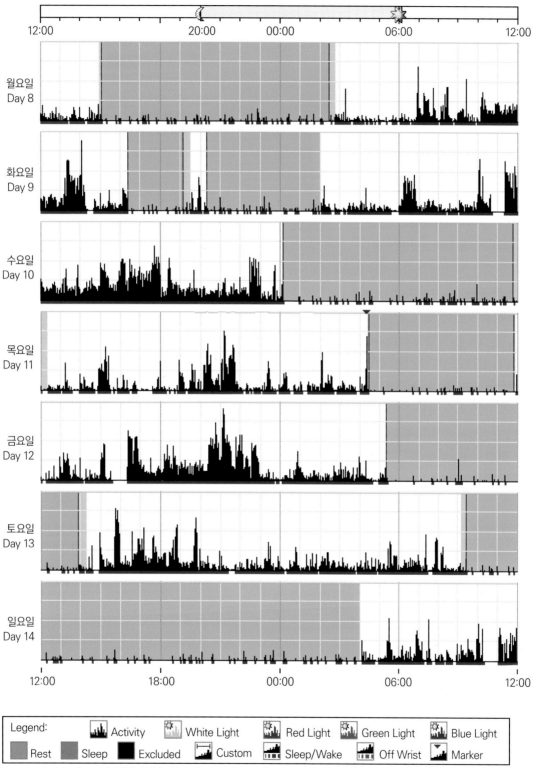

그림 17-2-2. 비24시간형수면각성리듬장애를 보이는 23세 남자환자의 활동기록

출처: 성균관대학교 삼성서울병원 신경과 주은연 교수 제공

PART
4

수면장애 각론

광자극 외의 방법으로 하루주기 pacemaker의 동조화가 가능하다. 수면각성리듬 처방 및 정기적 신체 활동은 N24SWD에서의 효과는 증거가 부족하지만 가능성 있는 치료법이다.

(2) 광치료

건강한 사람뿐 아니라, 시력을 잃은 사람에서도 빛이 하루주기리듬의 pacemaker를 재설정 할 수 있다는 실험적 증거가 있어, 광치료는 N24SWD 치료의 하나의 선택이 될 수 있다.

(3) 멜라토닌과 멜라토닌 길항제

시력을 잃은 N24SWD 환자에서 멜라토닌 0.5–10 mg을 선호하는 입면 시간 1시간 전 또는 정해진 시간 (21:00)에 투여하였을 때, 24시간에 동조화되는 효과가 있었다. 멜라토닌 길항제 tasimelteon은 시력을 잃은 N24SWD 환자 대상 무작위대조군 연구에서 치료군의 20%가 하루주기리듬 동조화 효과를 보여 대조군 3%에 비해 유의한 효과를 보였으나, 멜라토닌에 대한 이전 연구를 메타 분석했을 때 보여지는 효과 67%에 비해서는 낮았다. 시력이 있는 환자에서의 N24SWD에서 멜라토닌 투여는 증례보고들을 근거로 치료의 선택이 될 수 있다.

▶ 참고문헌

• Auger RR, Burgess HJ, Emens JS, et al. Clinical practice guideline for the treatment of intrinsic circadian rhythm sleep–wake disorders: Advanced Sleep–Wake Phase Disorder (ASWPD), Delayed Sleep–Wake Phase Disorder (DSWPD), Non–24–Hour Sleep–Wake Rhythm Disorder (N24SWD), and Irregular Sleep–Wake Rhythm Disorder (ISWRD). An update for 2015: an American academy of sleep medicine clinical practice guideline. J Clin Sleep Med 2015;11:1199–236.

• Czeisler CA, Duffy JF, Shanahan TL, et al. Stability, precision, and near–24–hour period of the human circadian pacemaker. Science 1999;284:2177–81.

• Dowling GA, Burr RL, Van Someren EJ, et al. Melatonin and bright–light treatment for rest–activity disruption in institutionalized patients with Alzheimer's disease. J Am Geriatr Soc 2008;56:239–46.

• Hayakawa T, Uchiyama M, Kamei Y, et al. Clinical analyses of sighted patients with non–24–hour sleep–wake syndrome: a study of 57 consecutively diagnosed cases. Sleep 2005;28:945–52.

• International Classification of Sleep Disorders – Third Ed (ICSD–3). Available from: https://learn.aasm.org/Public/Catalog/Details.aspx?id=%2FgqQVDMQIT%2FEDy86PWgqgQ%3D%3D&returnurl=%2FUsers%2FUserOnlineCourse.aspx%3FLearningActivityID%3D%252fgqQVDMQIT%252fEDy86PW%20gqgQ%253d%253d

• Klerman EB, Rimmer DW, Dijk DJ, et al. Nonphotic entrainment of the human circadian pacemaker. Am J Physiol 1998;274(4 Pt 2):R991–6.

• Klerman EB, Shanahan TL, Brotman DJ, et al. Photic resetting of the human circadian pacemaker in the absence of conscious vision. J Biol Rhythms 2002;17:548–55.

• Lockley SW, Dressman MA, Licamele L, et al. Tasimelteon for non–24–hour sleep–wake disorder in totally blind people (SET and RESET): two multicentre, randomised, double–masked, placebo–controlled phase 3 trials. Lancet 2015;386:1754–64.

• Mishima KM, Okawa Y, Hishikawa S, et al. Morning bright light therapy for sleep and behavior disorders in elderly patients with dementia. Acta Psychiatr Scand 1994;89:1–7.

• Pavlova M. Circadian rhythm sleep–wake disorders. Continuum (Minneap Minn) 2017;23(4, Sleep Neurology):1051–63.

• Riemersma–van der Lek RF, Swaab DF, Twisk J, et al. Effect of bright light and melatonin on cognitive and noncognitive function in elderly residents of group care facilities: a randomized controlled trial. JAMA 2008;299:2642–55.

• Saeed Y, Zee PC, Abbott SM. Clinical neurophysiology of circadian rhythm sleep–wake disorders. Handb Clin Neurol 2019;161:369–80.

• Saeed Y, Zee PC, Abbott SM. Clinical neurophysiology of circadian rhythm sleep–wake disorders. Handb Clin Neurol 2019;161:369–80.

• Takano A, Uchiyama M, Kajimura N, et al. A missense variation in human casein kinase I epsilon gene that induces functional alteration and shows an inverse association with circadian rhythm sleep disorders. Neuropsychopharmacology 2004;29:1901–9.

• Uchiyama M, Lockley SW. Non–24–Hour Sleep–Wake Rhythm Disorder in Sighte d and Blind Patients. Sleep Med Clin 2015;10:495–516.

• Zee PC, Attarian H, Videnovic A. Circadian rhythm abnormalities. Continuum (Minneap Minn) 2013;19(1 Sleep Disorders):132–47.

• Zee PC, Vitiello MV. Circadian rhythm sleep disorder: irregular sleep wake rhythm. Sleep Med Clin 2009;4:213–18.

03 시차장애 및 교대근무수면장애

한선정

1 시차장애

시차장애는 2시간 이상의 시차가 나는 곳으로 비행기를 타고 빠르게 이동하였을 때, 인체 내부의 생체 시계와 외부 세계(도착지)의 밤-낮의 주기가 불일치함으로 인해 나타나는 일시적인 현상이다. 시차장애의 유병률은 잘 알려져 있지 않으나 해외 여행의 빈도가 증가하는 것을 고려하면 상당히 높을 것으로 추정된다.

1) 임상증상

임상증상은 적어도 2시간 이상의 시차가 나는 곳으로의 여행 후 1-2일 사이에 나타나며, 불면증, 주간과다수면, 전신 피로, 신체증상 및 주간 기능저하를 포함한다.

하루주기리듬의 각성신호가 높은 시기와 원하는 수면시간이 겹쳐지면서 불면증이 나타날 수 있다. 동쪽으로 여행하는 경우 잠들기가 어렵고 서쪽으로 여행하는 경우 일찍 깨게 된다. 여행지의 낯선 환경이 불면을 악화시킬 수 있다. 또한 목적지에서 깨어 있어야 할 시간에 하루주기리듬의 수면 시간과 겹쳐지면 주간과다수면이 발생하고, 적절한 수면을 취하지 못하여 발생한 수면부채로 인해 주간과다수면이 나타날 수 있다. 가장 흔

한 신체증상은 위장관계 증상으로 식욕저하와 변비가 포함된다. 이는 하루주기리듬에서 벗어난 시간에 음식을 섭취하기 때문이다. 기분이 좋지 않을 수 있고 기존에 가지고 있던 정신질환을 악화시킬 수 있다. 하루주기리듬의 불일치와 각성도의 감소로 인하여 인지기능과 신체기능의 저하가 나타난다.

특별한 치료를 하지 않는 경우, 하루주기리듬은 동쪽으로 여행하는 경우 하루에 약 1시간, 서쪽으로 여행하는 경우 1.5시간만큼 목적지 시간에 맞춰 조정된다. 이동 거리 외에도 시차장애의 정도는 여러 요소에 영향을 받는다. 목적지의 방향(동쪽으로 여행이 서쪽보다 적응하기 어렵다), 여행 중에 충분한 수면을 취할 수 있는 능력, 목적지에서 하루주기 시간 신호(예: 빛)에 노출, 하루주기리듬의 불일치에 적응하는 능력의 개인차, 여행 환경(예: 움직임의 정도, 알코올과 카페인의 섭취)에 영향을 받는다.

일반적으로 자연치유가 되지만 시차장애는 해외 여행 직후 높은 수준의 성과가 중요한 사람들(예: 조종사, 운동선수, 사업가)에게 상당한 영향을 미칠 수 있다. 일부 논문에서 항공 여행을 반복적으로 하는 사람의 경우 기억력 손상, 여성의 생식 기능 장애, 그리고 암을 포함하여 장기적인 건강 문제에 대한 위험이 증가할 수

있다. 시차로 인한 장내 미생물의 변화는 비만과 대사 기능 장애를 촉진할 수도 있다. 5,000명 이상의 승무원을 대상으로 건강 상태를 평가한 대규모 연구에서 암, 수면장애, 피로 및 우울증의 위험이 증가하는 것으로 나타났다. 그러나 시차와 무관한 다른 직업적 요인이 이러한 요인에 기여했을 수 있다.

2) 진단

시차장애의 진단은 임상 증상을 기반으로 한다. ICSD-3 (International Classification of Sleep Disorders, Third Edition)에서 제시한 진단 기준은 다음과 같다. 아래 A-C 모두 만족해야 한다.

A. 적어도 2시간 이상의 시차를 가지는 지역으로의 비행 여행과 연관되어 나타나는 총수면시간의 감소와 동반된 불면증 또는 주간과다수면을 호소한다.

B. 여행 후 1-2일 이내에 나타나는 주간 기능 장애, 전신 피로 또는 신체증상(예: 위장장애)을 보인다.

C. 수면장애는 다른 수면장애, 내과, 신경과 또는 정신과 질환, 약 또는 물질사용장애로 더 잘 설명되지 않아야 한다.

3) 치료

시차장애 치료의 목적은 목적지에서의 불면증과 주간과다수면을 개선하는 데 있다(표 17-3-1). 첫 번째 방법은 내부의 하루주기리듬을 도착지의 시계, 즉 밤-낮의 주기에 적응하도록 하여 원하는 시간에 수면과 각성을 향상시키는 방법이다. 빛과 멜라토닌을 전략적으로 사용하면 더 빠르게 적응할 수 있다. 두 번째는 불면이나 주간과다수면을 조절하기 위한 약물을 사용하는 방법이다.

하루주기리듬을 외부의 시계에 동조시키는 데는 빛에 노출되는 시간이 가장 중요하다. 우리 몸의 심부체온이 최저점에 이르는 시간은 기상 시간의 2-3시간 이전으로 기상시간을 7시로 가정하면 일반적으로 약 오전 4-5시경이다. 이 심부체온이 최저점에 이르기 전에 밝은 빛을 쪼이게 되면 생체 시계는 지연되어(phase delay) 더 늦게 자고 늦게 일어나게 되고, 반대로 최저점 이후에 빛을 쪼이면 생체 시계가 전진되어(phase advance) 더 일찍 자고 일찍 일어나게 된다. 저녁에 빛에 노출되면 하루주기리듬이 지연되고 아침에 빛을 쪼이면 전진된다. 따라서 여행 중 적절한 시간에 밝은 빛을 쪼이면 도착지의 시간에 빠르게 적응할 수 있다.

표 17-3-1. 시차장애의 치료

	동쪽으로 여행	서쪽으로 여행
적응방향	• 생체리듬이 지연되어 있으므로 전진시킨다(Phase advance). • 아침 밝은 빛 노출	• 생체리듬이 전진되어 있으므로 지연시킨다(Phase delay). • 저녁 밝은 빛 노출
출발 전	• 출발 3일 전부터 취침시간과 기상시간을 1시간씩 앞당긴다. • 아침에 밝은 빛 노출 • 저녁 밝은 빛 피한다.	• 출발 3일 전부터 취침시간과 기상시간을 1시간씩 늦춘다. • 저녁에 밝은 빛 노출 • 아침에 밝은 빛 피한다.
비행 중	• 도착지 시간으로 시계를 맞춘다. • 도착지 시간에 맞추어 취침한다.	• 도착지 시간으로 시계를 맞춘다. • 도착지 시간에 맞추어 취침한다.
도착 후	• 심부체온 최저점 이후 밝은 빛에 노출해야 하므로 도착 후 처음 며칠은 이른 아침 빛을 피하고 늦은 오전과 이른 오후에 빛 노출. 이후에는 아침에 밝은 빛 노출. • 도착지 취침 시간에 맞추어 멜라토닌을 복용한다. • 처음 며칠은 잠들기 어려움. • 짧은 낮잠과 카페인이 각성에 도움이 될 수 있다.	• 심부체온 최저점 이전에 밝은 빛에 노출해야 하므로 늦은 오후와 저녁에 밝은 빛 노출. 야간에는 빛 노출을 피한다. • 저녁시간에 졸지 않도록 하고 도착지의 취침시간에 맞추어 취침한다. • 처음 며칠은 수면유지가 어렵고 일찍 깸. 각성 시 전자기기 사용을 피한다. • 짧은 낮잠과 카페인이 각성에 도움이 될 수 있다.

(1) 동쪽으로 여행하는 경우

동쪽으로 이동하면 도착지의 시간에 비해 내부의 생체 리듬이 지연되어 있다. 이를 전진시키려면 심부체온 최저점 이후, 아침에 밝은 빛을 쪼여야 한다. 적절한 시간에 빛 노출은 하루주기리듬을 하루에 약 1.5시간씩 전진시킬 수 있으므로 빛 노출 시간은 하루에 1시간씩 앞당겨야 한다.

적극적 치료를 원하는 경우, 출발 3일 전부터 밝은 빛 치료를 시행하면 도착지의 시간에 더 빨리 적응할 수 있다. 빛 치료는 외부의 자연광을 이용하거나 라이트 박스를 사용할 수 있다. 출발 3일전부터 평소보다 약 1시간 일찍 일어나 적어도 1시간 동안 아침에 밝은 빛을 쪼이고 이를 매일 반복한다. 기상 시간과 취침시간을 하루 한 시간씩 앞당긴다.

3-5개의 시간대를 가로지르는 여행의 경우, 도착 당일 목적지에서 이른 아침 밝은 빛을 피하고 늦은 오전부터 몇 시간 동안 밝은 빛을 쪼인다. 6-7개 시간대를 횡단하는 경우, 오전에는 밝은 빛을 피하고 이른 오후에 빛을 쬐야 한다. 빛 노출 시간은 날마다 점차적으로 더 일찍 시행할 수 있다.

예를 들어 서울에서 샌프란시스코(7시간 시차가 나는 동쪽, 서울보다 17시간 늦음)로 여행한다고 가정해보자. 심부체온 최저점은 일반적인 기상 시간의 약 3시간 전으로 오전 7시에 기상하는 사람의 경우 오전 4시로 가정할 수 있다. 서울의 시간으로 오전 4시에 심부체온 최저점인 사람은 샌프란시스코 시간으로 오전 11시 심부체온 최저점에 이른다. 샌프란시스코에 도착하면 오전 11시 이전에는 밝은 빛을 피하고 오전 11시 이후에 밝은 빛을 쪼여야 하루주기리듬이 전진될 수 있다. 원하는 기상 시간에 도달할 때까지 날마다 한 시간 일찍 밝은 빛을 피하고 노출을 시작한다(그림 17-3-1).

심부체온 최저점 이전, 취침 시간에 멜라토닌을 복용하면 하루주기리듬을 전진시키는데 도움이 되고 수면에도 도움이 될 수 있다. 도착 후 5일간 복용하고 용량은 0.5-10 mg이고 일반적으로 3 mg면 충분하다.

수면제 복용은 시차로 인한 불면증에 효과적이나 다

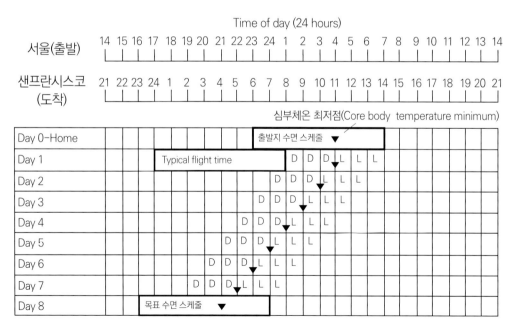

그림 17-3-1. **서울에서 샌프란시스코(7시간 시차가 나는 동쪽)로 여행**
▼은 심부체온 최저점을 나타낸다. 도착지에 도착하면 심부체온 최저점 이전에는 빛을 피하여(D) 수면위상이 지연되는 것을 피하고 심부체온 최저점 이후에는 빛을 쪼여서(L) 수면위상을 전진시킨다. 이를 하루 1시간씩 전진시킨다.

음날 각성 증가에 도움이 되지 않고 수행 능력 저하와 같은 부작용에 대한 우려로 인해 일상적인 사용을 권장하지 않는다.

카페인 사용은 일반적으로 안전하며 시차로 인한 주간 졸음을 상쇄하는 데 도움이 된다. 그러나 수면 잠복기와 수면 중 각성이 증가하므로 오후시간에는 복용을 피해야 한다.

각성 촉진제인 Armodafinil은 이전 여행에서 행동치료와 카페인으로 충분한 결과를 얻지 못한 환자에서 각성이 필요한 경우 사용해볼 수 있다. FDA 승인 적응증이 아니며 환자들에게 비용이 부담될 수 있다.

낮잠은 수면부족으로 인한 졸림 증상을 방지하기 위한 합리적인 방법이다. 야간 수면을 방해하지 않으려면 낮잠 시간은 30분 미만이어야 하며 예상 취침 시간 8시간 이내에는 피해야한다.

동쪽으로 8시간 이상의 시차가 나는 곳으로 여행하는 경우 대부분의 사람들은 하루주기리듬을 앞당기기보다는 지연시키는 것이 더 쉽다. 일반적으로 목적지에서 처음 며칠간 아침에 밝은 빛을 쪼이고 늦은 오후와 저녁에 밝은 빛을 피하면 하루주기리듬이 지연된다. 이는 8시간 이상의 시차가 나는 동쪽으로 여행하는 많은 사람에서 하루주기리듬이 전진보다 지연된다는 점을 근거로 한다. 이렇게 여행 방향과 반대 방향으로 적응하는 현상을 antidromic re-entrainment라고 한다.

(2) 서쪽으로 여행하는 경우

서쪽으로 이동하면 도착지 시간에 비해 생체리듬이 전진되어 있다. 이를 지연시키기 위해 심부체온 최저점 이전, 저녁에 밝은 빛을 쪼여야 한다. 적절한 시간의 빛 노출은 하루에 약 2.5시간의 수면위상 지연을 달성할 수 있다.

동쪽으로 여행하는 경우와 마찬가지로, 심부체온 최저점이 일반적인 기상 시간보다 약 3시간 앞서 발생한다는 것을 알고(즉, 일반적으로 오전 7시에 기상하는 사람의 경우 오전 4시) 이 시간 이전에 밝은 빛을 쪼이면 수면위상이 지연된다. 예를 들어, 서울에서 아테네(7시간 시차가 나는 서쪽, 서울보다 7시간 늦음)로 여행하는 경우, 서울에서 오전 4시에 심부체온 최저점인 사람은 아테네에서 오후 9시에 심부체온 최저점에 이른다. 아테네에 도착하면 오후 9시까지 밝은 빛에 노출되어야 하고, 오후 9시 이후에는 밝은 빛을 피해야 한다. 이를 하루 2시간씩 지연시킨다.

일반적으로 하루주기리듬은 전진시키는 것 보다 지연시키는 것인 쉽기 때문에 멜라토닌은 12시간 이하의 시차의 서쪽 여행에는 필요하지 않다. 12시간 이상의 시간대를 횡단하는 서쪽 여행의 경우, 멜라토닌은 도착 저녁 취침 시간에 복용하고 최대 5일 동안 사용할 수 있다.

일반적으로 서쪽으로 여행에서 불면증에 수면제 사용은 권장되지 않는다.

동쪽으로 여행하는 경우와 마찬가지로 짧은 낮잠과 카페인의 적절한 사용은 시차로 인한 주간과다수면을 상쇄하는 데 도움이 될 수 있지만 야간 수면에 방해가 될 수 있으므로 유의해야 한다.

2 교대근무수면장애

교대근무수면장애는 일반적 수면시간과 겹쳐지는 반복되는 근무시간과 관련되어 나타나는 과도한 졸음 또는 불면증이 특징이다. 이는 일부 직업과 서비스가 하루 24시간 계속 기능해야 하는 산업화된 국가에서 흔한 문제이다. 산업화된 사회에서 인구의 약 20%가 교대근무가 필요한 직종에서 일한다. 교대근무자의 일부는 근무 스케줄에 적응을 하지만 일부는 잘 하지 못하여 교대근무자의 약 1/3은 심각한 불면증이나 근무 중 과도한 졸음을 경험하여 교대근무수면장애에 해당한다. 위험 요인에는 고령, 남성보다 여성이 많을 수 있고 아침 빛 노출(긴 통근 또는 아침 사회적 의무) 등이 있다.

1) 병태생리

일반적인 근무시간에 일을 하는 경우에는 하루주기리듬의 각성 신호가 낮고 수면 욕구가 높을 때 수면을 취하게 된다. 그러나 야간 근무자의 경우처럼 수면각성 리듬이 변동되게 되면 내부의 하루주기리듬과 근무/수면 시간 사이의 불일치가 일어나게 되어 수면과 각성 유지의 어려움이 발생하게 된다. 야간 근무자는 내부의 하루주기리듬이 각성을 촉진하고 있는 낮 동안에 수면을 취하게 된다. 이러한 충돌로 인하여 분절되고 제한적인 수면을 취하게 되고 야간 근무시간에는 과도한 졸림과 이로 인한 근무의 어려움을 겪게 된다. 또한 이들은 수면부족에 더해 하루주기리듬의 각성신호가 최소일 때 깨어 일을 해야 하기 때문에 수행 능력의 저하, 삶의 질의 저하 및 사고의 위험이 증가한다.

2) 임상증상

교대근무자는 수면 시간과 수면의 질 모두에 영향을 받는다. 교대근무자는 일반적으로 주간 근무자에 비해 30-60분 적은 수면 시간을 보고하고, 교대근무수면장애가 있는 사람은 평균 약 90분의 수면 감소로 훨씬 더 큰 수면 감소를 보고하였다. 수면감소는 가족이나 사회적 의무로 인한 영향을 받을 수 있고 수면 방해 정도는 교대근무의 유형에 따라 다를 수 있다. 순환식 야간 근무는 영구 야간 근무보다 수면 시간에 더 부정적인 영향을 미친다. 일반적으로 야간 근무는 이른 아침이나 저녁 근무보다 수면에 더 방해를 받는다. 순환교대근무의 경우 대부분의 사람은 시계방향 회전(아침→오후→야간), 회전 속도가 느린 경우(교대 당 4일 이상) 더 적응하기 쉽다. 시계방향 또는 반시계 방향으로 교대로 근무하는 144명의 간호사에 대한 코호트 연구에서 두 일정 모두 나쁜 성과와 관련이 있었지만 졸음 정도와 경계 및 반응 시간의 저하가 반시계 방향 교대 일정을 한 간호사에서 더 컸다. 교대근무자는 잠들기 어려움, 분절된 수면, 낮은 수면의 질, 수면 시간 감소 등 다양한 수면 장애를 경험한다. 교대근무는 또한 불면증을 유발하거나 기존의 불면증 증상을 악화시키는 요인이 될 수 있다. 대규모 역학 연구에서 야간 근무자의 19%가 임상적으로 유의한 불면증을 보고하였고 이는 주간 근무자의 두 배 이상이다. 불면증은 결근 증가, 작업 생산성

감소, 부상 및 질병 증가를 포함하여 근로자의 기능에 부정적 영향을 끼친다.

교대근무자는 깨어 있는 시간에 과도한 졸음, 인지 및 정신 운동 기능 저하, 감정 조절 불량 등의 경향이 있다. 결과적으로 교대근무자들은 사고, 부상 및 사망의 위험이 증가될 수 있다. 운전석에서 잠드는 것을 포함하여 운전 중 위험이 증가한다. 이것은 특히 극심한 졸음 시간에 통근할 가능성이 높은 야간 및 이른 아침 교대근무자에게 해당된다. 한 연구에서 순환교대근무자는 주간 근무자에 비해 업무 관련 사고가 2배 더 많은 것으로 밝혀졌다.

교대근무는 건강에 여러가지 유해한 영향을 미치는 것으로 알려져 있다. 200만 명이 넘는 사람들이 포함된 34개의 관찰 연구에 대한 메타 분석에서 교대근무와 심근경색(RR 1.2) 및 허혈성 뇌졸중(RR 1.05) 사이에 작지만 중요한 연관성이 발견되었다. 다른 연구에서는 비만, 당뇨병, 염증의 위험이 증가된다고 보고하였다. 또한 여러 연구에서 교대근무와 암 위험 증가 사이의 연관성이 보고되어 2007년부터 세계보건기구(WHO)는 하루주기 교란이 있는 교대근무를 발암 가능성이 있는 물질로 인정하였다.

3) 진단

진단을 위해 수면 병력, 수면일기, 가능한 경우 활동기록기, 안전위험 평가가 필요하다. 수면다원검사는 폐쇄수면무호흡증 또는 수면부족을 일으키는 다른 수면장애가 의심되는 경우에만 시행한다.

병력청취: 교대근무자의 수면각성장애 평가에는 근무 이력(예: 직업, 근무 일정, 교대근무년수), 자세한 수면 병력(주간 및 야간 수면장애 포함), 졸음 수준 평가, 특히 운전 중 졸음, 근무 동안에 기능장애가 포함되어야 한다. 수면위생은 어떠한지, 수면에 영향을 미칠 수 있는 약물 또는 물질 사용 여부를 확인하여야 한다. 또한 폐쇄수면무호흡증, 기면병, 하지불안증후군, 사건수면과 같은 수면장애의 증상 여부를 조사해야 한다. 검증된 설문지를 이용하면 증상의 중증도를 파악하고 시

간이 지남에 따라 증상을 추적하는 데 유용하다. Insomnia Severity Index (ISI)는 일반적으로 수면장애를 평가하는 데 사용되며 야간 수면과 주간 수면에 별도로 적용할 수 있다. Epworth Sleepiness Scale은 과도한 졸림을 평가하는 데 사용되며 10점 이상은 과도한 졸림을 시사한다. 하루주기 선호도 즉, chronotype은 검증된 설문지를 통해 평가될 수 있고 치료를 위한 자료로 사용될 수 있다. 일찍 자고 일찍 일어나는 "아침 종달새" 유형이 야간 근무를 하는 것과 같이 chronotype과 교대 유형 사이의 불일치는 교대 일정에 더 잘 적응하지 못하는 것과 관련이 있다. 교대근무자를 위한 뮌헨 chronotype 설문지(MCTQShift)는 교대근무자에 대해 검증되었으며 수면 행동을 기반으로 하는 chronotype 연속 측정값을 산출한다.

수면일기와 활동기록기: 교대근무와 관련된 수면각성장애를 확인하기 위해 수면일기 작성이 기본적으로 필요하며, 이는 회상에 의한 자기 보고보다 더 신뢰할 수 있는 세부 정보를 제공하고 근무일, 휴무일, 근무일 및 휴무일 전환의 수면각성리듬을 구분할 수 있다. 여러 변수를 사용하여 치료 반응을 모니터링할 수도 있다. 활동기록기는 수면일기를 작성하는 데 어려움이 있거나 증상 표시와 자가 보고된 수면 사이에 불일치가 있는 환자의 수면일기에 대한 대안으로 사용될 수 있다.

ICSD-3 진단기준

아래 A–D 모두 만족해야 한다.

A. 일반적인 수면 시간과 겹치는 반복되는 근무 일정과 관련된 총 수면 시간의 감소와 함께 불면증 그리고/또는 과도한 졸림에 대한 호소가 있음

B. 증상이 최소 3개월 동안 교대근무 일정과 관련되어 나타남

C. 최소 14일(근무일 및 휴일) 동안의 수면일기 및 활동측정기 모니터링(가능한 경우, 가급적 빛 노출을 동시에 측정)에서 수면각성 양상에서 장애를 보여줌

D. 수면/각성장애는 현재의 다른 수면장애, 내과, 신경과, 정신과 질환, 약물 사용, 나쁜 수면위생, 또는 물질사용장애로 더 잘 설명되지 않음

4) 치료

계획된 수면 스케줄, 적절한 시간에 밝은 빛 노출, 멜라토닌 복용, 카페인 및 modafinil/armodafinil 등이 교대근무수면장애 치료에 권장되고 있다(그림 17-3-2). 치료의 목적은 하루주기리듬을 조절하여 하루주기리듬 불일치로 인한 증상을 완화, 수면부족으로 인한 증상 조절(짧은 수면이나 수면제), 근무시간에 각성도 향상(카페인, mordafinil/ armodafinil)에 있다. 치료는 개별화되고 환자의 특정 상황과 필요에 맞게 조정되어야 한다. 먼저 주간수면(daytime sleep) 개선에 초점을 맞춘 다음, 야간 근무 중 졸음이나 기능 장애에 대한 불만을 해결하는 단계적 방식으로 접근하는 것이 일반적이다.

(1) 주간수면 개선
① 수면 스케줄

하루주기리듬의 안정성을 촉진하기 위해 근무 외 기간에도 따를 수 있는 규칙적인 수면 스케줄을 권장한

표 17-3-2. 야간 교대근무 치료

야간 근무 전반부에 밝은 빛 노출: 위상지연(phase delay)
야간 근무 후 아침 퇴근시 밝은 빛 피하기(어두운 안경 착용): 위상전진(phase advance) 피하기
짧은 수면(20-30분): 야간 근무 전 또는 근무 동안
근무 시간 전 각성제 복용: Modafinil 200 mg/armodafinil 150 mg (FDA approved), caffeine (250-400 mg)
오전 취침 전 melatonin (1-3 mg) 복용
수면제: 수면시간을 증가시켜주나 야간 근무 중 각성도 증가에 효과 없음
수면위생: 어둡고 조용한 수면환경

다. 교대근무자는 다양한 사회적 및 가족적 의무를 충족하기 위해 유연성이 필요한 경우가 많다. 7-9시간의 연속적인 수면이 권장되지만 주간 수면은 필요에 따라 유연성 있게 두 번의 수면으로 나눌 수 있다. 첫 번째 수면은 규칙적인 3-4시간의 수면을 우선적으로 취하고 두 번째 수면은 다른 사회 활동이나 책임에 따라 다양한 시간에 취할 수 있다. 총 수면 시간은 7-9시간이 되도록 한다.

② 수면위생

어두운 환경, 적절한 온도, 소음을 차단하여 주간 수면을 촉진할 수 있는 수면환경을 점검한다.

③ 수면제

최적의 수면위생에도 불구하고 원하는 시간에 수면을 취하기 어려운 경우 효과가 짧은 수면제를 사용하여 주간 수면을 촉진할 수 있다. 야간 근무시간까지 진정 효과가 지속될 수 있으므로 유의해야 한다. 교대근무자를 대상으로 한 제한된 연구에서 zolpidem, triazolam, temazepam과 같은 수면제를 사용하였을 때 주간 수면 시간이 30-60분 개선되었다. 소규모 파일럿 시험에서 orexin 수용체 길항제인 suvorexant도 효능과 내약성을 뒷받침하였다. 그러나 수면제는 낮 동안 수면시간을 증가시키는 데 도움이 되나 근무시간의 각성도 향상에는 도움이 되지 않는 것으로 보인다. 특히 하루주기리듬의 불일치가 있는 환자에서 그럴 수 있고 이러한 경우 밝은 빛 노출을 사용하여 수면각성 일정에 맞게 하루주기리듬을 재정렬하는 것이 필요하다.

④ 멜라토닌

야간 근무자 263명을 대상으로 한 멜라토닌 대 위약에 대한 7건의 소규모 무작위 시험에 대한 메타 분석에서 멜라토닌(1-3 mg)이 총 수면 시간을 향상시킨다고 보고되었다. 멜라토닌은 수면 시작 30분 전에 1-3 mg을 복용한다. 수면제와 유사하게 멜라토닌 복용은 야간 근무 중 각성을 정상화할 가능성은 낮다.

(2) 야간 근무 중 각성 개선

일반적으로 최적의 주간 수면을 취하여도 야간 근무 중 졸음이 완전히 제거되지 않는다. 이 경우 교대근무 전이나 근무 중 짧은 수면, 카페인, modafinil 또는 armodafinil과 같은 각성 촉진제를 사용한다. 야간 교대 전이나 교대 중 짧은 수면이 주의력과 성과를 향상시킬 수 있다. 카페인은 야간 근무 중 각성을 높이는 데 사용할 수 있지만 주간 수면을 방해하지 않도록 사용 시기에 주의를 기울여야 한다. 56명의 교대근무자들을 대상으로 한 무작위 실험에서 카페인과 함께 짧은 수면을 취하는 것이 근무 중 졸음을 감소시키고 업무 성과를 향상시켰다. 카페인 복용은 주간 수면을 방해할 수 있으므로 야간 근무의 전반부로 제한되어야 하고 취침 시간 8시간 이내에는 복용하지 않도록 한다. 비약물적 치료에도 지속적인 졸음을 호소하는 환자의 경우 각성 촉진제인 modafinil이나 armodafinil을 사용할 수 있다. 두 약제 모두 FDA에 의해 이 적응증에 대해 승인되었으나 국내에서는 승인되지 않았다. Modafinil을 야간 근무 시작 시 200 mg 복용하면 야간 근무 중 각성도가 향상되나 각성을 정상화하지 못했다. Armodafinil도 근무 중에 각성도 유지에 도움이 된다.

(3) 하루주기리듬의 재조정

일반적으로 야간 근무 후 아침에 퇴근할 때 심부체온 최저점 이후에 빛에 노출되므로 수면위상은 전진된다. 교대근무 시작할 때, 즉 심부체온 최저점 이전에 밝은 빛을 쪼이고 이른 아침의 빛을 피하면 수면위상 전진을 막아 심부체온 최저점을 주간 수면 기간 내로 이동할 수 있다(그림 17-3-2). 연속 5일간 시뮬레이션된 야간 근무 연구에서 다양한 중재효과가 심부체온 최저점의 이동 및 성과에 미치는 영향을 연구하였다. 심부체온 최저점을 정상수면 시간 이내로 이동한 그룹은 야간 기능이 향상되었다. 이들은 근무시간 동안 빛 노출, 퇴근 시 어두운 안경 착용, 잠들기 전에 멜라토닌을 복용하였다. 아침 퇴근 시에는 어두운 안경을 착용하여 빛 노출을 최소화하여 수면 위상 전진을 막아야 한다. 야간 근무

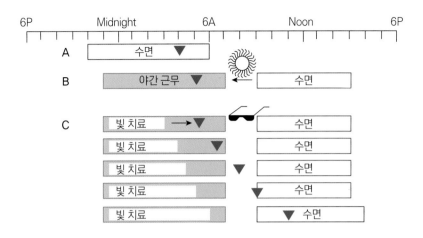

▼ 심부체온 최저점(Core body temperature minimum)

그림 17-3-2. 야간 근무 시 빛 치료
A. 정상수면시간과 심부체온 최저점
B. 야간 근무 후 아침에 퇴근할 때 심부체온 최저점 이후에 빛에 노출되므로 수면위상은 전진된다.
C. 교대근무 초반, 즉 심부체온 최저점 이전에 밝은 빛을 쪼이고(빛 치료), 아침 퇴근시 어두운 안경을 착용하여 빛을 피하면 심부체온 최저점이 점차 지연되어 주간 수면 기간 내로 이동할 수 있다.

초반에 밝은 빛을 쪼이면 수면위상이 지연될 수 있고 밝은 빛은 직접적인 각성 효과가 있다.

▶ **참고문헌**

- American Academy of Sleep Medicine. International classification of sleep disorders. 3rd ed. Darien, IL: American Academy of Sleep Medicine; 2014.
- Berry RB. Circadian rhythm sleep disorders. In: Berry RB. Fundamentals of seep medicine. Philadelphia: Elsevier; 2012. pp. 515–43.
- Cho K, Ennaceur A, Cole JC, et al. Chronic jet lag produces cognitive deficits. J Neurosci 2000;20:RC66.
- Czeisler CA, Walsh JK, Roth T, et al. Modafinil for excessive sleepiness associated with shift–work sleep disorder. N Engl J Med 2005;353:476–86.
- Di Muzio M, Diella G, Di Simone E, et al. Comparison of sleep and attention metrics among nurses working shifts on a forward– vs backward–rotating schedule. JAMA Netw Open 2021;4:e2129906.
- Drake CL, Roehrs T, Richardson G, et al. Shift work sleep disorder: prevalence and consequences beyond that of symptomatic day workers. Sleep 2004;27:1453–62.
- Drake CL, Wright KP Jr. Shift work, shift–work disorder, and jet lag. In: Kryger MH, Roth T, Dement WC. Principles and practice of sleep medicine. 6th ed. Philadelphia: Elsevier; 2017. pp. 714–25.
- Eastman CI, Burgess HJ. How to travel the world without jet lag. Sleep Med Clin 2009;4:241–55.
- Eastman CI, Gazda CJ, Burgess HJ, et al. Advancing circadian rhythms before eastward flight: a strategy to prevent or reduce jet lag. Sleep 2005;28:33–44.
- Grajewski B, Whelan EA, Lawson CC, et al. Miscarriage among flight attendants. Epidemiology 2015;26:192–203.
- Gurubhagavatula I, Barger LK, Barnes CM, et al. Guiding principles for determining work shift duration and addressing the effects of work shift duration on performance, safety, and health: guidance from the American Academy of Sleep Medicine and the Sleep Research Society. J Clin Sleep Med 2021;17:2283–306.
- Katz G, Knobler HY, Laibel Z, et al. Time zone change and major psychiatric morbidity: the results of a 6–year study in Jerusalem. Compr Psychiatry 2002;43:37–40.
- Kolla BP, Auger RR. Jet lag and shift work sleep disorders: how to help reset the internal clock. Cleve Clin J Med 2011;78:675–84.
- Liira J, Verbeek J, Ruotsalainen J. Pharmacological interventions for sleepiness and sleep disturbances caused by shift work. JAMA 2015;313:961–2.
- McNeely E, Mordukhovich I, Tideman S, et al. Estimating the health consequences of flight attendant work: comparing flight attendant

health to the general population in a cross–sectional study. BMC Public Health 2018;18:346.

- Moreno CRC, Marqueze EC, Sargent C, et al. Working time society consensus statements: evidence–based effects of shift work on physical and mental health. Ind Health 2019;57:139–57.

- Morgenthaler TI, Lee–Chiong T, Alessi C, et al. Practice parameters for the clinical evaluation and treatment of circadian rhythm sleep disorders. An American academy of sleep medicine report. Sleep 2007;30:1445–59.

- Pilcher JJ, Lambert BJ, Huffcutt AI. Differential effects of permanent and rotating shifts on self–report sleep length: a meta–analytic review. Sleep 2000;23:155–63.

- Pukkala E, Helminen M, Haldorsen T, et al. Cancer incidence among Nordic airline cabin crew. Int J Cancer 2012;131:2886–97.

- Reid KJ, Abbott SM. Jet lag and shift work disorder. Sleep Med Clin 2015;10:523–35.

- Rosa D, Terzoni S, Dellafiore F, et al. Systematic review of shift work and nurses' health. Occup Med (Lond) 2019;69:237–43.

- Sack RL, Auckley D, Auger RR, et al. Circadian rhythm sleep disorders: part I, basic principles, shift work and jet lag disorders. An American academy of sleep medicine review. Sleep2007;30:1460–83.

- Sack RL. Jet lag. N Engl J Med 2010;362:440–7.

- Schubauer–Berigan MK, Anderson JL, Hein MJ, et al. Breast cancer incidence in a cohort of U.S. flight attendants. Am J Ind Med 2015;58:252–66.

- Sharma A, Laurenti MC, Dalla Man C, et al. Glucose metabolism during rotational shift–work in healthcare workers. Diabetologia 2017;60:1483–90.

- Straif K, Baan R, Grosse Y, et al. Carcinogenicity of shift–work, painting, and fire–fighting. Lancet Oncol 2007;8:1065–6.

- Thaiss CA, Zeevi D, Levy M, et al. Transkingdom control of microbiota diurnal oscillations promotes metabolic homeostasis. Cell 2014;59:514–29.

- Up To Date. Jet lag. URL: https://www.uptodate.com/contents/jetlag?search=Jet%20lag&source=search_result&selectedTitle=1~23&usage_type=default&display_rank=1

- Up To Date. Sleep–wake disturbances in shift workers. URL: https://www.uptodate.com/contents/sleep–wake–disturbances–inshift–workers?search=Sleep–wake%20disturbances%20in%20shift%20workers,&source=search_result&selectedTitle=1~150&usage_type=default&display_rank=1

- Waterhouse J, Reilly T, Atkinson G, et al. Jet lag: trends and coping strategies. Lancet 2007;369:1117–29.

PART
4

수면장애 각론

01 하지불안증후군

조용원

하지불안증후군(restless legs syndrome, RLS)은 다리의 움직이고 싶은 충동을 특징으로 하는 만성신경계질환이다. 국내 유병율은 일반인 중 3.9%, 여성(4.4%)이 남성(3.3%)에 비하여 많고 나이가 많을수록 빈도가 높은 경향을 보여 서양의 결과와 유사하다(**그림 18-1-1**). 하지불안증후군의 증상이 밤에 자려고 누우면 악화되는 특징으로 인해 야간 수면을 방해하는 경우가 많아 환자들은 다리의 불편한 증상 혹은 수면장애를 주소로 병원을 방문하는 경우가 많다.

역사적으로 하지불안증후군은 1685년 토마스 윌리스(Thomas Willis)의 The London Practice of Physick 책에서 '자려고 하면 팔과 다리에서 힘줄이 뛰고 수축하며, 안절부절 못하고 뒤척거리기 때문에 잠을 잘 수 없다'고 유사한 증상을 언급하였으며, 1945년 칼 에크봄(Karl Ekbom)이 처음 "restless legs" 용어를 사용하면서 49명의 환자를 정리하여 보고하면서 알려졌다. 이후 이

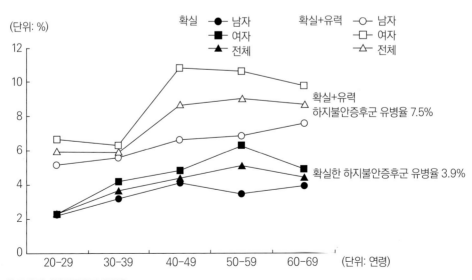

그림 18-1-1. **한국의 하지불안증후군 유병율**

들의 업적을 기리면서 "Willis–Ekbom disease"로 불리기도 한다.

하지불안증후군의 특징적인 증상인 다리를 움직이고 싶은 충동은, 대게 다리의 불편감이나 고통스러운 증상이 동반된다. 다리에서 느껴지는 이상 감각의 양상은 환자에 따라서 여러가지로 표현되는데, 바늘로 찌르는 듯 하다, 벌레가 기어가는 것 같다, 스멀스멀하다, 다리 근육 속 깊숙이 무거운 느낌, 혹은 표현하기 힘들다, 등으로 다양하다. 일부 환자의 경우 통증으로 호소하기도 하는데 통증을 호소하는 경우는 그렇지 않은 경우에 비해서 증상이 더 심하고 우울증이나 불안을 더 많이 동반하는 특징을 보인다.

하지불안증후군은 원인의 유무에 따라 일차와 이차 하지불안증후군으로 분류한다. 일차 하지불안증후군은 특별한 원인 없이 발생하는 경우로 증상에 대한 가족력이 있는 경우가 50–60% 된다. 이차 하지불안증후군은 다른 질환이나 신체적 상태에 동반하여 나타나는 경우로 철결핍 빈혈(40%), 만성신부전(44%) 그리고 임신(16–21%)과 같은 철분 결핍을 가져오는 경우에 흔히 동반된다. 임신 중 하지불안증후군은 일반인에 비해 2–3배 높은 빈도를 보이며 특히 임신 3기와 분반 전후에 자주 발생한다. 임신중 하지불안증후군을 보이는 경우 그렇지 않은 여성에 비해 나중에 다시 하지불안증후군의 증상이 나타날 가능성이 4배 정도 많다고 한다.

소아에서 하지불안증후군은 드물지 않으며 성장통과 감별이 어려운 경우가 많다. 국내 소아 하지불안증후군 환자의 특징은 성인에 비하여 성별 차이가 없고 증상이 경하고 주기사지운동장애 동반이 낮은 특징을 보인다.

1 병태생리

하지불안증후군 병태 생리와 관련된 중요한 요인은 철분 결핍과 dopamine계의 이상이다. 하지불안증후군의 환자에서는 혈액검사에서 철분 지표가 정상범위를 보임에도 불구하고 철분치료에 호전적인 반응을 보이는 경우가 많다. 이는 체내 철분대사의 이상으로 인해 철분이 뇌의 국소 부위로 이동에 제한이 있을 수 있음을 추정해 볼 수 있다. 실제 하지불안증후군 환자의 뇌척수액검사, 뇌부검소견, 뇌자기공명영상 등에서 철분대사 이상 소견을 보이며 뇌 국소 부위에 철분 결핍 소견을 보인다.

하지불안증후군의 특징적인 증상인 'akathisia' 즉, 억제할 수 없는 움직이고 싶은 충동을 나타내는데 이는 cortico–striatal–thalamic–cortical circuits 의 이상을 시사한다. 철분 결핍과 관련하여 hypoadenosine 상태가 되고 glutamate는 증가된다. 이와 함께 dopamine 이상이 cortico–striatal–thalamic–cortical circuits 에 영향을 미쳐 akathisia와 주기사지운동장애 증상을 보이게 된다. 더불어 hypoadenosine와 hyperglutamate 상태는 basal forebrain 에 영향을 미쳐 hyperarousal 상태를 보여 수면부족에도 낮에 졸리움이 적고 높은 각성의 원인이 된다. 이러한 병리 기전은 하지불안증후군에서 보이는 spine and supraspinal excitability 현상을 뒷받침하는 배경이 된다.

하지불안증후군 환자의 철분 결핍은 dopamine 이상으로 연결되어 시냅스 후 dopamine 수용체가 감소하고 시냅스내 dopamine은 증가, 즉 과다도파민상태(hyper-dopaminergic state)이며 수용체는 둔감 현상을 보인다. 신체 내 철분과 dopamine의 농도는 하루주기에 따라 변동을 보인다. 밤이 되면 도파민의 농도가 상대적으로 낮아져 증상이 발생하는데 이때 dopamine제를 투여하면 하지불안증후군 증상이 호전된다. 하지만 dopamine 제를 장기간 투여하게 되면 시냅스후 도파민 수용체의 기능저하가 나타나 오히려 하지불안증후군의 증상이 악화되는 격화현상(augmentation)이 나타나게 된다. 따라서 dopamine제의 사용 용량은 가능한 낮게 유지하는 것이 좋다.

하지불안증후군 환자의 뇌 영상 연구에서 시상(thalamus)이 증상 발현에 중요한 역할을 보인다. 하지불안증후군 환자에서 시상을 중심으로 뇌 연결성을 조사하면 정상인에 비해 뇌의 다른 영역과 연결성의 차이를 보여서 이 또한 cortico-striatal-thalamic-cortical cir-cuits의 이상을 시사한다. Default mode network 연구에서는 증상이 없는 상태에서 하지불안증후군 환자들이 default mode network가 변화된 소견을 보이는데 이는 뇌의 내부정보 처리하는 과정의 이상이 증상 발현과 관련이 있는 것으로 추정되며 이러한 소견은 병인에서 중추신경계 역할을 뒷받침한다.

Opioid 시스템도 하지불안증후군의 병인에 관여한다. 동물실험에 의하면 opioid는 철분 부족으로 의한 흑질 도파민 세포 death에 대한 보호 효과가 있다. 따라서 opioid는 하지불안증후군에서 철분 부족에 대한 신경세포 보호 효과가 있을 것으로 추정되며 치료에 이용되는 근거가 된다.

2 진단

하지불안증후군은 환자가 호소하는 증상을 중심으로 진단 한다. 2003년 미국국립보건원(NIH) 워크숍에서 네 가지 진단기준을 발표하였고 2014년에는 기존 네 가지 기준과 더불어 이러한 증상을 보일 수 있는 다른 유사 질환을 감별하고 제외하는 기준을 추가하여 업데이트 기준을 발표하였다(표 18-1-1).

하지불안증후군을 진단 시 관련된 질환을 평가하고 치료 방침을 결정하기 위한 몇 가지 검사가 필요하다. 철분 검사가 중요한데, 말초 혈액의 혈색소, 철, 페리틴, 트랜스페린 포화도(transferrin saturation, %TSAT)를 검사하여 철분 상태를 평가한다. 당뇨병과 신장 기능에 대한 검사를 하고, 필요하면 신경전도검사를 하여 신경병증(polyneuropathy)을 감별해야 한다.

그 외에 하지불안증후군의 진단 및 평가에 활용할 수 있는 방법으로 운동억제검사(suggested immobilization test, SIT), PAM-RL 기기, 한국형 존스홉킨스 전화 진단 인터뷰 폼, 한국형 하지불안증후군 심각도 척도, 및 하지불안증후군일지(RLS log)가 있다.

하지불안증후군 환자에서 수면다원검사가 필요한 경우는 (1) 하지불안증후군의 진단이 확실하지 않을 때, (2) 심한 수면장애를 동반할 때, (3) 폐쇄수면무호흡증후군을 동반하거나 의심될 때, (4) 수면 중 주기사지운동을 동반한 경우 등에서 선택적으로 할 수 있다.

하지불안증후군의 치료 약물 특히 dopamine제를 오래 사용하면 약물에 의한 증상 악화 현상인 격화현상(augmentation)을 관찰할 수 있다. 격화현상은 치료 전에 비해 하루 중 증상이 나타나는 시간이 2-4시간 당

표 18-1-1. 하지불안증후군 진단기준(International restless legs syndrome study group, 2014 updated version)

필수진단기준(모두 충족해야 함)

1. 다리를 움직이고 싶은 충동과 함께 대개 다리에 불편하거나 불쾌한 느낌이 동반된다.
2. 움직이고 싶은 충동이나 불쾌한 느낌이 쉬거나, 누워있거나, 앉아 있을 때처럼 움직이지 않을 때 시작되거나 더 악화된다.
3. 움직이고 싶은 충동이나 불쾌한 느낌은 걷거나 뻗을 때처럼 움직임에 따라 부분적으로 혹은 전체적으로 완화된다.
4. 움직이고 싶은 충동이나 불쾌한 느낌은 낮 시간보다 저녁이나 밤에 더 악화되거나, 단지 저녁이나 밤에 발생한다.
5. 위 특징들의 발생은 다른 내과적 질환이나 행동 양상에 의해 단독으로 설명되지 않는다 (예를 들어, 근육통, 정맥 울혈, 하지 부종, 관절염, 다리 경련, 자세로 인한 불편함, 습관적인 발 구름)

임상 경과에 대한 규정자

A. 만성-지속 하지불안증후군: 치료받지 않았을 때, 지난 1년 동안 증상들이 적어도 평균 주 2회 이상 발생
B. 간헐적 하지불안증후군: 치료받지 않았을 때, 지난 1년 동안 증상들이 평균 주 2회 미만이면서, 평생 적어도 5회 이상 발생

임상적 의미에 대한 규정자

하지불안증후군 증상들이 수면, 활력, 일상 활동, 행동, 인지 또는 정서에 미치는 충격에 의해서, 사회, 직업, 교육 또는 다른 중요한 기능 영역에서 심각한 장애를 초래함.

겨지고, 증상의 강도가 더 심해지거나, 증상이 신체의 다른 부위로 진행되어 나가는 현상을 말한다. Dopamine효현제 사용에 따른 격화현상은 우리나라에서도 11.7%로 보고 되었으며, dopamine 효현제 용량이 높거나 복용 기간이 오래될수록 높은 빈도로 보고되어 처방 시 주의를 요한다.

3 치료

1) 비약물치료

먼저 증상의 원인이 되거나 악화시키는 요인[알코올, 항히스타민제, 항우울제, 혹은 향정신성(antipsychotic) 약물]을 확인하고 피한다. 잠들기 전에 커피나 카페인이 들어 있는 음료를 피하고, 잠자리 환경을 시원하게 하는 것이 도움이 된다. 샤워나 족욕이 도움이 되며, 보행, 스트레칭, 요가 혹은 다리 마사지가 효과가 있다. 적당한 운동과 정신활동(예: 퍼즐게임, 비디오게임)도 증상을 완화하는 데 도움이 된다.

2) 약물치료

하지불안증후군의 초기 치료 약물은 도파민 효현제이다. Dopamine 효현제로 non-ergot 유도체인 pramipexole, ropinirole 및 rotigotine이 있다. Dopamine 효현제는 소량부터 증상에 따라 서서히 증량하여야 부작용을 줄일 수 있다. 작용시간이 짧은 Dopamine agonist를 고용량 사용하면 증상 격화현상이 나타나기 쉽다. 증상 격화현상이 나타나면 체내 철분 상태를 검사해 보고 작용시간이 긴 dopamine 제형 혹은 다른 약물로 대체하거나, 병용하여 치료하여야 한다(표 18-1-2).

하지불안증후군에 사용하는 non-dopamine 약물로는 alpha-2-delta ligands (gabapentin, pregabalin), opioid 약물, benzodiazepine, iron제가 있다. 이 중 alpha-2-delta ligands는 격화현상의 유발이 낮고 다리의 불편한 증상뿐 아니라 수면장애에 대한 효과도 있어 해외에서는 초기 치료 약물로 권장 받고 있지만 아직

표 18-1-2. 하지불안증후군의 약물치료

약제	용량
Dopamine agonist	
프라미펙솔(Pramipexole)	0.125-2 mg
로피니롤(Ropinirole)	0.25-4 mg
로티고틴부착포(Rotigotine patch)	1-3 mg
Non-dopamine drugs	
가바펜틴(Gabapentin)	300-2,400 mg
프레가발린(Pregabalin)	25-300 mg
옥시코돈(Oxycodone)	5-25 mg
트라마돌(Tramadol)	50-150 mg
메타돈(Methadone)	10-40 mg
클로나제팜(Clonazepam)	0.25-2 mg
Iron therapy 주사철분제	
Ferric carboxymaltose	1,000 mg

국내에서는 보험 적용이 되지 않는다.

철분치료는 병인의 근원을 교정해 주는 효과가 있다. 하지불안증후군의 다리 증상, 동반된 수면장애 및 주기운동장애를 완화해 준다. 철분제는 혈중 철분 수치가 높지 않은 하지불안증후군 환자에서 사용해 볼 수 있다. 뇌의 철분을 직접 측정하기 어려워 말초 혈액검사를 통해 철분 상태를 간접적으로 평가할 수 있는데 공복 시 혈액에서 페리틴(ferritin) < 75 µg/l이고, 트랜스페린 포화도 (%TSAT) < 45%이면 철분 치료를 시도할 수 있다. 철분제는 경구제와 주사제로 나눌 수 있다. 경구 철분제 복용은 철황산염(ferrous sulfate) 325 mg과 비타민 C 200 mg을 아침에 공복에 복용하고 2개월 간격으로 혈중 철과 페리틴을 검사한다. 주사 철분제는 철 덱스트란(iron dextran)과 ferrous carboxymaltose (FCM)이 다른 철분제에 비해 상대적으로 효과가 좋으나, 덱스트란은 아낙필락시스쇼크(anaphylactic shock)의 위험이 있어 투여 시 주의해야 한다. FCM을 이용한 국내연구에서는 원발하지불안증후군 환자를 대상으로 FCM 1,000 mg 주사하였을 때 약 50%에서 6주간 탁월한 효과를 보였으며 약 1/3에서 30주 동안 치료 효과를

유지하여 다른 하지불안증후군의 약제의 복용이 필요 없었다. 하지만 철분 주사의 치료 반응을 예측할 수 있는 인자는 없었다.

▶ 참고문헌

- Allen RP, Picchietti D, Hening WA, et al. Restless legs syndrome: diagnostic criteria, special considerations, and epidemiology. A report from the restless legs syndrome diagnosis and epidemiology workshop at the National Institutes of Health. Sleep Med 2003;4:101-19.

- Allen RP, Picchietti DL, Garcia-Borreguero D, et al. Restless legs syndrome/Willis-Ekbom disease diagnostic criteria: updated International Restless Legs Syndrome Study Group (IRLSSG) consensus criteria—history, rationale, description, and significance. Sleep Med 2014;15:860-73.

- Cho Y, Lee M, Yun C, et al. The reliability and validity of the Korean version of paradigm of questions for epidemiology studies of RLS and the Johns Hopkins telephone diagnostic interview form for the RLS. J Korean Neurol Assoc 2007;25:494-9.

- Cho Y, Shin W, Yun C, Hong S, et al. Epidemiology of restless legs syndrome in Korean adults. Sleep 2008;31:219-23.

- Cho YW, Allen RP, Earley CJ. Clinical efficacy of ferric carboxymaltose treatment in patients with restless legs syndrome. Sleep Med 2016;25:16-23.

- Cho YW, Song ML, Earley CJ, et al. Prevalence and clinical characteristics of patients with restless legs syndrome with painful symptoms. Sleep Med 2015;16:775-8.

- Ferre S, Garcia-Borreguero D, Allen RP, et al. New insights into the neurobiology of restless legs syndrome. Neuroscientist 2019;25:113-25.

- Ferre S, Quiroz C, Rea W, et al. Adenosine mechanisms and hypersensitive corticostriatal terminals in restless legs syndrome. Rationale for the use of inhibitors of adenosine transport. Adv Pharmacol 2019;84:3-19.

- Jeon JY, Moon HJ, Song ML, et al. Augmentation in restless legs syndrome patients in Korea. Sleep Breath 2015;19:523-9.

- Kim S, Kim KT, Motamedi GK, et al. Clinical characteristics of Korean pediatric patients with restless legs syndrome. Sleep Med 2020;69:14-8.

- Ku J, Lee YS, Chang H, et al. Default mode network disturbances in restless legs syndrome/Willis-Ekbom disease. Sleep Med 2016;23:6-11.

- Manconi M, Govoni V, De Vito A, et al. Restless legs syndrome and pregnancy. Neurology 2004;63:1065-9.

- Moon HJ, Chang Y, Lee YS, et al. A comparison of MRI tissue relaxometry and ROI methods used to determine regional brain iron concentrations in restless legs syndrome. Med Devices (Auckl) 2015;8:341-50.

- Rizzo G, Li X, Galantucci S, et al. Brain imaging and networks in restless legs syndrome. Sleep Med 2017;31:39-48.

02 의학적 원인에 의한 하지불안증후군 및 수면관련리듬운동장애

김혜윤

1 주기사지운동장애

주기사지운동장애는 수면 중에 발생하는 반복적이고 정형화된 사지운동의 삽화, 즉 주기사지운동장애가 주기적으로 나타나는 것이 특징이다. 이러한 증상이 다른 수면장애 또는 다른 병인에 의해 설명될 수 없어야 한다.

주기사지운동증(periodic limb movement of sleep, PLMS)은 수면 중에 나타나는 삽화로 수면다원검사를 통하여 발견되는 경우가 흔하며, 수면방해에 대한 호소가 없어 유의미한 불편함 호소가 없는 경우가 빈번하다. 이 경우 주기사지운동장애(periodic limb movement disorder, PLMD)로 분류할 수 없다. 수면주기 사지운동에 대한 유병률은 4-11%로 보고되고 있으며, 유럽에서 수면다원검사 없이 전화를 통한 설문지를 기반으로 진행한 연구에서는 주기사지운동장애 유병률이 일반인구의 3.9%로 추정되었다. 위험 인자로는 고령, 여성, 교대근무, 스트레스 및 카페인 섭취가 제시되었다.

주기사지운동장애는 상지보다 하지에서 자주 발생한다. 엄지발가락의 신전이 일어나고 발목, 무릎, 때로는 고관절 굽힘이 함께 나타나기도 한다. 이러한 움직임은 바빈스키 징후와 유사하며 비슷한 움직임이 상지에서도

발생할 수 있다. 다수의 환자는 이러한 임상증상에 대하여 움직임 자체 또는 움직임으로 인한 빈번한 각성이 있어도, 이를 수면 방해로 인지하는 경우가 드물다. 수면 중 각성은 팔다리 운동에 선행하거나 팔다리 운동과 일치하기도 한다. 주기사지운동장애의 전후에 심박수 및 혈압, 피질 각성(cortical arousal)의 변화를 일으킬 수 있다. 이러한 결과로 환자는 주간과다수면, 불면 등을 호소할 수 있다.

주기사지운동장애로 진단하기 위하여는 다리의 움직임, 빈번한 수면 중 각성, 각성 이후 다시 잠들기 어려움 등의 수면 중 증상과 주간과다수면 및 피로와 같은 주간 증상 여부에 대한 병력 청취가 중요하다. 이러한 증상은 주기사지운동장애와 대부분 일관되게 관련되어 있으며, 임상 증상이 있는 경우 무증상 주기사지운동과 감별한다. 다른 수면장애를 감별하기 위하여 하지불안증후군, 수면무호흡, 기면병, 불면증, 사건수면과 같은 다른 수면장애의 증상에 대하여 확인해야 하며, 이러한 증상이 있는 경우는 주기사지운동장애로 진단하지 않는다. 수면무호흡과 관련한 주기사지운동 여부를 확인하여야 한다. 그 밖에도 말초신경병증, 말초혈관 질환 및 정맥류와 같은 다른 이상이 있는지도 확인하여야 한다. 이러한 질환은 주기사지운동의 증가 및 수면 중 하

지의 불편감이라는 임상 양상을 보일 수 있기 때문이다.

수면다원검사는 주기사지운동장애를 진단하기 위하여 매우 중요한 진단도구이다. 미국수면의학회(American Academy of Sleep Medicine, AASM)의 수면다원검사 판독 기준에 따라 사지움직임(limbs movement)은 전방경골(Anterior tibialis)에 위치한 근전도에서 0.5초에서 10초 동안 지속되는 안정 시에 비하여 8 μV 이상 증가된 근전도 활동증가가 있는 경우로 정의한다. 사지움직임의 간격이 5-90초의 간격을 두고 4회를 초과하여 나타나는 경우 주기성 사지움직임으로 판독한다(그림 18-2-1). 국제수면장애분류(international classification of sleep disorder 3rd.)의 진단기준은 성인의 경우 시간당 주기사지운동이 15회 이상, 소아의 경우 시간당 주기사지운동이 5회 이상인 경우다.

표 18-2-1. 주기사지운동장애 심각도

	Number of PLMS per hour
정상(Normal)	시간당 5회 미만
경도(Mild)	시간당 5회 이상 24회 이하
중등도(Moderate)	시간당 25회 이상 50회 이하
중증도(Severe)	시간당 50회 이상

장애의 중증도는 주기사지운동지수(표 18-2-1)에 따라 분류되며, 이는 수면다원검사에서 얻어진 주기사지운동지수를 이용하여 분류할 수 있다. 하지불안증후군에서 관찰되는 비주기적 움직임, 각성을 유도하는 주기사지운동 및 각성 중 주기사지운동도 수면다원검사에서 흔히 관찰된다.

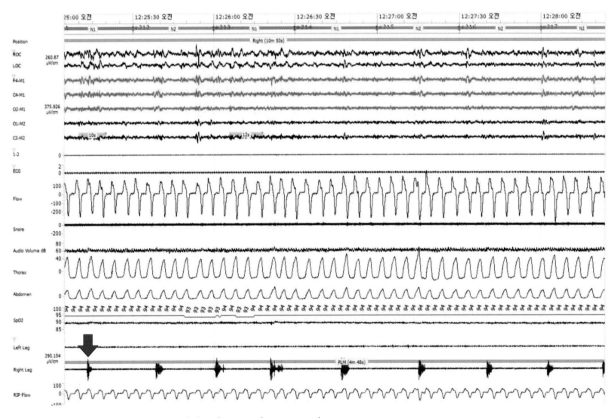

그림 18-2-1. **Periodic limbs movement during sleep at polysomnography.**
우측 하지의 근전도 지표에서, 주기사지운동이 관찰된다(화살표).

각 주기사지운동은 수면 뇌파에서 볼 수 있는 피질 흥분 또는 짧은 자율신경 활성화가 뒤따른다. 뇌파에서 3-15초 동안 알파파의 출현, 미세각성, K-complex, K-알파 복합체 및 델타파 급증과 함께 짧은 대뇌피질 각성이 나올 수 있다. 자율신경 활성화는 심장 및 호흡 파장의 증가로 나타난다. 주기적이고 격렬한 움직임은 완전한 각성을 유발하고 이로 인해 때때로 다시 잠들기가 어려워 불면증을 야기할 수 있다. 수면 뇌파의 변화는 움직임과 일치하여 나타나거나 움직임을 뒤따르거나 선행할 수 있다. 이런 다양한 시간적 연관성은 피질의 흥분과 움직임을 생성하는 중심 과정(central process)의 존재를 시사한다. 따라서, 주기사지운동은 수면 불안정의 원인이 아니라 순환교대파형(cyclic alternating pattern)이라고 하는 수면 뇌파에서 관찰되는 정상적인 주기적 흥분과정(normal periodic excitation process)의 부수현상일 수 있다. 주기적인 교대 패턴은 20-40초 주기로 뇌파에서 흥분성 활성기 및 억제 주기의 반복을 특징으로 한다.

주기적 흥분과정을 조절하는 순환교대파형의 조절은 정상적인 비렘수면에서 나타나며, 혈압, 심박동 및 호흡 빈도의 변동으로 대표되는 자율 흥분과 함께 수면 뇌파에서 K-complex 및 기타 흥분성 위상 현상의 출현을 유발한다. 정상인의 경우 최대 50%의 비렘수면에서 주기적 교대패턴이 나타날 수 있다. 순환교대파형을 동반하는 비렘수면 비율의 증가는 수면 불안정과 관련이 있다. 순환교대파형은 배경뇌파가 지속되는 시기의 구간인 위상B (phase B) 단계와 배경 뇌파와 뚜렷하게 구별되어 주기적 뇌파가 지속되는 구간인 위상A (phase A)단계로 구분된다. 순환교대파형은 위상A와 위상B가 하나의 쌍을 이루어 교대로 순환되어 나타나는 뇌파의 활동으로 정의한다. 위상A는 주기사지운동 발생에 대한 "허가(permission)"의 단계를 시사한다. 12건의 불면증을 동반하는 주기사지운동장애 환자에서 근육수축의 94%가 위상A단계에서 뇌파의 흥분 단계에서 발생했으며 흥분단계가 시작된 뒤 1초 간격을 가지고 근수축이 발생함을 보고하였다. 그럼에도 불구하고, 주기사지운동이 항상 위상A와 동반되는 것은 아니다. 위상A단계에서 주기사지운동이 나타날 수 있지만 주기사지운동이 뇌파상 흥분을 유발하지는 않는다는 결론을 내렸다. 주기사지운동 생성기에 수면은 억제되는 것으로 보인다. 이는 척수 손상으로 인해 하반신 마비를 보인 환자와 척수손상의 실험동물 연구 모두에서 주기사지운동 이 증가되며 수면시간 감소와 빈번한 수면분절을 보였다. 또한 주기적 교대패턴을 보이는 경우 비렘수면 시간은 대조군보다 15% 더 길었다. 순환교대파형이 주기사지운동의 주기성과 관련이 있지만, 주기사지운동에서의 근 수축을 유도하지는 않는다.

원발성 주기사지운동장애의 원인은 명확하지 않다. 연구에 따르면 시간당 5 이상의 주기사지운동장애는 하지불안증후군 환자의 80-90%, 렘수면행동장애의 약 70%, 기면병의 45-65%에서 발생한다. 요컨대 하지불안증후군, 폐쇄수면무호흡증, 기면병, 렘수면행동장애, 요독증, 척수 종양 및 ADHD등의 질환에서 동반될 수 있다. 주기사지운동장애를 진단하기 위하여 환자는 다른 수면장애가 없는 상태에서 수면 중 주기사지운동 증상의 증거와 함께 주관적인 수면불만이 있어야 진단할 수 있다. 수면 중 주기적인 사지움직임을 일으키는 원인은 명확하지 않지만 여러 위험인자들이 제시되고 있다. 하지불안증후군의 가족력, 이와 관련된 MEIS1, BTBD9 등의 특정 유전자, 철 결핍과 페리틴의 감소는 수면 중 주기사지운동을 악화시킬 수 있는 대표적인 인자들이다. 한편 주기사지운동장애를 악화시키는 약물로는 도파민 차단제, SSRI, 삼환계 항우울제가 거론된다. 수면관련호흡장애는 주기사지운동장애의 직접적인 원인의 하나이며, 이는 수면다원검사를 통하여 호흡 모니터링을 실시하며 호흡 이상과 연관되어 주기사지운동이 나타나는지 확인이 가능하다. 수면관련호흡장애 환자에게 독립적인 주기사지운동장애가 있을 경우, 우선 수면관련호흡장애를 적절히 치료하는데, 그럼에도 불구하고 주기사지운동장애가 지속되고 설명할 수 없는 수면장애가 남아 있을 때는 주기사지운동장애로 진단함을 고려한다. 독일에서 수행된 코호트 연구에서는 시간당 15회 이상의 수면주기 운동지수를 보이는 주기사지운동장애의 위험 인자로 나이, 남성, 하지불안증후군, 신체활동 부족, 흡연, 비만, 당뇨병, 항우울제 사용 및 낮은 마그네슘을 거론하였다.

주기사지운동장애에 대한 몇몇 소규모 연구에 따르면 교감 신경계와 부교감 신경계 사이의 불균형이 동반되는 빈도가 높고 이 경우 수면 중 비정상적인 혈압 반응과 고혈압이 보고되었다. 즉 비정상적으로 증가된 교감신경 활동의 결과로, 하지불안증후군과 수면주기 사지운동장애 환자들의 고혈압, 뇌졸중 및 심장 질환의 위험이 더 높다.

관련된 병태 생리는 명확하지 않다. 몇몇 연구에서 주기사지운동을 보이는 환자에게서 대뇌 피질 또는 피질하 병변이 관련이 있다고 하였으나, 최근 연구에서는 척수반사와 움직임의 양상이 유사하여 척수가 주기사지운동의 운동발생기로 추정하고 있다. 특히, 비렘수면 중의 척수반사 경로(spinal flexor pathways)의 과흥분이 주기사지운동장애와 관련될 수 있고, 도파민의 결핍은 이러한 경로의 과흥분을 유발하기 때문에 악화 인자가 될 수 있다.

주기사지운동장애를 진단하기 위하여 가장 중요한 임상 초점은 하지불안증후군이 동반하는지에 대하여 확인하는 것이다. 주기사지운동장애는 전술한 바와 같이, 기면병, 폐쇄수면무호흡증, 렘수면행동장애 및 요독증에서의 주기사지운동장애 등과 감별이 필요하다. 이러한 임상진단이 가능할 경우는 주기사지운동장애로 진단하지 않는다. 임상의는 또한 과도한 단편성 간대성 근경련(excessive fragmentary myoclonus), 수면관련다리경련(sleep-related leg camps), 이갈이, 리듬 발 운동(rhythmic feet movements), 입면 시 발 떨림(hypnogogic foot tremors) 및 교대하지근육활성(alternating leg muscle activation)과 같은 비교적 드문 수면관련리듬운동장애에 대해서도 염두에 두어야 한다.

Pramipexole, ropinirole, rotigotine과 같은 도파민 관련 약물과 gabapentin, pregabalin 등의 약물도 주기사지운동장애에서의 수면 중 사지움직임을 감소시킬 수 있다. 주기사지운동장애 치료에 대한 대규모 연구는 없다. 몇몇 임상연구를 통하여 시도되는 약물로 clonazepam, melatonin, valproate, selegiline 등이 있지만 이에 대한 약리학적 치료 근거가 부족하기 때문에 임상적 고려가 필요하다.

소아에서는 하지불안증후군 및 주기사지운동장애 환자에서 흔히 발견되는 동반 증상의 인자가 철 결핍이다. 치료의 대상은 철 결핍이 되어야 하며, 근본적인 원인이 되는 철 결핍이 치료되면 동반된 하지불안증후군 및 주기사지운동장애가 개선되는 경우가 흔하다. 소아에게 도파민 길항제를 사용하는 것은 주의가 필요하며 현재까지는 치료 목적으로 소아에게 사용한다는 명확한 근거가 없다.

주기사지운동장애의 치료 및 예후에 대한 연구는 미흡하다. 도파민 길항제 및 기타 전술한 치료약제의 사용 이후에도 수면다원검사를 통한 주기사지운동장애의 지수에서 유의미한 감소는 없었다고 보고되었다. 다만 야간수면의 질 개선, 수면효율 및 수면단계의 개선을 보였다고 보고된다. 이러한 이유로 주기사지운동장애의 치료효과는 수면다원검사 결과의 주기사지운동 지수 개선보다 여타의 임상증상 개선으로 판단하는 것이 바람직하다. 연구에 따르면 하지불안증후군 및 주기사지운동장애 환자는 증가된 교감신경 활동의 결과로 고혈압, 뇌졸중 및 심장 질환의 위험이 더 높다고 보고된다. 그러므로 주기사지운동장애를 치료할 때는, 이러한 잠재적인 심혈관 위험 및 수면의 질 악화에 대한 고려가 필요하다.

2 의학적 질환과 약물 또는 물질로 인한 수면관련리듬운동장애

1) 수면관련리듬운동장애

국제수면장애분류(ICSD-3)에 따르면, 수면관련리듬운동장애는 하지불안증후군, 주기사지운동장애, 수면관련다리근육경련, 수면이갈이, 수면관련리듬운동장애, 영아양성수면근간대경련, 입면기척수고유근간대경련 등을 포함하는 수면장애군으로 반복적인 움직임이 수면을 방해한다. 이러한 움직임은 일반적으로 짧고 단순하며 반복적인 양상으로 몽유병이나 야경증 같이 복잡한 움직임과는 쉽게 구별된다.

2) 수면관련리듬운동장애를 유발하는 약물

수면관련리듬운동장애를 유발하는 약물에 대한 보고가 있으며, 관련 약제는 표 18-2-2에 정리하였다. 치료에 앞서 이러한 약물이 사용되는지에 대한 검토가 선행되어야 하겠다.

삼환계 항우울제인 amitriptyline, clomipramine, doxepine, imipramine, nortriptyline은 하지불안증후군, 주기사지운동장애, 렘수면행동장애 등을 유발할 수 있음이 보고되었다. 선택적 세로토닌 길항제인 citalopram, escitalopram, fluoxetine, paroxetine, sertraline 등도 하지불안증후군, 수면주기 운동장애, 렘수면행동장애를 일으킬 수 있다. 비정형 항정신의약품인 haloperidol은 하지불안증후군을 유발한다고 보고되었다.

복합기전을 갖는 항정신성 의약품인 mirtazapine은 하지불안증후군 및 렘수면행동장애를, trazodone은 주기사지운동장애를, venlafaxine은 주기사지운동과 렘수면행동장애를 유발한다고 보고되었다. 그 밖에 bisoprolol, cimetidine, litium, thyroxine, 도파민 관련 약제와 selegiline, tramadol 등도 수면관련리듬운동장애를 유발하는 사례가 보고되었다.

3) 수면관련리듬운동장애를 유발하는 의학적 질환

하지불안증후군은 철/마그네슘 결핍, 임신, 말기 신질환, 신경병증 등에서 드물지 않게 동반되는 것으로 알려져 있으며, 파킨슨병, 뇌경색, 다발성경화증, 강직성 척수염, 척수 손상의 중추신경계 질환에서도 보고된다. 이차성 하지불안증후군은 유병률에 비하여 상대적으로 진단이 낮은 편이다. 특히 의학적 질환에 의한 이차성 하지불안증후군은 일반적으로 고령이나 가족력 없이 발생하는데, 뇌경색 및 척수 손상이 동반되는 경우 신경학적 이상과 신경장애로 인한 감각 이상이 있어 진단이 쉽지 않다. 이러한 이차성 하지불안증후군은 동반되는 의학적 질환의 치료를 통하여 증상 개선을 도모하는 것이 우선이다. 철분 보충은 철분 결핍이 확인된 환자에게 유용하고, 도파민 길항제는 일차성 하지불안증후군뿐만 아니라 이차성 하지불안증후군에도 효과를 기대할 수 있다. 특히 말기 신질환에서 보이는 이차성 하지불안증후군 환자에게는 용량 증가가 필요할 수 있는데, 혈액투석을 하는 말기 신질환은 혈액투석 기간 동안 주간 증상의 관리가 필요하다.

주기사지운동장애는 하지불안증후군보다 드물게 보고되지만 이와 유사하게 철 결핍, 심부전, 만성신부전, 다발성신경병증, 파킨슨병, 다발성경화증, 뇌졸중, 척수 종양 및 척수 손상 등의 질환에서 보고된다. 소아청소년의 주의력 결핍 과잉행동장애, 조현병, 섬유근육통, 야뇨증에서도 보고되었고, 불면증, 수면무호흡 같은 수면장애에도 드물지 않게 주기사지운동장애가 동반된다.

표 18-2-2. 수면관련리듬운동장애 유발 약물

	Restless Legs Syndrome	Periodic Limb Movements of sleep	Rapid Eye Movement Behavior Disorder
Antidepressants (TCA)			
Amitriptyline	++	++	++
Notriptyline	++	++	++
Imipramine	++	++	++
Clomipramine	+	−	+
Doxepine	+	−	−
Antidepressants: SSRI			
Citalopram	++	++	+
Escitalopram	++	+	−
Fluoxetine	+	+	+
Paroxetine	+	+	+
Sertraline	+	+	+
Typical Antipsychotics			
Haloperidol	+	−	−
Antidepressants with Mixed mechanism			
Buproprione	−	+	−
Trazadone	−	+	−
Venlafaxine	−	+	+
Atypical Antipsychotics			
Olanzapine	+	−	−
Risperidone	+	−	−
Antiepileptics			
Phenytoin	+	−	−
Zonisamide	+	−	−
Other			
Bisoprolol	−	−	+
Cimetidine	+	−	−
Lithium	+	−	−
L−thyroxine	+	−	−
Pergolide and L−dopa/Carbidopa	+	−	−
Selegiline	+	−	+
Tramadol	+	−	−

−=Not known (cannot be estimated from available data); +=Uncommon; ++=Common

▶ 참고문헌

- Aksu M, Bara-Jimenez W. State dependent excitability changes of spinal flexor reflex in patients with restless legs syndrome secondary to chronic re-l failure. Sleep Med 2002;3:427-30.
- Alessandria M, Provini F. Periodic limb movements during sleep: a new sleep-related cardiovascular risk factor? Front Neurol 2013;4:116.
- Aurora RN, Kristo DA, Bista SR, et al. The treatment of restless legs syndrome and periodic limb movement disorder in adults--an update for 2012: practice parameters with an evidence-based systematic review and meta-analyses: an American Academy of Sleep Medicine Clinical Practice Guideline. Sleep 2012;35:1039-62.
- Bara-Jimenez W, Aksu M, Graham B, et al. Periodic limb movements in sleep: state-dependent excitability of the spinal flexor reflex. Neurology 2000;54:1609-16.
- Budhiraja R, Javaheri S, Pavlova MK, et al. Prevalence and correlates of periodic limb movements in OSA and the effect of CPAP therapy. Neurology 2020;94:e1820-7.
- Dauvilliers Y, Pennestri MH, Petit D, et al. Periodic leg movements during sleep and wakefulness in-rcolepsy. J Sleep Res 2007;16:333-9.
- de Mello MT, Poyares DL, Tufik S. Treatment of periodic leg movements with a dopaminergic agonist in subjects with total spinal cord lesions. Spinal Cord 1999;37:634-7.
- Esteves AM, de Mello MT, Lancellotti CL, et al. Occurrence of limb movement during sleep in rats with spinal cord injury. Brain Res 2004;1017:32-8.
- Fantini ML, Michaud M, Gosselin N, et al. Periodic leg movements in REM sleep behavior disorder and related autonomic and EEG activation. Neurology 2002;59:1889-94.
- Finucane TE. Evidence-based recommendations for the assessment and management of sleep disorders in older persons. J Am Geriatr Soc 2009;57:2173-4.
- Gaig C, Iranzo A, Pujol M, et al. Periodic limb movements during sleep mimicking REM sleep behavior disorder: a new form of periodic limb movement disorder. Sleep 2017;40.
- Halasz P, Terzano M, Parrino L, et al. The nature of arousal in sleep. J Sleep Res 2004;13:1-23.
- Hedli LC, Christos P, Krieger AC. Unmasking of periodic limb movements with the resolution of obstructive sleep apnea during continuous positive airway pressure application. J Clin Neurophysiol 2012;29:339-44.
- Hoque R, Chesson AL Jr. Pharmacologically induced/exacerbated restless legs syndrome, periodic limb movements of sleep, and REM behavior disorder/REM sleep without atonia: literature review, qualitative scoring, and comparative a-lysis. J Clin Sleep Med 2010;6:79-83.
- Hornyak M, Feige B, Riemann D, et al. Periodic leg movements in sleep and periodic limb movement disorder: prevalence, clinical significance and treatment. Sleep Med Rev 2006;10:169-77.
- Iriarte J, Urrestarazu E, Alegre M, et al. Oscillatory cortical changes during periodic limb movements. Sleep 2004;27:1493-8.
- Kolla BP, Mansukhani MP, Bostwick JM. The influence of antidepressants on restless legs syndrome and periodic limb movements: a systematic review. Sleep Med Rev 2018;38:131-40.
- Kumru H, Vidal J, Benito J, et al. Restless leg syndrome in patients with spinal cord injury. Parkinsonism Relat Disord 2015;12:1461-4.
- Montplaisir J, Boucher S, Poirier G, et al. Clinical, polysomnographic, and genetic characteristics of restless legs syndrome: a study of 133 patients diagnosed with new standard criteria. Mov Disord 1997;12:61-5.
- Nozawa T. Periodic limb movement disorder. Nihon Rinsho 1998;56:389-95.
- Ohayon MM, Roth T. Prevalence of restless legs syndrome and periodic limb movement disorder in the general population. J Psychosom Res 2002;53:547-54.
- Parrino L, Halasz P, Tassi-ri CA, et al. CAP, epilepsy and motor events during sleep: the unifying role of arousal. Sleep Med Rev 2006;10:267-85.
- Pizza F, Tartarotti S, Poryazova R, et al. Sleep-disordered breathing and periodic limb movements in narcolepsy with cataplexy: a systematic a-lysis of 35 consecutive patients. Eur Neurol 2013;70:22-6.
- Pockett C, Kirk V. Periodic limb movements in sleep and attention deficit hyperactivity disorder: are they related? Paediatr Child Health 2006;11:355-8.
- Rijsman RM, de Weerd AW, Stam CJ, et al. Periodic limb movement disorder and restless legs syndrome in dialysis patients. Nephrology (Carlton) 2004;9:353-61.
- Scofield H, Roth T, Drake C. Periodic limb movements during sleep: population prevalence, clinical correlates, and racial differences. Sleep 2008;31:1221-7.
- Simakajornboon N, Gozal D, Vlasic V, et al. Periodic limb movements in sleep and iron status in children. Sleep 2003;26:735-8.
- Stefani A, Högl B. Diagnostic criteria, differential diagnosis, and treatment of minor motor activity and less well-known movement disorders of sleep. Curr Treat Options Neurol 2019;21:1.
- Szentkirályi A, Stefani A, Hackner H, et al. Prevalence and associated risk factors of periodic limb movement in sleep in two German

populationbased studies. Sleep 2016;42:zsy237.

- Terzano MG, Mancia D, Salati MR, et al. The cyclic alter-ting pattern as a physiologic component of normal NREM sleep. Sleep 1985;8:137-45.

- Terzano MG, Parrino L. Origin and Significance of the Cyclic Alterting Pattern (CAP). Sleep Med Rev 2000;4:101-23.

03 기타 수면관련행동장애

김대영 / 문혜진

1 수면관련다리근육경련

수면관련다리근육경련(sleep related leg cramps)은 주로 종아리나 발근육에서 갑자기 나타나는 강한 불수의 근수축으로 인해 통증을 느끼는 현상이다. 근수축에 의한 경련은 수 초에서 수분간 지속된다. 이런 특성 외에 추가로 진단을 위해서는 이러한 근수축이 취침시간에(깨어있는 중일 수도 있고 수면 중일 수도 있다) 나타나며, 수축이 일어난 근육을 강제로 늘려 이완시켜주면 해소되어야 한다. 연 수회 정도로 드물게 나타나기도 하나 일부에서는 매일 밤 반복되어 수면에 지장을 줄 수 있다.

수면관련근육경련의 원인은 불분명하다. 근육경련은 척수의 운동신경원 또는 운동신경원위부의 비정상적인 흥분성으로 나타나며, 근수축에 동반된 국소 허혈 혹은 대사체의 국소적 축적이 통증을 일으키는 것으로 생각된다. 그러나 수면 중에 이러한 근육경련이 나타나는 이유는 아직 알려져 있지 않다. 모든 수면 단계에서 관찰되어 특정 수면 단계와의 연관성은 낮다.

주로 노인에게서 나타나고 유병률이 나이에 따라 증가하나 모든 연령에서 나타날 수 있다. 50세 이상의 성인 거의 모두가 한 번 이상의 수면관련다리근육경련을 경험할 정도로 매우 흔하다. 임신 중에도 발생률이 높아지는데 대체로 임신이 종료되면 다시 감소한다. 격렬한 운동이나 탈수, 수분 및 전해질 장애가 유발 요인이 될 수 있다. 당뇨병 및 경구피임약, 정맥 철 수크로스 제제, 이뇨제, 베타작용제, 스타틴과 같은 약물도 선행 요인이 될 수 있다.

임상에서 수면관련근육경련을 하지불안증후군으로 혼동할 수 있다는 점에서 유의가 필요하다. 증상 발생 시 근경련이나 근육이 딱딱하게 뭉치는 현상을 확인한다면 감별이 어렵지 않으나 이를 위해서는 세심한 병력 청취가 필요하다. 하지불안증후군 환자에서도 수면관련다리근육경련이 나타날 수 있다는 점도 유의하여야 한다. 근경련은 척수병증, 말초신경병증, 근육통섬유다발수축증후군 등 운동신경의 이상 흥분성을 동반하는 여러 신경학적 질환에서 나타날 수 있기 때문에 이에 대한 병력과 신경학적 진찰이 감별에 중요하다. 작용근과 반작용근이 동시에 수축하지 않으며, 해당 근육을 강제로 늘려주면 완화된다는 점에서 근긴장이상(dystonia)과 구분할 수 있다. 빈도가 잦은 경우 수면을 방해하여 불면증과 주간과다수면이 동반될 수 있다.

치료로는 근육경련이 일어나는 부위를 자주 움직여주고 스트레칭과 마사지를 해주고 열을 가하는 것을 권

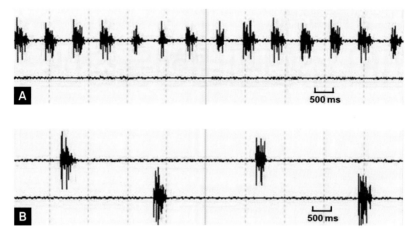

그림 18-3-1. 수면개시발떨림(A)과 교대하지근육활성(B)의 수면다원검사 앞경골근전도 소견

한다. 항뇌전증약제와 칼슘통로차단제 등을 사용해볼 수 있다는 의견들이 있으나 효과에 대한 근거는 아직 미비하다.

2 수면개시발떨림 및 교대하지근육활성

수면개시발떨림(hypnagogic foot tremor)은 각성과 수면 사이를 이행할 때나 얕은 수면 중에 나타나는 팔이나 발가락의 율동성 운동이다. 250-1000 ms 동안 지속되는 근전도 활성이 0.1-4.0 Hz의 빈도로 최소 4회 이상 반복되어야 수면개시발떨림으로 볼 수 있다(그림 18-3-1). 한쪽 발에서만 나타날 수도 있고 양측 발에서 나타날 수도 있다. 비교적 흔한 현상이며, 수면개시발떨림이 임상적으로 유해한 결과를 초래한다는 보고는 없어 정상적인 소견으로 간주한다.

교대하지근육활성(alternating leg muscle activation)은 수면 중에 왼다리와 오른다리의 앞경골근의 근활성이 마치 걸음을 걸을 때처럼 교대로 나타나는 것이다. 주기성을 보여 주기사지운동과 혼동될 수 있으나, 근활성의 지속시간이 100-500 ms로 주기사지운동보다 훨씬 짧으며 0.5-3.0 Hz의 빈도로 주기사지운동보다 훨씬 빠르게 양 다리에서 교대로 나타난다. 최소 4회의 다리

운동이 반복되어야 단일 교대하지근육활성 삽화로 볼 수 있다. 병태생리기전은 아직 알려져 있지 않으나 척수 네트워크의 세로토닌성 경로와 도파민성 경로가 연관된 것으로 추정한다. 교대하지근육활성은 대부분 치료가 불필요하나, 이로 인해 과도하게 수면이 방해될 경우 pramipexole이 빈도를 감소시킨다는 보고가 있다.

3 수면놀람(수면움찔)

수면놀람(sleep atarts) 혹은 수면움찔(hypnic jerks)은 각성과 수면의 이행기, 특히 입면기에 갑자기 순간적으로 몸 전체 또는 1개 이상의 몸 분절이 동시에 수축하는 현상이다. 각성과 입면의 이행시에 나타난다. 움찔거림은 자발적으로 나타나기도 하고 자극에 의해 유발될 수도 있다. 몸이 떨어지는 느낌이나 통증, 저림, 큰 소음, 섬광, 환시 등의 감각 경험이 연관되어 나타날 수 있고 때로는 순간적인 비명을 동반하기도 한다. 원인이나 기전은 알려져 있지 않다. 유병율이 60-70%로 보고될 정도로 비교적 흔하고, 전 연령대와 남성과 여성 모두에서 나타난다.

대체로 정상적인 현상으로 간주할 수 있지만 때로는 수면놀람이 너무 강하거나 잦아서 불면을 유발하기도

한다. 치료는 현상을 이해시키고 별다른 해가 없음을 교육하는 것과 더불어 수면놀람을 악화시킬 수 있는 과도한 카페인이나 각성제 섭취, 운동부족, 수면부족, 심리적 스트레스 등을 피하게 하는 것이다.

4 수면관련리듬운동장애

수면관련리듬운동장애(sleep related rhythmic movement disorder)는 졸림 또는 수면 중에 주로 발생하며, 큰 근육을 침범하는 반복적이고 정형화된 율동적인 운동 행동을 특징으로 한다. 영아에서 가장 흔하고 연령이 증가할수록 점차 빈도가 감소하나, 성인에서도 보고된다. 몸흔들기(body rocking), 머리부딪치기(head banging), 머리돌리기(head rolling), 몸돌리기(body rolling), 다리부딪치기(leg banging), 다리돌리기(leg rolling) 등 다양한 증상으로 나타난다. 허밍이나 불명확한 발음으로 웅얼거리는 등의 음성 증상이 신체의 증상과 동반되기도 한다. 증상은 수면 중 언제라도 발생할 수 있지만, 주로 입면기 무렵에 자주 발생한다. 운동의 주기(frequency)는 일반적으로 초당 0.5-2 사이가 흔하다. 하룻밤에도 여러 차례 증상이 발생할 수 있지만, 일반적으로 한번 지속되는 시간은 15분 미만이다. 모든 수면 중 발생하는 리듬운동을 수면관련리듬운동장애로 진단하지 않고, 정상수면을 방해하여 주간기능에 영향을 미치는 경우에만 장애로 간주한다.

수면이갈이(sleep related bruxism), 손가락이나 입술 빨기, 수면개시발떨림(hypnagogic foot tremor) 같은 다른 수면리듬운동과는 구별되어야 한다. 하지불안증후군, 폐쇄수면무호흡증, 기면병, 렘수면행동상애 및 주의력결핍과잉행동장애가 동반되는 경우가 있어 진단 시 주의를 요한다. 수면관련리듬운동이 명확한 하지불안증후군 증상과 동반되어 있다면 수면관련리듬운동장애를 별도로 진단할 필요는 없다. 성인에서 수면관련리듬운동장애가 렘수면행동장애와 동반되는 경우도 있지만, 렘수면행동장애로 오인되는 경우도 있어, 이러한 경우 비디오-수면다원검사가 유용하다. 폐쇄수면무호흡증에 관련된 리듬운동의 경우 양압기 사용으로 증상의 개선을 기대할 수 있다. 치료로는 클로나제팜이 효과적이라는 보고가 있으며, 심한 머리부딪치기 아형에 대해서는 수면 시 보호 헬멧의 착용이 도움될 수 있다.

5 입면기척수고유근간대경련

입면기척수고유근간대경련(propriospinal myoclonus at sleep onset)은 각성에서 수면으로 이행될 때 나타나는 갑작스러운 근간대경련을 지칭한다. 드물게 수면 내 각성이나 아침 각성 시에도 발생이 가능하다. 움찔거리는 갑작스런 움직임은 주로 축근육에 나타나는데, 척수고유로(propriospinal propagation)를 따라 머리 쪽에서 다리 쪽으로 번져 나간다. 얼굴근육의 침범은 매우 드물고, 몸통이 갑작스럽게 굽혀지거나 젖혀지는 양상으로 시작해 팔다리로 퍼지는 형태의 움직임이 다양한 지속시간 동안 반복적으로 나타난다. 증상은 누운자세와 연관되며, 특히 잠을 자려고 하는 이완된 각성 상태에서 잘 나타났다가 입면이 되면 사라진다. 성인에서는 남성에서 유병율이 높고, 소아에서는 보고가 없다. 입면기척수고유근간대경련의 병태생리는 잘 알려져 있지 않다.

진단을 위해서는 확장된 근전도 기록을 시행한 비디오-수면다원검사가 도움이 된다. 수면놀람(수면움찔) 증상이 나타나는 시기(수면놀람은 각성과 수면 이행 및 가벼운 비렘수면에서 나타남)와 증상의 분포(수면놀람은 하나 또는 몇 개의 신체 분절에만 영향을 미침)로 감별할 수 있다. 뇌전증 근간대경련(epileptic myoclonus)은 이완된 각성에 국한해 나타나지 않고 뇌파상 뇌전증파가 나타나므로 감별이 가능하다. 주기사지운동은 지속시간이 더 길고, 주로 하지를 침범한다는 점에서 입면기척수고유근간대경련과 차이가 있다. 정신성 근간대경련(psychogenic myoclonus)은 입면기척수고유근간대경련과 상당히 유사할 수 있는데, 확장된 근전도 기록을 시행한 비디오-수면다원검사의 몇 가지 소견이 감별에 도움이 된다고 알려져 있다. 치료는 상당히 어려운데, 현재까지는 클로나제팜과 토피라메이트가 가장 흔히 권고된다.

▶ **참고문헌**

- 대한수면역구학회번역. 국제수면장애분류. 제3판. 신흥메드싸이언스; 2020.
- DelRosso LM, Cano-Pumarega I, Anguizola S. Sleep-related rhythmic movement disorder. Sleep Med Clin 2021;16:315-21.
- Zucconi M, Casoni F, Galbiati A. Propriospinal myoclonus. Sleep Med Clin 2021;16:363-71.

04 이갈이

김성택

1 수면이갈이

이갈이는 이를 갈거나 이악물기, 그리고/또는 아래턱의 긴장이나 내밀기 등을 특징으로 하는 반복적인 턱근육 활동으로 정의된다. 하루주기 형태에 따라 수면이갈이와 각성이갈이 두 가지로 분류되는데, 수면이갈이의 경우 야간이갈이로도 불린다.

2014년 미국수면의학회(American Academy of Sleep Medicine, AASM)가 발간한 국제수면장애분류 제3판에 의하면 수면이갈이의 진단 기준은 아래와 같다.

기준 A와 B가 충족되어야 한다

A. 수면 중 규칙적 또는 빈번한 이갈이 소리
B. 다음 임상 징후 중 하나 이상 존재:
　1. 수면 중 이갈이와 상당한 관련성이 있을 것으로 여겨지는 비정상적인 치아 마모
　2. 아침에 일시적인 턱근육의 통증 또는 피로; 그리고/또는 측두부 두통; 그리고/또는 수면 중 이갈이와 상당한 관련성이 있을 것으로 여겨지는 기상 시 턱의 걸림

2 특징과 합병증

수면 중 턱 근육 수축은 빈번하게 반복되는데 이를 리듬저작근활성(Rhythmic masticatory muscle activity, RMMA)이라고 한다. 이러한 수축은 근전도상 두 가지 양상을 보이는데, 이는 일련의 반복적인 활동(위상성 근육수축) 또는 독립된 지속적인 이악물기(긴장성 근육수축)이다. 수면 중 이러한 근육 수축은 이갈이 소리를 만들어내고 이는 수면이갈이로 간주된다(그림 18-4-1).

수면이갈이는 비정상적인 치아 마모, 치아 통증, 턱근육통증 및 측두부두통을 유발할 수 있으며, 심한 수면이갈이는 수면을 방해할 수 있다. 또한, 수면이갈이로 인해 턱근육통증, 교근 및 측두근 부위의 압통, 아침두통 또는 피로 등이 생길 수 있고, 이외에도 다양한 근육과 치아의 불편감, 턱 움직임의 제한, 안면 통증 및 측누부/긴장형 두통이 발생할 수 있다. 심한이갈이의 경우 치아 마모, 치아 골절 및 협점막 열상이 생기는 경우도 있다. 그러나 이러한 증상이 수면이갈이에 의해 유발된다 하더라도, 관련성이 분명하지 않을 수 있으므로 진단적 식별력은 약하다(표 18-4-1).

수면이갈이가 있는 성인과 어린이 모두에게서 두통이 자주 보고되며 대개 측두부 영역을 포함하며 긴장형

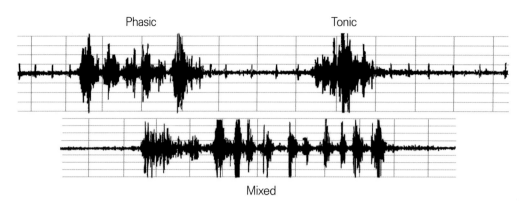

그림 18-4-1. **위상성(phasic), 긴장성(tonic), 혼합성(mixed) 이갈이**

표 18-4-1. 이갈이의 증상 및 징후

증상(symptoms)	징후(signs)
이갈이 소리로 인한 배우자 및 같이 자는 사람의 수면 방해 수면 후 아침에 발생하는 두통, 치통, 턱의 통증 및 개구제한 치아 과민증	측두하악장애(턱관절 질환, 저작근 질환) 교근 비대 혀 및 협점막의 압흔 교모 치경부 미세파절 치아 및 수복물 파절 치수염 외상성 교합

두통의 특징을 가지고 있다. 이는 주로 아침에 발생하지만, 각성이갈이의 경우 낮에도 두통이 발생할 수 있다. 수면이갈이를 가진 사람의 두통 증상의 오즈비(odds ratio)는 대조군과 비교하여 4배 이상이다.

심리사회적 요소 또한 수면이갈이와 관련될 수 있다. 수면이갈이를 가진 건강한 성인의 심리학적 평가는 이갈이와 스트레스/불안 사이에 관련성을 암시하는 것으로 생각되나, 아직 인과관계로 입증되지는 않았다. 또한, 수면이갈이가 있는 어린이와 성인 모두 대조군에 비해 스트레스, 불안 및 정신적 척도에서 더 높은 점수를 보이는 것으로 보고된다.

명백한 원인이 없는 수면이갈이를 일차 수면이갈이 또는 특발수면이갈이라고 하며, 향정신성 약물, 기분전환 약물 또는 다양한 의학적 장애(예: 파킨슨병, 렘수면 행동장애, 다운증후군)와 관련된 수면이갈이는 이차 수면이갈이로 정의된다. 또한 치료로 인한 수면이갈이를 의인성(iatrogenic) 수면이갈이라고 한다.

일차 수면이갈이는 건강한 어린이와 성인에서 가장 많이 보고되지만 이차 수면이갈이는 뇌성 마비 및 정신지체가 있는 어린이와 비정상적인 움직임을 보이는 성인 환자(예: 구강하악 근육간대경련/안면하악 근육간대경련 또는 수면관련호흡장애에서 관찰된다. 폐쇄수면무호흡증과 수면이갈이는 함께 발생하는 경우가 흔하다.

3 선행/유발요인

부모 또는 수면동반자의 보고를 기반으로 한 수면이갈이의 유병률은 어린 시절에 가장 높으며(약 14-17%) 나이가 들면서 점차 감소한다. 10대와 젊은 성인의 유병률은 12%이다. 청년에서 중년 성인의 경우 약 8%이지만, 노인의 경우 3%에 불과하다. 노인의 이갈이 감소는 아마도 치아 감소, 틀니 사용 및 수면 행동 변화(가령 혼자 수면을 하는 경우)가 보고에 영향을 줄 수 있기 때문에 실제보다 더 감소된 것으로 평가되었을 수 있다. 수면이갈이의 유병률에 대해서는 성별 차이가 보고되지 않았다.

이갈이의 선행 요인은 성격 유형을 포함한다. 예를 들어, 동기 부여가 높은 사람이나 특징적으로 경계심이 높은 사람은 수면이갈이가 증가할 수 있다.

유전적 선행 요인의 관련성에 대해서는 여전히 조사 중이다. 환경적 또는 유전적 요인으로 인해 가족력 선행 요인은 존재하는 것으로 생각된다. 이갈이 환자의 약 20-50%는 이갈이 병력이 있는 적어도 한 명의 직계 가족을 지니며, 아동 수면이갈이는 보고된 사례의 2/3에서 성인기까지 지속되는 것으로 보인다. 그러나, 현재까지 수면이갈이와 연관된 유전자 변이 또는 유전자 계승 양상은 입증되지 않았다.

이갈이의 유발 요인에는 현재의 생활과 관련된 불안, 높은 수준의 성과를 요구하는 작업 및 짧은 마감 시간을 가진 반복 작업 등이 포함될 수 있다. 또한 수면 전수 시간 이내 흡연이나 카페인을 섭취하면 수면이갈이가 발생할 수 있다.

치아형태학적 부정교합의 역할은 수면이갈이의 병인론에서 논란의 여지가 있다. 치아 접촉은 일반적인 이갈이 에피소드에서는 발생하지 않으며 보통 수면이갈이/이갈기 보다 한 박자 늦게 발생하다. 따라서 치아 접촉이 수면이갈이를 일으킨다는 시간적 인과관계는 설명되지 않는다.

4 발병 경과 및 병태생리

수면이갈이의 최초 발생은 어린 시절, 청소년기 또는 성인기 모두에서 발생할 수 있지만 주로 이갈이를 보고하는 개인 또는 그 가족의 인식에 기초하기 때문에 정확한 발생 시기를 정하는 것은 어렵다.

유년기의 수면이갈이는 윗니와 아랫니가 모두 맹출하면서 부모에 의해 보고된다. 이차 수면이갈이는 모든 연령대에서 발생할 수 있지만 젊은 성인과 중년 성인에서 더 흔하다.

이갈이 병력이나 주소가 없더라도 대부분의 정상수면자에게 있어서 리듬저작근활성(평균적으로 수면 1시간당 1회 에피소드)가 관찰될 수 있다. 그러나 수면과 관련된 이갈이를 가진 개인의 경우, 턱근육 수축이 더 빈번하고 더 강하다. 이는 이차적 치아 손상과 통증 및 기타 증상을 설명할 수 있다.

치아 손상과 비정상적인 치아 마모는 이갈이의 가장 빈번한 징후이다. 그러나 이 징후는 현재 수면이갈이에 대한 직접적인 증거가 아니며, 많은 기여 요인이 존재할 수 있다(예: 비정상적인 치아 마모 존재 시 섭취하는 음식의 종류). 따라서 이러한 치과 소견은 진단학적 식별 능력이 약하며 치아의 마모 정도가 리듬저작근활성의 빈도를 나타낸다고 보기 어렵다. 이외에도 수면이갈이는 턱관절장애(예: 통증, 관절음 또는 턱 운동 제한)를 유발할 수 있으며 위에서 설명한 바와 같이 아침 기상 시 측두부 두통을 포함한 일시적인 구강안면통증도 흔히 볼 수 있다. 종종 교근과 측두근의 비대를 발견할 수 있지만 이 또한 수면이갈이를 판단하기에는 진단적 특이도가 낮다.

이갈이는 자연 발생적이며 일반적으로 양성 질환이다. 수면이갈이를 가진 많은 사람들은 대부분의 일상생활에 특별한 증상이 없으나 일부 환자에서는 삶의 질 그리고/또는 수면을 방해할 수 있고 치료가 필요한 관련 증상(즉, 통증)을 경험할 수 있다. 만약 수면이갈이가 다른 더 심각한 수면 또는 의학적 장애(예: 수면관련 호흡장애, 렘수면행동장애, 간질)와 관련된 경우라면 추가적 진단 조사 및 평가가 권장된다.

수면이갈이는 어린 시절에 자주 보고되지만 나이가 들어감에 따라 감소한다. 그러나 일부 사람은 매일 밤 경험할 수도 있다. 어린이의 수면이갈이의 개념은 다양하다. 어떤 이들은 소아의 수면이갈이를 치아가 맹출하거나 조직이 변화하는 동안 나타나는 생리학적 구강 부기능으로 간주하며, 한편으로는 다른 징후와 관련된 증상과 수면장애로 간주하기도 한다. 특히 어린이의 수면이갈이는 주의력 결핍 과잉 행동 장애, 사건수면, 수면관련호흡장애, 코골이 및 많은 심리적 및 의학적 상태와 관련성이 보고되기도 한다.

노인에서는 운동 장애(예: 파킨슨병 또는 수면 중 약물에 의한 턱운동이상증), 렘수면행동장애 및 치매와 관련하여 수면이갈이가 관찰되기도 한다.

수면 중 리듬저작근활성 에피소드의 대부분(최대 80%)은 수면 각성과 관련되어 발생한다. 수면이갈이 에피소드는 일반적으로 리듬저작근활성 에피소드가 시작되기 몇 분에서 몇 초 전에 증가된 교감신경–심장 활성과 빠른 뇌파 파동으로 시작된다. 이어서, 턱 근육 수축이 일어나고 동시에 혈압 및 환기의 증가를 보이기도 한다. 수면이갈이 발생의 다른 원인은 알려지지 않았지만 잠재적 후보에는 기도 저항 및 구강인두 건조가 포함된다.

수면이갈이를 가진 대부분의 개인에서 수면 각성의 빈도는 정상 범위 내에 있으나, 어떤 경우에는 수면 각성에 대한 과장된 반응 또는 증가된 각성 정도를 보일수도 있다. 수면이갈이를 가진 개인은 대조군 보다 각성압력의 증가 및 수면 불안정성의 표현보다 더 많은 CAP (cyclic alternating pattern) 단계 A3(수면 중 주기교체 양상의 채점 및 분석으로 정의됨)를 보여준다. 이 증가된 수면 불안정성은 수면 중 리듬저작근활성 발생에 대한 "허용 창(permissive window)"인 것으로 보인다.

⑤ 객관적 소견 및 감별진단

수면이갈이를 가진 개인의 수면다원검사 모니터링은 수면 중에 이갈이 소리와 함께 증가된 교근 및 측두근 활성을 보인다. 리듬저작근활성 에피소드는 모든 수면 단계에서 발생할 수 있지만, 수면단계 비렘수면 1단계와 2단계(에피소드의 80% 이상)에서 가장 흔하고, 10% 미만은 렘수면 중에 발생하는데, 일부 사람의 경우 주로 렘수면에서 발생하기도 한다.

위에 언급한 바와 같이, 수면이갈이 대부분은 시간적으로 수면각성과 관련되고 자율신경계/심장 활성의 징후(예를 들어, 심박수 및 혈압 증가)가 선행된다.

수면이갈이의 근전도 양상은 세 가지 아형으로 설명된다. 0.25–2초 동안 지속되는 돌발형근전도를 갖는 1 Hz 주파수의 위상성 근활성; 2초 이상 지속되는 긴장성 근활성; 또는 두 가지가 혼합된 양상으로 적어도 3초의 간격을 두고 근육 활동이 없는 상태에서 에피소드가 시작된다.

수면다원검사는 일반적으로 일상적 임상 환경에서 수면이갈이를 가진 건강한 개인에서는 수행하지 않으나, 수면장애를 보이고 호흡장애, 위식도 역류, 렘수면행동장애, 야경증, 안면하악근육간대경련 또는 뇌전증을 확인하기 위해 시행할 수 있다. 중등도 또는 심한 수면이갈이를 확인할 때 수면다원검사의 민감도는 높지만 이갈이 정도가 경미한 경우에는 측정 시마다 리듬저작근활성 및 이갈이의 변동성으로 인해 민감도가 낮을 수 있다.

이동형 홈 모니터링은 일상적인 환경에서 진단 및 치료 결과 평가에 사용될 수 있지만, 시청각 기록이 없기 때문에 진단 특이성이 낮다.

수면이갈이 활동(즉, 리듬저작근활성)을 기록하려면 근육 활동을 이갈이 소리와 연관된 근육활성을 측정하기 위해 최소 하나의 교근 모니터가 있어야 하며 이는 시청각 기록을 포함해야 이상적이다. 비디오 모니터링은 수면 중에 일반적으로 발생하는 다른 구강 안면 및 저작 운동(예: 삼키기, 기침) 및 특정 운동 장애(렘수면행동장애, 뇌전증 및 치아 딱딱거림, 구강하악근육간대경련)과 이갈이를 구별하는 데 도움이 된다.

최상의 진단적 특이성과 민감도를 위해서는 귀, 유양돌기 또는 협골을 참고점으로 하는 양쪽 교근과 측두근 근전도 기록이 권장된다

수면이갈이는 안면하악근육간대경련, 수면관련호흡

장애, 렘수면행동장애, 비정상적인 삼키기, 위식도 역류, 야경증, 혼돈각성, 수면 중에 지속되는 이상운동 턱 움직임(근긴장이상, 떨림, 무도증, 운동장애증) 그리고 드물게 수면관련 간질과 같은 수면 중에 발생하는 다른 안면하악골의 활동과 구별되어야 한다.

구강 또는 안면하악근육간대경련은 심각한 수면이갈이를 가진 사람의 약 10%에서 관찰되지만 리듬저작근 활성이 비정상적으로 증가하지 않은 개인에서도 발생할 수 있다. 수면이갈이와는 달리, 안면하악근육간대경련은 안면 근육의 짧은 지속 시간(길이 250 밀리 초 미만)의 EMG 파열로 구성된다. 이러한 문제는 단독 돌발파(burst) 또는 규칙적으로/불규칙적으로 발생하는 짧은 돌발파집단으로 발생할 수 있다. 특발성 렘수면행동장애 환자에서 수면 중 구강하악근육간대경련의 높은 지수가 관찰된다.

부분 복합성 또는 전신발작장애와 관련하여 리듬 양상의 턱 움직임도 관찰된다. 뇌전증을 비교적 분리된 수면이갈이라고 표현하는 것은 매우 드물지만, 뇌전증은 다른 진단에서 고려할 필요가 있다.

6 치료 및 관리

이갈이의 원인에서 살펴본 바와 같이 아직까지 이갈이의 명확한 원인이 밝혀지지 않았기 때문에 치료법의 선택에 더욱 신중을 기해야 한다. 특히 원인과 직접적인 관련이 적은 교합조정을 시행하는 등의 비가역적인 치료는 가급적 배제되어야 한다.

치료를 시작하기 전 환자가 해결하고자 하는 문제점이 무엇인지를 파악하는 것이 중요하며, 현재로서는 이갈이 자체를 치료하는 방법은 없고 이갈이로 인해 발생할 수 있는 문제점들을 치료하거나 예방하기 위한 치료들이 최선임을 환자와 충분한 상담을 통해 명확히 할 필요가 있다.

이갈이를 치료할 때 고려해야 할 사항으로는 이갈이의 종류(이갈이, 이악물기), 이갈이 발생 시간(각성 시,

수면 시, 각성 및 수면 시), 이갈이의 정도(경도, 중등도, 심도) 등이 있다. 하지만, 모든 이갈이가 치료를 필요로 하는 것은 아니다. 이갈이의 정도가 경도이며 지속적으로 나타나지 않고 특별한 임상 증상이나 징후를 유발하지 않는 경우에는 치료가 필요하지 않을 수 있다. 이갈이가 중등도 이상이고 임상 증상이나 징후를 유발하는 경우에 이갈이를 관리하기 위한 방법으로는 위험 요인(risk factor)의 조절, 구강내 장치, 보툴리눔 독소 주사, 약물 치료, 바이오피드백 등이 있다(표 18-4-2).

수면 중에 이갈이가 일어나는 환자의 경우, 가장 합리적인 방법은 교합안정장치(occlusal stabilization splint)를 야간에 착용하는 것이다. 단, 장치를 장착한다고 이갈이가 없어지는 것은 아니고 이갈이나 이악물기로 인해 발생할 수 있는 치아 마모, 치아 및 수복물의 파절, 아침에 일어났을 때 발생하는 통증 등의 문제점들을 줄일 수 있으며, 이갈이 소리를 감소시키는 효과가 있다. 구강내 장치는 이갈이 자체를 줄이는 것보다 주변 구조물을 보호하기 위함이 주된 목적이므로 교합면을 피개하는 것이 좋으며 장기적으로 장착하는 경우가 많으므로 부드러운 재질보다는 단단한 재질로 제작하고, 교합면을 부분적으로 피개하기보다는 치열 전체를 피개함으로써 치열 변화 등의 합병증 발생을 줄일 수 있다. 따라서 단단한 재질을 이용한 교합안정장치(occlusal stabilization splint)가 이갈이 관리에 주로 이용된다(그림 18-4-2).

두부 외상 환자나 운동장애 환자에서와 같이 장치가 파절될 정도로 심한 이갈이가 있는 경우, 이갈이 활성을 최소화 하기 위하여 교근 또는 측두근에 3-6개월마다 보툴리눔 독소를 주사하는 방법들이 보고되어 왔

표 18-4-2. 이갈이의 관리 방법

위험 요소의 조절(Risk factor control)
구강내 장치(Occlusal stabilization splint)
보툴리눔 독소 주사(Botulinum toxin injection)
약물 치료(Pharmacotherapy)
바이오피드백(Biofeedback)

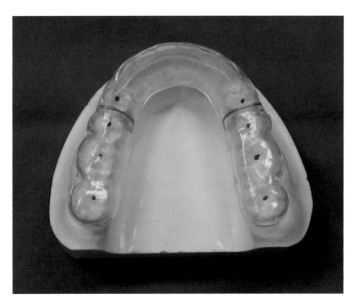

그림 18-4-2. **치과에서 이갈이 장치로 쓰이는 교합안정장치**

다. 하지만 이와 같은 증례들은 수면이갈이보다는 각성이갈이가 존재하는 경우이며 증례마다 주사 대상 근육과 용량이 다양하기 때문에 결과를 직접적으로 비교하여 적절한 지침을 정하기가 어렵다. 따라서 임상적으로는 각성이갈이 정도나 근육의 부피 등을 고려하여 경험적으로 주사하는 경우가 많다.

약물치료와 관련하여 현재까지 이갈이 활성을 감소시키는 것으로 입증된 약물로는 clonazepam과 clonidine이 있다. 1 mg의 clonazepam을 잠자기 30분 전에 복용 시 이갈이가 감소한 것으로 보고되었으나 이는 장기적으로 사용 시 의존성이 생길 수 있는 약물이므로 필요하다면 단기간 사용하는 것이 추천된다. Diazepam의 경우도 동물 실험 상에서는 이갈이 감소 효과가 있는 것으로 나타났으나 아직 사람을 대상으로 그 효과가 입증되지는 않았다. 한편, 베타차단제인 propranolol의 경우 증례 보고에서는 효과가 있는 것으로 나타났으나 무작위 이중맹검법을 이용한 연구에서는 대조군과 차이가 없는 것으로 나타났다. 만성 통증 치료에 주로 쓰이는 삼환성 항우울제인 amitriptyline의 경우, 무작위 이중맹검법을 이용한 연구에서 이갈이에 대한 효과가

없는 것으로 나타났다.

바이오피드백을 포함한 행동요법(behavioral modification)이 이갈이를 감소시키는 효과가 있다고 알려져 있으나 현재 그 효과를 입증할 만한 객관적인 증거는 아직 부족하며 실제 임상에서 활용하기에는 아직 제한이 많은 실정이다.

요약하자면, 구강내 장치 요법이 현재로서는 가장 합리적인 방법이며, 이갈이 치료와 교근 비대에 대한 심미적인 개선을 같이 원하는 환자에서는 보툴리눔 독소 주사 요법이 이용될 수 있다. 단순히 이갈이 소리로 인해 같이 자는 사람들이 불편한 경우에는 구강내 장치 요법을 이용할 수 있다. 물론 이갈이가 중등도 이상으로 심한 경우 치아 마모 등의 이갈이 병발증을 예방하기 위해서도 구강내 장치를 이용한다. 또한 구강내 장치 요법으로 측두하악장애 및 두통이 조절되지 않는 심한 이갈이 환자에서는 보툴리눔 독소 주사 요법을 고려해 볼 수 있다. 하지만 보툴리눔 독소 주사 요법은 시간이 지나서 효과가 감소되면 이갈이가 다시 증가하므로 이갈이 자체를 조절하기 위해 이를 이용하는 것은 적절하지 않다. 통증이 주된 불편감인 환자에서는 clonazepam과

같은 약물을 단기간 병용하는 것이 효과적이다. 부가적으로 이갈이 위험 요인의 조절을 위해 과도한 음주, 흡연, 카페인 섭취를 피하도록 하고 규칙적인 수면 패턴을 유지하도록 권장한다. 특히 잠들기 전 최소 2시간 이내에는 음주, 카페인 섭취 등을 피하도록 한다. 불면증 등 수면에 문제가 있는 사람은 전문가의 도움을 받도록 정신과에 협진을 의뢰하는 것이 필요할 수도 있다. 그 외 환자로 하여금 본인이 이를 갈거나 이를 악무는 버릇이 있다는 것을 인식시켜주고 낮 동안이라도 이러한 부기능을 하지 않도록 교육시키고 평상시 근육을 이완시키도록 하는 것이 도움이 될 수 있다.

단순히 주간 이악물기가 아니라 주간에 발생하는 각성이갈이가 있는 경우에는 약물 복용이나 전신 질환과 관련되어 발생하는 경우가 많으므로 관련 약물을 복용하거나 전신질환을 치료하고 있는 경우에는 약물을 조절하거나 관련 질환을 적절히 치료할 수 있도록 관련 과에 의뢰하는 것이 필요하다.

▶ 참고문헌

- 대한수면연구학회. 국제수면장애분류. 제3판. 신흥메드싸이언스; 2020.
- Huynh N, Lavigne GJ, Lanfranchi PA, et al. The effect of 2 sympatholytic medications——propranolol and clonidine——on sleep bruxism: experimental randomized controlled studies. Sleep 2006;29:307–16.
- Ivanhoe CB, Lai JM, Francisco GE. Bruxism after brain injury: successful treatment with botulinum toxin–A. Arch Phys Med Rehabil 1997;78:1272–3.
- Lavigne G, Guitard F, Rompré P, et al. Variability in sleep bruxism activity over time. J Sleep Res 2001;10:237–44.
- Lavigne G, Manzini C, Huynh NT. Sleep bruxism. In: Kryger MH, Roth T, Dement WC. Principles and practice of sleep medicine. 5th ed. St. Louis: Elsevier; 2011. pp. 1129–39.
- Lobbezoo F, Ahlberg J, Glaros A, et al. Bruxism defined and graded: an international consensus. J Oral Rehabil 2013;40:2–4.
- Lobbezoo F, Van Der Zaag J, Van Selms M, et al. Principles for the management of bruxism. J Oral Rehabil 2008;35:509–23.
- Ohayon MM, Li KK, Guilleminault C. Risk factors for sleep bruxism in the general population. Chest 2001;119:53–61.
- Pidcock FS, Wise JM, Christensen JR. Treatment of severe posttraumatic bruxism with botulinum toxin–A: case report. J Oral Maxillofac Surg 2002;60:115–7.
- Raigrodski AJ, Christensen LV, Mohamed SE, et al. The effect of four-week administration of amitriptyline on sleep bruxism. A double-blind crossover clinical study. Cranio 2001;19:21–5.
- Rosales VP, Ikeda K, Hizaki K, et al. Emotional stress and brux-like activity of the masseter muscle in rats. Eur J Orthod 2002;24:107–17.
- Saletu A, Parapatics S, Saletu B, et al. On the pharmacotherapy of sleep bruxism: placebo-controlled polysomnographic and psychometric studies with clonazepam. Neuropsychobiology 2005;51:214–25.
- See SJ, Tan EK. Severe amphethamine-induced bruxism: treatment with botulinum toxin. Acta Neurol Scand 2003;107:161–3.
- Tan EK, Jankovic J. Treating severe bruxism with botulinum toxin. J Am Dent Assoc 2000;131:211–6.

01 비렘관련사건수면

김광기

혼돈각성, 몽유병, 야경증 등의 비렘수면 사건수면은 깊은 수면상태에서 불완전한 각성이 될 때 발생한다. 아형의 분류는 약간씩 변동이 있어왔는데, 3판 국제수면분류(International classification of sleep disorders, third edition, ICSD-3)에서는 각성의 장애와 수면관련 섭식장애(sleep-related eating disorder, SRED)로 구분하였다. 이 밖에도 수면관련 성적행동은 ICSD-3에서는 각성의 장애로 분류된다.

정신장애통계매뉴얼 5판(Statistical Manual of Mental Disorders, fifth edition DSM-5)에서는 비렘수면각성장애로 혼돈각성, 몽유병, 야경증과 함께 수면관련 성적행동과 섭식장애도 한 아형으로 분류한다.

각성의 장애는 주로 소아기에 발생하는데, 드물게 성인기에 지속되는 경우도 있다. 이는 렘수면무긴장소실증이 관찰되는 렘수면관련 사건수면과 달리 병력청취만으로 진단하게 되는 한계가 있다.

1 임상 증상을 통한 분류

1) 각성장애

혼돈각성과, 몽유병, 야경증은 서로 별개의 질환이라기 보다는 연속선상에 있는 질환군으로 볼 수 있다. 드물게 렘수면장애와 중복되어 나타나서 진단에 혼돈을 주기도 한다.

(1) 혼돈각성(confusional arousal)

잠자리에서 자던 중 발생한다. 공포감을 느끼거나 잠자리를 벗어나 걸어다니는 행동은 없다.

잠자리에서 깨어 일어나 앉기도 한다. 주위 사람들이 묻는 질문에 제대로 대답을 하지 못 하고, 엉뚱한 대답을 하기도 한다. 말 소리는 느려져 있으며, 나중에 이 사건을 기억하지 못한다. 간혹 과격한 행동과 연관되기도 하는데, 몽유병과 감별 되는 점은 잠자리를 떠나지 않는 다는 것이다. ICSD-3에서는 수면관련 성적행동은 혼돈각성으로 분류된다(표 19-1-1).

표 19-1-1. 각성장애의 일반적 진단기준(ICSD-3)

기준 A-E가 모두 충족되어야 함
A. 수면으로부터 불완전하게 깨어나는 삽화가 반복됨.
B. 삽화 중 타인이 개입하거나 교정하려는 시도에 반응이 없거나 부적절하게 반응함.
C. 동반되는 인지나 꿈 이미지가 없거나 제한적임
D. 삽화에 대한 부분적 혹은 완전 기억상실
E. 장애가 다른 수면장애, 정신장애, 의학적 상태, 약물 혹은 물질 사용으로 더 잘 설명되지 않음.

(2) 몽유병(sleepwalking)

몽유병(somnambulism)으로도 불린다. 일반적으로 혼돈각성으로 시작되지만, 바로 잠자리를 떠나고 뛰쳐나와 달리는 것으로 시작할 수도 있다. 창문을 기어오르거나 휴지통에 소변을 보는 행동을 하기도 한다. 갑자기 엉뚱한 장소에서 행동을 멈추거나 주변 사물에 대한 인지 없이 침대로 돌아와 수면을 지속하기도 한다.

(3) 야경증

극단적 공포, 공포스러운 비명, 강렬한 자율신경계 활성화가 특징적인 증상이다. 자다가 깨서 일어나 앉고, 주변 사물에 반응이 없으면서 호흡과 맥박이 빨라지고, 눈동자가 커진다. 근육에 힘을 주고, 때때로 알아들을 수 없는 소리를 지른다. 각성장애 환자의 절반까지에서 자신이나 타인에게 손상을 주는 행동이 보고되었는데, 특히 야경증 환자에서 많다.

2) 수면관련섭식장애

반복적으로 수면 중에 무의식적으로 음식물을 먹거나 마시는 행동을 한다. 의식 수준은 정상적이지 않고, 이러한 행동을 환자 본인은 기억하지 못한다. 수면관련 성적행동은 수면을 취하면서 지속적인 자위행위, 성적인 공격행동, 성적인 소리를 내고 이를 기억하지 못하는 것이다(표 19-1-2).

표 19-1-2. 수면관련섭식장애의 진단기준(ICSD-3)

기준 A-D가 모두 충족되어야 함.

A. 주요 수면기간동안 각성 후 발생하는 기능장애적인 섭식의 삽화가 반복된다.[1,2]
B. 불수의적 섭식의 반복된 삽화와 관련하여 다음 중 적어도 하나가 존재해야 함.
 1. 독특한 음식의 형태 및 조합 또는 먹을 수 없거나 독성물질을 섭취함.
 2. 음식을 찾거나 요리하는 동안 발생하는 수면과 관련된 해롭거나 잠재적으로 해로운 행동이 나타남.
 3. 반복된 야간섭식으로 인한 유해한 건강 결과가 있음.
C. 섭식 삽화 중에 의식의 지각이 부분적인 또는 완전한 상실이 있으며, 이 삽화 내용을 기억하지 못함.
D. 이 장애는 다른 수면장애, 정신과적 장애, 의학적 질환, 약 또는 다른 물질 사용으로 설명되지 않음.

주석

1. 삽화는 주로 수면의 첫 1/3 동안 발생한다.
2. 삽화 이후 수 분 이상 지속적으로 혼돈 상태 또는 지남력의 장애를 보일 수 있다.

2 신경생리학적 및 뇌영상의 특징

수면다원검사를 통해 살펴 보면 각성의 장애가 있는 성인이나 소아에서 수면구조는 유지되고 잠을 깨거나 각성 혹은 미세각성이 정상인에 비해 많이 관찰된다. 서파수면이 과도하게 분절되는 것이 각성장애가 있는 환자의 전형적 비렘수면 구조의 특징이다.

뇌전증 환자의 수술 전 검사 중 하나인 스테레오뇌파검사 등을 통해 국소 부위의 뇌파가 다르다는 것을 확인할 수 있다. 즉, 운동피질, 전두정부 연합피질, 편도를 포함하는 변연계, 해마에서 관찰되는 뇌파의 패턴이 다름이 밝혀졌다.

과동조성 델타파(hypersynchronous delta wave, HSD)가 서파수면에서 관찰되는데, 정상인에 비해 몽유병 환자에게서 더 활성화되어 있다. 최근의 연구를 통해 보면 스테레오 뇌를 통한 연구를 통해 각성 상태의 뇌파와 수면에서 보이는 델타파와 방추체가 각각 전두-두정부 및 해마에서 관찰이 되고, 각성 상태와 비슷한 작은 진폭의 빠른 리듬의 뇌파가 운동피질과 변연계 피질에서 관찰되는 것이 확인 되었다. 뇌양자단층촬영 검사 등을 통해서도 몽유병 환자들이 수면박탈 이후에 전전두엽과 섬엽의 뇌혈류가 감소한다는 연구결과가 있다. 또 다른 연구에서는 비슷한 조건에서 몽유병 환자들에서 수면박탈 후에 양측 아래측두엽의 뇌혈류가 감소된다는 보고가 있었다. 또한 이러한 환자들에서 cyclic alternating pattern (CAP)의 빈도가 증가하고, B phase가 짧아지는 경향을 보인다. 몽유병 환자들에서는 A phase가 갑자기 자주 B phase에 나타나면서 서파 활동에 의해 유지되는 항상성 활동을 깨뜨리는 것으로 해석할 수 있다.

3 병태생리학적 모델

선행(predisposing), 점화(priming), 유발(precipitating) 요인의 3P 모델로 설명하기도 한다. 선행요인에는 대표적으로 유전적 소인이 있다. 가족성 몽유병 환자들에서 HLA-DQB1*05 and HLA-DQB1*04의 과다전달이 관찰된다. HLA-DQB1*05:01가 몽유병 환자들에게서 그 빈도가 높음이 밝혀졌다. 점화요인은 크게 깊은 수면을 유도하는 요인과 수면분절을 요구하는 요인으로 나눌 수 있다. 선행되는 수면박탈로 깊은 수면을 유도하여 점화요인이 된다. 수면제나 기타 약물도 점화요인이 된다. 또한, 수면무호흡증, 주기사지운동장애, 만성통증, 기면병 등이 수면분절을 유도하는 점화요인이 될 수 있다. 이외에도 발열, 강한 심리적 스트레스, 늦은 시간의 활발한 신체활동 등이 점화요인이 될 수 있다. 유발요인은 개인별 차이가 많다고 알려져 있는데, 일반적으로 여행을 등 낯선 환경에서 자는 경우의 소음이나 신체적 접촉 등이 증상을 유발하는 외부자극이 된다. 내부적인 자극은 수면 중의 호흡문제, 다리의 움직임 등이 내부적인 자극이 될 수 있다.

4 치료

첫 번째 방법은 점화요인을 피하는 것이다. 다시 말해 깊은 수면을 유도할 수 있는 전날의 수면박탈이나 수면제 등의 약물 복용을 피하는 것이다. 소아에서는 부모가 증상이 생기기 30분쯤 전에 잠을 깨워서 증상이 발생하는 것을 방지하는 것이다. 약물치료로는 클로나제팜을 포함하는 벤조디아제핀이 가장 널리 사용된다.

▶ **참고문헌**

- 대한수면연구학회. 국제수면장애분류. 제3판. 신흥메드싸이언스; 2020.
- Bassetti C, Vella S, Donati F, et al. SPECT during sleepwalking. Lancet 2000;356:484-5.
- Castelnovo A, Lopez R, Proserpio P, et al. NREM sleep parasomnias as disorders of sleep-state dissociation. Nat Rev Neurol 2018;14:470-81.
- Hublin C, Kaprio J, Partinen M, et al. Prevalence and genetics of sleepwalking: a population-based twin study. Neurology 1997;48:177-81.
- Lecendreux M, Bassetti C, Dauvilliers Y, et al. HLA and genetic susceptibility to sleepwalking. Mol Psychiatry 2003;8:114-7.
- Lopez R, Shen Y, Chenini S, et al. Diagnostic criteria for disorders of arousal: a video-polysomnographic assessment. Ann Neurol 2018;83:341-51.
- Petit D, Pennestri MH, Paquet J, et al. Childhood sleepwalking and sleep terrors: a longitudinal study of prevalence and familial aggregation. JAMA Pediatr 2015;169:653-8.
- Pilon M, Montplaisir J, Zadra A. Precipitating factors of somnambulism: impact of sleep deprivation and forced arousals. Neurology 2008;70:2284-90.
- Pressman MR. Factors that predispose, prime and precipitate NREM parasomnias in adults: clinical and forensic implications. Sleep Med Rev 2007;11:5-30; discussion 31-3.
- Sarasso S, Pigorini A, Proserpio P, et al. Fluid boundaries between wake and sleep: experimental evidence from Stereo-EEG recordings. Arch Ital Biol 2014;152:169-77.
- Schenck CH, Pareja JA, Patterson AL, et al. Analysis of polysomnographic events surrounding 252 slow-wave sleep arousals in thirty-eight adults with injurious sleepwalking and sleep terrors. J Clin Neurophysiol 1998;15:159-66.
- Zadra A, Desautels A, Petit D, et al. Somnambulism: clinical aspects and pathophysiological hypotheses. Lancet Neurol 2013;12:285-94.

02 렘수면행동장애

윤인영 / 정기영

렘수면행동장애는 수면 중 과격하고 생생한 꿈을 꾸면서 이 꿈을 그대로 행동으로 옮겨 소리를 지르거나 난폭한 행동을 하는 질환으로 정의할 수 있다. 1965년 뇌교(pontine)에 손상을 입은 고양이에서 렘수면 중 행동이 관찰되었고 인간에서는 1986년 Schenk와 Mahowald가 10 사례를 보고하면서 렘수면행동장애의 개념이 확립되었다.

1 역학

수면다원검사를 사용하여 렘수면행동장애 유병률을 살펴본 2개의 연구가 있다. 1,034명의 70세 이상 노인을 대상으로 한 홍콩연구에서 렘수면행동장애의 유병률은 0.38%였고 국내에서는 60세 이상 노인에서 유병률은 2.01%이고 단독 렘수면행동장애(isolated REM sleep behavior disorder)는 1.34%였다.

남자에서 좀 더 흔한 것으로 관찰되어 그 비율은 4:1 내외인 것으로 알려져 있지만 실제 유병률은 남녀 간에 유사하고 여자의 행동양상이 심하지 않아 유병률이 낮은 것처럼 보인다는 주장도 있다. 증상이 시작하는 시기와 진단을 받게 되는 시기는 각각 50대 초 중반, 50대 후반으로 알려져 있다. 환경적 위험인자로는 카페인 남용, 흡연, 두뇌손상병력, 농업, 살충제 노출 등을 들 수 있다.

2 임상 양상

소리를 지르고 욕을 하거나 발로 차고 손으로 휘두르거나 침대에서 뛰어내리는 행동을 보이게 되는데 간혹 잠자리를 벗어나 걸어 나오거나 뛰어다니기도 한다. 난폭하고 격렬한 행동이 가장 흔하지만 웃거나 휘파람을 불고 노래를 부르는 등 비폭력적 양상을 보이기도 한다. 이러한 꿈과 행동에도 불구하고 불면을 호소하는 환자는 많지 않고 기상 시 피곤함과 낮 동안의 졸림도 흔하지 않다.

수면 중 꿈의 내용과 행동이 공격적이지만 면담과 설문지를 통해 평가한 낮 동안의 공격성은 정상 범위이거나 오히려 일반인에 비해 더 낮기도 하다. 꿈 내용을 보더라도 환자가 공격을 하는 경우는 거의 없고 대부분 공격을 피하다가 행동으로 나타난다.

3 연관 질환

렘수면행동장애는 파킨슨병과 루이소체치매, 다계통위축 등의 시뉴클레인증(synucleinopathy)과 밀접한 연관이 있어, 파킨슨병 15-65%, 루이소체 치매 68-80%, 다계통위축증 68-80%의 빈도로 렘수면행동장애가 관찰된다.

단독 렘수면행동장애 환자에서 시뉴클레인증이 아직 본격적으로 나타나지는 않더라도 시뉴클레인증의 전구단계에 해당하는 생리적 혹은 해부학적 이상소견이 관찰된다. 운동기능장애, 경도인지장애를 포함한 인지기능저하, 후각 감퇴(hyposmia), 색분별 손상, 자율신경계 이상 등을 보인다. 대표적인 뇌영상소견으로는 ^{123}I-FP-CIT SPECT 혹은 PET에서 기저핵(basal ganglia)의 도파민 트랜스포터 감소를 들 수 있으며 ^{18}F-FDG PET 포도당대사 감소, MRI cortical thinning 등도 보고되고 있다. 이러한 생물학적 표지자를 조합해서 사용하면 파킨슨병 혹은 치매로 진행할지 얼마나 빨리 진행할지 신경퇴행성질환의 발병이 임박했는지 등을 예측하는 데 도움이 된다.

단독 렘수면행동장애가 파킨슨병 혹은 치매로 전환(phenoconversion)하는 속도를 살펴본 몇 몇 연구가 있다. Schenck 등은 29명의 환자 중 11명(38%)이 진단 3.7년 후에 파킨슨병으로 진행되었다고 보고하였고 계속 추적한 결과 16년 후에는 80.8%가 시뉴클레인증을 보였다. Iranzo 등은 44명의 환자를 평균 10.5년 관찰하여 생존분석을 하였고 전환율은 5년 후 34.8%, 10년 후 73.4%, 14년 후 92.5%였다. 하지만 이런 전환율은 인종 간에 차이가 있어 국내에서 평균 6.8년 추적한 연구에서 5년 후 12.5%, 10년 후 35.5%, 14년 후 56.6%로 서양인에 비해 신경퇴행성질환으로의 진행이 느리다는 보고가 있다.

기면병 환자의 36-43%가 렘수면행동장애를 보이는데 10-20대의 상당히 어린 나이에서 증상이 시작된다. 항우울제 사용은 렘수면근육무긴장소실(REM sleep without atonia, RSWA) 혹은 렘수면행동장애와 연관된다. 항우울제는 사용할 때 렘수면행동장애는 좀 더 이른 나이에 나타나지만 신경퇴행성질환으로의 진전은 사용하지 않은 경우보다 늦은 것으로 알려져 있다.

4 병태생리

렘수면행동장애는 꿈을 꾸면서 꿈의 내용이 현실에서 행동으로 표출되는 꿈의 행동화(dream enactment)가 특징이다. 꿈의 행동화는 정상적인 렘수면 단계에서 보이는 근육의 무긴장(muscle atonia)이 소실되기 때문인데 이를 렘수면근육무긴장소실(REM sleep without atonia, RWA)이라고 한다. RWA는 렘수면행동장애의 병태생리학적 특이소견으로, RWA 확인은 렘수면행동장애 진단의 필수요건이다.

동물실험 및 사람의 병변 연구를 통해서, RWA가 생기는 기전은 뇌간의 렘수면 회로의 손상으로 이해하고 있다. 교뇌에 위치한 REM-on 세포인 sublaterodorsal tegmental nucleus (SLD)는 렘수면중에 척수의 운동신경원세포를 직접 억제하거나, ventromedial medulla (VM)의 억제성 신경의 자극을 통한 간접 억제를 통해서 렘수면근육무긴장을 유발한다. 실험동물에서 SLD를 파괴하면 RBD 유사 증상이 나타남을 확인하였다. 사람에서는 뇌줄기의 구조적 병변에 의한 RBD 증상 발현 증례가 다수 보고되었으며, MRI 뇌영상 연구에서 렘수면과 연관된 뇌줄기 부위에서의 이상이 확인되었다. 렘수면행동장애에서 보이는 RWA 및 꿈행동화는 SLD/VM의 신경세포에 신경퇴행성 변화가 발생하고 이로 인하여 렘수면중에 척수의 운동신경원 세포를 적절히 억제하지 못하여 발생한다.

루이소체(Lewy body)는 신경세포나 교세포의 세포내 포함체로서 파킨슨병, 루이소체치매 및 다계통위축증의 주요 병리학적 특이소견이다. 루이소체는 정상적으로 존재하는 alpha-synuclein 단백이 비정상적으로 결합하여 불용성 상태가 되면서 세포내 포함체(inclusion body)를 만들고 이것의 독성 작용으로 인하여 세포 사멸을 초래하는 것으로 알려졌다. 한 세포내의 alpha-synuclein 단백은 프리온 단백과 유사하게 세포-세포 전파로 점차 주변의 세포들을 침범하게 된다.

부검 및 신경생검 연구에서 렘수면행동장애는 alpha-synuclein 단백 침착과 연관이 있다는 것이 확인되었다. 수면다원검사로 확진되거나 선별설문도구로 확인된 172명의 렘수면행동장애 환자들의 부검소견에서, 시뉴클레인증 소견이 전체 환자의 94%에서 보였고, 특히 수면다원검사로 확진된 경우는 98%에서 양성 소견을 보였다. 위장관신경총, 피하신경 및 침샘신경총 등의 신경 생검 연구에서 렘수면행동장애 환자는 정상대조군에 비해 phosphorylated alpha-synuclein 양성이 의미있게 높게 검출되었다. 따라서, 렘수면행동장애는 시뉴클레인증과 강력한 연관성이 있음을 알 수 있다.

Alpha-synuclein 단백의 침착은 특정 신경세포와 특정 경로를 따라 진행하는 선택적 취약성을 보인다. Alpha-synuclein 단백의 침착은 처음에는 연수의 미주신경의 등쪽핵(dorsal nucleus of vagus nerve)과 후각망울(olfactory bulb)에서 시작하여 점차 상향하여 뇌교, 중뇌를 거쳐서 둘레겉질과 새겉질로 확대되어 가는데, 각 진행하는 단계는 Braak stage라고 한다. 렘수면행동장애는 Braak 2-3기에 해당이 되며, 파킨슨병은 3-4기에서 나타나므로, 렘수면행동장애를 파킨슨병의 전구기라고 부른다. 한편, 루이소체치매는 렘수면행동장애 증상기에서 파킨슨징후가 경미하면서 치매로 발전하므로 꼬리-입쪽방향으로 진행하는 Braak stage로 설명이 어려운 점이 있다. 루이소체치매는 꼬리-입쪽방향이 아닌, 후각망울에서 시작하여 편도를 거쳐 뇌줄기쪽으로 내려가는 입쪽-꼬리방향 진행으로 설명이 가능하다는 가설이 제기되었고 이에 대해서는 좀 더 연구가 필요하다.

렘수면행동장애에서 보이는 꿈의 내용은 주로 싸우거나 쫓기는 등 기분나쁜 내용이 대부분이며, 이런 꿈에서의 행동이 RWA에 의해서 억제되지 못하므로 그대로 밖으로 표출(act out of dreaming)이 된다고 이해하고 있다. 그러나 RWA 만으로는 왜 대부분의 꿈이 싸우거나 쫓기는 내용인지, 그리고 각성중에 보이는 복잡하고 문명적인 행동을 표현하는 것에 대한 설명은 충분하지 않다. 꿈행동 삽화중에 시행된 단일광자방출컴퓨터단층촬영(SPECT) 연구에서 운동앞피질, 보조운동영역, 띠다발이랑 등이 활성화되는 소견과 렘수면에서 겉질-근육 연결이 정상인에 비해 높아진 소견은 겉질의 운동관련 영역이 기여한다는 것을 시사한다. 정상적으로 렘수면중에 위상단일수축(phasic muscle activity)이 나타날 수 있는데, RWA가 있으면 이런 위상단일수축이 증가할 수 있고 이런 증가된 위상단일수축이 감각되먹임 경로를 통해 겉질로 전달이 되면 여기서 꿈의 내용 생성에 영향을 주어 과격한 꿈 내용이 형성이 되고 이것이 복잡하거나 과격한 행동으로 표출된다는 이론이 제시되었다(dreaming out of act). 이 이론은 클로나제팜을 사용하였을 때나 수면무호흡이 동반된 렘수면행동장애에서 양압기 치료후에 RWA가 감소되지는 않지만 꿈행동이 감소하고 특히 꿈의 내용이 순해지는 현상에 대한 설명이 가능하다.

5 진단

국제수면장애분류 제3판(International Classification of Sleep Disorders-3, ICSD-3)에 따른 렘수면행동장애의 진단기준은 다음과 같다: ① 수면 중에 소리를 내거나 행동을 보이고 ② 이런 행동은 수면다원검사 시 렘수면 때 관찰되거나 병력상 렘수면에 발생하는 것으로 생각되고 ③ 수면다원검사 시 렘수면 근육무긴장소실(REM sleep without atonia, RSWA)을 보이고(그림 19-2-1) ④ 이런 수면 중 행동에 대한 대안적 설명이 없어야 한다.

수면다원검사가 진단의 필수 조건이지만 높은 민감도와 특이도를 보이는 몇 가지 설문지가 널리 사용되고 있다. 대표적인 것으로 REM Sleep Behavior Disorder Single-Question Screen (RBD1Q), Mayo Sleep Questionnaire (MSQ), RBD-HK, REM sleep behavior disorder screening questionnaire (RBDSQ) 등이 있다. 이

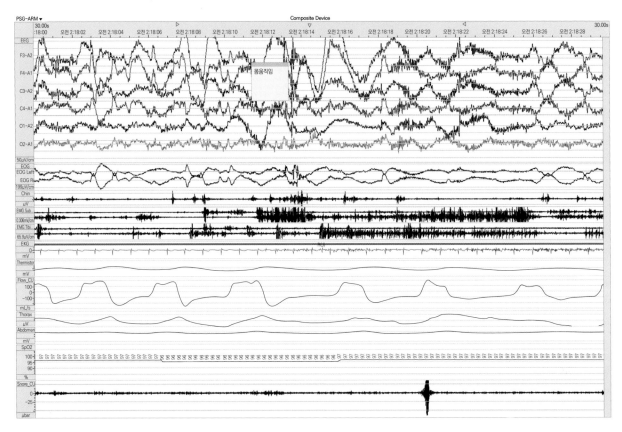

그림 19-2-1. 렘수면행동장애의 수면다원검사 소견.

렘수면 시 하악근전도가 항진되어 있고 하악 및 상하지 근전도에서 과도한 연축을 보이고 있다. 검사 담당 기사의 노트에 "몸 움직임"이라고 기록되어 있다.

러한 설문지가 선별(screening)목적으로는 사용할 수 있지만 수면무호흡, 비렘수면 사건수면, 수면 뇌전증과의 감별을 위해서는 수면다원검사를 실시해야 한다.

수면검사 시 얕은 손가락 굽힘근(flexor digitorum superficialis muscle)에 전극을 부착하여 상지의 움직임을 기록해야 렘수면근육무긴장소실을 좀 더 민감하게 평가할 수 있다.

6 감별 진단

렘수면행동장애는 비렘수면중에 발생하는 사건수면(parasomnia), 수면과 연관된 뇌전증발작(sleep related

hypermotor seizure) 그리고 수면운동장애 등을 감별하여야 한다(표 19-2-1).

수면연관발작은 수면중에 주로 발생하거나 수면중에만 발생하는 뇌전증발작을 특징으로 하는 뇌전증 증후군으로 주로 이마엽 기원이 가장 많으나 관자엽 비롯한 다른 겉질에서도 발생할 수 있다. 수면중 아무때나 발생하며, 수면단계는 얕은 수면인 2단계수면에서 주로 발생한다. 발작은 양측 팔다리, 몸통을 과격하게 움직이는 과다운동발작(hypermotor seizure) 양상이 흔하며, 한 환자에서 발작의 양상은 일정하게 나타나는 것이 특징이다.

비렘관련사건수면은 혼돈각성(confusional arousal), 몽유병(sleepwalking), 야경증(sleep terror), 수면관련섭

표 19-2-1. 렘수면행동장애와 감별해야 하는 질환

	뇌전증	비렘관련사건수면	렘관련사건수면
수면중 발생 시점	아무 때나	수면 전반부	수면 후반부
수면 단계	N2	N3	R
행동 특징	상동적임	단순부터 복잡한 행동까지 다양함, 삽화마다 다르게 나타남	꿈의 내용과 연관된 행동 및 발성
각성 역치	해당없음	높음	낮음
깨웠을 때의 정신 상태	보통 완전히 깸	혼동	완전히 깸
삽화에 대한 기억	없음	보통 없음	생생히 기억함
질병	수면관련발작	혼돈각성 몽유병 수면공포	렘수면행동장애

식장애(sleep-related eating disorder) 등이 있다. 비렘사건수면은 주로 수면 전반부에 나타나며, 깊은 수면인 서파수면에서 발생하기 때문에 각성에 대한 역치가 높아 깨우기 어렵고 깨웠을 때 혼동상태가 되는 경우가 많고 때로는 폭력적인 행동으로 이어지기도 한다. 삽화는 매번 다양하며 복잡한 행동을 보이며, 삽화가 끝난 후 대개는 다시 잠자리에 들며, 아침에 일어나서는 밤 사이의 삽화에 대해 기억을 하지 못하는 것이 특징이다.

주기사지움직임은 렘수면행동장애의 꿈행동과 구분이 어렵지는 않으나, 간혹 과격한 양상으로 큰 사지 움직임이 있을 경우에는 렘수면행동장애와 비슷한 양상으로 나타날 수 있으므로 감별이 필요한 경우가 있다. 심한 폐쇄수면무호흡증이 있는 환자는 무호흡에 의해 각성이 일어나면서 악몽과 소리지름, 행동장애를 보일 수 있어 렘수면행동장애와 유사한 형태로 나타날 수 있다. 이를 가성렘수면행동장애(pseudo-RBD)라고 한다.

특발 혹은 단독렘수면행동장애는 50세 이후에 주로 발병하며, 남성이 80% 정도를 차지한다. 증상의 시작은 은밀히 나타나면서 초기에는 드물게 꿈행동 증상을 보이다가 점차 빈도가 증가하는 양상으로 발현한다. 꿈행동 증상이 비교적 급격하게 나타난다면, 약물(특히 항우울제), 알코올 등의 이차적인 원인을 고려해야 한다.

렘수면행동장애는 어린 나이에서도 보일 수 있는데, 이런 경우엔는 기면병, 뇌줄기의 병변(종양, 염증)등의 원인을 찾아보아야 한다. 자가면역뇌염증성 질환에서 수면장애가 흔하게 동반되며, Morvan 증후군, LGI1뇌염은 렘수면행동장애를 나타낼 수 있다.

7 치료

렘수면행동장애 환자는 꿈의 행동화로 인하여 때로는 자신이나 동침자에게 작거나 큰 손상을 줄수 있다. 보고에 의하면 32-58%에서 환자 자신이 손상을 입었고 21-64%에서 동침자에게 손상을 입혔다. 11%에서는 의학적 처치나 입원이 필요한 손상이 되었으며, 뇌경막하 출혈도 보고된 바 있다(그림 19-2-2). 수면중 손상은 꿈 행동화 증상의 빈도와 비례하지 않아, 빈도가 적다고 안심할 수 있는 상황이 아니며 항상 주의를 요한다. 따라서 모든 렘수면장애 환자는 손상에 적절한 예방적 조치가 필요하고, 필요시 약물 치료를 고려해야 한다.

모든 환자는 약물 치료 여부에 관계없이 먼저 안전한 침실 환경을 조성하는 것이 필요하다(표 19-2-2). 또한, 꿈행동을 촉발하거나 악화시킬 수 있는 요인들을 파악하여 가급적 피하는 것이 도움이 된다. 촉발요인으로는

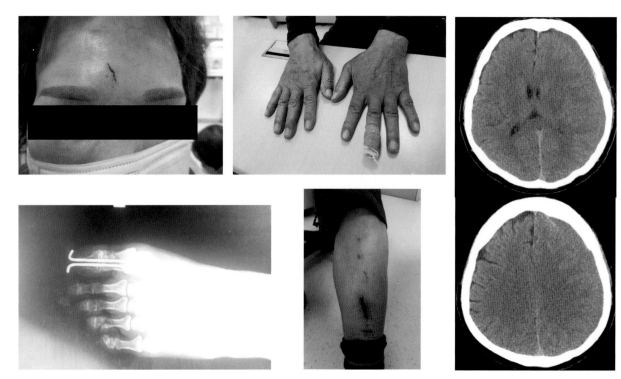

그림 19-2-2. 렘수면행동장애 환자의 수면중 과격한 꿈행동으로 인한 자신의 손상들.
우측 상하는 경막하출혈이 발생한 70세 남자의 뇌 단층촬영사진임.

표 19-2-2. 렘수면행동장애 환자에서 안전한 침실 환경 만들기

- 침대보다는 요나 매트에서 수면을 취하는 것이 좀 더 안전하다.
- 침대에서 자는 경우에는 보호대를 댄 난간을 설치한다.
- 잠자리는 벽 쪽 보다는 방 안쪽 혹은 벽면에서 일정한 간격 떨어져서 자는 것이 좋다.
- 잠자리 주변에 유리컵 등 깨지기 쉬운 물건, 의자 등 걸리기 쉬운 물건은 치워 놓는다.
- 배우자는 같은 방에서 자는 것은 괜찮으나 일정한 거리를 두고 자도록 한다.
- 음주와 스트레스는 행동장애를 악화시킬 수 있으므로 음주는 삼가고 스트레스는 잘 관리한다.

스트레스, 과로, 알코올 등이 있으며 수면무호흡은 꿈행동을 악화시킬 수 있으므로 양압기 치료 등 적절한 치료가 필요하다.

꿈행동에 대한 약물 치료로 클로나제팜과 멜라토닌이 우선적으로 추천된다. 클로나제팜은 중추신경계에서 억제성 신경전달물질인 GABA의 활성을 증가시키는 벤조디아제핀제로, 렘수면행동장애에서 꿈행동을 효과적으로 감소시키는 것으로 보고되었다. 체계적 문헌고찰 보고를 보면, 약 82%에서 매우 우수 혹은 우수한 정도로 꿈행동을 감소시켰다. 그러나 18%에서는 클로나제팜에

잘 반응하지 않는 것으로 나타났다. 클로나제팜은 반감기가 30–40시간으로 길어 특히 노인에서 다음날 아침까지 약효가 지속될 수 있으며, 낙상의 위험이 높고, 인지기능을 감소시킬 수 있으며, 수면관련호흡장애를 악화시킬 수 있으므로 주의해야 한다. Shin 등(2019)은 40명의 파킨슨병 환자에서 선별도구로 진단한 추정단독렘수면행동장애를 대상으로 무작위 이중맹검 임상시험을 시행하였다(evidence level I–B). 4주간의 약물 투여에서 클로나제팜 투여군과 위약 투여군 모두 임상적 호전을 보였고 두 군 간의 차이를 보이지 않아 클로나제팜의 효

능을 입증하지 못했다.

멜라토닌은 솔방울샘에서 분비되는 호르몬으로 수면을 유도하고 하루주기리듬을 유지시켜주는 작용을 한다. 체계적 문헌고찰 보고에서, 멜라토닌은 약 60% 정도에서 매우 우수 혹은 우수한 정도로 꿈행동을 감소시켰다. 자연 멜라토닌은 반감기가 30–50분으로 짧다. 용량은 3–18 mg까지 사용한다. 반감기가 짧기 때문에 다음날 아침까지 약효가 지속되지 않으며, 흔한 부작용은 경미한 두통 정도로 비교적 안전하게 사용할 수 있다. 2 mg의 저용량의 멜라토닌을 매일 일정한 시각에 투여를 하면서 장기 추적 관찰하였을 때, 효과가 수년간 안정적으로 지속되었고 특히 중단하고 6개월이 지나도 증상의 재발이 거의 없었다. 또한, 장기적으로는 신경퇴행성 변화가 일반 투여 방법에 비해서 유의하게 적게 발현되어 시간생물학적 투여 방법이 유용하다고 보고되었다. 지속형 멜라토닌은 2–6 mg 용량으로 사용되며, 효과 및 부작용에서 자연 멜라토닌과 유사하였다. Jun 등(2019)은 수면다원검사로 확진된 30명의 단독렘수면행동장애 환자를 대상으로 지속형 멜라토닌의 효능을 위약대비 이중맹검 임상시험을 시행하였다(evidence level I–B). 지속형 멜라토닌 2 mg, 6 mg, 그리고 위약군으로 나누어 4주간 약물 투여후 꿈행동은 세 군 모두에서 호전을 보여 위약대비 지속형 멜라토닌의 효능을 입증하지 못하였다. 파킨슨병에 동반된 렘수면행동장애 환자를 대상으로 한 지속형 멜라토닌 4 mg의 이중맹검 임상시험 역시 위약과 차이를 보이지 않았다.

실제 임상에서는 클로나제팜과 멜라토닌이 상당한 효과를 보이는데 임상시험에서 위약과 차이는 없는 점은, 렘수면행동장애에서 위약효과가 상당히 크다는 점, 그리고 객관적인 꿈행동 측정법이 없다는 점이 영향을 미쳤으리라 보고 있다. 두 가지 약제 외에도 멜라토닌 수용체 작용제, 도파민 수용체 작용제, 아세틸콜린에스터분해효소 길항제, NMDA 길항제 등이 소수 시도되었으나 큰 효과를 보지 못했다.

렘수면행동장애는 신경퇴행성변화의 전구단계로, 퇴행성 변화까지 진단 후 5–10년 정도로 비교적 긴 시간이므로 퇴행성 변화를 억제하거나 지연시키는 치료를 하기에 좋은 시기이다. 파킨슨병에서 질병 과정을 조절하는 다양한 신경보호제 치료가 시도되었으나 아직까지 성공적이지 못 하였다. 만일 렘수면행동장애 단계에서 사용할 수 있는 효과적인 신경보호제가 개발되거나 발견되면 신경퇴행성질환의 예방에 획기적인 전기가 될 것으로 기대한다.

▶ 참고문헌

- 정기영. 사건수면. 증례로 배우는 수면장애. 범문에듀케이션; 2020. pp. 279–330.
- Blumberg MS, Plumeau AM. A new view of "dream enactment" in REM sleep behavior disorder. Sleep Med Rev 2016;30:34–42.
- Boeve BF, Silber MH, Ferman TJ, et al. Clinicopathologic correlations in 172 cases of rapid eye movement sleep behavior disorder with or without a coexisting neurologic disorder. Sleep Med 2013;14:754–62.
- Boeve BF, Silber MH, Saper CB, et al. Pathophysiology of REM sleep behaviour disorder and relevance to neurodegenerative disease. Brain 2007;130(Pt 11):2770–88.
- Braak H, Tredici KD, Rüb U, et al. Staging of brain pathology related to sporadic Parkinson's disease. Neurobiol Aging 2003;24:197–211.
- Cersosimo MG. Propagation of alpha-synuclein pathology from the olfactory bulb: possible role in the pathogenesis of dementia with Lewy bodies. Cell Tissue Res 2018;373:233–43.
- Fernández-Arcos A, Morenas-Rodríguez E, Santamaria J, et al. Clinical and video-polysomnographic analysis of rapid eye movement sleep behavior disorder and other sleep disturbances in dementia with Lewy bodies. Sleep 2019;42:zsz086.
- Galbiati A, Verga L, Giora E, et al. The risk of neurodegeration in REM sleep behavior disorder: a systematic review and meta-analysis of longitudinal studies. Sleep Med Rev 2019;43:37–46.
- Gilat M, Jackson AC, Marshall NS, et al. Melatonin for rapid eye movement sleep behavior disorder in Parkinson's disease: A randomised controlled trial. Mov Disord 2020;35:344–9.
- Gilat M, Marshall NS, Testelmans D, et al. A critical review of the pharmacological treatment of REM sleep behavior disorder in adults: time for more and larger randomized placebo-controlled trials. J Neurol 2022;269:125–48.
- Hong JK, Kim JM, Kim KW, et al. Clinical manifestation of patients

PART 4

수면장애 각론

with isolated rapid eye movement sleep behavior disorder after modest-to-long disease duration. Sleep 2022;45:zsac071.

- Iranzo A, Santamaria J, Tolosa E. Idiopathic rapid eye movement sleep behavior disorder: diagnosis, management, and the need for neuroprotective interventions. Lancet Neurol 2016;15:405-19.

- Iranzo A, Tolosa E, Gelpi E, et al. Neurodegenerative disease status and post-mortem pathology in idiopathic rapid eye movement sleep behavior disorder: an observational study. Lancet Neurol 2013;12:443-53.

- Jun JS, Kim R, Byun JI, et al. Prolonged-release melatonin in patients with idiopathic REM sleep behavior disorder. Ann Clin Trans Neurol 2019;6:716-22.

- Jung KY, Cho JH, Ko D, et al. Increased corticomuscular coherence in idiopathic REM sleep behavior disorder. Front Neurol 2012;3:60.

- Kang SH, Yoon IY, Lee SD, et al. REM sleep behavior disorder in the Korean elderly population: prevalence and clinical characteristics. Sleep 2013;36:1147-52.

- Koga S, Sekiya H, Kondru N, et al. Neuropathology and molecular diagnosis of Synucleinopathies. Mol Neurodegener 2021;16:83.

- Kunz D, Stotz S, Bes F. Treatment of isolated REM sleep behavior disorder using melatonin as a chronobiotic. J Pineal Res 2021;71:e12759.

- McCarter SJ, St. Louis EK, Boswell CL, et al. Factors associated with injury in REM sleep behavior disorder. Sleep Med 2014;15:1332-8.

- Miglis MG, Adler CH, Antelmi E, et al. Biomarkers of conversion to α-synucleinopathy in isolated rapid eye movement sleep behavior disorder. Lancet Neurol 2021;20:671-84.

- Olson EJ, Boeve BF, Silber MH. Rapid eye movement sleep behaviour disorder: demographic, clinical and laboratory findings in 93 cases. Brain 2000;123:331-9.

- Shin C, Park H, Lee WW, et al. Clonazepam for probable REM sleep behavior disorder in Parkinson's disease: a randomized placebo-controlled trial. J Neurol Sci 2019;401:81-6.

- Silber MH, St. Louis EK, Boeve BF. Rapid eye movement sleep parasomnias. In: Kryger MH, Roth T, Dement WC. Principles and practice of sleep medicine. 6th ed. Philadelphia: Elsevier; 2017. pp. 993-1001.

- Silber MH. Autoimmune sleep disorders. In: Vincent SJP and A. Handbook of clinical neurology. Vol 133. Autoimmune neurology. Elsevier; 2016. pp. 317-26.

- Videnovic A, Ju YES, Arnulf I, et al. Clinical trials in REM sleep behavioural disorder: challenges and opportunities. J Neurol Neurosurg Psychiatry 2020;91:740-9.

- Yves D, Vincent B, Regis L, et al. Increased perfusion in supplementary motor area during a REM sleep behaviour episode. Sleep Med 2011;12:531-2.

03 기타 사건수면

김성민

기타 사건수면(other parasomnia)은 비렘수면이나 렘수면과 관련된 수면행동으로 쉽게 분류할 수 없는 질환이다. 아동기의 수면장애 중 큰 비중을 차지하는 야뇨증(sleep enuresis)을 제외하면, 상대적으로 흔하지 않은 수면장애고, 병적인 것으로 평가하지 않는 증상도 포함되어 있다. 이 때문에 현재까지는 역학 자료 및 병인, 그리고 치료에 대한 연구 결과가 부족한 면도 없지 않다. 하지만 임상 현장에서는 이 분류에 해당하는 증상을 호소하는 환자를 흔하지 않게 접할 수 있다.

1 폭발머리증후군

폭발머리증후군(exploding head syndrome)은 수면 중 머리 속에서 폭발하는 소리를 느끼고 잠에서 깨어나는 수면장애이다. 환자들은 잠을 자던 중에 머리 속에서 폭발음 이외에도 총소리, 문을 닫는 소리, 으르렁거리는 울음소리, 바위에 파도가 부딪혀 부서지는 소리, 커다란 목소리, 벨 소리, 또는 전기회로에서 나는 소리 등을 경험하기도 한다. 소리와 함께 번쩍이는 빛(flashing light)이 동반되기도 하며, 환자 중 일부는 그들의 호흡이 멈춰 다시 숨을 쉬기 위해 노력을 해야만 했다

는 표현을 하기도 한다. 폭발머리증후군 환자들은 두뇌 내에서 소량의 출혈이 발생했을 것이라는 걱정을 하는 경우도 있는데, 그럼에도 불구하고 실제적인 두통은 동반되지 않는다.

Pierce는 1988년에 10명 환자의 케이스를 모아 '폭발머리증후군'이라는 용어를 처음으로 사용하기 시작한 것으로 알려져 있다. 하지만 최근에는 1890년 Mitchell이 잠을 자던 중 '권총 사격과 같은 소리'를 경험한 환자들의 '감각적 충격(sensory shock)'이 처음 기술하였다고 받아들여진다. 2005년 미국수면학회(American Academy of Sleep Medicine)는 개정한 국제수면장애분류 2판(International Classification of Sleep Disorder, ICSD-2)에서 이 수면장애를 이상 감각을 느끼게 되는 사건수면(benign parasomnia)의 일종으로 분류하고 있다.

폭발머리증후군은 흔하지 않은 것으로 알려져 있으나 유병률에 대한 기존 연구 결과는 부족한 실정이다. 환자의 주관적인 증상 호소만을 기반으로 진단이 이루어 지는데, 이 질환에 대한 대중적 관심과 인지가 낮아 과소보고될 가능성이 높을 것으로 예상된다. 이전의 조사에 따르면, 폭발머리증후군의 선별 검사에서 양성을 보인 대상자 중 겨우 11%만이 의료기관을 방문한 것으로 알려졌다. 2007년 개발된 자가설문식 Munich Parasomnia Screening을 이용하여 65명의 정신과 환자 중 13.8%, 이미 알려진 수면장애 환자 50명 중 10.0%, 그리고 일반 대조군 65명 중 107%가 폭발머리증후군 선별 검사에서 양성 소견을 보였다. 최근 211명의 대학생을 대상으로 한 단면적 연구에서는 평생유병률(lifetime prevalence)은 18%, 그리고 재발을 경험하는 비율(recurrent prevalence)은 16.6%로 확인되었다. 여성이 남성에 비해 발병이 더 흔하며, 50−60대에 발병이 가장 많아 국제수면장애분류 3판(International Classification of Sleep Disorder, ICSD−3)에서는 그 중위값(median age of onset)을 58세로 제시한다.

이 증후군의 발인은 아직 밝혀지지 않았지만, 연구자들에 의하면 수면 반사(hypnic jerk)처럼 각성을 담당하는 부위인 그물체(reticular formation)가 각성에서 수면으로 이행하는 시기에 그 기능의 중단이 지연되어 발작적인 뉴런의 활동을 야기할 것이라고 예상한다. 이 같은 신경 회로의 이상은 수도관주위회색질(periaqueductal gray) 부위로부터 세로토닌 계열의 등쪽솔기핵(dorsal raphe nucleus)으로 연결되는 감마아미노뷰티르산(gamma aminobutyric acid, GABA)성 신경 전달에 혹은 신경세포의 칼슘 통로(Calcium channel)에 문제가 나타나 발생하는 것으로 생각된다. 이 가설은 임상 현장에서 폭발머리증후군 환자에게 세로토닌을 조절하는 clomipramine, amitriptyline과 같은 tricyclic antidepressant와 benzodiazepine 계열의 약물, 그리고 nifedipine과 같은 Calcium channel blocker가 증상을 경감시킨다는 점을 바탕으로 제기되었다. 또한 심리적인 면도 증상의 악화에 영향을 미치는데, 스트레스를 경험하는 환자 집단에서 그 정도가 심해진다는 사례 보고도 있었다.

국제수면장애분류 3판은 밤 중에 수면각성 이행기 혹은 잠에서 깨어 있던 중 머리에서 나는 갑작스런 폭발음이나 큰 소리를 호소하고, 이로 인해 갑작스런 각성을 경험하지만 통증이 동반되지 않을 경우 폭발머리증후군으로 진단할 수 있다. 이 증후군 환자들은 공포감을 겪기도 하며, 빈맥이나 단순한 근육 경련(muscle jerks or twitch), 또는 시각적 현상을 보고하기도 했다. 현재까지의 증례 보고에 따르면, 폭발머리증후군 중 몇 몇 환자는 수면마비(sleep paralysis)나 수면관련 성적 극치감(sleep−related orgasm)과 같은 수면장애가 동반하기도 하며, 일반적으로 통증이 없다고 알려진 것과는 달리 두통과의 연관성을 보이기도 하였다. 하지만 다른 증례 보고에서는 이 질환의 환자들 중 전조증상(aura)이 있는 편두통(migraine)이 선행된 후 증상이 발생하기도 하여 편두통과 같은 두통이 병발하여 나타나는 것인지 폭발머리증후군 자체의 증상인지를 구별하는 것에는 논쟁의 여지가 있다.

현재까지 폭발머리증후군의 치료 효과를 입증한 무작위 임상시험(randomized clinical trial)은 보고된 바가 없다. 증상이 심각하지 않은 몇몇 환자들은 증후군에 대해 설명하고 안심(reassurance)시키는 것만으로도 충분할 수 있다. 환자 중 2.8%는 임상적으로 유의하게 어려움을 호소하는데 이 경우에는 치료적 개입이 필요할 수 잇다. 이전 사례군 연구를 통해 이완요법(relaxation technique)이 효과가 있었으나 그 유효성이 명확하게 입증되지는 않았다. 앞서 언급한 것과 같이 rivotril, clobazam과 같은 benzodiazepine 계열의 약물과 nifedipine과 같은 Calcium channel blocker, topiramate 등이 사례 보고들에서 효과가 나타났다. 이 외에도 propranolol, valproic acid, gabapentin, 그리고 oxycodone도 소수의 케이스에서 증상을 호전시키는 것으로 나타났다.

2 잠꼬대

잠꼬대(sleep talking, somniloquy)는 수면 중 스스로 깨닫지 못 하는 상태에서 음성의 발화가 일어나는 현상이다. 이 증상은 약 2,500년 전 고대 그리스의 철학자 Heraclitus가 관찰한 기록을 남겼을 정도로 널리 알려져 있으며 일반 인구에서 가장 흔하게 수면 중 관찰되는 행동이다. 수면 중 웅얼거림(mumbling)으로부터 소리를 지르는 증상(shouting), 웃거나(laughing) 신음소리(groaning)를 내고 휘파람을 부는 행동(whistling)까지 포함하는 다양한 양상으로 나타난다. 오랜 기간 동안 잠꼬대는 심리적 혹은 정신적인 증상의 일부로 생각되었으나, 최근에는 렘수면 또는 비렘수면 중에 발견되는 정상적인 변이 증상의 일종으로 받아들여 지고 있다.

잠꼬대에 관한 현대적인 연구는 Rechtshcaffen이 제기한 객관적인 정의가 그 시작점이라 볼 수 있다. 그는 음성의 발화(vocalization)가 뇌파로 확인할 수 있는 렘수면 또는 비렘수면 단계에서 관찰되며, 발화가 즉각적인 사회적 상황의 맥락이 없고, 연속적으로 2개 이상의 구절로 이루어져야 한다는 기준을 제시했다. 첫 번째 경험적 연구(empirical study)는 Kamiya에 의해 이루어졌는데 비렘수면단계에서의 잠꼬대에 신체의 움직임이 동반된다는 것을 발견하였다. MacNeilage는 잠꼬대를 하는 사람들은 잠을 자는 중 말하는 것과 관련된 근육들에서 electromyography (EMG) 활성도의 빈도(frequency), 지속시간(duration), 그리고 최고 강도(peak intensity)가 대조군과 차이가 있음을 밝혔다.

최근까지의 연구를 통해 잠꼬대 도중의 발화는 대개 한 개부터 다섯 개의 단어 정도로 이루어지는 특징이 있다. 그리고 대개 1–2초 내에 끝나지만 길어질 경우에는 30초까지 지속될 수도 있으며, 앞서 언급한 바와 같이 그 양상은 속삭임부터 괴성까지 다양하게 나타난다. 발화 증상은 수면 중 모든 단계에서 발생하지만 단계에 따라 그 양상이 달라지는데, 렘수면에서는 내용이 좀더 감정적인 면을 띄고 문법에 어긋나지 않는 문장구조를 갖추고 있다. 반면, 비렘수면단계의 발화는 단조롭고 감정이 느껴지지 않는 말투를 사용하며 알아들을 수 없는 말을 하거나 새로운 단어를 만들어 사용하고(neologism). 앞뒤가 뒤죽박죽인 내용을 말하기도 하는데 이러한 양상은 비렘수면 III 단계에서 특히 더 나타난다. 하지만 잠꼬대 중이라도 그 내용이 각성 상태의 그것과 명확하게 구별할 수 없는 경우도 있다. 발화 중에는 뇌파는 수면 상태를 보이며, 전반적인 신체 근육 긴장도의 상승, 움직임 허상(movement artifact)의 진폭과 지속시간의 증가와 연관이 있음이 확인되었다.

일반 인구 중, 특히 소아와 청소년, 그리고 젊은 성인에서 널리 관찰되는 잠꼬대의 유병률 자료는 매우 제한적이며 단편적이다. 이는 첫째, 질병의 특성상 스스로 잠꼬대를 인식하지 못 하거나 기억하지 못 하기 때문에 유병률 설문 조사 자체가 제한적이 될 수 밖에 없다는 점에서 기인한다. 이 제한점을 해결하기 위해 실험실 연구를 시도할 수 있지만 이마저도 낯선 실험실 환경이 증상 자체의 발현을 방해할 수 있다는 한계가 있다. 둘째, 잠꼬대가 현재까지 질환으로 분류되지 않은 탓에 일관되고 표준화된 진단 기준이 정립되지 않아서 각 연구마다 서로 다른 기준을 채택하여 그 결과값의 해석에 제한이 있다는 것도 또 다른 이유이다. 가령, 동일한 LA 도심 지역을 대상으로 한 조사에서 '현재' 증상의 유무를 확인한 Bilxler 등의 연구에서는 유병률이 2.4%로 보고된 반면, '지난 세 달 간 한 번 이상'이라는 기준을 택한 다른 연구에서는 17%로 확인된 것이 그 대표적인 예다.

이 같은 제한점에도 불구하고 기존의 연구 결과들을 종합하면 잠꼬대는 소아기에 가장 흔하며 십대 청소년기에 점차 감소하지만 성인기에도 지속되거나 혹은 새롭게 발생하기도 한다. 소아에서는 그 유병률을 5–20%로 성별 간 차이는 없으며, 청년층에서는 1–5%로 유병률이 보고되고 여성에서 좀더 흔한 것으로 밝혀졌으나 몇몇 연구에서는 반대의 결과를 보이기도 하였다. 전체 인구를 대상으로 한 유병률은 채택하는 빈도의 기준에 따라 다르게 보고되는데 현재 유병률(current prevalence)은 1.4–50.8%, 평생 유병률(lifetime prevalence)은 5.3–66%로 알려져 있다. 하지만 이전의 역학 연구들이 렘수면행동장애(REM sleep behavior disorder, RBD)를 잠꼬대와 구분하지 않았다는 점과 대상지 집단의 이질성, 조사 방법과 연구 목적의 차이가 있어 그 결과값의 해석에 주의를 기울일 필요가 있다.

잠꼬대의 병인은 현재까지 명확하게 밝혀지지 않았다. Hublin 등에 의한 쌍생아 연구에 따르면, 소아기에서는 쌍생아 간의 일치율(concordance rate)이 50% 이상이었고 성인 여성에서는 48%, 그리고 성인 남성에서는 37%로 보고되어 유전적 요인이 있을 것으로 추측된다. Ooki 등은 증상의 발현에 88-96%가 유전적인 영향일 것이라 주장했으며, 잠꼬대, 수면 졸음(sleep drowsiness), 야경증(night terror) 사이에 부분적으로 유전적 또는 환경적인 요인을 공유할 것이라고 예상하였다. 환경적인 요인도 증상을 일으킬 수 있는데, 감정적 스트레스, 열성 질환, 음주, 특정 약물, 수면박탈 등이 연관성이 확인된 것들이다.

잠꼬대의 진단 기준은 시간에 따라 변화해 왔는데, 미국수면학회가 출간한 국제수면분류기준 제3판에서는 잠꼬대를 사건수면의 하나로 분류하며, 낮시간 어려움을 초래하지 않아 병적인 증상이 아니라고 기술하고 있다. 다른 수면장애들과 달리, 잠꼬대는 환자 또는 침대 파트너(bed partner), 가족 구성원으로부터의 청취한 임상 병력을 기초로 진단하지만 현재까지 확립된 진단기준은 없다. 잠꼬대는 특발성으로 발생하거나 혹은 비렘수면각성장애(NREM arousal disorder), 렘수면행동장애, 수면무호흡과 같은 다른 수면장애, 외상 후 스트레스 장애나 불안장애와 같은 정신과적 질환, 열이나 두통, 발작 등의 신체 질환과 관련하여 일어날 수도 있다.

앞에서 언급한 것처럼, 잠꼬대는 해가 없고 자연적으로 사라지기 때문에 치료가 필요한 병적인 증상으로 분류되지 않는다. 잠꼬대를 호소하는 환자들은 증상에 대해 설명하고 안심시키는 것만으로도 충분하나, 증상의 빈도와 강도가 높거나 증상으로 인한 불편이 심한 심각한 경우에는 개입이 필요할 수도 있다. 치료에 대한 연구 결과는 부족한 실정이지만, 적절한 수면위생의 확립과 규칙적인 수면 스케줄이 증상의 빈도와 심각도를 개선하는 데 효과가 알려져 있다.

③ 수면관련환각

수면관련환각(sleep-related hallucination)은 수면 상태로 들어가기 직전과 잠에서 깨어난 직후에 경험하게 되는 환각 증상이다. 환각은 시각적인 것이 대부분을 차지하지만, 청각이나 촉각과 같은 형태로 나타날 수도 있다. 각성 상태에서 수면으로 변하는 시기에 나타나는 환각을 입면환각(hypnagogic hallucination)이라 하고, 각성을 하는 도중에 경험하는 증상을 출면환각(hypnopompic hallucination)이라고 부른다. 이 증상은 일반 인구 중 9-37%가 경험하는 흔한 증상으로 완전하게 각성한 상태에서 경험하는 정신병적 환각(psychotic hallucination)과는 명확하게 구분된다. 실제로 수면관련환각을 경험한 사례 중에서 절반 이상이 신경정신과적인 병인과 연관이 없다고 밝혀졌다. 일반 인구 중 특히 저연령층에서 환각 증상을 경험한 비율을 더욱 높게 나타나며, 남성보다 여성이 더 자주 경험한다.

기면병이 수면관련환각의 대표적인 위험 요인이지만, 이 외에도 알코올 사용, 기분장애, 불면증, 약물 사용, 그리고 수면박탈도 증상의 발생에 영향을 미친다. 또한, 파킨슨병이나 루이소체치매(Lewy body dementia), 중뇌(midbrain)와 사이뇌(diencephalon)의 병변, 베타차단제의 사용도 수면관련환각 증상을 야기할 수 있는데, 이 때는 증상의 형태가 더욱 복잡하고 그 발병이 흔하지 않다는 차이점이 있다. 수면마비도 이 증상과 동반되어 나타나기도 하는데 두 증상은 동시에 발생하기도 하지만 다른 밤에 나타나기도 한다. 몇몇의 환자는 몽유병이나 잠꼬대를 경험하기도 하며, 낮 시간에도 비슷한 양상의 환각을 경험하기도 하므로 추가적인 병력 청취가 필요하다.

국제수면분류 기준 제3판에서는 이 증상을 진단하기 위해서는 입면 또는 출면환각이 나타나되, 다른 수면질환, 정신질환, 신체 질환, 그리고 약물이나 물질의 사용으로 인한 것이 아니라는 점이 필요하다. 수면다원검사에서 환각 증상은 주로 수면개시 렘수면 삽화(sleep onset REM episode)에서 관찰되지만, 소수의 사례에서는 비렘수면단계에서 발생하기도 하므로 진단에는 도움이 되지 않는다. 일반적으로 이 증상은 합병증을 동반하지 않으므로 환자를 안심시키는 것 외에는 특별한 치료가 필요하지 않다. 그러나 환각에 놀라서 침대에서 뛰어내리거나 폭력을 휘둘러 환자 자신 및 침대파트너가 신체적 상해를 입을 수 있으므로 안전한 침상환경을 각출 수 있도록 교육을 해야 할 수도 있다.

4 의학적 질병으로 인한 사건수면

이 진단은 사건수면 증상이 기저의 신체 질환이나 신경 질환에 의해 설명될 때 내릴 수 있다. 렘수면행동장애가 가장 빈번한 증상으로 알려져 있는데, 만약 파킨슨병과 같은 신경학적 질환이 있더라도 렘수면행동장애의 진단 기준을 충족한다면 '의학적 질병으로 인한 사건수면'에 해당하지 않는다. Charles Bonnet 증후군과 대뇌다리환각증(peduncular hallucinosis)으로 인한 수면관련환각도 이 진단의 대표적인 예이다. 하지만, 실제 임상 현장에서는 신체 질환의 존재와 사건수면의 발생 사이의 시간적 연관성과 증상의 인과 관계를 입증하는 것은 쉽지 않을 수도 있다.

5 약물로 인한 사건수면

이 질환을 진단하는 데 가장 핵심적인 요소는 약물의 사용 시점과 사건수면의 발생 또는 악화 사이의 시간적 연관성이다. 즉, 약물의 작용과 더불어 새롭게 사건수면이 나타나거나 기존에 존재하던 사건수면이 악화될 때, 이 진단을 내릴 수 있다. 약물과 사건수면 사이의 관련성이 가장 많이 알려진 것은 렘수면행동장애로 SSRI, venlafaxine, mirtazapine, 삼환계 항우울제(TCA), MAO 억제제, bupropion, 베타차단제(beta-blocker), bisoprorol 등이 RBD 증상을 악화시킬 수 있다(표 19-3-1). 이외에도 rivastigmine, selegiline과 같은 약물 외에도 알코올, 초콜릿, 카페인과 같은 물질도 RBD를 야기할 수 있다는 보고가 있다. Zolpidem과 zopiclone, 그리고 benzodiazepine계열의 약물은 수면과 관련된 야식증(sleep-related night eating)과 연관되어 있음도 널리 알려져 있다. 그리고 몽유병(sleepwalking)도 약물에 의해 유발될 수 있는데, 2018년도에 발표된 문헌 고찰 연구에 따르면, zolpidem과 sodium oxybate가 가장 강력한 근거가 있었다. 하지만 TCA, SSRI, mirtazapine, bupropion, olanzapine 등의 정신과 계열

표 19-3-1. 흔하게 사건수면을 일으킬 수 있는 약물들

렘수면행동장애(REM sleep behavior disorder)	Selective serotonin reuptake inhibitor Venlafaxine Mirtazapine Bupropion 삼환계 항우울제(Tricyclic antidepressant) MAO 억제제(MAO inhibitor) 베타-차단제(Beta-blocker) Bisoprorol
수면관련 야식증(Sleep-related eating)	Zolpidem Zopiclone Benzodiazepine Quetiapine
몽유병(Sleepwalking)	Zolpidem Sodium oxybate Quetiapine

의 약제 외에도 propranolol, bromocriptine, ciprofloxacin 등 여러 약제에서 몽유병이 일어났다는 증례 보고가 있었으므로 처방 후에 부작용 여부를 확인할 필요가 있다. 특히, 항정신병제 중에서는 quetiapine이 몽유병 및 수면관련 야식증과 유의한 관련성이 밝혀져 기왕력이 있는 환자에서는 사용을 피하는 것이 바람직하다.

만약 약물로 인한 사건수면을 진단하거나 의심할 때에는 약제의 사용을 중단하는 것이 치료의 첫 번째 순서이다. 실제로 RBD 증상을 일으키는 selegiline을 중단한 후, 증상의 완전한 소실을 확인할 수 있었다는 보고가 있다. 또한, zolpidem의 사용을 중지하고 야식증이 해소된 것 또한 흔하게 사례를 접할 수 있다. 하지만, 실제 임상 현장에서는 여러 약제의 복합적인 사용 및 신체적 질병과의 관련으로 인해 사건수면의 발생 및 악화를 유도하는 원인이 되는 약제를 명확하게 밝혀내는 것이 어려운 경우가 적지 않다. 뿐만 아니라 quetiapine으로 인한 몽유병이나 야식증 환자 중에서는 약제를 중단한 후에도 증상의 관해에 도달하지 못 한 경우도 보고되어 추가적인 약제의 처방이 필요할 수도 있다. 그럼에도 불구하고 만약 약제를 복용하면서 사건수면이 발생하여 약제 유발성의 가능성이 있다면, 적극적으로 원인을 파악하고 가급적이면 약제를 중단하거나 다른 계열의 약제로 변경하는 등의 노력이 필요하다.

▶ 참고 문헌

- Alfonsi V, D'Atri A, Scarpelli S, et al. Sleep talking: a viable access to mental processes during sleep. Sleep Med Rev 2019;44:12–22.
- Arkin A. Sleep-talking: a review. J Nerv Mnet Dis 1996;143:101–22.
- Azis M, Ristanovic I, Mittal VA. Hypnagogic and hypnopompic hallucinations: considerations for clinical high-risk assessment and targets for future research. Schizophr Res 2020;222:514–5.
- Bjorvatn B, Grønli J, Pallesen S. Prevalence of different parasomnias in the general population. Sleep Med 2010;11:1031–4.
- Bollu PC, Goyal MK, Thakkar MM, et al. Sleep medicine: parasomnias. Mo Med 2018;115:169–75.
- Cameron WB. Some observations and a hypothesis concerning sleep talking. Psychiatry 1952;15:95–6.
- Ceriani CE, Nahas SJ. Exploding head syndrome: a review. Curr Pain Headache Rep 2018;22:63.
- Cordeiro W. Somniloquy. Yalobusha Rev 2018;26:9.
- Denis D, Poerio GL, Derveeuw S, et al. Associations between exploding head syndrome and measures of sleep quality and experiences, dissociation, and well-being. Sleep 2019;42.
- Evans R, Dragan E. Encyclopedia of Sleep. Elsevier; 2013. pp. 241–2.
- Frenette E. REM sleep behavior disorder. Med Clin North Am 2010;94:593–614.
- Frese A, Summ O, Evers S. Exploding head syndrome: six new case and review of the literature. Cephalalgia 2014;34:823–7.
- Fulda S, Hornyak M, Müller K., et al. Development and validation of the Munich Parasomnia Screening (MUPS). Somnologie 2008;12:56–65.
- Goadsby PJ, Sharpless BA. Exploding head syndrome, snapping of the brain or episodic cranial sensory shock? J Neurolog Psychiatry 2016;87:1259–60.
- Goadsby PJ. Unique migraine subtypes, rare headache disorders, and other disturbances. Continuum (Minneap Minn) 2015;1032–40.
- Green MW. The exploding head syndrome. Curr Pain Headache Rep 2001;5:279–80.
- Honda K, Hashimoto M, Yatabe Y, et al. The usefulness of monitoring sleep talking for the diagnosis of dementia with Lewy bodies. Int Psychogeriatr 2013;25:851–8.
- Hoque R, Chesson Jr AL. Pharmacologically induced/exacerbated restless legs syndrome, periodic limb movements of sleep, and REM behavior disorder/REM sleep without atonia: literature review, qualitative scoring, and comparative analysis. J Clin Sleep Med 2010;6:79–83.
- Inoue, Y. Sleep-related eating disorder and its associated conditions. Psychiatry Clin Neurosci 2015;69:309–20.
- Irfan M, Schenck CH. Sleep-related orgasms in a 57-yearold woman: a case report. J Clin Sleep Med 2018;14:141–4.
- Jacome DE. Exploding head syndrome and idiopathic stabbing headache relieved by nifedipine. Cephalalgia 2001;21:617–8.
- Kamiya J. Behavioral, subjective and physiological aspects of drowsiness and sleep. 1961;145–74.
- Kirwan E, Fortune DG. Exploding head syndrome, chronotype, parasomnias and mental health in young adults. J Sleep Res 2021;30:e13044.
- Manni R. Rapid eye movement sleep, non-rapid eye movement sleep, dreams, and hallucinations. Curr Psychiatry Rep 2005;7:196–200.
- Ohayon MM. Prevalence of hallucinations and their pathological

associations in the general population. Psychiatry Res 2000;97:153–64.

- Ooki S. Genetic and environmental influences on sleeptalking, half-sleeping, night terrors, and nocturnal enuresis in childhood –A study of two Japanese twin samples–. Jpn J Health & Human Ecology 2008;74:130–45.

- Palikh GM, Vaughn BV. Topiramate responsive exploding head syndrome. J Clin Sleep Med 2010;6:382–3.

- Park SJ, Kim SH, Park KH, et al. Exploding head syndrome. J Korean Neurol Assoc 2009;27:170–3.

- Pearce JM. Clinical features of the exploding head syndrome. J Neurol Neurosurg Psychiatry 1989;52:907–10.

- Peeters D, Dresler M. The scientific significance of sleep-talking. Front. Young Minds 2014;2.

- Rechtschaffen A, Goodenough DR., Shapiro A. Patterns of sleep talking. Arch Gen Psychiatry 1962;7:418–26.

- Reimão RN, Lefévre AB. Prevalence of sleep-talking in childhood. Brain Dev 1980;2:353–7.

- Sachs C, Svanborg E. The exploding head syndrome: polysomnographic recordings and therapeutic suggestions. Sleep 1991;14:263–6.

- Salih F, Klingebiel R, Zschenderlein R, et al. Acoustic sleep starts with sleep-onset insomnia related to a brainstem lesion. Neurology 2008;70:1935–7.

- Sharpless BA. Characteristic symptoms and associated features of exploding head syndrome in undergraduates. Cephalalgia 2018;38:595–9.

- Sharpless BA. Exploding head syndrome is common in college students. J Sleep Res 2015;24:447–9.

- Sharpless BA. Exploding head syndrome. Sleep Med Rev 2014;18:489–93.

- Sharpless, BA, Denis D, Perach R., et al. Exploding head syndrome: clinical features, theories about etiology, and prevention strategies in a large international sample. Sleep Med 2020;75:251–5.

- Stallman HM, Kohler M, White J. Medication induced sleepwalking: a systematic review. Sleep Med Rev 2018;37:105–13.

- Stores G. Sleep paralysis and hallucinosis. Behav Neurol 1998;11:109–12.

- Yeh SB, Yeh PY, Schenck CH. Rivastigmine-induced REM sleep behavior disorder (RBD) in a 88-year-old man with Alzheimer's disease. J Clin Sleep Med 2010;6:192–5.

- Zucconi M, Oldani A. The parasomnias and other sleep-related movement disorders. Cambridge University Press; 2010. pp. 54–63.

01 수면의 호흡생리

최수전

지구상의 모든 생물들은 거대한 에너지 사슬을 이루고 있다. 태양으로부터 오는 에너지가 초식동물(herbivore)의 광합성을 통해 포착되어 육식동물(carnivore)의 먹이가 되고 이들 생태계의 꼭지점에 인간이 존재한다. 호흡의 본질은 효율적인 에너지 대사를 위한 산소 섭취에 있다. 세포 호흡(celluar respiration)은 유기체의 하나하나의 세포에서 일어나는 현상으로 영양소를 산화하는 대사 과정을 통하여 ATP나 NADPH의 형태로 에너지를 얻는 과정이다. 이론상으로는 1개의 포도당을 산화하여 38개의 ATP (당분해로부터 2개, 크렙스 회로를 통해 2개, 그리고 전자전달시스템으로부터 34개)를 얻을 수 있지만 실제로는 여러 가지 제한사항으로 인해 약 30개 정도의 ATP를 얻는다. 이런 에너지 효율은 무산소대사(anaerobic metabolism)를 통해 얻는 2개의 ATP에 비해 약 15배의 에너지 효율을 보인다. 따라서 포유류를 비롯한 대부분의 동물에서 산소를 이용한 에너지 획득은 지구상에서 생존에 절대적이며, 아주 극소수의 생명체가 황이라든가 다른 물질을 분해히여 에너지를 얻는다.

이런 생화학적인 세포호흡과는 달리 생리학적 호흡은 지구 대기상의 산소를 체내의 허파 같은 호흡기관으로 받아들여(들숨) 조직내의 세포까지 전달하고, 그 반대방향으로 대사산물인 이산화탄소를 세포에서 조직으로 그리고 호흡기도를 거쳐 체외로 배출하는 과정(날숨)을 의미한다.

호흡의 조절은 중추성 호흡 발생기(CRG: central respiratory generator)로부터 호흡구동(respiratory drive), (tonic activity)과 호흡 리듬(respiratory rhythm), (phasic activity)을 만들어 호흡근육까지 전달한다. 호흡구동(respiratory drive)을 만들어내는 바탕은 말초 및 중추 화학수용체(peripheral & central chemoreceptor)로부터 온 화학정보(산소, 이산화탄소 및 pH)와 말초와 폐, 기도에 있는 수용체로부터 온 정보에 의한 작동이다. 이런 호흡 리듬의 생성에는 Pre-Bötzinger complex가 중요한 기능을 하는 것으로 밝혀졌다.

흡기과정은 중추성 호흡 발생기(CRG)에 의해 시작하지만 그 과정은 소뇌 숨뇌(cerebellar medulla)에 있는 복측 호흡 집단(ventral respiratory group, VRG)과 배측 호흡 집단(Dorsal respiratory group, DRG)에 있는 흡기 전운동 신경세포(inspiratory premotor neuron)에 의해 시작하며 흡기 과정의 종료는 뇌간에 있는 Bötzinger complex에 있는 호기 신경세포에 의한다.

뇌교(pons)에 있는 호흡조정중추(pneumotaxic center)는 흡기 시간에 영향을 미치며 하부 뇌교에 있는 지

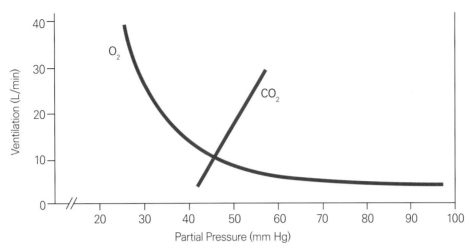

그림 20-1-1. 폐포 이산화탄소 및 산소 분압에 대한 호흡 반응
(Respiratory responses to PaCO₂ & PaO₂)

속들숨중추(apneustic center)는 흡기 과정을 부드럽게 마치는 데 기여한다. 고이산화탄소혈증(hypercapnia), 저산소증(hypoxia), 폐팽창(lung inflation) 상태에서 뇌교는 호흡과정을 세밀하게 조율하는 기능을 가졌다.

다시 말하면 중추 조절자(central controller)는 경동맥 소체 및 대동맥 소체(carotid & aortic body)에서 포착한 산소 분압 정보와 중추화학수용체(central chemoreceptor)를 통해서 얻은 혈액과 뇌척수액(CSF)의 이산화탄소 분압 정보를 통합하여 호흡 리듬을 만들어내고 작동체(effector)인 호흡근육에 전달하여 생리학적인 호흡과정을 실현한다.

그 결과 산소분압과 이산화탄소 분압 변화에 따른 전형적인 환기 패턴을 보인다(그림 20-1-1).

즉 이산화탄소 분압이 28 mmHg 이상이면 호흡수, 일회 환기량(tidal volume), 분당 환기량(minute ventilation)은 직선적으로 변한다. 그에 반해 산소 분압은 60 mmHg 이상에서는 거의 변화가 없으며, 60 mmHg 이하인 경우 변화가 직선적이지 않다.

숨뇌에 있는 RTN (retrotrapezoid nucleus)은 1960년대부터 화학수용체(respiratory chemoreceptors)를 가진 것으로 알려져 있었는데 CO₂/H+에 민감한 RTN의 신경세포는 약 2,000개에 달하며 RTN은 경동맥소체(carotid body)와 연계하여 호흡을 조절하는데, 경동맥

소체로부터 오는 구심성 입력(afferent input), (경동맥소체 이차 반응 신경세포: CB second-order neurons)을 받는 글루타민 작동성(glutaminergic) 배측 숨뇌 신경세포(dorsal medullary neurons)와 함께 RTN의 같은 뇌교 숨뇌 부위(pontomedullary regions)에서 최종적으로 중추 및 말초 화학수용체의 정보를 통합한다. 경동맥소체 이차 반응 신경세포(CB second-order neurons)는 RTN을 강력하게 활성화 시킬 수 있다.

RTN 신경세포가 없이 태어나는 Phox2b 돌연변이가 있는 경우 출생 시 호흡부전으로 사망하는 선천성 중추성 저환기증후군(congenital central hypoventilation syndrome)의 중증 형태로 나타나기도 한다.

1 수면 시의 호흡생리의 변화

인간의 호흡조절은 각성 시와 수면 시가 다르며, 수면 중에서도 비렘수면과 렘수면이 달라진다. 수면에 들면 대뇌로부터의 각성 자극(wakefulness stimulus)이 사라지고, 골격근의 긴장도가 감소하며, 화학적 및 기계적 부하에 대한 환기 반응이 감소하고, 수면자세에 따라 (대개 와상) 폐기능의 변화가 일어나 기능적 잔기량(FRC)이 감소하고 환기/순환의 불일치 등으로 호흡생리

가 많이 달라진다. 그리고 수면 중에서도 렘수면에 들면 골격근의 긴장도는 더욱 떨어진다(REM-related hypotonia-atonia). 깨어 있을 때는 수의적인 조절이 가능하여, 무호흡이 일어나는 경우는 거의 없지만, 수면에 들면 물리화학적인 정보에 의한 조절만이 가능하여지므로 마치 데카르트가 말한 동물 기계론처럼 오로지 호흡중추와 호흡기는 산소와 이산화탄소 pH 등 화학적 정보의 감지와 반응 같이 기계적인 대응을 하게 되므로, 원래 해부학적으로 또는 생리적으로 취약한 개체의 경우 무호흡(폐쇄성 혹은 중추성)이 나타날 수 있다. 각성 시의 $PaCO_2$는 해수면 수준에서 통상 35-45 mmHg 사이의 좁은 영역에서 조절되지만(homeostasis), 수면 시에는 3-7 mmHg 정도 오르며 PaO_2는 3-9 mmHg 정도 떨어지고 SaO_2는 약 2% 정도 떨어진다. 그 이유는 각성 시에 비해 대사 자체가 감소하고 이에 따라 산소 소모가 10-20% 낮아져서 상대적으로 전반적인 저환기에 들어가기 때문이다. 그리고 수면 중 $PaCO_2$가 10분 이상 55 mmHg 이상으로 확인되면 수면 저환기(sleep hypoventilation)라 한다. 저산소증과 고이산화탄소증에 대해 수면 중 호흡 환기 반응은 Wake-N3-N2-렘수면 순서로 민감도가 감소하는 경향을 보인다(그림 20-1-2).

비렘수면 시에는 뇌교 숨뇌 부위의 호흡 패턴 발생기(pontomedullary respiratory pattern generator)가 자동 리듬 형태(autorhytmic)로 작동하며, 중추 및 말초 화학 수용체로부터의 화학 정보에 거의 전적으로 의존한다. 그럼으로 인해서 PCO_2의 작은 변화에 의해서도 무호흡이나 주기적 호흡 또는 중추신경에 손상을 주는 저산소혈증(hypoxemia)이 나타날 수 있다. 따라서 수면 중 무호흡은 중추신경계 저이산화탄소혈증(CNS hypocapnia)에 의해 RTN 같은 중추 호흡 화학수용체(central respiratory chemoreceptor)가 불활성화 되어 나타나는 것으로 이해된다. 그러나 렘수면 시에는 화학반사(chemoreflex)가 훨씬 약화되는데 이는 호흡이 더 이상 화학 수용체의 조절하에 있지 않기 때문이며 렘수면 시에 orexin, noradrenaline, serotonin 같은 각성 조절자의 자극 효과가 사라지고 많은 호흡근의 상대적인 이완증

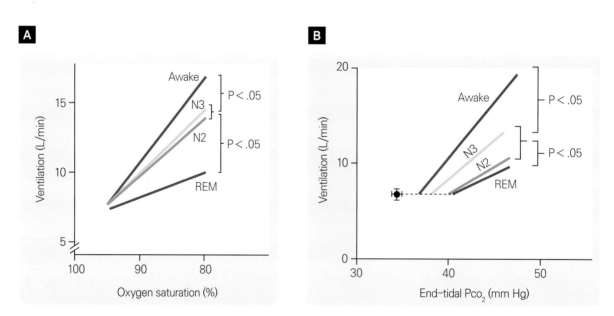

그림 20-1-2. 저산소증과 고이산화탄소증에 대한 수면시기에 따른 환기반응.
(A) Hypoxic ventilatory response across sleep stages. (B) Hypercapnic ventilatory responses across sleep stages
출처: Douglas NJ. Respiratory physiology: understanding the control of ventilation. In: Kryger M, Roth T, Dement WC. Principles and practice of sleep medicine. 5th ed. Philadelphia: Elsevier; 2011.

(atonia)에도 불구하고 호흡의 환기는 그런대로 잘 유지되는 것은 호흡빈도의 증가, 출처가 명확하지 않지만 고도의 가변적인 흡기 터짐 간격(highly variable inspiratory burst intervals of unknown origin) 때문이며, 더 이상 RTN 조절하에 있지 않다고 알려져 있다. 즉 렘수면 시에는 Pre−Bötzinger complex가 자동 리듬에 따르지 않으며 대뇌의 다른 부분으로부터 흡기 터짐(inspiratory burst)이 온다는 말이고 이때 마치 호흡의 수의적인 조절같이 대뇌피질이나 뇌간(brainstem) 구조가 관여한다고 알려져 있다.

일반적으로 호흡근으로 가장 중요한 횡격막의 기능에 대해 많이 알려져 있지만 수면시의 호흡에는 횡격막 못지않게 인두근육(pharyngeal muscles)의 역할이 새삼 중요하게 부각된다. 왜냐하면 횡격막은 수면 중에 수면기전에 의해 상대적으로 영향을 덜 받고 기능하지만, 인두근육은 수면기전에 영향을 많이 받는데 인두근육의 약화로 인하여 기도 유지에 실패하게 되면 즉 호흡 중 공기가 드나드는 통로 구실을 하지 못 하게 되어 기도 폐쇄가 일어나면 저호흡이나 무호흡 또는 질식(asphyxia)이 일어날 수 있어 수면 중에는 아주 중요하게 그 기능이 드러난다.

개체의 생존은 에너지 대사의 항상성에 절대적으로 의존하는데, 보다 나은 에너지 효율을 위해서는 호흡을 통해 획득한 산소가 폐로부터 조직과 세포에 이르는 적절한 유통을 필요로 하고 이것이 순환과정(circulation)이다. 따라서 호흡(환기)(ventilation)은 순환(관류)(circulation)과 절대적으로 결합(ventilation−perfusion matching, VQ matching)되어야 생리적으로 합목적적(teleological)이다. 통상 분당 12−20회의 호흡이 비해 60−100회의 심장 박동은 그 비율상 순환(심장박동)이 호흡에 맞추어 변화할 수밖에 없다. 이런 생리학적인 최적의 상태를 심장박동의 견지에서는 호흡성 동성 부정맥(respiratory sinus arrhythmia, RSA)이라고 하는데, 산소농도가 상대적으로 낮은 호기 시에 비하여 상대적으로 산소농도가 높은 흡기 시에 심장박동을 보다 더 많이 배치하여 산소 섭취의 효율화를 극대화하는 생리적인 현상이다. 만일 심장 박동이 호흡의 변화에 맞추지 않고 반대로 박동한다면(inversre RSA) 오히려 산소를 매개한 에너지 획득의 엄청난 비효율을 초래한다. RSA를 통해 산소와 이산화탄소의 가스 교환(gas exchange)의 효율은 7−10% 향상되는데, 이러한 RSA는 주로 심장에 대한 부교감신경의 작용에 의한 것이므로 미주신경 활성도의 지표(index of the vagal tone)로 이용되기도 한다. 그런데 RSA는 저산소상태의 진행(progressive hypoxia)에 대한 반응은 감소하므로 RSA의 능동적인 역할은 CO_2 항상성(homeostasis)에 국한되는 것으로 보여진다.

이러한 순환과 호흡의 결합은 심폐결합(Cardiopulmonary coupling, CPC)으로 알려져 있으며, 특히 깊은 잠(deep sleep)과 진정 혹은 마취 시 가장 잘 나타난다. 이러한 심폐결합(CPC)을 일목요연하게 한눈에 볼 수 있도록 만드는 수면 시 심폐결합도(cardiopulmonary sleep spectrogram)(그림 20-1-3)는 단일 유도 심전도(single lead ECG)로부터 얻은 데이터를 바탕으로 RJ Thomas에 의해 2005년 처음으로 제시되었지만, 그 기본이 되는 심전도 유래 호흡 포착(ECG derived respiration, EDR)의 개념은 이미 그 전에 알려진 바 있다. 이렇게 호흡에 맞추는 심장 박동의 변화를 심전도에서 얻은 다음 이를 고속 푸리에 변환(Fast Fourier Transformation)을 하게 되면 시간 영역(time domain)과 주파수 영역(frequency domain)으로 나누어 해석할 수 있어 아주 유용한 데이터를 얻을 수 있다. 24시간 홀터 감시(24 hr Holtor monitoring)검사를 통해서 24시간 심박동 변화도(24 hr heart rate tachogram) 그림을 얻을 수 있는데 인간의 통상적인 주야간 활동을 반영하여 건강한 사람에서는 수면 시− 안정 시 − 활동 시로 구분되는 3 꼭지를 전형적으로 볼 수 있다(그림 20-1-4). 즉 야간 수면시 안정적으로 맥박/혈압이 저하하는 HR dipper pattern을 보여주는 데 비해 중증 폐쇄성 수면 무호흡 환자의 경우 이러한 HR dipping pattern이 사라지고 HR nondipper pattern을 보인다(그림 20-1-5). 이러한 HR dipping pattern과 밀접하게 연관되어 야간 수면 시 BP

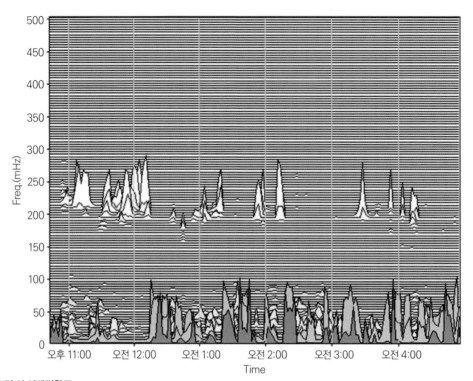

그림 20-1-3. 수면 시 심폐결합도
(Cardiopulmonary sleep spectrogram: Mild OSA: M 43 / AHI 9.6/hr / ODI 7.7/hr)

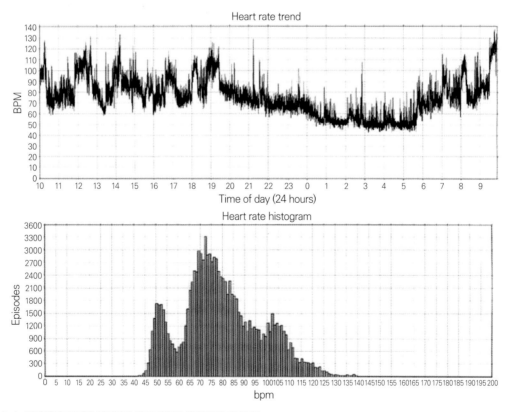

그림 20-1-4. 건강인의 24시간 심장박동 타코그램 및 심박동 빈도 분포도
(24 hour heart rate tachogram and heart rate distribution in healthy person, HR dipper)

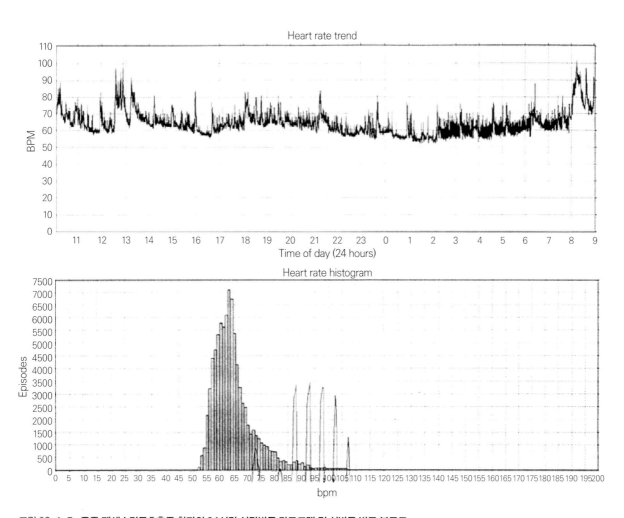

그림 20-1-5. 중증 폐쇄수면무호흡증 환자의 24시간 심장박동 타코그램 및 심박동 빈도 분포도
(24 hour heart rate tachogram pattern & HR distribution in severe OSA patient: HR non-dipper)

dipper pattern이 폐쇄수면무호흡증 환자에서 사라지는 현상이 이미 알려진 바 있다. 실제로 HR dipper와 HR non-dipper의 경우 ODI4의 차이가 없음에도(20.5/hr vs. 21.8/hr: p=0.8252) 대표적인 심박동 변이(heart rate variability, HRV)의 한 지표인 SDNN (standard deviation of normal R-R interval)의 경우 차이가 현저하였다(128.9 ms vs. 72.6 ms: p=0.0005). 심근경색 시 낮은 24시간 SDNN (< 70 ms)은 ATRAMI (Autonomic Tone and Reflexes After Myocardial Infarction) 연구에서 사망률을 3.2배 높인다고 한 바와 같이 24시간 SDNN은 이환율과 사망률(morbidity & mortality)에 지대한 영향을 미친다고 알려져 있다. 또한 HR dipper

와 nondipper 군은 야간 수면 시 평균 산소포화도도 차이가 있었다(93.58 vs 90.98: p=0.0158). 그러나 이런 HR dipping pattern에 따른 시간 영역(time domain)에서의 지표(예를 들면 SDNN)의 차이는 짧은 시간이나 야간 수면 시만으로는 생리적인 변화와 병리적인 변화가 혼재하여 뚜렷이 드러나지 않고 24시간의 일주야의 변화를 온전히 담아내는 홀터 검사를 통하여야 하는 불편한 점이 있다. 이에 대해 야간 수면 시 얻은 심전도 데이터를 고속 푸리에 변환(FFT) 처리를 통하여 얻은 다른 가공된 데이터인 주파수 영역(frequency domain)의 경우 훨씬 더 일목요연하게 볼 수 있는 수면 시 심폐결합도(cardiopulonary sleep spectrogram)와 함께 부교감 신경의 활성도를 반영하는, 즉 좋은 잠을 나타내는 고주파결합(high frequency coupling, HFC)을 계량적으로 그리고 그림으로 알아볼 수 있다(그림 20-1-3). 고주파 결합(HFC : 0.1−0.4 Hz)은 수면 시의 생리적인 HR dipping 현상을 그대로 대응하여 보여준다(그림 20-1-6). 그런데 BP dipping 현상은 HFC 동안에만 나타나는 것으로 알려져 있다(그림 20-1-7). 이런 심폐결합(CPC)의 가시화는 처음에는 심전도로부터 유래한 데이터를 이용하였지만 심폐결합을 반영하는, 손가락 끝에서 측정할 수 있는 광용적맥파(photoplethysmogram, PPG)를 통해서도 구현할 수 있다(그림 20-1-6). 심폐결합도에서 고주파결합(HFC) (0.1−0.4 Hz)과 저주파결합(low frquency coupling, LFC) (0.01−0.1 Hz)은 상호 배타적이어서(mutually exclusive) HFC 또는 LFC가 나타나며, 동시에 HFC와 LFC가 나타나지는 않는다. 그리고 수면 중 나타나는 뇌파의 불안정한 상태인 CAP (cycling alternating pattern)은 HFC 기간에는 잘 나타

나지 않으며 LFC 기간에는 더 잘 나타나는 경향을 보이는데 일반적으로 HFC는 수면시기 N3에 나타나지만 N2에서도 보이기 때문에 뇌파로 구분하는 수면 시기와는 잘 맞아떨어지지 않는데 그 이유는 심폐결합(CPC)으로 파악되는 생리적 혹은 병태생리적인 변화가 뇌파가 잘 포착하지 못하는 변화를 잡아내기 때문으로 보인다. 실제로 대뇌피질각성(cortical arousal)과 심장각성(cardiac arousal) 같은 자율신경각성(autonomic arousal)이 반드시 일치하지 않는다. 대뇌피질각성의 37%가 자율신경각성을 동반하지 않으며 자율신경각성의 28%가 대뇌피질각성을 동반하지 않는다고 하면서 특히 폐쇄수면무호흡증이나 주기사지운동장애(PLMS)에서 대뇌피질각성을 동반하지 않는 자율신경각성이 많고, 수면다원검사(PSG)에서 뇌파각성(EEG arousal)만으로는 심혈관계 이환율 및 사망률(cardiovascular morbidity or mortality)에 연관되는 전모를 파악하는 데는 한계가 있음을 보여주었다. 즉 수면 시 일어나는 활력징후의 변

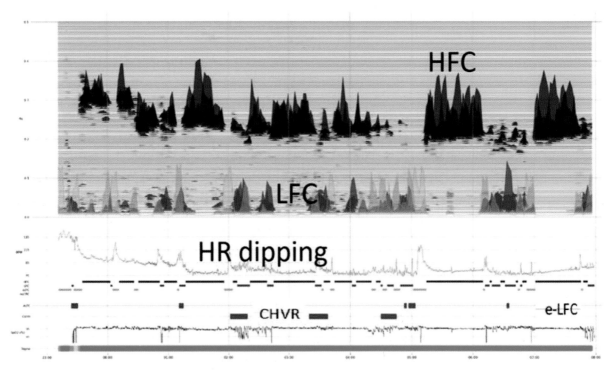

그림 20-1-6. 광용적맥파/산소포화도측정기 기반 심폐결합도
(Photoplethysmogram/oximetry−based CPC-heart rate analysis)
출처: Al Ashry HS, Ni Y, Thomas RJ. Cardiopulmonary sleep spectrograms open a novel eindow into sleep biology—implications for health and disease. Front Neurosci 2021;15:1–12.

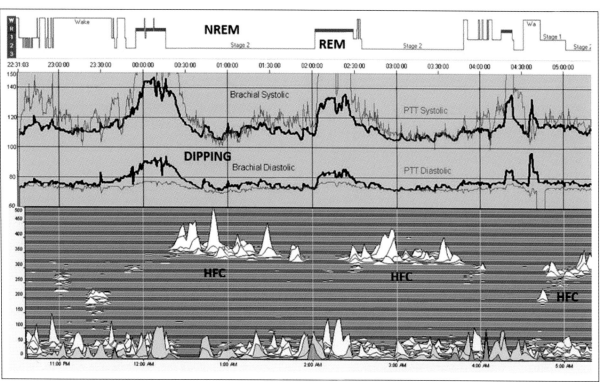

그림 20-1-7. 수면시기와 연관된 혈압의 변화(Blood pressure in relation to sleep stage and state)

출처: Wood C, Bianchi MT, Yun CH, et al. Multicomponent analysis of sleep using electrocortical, respiratory, autonomic and hemodynamic signals reveals distinct features of stable and unstable NREM and REM sleep. Front Physiol 2020;11:592978.

화가 뇌파를 통해서 다 포착되지 않기 때문에 보다 민감한 심장과 호흡의 변화가 더 광범위하게 수면 중 생리현상의 변화를 나타내는 것으로 보인다.

활력징후를 구성하는 중요한 요소인 혈압과 맥박, 그리고 호흡에서 RSA, 심장 박동의 변이(HRV)가 생리적(physiologic) 현상으로 항상성 유지에 기여하는 데 반해, 혈압과 호흡의 변이(BP variability, Respiratory rate variability)는 항상성 유지에 불리하게 작용하는 병리적(pathologic)인 현상이다.

인간의 호흡생리에서 호흡수의 변이(respiration rate variability, RRV)도 연속적인 생체 데이터로 분석할 수 있는데 수면 중 RRV의 변화는 Wake-REM-N1-N2-N3 순으로 변이가 감소하는 경향을 보인다(그림 20-1-8). 중환자실의 환자에서 호흡수가 분당 27을 넘으면 심폐정지가 올 확률이 높다는 예전의 보고가 있었지만,

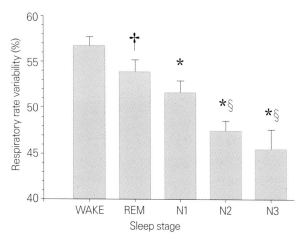

그림 20-1-8. 수면시기에 따른 호흡수 변이

[Respiratory rate variability (RRV) for patients] ($p < 0.0001$; †$p < 0.05$ compared to Wake; §$p < 0.001$ compared to REM; mean SEM)

출처: Gutierrez G, Williams J, Alrehaili GA, et al. RRV in sleeping adults without obstructive sleep apnea. Physiol Rep 2016;4:e12949.

RRV 변화의 의학적인 의미는 아직 많이 알려져 있지 않으며 중환자실 환자를 대상으로 한 연구에서 RRV의 증가는 나쁜 예후와 연관되어 있음이 밝혀져 있다.

호흡의 목적은 외기의 산소를 기도와 호흡기를 통해 받아 들여 궁극적으로는 효율적인 에너지를 생산하여 인체의 항상성을 유지하기 위한 가장 중요한 생명활동이다. 다만 수면 중의 호흡은 수면의 기능에 부합하기 위하여 비렘수면과 렘수면에 따라 호흡의 조절이 달라진다. 그리고 수면 중 호흡이 가장 생리적이기 위해서는 순환(심장 박동)과 유기적으로 잘 결합하는 심폐결합을 보여야 한다. 그럼으로 인해 호흡으로 획득한 산소의 가장 효율적인 생체 이용을 구현할 수 있기 때문이다. 이러한 잘 조화된 수면 중의 호흡과 순환의 결합은 고주파 결합(HFC)으로 수면 심폐결합도(Cardiopulmonary coupling sleep spectrogram)에서 한눈에 볼 수 있도록 나타난다. 그리고 병리적인 호흡과 순환의 결합은 저주파 결합(LFC)의 형태로 나타난다.

▶ 참고 문헌

- Al Ashry HS, Ni Y, Thomas RJ. Cardiopulmonary sleep spectrograms open a novel eindow into sleep biology—implications for health and disease. Front Neurosci 2021;15:1–12.
- Amiel J, Laudier B, Attie–Bitach T, et al. Polyalanine expansion and frameshift mutations of the paired–like homeobox gene PHOX2B in congenital central hypoventilation syndrome. Nat Genet 2003;33:459–61.
- Basting TM, Burke PG, Kanbar R, et al. Hypoxia silences retrotrapezoid nucleus respiratory chemoreceptors via alkalosis. J. Neurosci 2015;35:527–43.
- Burke PG, Kanbar R, Basting TM, et al. State–dependent control of breathing by the retrotrapezoid nucleus. J Physiol 2015;593:2909–26.
- Choi SJ, Choi SB. Clinical feature of heart rate vatiability in obstructive sleep apnea patients. Korean J Sleep Medicine 2006;8:1–6.
- Choi SJ, Kim JS. Clinically different phenotypes of obstructive sleep apnea according to 24 hours heart rate tachogram pattern. Sleep Med Res 2011;2:21–6.
- Davies CWH, Crosby JH, Mullins RL, et al. Case–control study of 24 hour ambulatory blood pressure in patients with obstructive sleep apnoea and normal matched control subjects. Thorax 2000;55:736–40.
- Dempsey JA, Smith CA, Blain GM, et al. Role of central/peripheral chemoreceptors and their interdependence in the pathophysiology of sleep apnea. Adv Exp Med Biol 2012;758:343–9.
- Dick, TE, Hsieh YH, Dhingra RR, et al. Cardiorespiratory coupling: common rhythms in cardiac, sympathetic, and respiratory activities. Prog Brain Res 2014;209:191–205.
- Douglas NJ. Respiratory physiology: understanding the control of ventilation. In: Kryger M, Roth T, Dement WC. Principles and practice of sleep medicine. 5th ed. Philadelphia: Elsevier; 2011.
- Fieselmann JF, Hendryx MS, Helms CM, et al. Respiratory rate predicts cardiopulmonary arrest for internal medicine inpatients. J Gen Intern Med 1993;8:354–60.
- Fraigne JJ, Orem JM. Phasic motor activity of respiratory and non–respiratory muscles in REM sleep. Sleep 2011;34:425–34.
- Garrido D, Assioun JJ, Keshishyan A, et al. RRV as a prognostic factor in hospitalized patients transferred to the ICU. Cureus 2018;10:e2100.
- Garrigue S, Bordier P, Barold SS, et al. Sleep apnea: a new indication for cardiac pacing? PACE 2004;27:204–11.
- Giardino N, Glenny RW, Borson S, et al. Respiratory sinus arrhythmia is associated with efficiency of pulmonary gas exchange in healthy humans. Am J Physiol Heart Circ Physiol 2003;284:H1585–91.
- Gutierrez G, Williams J, Alrehaili GA, et al. RRV in sleeping adults without obstructive sleep apnea. Physiol Rep 2016;4:e12949.
- Guyenet PG, Bayliss DA. Neural control of breathing and CO2 homeostasis. Neuron 2015;87:946–61.
- Guyenet PG. Regulation of breathing and autonomic outflows by chemoreceptors. Compr Physiol 2014;4:1511–62.
- Hayano J, Yasuma F, Okada A, et al. Respiratory sinus arrhythmia. A phenomenon improving pulmonary gas exchange and circulatory efficiency. Circulation 1996;94:842–7.
- Janczewski WA, Tashima A, Hsu P, et al. Role of inhibition in respiratory pattern generation. J Neurosci 2013;33:5454–65.
- Javaheri S, Dempsey JA. Central sleep apnea. Compr Physiol 2013;3:141–63.
- l a Rovere MT, Bigger JT Jr, Marcus FI, et al. Baroreflex sensitivity and heart–rate variability in prediction of total cardiac mortality after myocardial infarction. ATRAMI (Autonomic Tone and Reflexes After Myocardial Infarction) Investigators. Lancet 1998;351:478–84.
- Lazarenko RM, Milner TA, Depuy SD, et al. Acid sensitivity and

ultrastructure of the retrotrapezoid nucleus in Phox2b–EGFP trans-genic mice. J Comp Neurol 2009;517:69–86.

• Olsen M, Schneider LD, Cheung J, et al. Automatic, electrocardio-graphic–based detection of autonomic arousals and their associa-tion with cortical arousals, leg movements, and respiratory events in sleep. Sleep J 2018;41:1–10.

• Orem JM, Lovering AT, Vidruk EH. Excitation of medullary respira-tory neurons in REM sleep. Sleep 2005;28:801–7.

• Robin ED, Whaley RD, Crump CH, et al. Alveolar gas tensions, pulmonary ventilation and blood pH during physiologic sleep in normal subjects. J Clin Invest1958;37:981–9.

• Smith JC, Ellenberger HH, Ballanyi K, et al. Pre–Bötzinger complex: a brainstem region that may generate respiratory rhythm in mam-mals. Science 1991;254:726–9.

• Smith JC, Morrison DE, Ellenberger HH, et al. Brainstem projections to the major respiratory neuron populations in the medulla of the cat. J Comp Neurol 1989;281:69–96.

• Song G, Wang H, Xu H, et al. Kolliker–Fuse neurons send collateral projections to multiple hypoxia–activated and nonactivated struc-tures in rat brainstem and spinal cord. Brain Struct Funct 2012;217:835–58.

• Takakura AC, Moreira TS, Colombari E, et al. Peripheral chemore-ceptor inputs to retrotrapezoid nucleus (RTN) CO2–sensitive neu-rons in rats. J Physiol 2006;572:503–23.

• Thayer JF, Peasley C, Muth ER. Estimation of respiratory frequency from autoregressive spectral analysis of heart period. Biomed Sci Instrum 1996;32:93–9.

• Thomas RJ, Mietus JE, Peng CK, et al. An electrocardiogram-based technique to assess cardiopulmonary coupling during sleep. Sleep 2005;28:1151–61.

• Thomas RJ, Mietus JE, Peng CK, et al. Differentiating obstructive from central and complex sleep apnea using an automated elec-trocardiogram–based method. Sleep 2007;30:1756–69.

• Thompson SR, Ackermann U, Horner R. Sleep as a teaching tool for integrating respiratory physiology and motor control. Adv Physiol Educ 2001;25:29–44.

• Winter SM, Fresemann J, Schnell C, et al. Glycinergic interneurons are functionally integrated into the inspiratory network of mouse medullary slices. Pflügers Arch 2009;458:459–69.

• Wood C, Bianchi MT, Yun CH, et al. Multicomponent analysis of sleep using electrocortical, respiratory, autonomic and hemody-namic signals reveals distinct features of stable and unstable NREM and REM sleep. Front Physiol 2020;11:592978.

• Yasuma F, Hayano J. Impact of acute hypoxia on heart rate and blood pressure variability in conscious dogs. Am J Physiol Heart Circ Physiol 2000;279:H2344–9.

• Yasuma F, Hayano J. Respiratory sinus arrhythmia: why does the heartbeat synchronize with re spiratory rhythm? Chest 2004;125:683–90.

• Yasuma F, Hirai M, Hayano J. Differential effects of hypoxia and hypercapnea on respiratory sinus arrhythmia in conscious dogs. Jpn Circ J 2001;65:738–42.

PART
4

수면장애 각론

02 상기도 해부학

이승훈

상기도는 호흡기를 구성하는 구조물 중에서 외부 기류가 인체 내에 처음 들어오게 되는 부분으로 다양한 연조직과 연골 및 골조직으로 이루어져 있다. 해부학적 위치에 따라서 비강(nasal cavity), 구강(oral cavity), 인두(pharynx)[비인두(nasopharynx), 구인두(oropharynx), 하인두(hypopharynx)], 후두(larynx)로 크게 나누어지고 구인두는 구개후방(retropalatal) 구인두와 설근부(base of tongue) 구인두로 세분화되어 구분될 수 있다.

정상적으로 수면 중 상기도 내경은 숨을 들이쉬면서 생기는 기도내 음압과 상기도 확장근 수축을 통한 기도 확장력 사이의 균형을 통해 유지된다. 만일 이러한 균형에 문제를 일으키는 호흡생리학적인 문제나 기도내경을 좁히는 해부학적 변형이 있으면 수면 중 상기도가 좁아지면서 호흡 및 수면장애가 나타나는 폐쇄수면무호흡증이 발생할 수 있다.

본 장에서는 상기도를 구성하는 정상 해부학적 구조에 대해 설명하고 폐쇄수면무호흡증과 관련된 상기도의 주요 해부학적 이상소견에 대해 정리하고자 한다.

1 비강

상기도와 관련된 코안의 주요 공간인 비강은 얼굴 중앙에 위치하는 두개저(skull base)와 입천정사이의 불규칙한 공간이다. 앞쪽 입구부는 외비공(external nares) 또는 전비공(anterior nares)이라고 하며 비강 후방부는 후비공(posterior nares)을 통하여 비인두와 연결된다.

비중격은 비강을 좌우로 나누는 역할을 하며 주로 전방부는 연골판, 후방부는 골판으로 형성되어 단단히 붙어있는 구조이다(그림 20-2-1). 비중격의 가장 앞쪽에는 외비공을 좌우로 나누는 비주(columella)가 있다. 비주와 비중격연골의 미측부 사이에 막성비중격(membranous septum)이 양측 비전정 피부와 연결되어 유동적인 코 입구부를 구성하면서 뒤쪽으로 비중격연골과 연결된다.

비중격은 비중격연골(nasal septal cartilage), 상악골릉(crest of maxilla), 구개골릉(crest of palatine bone), 사골수직판(perpendicular plate of ethmoid bone), 서골(vomer bone)로 구성되어 있다. 비중격연골은 비중격 앞부분에 위치하는 사각연골(quadrangular cartilage)로 전비극(anterior nasal spine)과 상악골릉 위에 있고 비첨부와 비배부 지지에 중요한 역할을 담당한다. 비중격

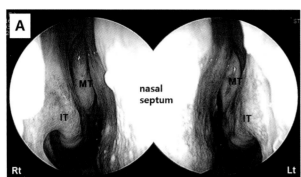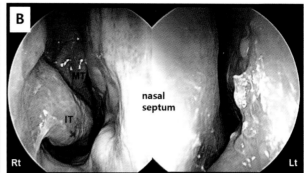

그림 20-2-1. Endoscopic view of both nasal cavity. (A) normal nasal cavity, **(B)** the nasal septum is deviated to the left side.
IT = inferior turbinate; MT = middle turbinate

연골의 뒤쪽 후상방은 사골수직판, 후하방은 서골로 되어 있는 골성중격(bony septum)과 연결된다. 사골수직판은 위쪽으로 계관(crista galli)과 이어지면서 두개저와 접하고 뒤쪽으로는 접형골릉(sphenoidal crest)과 연결된다. 서골의 위쪽전방은 사각연골, 위쪽후방은 사골수직판과 접하게 되며, 아래쪽으로는 상악골릉 및 구개골릉과 이어진다. 비인두 전방부에 위치하는 서골 후하방부는 후비공의 좌우를 나누는 기준이 된다. 사골수직판의 후방부와 서골의 후상방부는 접형골릉을 통하여 접형동 전벽의 중앙과 연결되며 비중격을 통한 접형동 접근 시 중요한 해부학적 지표가 된다. 비강을 좌우로 나누는 비중격이 선천적 또는 외부충격 등으로 인해 휘어지는 비중격만곡증(nasal septal deviation)이 있게 되면 비강을 통한 공기흐름에 문제가 생겨 코막힘 등과 같은 상기도 폐쇄에 의한 호흡장애가 발생할 수 있다(그림 20-2-1). 특히 폐쇄수면무호흡증 환자에서 비중격만곡증에 의한 코막힘은 코골이나 구강호흡 등을 일으키고 양압기 치료 시 적정압력과 순응도에 영향을 줄 수 있다. 이러한 코막힘과 관련된 비강병변에 대한 약물 혹은 수술적 치료는 수면관련호흡장애 증상개선과 양압기 치료 관련 지표개선에 도움을 준다.

비강에서 가장 복잡한 구조를 가지는 비강측벽(lateral nasal wall)은 상비갑개(superior turbinate), 중비갑개(middle turbinate), 하비갑개(inferior turbinate)로 구성되어 있고 경우에 따라서 최상비갑개(supreme turbi-

nate)가 존재할 수 있다. 각 비갑개 사이에는 비도(meatus)가 있고 비강 주변의 부비동 자연개구부(natural ostium)와 비누관 개구부(nasolacrimal duct opening)는 비도에 위치하는 개구부를 통하여 비강과 연결된다.

단일골로 구성되어 있는 하비갑개는 점막내 혈관이 잘 발달되어 있으며 비강내 기류 흐름과 온도 및 습도 조절에 중요한 역할을 담당한다. 알레르기비염이 있는 경우에는 창백하고 부어있는 하비갑개가 관찰될 수 있다. 과도한 하비갑개 비대로 코막힘이 심한 경우에 비강 내스테로이드(intranasal topical steroid) 또는 비점막수축제(nasal decongestant) 등과 같은 약물치료나 하비갑개점막하절제술(submucosal inferior turbinoplasty)과 같은 수술적 치료를 시행하면 코막힘과 함께 코골이 등이 개선될 수 있다. 중비갑개의 전방부 1/3은 두개저, 후방부 1/3은 지판(lamina papylacea)에 부착되며 중앙부 1/3은 전사골동(anterior ethmoid sinus)과 후사골동(posterior ethmoid sinus)을 구분하는 기판(basal lamella)을 형성한다. 중비도(middle meatus)는 개구비도단위(ostiomeatal unit)를 구성하는 중요한 부분으로 상악동(maxillary sinus), 전사골동, 전두동(frontal sinus)의 배액이 이루어지고 물혹이나 해부학적 변이로 인하여 이곳이 좁아지면 해당 부비동 배액의 문제로 인해 심각한 코막힘과 지속적인 콧물이 동반되는 비부비동염이 발생할 수 있다. 상비갑개와 최상비갑개는 중비갑개 후방부에 위치하며 이들 주변으로 접사함요(sphe-noethmoidal recess)가 형성되며 이곳을 통해 접형동(sphenoid sinus)과 후사골동의 배액이 이루어진다.

비강에 분포하는 일반감각신경은 삼차신경(trigeminal nerve)의 분지인 안신경(ophthalmic nerve, V1)을 통하여 비강 앞부분을 지배하고, 상악신경(maxillary nerve, V2)을 통하여 비강 중간 및 후방부를 지배하게 된다. 후각신경은 주로 비중격상부와 비강천정 부위 및 상비갑개 내측면 주위에 분포한다. 비강에 대한 동맥혈 공급은 내경동맥(internal carotid artery)의 두개내 분지인 안동맥(ophthalmic artery)과 외경동맥(external carotid artery)의 분지인 내상악동맥(internal maxillary artery)으로부터 받는다. 안동맥은 전사골동맥(anterior eth-moid artery), 후사골동맥(posterior ethmoid artery)을 통하여 주로 비중격과 비강측벽의 상부에 혈액을 공급한다. 내악동맥의 종말분지인 접형구개동맥(sphenopala-tine artery)은 접형구개공(sphenopalatine foramen)으로부터 중비도와 하비도 사이의 후방부로 들어가는 후외측비동맥(posterolateral nasal aretery)을 통해 비강측벽에 분포하고, 접형구개동맥의 비중격 분지(nasal branch)는 접형동 자연공 아래의 접형동 전벽점막을 따라 비중격으로 들어가면서 해당부위에 혈액을 공급한다.

2 구강

구강은 호흡, 의사소통, 음식섭취를 할 수 있는 호흡소화관의 시작 부분이다. 타원형의 공동 형태인 구강은 위쪽으로는 경구개(hard palate), 앞쪽으로는 입술, 옆쪽으로는 뺨, 아래쪽으로는 혀와 구강저(floor of mouth), 뒤쪽으로는 전편도궁(anterior tonsillar pilla), 연구개와 경구개의 접합부, 분계릉(sulcus terminalis)에 의해 구인두와 구분된다(그림 20-2-2). 구강은 세부적으로 입술, 협부점막(buccal mucosa), 상하치조릉(upper, lower alveolar ridge), 구후삼각(retromolar trigone), 구강저, 경구개 그리고 혀의 전방 2/3로 나누어진다.

구강 주변의 주요 골조직으로는 하악골(mandible), 상악골(maxilla), 경구개가 있다. 경구개는 두 개의 상악골 구개돌기(palatine process of maxilla)와 두 개의 구개골 수평돌기(horizontal plate of palatine bone)에 의해 형성되고 해부학적으로 구강과 비강을 나누는 경계가 된다. 소아에서 과도한 편도아데노이드 비대가 있으면 구강호흡이 심해지면서 경구개가 좁고 높아지게 되는 high palatal arch 소견이 나타날 수 있다(그림 20-2-3). 이런 경우에 비강 기저부가 좁아져 상대적으로 코가 막히게 되고 소아에서 급속상악팽창술(rapid maxillary

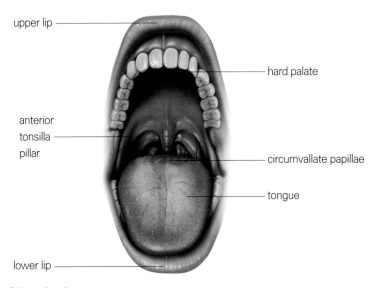

그림 20-2-2. **Normal anatomy of the oral cavity**

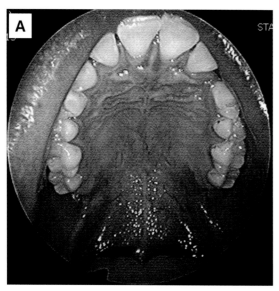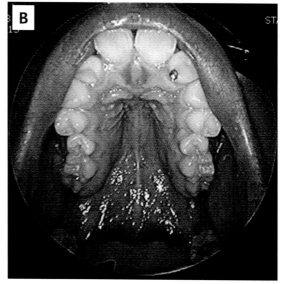

그림 20-2-3. **Endoscopic view of hard palate. (A)** normal flattened hard palate, **(B)** high narrowed palatal arch of hard palate

expansion)과 같은 방법으로 좁아진 경구개를 넓혀주면 비강저가 넓어지면서 수면무호흡이 개선될 수 있다.

혀는 구강내에서 고도로 움직이는 근육 덩어리로 아래쪽에서 구강저와 연결되어 있고 첨부(tip portion), 외측, 배면부(ventral surface)와 등면부(dorsal surface)로 구분된다. 혀의 등면에 있는 유곽유두 바로 뒤에서 그 정점이 뒤쪽으로 향하는 V자 모양 홈인 분계릉(sulcus terminalis)을 기준으로 구강에 속하는 혀 앞쪽 2/3에 해당하는 가동부 혀와 구인두에 속하는 혀 뒤쪽 1/3에 해당하는 부동부 혀로 나누어진다.

혀의 근육조직은 좌우 짝을 이루면서 외근(extrinsic muscle)인 이설근(genioglossus muscle), 설골설근(hyoglossus muscle), 경돌설근(styloglossus muscle), 구개설근(palatoglossus muscle)과 내근(intrinsic muscle)인 상, 하종근(superior and inferior longitudinal muscle), 수직근(vertical muscle), 횡근(transverse muscle)으로 구성되어 있다. 이설근은 하악 내측 중앙에 위치한 상부 이결절(superior genial tubercle)에서 기시하는 부채꼴모양 근육이다. 폐쇄수면무호흡증 환자의 수술적 치료로

서 이설근전진술(genioglossus advancement)을 시행하면 이설근이 앞으로 당겨지면서 설근부 뒤쪽 공간이 넓혀질 수 있다.

미주신경(vagus nerve)의 인두신경총(pharyngeal branch)에 의해 지배되는 구개설근을 제외하고 혀의 외설근과 내설근은 설하신경(hypoglossal nerve) 분지의 운동신경지배를 받는다. 설하신경자극술(hypoglossal nerve stimulation)은 수면 중 호흡장애 시 흉벽에 이식된 임플란트를 통하여 설하신경에 전기자극이 가해져 설근육들이 자극되면서 설근부 기도 막힘이 개선되는 치료방법이다. 혀에 대한 감각신경으로 혀의 전방 2/3에 대한 일반감각은 삼차신경의 하악분지인 설신경(lingual nerve), 맛에 대한 특수감각은 안면신경 분지인 고삭신경(chorda tympani)이 담당한다. 혀의 후방 1/3에 대한 일반감각과 맛에 대한 특수감각은 설인두신경(glossopharyngeal nerve)이 담당한다. 구강의 동맥 공급은 설동맥, 안면동맥, 내악동맥을 포함한 외경동맥의 주요 가지를 통해 받게 된다.

3 인두

인두는 비강과 구강 후방부가 합쳐져 불규칙한 모양의 관상구조를 가지면서 아래에 식도와 후두로 이어지는 호흡소화관이다. 두개저에서 시작하여 6번째 경추(6th cervical vertebra)까지 공간에 해당하며 하단부에서는 윤상연골(cricoid cartilage)하연의 뒤쪽에서 식도와 연결되고 앞쪽으로 후두주위를 감싸는 모양의 이상와(pyriform sinus)를 형성한다. 해부학적으로 위에서부터 아래로 내려가면서 비인두, 구인두, 하인두로 구분된다(그림 20-2-4). 비인두와 구인두는 연구개를 기준으로, 구인두와 하인두는 후두개(epiglottis)의 상연을 기준으로 나누어진다.

인두의 가장 상단 부분인 비인두는 위쪽의 두개저에서 시작하여 앞쪽으로 후비공을 통해 비강과 연결되어 있으며 아래쪽으로 전하부는 연구개와 경계되고 후하부는 인두협부(pharyngeal isthmus)를 통해 구인두와 이어진다. 비인두 후상벽에는 인두편도(pharyngeal tonsil) 또는 아데노이드(adenoid)라고 하는 임파조직이 있다. 소아에서 비인두내 아데노이드의 과도한 비대는 코막힘, 구강호흡, 심한 코골이, 수면무호흡 등과 같은 소아 폐쇄수면무호흡증을 일으키는데 많은 영향을 주게 된다. 중이강(middle ear)은 비인두 상부 양측의 후외측벽에 위치한 유스타키오관(Eustachian tubes) 개구부를 통해 비인두와 연결된다. 상기도 염증으로 비인두 점막이 심하게 붓거나 아데노이드의 과도한 비대가 있으면 유스타키오관이 막히면서 중이내 환기에 장애가 생겨 급성 또는 삼출성 중이염이 잘 발생할 수 있다.

비인두와 하인두 사이에 있는 구인두는 위쪽은 연구개로부터, 아래쪽은 설골(hyoid bone)의 위쪽 표면까지를 경계로 한다. 인두는 구개설근(palatoglossus muscle)으로 되어 있는 전편도궁을 경계로 구강과 이어지며 후

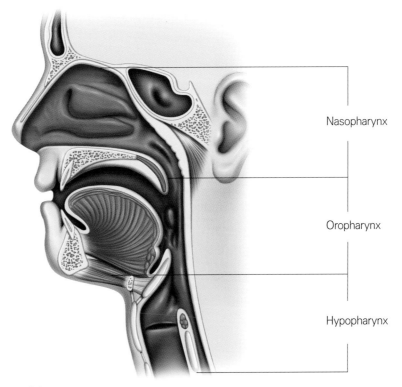

Nasopharynx

Oropharynx

Hypopharynx

그림 20-2-4. **Normal anatomy of pharynx**

편도궁(posterior tonsillar pilla), 편도와(tonsillar fossa), 연구개, 구개수(uvula), 설근부에 해당하는 혀의 뒤쪽 1/3 등이 구인두 전벽을 구성된다. 구인두는 경구개 후연에서부터 연구개 하연 끝에 걸치는 구개후방 구인두와 연구개의 하연 끝에서 후두개 기저부에 이르는 설근부 구인두로 나눌 수 있다.

연구개는 경구개의 뒷쪽 가장자리에서 후하방으로 늘어져 있는 연조직이다. 연구개를 구성하는 주요 근육들로는 연구개를 긴장시키는 구개범장근(tensor veli palatini muscle), 연구개를 상방으로 올려주는 구개범거근(levator veli palatini muscle), 구개수를 단축시키는 구개수근(musculus uvulae)이 있다. 연구개는 비인두와 구인두를 분리해주고 연하 및 발성 시 비인두 입구를 막아주는 플랩밸브(flap valve) 역할을 한다. 연구개나 구개수가 비대해지면서 낮게 위치하거나 전,후편도궁의 과도한 비대, 설근부가 심하게 커져있는 경우에는 수면 중 구인두내 폐쇄가 발생되어 수면무호흡이 더 심하게 자주 나타날 수 있다. 연구개와 설근부의 상하위치관계와 편도비대를 포함한 편도측벽 폐쇄정도에 따라 구인두를 해부학적으로 구분해주는 Friedman staing은 폐쇄수면무호흡증의 수술적 치료인 구개수구개인두성형술(uvulopalatopharyngoplasty) 성공율을 예측할 수 있는 대표적인 분류방법이다.

인두를 구성하는 6쌍의 주요 골격근으로는 인두수축근(pharyngeal constrictor muscle)으로 상, 중, 하, 인두수축근(superior, middle, inferior pharyngeal constrictor muscles)과 종방향의 인두근(pharyngeus muscle)인 구개인두근(palatopharyngeus muscle), 경돌인두군(stylopharyngeus muscle), 이관인두근(salpingopharyngeus muscle)이 있다. 3개의 인두수축근은 아래에서 위로 겹치면서 뒤쪽의 정중등줄(median raphe)의 정중선(midline)으로 들어가게 되고 윗쪽으로는 후두골기저부(basilar part of occipital bone)의 인두결절(pharyngeal tubercle)에 부착된다. 구개인두근은 연구개와 상부수축근의 내부 측면에 있는 비인두 측벽으로부터 시작하여 갑상선 연골의 후방 경계에붙는다. 이 근육은 구개편도

바로 뒤에 위치하는 후편도궁을 형성한다. 경돌인두근은 경상돌기(styloid process)의 기저부 또는 뿌리의 내측면에서 시작하여 앞쪽 하방으로 외경동맥과 내경동맥 사이를 거쳐 상인두수축근과 중인두수축근 간격을 통해 갑상연골의 상방과 후방면에 붙는다. 이관인두근은 유스타키오관 입구부 근처의 이관연골 아래쪽 부분에서 시작되어 인두외벽에 부착된다.

구인두로부터 아래로 연결되는 하인두는 후두 뒤쪽에 위치하며 위쪽으로는 설골의 위쪽 표면에서부터 아래쪽으로는 윤상인두근(cricopharyngeus muscle)의 위쪽 또는 윤상연골의 아래쪽 경계선까지로 되어 있으면서 식도와 연결된다. 앞쪽으로는 중앙에 후두개(epiglottis)와 후두의 후벽이 위치하며 그 옆을 피열후두개주름(aryepiglottic fold)이 연결하고 있다. 하인두는 해부학적으로 후윤상부(post cricoid area), 이상와(pyriform sinus), 하인두후벽(posterior hypopharyngeal wall)으로 구성된다.

인두의 신경 공급은 주로 설인두신경과 미주신경의 가지뿐만 아니라 부속 신경과 교감 신경총의 가지에 의해 형성되는 인두신경총으로부터 받는다. 인두의 동맥 공급은 주로 상행인두동맥(ascending pharyngeal artery), 안면동맥의 편도가지, 내상악동맥의 구개가지, 상갑상선동맥(superior thyroid artery)을 포함하는 외경동맥의 주요 가지에서 나온다.

인두에는 Waldeyer's ring이라고 불리우는 구개편도, 인두편도(아데노이드), 설편도, 이관편도로 구성된 상기도 점막내에 큰 림프 조직군들이 있다. 구인두내 양측 편도와 안에 있는 구개편도는 Waldeyer's ring에서 가장 큰 림프 조직이며(그림 20-2-5), 상행구개동맥 편도분지(tonsillar branch of ascending palatine artery), 설배동맥(dorsal lingual artery), 안면동맥의 편도분지(tonsillar branch of facial artery)에 의해 혈액공급을 받는다. 구개편도의 외측면은 결체조직으로 된 피막으로 덮여있어 수술 시 피막외측을 따라서 주변 연조직과 잘 분리하여 절제하면 구개편도를 안전하게 제거할 수 있다. 설편도는 혀 뒤쪽 1/3을 차지하는 설근배부의 분계릉(sulcus

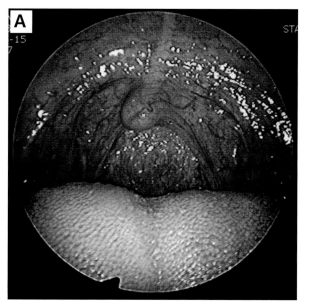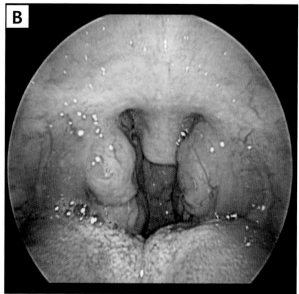

그림 20-2-5. **Endoscopic view of the oral cavity.** (A) normal oral cavity, (B) tonsillar hypertrophy

terminalis) 뒤쪽 근육조직 표면에 위치하고 있다. 편도와내의 구개편도, 비인두 후상방의 아데노이드, 설근부의 설편도의 심한 비대는 폐쇄수면무호흡증의 주요 원인이 되고 비대한 림프조직에 대한 수술적 제거는 폐쇄수면무호흡증의 치료에 많은 도움이 된다.

4 후두

후두는 세번째와 여섯번째 경추 높이 사이에 있으며 하인두와 기관(trachea)을 연결해 주는 호흡기도이다. 후두는 3개의 단일 연골인 갑상연골(thyroid cartilage), 윤상연골, 후두개연골과 3쌍의 연골인 피열연골(arytenoid cartilages), 소각연골(corniculate cartilages), 설상연골(cuneiform cartilages)로 구성되어 있다. 발성과 밀접한 관련이 있는 진성대(true vocal cord)와 가성대(false vocal cord)는 갑상연골 안에 있다.

후두는 후두외근(extrinsic laryngeal muscles)과 후두내근(intrinsic laryngeal muscles)으로 구성된 두 개의 근육 그룹이 후두기능과 움직임에 영향을 준다. 후두외근은 설골을 기준으로 설골상근(suprahyoid muscles)과 설골하근(infrahyoid muscles)으로 구분된다. 설골하근으로는 갑상설골근(thyrohyoid muscle), 흉골갑상근(sternothyroid muscle), 견갑설골근(omohyoid muscle), 흉골설골근(sternohyoid muscle)으로 이루어지며 설하신경고리(ansa hypoglossi)의 분지인 하행설하신경(descendens hypoglossi)의 지배를 받는다. 설골상근으로는 하수축근(inferior constrictor muscle), 이복근(digastric muscle), 경돌설골근(stylohyoid muscle), 하악설골근(mylohyoid), 이설골근(geniohyoid), 설골설근(hyoglossus) 등으로 되어 있다. 후두내근은 윤상갑상근(cricothyroid muscle), 후방윤상피연골근(posterior cricoarytenoid muscle), 외측윤상피열근(lateral crioarytenoid muscle), 횡단피열근(transverse arytenoid muscle), 사선피열근(oblique arytenoid muscle), 성대근(vocalis muscle) 및 갑상피열근(thyroarytenoid muscle) 있다. 후두에 국한된 후두내근은 성대의 길이와 위치, 후두입구의 크기를 조절하는 역할을 한다. 후두는 미주신경의 분지인 상후두신경(superior laryngeal nerve)과 반회후두신경(recurrent laryngeal nerve)의 신경지배를 받는

다. 후두감각 신경지배는 성문부와 성문하부는 반회후두신경, 성문상부는 상후두신경 내지(internal branch)의 지배를 받는다. 반면에 후두내근의 운동신경은 반회후두신경에 의해 지배를 받는다.

후두개는 설근부 아래 끝부분에서 후두의 윗쪽 중앙 앞부분에 있는 후두입구부에 위치한다. 후두개는 숨을 쉴 때는 열려있다가 음식물을 삼킬 때는 후두를 덮어주어 기도로 이물이나 음식물이 넘어가는 것을 방지하는 역할을 한다. 성인에서 발생한 코골이가 후두개 허탈(epiglottic collapse)과 연관될 수 있고 심한 후두개 허탈이 있는 경우 똑바로 누워서 잘 때 흡기 시에 뒤로 늘어진 후두개가 후두입구를 막게 되어 수면무호흡이 더 심해질 수 있다. 특히 심한 허탈이 있는 경우에는 양압기 치료에 사용된 압력에 의해 후두개 허탈이 악화되어 폐쇄수면무호흡증이 더 나빠질 수 있다. 후두개 허탈에 의한 코골이는 수면 중 머리를 측면으로 돌리게 하거나 쉽게 허탈되는 후두개를 수술적으로 절제하여 치료할 수 있다. 성인에 비하여 소아는 신체크기를 고려할 때 상대적으로 크기가 작고 다른 모양의 후두를 가지고 있다. 특히 영아기에는 성인에 비하여 오메가 모양 혹은 말려있는 형태의 후두개를 가지고 있고 주변구조물에 비해 상대적으로 큰 피열연골이 후두 뒷쪽의 많은 부분을 덮고 있어 후두연화증(laryngomalacia)에 의한 수면 중 호흡장애가 자주 발생할 수 있다. 이외에 성대마비나 후두내 종양, 후두개 낭종 등은 후두를 통한 기류 흐름에 장애를 일으켜 수면무호흡을 악화시킬 수 있다.

▶ 참고문헌

- Camacho M, Chang ET, Song SA, et al. Rapid maxillary expansion for pediatric obstructive sleep apnea: a systematic review and meta-analysis. Laryngoscope 2017;127:1712–9.
- Camacho M, Dunn B, Torre C, et al. Supraglottoplasty for laryngomalacia with obstructive sleep apnea: a systematic review and meta-analysis. Laryngoscope 2016;126:1246–55.
- Camacho M, Li D, Kawai M, et al. Tonsillectomy for adult obstructive sleep apnea: a systematic review and meta-analysis. Laryngoscope 2016;126:2176–86.
- Camacho M, Riaz M, Capasso R, et al. The effect of nasal surgery on continuous positive device use and therapeutic treatment pressures: a systematic review and meta-analysis. Sleep 2015;3:279–86.
- Costantino A, Rinaldi V, Moffa A, et al. Hypoglossal nerve stimulation long-term clinical outcomes: a systematic review and meta-analysis. Sleep Breath 2020;24:399–411.
- Friedman M, Ibrahim H, Joseph NJ. Staging of obstructive sleep apnea/hypopnea syndrome: a guide to appropriate treatment. Laryngoscope 2004;114:454–9.
- Goldstein NA, Tomaski SM. Embryology and anatomy of the mouth, pharynx, and esophagus. In: Bluestone CD, Stool SE, Alper CM, et al. Pediatric otolaryngology, Vol 2. 4th ed. Philadelphia; WB Saunders; 2003. pp. 1083–102.
- Han JK, Stringer SP, Rosenfeld RM, et al. Clinical consensus statement: septoplasty with or without inferior turbinate reduction. Otolaryngol Head Neck Surg 2015;153:708–20.
- Heiser C, Knopf A, Hofauer B. Surgical anatomy of the hypoglossal nerve: a new classification system for selective upper airway stimulation. Head Neck 2017;39:2371–80.
- Hollinshead WH. The jaws, palate, and tongue. In: de Caville J, Winters R, Bedard R. Anatomy for surgeons, Vol 1. 3rd ed. Philadelphia: Lippincott; 1982. pp. 325–88.
- Hollinshead WH. The pharynx and larynx. In: de Caville J, Winters R, Bedard R. Anatomy for surgeons, Vol 1. 3rd ed. Philadelphia: Lippincott; 1982. pp. 389–442.
- Hudgins PA, Siegel J, Jacobs I, et al. The normal pediatric larynx on CT and MR. Am J Neuroradio 1997;18:239–45.
- Isaacson G. Developmental anatomy and physiology of the larynx, trachea, and esophagus. In: Bluestone CD, Stool SE, Alper CM, et al. Pediatric otolaryngology, Vol 2. Philadelphia: WB Saunders; 2003. pp. 1361–70.
- Kang KT, Koltai PJ, Lee CH, et al. Lingual tonsillectomy for treatment of pediatric obstructive sleep apnea: a meta-analysis. JAMA Otolaryngol Head Neck Surg 2017;143:561–8.
- Lee CH, Hsu WC, Chang WH, et al. Polysomnographic findings after adenotonsillectomy for obstructive sleep apnoea in obese and non-obese children: a systematic review and meta-analysis. Clin Otolaryngol 2016;41:498–510.
- Li HY, Lee LA, Wang PC, et al. Nasal surgery for snoring in patients with obstructive sleep apnea. Laryngoscope 2008;118:354–9.
- Li HY, Wang PC, Chen YP, et al. Critical appraisal and meta-analysis of nasal surgery for obstructive sleep apnea. Am J Rhinol

Allergy 2011;25:45–9.

- Mashaqi S, Patel SI, Combs D, et al. The hypoglossal nerve stimulation as a novel therapy for treating obstructive seep apnea–a literature review. Int J Environ Res Public Health 2021;18:1642.
- Netter FH. Anatomy of the mouth and pharynx. In: Bachrach WH, Huber JF, Michels NA, et al. The CIBA collection of medical illustration, Vol 3. New york: CIBA pharmaceutical company, Division of CIBA–GEIGY corporation; 1959. pp. 3–31.
- Nguyen DK, Liang J, Durr M. Topical nasal treatment efficacy on adult obstructive sleep apnea severity: a systematic review and meta–analysis. Int Forum Allergy Rhinol 2021;11:153–61.
- Torre C, Camacho M, Liu SY, et al. Epiglottis collapse in adult obstructive sleep apnea: a systematic review. Laryngoscope 2016;126:515–23.
- Wu J, Zhao G, Li Y, et al. Apnea–hypopnea index decreased significantly after nasal surgery for obstructive sleep apnea: a meta-analysis. Medicine (Baltimore) 2017;96:e6008.

03 역학

김성완

1 역학

1993년 발표된 연구에 따르면 미국 위스콘신주의 중년(30-60세) 남녀에서 폐쇄수면무호흡증의 유병률은 대략 남성의 24%, 여성의 9%였으며, 남성의 9%, 여성의 4%에서는 중등도 이상의 폐쇄수면무호흡증을 보였고 스페인, 홍콩, 이스라엘에서 시행된 연구에서도 비슷한 유병률을 보였다. 연령이 증가함에 따라 유병률은 더 증가하는 양상을 보이는데 1991년 미국 캘리포니아주 샌디에이고의 65세 이상 무작위 선별된 427명을 대상으로 시행된 연구 결과 연구대상자의 24%에서 무호흡지수(apnea index, AI) ≥ 5, 62%에서 호흡장애지수(respiratory disturbance index, RDI) ≥ 10을 보였다. 국내에서도 폐쇄수면무호흡증의 유병률에 관한 연구가 있었는데, 40-69세의 5,020명의 성인(남: 2,523명, 여: 2,497명)을 대상으로 습관성 코골이(코골이 ≥ 4일/주)의 유무로 두 그룹으로 나누어 습관성 코골이가 있는 그룹의 50%, 습관성 코골이가 없는 그룹의 10%를 무작위로 선별 후 참여에 동의한 472명에서 수면다원검사를 시행한 결과 남성 27.1%, 여성 16.8%에서 폐쇄수면무호흡증이 있었다. 또한 무호흡-저호흡지수(apnea hypopnea index, AHI) ≥ 10, ≥ 15를 기준으로 살펴보면 각각 남성의 18.9%, 10.1%, 여성의 6.7%, 4.7%으로 나타났다.

2 위험인자

1) 비만

비만은 폐쇄수면무호흡증의 주된 위험인자이며, 특히 목둘레로 예측이 가능한 중심부비만(복부비만)이 더 중요한 위험인자이다(표 20-3-1). 비만과 관련해서 폐쇄수면무호흡증이 유발되는 기전으로는 지방 침착으로 인해 상기도가 좁아지고 상기도의 기능, 호흡동기와 저항 사이의 균형에 변화를 유발하며 폐활량 특히 기능잔기용량(functional residual capacity)을 감소시키는 것으로 생각된다. 위스콘신주에서 무작위 선별된 690명을 대상으로 4년간 추적 관찰한 연구에서 체중이 비슷한 그룹에 비해 10%의 체중이 증가하는 경우 대략 무호흡-저호흡지수의 32% 증가가 있었고 10%의 체중이 감소하는 경우 무호흡저호흡지수의 26% 감소를 보였다. 또한, 10%의 체중이 증가하면 중등도-중증의 폐쇄수면무호흡증으로 발생할 오즈비(odds ratio)가 6배였다. 성별에 관계없이 40 cm 이상의 목둘레는 체질량지수보다 폐쇄수면무호흡증을 예측하는 민감도와 특이도가 더 높았

표 20-3-1. 폐쇄수면무호흡증 위험인자

비만(Obesity)	
성별(Gender)	남성 > 여성 (폐경 이후 남성=여성)
노화(Aging)	
인종(Ethnicity)	아프리카계 미국인, 아시아인 > 백인
술(Alcohol)	
흡연(Smoking)	
비과질환	코막힘, 호산구성비알레르기비염증후군
두개안면구조 이상(Craniofacial structure abnormality) 및 기타 해부학적 요인	하악후퇴, 작은턱증, 하악골형성저하증, 높은 구개궁, 가파른 두개골 기저부 만곡, 구개편도 등급(Grade)
기타 질환	다운증후군, 마르팡증후군, 프라더-빌리증후군, 갑상선기능저하증, 말단비대증, 다낭성난소증후군, 낫적혈구병
약물 및 호르몬	표 19-3-1 참고

다. 목 부위 지방은 비만의 지표이고 이는 목 둘레와 직접적인 연관이 있으나 성인 비만환자에서 폐쇄수면무호흡증의 상태 및 중증도 와는 관련이 없었다. 하지만 청소년의 경우는 폐쇄수면무호흡증을 가진 비만환자군과 폐쇄수면무호흡증이 없는 비만 대조군을 비교했을 때 폐쇄수면무호흡증을 가진 비만 청소년의 목둘레/키 비율이 더 컸다. 지방세포에서 생성되는 렙틴(leptin)은 식욕 억제에 관련된 호르몬이지만, 중추호흡센터에 작용하여 환기를 자극하는 역할을 하며 렙틴 저하는 저환기와 관련이 있다고 알려져 있다. 비만의 경우 중추 렙틴 저항성이 특징적이고 과탄산혈증에 반응이 둔해져 수면 중 무호흡으로 인한 과탄산혈증이 악화되고 각성장애를 초래한다.

2) 성별

폐경 전 폐쇄수면무호흡증의 발생률은 남성과 여성에서 3:1의 비율을 보이나 폐경 후에는 남성과 여성에서 거의 비슷한 발생률을 보인다. 남성의 경우 대략 2배 정도 폐쇄수면무호흡증이 더 잘 발생하는 것으로 보고되는데 남성의 높은 유병률은 다음과 같이 설명된다. 남성의 경우 주로 지방 분포가 상반신에 집중되고 측부 인두 지방패드(lateral parapharyngeal fat pads)와 같은

상기도 지방 침착이 더 많고, 상기도 연조직 구조가 더 크다. 반면 여성의 경우 지방 분포는 하반신에 집중되고, 상기도 확장근의 활성도가 남성에 비해 증가되어 있어 수면 시 상기도 폐쇄에 덜 취약하다. 하지만 여성은 폐경 이후에 2-3배가량 폐쇄수면무호흡증 발생이 증가하나 폐경 후 호르몬 대체요법을 받는 여성들의 경우 폐쇄수면무호흡증의 유병률은 낮은 것으로 보고된다. 위 사실들로 미루어 보아 여성 호르몬으로 인한 호흡조절의 차이도 원인이 될 것으로 추정된다. Progesteron의 상기도 및 환기 자극으로 인해 폐경 전 여성은 폐경 이후 여성에 비해 폐쇄수면무호흡증에 덜 이환된다고 알려져있다. 하지만 보충제 등으로 체내 androgen 수치가 높아지면 혀의 근육이 증량되어 폐쇄수면무호흡증을 더 악화시키는 것으로 보고되고 있다.

3) 연령

연령이 증가함에 따라 성인에서 폐쇄수면무호흡증의 유병률은 증가하는데 이는 아마도 부인두 지방 축적, 연구개의 길이 증가, 인두 주변의 구조적 변화와 같은 해부학적 변화 때문인 것으로 생각된다. 최근 노화의 9가지 특징을 다음과 같이 정의했는데 게놈 불안정성(genomic instability), 말단소립 마모(telomere attrition), 후성적 변화(epigenetic alteration), 단백질항상성 소실(loss of proteostasis), 영양소 감지이상(deregulated nutrient sensing), 미토콘드리아 기능저하(mitochondrial dysfunction), 세포 노화(cellular senescence), 줄기세포 고갈(stem cell exhaustion), 세포내 신호전달변화(altered intercellular communication)이다. 이 9가지 특징과 폐쇄수면무호흡증의 연관에 대한 연구들이 보고되고 있다. 폐쇄수면무호흡증은 간헐적인 저산소증으로 산화 스트레스(oxidative stress)를 유발하여 DNA 및 미토콘드리아 DNA 손상을 유발한다. 말단소립은 염색체의 말단부위로 DNA가 복제될 때마다 짧아지는데 생활연령(chronological age)이 증가할수록 말단소립의 길이는 짧아진다. 또한 염증, 산화 스트레스, 유전자독성 스트레스(genotoxic stress) 등이 증가할수록 역시 말단소립의 감소가 가속화된다. 최근 연구들에서 폐쇄수면무호흡증 환자의 경우 대조군에 비해 말단소립이 더 짧은 것으로 보고되었다. 기전으로는 아마도 폐쇄수면무호흡증으로 인한 간헐적인 저산소증과 수면분절로 지속적인 교감신경 활성화 및 산화 스트레스로 인한 전신 염증반응의 활성화가 원인이 되는 것으로 생각된다. 후성적 변화 기전은 DNA 메틸화, 히스톤단백질의 번역후(post-tranlational) 변형, 염색질 리모델링, 전사(transcription) 조절 등으로 DNA 서열 자체를 변화시키지는 않지만 전사, 번역 과정 등의 변화를 통해 세포 내 항상성의 변화를 초래한다. 동물 실험에서 폐쇄수면무호흡증과 후성적 변화 사이의 원인-결과 관계가 이미 보고되어 사람에서도 추가적인 연구들이 필요하다. 단백질항상성은 산화 스트레스, 노화 등에 의해 영향을 받는데 폐쇄수면무호흡증으로 인한 산화 스트레스, 수면분절 등은 모두 단백질항상성에 영향을 미치며 동물 실험을 통해 단백질항상성 활성이 저하된 경우 신경독성, 퇴행성 신경질환과 관련이 있는 것으로 보고되었다. 체내 영양소를 감지하고 적절하게 반응하는 것은 세포내 항상성을 유지하는데 중요하다. 오래전부터 폐쇄수면무호흡증과 대사성 기능저하(metabolic dysfunction)의 상호연관관계에 대해서 보고되고 있는데 폐쇄수면무호흡증이 비만, 당불내성(glucose intolerance), 2형 당뇨병, 노화 촉진과의 관련에 대한 명확한 기전은 아직 보고되지 못하였다. 세포노화는 40가지 이상의 세포내 신호전달물질의 폭발적인 증가가 동반되는데 이런 현상을 SASP (senescence-associated secretory phenotype)이라 한다. 이 SASP는 전염증(pro-inflammatory) 물질을 자극해 전신 염증반응 유발, 조직 구조 파괴, 악성 세포의 성장을 촉진하는 것으로 여겨진다. 따라서 SASP가 암을 비롯한 노화와 관련된 질환에서 중요한 역할을 하는 것으로 제안되고 있고 폐쇄수면무호흡증에서도 연구되어야 할 분야이다. 폐쇄수면무호흡증 환자와 대조군의 줄기세포 niches 비교 연구들의 결과는 감소, 변화없음, 증가 등으로 통일된 결론을 내지 못하였으나 흥미롭게도 지속기도양압기 치료 결과 내피전구세포(endothelial progenitor cells)의 회복을 보인 연구가 있어 폐쇄수면무호흡증과 줄기세포 간 연관관계에 대한 추가적인 연구가 필요하다.

4) 인종

아프리카계 미국인은 백인과 비교했을 때 폐쇄수면무호흡증이 발생할 확률이 14세 이상의 소아에서는 3배, 25세 이상의 성인에서는 2배로 보고되었다. 체질량지수를 보정한 다른 연구에서도 아프리카계 미국인과 아시아인의 경우 폐쇄수면무호흡증의 위험성이 더 높다고 보고 하였다. 체질량지수, 성별, 나이를 보정한 연구에서는 아프리카계 미국인은 백인에 비해 중증의 수면관련호흡장애가 발생할 확률이 2.55배였다. 폐쇄수면무호흡증을 가진 아시아인과 백인을 비교한 연구에서 아시아인은 백인에 비해 비만이 적고, 머리뼈계측(cephalometry) 결과 백인에 비해 상하악(maxillomandibular) 돌출, 낮은 두개저 각도(cranial base angle), 넓은 후방기도공간(posterior airway space), 설골(hyoid bone)이 더 상방에 위치하는 차이가 있음을 밝혔다. 아시아인과 백인을 비교한 또 다른 연구에서도 아시아인이 백인에 비해 mallampati oropharyngeal score가 더 높고, thyromental distance가 적으며, thyromental angle은 더

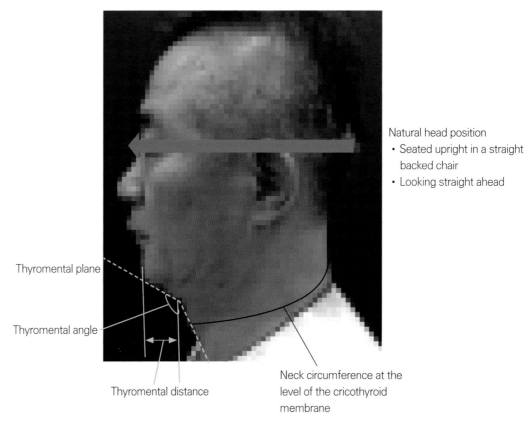

Natural head position
- Seated upright in a straight backed chair
- Looking straight ahead

Thyromental plane

Thyromental angle

Thyromental distance

Neck circumference at the level of the cricothyroid membrane

그림 20-3-1. 머리와 목 주변의 머리뼈계측.
thyromental plane: 갑상선융기(thyroid prominence)와 턱끝 연조직을 잇는 면, thyromental angle (TMA): thyromental plane과 전경부 연조직 사이의 각, thyromental distance (TMD): 갑상선융기와 턱끝에서 그은 수직선 사이의 수평 거리, neck circumference (NC): 윤상갑상면의 높이에서 측정.

컸다(그림 20-3-1). 백인에서의 무호흡-저호흡지수는 단두증(brachycephaly)과 연관이 있으나, 아프리카계 미국인의 무호흡-저호흡지수는 혀와 연구개의 연조직과 더 연관이 많았다. 비록 수면다원검사로 증명하지는 못했으나 폐쇄수면무호흡증의 주요 증상인 코골이가 히스패닉계 남성과 여성에서 각각 27.8%, 15.3%로 보고되었고 코골이 증상이 백인에 비해 히스패닉계에서 더 빈번한 것으로 밝혀졌다.

5) 가족력/유전학

많은 연구에서 폐쇄수면무호흡증 환자들이 가족력이 있음을 보고하면서 유전학적인 중요성을 찾고자 하였다. 비만을 비롯하여 두개안면 형태가 폐쇄수면무호흡증의 위험인자인 것을 고려하면 유전학적인 측면이 있

음을 시사한다. 전향적 코호트 연구 외에도 몇몇의 연구에서 ApoE (apolipoprotein) ε4 대립유전자가 폐쇄수면무호흡증의 위험성을 증가시킨다고 보고하였다. 그러나 19번 염색체의 ApoE 유전자자리 근처의 유전자형을 분석한 결과 ApoE 근처에 폐쇄수면무호흡증의 질병 감수성 유전자자리가 있는 것 같고 ApoE 자체가 원인 유전자자리일 가능성은 낮다고 보고하였다. 이 밖에 종양괴사인자(tumor necrosis factor, TNF) 다형성(TNF rs1800629)이 폐쇄수면무호흡증과 의미 있는 연관성이 있는 것으로 밝혀졌다.

6) 코막힘

코막힘은 폐쇄수면무호흡증의 위험성을 증가시키는 요인이다. 계절성 알레르기비염 환자에서 코막힘 증상

이 있는 기간 동안은 무증상 기간에 비해 더 높은 무호흡저호흡지수를 보인다. 코막힘에 의한 폐쇄수면무호흡증을 설명하는 기전은 부분적으로 막힌 비강 통로로 인해 상기도 및 흉강의 음압이 증가되고, 코막힘으로 인한 구강호흡으로 유발된 상기도의 기능적 역학 변화를 들 수 있다. 공기 유입으로 비 수용체가 활성화되어 인두의 확장근이 활성화되는 비인두반사 등을 고려할 때 구강호흡이 인두 폐쇄에 역할을 할 것으로 생각된다. 그러나 비강 내 면적 변화에 따른 폐쇄수면무호흡증의 중증도는 차이가 없었다. 호산구성 비알레르기비염증후군(nonallergic rhinitis with eosinophilia syndrome)은 폐쇄수면무호흡증을 유발하거나 악화시키는 위험인자로 보고되었다. 기전은 아직 명확하지는 않으나 코막힘 혹은 신경 반사에 의한 것으로 여겨진다.

7) 알코올

알코올은 건강한 사람 및 만성 코골이 환자들에서 상기도 확장근을 이완시키고, 상기도 저항을 증가시켜서 폐쇄수면무호흡증을 유발하고, 폐쇄수면무호흡증 환자에서 기도 폐쇄의 시간과 빈도를 증가시킨다고 보고되었다. 하지만 과거 술을 마셨던 그룹과 술을 마시지 않은 그룹간 폐쇄수면무호흡증 발생의 차이를 보이지는 않았다. 알코올 섭취와 코골이, 수면무호흡의 상관관계에 관한 최근 발표된 메타분석 보고에서 알코올 섭취 전·후의 수면다원검사를 분석한 결과 무호흡저호흡지수는 3.98 증가, 최저산소포화도는 2.72% 감소하였다. 알코올이 코골이 및 수면무호흡에 미치는 영향에 대해 추정되는 기전은 다음과 같다. 알코올은 GABA (γ-aminobutyric acid) 수용체에 작용하여 호흡동기를 저하시켜 중추수면무호흡증 발생에 기여한다. 또한 알코올은 각성 역치를 변화시켜 기도 폐쇄 시 적절한 각성이 일어나지 않아 산소포화도가 더 저하될 수 있다. 알코올은 구인두 근긴장도를 저하(hypotonia)시켜 혀 기저부 이완 및 인두 폐쇄를 일으키며, 비강 혈관의 교감신경자극을 떨어뜨려 비강 점막의 혈관 확장을 유발하므로 비저항을 증가시킨다. 알코올 섭취는 수면 잠복기

지연, 렘수면 감소, 전반부 수면을 공고히 하는 데 도움이 된다고 알려져 있으나 메타 분석 결과 저용량의 알코올섭취는 고용량의 알코올섭취에 비해 렘수면에 영향을 미치지 않는 것으로 나타났다. 알코올이 근육에 미치는 영향을 연구한 동물실험에서, 만성 알코올 섭취로 인한 근력의 변화는 근육 단백질의 합성 저하로 인한 근육량의 감소와 관련이 있으며 쉽게 근육을 피로하게 하고, 근육의 피로 상태에서의 회복 또한 지연시킨다. 동물 실험에서 미오신 중쇄(myosin heavy chain)와 트로포닌-T (troponin-T)는 만성 알코올 섭취군에서 의미 있게 감소하였고, 트로포닌-I, 데스민(desmin) 등의 감소가 보고되어 수축 조직체(contractile apparatus)와 연관된 단백질들의 감소가 만성 알코올 섭취 시 근수축의 저하와 관련이 있을 것으로 생각된다.

8) 흡연

흡연은 폐쇄수면무호흡증의 위험도를 증가시키는데, 이는 흡연으로 인한 기도 염증과 수면 안정성의 교란 때문인 것으로 생각된다. 한 코호트 연구에서 현재 흡연 중인 사람은 비흡연자에 비해 중등도 이상의 수면관련호흡장애가 발생할 가능성이 4.44배이며, 심한 흡연자(하루 40개비 이상)의 경우는 경도 수면관련호흡장애가 발생할 확률이 6.74배, 중등도 이상의 수면관련호흡장애가 발생할 확률은 40.47배로 보고되었다. 이 연구에서 폐쇄수면무호흡증 환자의 35%가 흡연력을 보여, 대조군의 18%보다 높은 흡연력이 있는 것으로 조사되었다. 나이, 성별, 체질량지수, 알코올을 보정하였을 때 현재 흡연 중인 경우 과거 흡연자나 흡연력이 전혀 없는 자에 비해 폐쇄수면무호흡증이 발생할 가능성이 2.5배, 과거 흡연자와만 비교했을 경우 2.8배로 보고되어 흡연도 폐쇄수면무호흡증의 위험인자로 생각된다.

9) 두개안면구조 이상(craniofacial structure abnormality) 등의 해부학적 요인

하악후퇴, 작은턱증, 하악골형성저하증, 높은 구개궁 등의 구조가 있는 경우 구강 구조가 작아져 수면 동안

인두 허탈(collapse)을 유발하는 원인이 된다. 또한 다운 증후군, 마르팡증후군(Marfan syndrome), 프라더-빌리 증후군(Prader-Willi syndrome) 등은 특히 두개안면기형을 동반하여 폐쇄수면무호흡증 위험도가 올라가는 질환이다. 메타분석 연구에서 하악체 길이(mandibular body length)는 폐쇄수면무호흡증과 강한 상관관계를 보여 위험도를 높이는 요소이다. 설편도 비대는 소아의 경우 폐쇄수면무호흡증의 위험인자이나 성인의 경우 상반된 의견들이 있었는데 깨어있는 상태의 성인 93명의 설편도 크기를 내시경으로 평가했던 연구에서 설편도의 비대는 폐쇄수면무호흡증의 유무와 유의미한 연관관계가 없었다.

10) 약물

약물에 의해서도 수면관련호흡장애가 유발된다고 알려져 있다.

Opiates는 상기도 근긴장 저하, 호흡수 저하 및 불규칙 호흡을 유발하는 것으로 보고 되었고, benzodiazepine 수용체 작용제(benzodiazepine receptor agonist) 역시 상기도 근긴장 저하, 저산소증 화학수용체의 반응을 둔화시킨다. Anabolic steroids는 수면 지속시간과 수면의 질을 떨어뜨리고 각성을 증가시킨다. Baclofen은 GABA-B agonist로 경구투여, 척추강 내로 주입 시 용량에 따라 폐쇄수면무호흡증 및 중추성수면후호흡증을 악화시킬 수 있어 주의가 필요하다. 발기부전 치료제로 널리 사용되는 phosphodiesterase inhibitor (sildenafil, vardenafil, tadalafil) 계열도 위약에 비해 폐쇄수면무호흡증을 증가시킨다고 보고되었으나 vardenafil의 경우

는 무호흡-저호흡지수의 변화가 없다는 연구가 최근 보고되기도 하였다. 탈력발작을 동반한 기면병 환자의 치료제로 사용되는 sodium oxybate는 수면관련호흡장애, COPD, 호흡억제된 환자에게는 상대적 금기 약물이며 알코올과 같이 섭취하는 경우 강력하게 호흡동기를 저하한다(표 20-3-2).

11) 기타

그 밖에 갑상선기능저하증, 말단비대증의 경우 상기도의 연조직 크기를 증가시키고 호흡 조절에 영향을 주어 폐쇄수면무호흡증의 위험인자로 알려져 있다. 갑상선기능저하증은 피부와 피하조직에 히알루론산(hyaluronic acid)을 축적시켜 점액부종(myxedematous) 양상을 보여 혀가 커지고, 인두와 후두 점막의 부종을 유발하여 수면동안 허탈에 더 취약해진다. 그 밖에 다낭성 난소증후군 환자도 중심성 비만, 인슐린 저항성, 높은 안드로겐 수치 등을 이유로 폐쇄수면무호흡증의 높은 유병률을 보인다. 또한 임신 특히 후반부의 임신의 경우 체중 증가, 인두 내강 크기 감소, 폐의 생리학적인 변화 등으로 인해 폐쇄수면무호흡증의 위험인자이며 임신 기간 동안의 폐쇄수면무호흡증이 출생아의 몸무게 및 낮은 아프가 점수(Apgar scores)와 관련이 있다는 보고도 있었다. 최근 연구에 따르면 소아의 1-5%의 폐쇄수면무호흡증의 유병률을 보이는 것에 비해 낫적혈구병(sickle cell disease) 소아에서 22%의 유병률을 보이는 것으로 보고하였고 일반적으로 낫적혈구병 환아들이 편도아데노이드 비대가 더 빈번하게 동반된다는 것이 관련이 있을 것으로 보고하였다.

표 20-3-2. 수면 중 호흡에 영향을 미치는 약물의 종류

| 약물 | 수면관련호흡장애 유형 | | | 위험군 |
	Obstructive sleep apnea	Central sleep apnea	Sleep-related hypoventilation	
Opiates	• 폐쇄수면무호흡증 증가, 기존 폐쇄수면무호흡증 환자 및 폐쇄수면무호흡증 위험인자(예: 비만) 동반의 경우 더 악화	• 비렘수면 단계에서 빈번한 중추수면무호흡증(최대 70%), 불규칙 호흡, 수면분절(Fragmentation), 폐쇄수면무호흡증과 동반된 중추수면무호흡증, 용량반응관계(Dose-response relationship)	• 저환기 위험인자(예: 비만, 호흡기 및 신경근육접합 질환, 기존 폐쇄수면무호흡증), 노인	• 비만, 중등도-중증 폐쇄수면무호흡증, 호흡기질환(예: COPD), 신경근육접합질환
Benzodiazepine Receptor agonist	• 상기도 폐쇄 악화	• 병적으로 낮은 각성 역치의(Pathologic low arousal threshold) 조절 효과가 있음	• 수면관련 저환기 위험인자를 가진 환자의 경우 금기, Case report 있으나 systematic evaluation 없음	• 노인 • 중증 폐쇄수면무호흡증, 호흡기능 저하자 • 신경근육접합질환
Anabolic steroids	• 폐쇄수면무호흡증 증가 가능성은 낮음	• 수면동안 각성증가, 얕은 수면 증가, 중추수면무호흡증의 간접적 위험인자	관련 연구 없음	• 오용, 남용의 경우, 다른 약물 혹은 알코올과 병용하는 경우
Growth hormone	• 뇌하수체 기능저하가 없는 환자가 성장호르몬을 투약하는 경우 폐쇄성 무호흡, 저호흡을 유발	관련 연구 없음	관련 연구 없음	• 중심성비만환자, 성장호르몬투여 후 목둘레 증가가 보고됨.
Baclofen	• 폐쇄수면무호흡증 환자에서 고용량의 척추강내 주입 시 호흡사건 증가	• 고용량의 척추강 내 주입 시 중추성무호흡, 중추수면무호흡증 약물감시 데이터 상 알코올중독증에서 baclofen 사용 시 수면무호흡증후군의 유병률이 증가함	관련 연구 없음	• 폐쇄수면무호흡증 환자 고용량 경구, 척추강내 주입 시 중추성/폐쇄성 수면무호흡증을 악화 혹은 유발
Sodium oxybate	• 폐쇄수면무호흡증을 증가시킨다는 약물감시 보고 및 통제되지 않은 데이터는 있으나 2개의 무작위배정 임상시험에서 증명되지 않음	관련 연구 없음	관련 연구 없음	• 수면관련호흡질환, 호흡기질환, 중추신경계 억제약물, 알코올 동반 시 위험도 증가
Phosphodiesterase inhibitor	• 폐쇄수면무호흡증을 증가시킨다는 통제되지 않은 자료는 있으나 무작위배정임상시험에서 반복된 결과를 얻지 못함	관련 연구 없음	관련 연구 없음	

출처: Grote L. Drug-induced sleep-disordered breathing and ventilatory impairment. Sleep Med Clin 2018;13:161-8.

PART **4**

수면장애 각론

▶ 참고문헌

- Abulhamail A, Alshebli A, Merdad L, et al. Prevalence of and risk factors for obstructive sleep apnea in children with sickle cell: a multicentric cross sectional study. Ann Hematol 2021;101:43–57.

- Al Lawati NM, Patel SR, Ayas NT. Epidemiology, risk factors, and consequences of obstructive sleep apnea and short sleep duration. Prog Cardiovasc Dis 2009;51:285–93.

- Ancoli-Israel s, Kripke DF, Klauber MR, et al. Sleep-disordered breathing in community-dwelling elderly. Sleep 1991;14:486–95.

- Burgos-Sanchez C, Jones NN, Avillion M, et al. Impact of alcohol consumption on snoring and sleep apnea: a systematic review and meta-analysis. Otolaryngol Head Neck Surg 2020;163:1078–86.

- Cielo CM, Keenan BT, Wiemken A, et al. Neck fat and obstructive sleep apnea in obese adelescents. Sleep 2021;44:zsab158.

- Crowell KT, Laufenberg LJ, Lang CH. Chronic alcohol consumption, but not acute intoxication, decrease in vitro skeletal muscle contractile function. Alcohol Clin Exp Res 2019;43:2090–9.

- Garvey JF, Pengo MF, Drakatos P, et al. Epidermiological aspects of obstructive sleep apnea J Thorac Dis 2015;7:920–9.

- Gaspar LS, Alvaro AR, Moita J, et al. Obstructive sleep apnea and hallmarks of aging. Trends Mol Med 2017;23:675–92.

- Gottlieb DJ, Destefano AL, Foley DJ, et al. APOE epsilon4 is associated with obstructive sleep apnea/hypopnea: the Sleep heart health study. Neurology 2004;63:664–8.

- Grote L. Drug-induced sleep-disordered breathing and ventilatory impairment. Sleep Med Clin 2018;13:161–8.

- Kashyap R, Hock LM, Bowman TJ. Higher prevalence of smoking in patients diagnosed as having obstructive sleep apnea. Sleep Breath 2001;5:167–72.

- Kim J, In K, Kim J, et al. Prevalence of sleep-disordered breathing in middle-aged Korean men and women. Am J Respir Crit Care Med 2004;170:1108–13.

- Kramer MF, Chaux RD, Rintelmann R, et al. NARES: a risk factor for obstructive sleep apnea? Am J Otolaryngol 2004;25:173–7.

- Lam B, Ip MS, Tench E, Ryan CF. Craniofacial profile in Asian and white subjects with obstructive sleep apnoea Thorax 2005;60:504–10.

- Larkin EK, Patel SR, Redline S, et al. Apolipoprotein E and obstructive sleep apnea: evaluating whether a candidate gene explains a linkage peak. Genet Epidemiol 2006;30:101–10.

- Li KK, Powell NB, Kushida C, et al. A comparison of Asian and white patients with obstructive sleep apnea syndrome. Laryngoscope 1999;109:1937–40.

- Machado CC, Haddad FLM. The role of the nose in obstructive sleep apnea. Sleep Sci 2012;5:61–4.

- Ho ML, Brass SD. Obstructive sleep apnea. Neurol Int 2011;3:60–7.

- Peppard PE, Young T, Palta M, et al. Longitudinal study of moderate weight change and sleep-disordered breathing. JAMA 2000;284:3015–21.

- Punjabi NM. The epidemiology of adult obstructive sleep apnea. Proc Am Thorac Soc 2008;5:136–43.

- Tang JA, Friedman M. Incidence of lingual tonsil hypertrophy in adults with and without obstructive sleep apnea. Otolaryngol Head Neck Surg 2018;158:391–4.

- Tempaku PF, Tufik S. The paradigm of obstructive sleep apnea in aging: interactions with telomere length. Sleep Med 2018;48:155–6.

- Trindade SHK, Trindade IEK, Silva ASCD, et al. Are reduced internal nasal dimensions a risk factor for obstructive sleep apnea syndrome? Braz J Otorhinolaryngol 2020;88:399–405.

- Veasey SC, Rosen IM. Obstructive sleep apnea in adults. N Engl J Med 2019;380:1442–9.

04 수면호흡 관련 장애 개괄

김정훈 / 김수근

1 용어 및 정의

1) 호흡사건의 정의

(1) 무호흡

ICSD-3에 의하면 폐쇄성, 중추성무호흡의 분류는 호흡노력의 유무에 따라서 이루어지며 정의는 이전의 문헌과 마찬가지로 구강 또는 비강을 통한 호흡기류가 10초 이상 정지되는 상태를 말한다. 성인에서 동반되는 혈중산소포화도의 감소나 각성의 유무와 관계없이 10초 이상 호흡진폭이 기저호흡진폭에 비해 90% 이상 감소되어 있을 때 무호흡이라고 정의한다.

코골이가 있거나 비강기류파형이나 양압기에서 측정되는 기류 파형이 흡기 시 기저상태와 비교해서 점점 편평해지거나 이전에는 나타나지 않던 흉부, 복부의 모순된 움직임(paradoxical movement) 중 하나라도 관찰되는 경우 폐쇄성무호흡으로 정의하고 이러한 소견이 하나도 없는 경우 중추성무호흡으로 정의한다. 무호흡의 전반부에서는 중추성의 양상을 보이다가 후반부로 갈수록 점차 폐쇄성의 소견을 보이는 경우를 혼합성으로 분류한다.

(2) 저호흡

아래의 내용에 해당되는 경우 저호흡으로 정의한다. 저호흡은 10초 이상 기저호흡의 진폭에 비하여 호흡진폭이 30% 이상 떨어지면서 3% 이상의 혈중산소포화도의 감소나 각성이 동반될 때로 정의한다.

코골이가 있거나 비강기류파형이나 양압기에서 측정되는 기류 파형이 흡기 시 기저상태와 비교해서 점점 편평해지거나 이전에는 나타나지 않던 흉부, 복부의 모순된 움직임(paradoxical movement) 중 하나라도 관찰되는 경우 폐쇄성저호흡으로 정의하고 이러한 소견이 하나도 없는 경우 중추성저호흡으로 정의한다.

① 호흡노력관련각성
(respiratory effort related arousal, RERA)

수면 중에 호흡노력의 증가에 의해 초래되는 각성상태를 의미하며 식도내압을 통한 호흡노력을 통해 측정하는 것이 가장 좋은 방법이나 비강기류압력이나 양압기압력적정에서는 양압기 기류 또는 다른 감지센서에서의 기류의 편평함으로 측정하기도 한다. 무호흡-저호흡지수에 호흡노력과 관련된 각성 횟수를 포함한 호흡장애지수를 폐쇄수면무호흡증의 심각도 평가에 사용하기도 한다. 무호흡이나 저호흡의 정의에 맞지 않으며 식도

내압측정에서 적어도 10초 이상 지속되는 호흡노력의 증가가 있거나 진단검사의 비강기류압력이나 적정압력검사에서의 양압기 기류에서 흡기시 편평함이 10초 이상 관찰되며 이러한 소견이 각성을 일으키는 경우 호흡노력관련각성으로 정의한다.

② 저환기

진단검사에서 호기말 $PaCO_2$ 또는 경피 PCO_2를 사용하고, 적정압력측정검사에서는 경피 PCO_2를 사용하여 측정하였을 때 동맥혈의 $PaCO_2$가 10분 이상 55 mmHg 넘게 증가하거나 자는 동안 $PaCO_2$가 10 mmHg 이상 증가하고 10분 이상 50 mmHg를 넘는 경우 저환기로 정의한다.

(3) Cheyne-Stokes 호흡

Cheyne-Stokes 호흡은 중추성무호흡 또는 중추성저호흡 사이의 호흡 패턴이 증가하다가 감소하는 호흡 패턴(crescendo and decrescendo)을 특징으로 하는 주기적인 호흡 형태이다. American Academy of Sleep Medicine(AASM)은 아래의 기준이 모두 충족되는 호흡 사건을 Cheyne-Stokes 호흡으로 정의한다.

① 3번 이상 연속되는 중추성무호흡이나 중추성저호흡이 40초 이상 주기로 지속되며 호흡기류가 점진적으로 증가하다 감소하는 패턴(crescendo and decrescendo)을 보인다.

② 최소 2시간 이상의 시간동안 5번 이상의 중추성무호흡이나 중추성저호흡이 점진적으로 증가하다 감소하는 패턴과 관련하여 나타난다.

2) OSAS의 중증도 분류

(1) AHI

수면무호흡 진단 후 환자의 중등도를 구분지을 때 무호흡-저호흡지수(apnea-hypopnea index, AHI)를 기준으로 경증(mild)은 5 이상 15 미만, 중등도(moderate)는 15 이상 30 미만, 중증(severe)은 30 이상으로 정의한다. 수면다원검사에서 무호흡-저호흡지수 또는 호흡장애지수 5를 기준으로 비정상으로 보는 근거는 역학적 연구 결과 무호흡-저호흡지수 또는 호흡장애지수가 5 이상일 경우 고혈압, 주간과다수면, 교통사고 등의 위험이 증가하며 적절한 치료로 기분, 피로증상이 개선되고 주간과다수면과 인지기능이 호전되는 것으로 알려져 있기 때문이다.

2 폐쇄수면무호흡증의 증상 및 임상소견

1) 수면 중 증상

수면 중 발생하는 증상은 증상이 나타나는 형태에 따라 크게 호흡기, 자율신경계, 기타 수면관련 증상으로 나눌 수 있다. 각각의 증상은 다르지만 발생 기전은 서로 연관되어 있는 경우가 많다.

(1) 호흡기 증상

① 코골이

코골이는 폐쇄수면무호흡증 환자에서 가장 흔하게 관찰되는 증상이며 보고자에 따라 다르지만 2-86%의 환자에서 관찰된다. 이러한 코골이는 폐쇄수면무호흡증 환자에서 매우 오랫동안 지속되었던 경우가 흔하며 시간이 지나며 조금씩 악화되는 경향을 보인다. 또한 약물, 수면부족, 음주 등에 의해 악화될 수 있으며 체중 증가도 악화 요인이다. 보고에 의하면 코골이는 남성에서 여성에 비해 약 1.89배가량 흔하게 나타나는 경향이 있다. 또한 코골이는 배우자의 수면을 방해할 수 있으며 부부간의 중요한 문제로 대두되기도 한다. 즉 폐쇄수면무호흡증 환자의 코골이 소리로 인해 수면 시 배우자의 수면을 심각하게 방해하는 소음 공해의 잠재적 원천으로 인식되고 있다. 연속적인 코골이에 이어 무호흡이 발생하고 이어 가쁜 숨을 몰아쉬는 현상이 반복적으로 나타나는 경우가 흔하다.

② 무호흡

수면 중 관찰되는 무호흡은 폐쇄수면무호흡증 환자의 수면 중 발생하는 증상 중 코골이에 이어 두 번째로 흔하다. 수면 중 무호흡은 정상인에게도 나타날 수 있으며 시간당 5회 미만의 무호흡은 대부분 증상을 유발하지 않는다. 그러나 심한 환자에서는 무호흡에 이어 청색증이 발생하기도 하며 수면 중 심한 몸의 움직임, 각성 등이 무호흡 후반에 동반될 수 있으며 지속적으로 반복될 경우 정상적인 수면을 방해하게 된다.

③ 호흡곤란

폐쇄수면무호흡증 환자들은 종종 수면 중 숨이 막힐 것 같은 느낌이나 질식되는 느낌을 호소한다. 대부분 수면 중 각성이 수반되며 깨어난 후 불안감을 느낄 수도 있다. 상기도폐쇄에 의해 무호흡이나 저호흡이 발생하게 되면 폐쇄된 상기도로 인하여 증가한 저항을 이기기 위하여 호흡근이 과하게 작용하여 흉곽내 음압을 증가시키고 이는 심장으로 돌아오는 혈행을 증가시켜 결국 폐모세혈관쐐기압이 상승한다. 이러한 쐐기압의 증가는 호흡곤란을 유발할 수 있다고 알려져 있다.

④ 만성기침

폐쇄수면무호흡증 환자에서 만성기침이 발생하는 이유는 상기도폐쇄에 따른 횡격막 사이의 압력 증가로 인하여 위식도 역류가 발생하게 되고 이러한 자극으로 식도 기관 반사가 미주신경을 통해 전달되어 기침을 유발한다. 또한 상기도 점막의 반복적인 기계적 자극으로 인한 염증 때문에 기침이 유발될 수 있다.

⑤ 구강건조 및 구갈

구갈 증상은 폐쇄수면무호흡증 환자들이 수면 중 입을 벌리는 것과 관계가 있다고 알려져 있으며 비강 호흡을 통한 흡기의 적절한 가습이 이루어지지 않아 구강점막이 건조해지기 때문이다. 이러한 구갈은 구강 호흡과 밀접한 관계가 있어 침흘림이 동반되기도 한다.

(2) 자율신경계 증상

① 야간발한

폐쇄수면무호흡증 환자에서 카테콜아민의 분비가 증가한다고 보고된 바가 있다. 자율신경계의 변화에 의해 다양한 증상들이 발생할 수 있으며 수면 중 발한은 가장 대표적인 증상이다. 폐쇄수면무호흡증 환자의 30% 정도가 주당 3회 이상의 빈번한 야간발한을 경험한다고 하며 정상인과 비교하였을 때 3배 정도 높은 수치이다. 발한은 피부에 존재하는 교감신경에 의해 조절되는데 폐쇄수면무호흡증 환자에서 수면 중 발한이 증가하는 기전은 수면 중 혈압의 상승이나 렘수면의 감소가 관련 있을 것으로 추측된다. 발한은 주로 상체와 목 주변에 나타나며 CPAP과 같은 치료를 시행하였을 때 30% 정도로 빈도가 감소한다고 보고된 바가 있다. 특별한 원인 없이 자주 반복되는 야간발한을 호소할 경우 폐쇄수면무호흡증을 의심해볼 수 있다.

② 야뇨증

야뇨증은 폐쇄수면무호흡증 환자 중 남성에서 더 흔하게 관찰되며 폐쇄수면무호흡증의 중등도가 심할수록 야뇨증이 심한 것으로 알려져 있다. 폐쇄수면무호흡증 환자에서 횡격막 사이의 압력차가 증가하면 좌심실의 후부하(afterload)가 증가하고 이에 따라 심방나트륨이뇨인자(atrial natriuretic factor, ANP)가 증가하여 수면 중 소변의 생성이 증가하는 것으로 알려져 있다.

③ 기타 증상

그 외에도 보고에 의하면 폐쇄수면무호흡증 환자의 38%에서 불면증, 18%에서 입면 어려움, 42%에서 수면 유지에 어려움을 느끼는 것으로 알려져 있다. 그 외에도 수면 중 반복적, 불수의적으로 치아를 악물고 갈거나 또는 하악을 지지하거나 밀어내는 증상인 이갈이(bruxism)가 폐쇄수면무호흡증 환자에서 보일 수 있다고 알려져 있다.

표 20-4-1. Epworth Sleepiness Scale

활동	졸리운 정도			
앉아서 책을 읽을 때	0	1	2	3
텔레비전을 볼 때	0	1	2	3
극장이나 회의석상과 같은 공공장소에서 가만히 앉아 있을 때	0	1	2	3
1시간 정도 계속 버스나 택시를 타고 있을 때	0	1	2	3
오후 휴식 시간에 편안히 누워 있을 때	0	1	2	3
앉아서 누군가에게 말을 하고 있을 때	0	1	2	3
점심 식사 후 조용히 앉아 있을 때	0	1	2	3
차를 운전하고 가다가 교통 체증으로 몇 분간 멈추어 있을 때	0	1	2	3

2) 주간 증상

(1) 주간과다수면

주간과다수면은 폐쇄수면무호흡증 환자의 90%에서 보이는 매우 대표적인 증상이다. 수면 중 잦은 수면단절로 인해 발생하는 것으로 알려져 있다. Epworth Sleepiness Scale(표 20-4-1)이 가장 널리 사용되는 주관적인 평가 방법이다. 객관적 평가로는 검사실에 가만히 누운 채로 뇌파상 수면에 빠지는 데 걸리는 시간을 측정하는 수면잠복기반복검사(multiple sleep latency test, MSLT)와 검사실에 편안하게 앉은 채로 잠에 들지 않고 깨어 있으려고 노력하는 중 뇌파상 수면에 빠지는 데 걸리는 시간을 측정하는 각성유지검사(maintenance of wakefulness test, MWT)가 있다.

(2) 기분변화

폐쇄수면무호흡증 환자의 48%에서 우울증을 보이는 것으로 보고되고 있는데, 이는 정상인의 유병률보다 높다. 폐쇄수면무호흡증 환자에서 간헐적인 저산소증과 이로 인해 발생하는 수면 단절이 우울증의 주 원인으로 생각되고 있다. 그 외에도 폐쇄수면무호흡증 환자의 47.5%에서 불안장애를 보이는 것으로 보고되고 있다.

(3) 인지장애

인지란 지각, 주의, 언어, 이해, 계획, 기억, 문제해결, 추론 등으로 구성된다. 폐쇄수면무호흡증 환자에서 주의력 감소 정도는 일반적으로 무호흡−저호흡지수가 높을수록 큰 것으로 보고되고 주의력 감소가 학업 및 업무 성취도 저하와 교통사고 증가로 이어진다. 주의력 감소의 기전으로는 주간졸음과 수면 중 저산소혈증이 원인이라는 연구결과들이 있다.

폐쇄수면무호흡증 환자에서 기억력의 변화에 대한 많은 연구들이 보고된 바가 있다. 작업 기억력은 작업을 수행할 때 필요한 정보를 저장, 사용, 추적하는 능력으로 정의되는 인지 기능의 필수적인 부분이다. 보고에 의하면 작업 기억력이 폐쇄수면무호흡증 환자의 실행 기능에서 가장 자주 감소하는 부분 중 하나임이 보고되었다. 삽화 기억력은 시공간에서 언어 또는 시각적 정보를 기억하는 능력이다. 언어 기억력과 시공간 기억력의 손상은 다른 양상으로 나타나는데, 언어 기억력은 회상, 학습, 인식을 하는 능력이 손상되지만, 시공간 기억력은 즉각적인 회상만이 손상되고 학습과 인식을 하는 능력은 정상이었다.

(4) 아침두통

폐쇄수면무호흡증 환자의 약 69%가 아침두통을 호소하고 단순 코골이 환자의 23%가 아침두통을 호소하는 것으로 알려져 있다. 수면 중 저산소혈증에 대한 반응으로 일어나는 뇌혈관확장이 아침두통의 원인으로 생각된다.

3 폐쇄수면무모흡증의 합병증/결과

1) 심혈관계 질환

(1) 심혈관계합병증의 기전

폐쇄수면무호흡증 환자에서 무호흡은 질식, 수면 중 각성을 유발하고, 이는 정상적인 생리를 변화시켜 여러 가지 합병증을 유발한다. 반복되는 저산소증은 체내의 염증반응 및 산화스트레스를 일으켜 심박동수의 저하, 교감신경계의 활성화 및 부교감신경계의 둔화를 일으킨다.

(2) 고혈압

고혈압이 있는 환자에서 폐쇄수면무호흡증의 유병률은 30~50%로 알려져 있다. 하지만 고혈압이 과연 독립적 위험인자인지는 추가 연구가 필요한 상태이다. 반대로 폐쇄수면무호흡증은 이차성 고혈압의 가장 큰 원인 중 하나이며 폐쇄수면무호흡증을 치료하면 혈압을 낮출 수 있는 것으로 알려져 있다. 폐쇄수면무호흡증 환자에서 24시간 혈압 모니터링을 한 결과 야간 혈압이 폐쇄수면무호흡증이 없는 환자에 비해 주간, 야간 모두 이완기 혈압이 높으며 수축기 혈압은 특히 밤에 높게 유지되는 것이 보고된 바가 있다. 이러한 밤의 혈압 증가 현상이 낮의 고혈압으로 이어지는 이월 효과(carry over effect)를 보이게 되며 결국 고혈압을 포함한 심혈관계 유병률의 증가로 이어질 것을 시사한다. 고혈압을 치료하면 폐쇄수면무호흡증도 개선되는 것으로 보고되었는데 항고혈압제의 사용으로 부인두 부종과 이로 인한 이차적인 상기도 폐쇄를 낮추는 것이 그 기전으로 알려져 있다.

(3) 관상동맥질환

폐쇄수면무호흡증으로 인한 저산소증, 산증, 교감신경 흥분에 의한 혈관 수축, 심한 흉곽 음압의 발생, 좌심실벽에 대한 압력 부담 증가는 심장의 허혈을 자극하게 된다. 202명의 관상동맥 질환이 없는 환자를 3년간 관찰한 연구에 의하면 관상동맥 질환의 지표인 관상동맥 석회화(coronary artery calcification)가 폐쇄수면무호흡증 환자에서 현저히 많이 관찰되었으며, 관상동맥 석회화의 정도가 AHI의 중증도에 비례하여 많았다. 특히 무호흡-저호흡지수가 시간당 20회 이상인 경우나 산소포화도의 최저점이 78%이하인 경우 급성 심장사의 위험이 더 큰 것으로 알려져 있다.

(4) 심부전

폐쇄수면무호흡증으로 인하여 심부전이 발생하는 경우는 1% 미만으로 매우 흔치 않다. 그러나 명백한 심부전이 아니더라도 심장기능이 정상보다 떨어지는 경우는 흔하다. 폐쇄수면무호흡증으로 인한 흉곽내 음압이 발생하면 좌심실의 심실벽에 대한 압력이 극심하게 된다. 즉 매 수면 시마다 좌심실에 엄청난 부담이 가해지는 상황인 것이며 이런 부담이 결국 심장 기능의 저하를 초래하게 된다. 6,424명을 대상으로 한 Sleep Heart Health Study는 무호흡-저호흡지수가 시간당 10회 이상인 경우 교란변수의 작용을 보정한 후에도 심부전의 위험도를 2.2배 올리는 것으로 밝혀졌다.

(5) 부정맥

폐쇄수면무호흡증에 의해 부정맥이 발생할 수 있다. 심한 흉곽내 음압의 형성과 심장 방실의 형태 변화, 좌심실벽의 압력부하로 인하여 부정맥이 심해지게 된다. 무호흡-저호흡지수가 시간당 30회 이상인 중증의 폐쇄수면무호흡증 환자가 정상인에 비해 심방세동의 위험도가 4.02배, 심실빈맥의 위험도가 3.4배 상승한다고 밝혀진 바가 있다.

(6) 심혈관계 사망

폐쇄수면무호흡증과 심혈관계 합병증에 대한 연구는 현재에도 끊임없이 진행중이다. 265명의 대조군과 235명의 중증 폐쇄수면무호흡증 환자를 10년간 추적관찰한 연구에서 치명적인 심혈관계 사건은 3.5배, 비치명적 심혈관계 사건은 4.7배 높은 것으로 밝혀졌으며, CPAP 치료를 받은 중증 및 중등도의 폐쇄수면무호흡증 환자는 대조군과 차이를 보이지 않아 CPAP 치료가 이러한 심혈관계 사망의 감소를 가져올 수 있는 것으로 보인다.

2) 뇌혈관계 질환

폐쇄수면무호흡증과 뇌졸중의 연관성에 대해서는 여러 가지 상반된 연구결과가 있다. 한 연구에서는 무호흡-저호흡지수가 시간당 20회보다 높은 경우 5 이하인 군에 비해서 뇌졸중의 위험도가 4.33배 높아지는 것이 보고되었으나, 이를 나이, 성별, 체질량지수를 보정하였을 때 통계적으로 유의미한 결과를 보이지는 않았다. 반면 무호흡-저호흡지수가 시간당 5회 이상인 경우 여러 가지 교란변수를 보정한 후에도 위험도가 1.97배 높아진다고 보고된 적도 있다. 뇌졸중 환자의 경우 폐쇄수면무호흡증을 잘 치료함으로써 뇌졸중의 재발 및 치료 예후에 좋은 영향을 미치는 것으로 보고되었다.

3) 대사장애 합병증

(1) 당뇨병

폐쇄수면무호흡증 환자에서 인슐린 저항성 증가와 관련하여 당뇨병의 발생을 유발하는지에 대한 논란은 지속중이다. 신경병증이 있는 당뇨 환자에서 이산화탄소에 대한 화학감수성이 중추에서는 증가되어 있지만 말초에서 감소되어 있는 것으로 알려져 있다. 이러한 관점으로는 두 질환 사이의 연관이 있을만한 충분한 근거가 보인다. 지속적인 저산소증으로 인한 인슐린의 민감도를 감소시켜 당뇨병을 일으키는 것으로 생각되는 것이다. 69,852명을 대상으로 한 연구에서는 코골이 환자에서 당뇨병의 위험성이 2.25배 높아진다는 결과를 보였

다. 무호흡-저호흡지수가 시간당 30회 이상인 경우 5회 미만인 경우에 비해 당뇨병 발생이 30%가량 높다는 보고도 있다.

4) 정신 신경학적 합병증

(1) 인지기능 및 신경행동학적 장애

인지란 지각, 주의력, 언어력, 이해력, 기억력, 문제해결 능력 등으로 구성된다. 신경인지기능의 손상은 주로 기억저하, 인지과정 장애, 집중력 장애 등의 형태로 나타난다. 일반적으로 무호흡-저호흡지수가 높을수록 신경인지기능의 손상 정도도 심할 것으로 생각된다. 신경인지기능 손상의 주 기전으로는 저산소증이 거론된다. 하지만 폐쇄수면무호흡증의 기간이 짧거나 폐활량이 정상인 젊은 사람의 경우 심한 저산소증을 보이지 않는 경우도 많다. 즉 무호흡-저호흡지수는 폐쇄수면무호흡증의 좋은 지표이나 저산소증을 정확하게 반영하지는 못하는 것으로 알려져 있다. 따라서 폐쇄수면무호흡증의 중등도에 따라 신경인지기능을 평가할 때, 무호흡-저호흡지수뿐만 아니라 저산소증 및 질병의 이환기간도 함께 고려하여 평가해야 한다. 저산소증뿐만 아니라 수면장애, 주간졸음과도 연관이 있는 것으로 알려져 있다. 이러한 신경인지기능장애는 일상생활에서 일의 능률 감소, 사고 위험성의 증가, 삶의 질 저하를 유발한다. 특히 주의력 감소는 학업 및 업무 성취도 저하와 교통사고 증가로 이어지는 것으로 알려져 있다. 일반적으로 CPAP 후 전반적 인지기능, 주의 집중력, 기억력은 개선을 보이는 것으로 알려져있지만 실행능력과 정신운동기능의 감퇴는 지속되는 경향을 보여 비가역적인 뇌 손상과의 관련성도 있을 수 있다.

5) 기타 합병증

(1) 호흡기계 질환
① 천식 및 기관지 과민성
천식 환자들은 대부분 호흡기계 증상을 나타낸다. 폐

쇄수면무호흡증 환자는 반복되는 연구개 점막의 자극으로 인하여 미주신경의 톤이 상승할 수 있으며 이는 천식의 급성 악화에 영향을 미칠 수 있는 것으로 알려져 있다. 그 외에도 간헐적인 저산소증, 점막의 기계적 자극에 의한 염증, 혈관내피성장인자(vascular endothelial growth factor, VEGF), Leptin, 수면분절 등이 천식의 발생에 영향을 미칠 수 있다고 알려져 있다. 한 연구에서는 교란 변수의 보정 후에도 천식과 폐쇄수면무호흡증의 오즈비가 1.92에 이르는 것으로 밝혀졌다.

② 만성폐쇄성폐질환

만성폐쇄성폐질환의 수면 구조의 변화 유형은 수면잠복기(sleep latency)의 증가, 총수면시간(total sleep time)의 감소, 수면효율(sleep efficiency)의 감소, 수면 중 각성(arousal)의 증가, 서파수면(slow wave sleep)의 감소, 렘수면의 감소 등이 있다. 수면관련호흡장애 중 가장 흔한 것은 폐쇄수면무호흡증이며 이와 동시에 이환된 경우 만성폐쇄성폐질환-폐쇄성수면무호흡 중복증후군이라고 불린다. 일반인에 비해 만성폐쇄성폐질환 환자에서 폐쇄수면무호흡증을 동반할 가능성이 높거나, 반대의 가능성이 높은 것은 아니지만, 두 질환 모두 유병률이 높은 질환이므로 우연히 두 질환이 공존하는 중첩증후군의 유병률도 0.5-1% 정도로 드물지 않은 것으로 알려져 있다.

(2) 위장관계 질환
① 위식도역류질환

야간 위식도 역류는 수면의 질 저하와 관련이 있다. 폐쇄수면무호흡증 환자의 58-62%에서 위식도역류질환을 동반하고 있는 것으로 보고된 바가 있다. 이 두 질환 사이의 관계는 명확하지 않지만 폐쇄수면무호흡증의 치료가 위식도역류질환을 개선하는 것으로 보고되었다. 지속적인 CPAP은 총 24시간 식도 위산 접촉 시간을 줄이는 것으로 입증되었다.

(3) 비뇨기계 질환
① 발기장애

폐쇄수면무호흡증 환자의 51%에서 발기부전이 동반될 수 있다. 양압기 치료 후 발기부전과 관련된 여러 가지 임상 지표가 호전된 것으로 이 두 질환 사이의 연관성을 추론해볼 수 있으나 아직 명확한 관계가 밝혀지지는 않았다.

▶ 참고문헌

- Abdul Razak MR, Chirakalwasan N. Obstructive sleep apnea and asthma. Asian Pac J Allergy Immunol 2016;34:265-71.
- Al-Delaimy WK, Manson JE, Willett WC, et al. Snoring as a risk factor for type II diabetes mellitus: a prospective study. Am J Epidemiol 2002;155:387-93.
- American Academy of Sleep Medicine. The international classification of sleep disorders: diagnostic and coding manual. 3rd ed. Darien, IL: American Academy of Sleep Medicine; 2014.
- Arnardottir ES, Janson C, Bjornsdottir E, et al. Nocturnal sweating--a common symptom of obstructive sleep apnoea: the Icelandic sleep apnoea cohort. BMJ Open 2013;3:e002795.
- Arnardottir ES, Thorleifsdottir B, Svanborg E, et al. Sleep-related sweating in obstructive sleep apnoea: association with sleep stages and blood pressure. J Sleep Res 2010;19(1Pt 2):122-30.
- Arzt M, Young T, Finn L, et al. Association of sleep-disordered breathing and the occurrence of stroke. Am J Respir Crit Care Med 2005;172:1447-51.
- Bisogni V, Pengo MF, Maiolino G, et al. The sympathetic nervous system and catecholamines metabolism in obstructive sleep apnoea. J Thorac Dis 2016;8:243-54.
- Boland LL, Shahar E, Iber C, et al. Sleep Heart Health Study (SHHS). Investigator Measures of cognitive function in persons with varying degrees of sleep-disordered breathing: the Sleep Heart Health Study. J Sleep Res 2002;11:265-72.
- Bortolotti M, Gentilini L, Morselli C, et al. Obstructive sleep apnoea is improved by a prolonged treatment of gastrooesophageal reflux with omeprazole. M Dig Liver Dis 2006 ;38:78-81.
- Cambi J, Chiri ZM, Boccuzzi S. Snoring patterns during home polysomnography, a proposal for a new classification. Am J Otolaryngol 2020;41:102589.
- Chan CH, Wong BM, Tang JL, et al. Gender difference in snoring and how it changes with age: systematic review and metaregres-

sion. Sleep Breath 2012;16:977–86.

- Choi YM. Overlap Syndrome: obstructive sleep apnea–hypopnea syndrome in patients with chronic obstructive pulmonary disease. Sleep Med Psychophysiology 2008;15:7–70.
- Davies CW, Crosby JH, Mullins RL, et al. Case–control study of 24 hour ambulatory blood pressure in patients with obstructive sleep apnoea and normal matched control subjects. Thorax 2000;55:736–40.
- Davies RJ, Ali NJ, Stradling JR. Neck circumference and other clinical features in the diagnosis of the obstructive sleep apnoea syndrome. Thorax 1992;47:101–5.
- Dempsey JA, Veasey SC, Morgan BJ, et al. Pathophysiology of sleep apnea. Physiol Rev 2010;90:47–112.
- Gami AS, Olson EJ, Shen WK, et al. Obstructive sleep apnea and the risk of sudden cardiac death: a longitudinal study of 10,701 adults. J Am Coll Cardiol 2013;62:610–6.
- Green BT, Broughton WA, O'Connor JB. Marked improvement in nocturnal gastroesophageal reflux in a large cohort of patients with obstructive sleep apnea treated with continuous positive airway pressure. Arch Intern Med 2003;163:41–5.
- Guilleminault C, Black JE, Palombini L, et al. A clinical investigation of obstructive sleep apnea syndrome (OSAS) and upper airway resistance syndrome (UARS) patients. Sleep Med 2000;1:51–6.
- Gupta MA, Simpson FC. Obstructive sleep apnea and psychiatric disorders: a systematic review. J Clin Sleep Med 2015;11:165–75.
- Janssen HCJP, Venekamp LN, Peeters GAM, et al. Management of insomnia in sleep disordered breathing. Eur Respir Rev 2019;28:190080.
- Johns MW. A new method for measuring daytime sleepiness: the Epworth sleepiness scale. Sleep 1991;14:540–5.
- Kendzerska T, Gershon AS, Hawker G, et al. Obstructive sleep apnea and incident diabetes. A historical cohort study. Am J Respir Crit Care Med 2014;190:218–25.
- Kerner NA, Roose SP. Obstructive sleep apnea is linked to depression and cognitive impairment: evidence and potential mechanisms. Am J Geriatr Psychiatry 2016;24:496–508.
- Kim SJ, Lee JH. Neurocognitive dysfunction related with sleep factors in patients with obstructive sleep apnea. J Korean Neuropsychiatr Assoc 2006;45:295–306.
- Kostrzewa-Janicka J, Jurkowski P, Zycinska K, et al. Sleep-related breathing disorders and bruxism. Adv Exp Med Biol 2015;873:9–14.
- Kryger MH, Roth T, Dement WC. Snoring and upper airway resistance principles and practice of sleep medicine. Philadelphia: Elsevier; 2005. pp. 1001–12.
- Li L, Xu Z, Jin X, et al. Sleep-disordered breathing and asthma:

evidence from a large multicentric epidemiological study in China. Respiratory research 2015;16:56.

- Li Y, Zhang J, Lei F et al. Self-evaluated and close relative-evaluated Epworth Sleepiness Scale vs. multiple sleep latency test in patients with obstructive sleep apnea. J Clin Sleep Med 2014;10:171–6.
- Lim KG, Morgenthaler TI, Katzka DA. Sleep and nocturnal gastroesophageal reflux: an update. Chest 2018;154:963–71.
- Malhotra RK, Kirsch DB, Kristo DA, et al. Polysomnography for obstructive sleep apnea should include arousal-based scoring: an American Academy of Sleep Medicine Position Statement. J Clin Sleep Med 2018;14:1245–7.
- Mansfield D, Naughton MT. Obstructive sleep apnoea, congestive heart failure and cardiovascular disease. Heart Lung Circ 2005;14 Suppl 2:S2–7.
- Marin JM, Carrizo SJ, Vicente E, et al. Long-term cardiovascular outcomes in men with obstructive sleep apnoea–hypopnoea with or without treatment with continuous positive airway pressure an observational study. Lancet 2005;365:1046–53.
- McDermott M, Brown DL. Sleep apnea and stroke. Curr Opin Neurol 2020;33:4–9.
- McNicholas WT. Chronic obstructive pulmonary disease and obstructive sleep apnoea–the overlap syndrome. J Thorac Dis 2016;8:236–42.
- Mehra R, Benjamin EJ, Shahar E, et al. Association of nocturnal arrhythmias with sleep-disordered breathing: The Sleep Heart Health Study. Am J Respir Crit Care Med 2006;173:910–6.
- Miyake A, Shah P. Models of working memory: mechanisms of active maintenance and executive control. Cambridge University Press; 1999.
- Naegele B, Thouvard V, Pepin JL, Levy P, Bonnet C, Perret JE, et al. Deficits of cognitive executive functions in patients with sleep apnea syndrome. Sleep 1995;18:43–52.
- Pascual M, de Batlle J, Barbé F, et al. Erectile dysfunction in obstructive sleep apnea patients: a randomized trial on the effects of Continuous Positive Airway Pressure (CPAP). PLoS One 2018;13:e0201930.
- Shahar E, Whitney CW, Redline S, et al. Sleep-disordered breathing and cardiovascular disease: cross-sectional results of the Sleep Heart Health Study. Am J Respir Crit Care Med 2001;163:19–25.
- Silverberg DS, Oksenberg A. Are sleep-related breathing disorders important contributing factors to the production of essential hypertension? Curr Hypertens Rep 2001;3:209–15.
- Sorajja D, Gami AS, Somers VK, et al. Independent association

between obstructive sleep apnea and subclinical coronary artery disease. Chest 2008;133:927–33.

- Sowho M, Sgambati F, Guzman M, et al. Snoring: a source of noise pollution and sleep apnea predictor. Sleep 2020;43:zsz305.

- Spina G, Spruit MA, Alison J, et al. Analysis of nocturnal actigraphic sleep measures in patients with COPD and their association with daytime physical activity. Thorax 2017;72:694–701.

- Stark CD, Stark RJ. Sleep and chronic daily headache. Curr Pain Headache Rep 2015;19:468.

- Stradling JR, Pepperell JC, Davies RJ. Sleep apnoea and hypertension: proof at last? Thorax 2001;56 Suppl 2:ii45–9.

- Sundar KM, Daly SE. Chronic cough and OSA: an underappreciated relationship. Lung 2014;192:21–5.

- Tawk M, Goodrich S, Kinasewitz G, et al. The effect of 1 week of continuous positive airway pressure treatment in obstructive sleep apnea patients with concomitant gastroesophageal reflux. Chest 2006;130:1003–8.

- Torres G, Sánchez-de-la-Torre M, Barbé F. Relationship Between OSA and Hypertension. Chest 2015;148:824–32.

- Umlauf MG, Chasens ER, Greevy RA, et al. Obstructive sleep apnea, nocturia and polyuria in older adults. Sleep 2004;27:139–44.

- Wallace A, Bucks RS. Memory and obstructive sleep apnea: a meta-analysis. Sleep 2013;36:203–20.

- Wang Y, Cao J, Feng J, et al. Cheyne-Stokes respiration during sleep: mechanisms and potential interventions. Br J Hosp Med (Lond) 2015;76:390–6.

- Yaggi HK, Concato J, Kernan WN, et al. Obstructive sleep apnea as a risk factor for stroke and death. N Engl J Med 2005;353:2034–41.

- Young T, Blustein J, Finn L, et al. Sleep-disordered breathing and motor vehicle accidents in a population-based sample of employed adults. Sleep 1997;20:608–13.

- Zhang C, Shen Y, Liping F, et al. The role of dry mouth in screening sleep apnea. Postgrad Med J 2021;97:294–8.

- Zhou J, Xia S, Li T, et al. Association between obstructive sleep apnea syndrome and nocturia: a meta-analysis. Sleep Breath 2020;24:1293–8.

05 중추수면무호흡증

김상하 / 김후원

중추수면무호흡증은 호흡 구동 시스템의 장애로 인하여 무호흡이 수면 중 반복되어 나타나는 것을 말한다. 일반적으로 10초 이상 무호흡이 지속되고 흉부나 복부의 움직임이 나타나지 않을 때로 정의하고 일회성으로 나타나기도 하고 연달아서 나타나기도 하며 대부분 혈중 산소포화도 감소를 동반하게 된다. 일반적으로 중추수면무호흡증은 호흡을 조절하는 신체의 피드백 기전 불안정성에 의해 유발되는 것으로 설명된다.

1 호흡조절과 병태생리

호흡조절은 기능적으로 세 가지 주요 요소로 구성되어 이루어지는데 그 첫 번째는 중추조절이다. 중추조절은 숨뇌(medulla)와 다리뇌(pons) 내부에 호흡을 조절하고 리듬을 만들어내는 흡기와 호기 신경세포들이 관여하여 호흡조절 네트워크를 구성한다. 숨뇌에는 dorsal respiratory group과 ventral respiratory group이 존재하며 호흡조절에 중요한 역할을 담당한다. Dorsal respiratory group에 있는 고립로핵(nucleus tractus solitaries)은 횡격막, 미주신경, 말초화학수용체 등으로부터 오는 정보들을 받아서 종합하여 이를 인접하고 있는 retrotrapezoid nucleus을 포함한 ventral respiratory group으로 정보를 전달한다. Ventral respiratory group에 전달된 정보들은 흡기와 호기에 관여하는 여러 신경세포들의 네트워크를 통해 호흡이 이루어진다. 이 중에서 pre-Bötzinger complex는 호흡의 리듬을 만들어내는 곳으로 다른 신경세포들과 함께 호흡을 조절하는 기능을 한다. 호흡조절에 있어서 화학조절(chemical control)이 중요한 역할을 하는데, 이는 혈중 산소, 이산화탄소와 수소이온 농도의 변화를 감지하는 말초화학수용체와 중추화학수용체에 의해 이루어진다. 말초화학수용체는 총경동맥의 분기되는 곳에 위치한 경동맥소체(carotid bodies)와 대동맥궁에 위치한 대동맥소체(aortic bodies)가 있다. 경동맥소체는 주된 말초화학수용체로서 혈액 속의 산소, 이산화탄소, 수소 이온 등의 농도 변화에 반응하여 호흡에 빠른 변화를 가져올 수 있다. 반복된 저산소증에 노출이 되면 경동맥소체의 이러한 반응이 무뎌질 수 있으며, 이러한 변화로 인해 수면 중 호흡 불안정이 초래되는 병적인 상태로의 진행이 가능하다. 경동맥소체 근처에 존재하는 대동맥소체도 산소 농도의 변화와 기타 다른 화학적 자극에 반응하게 된다. 하지만 각성 중에 가장 강력하게 호흡을 하게 하는 자극은 중추화학수용체로부터 온다. 중추화학수용체는 연수 앞면에 위치하여 세포외액의 pH의 변화를 통한 이산화탄소의 변화에 주로 반응한다. 호흡조절의 두 번째 주요 요소는 호흡근이다. 호흡근은 폐로 기류가 들어가고 나올 수 있는 동력을 만들어낸다. 세 번째 주요 요소는 호흡중추로 전달되어 호흡의 빈도와 깊이에 영향을 줄 수 있는 다양한 감각정보들의 입력이다. 근육과 관절의 움직임을 감지하는 수용체는 일상생활 중 말하기, 먹기, 일어서기, 물건 들기 등 행동에 따른 호흡조절에 관여한다. 시각, 청각, 촉각, 통각이나 온도 변화 등의 자극에 의한 각성의 증가로 호흡이 유발된다. 감정적인 자극이나 자발적인 대뇌 조절 등에 반응하는 변연계의 입력 정보들에 의해서도 호흡이 유발된다. 수면 중에는 화학조절이 주 방식으로 작용하여 신체의 산소와 이산화탄소의 변화가 중요하며 내부 세포 호흡의 과정으로 발생하는 이산화탄소의 양에 따라 호흡이 주로 변화를 일으키게 된다.

2 중추무호흡의 발생기전

중추수면무호흡증의 발생기전은 호흡을 통한 환기반응(ventilatory responses)에 있어서 화학적, 기계적, 신경적 측면에서 설명될 수 있다. 먼저 화학적 측면에서 환기반응(ventilatory responses)은 각성 상태와 수면 상태에서 매우 다르게 나타나는데, 수면 상태 특히 비렘수면에서는 주로 화학조절에 의해서만 호흡조절이 이루어진다. 이때 중추 및 말초화학수용체의 수집된 정보에서 특히 이산화탄소 농도의 저하(저이산화탄소혈증) 정도가 중추성 호흡정지를 초래할 수 있는 무호흡역치(apneic threshold)에 도달하게 되면 중추수면무호흡증이 발생하게 된다. 또한 수면 중 각성에 의해 호흡의 불규칙한 리듬이 과도하게 증폭되면 이로 인한 과환기로 일시적인 저이산화탄소혈증이 발생하고 이 또한 무호흡역치에 도달할 수 있는 조건이 된다. 기계적 측면에서 환기반응은 폐쇄수면무호흡증에서 상기도의 기능이상이 주요 원인인 것과 마찬가지로 중추수면무호흡증에도

상기도가 쉽게 좁아질 수 있는 성질은 불안정한 환기반응을 초래할 수 있다. 신경적 측면에서는 호흡과 관련하여 흡기 또는 호기에 관여하는 신경들이 저산소혈증이나 고이산화탄소혈증에 대하여 말초 및 중주화학수용체의 신호에 반응할 것으로 생각되나 중추수면무호흡증에서의 정확한 기전은 아직 밝혀지지 않았다. 이렇게 호흡에 의해 환기가 적절하게 조절되는 것이 특히 수면무호흡 상태에서는 환기 조절 불안정(ventilatory control unstability)으로 인해 병적인 상태를 초래하게 된다. 이러한 환기 조절의 안정을 위해 작동하는 복잡한 피드백 기전들을 설명하고 이해하기 위해서 '루프 이득(Loop gain)'이라는 공학 용어가 사용된다. 여기에는 세 가지 요소가 있는데, ① 컨트롤러 이득(controller gain), ② 공장 이득(plant gain), ③ 혼합 이득(mixing gain)이다. 컨트롤러 이득은 혈액내 산소와 이산화탄소 분압의 변화에 대한 중추화학수용체와 말초화학수용체의 민감도와 호흡근에 전달하는 하부운동신경의 반응도에 의해 영향을 받는다(chemoresponsiveness). 공장 이득은 환기반응을 통해 얼마나 효과적으로 이산화탄소를 잘 배출해내는지에 따라 결정되는데(effectiveness of CO_2 excretion), 여기에는 호흡수, 환기관류일치(ventilation perfusion matching), 사강 환기(dead-space ventilation) 등에 영향을 받는다. 혼합 이득은 폐와 중추/말초 화학수용체 사이의 순환지연에 따라 결정되는데(circulatory delay), 여기에는 흉강 내 혈액량, 뇌의 세포외액량에 영향을 받는다. 이들 세 가지 요소의 합으로 결정되는 루프 이득은 환기장애에 대한 환기반응의 정도의 비로서 정의(ventilator response/ventilator disturbance)될 수 있으며, 이 값이 1보다 작을 때는 환기장애의 정도보다 환기반응의 적어서 결국 안정적인 상태로 돌아오게 되지만 값이 1보다 클 때에는 발생한 환기장애의 정도보다 과도하게 환기반응이 일어나서 결국 환기 조절의 불안정을 초래할 수 있게 된다.

3 중추수면무호흡증후군의 분류

제3판 국제수면장애분류(International Classification of Sleep Disorders, ICSD-3)에 따르면 중추수면무호흡증후군(central sleep apnea syndromes) 내에 8가지 질환을 분류하여 정의하였다. 그 구체적 종류는 ① 체인-스톡스호흡을 동반한 중주수면무호흡(Central Sleep Apnea with Cheyne-Stokes Breathing), ② 체인-스톡스호흡을 동반하지 않은 질환에 의한 중추수면무호흡증후군(Central Sleep Apnea Due to a Medical Disorder without Cheyne-Stokes Breathing), ③ 높은 고도 주기호흡에 의한 중추수면무호흡증후군(Central Sleep Apnea Due to High Altitude Periodic Breathing), ④ 약물 또는 물질에 의한 중추수면무호흡증후군(Central Sleep Apnea Due to a Medication or Substance), ⑤ 일차중추수면무호흡증후군(Primary Central Sleep Apnea), ⑥ 영아 일차중추수면무호흡증증후군(Primary Central Sleep Apnea of Infancy), ⑦ 미숙아 일차중추수면무호흡증후군(Primary Central Sleep Apnea of Prematurity), ⑧ 치료 중 나타난 중추수면무호흡증후군(Treatment-Emergent Central Sleep Apnea) 등이 있다. 그 원인에 따라 분류해보면 원인 미상의 일차성 질환을 들 수 있으며 이는 발생 과정의 문제로 인해 특정 시기(영아기나 미숙아)에 나타날 수 있고, 심부전, 신부전, 뇌졸중 또는 Arnold-Chiari 기형 같은 신체 질환, 마약이나 진정제 같은 약물이나 물질, 산소가 부족한 고지대 환경, 무호흡 치료를 위한 지속기도양압기(CPAP) 치료에 의한 이차적 요인으로 무호흡이 발생할 수 있다.

4 임상 양상과 진단

중추수면무호흡증은 폐쇄수면무호흡증에 비해 드물어서 약 0.9%의 유병률을 보인다는 보고가 있다. 중추수면무호흡증을 일으키는 다양한 요인들로 만성적 마약 사용은 24%에서, 만성신장질환자는 10%, 뇌졸중 환자의 급성기 72시간 내에 70%, 3개월 후에는 17% 미만이 중추수면무호흡증을 보인다는 코호트연구가 있다. 수축기 심부전을 보이는 환자의 40%에서 중추수면무호흡증을 보이고 심부전이 악화할수록 빈도는 증가한다고 한다. 지속기도양압기 후 나타나는 중추수면무호흡증은 7-20%에서 관찰된다.

임상증상은 다른 폐쇄수면무호흡증과 비슷하게 잠자면서 숨이 막히고 낮에 졸림이 심하고 피로, 무기력, 주의 집중력, 기억력 감퇴 등을 보인다. 체질량지수 30 kg/m^2 이상의 비만을 보일 때에는 저환기증후군도 고려해야 한다. 심부전이나 심방세동의 동반은 체인-스토크스 호흡 여부를 확인할 필요가 있다.

진단은 수면다원검사를 통해서 이루어지고 성인에서는 10초 이상의 무호흡 기간이 있어야 하나 소아에서는 빠른 호흡을 보이므로 10초에 미치지 못하고 호흡이 한 두 번 빠질 때도 무호흡 진단을 할 수 있다. 복부와 흉부의 움직임이 10초 이상 나타나지 않아야 하며 산소포화도 감소와 혈중 이산화탄소 부분압력의 증가가 관찰되어야 한다(산소 및 이산화탄소에 관한 결과는 진단기준에는 해당하지 않음).

5 치료

치료는 원인과 발생 기전에 따라 다른 접근을 해야 한다. 각성 중에 혈중 이산화탄소 분압이 증가하여 있고 폐 환기 감소 상태에서 수면 중 무호흡이 나타나는 경우 야간에 환기를 보조해 주는 방법이 필요하다. 환기 보조는 비강 내 지속기도양압기를 사용하거나 횡격막 전기자극술 또는 기관절개술을 하고 인공호흡기를 사용하는 방법이 있다. 약물복용, 특히 마약성 진통제의 장기 복용에 의한 경우는 약을 감량하거나 중단하도록 한다. 체인-스토크스 호흡을 보이는 경우는 심부전을 먼저 적극적으로 치료한다. 수면 중 산소공급이 도움이 될 수 있고 테오필린이나 일부 수면제도 도움이 된다는 보고가 있다. 지속기도양압기가 도움이 될 수 있지만, 사용 이후 중추무호흡이 다시 나타나 오히려 악화하는 경우가 있어 흡기와 호기의 압력을 다르게 줄 수 있는 이상기도양압(bilevel positive airway pressure, BPAP)을 적용하여 필수 호흡수를 주는 방법을 사용하거나 adaptive servo-ventilation이 가능한 특수 기도양압 치료기를 사용하기도 한다. 일차중추수면무호흡증이나 산소가 부족한 고지대에서 나타나는 중추수면무호흡증에서는 대사성 산증을 증가시키고 혈중 이산화탄소분압을 증가시키는 효과를 지닌 탄산탈수효소억제제(carbonic anhydrase inhibitor)인 acetazolamide가 도움이 된다는 보고가 있다. 그 외 다른 약제에 대해서는 테로필린, 날록손, medroxyprogesterone 등은 중추수면무호흡증 치료에 큰 도움은 안 된다고 하며, 진정제인 벤조다이아제핀이나 삼환계 항우울제인 clomipramine이 오히려 일부 보고에서 효과가 있다고 하였다. 그러나 이런 보고들은 단기간 사용이고 소수 환자에서의 보고이며 안정성과 효과에 대한 체계적 연구는 없어서 임상적 사용에는 주의가 필요하다.

▶ 참고문헌

- American Academy of Sleep Medicine. ICSD international classification of sleep disorders. Westchester, IL: American Academy of Sleep Medicine; 2001. pp. 58-61.
- American Academy of Sleep Medicine. International classification of sleep disorders. 3rd ed. Darien, IL: American Academy of Sleep Medicine; 2014.
- Andrew W, White DP. Central sleep apnea and periodic breathing. In: Kryger MH, Roth T, Dement WC. Principles and practice of sleep medicine. 5th ed. Elsevier; 2011. pp. 1140-52.
- Central sleep apnea. Available from: https://en.wikipedia.org/wiki/Central_sleep_apnea
- Donovan LM, Kapur VK. Prevalence and characteristics of central compared to obstructive sleep apnea: analyses from the sleep heart health study cohort. Sleep 2016;39:1353-9.
- Ishikawa O, Margarita Oks. Central sleep apnea. Clin Geriatr Med 2021;37:469-81.
- Javaheri S, Parker TJ, Liming JD, et al. Sleep apnea in 81 ambulatory male patients with stable heart failure. Types and their prevalences, consequences, and presentations. Circulation 1998;97:2154-9.
- Sands SA. Congestive heart failure and central sleep apnea. Crit Care Clin 2015;31:473-95.
- Sateia, Michael J. International classification of sleep disorders-third edition: highlights and modifications. Chest 2014;146:1387-94.

06 비만성저환기증후군

김세원 / 홍석진

비만성저환기증후군은 신체 체질량지수(body mass index, BMI) 30 kg/m² 이상의 비만과 주간 고탄산증이 동반되고, 폐포 저환기를 일으키는 다른 원인이 없는 수면관련호흡장애가 있는 경우로 정의할 수 있다(표 20-6-1). 비만성저환기증후군은 심혈관계 질환의 이환율과 사망률의 증가와 관련이 있어 조기 진단과 치료가 이러한 합병증을 최소화하는데 중요하다. 비만성저환기증후군의 유병률은 수면호흡장애를 진료하기 위해 내원하는 환자의 약 8-20%로 보고되고 있다.

1 위험인자

비만성저환기증후군의 위험요인은 다음과 같다.
1) 비만: 신체 체질량지수(BMI) ≥ 30 kg/m², 특히 50 이상의 비만일 경우 유병률이 2배
2) 허리/엉덩이 둘레 비율(waist: hip ratio)의 증가
3) 비만으로 인한 폐기능의 감소
4) 중증의 폐쇄수면무호흡증
수면무호흡과는 달리 남성이 위험인자는 아니다.

2 임상양상 및 진단

비만성저환기증후군 환자의 약 90%에서 AHI 5 이상의 수면무호흡 소견을 보인다. 따라서 임상 양상은 비만과 폐쇄수면무호흡증의 소견을 나타낸다. 과도한 주간 졸리움을 보이며, 피로감을 호소하고, 수면 시 호흡이 거칠고, 심한 코골이가 있으며, 숨을 헐떡이거나 호흡이 중지되면서 잠에서 깨는 경우가 있다. 두통과 집중력 저하와 인지 장애를 보이기도 한다. 저산소혈증과 이차적인 적혈구 증다증, 폐동맥 고혈압, 우심부전 등의 임상 양상을 나타내기도 한다. 병태생리학적 기전으로는 호흡근의 효율 감소, 호흡조절중추장애, 환기/관류 불균형, 렙틴 저항성, 반복적인 야간의 폐쇄성 무호흡 등이 제기되고 있다.

폐기능 검사 상 제한성 환기 장애 소견을 보이며, 진단 검사상 혈청 중탄산이온(serum HCO_3 > 27 mEq/L)이 증가되어 있고 적혈구증가증 소견을 보인다. 영상의학적 검사에서 흉부단순촬영상 양측 횡경막의 상승과 심비대 소견이 관찰되고 심전도와 심초음파에서 폐동맥 고혈압 소견을 보인다.

비만성저환기증후군이 의심되는 모든 환자에서, 기존에 진단받은 수면관련호흡장애가 없다면 수면다원검사

표 20-6-1. 비만성저환기증후군의 진단

비만 Obesity
신체 체질량지수(Body mass index, BMI) ≥ 30 kg/m²

만성 저환기 Chronic Hypoventilation[1]
주간 고탄산혈증[동맥혈 이산화탄소 분압(PaCO₂) ≥ 45 mmHg]

수면관련호흡장애 Sleep Breathing Disorder[2]
약 90%에서 폐쇄수면무호흡증을 보임(Apnea-hypopnea index, AHI ≥ 5/hour)
약 70%에서 중증 폐쇄수면무호흡증을 보임(AHI ≥ 30/hour)
약 10%에서는 수면관련저환기[3] 동반

Exclusion of Other Causes of Hypoventilation(표 20-6-2 참조)

1) 수면관련호흡장애가 있는 비만환자에서 비만성저환기증후군의 가능성이 높지 않다면(비만성저환기증후군의 가능성이 20% 미만시), 혈청 정맥혈 중탄산염 수치 (Serum bicarbonate level)를 참고할 수 있다. 27 mmol/L 미만일 경우 비만성저환기증후군의 가능성은 매우 낮아지며, 27 mmol/L 이상일 경우 동맥혈 이산화탄소 분압을 측정하여 비만성저환기증후군을 진단하거나 배제하는 것이 필요하다.
2) 비만성저환기증후군이 의심되는 모든 환자에서, 기존에 진단받은 수면관련호흡장애가 없다면 수면다원검사의 시행이 권고된다.
3) AHI < 5/hour, PaCO₂(또는 대체 지표)가 10분 이상 55 mmHg를 초과하거나 깨어있을 때 앙와위 자세에서의 PaCO₂와 비교하여 수면 동안 PaCO₂가 10 mmHg 이상 증가하면서, 50 mmHg를 초과하여 10분 이상 지속 시, 또는 폐쇄수면무호흡증 이벤트 없이 산소포화도 88% 이하의 지속되는 저산소증을 보일때

의 시행이 권고된다. 비만성저환기증후군 환자의 약 90%에서 AHI 5 이상의 폐쇄수면무호흡증을 동반하고 있으며, 약 70%에서는 AHI 30 이상의 중증 폐쇄수면무호흡증을 동반하고 있다. 또한 비만성저환기증후군 환자의 약 10%에서는 수면관련저환기를 동반하고 있다.

비만성저환기증후군의 진단을 위해서는 호흡성고탄산증과 저환기를 유발할 수 있는 심한 폐쇄성 환기장애나, 간질성 폐질환 혹은 심한 흉벽질환 및 신경근육질환 등의 타 원인들이 배제되어야 한다(표 20-6-2). 감별을 위해서 병력, 문진, 폐기능검사, 영상검사 그리고 혈액검사가 도움이 될 수 있다.

3 치료

1) 양압기 치료

양압기 치료(CPAP 또는 다양한 모드의 NIV)는 비만성저환기증후군의 기본적인 치료이다. CPAP 또는 NIV의 명확한 우위는 밝혀지지 않았지만, 수면 시 호흡장애(폐쇄성 사건 또는 저환기)의 우세, 적응 정도, 비용 등이 고려 요인이 된다. CPAP과 NIV 중 어떤 방법을

선택하더라도 수면 시 양압기압력적정이 강하게 권고된다. 일반적인 경우, 비만성저환기증후군 환자중에서 중증 폐쇄수면무호흡증을 동반한 경우 CPAP을, 이외의 경우 NIV치료를 권고한다. CPAP을 시작한 중증폐쇄수면무호흡증 동반 비만성저환기증후군 환자에게서 CPAP의 치료 효과가 낮은 경우(임상적 또는 동맥혈가스의 불충분한 조절, 만성호흡부전의 급성악화로 인한 병원 입원), NIV로 전환을 고려할 수 있다.

비만성저환기증후군이 있을 것으로 의심되며, 호흡부전으로 입원한 경우 NIV를 먼저 처방하며, 보통의 경우 바로 수면다원검사 시행이 어렵기 때문에 경험적인 NIV 세팅을 하고 퇴원하였다가 3개월 내에 수면다원검사를 시행하는 것이 권고된다(그림 20-6-1).

2) 체중 감량과 생활방식 교정

모든 비만성저환기증후군 환자는 체중 감량을 시작해야 한다. 체중감량은 폐포 환기를 개선하고 수면무호흡의 중증도와 CO₂의 생산을 감소시킨다. 또한, 체중감량은 폐동맥고혈압과 좌심실 기능부전 개선을 보여 심혈관 합병증의 위험을 감소시킨다. 신체활동과 생활방식의 변화는 종합적인 영양, 운동 그리고 재활 프로

표 20-6-2. 호흡성고탄산증과 저환기를 유발할만한 원인들

Chronic obstructive lung disease (COPD)	
Interstitial lung diseases (ILD)	
Impaired respiratory drive	Brainstem infarction, hemorrhage, trauma Chronic drug administration Primary alveolar hypoventilation syndrome
Neuromuscular diseases	Myasthenia gravis Amyotrophic lateral sclerosis (ALS) Muscular dystrophy High cervical trauma
Chest wall disorders	Kyphoscoliosis Fibrothorax Thoracoplasty Ankylosing spondylitis
Hypothyroidism	
Chronic sedative use	

그램으로 향상시킬 수 있다. 하지만 생활습관 개선과 재활 전략은 단기간의 성과는 보여주었지만, 이 성과가 장기간의 체중감량 효과 및 임상 지표의 향상으로 이어지지는 못하였다.

3) 비만대사수술(bariatric surgery)

비만대사수술은 합병증을 동반한 심한 비만 환자에서 비용대비 효과적인 치료 방법이다. 치료받지 않은 비만성저환기증후군환자의 수술 위험성은 높지만, 양압기 치료가 성공적으로 적용되게 되면 수술 위험도는 경감되게 된다.

4) 호흡자극제

Medroxyprogesterone, acetazolamide과 같은 호흡자극제의 역할과 관련해서는 작은 무작위대조시험 연구결과 및 케이스 보고 정도가 있으며, 양압기 치료에 순응하지 못하는 경우 고려될 수 있다. 하지만 아직 중요 임상 결과와 관련된 데이터가 부족하고 상기도 폐쇄 유발 가능성, 일부 호흡자극제의 경우 장기 사용 위험성 등이 제기되고 있다. 따라서 전문 센터에서 집중 모니터

링을 하면서 사용을 시작할 것을 권고한다.

4 예후

많은 수의 비만성저환기증후군 환자들이 만성호흡부전의 급성악화로 진단되며, 이런 경우 안정된 비만성저환기증후군환자보다 더 높은 단기 사망률을 보인다. 중환자실 입원 및 인공호흡기 치료를 받을 가능성도 증가한다. 치료받지 않은 비만성저환기증후군 환자들의 사망률은 높은 편이며, 한 연구에서는 치료받지 않은 비만성저환기증후군 환자의 모든 원인에 의한 사망률이 1.5-2년에 24%로 보고된 바 있다. 비만성저환기증후군 환자의 사망률은 심혈관 질환의 이환율과 상관을 보이는 것으로 알려져 있으며, Pickwick 연구에서도 5년 추적 관찰 결과, 비만싱저환기증후군 환사의 가장 흔한 사망원인은 심혈관 원인이었다. 비만성저환기증후군 환자는 조기 진단 및 효과적인 치료가 사망률 개선에 중요하다.

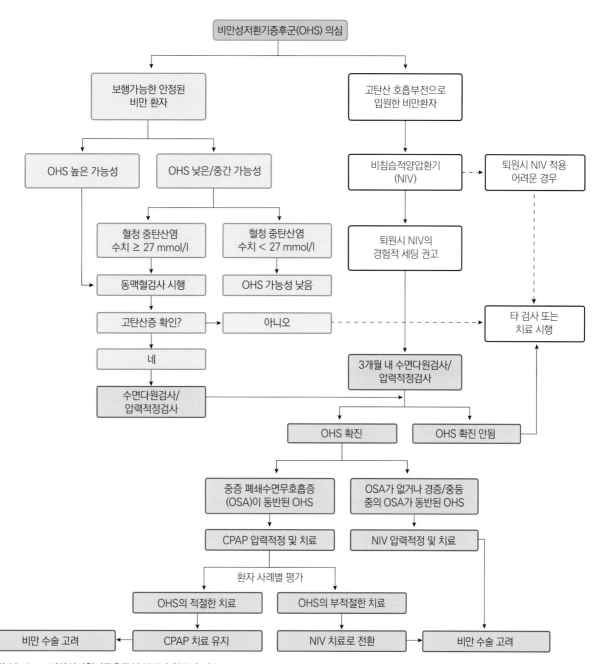

그림 20-6-1. 비만성저환기증후군의 진단과 치료 순서도

출처: Mokhlesi B, Masa JF, Brozek JL, et al. Evaluation and management of obesity hypoventilation syndrome. An official american thoracic society clinical practice guideline. Am J Respir Crit Care Med 2019;200:e6–24.

▶ 참고문헌

- Berry RB, Wagner MH. Sleep medicine pearls. 3rd ed. Saunders; 2014. pp. 234-7.
- Kakazu MT, Soghier I, Afshar M, et al. Weight loss interventions as treatment of obesity hypoventilation syndrome. a systematic review. Ann Am Thorac Soc 2020;17:492-502.
- Kreivi HR, Itäluoma T, Bachour A. Effect of ventilation therapy on mortality rate among obesity hypoventilation syndrome and obstructive sleep apnoea patients. ERJ Open Res 2020;6:00101-2019.
- Macavei VM, Spurling KJ, Loft J, et al. Diagnostic predictors of obesity-hypoventilation syndrome in patients suspected of having sleep disordered breathing. J Clin Sleep Med 2013;9:879-84.
- Mandal S, Suh ES, Harding R, et al. Nutrition and Exercise Rehabilitation in Obesity hypoventilation syndrome (NERO): a pilot randomised controlled trial. Thorax 2018;73:62-9.
- Masa JF, Mokhlesi B, Benítez I, et al. Echocardiographic changes with positive airway pressure therapy in obesity hypoventilation syndrome. long-term pickwick randomized controlled clinical Trial. Am J Respir Crit Care Med 2020;201:586-97.
- Masa JF, Pépin JL, Borel JC, et al. Obesity hypoventilation syndrome. Eur Respir Rev 2019;28:180097.
- Mokhlesi B, Kryger MH, Grunstein RR. Assessment and management of patients with obesity hypoventilation syndrome. Proc Am Thorac Soc 2008;5:218-25.
- Mokhlesi B, Masa JF, Afshar M, et al. The effect of hospital discharge with empiric noninvasive ventilation on mortality in hospitalized patients with obesity hypoventilation syndrome. An individual patient data meta-analysis. Ann Am Thorac Soc 2020;17:627-37.
- Mokhlesi B, Masa JF, Brozek JL, et al. Evaluation and management of obesity hypoventilation syndrome. An official american thoracic society clinical practice guideline. Am J Respir Crit Care Med 2019;200:e6-24.
- Mokhlesi B, Tulaimat A. Recent advances in obesity hypoventilation syndrome. Chest 2007;132:1322-36.
- Olson AL, Zwillich C. The obesity hypoventilation syndrome. Am J Med 2005;118:948-56.
- The American Academy of Sleep Medicine. International classification of sleep disorders. 3rd ed. Darien, IL: The American Academy of Sleep Medicine; 2014.

I 신체 진찰 및 Müller maneuver

정유삼

1 신체검진

수면장애 환자에 대한 신체검진은 주로 코골이와 폐쇄수면무호흡증 환자들을 대상으로 이루어 진다. 코골이와 폐쇄수면무호흡증과 연관된 해부학적 요인들은 다양하며 비만, 비강, 하악, 연구개, 편도, 혀, 하인두, 후두, 상기도의 긴장도 등이 있다. 코골이와 폐쇄수면무호흡증은 수면시 상기도 폐쇄로 나타나게 되므로 특히 상기도에 대한 평가가 중요하다.

비만은 상기도를 좁게 만드는데 여성보다는 남성에서 더 뚜렷하게 나타난다. 비만한 환자들은 상기도 인두 주위 지방층의 두께가 두꺼워 지고 혀의 지방층도 두꺼워지게 된다. 또한 내장비만은 횡격막을 위로 밀어올려 폐의 용적을 줄이고 기관을 비롯한 상기도의 길이를 줄여 상기도의 긴장도를 떨어뜨리게 된다. 비만은 체질량지수로 측정하는데 몸무게를 키의 제곱으로 나눈 값으로 kg/m²의 단위로 계산한다. 세계보건기구 기준으로는 25 이상을 과체중, 30 이상을 비만으로 분류하나 세계보건기구 아시아 태평양지역 기준으로는 23 이상을 과체중, 25 이상을 비만으로 분류한다. 비만은 25-29.9를 1단계비만, 30-34.9를 2단계비만, 35 이상을 3단계비만 또는 고도비만으로 분류하는데 이러한 기준은 우리나라 성인에서 체질량지수에 따른 질환 증가가 25 이상 시 1.5-2배 증가하는데 근거가 있다. 우리나라 남자에서 비만 유병률은 2009년 35.6%에서 2018년 45.4%로 매년 남자에서 증가하고 있다. 체중을 10% 줄이면 많은 환자에서 수면무호흡이 개선되는 것으로 알려져 있다. 체질량지수뿐만 아니라 목둘레 측정도 중요한데 목둘레 길이는 허리를 펴고 바로 선 상태에서 정면을 보고 윤상갑상막(cricothyroid membrane)위치에서 수평으로 측정한다(그림 20-7-1). 목둘레 길이가 40 cm가 넘는 경우 폐쇄수면무호흡증 위험도가 증가하는데 체질량지수보다 더 예측 가능성이 높다.

비강은 전체 공기저항의 약 50%를 담당하며 흡입된 공기의 가습, 가열과 소리의 공명 기능이 있다. 코막힘은 다양한 원인으로 발생하고 비염, 비중격만곡증(그림 20-7-2), 하비갑개 비대(그림 20-7-3), 비용종, 코종양, 아데노이드 비대 등이 원인이 될 수 있다. 비강내부를 비내시경으로 확인하는 것은 코막힘의 원인을 감별하고 알맞은 치료를 계획하는 데 중요하다. 이를 통해 비중격만곡증, 하비갑개 비대, 비용종, 코종양, 부비동염 등을 진단하는 데 도움이 될 수 있다. 비중격만곡증은 비강의 좌우를 구분하는 중앙의 구조인 비중격이 한쪽으로 휘어 있는 것으로 매우 흔한 소견이며 코막힘의 원인이

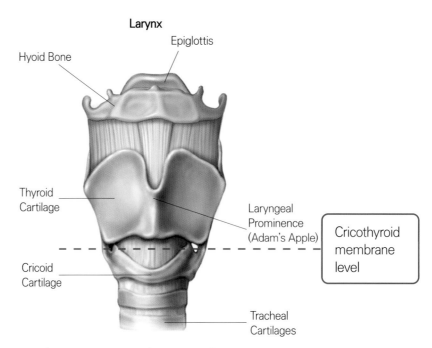

그림 20-7-1. **윤상갑상막(cricothyroid membrane) 위치, 목둘레 측정의 기준이 된다.**

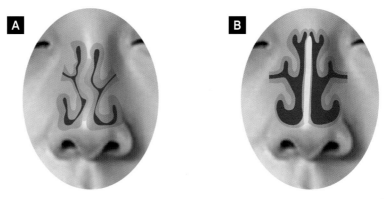

그림 20-7-2. **비중격만곡증(A)과 정상 비중격(B)**

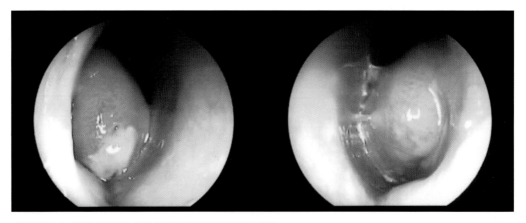

그림 20-7-3. **하비갑개 비대.** 양측 하비갑개가 비중격과 닿아있다.

된다. 비중격만곡증 환자 중 코막힘 증상을 호소하는 환자는 약물치료나 수술을 고려해 볼 수 있다. 하비갑개는 일정한 주기로 좌우 교대로 크기가 변화하지만 전체 공기 저항은 일정하게 유지된다. 하비갑개와 비중격 사이에 어느 정도의 공간이 필요한지에 대해서는 통일된 기준이 없으나 하비갑개 비대나 비중격만곡증으로 인해 하비갑개와 비중격의 점막이 서로 접촉하고 있는 것은 정상적인 상태가 아니므로 환자의 증상이 있다면 치료하는 것이 권유된다. 코안에 발생하는 정상적이지 않은 종괴는 비용종이 대부분을 차지하나 반전성 유두종과 비강암을 비롯한 다양한 종양이 발생할 수 있다. 성인에서 양측성으로 발생하는 매끈하고 반투명의 종괴는 대부분은 비용종이나 한쪽에 발생하고 쉽게 출혈되는 종괴는 종양 가능성이 있으므로 영상학적 검사와 조직검사가 필요할 수 있다. 코막힘은 폐쇄수면무호흡증

과 연관이 있기도 하며 양압기의 치료 경로에 영향을 미치므로 코막힘의 원인을 확인하고 치료하는 것이 중요하다.

구강과 구인두에는 편도와 혀, 경구개와 연구개가 있다. 편도는 크기에 따라 I-IV로 정도를 분류하며 IV로 분류되는 경우가 가장 크다. 편도절제술이 이미 시행되어 있는 경우 0으로 평가하고 Grade I은 편도가 편도와 내에 위치하는 경우이고 Grade II는 편도가 구개인두근의 내측으로 커져 인두 넓이의 25-50% 미만을 차지하는 경우이며 Grade III는 인두 넓이의 50-75%를 차지하며 Grade IV는 인두 넓이의 75% 이상을 차지한다(그림 20-7-4). 소아에서는 편도와 아데노이드가 폐쇄수면무호흡증의 가장 흔한 원인으로 편도의 평가도 중요하지만 아데노이드의 크기와 위치를 평가하는 것도 중요하다. 아데노이드는 비인강에 위치하며 구강에서 관찰

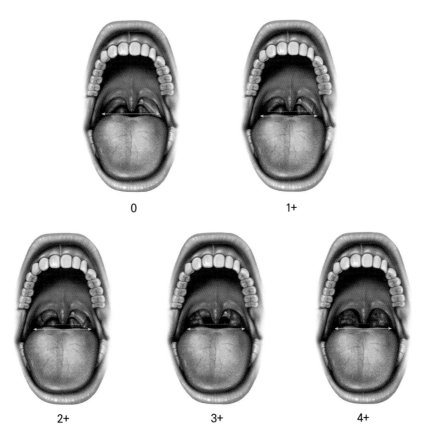

그림 20-7-4. 편도크기의 분류.
0: 편도절제술이 이미 시행되어 있는 경우, Grade I: 편도가 편도와 내에 위치, Grade II: 편도가 구개인두근의 내측 인두 넓이의 25-50% 미만을 차지, Grade III: 인두 넓이의 50-75%를 차지, Grade IV: 인두 넓이의 75% 이상

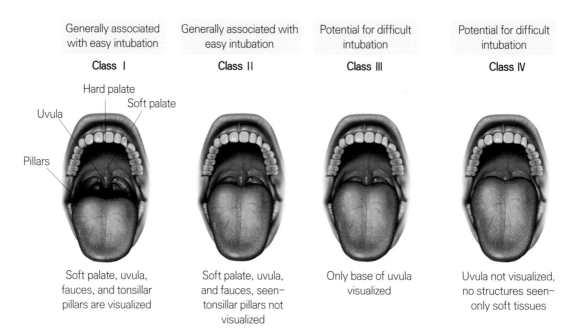

Generally associated with easy intubation	Generally associated with easy intubation	Potential for difficult intubation	Potential for difficult intubation
Class I	Class II	Class III	Class IV

Hard palate
Soft palate
Uvula
Pillars

Soft palate, uvula, fauces, and tonsillar pillars are visualized

Soft palate, uvula, and fauces, seen-tonsillar pillars not visualized

Only base of uvula visualized

Uvula not visualized, no structures seen-only soft tissues

그림 20-7-5. Modified Mallampati 분류.
혀를 내밀고 측정한다. I; 연구개와 구개수, 편도가 잘 보인다. II; 구개수 끝이 설근부에 가려져 있고 편도가 안 보인다. III; 구개수의 시작부분만 보인다. IV; 구개수 전체가 안 보이고 구개만 보인다.

되지 않으므로 주로 단순두개측면 방사선 사진으로 평가한다. 연구개와 혀는 Modified Mallampati 분류나 Friedman tongue position으로 평가한다. Modified Mallmpati 분류는 기관내 삽관시 어려운 정도를 미리 예측하기 위한 목적으로 개발되었다. Modified Mallampati 분류는 연구개와 혀의 상대적인 위치에 따라 I-IV로 분류하는데 IV로 분류되는 경우 혀에 연구개가 가려 거의 안 보이게 되고 기관내 삽관이 가장 어려운 경우이다. 환자가 앉은 자세에서 정면을 보도록 하고 입을 크게 벌리고 혀를 내민 상태에서 구강 내를 관찰한다(그림 20-7-5). Friedman tongue position은 연구개와 혀의 상대적인 위치에 따른 분류는 Modified Mallampati 분류와 같으나 환자가 앉은 자세에서 정면을 보도록 하고 입을 크게 벌리고 혀를 내밀지 않고 구강내를 관찰한다(그림 20-7-6). 환자는 천천히 코로 숨을 쉬도록 하고 혀에 힘을 주면 안된다. 보통 '아' 발음을 수 초간 하고 발성을 멈추고 코로 숨을 쉴 때 측정하게 되고 2-3번 반복하여 크기와 위치를 기록한다. Friedman은

tongue position이 I 이나 II이면서 편도크기가 III-IV 인 경우를 stage 1, tongue position이 I-II이면서 편도크기가 I-II이거나 tongue position이 III-IV면서 편도크기가 III-IV인 경우를 stage 2, tongue position III-IV면서 편도크기가 I-II인 경우를 stage 3, 체질량지수 40 이상인 경우는 편도크기나 tongue position에 상관 없이 stage 4로 분류하고 구개수구개인두성형술의 수술성공율을 stage 1은 80%, stage 2는 30%, stage 3는 10%로 보고하였다.

상악과 하악의 골격구조도 수면무호흡과 연관이 있다. 구강 진찰시 좁고 높은 경구개 소견은 수면무호흡과 연관이 있을 수 있다. 하악이 뒤로 위치하는 하악후퇴증(retrognathia)은 기도를 좁게 만들어 수면무호흡의 발병과 연관있는 경향이 있다. 이러한 하악후퇴증을 판별하는 데는 두부x선사진 계측(cephalometry)이 도움이 되는데 nasion에 비해 gnathion이 5 mm 이상 후방에 위치하는 경우 하악후퇴증이라고 한다(그림 20-7-7). 절치돌출(overjet)은 상악절치와 하악절치 끝부분이 수평

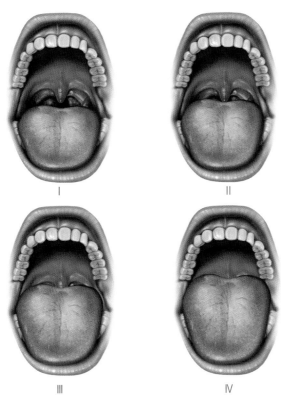

그림 20-7-6. **Friedman tongue position.**
혀를 내밀지 않고 측정한다. I; 구개수와 편도 전체가 보인다. II; 구개수의 끝부분이 설근부에 가려지고 편도가 안 보인다.
III; 연구개만 보이고 구개수가 안 보인다. IV: 경구개만 보인다.

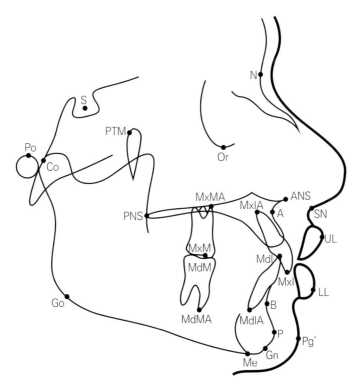

그림 20-7-7. **Nasion (N)과 gnathion (Gn)**

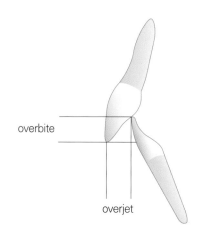

overbite

overjet

그림 20-7-8. Overbite와 overjet

방향으로 이루는 거리로 3 mm 이상인 경우 이상소견이 있다고 한다. 수직겹침(overbite)은 상악절치가 하악절치를 약간 덮는 정도가 정상이다(그림 20-7-8).

　Müller 검사법은 폐쇄수면무호흡증 환자를 대상으로 상기도 폐쇄부위 확인과 상기도 허탈 정도 확인에 사용되는 검사이다. 각성상태에서 앉거나 누운 자세로 굴곡비인두내시경으로 코를 통해 상기도를 관찰하며 편안하게 숨을 쉴 때와 코와 입을 막고 강하게 흡기를 하여

(reverse Valsalva) 음압을 발생시켜 기도가 좁아지는 정도를 비교하여 관찰한다. 관찰부위는 비인강, 구개수끝, 하인두를 비롯한 설근부 후방이다. 일반적으로 구개 후방과 설근부 후방에서 안정 시에 비해 흡기 시 좁아지는 정도를 표시하게 되는 데 0, 25%, 50%, 75%, 100% 등으로 표시한다(그림 20-7-9). 0은 안정 시와 비교하여 흡기 시 전혀 좁아지지 않는 것을 의미하고 100%는 안정 시에 비해 흡기 시 완전폐쇄를 의미한다. 앉아서 검사를 시행할 때보다 누워서 검사를 시행하는 경우가 평소의 수면상태를 더 반영할 가능성이 있다. 내시경으로 기도를 관찰하게 되므로 옆으로 누울 때의 기도 넓이와 허탈정도를 관찰하여 자세 치료 시의 반응 예측이나 턱을 앞으로 내밀도록 하여 구강내장치의 반응 예측에 쓰일 수도 있다. 구개 후방 폐쇄가 있으면서 설근부 후방 폐쇄가 0이거나 25% 이내인 환자들은 구개수구개인두성형술의 효과가 좋을 것으로 예상할 수 있으나 Katsantonis 등은 양성예측률이 33%에 불과하다고 보고하였다. 검사자마다 해석이나 재현도가 다를 수 있고 환자가 흡기를 하는 정도가 다르므로 발생되는 음압이 다르고 각성 시에 검사가 이루어지므로 수면상

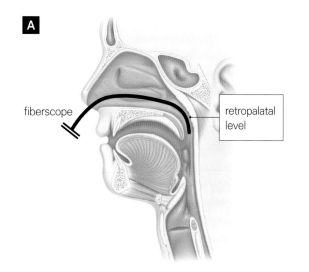

A

fiberscope

retropalatal level

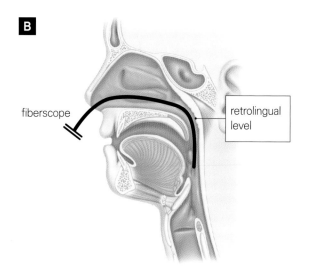

B

fiberscope

retrolingual level

그림 20-7-9. Müller maneuver.
굴곡비인두내시경으로 구개후방과 설근부후방에서 안정 시에 비해서 흡기 시 좁아지는 정도를 관찰한다.

태를 반영하지 못한다는 단점이 있다. 그럼에도 불구하고 상기도의 넓이를 직접 관찰할 수 있고 허탈 정도를 확인할 수 있는 동적검사로 크게 위험성이나 어려움 없이 할 수 있다는 장점이 있어 많이 사용되고 있다.

▶ 참고문헌

- 김동규, 이현종, 원태빈. 코골이와 수면 무호흡증. 아이엠이즈컴퍼니; 2016. pp. 74-81.
- 김성택. 코골이 및 수면무호흡증의 구강장치 치료. 명문출판사; 2019. pp. 22-47.
- 한선정. 수면장애 진단방법. In: 김지현, 선우준상, 송파멜라 외. 증례로 배우는 수면장애. 범문에듀케이션; 2020. pp. 25-46.
- Avidan AY, Kryger M. Physical examination in sleep medicine. In: Kryger MH, Roth T, Dement WC. Principles and practice of sleep medicine. Elsevier; 2017. pp. 587-606.
- Friedman M, Ibrahim H, Bass L. Clinical staging for sleep-disordered breathing. Otolaryngol Head Neck Surg 2020;127:13-21.
- Friedman M, Vidyasagar R, Bliznikas D, et al. Does severity of obstructive sleep apnea/hypopnea syndrome predict uvulopalatopharyngoplasty outcome? Laryngoscope 2005;115:2109-13.
- Hukins C. Mallampati class is not useful in the clinical assessment of sleep clinic patients. J Clin Sleep Med 2010;6:545-9.
- Katsantonis GP, Maas CS, Walsh JK. The predictive efficacy of the Müller maneuver in uvulopalatopharyngoplasty. Laryngoscope 1989;99:677-80.
- Kim AM, Keenan BT, Jackson N, et al. Tongue fat and its relationship to obstructive sleep apnea. Sleep 2014;37:1639-48.
- Kim SE, Park BS, Park SH, Shin KJ, Ha SY, Park J. Predictors for presence and severity of obstructive sleep apnea in snoring patients: significance of neck circumference. J Sleep Med 2015;12:34-8.
- Kong HW, Lee HJ, Choi YS, et al. Clinical predictors of obstructive sleep apnea. J Korean Neurol Assoc 2005;23:324-9.
- Kum RO, Ozcan M, Yilmaz YF, Gungor V, Kum NY, Unal A. The relation of the ibstruction site on Muller's maneuver with BMI, neck circumference and PSG findings in OSAS. Indian J Otolaryngol Head Neck Surg 2014;66:162-72.
- Lin CM, Davidson TM, Ancoli-Israel S. Gender differences in obstructive sleep apnea and treatment implications. Sleep Med Rev 2008;12:481-96.
- Nuckton TJ, Glidden DV, Browner WS, et al. Physical examination: mallampati score as an independent predictor of obstructive sleep apnea. Sleep 2006;29:903-8.
- Romero-Corral A, Caples SM, Lopez-Jimenez F, et al. Interactions between obesity and obstructive sleep apnea: implications for treatment. Chest 2010;137:711-9.
- Schellenberg JB, Maislin G, Schwab RJ. Physical findings and the risk for obstructive sleep apnea. Am J Respir Crit Care Med 2000;162:740-8.
- Seo MH, Lee WY, Kim SS, et al. Committee of clinical practice guidelines, Korean Society for the Study of Obesity (KSSO). 2018 Korean Society for the Study of obesity guideline for the management of obesity in Korea. J Obes Metab Syndr 2019;28:40-5.
- Yu JL, Rosen I. Utility of the modified Mallampati grade and Friedman tongue position in the assessment of obstructive sleep apnea. J Clin Sleep Med 2020;16:303-8.

II 약물 유도 수면내시경

조규섭

폐쇄수면무호흡증 환자에서 폐쇄 부위를 정확히 확인하는 것은 환자의 치료를 계획하는데 있어 매우 중요한 과정이다. 굴곡형 내시경을 이용하면 후두를 포함한 상기도 전체의 모양과 크기를 평가할 수 있어 입체적이고 역동적인 상기도를 평가하는 데 이상적이지만 각성 시의 검사라는 한계가 있어 생리적이고 정확한 폐쇄부위 확인을 위해 수면 시 상기도 상태를 확인하는 것이 중요하다. 1970년대 말 자연적인 수면 중 굴곡형 내시경을 이용하여 실시간으로 상기도의 상태를 시각적으로 확인해 보려는 시도가 있었지만 내시경의 움직임으로 인해 수면 중인 환자들이 자주 각성상태가 되는 등 환자들의 협조가 쉽지 않아 실질적으로 어려움이 있었다. 1980년대에는 약물을 이용하여 진정상태에서 굴곡형 내시경을 이용한 상기도 평가에 대한 시도가 많이 이루어 졌고 1991년 Croft와 Pringle에 의해 약물 유도 상기도 수면내시경(Drug-induced sleep endoscopy, DISE)이 처음으로 소개되었다. 약물 유도 상기도 수면내시경은 각성상태에서 시행되는 기존의 검사 방법과 달리 약물로 진정 상태를 유도하여 정상수면 시와 유사한 환경을 만들고 내시경을 이용하여 상기도에 대한 평가가 이루어진다는 점에서 차이가 있다.

1 적응증과 금기

수면관련호흡장애가 의심되는 환자들에서는 우선 수면다원검사가 선행되어야 하며 정확한 폐쇄 부위의 확인이 필요한 경우 약물 유도 상기도 수면내시경 검사를 시행해 볼 수 있다. 폐쇄 부위에 따른 적절한 수술방법을 선택하는 데 도움이 될 뿐만 아니라 검사 중 하악을 당겨봄으로써 구강내장치의 효과를 어느정도 예측해 볼 수도 있다. 약물 유도 상기도 수면내시경 검사는 심한 코골이나 수면무호흡이 있는 환자에서 수술이나 구강내 장치 등 양압기 이외의 치료방법을 고려 중인 경우, 양압기 치료가 실패한 경우, 이전 수술이 실패한 경우 등에서 시행할 수 있다. 만약 양압기나 체중 조절 혹은 자세변화와 같은 치료를 고려 중일 경우는 정확한 폐쇄 부위의 확인이 필요하지는 않으므로 약물 유도 상기도 수면내시경 검사가 필수 사항은 아니다. 약물 유도 상기도 수면내시경 시행 시 안전이 가장 중요하므로, 마취 및 진정을 시행하는 데 문제가 없는 환자를 대상으로 진행되어야 한다. 절대적 금기는 미국 마취과학회(American society of anesthesiology, ASA) 분류 4 이상, 임산부, 수면유도 약물에 알러지가 있는 경우이고, 상대적 금기는 심하고 병적인 비만이 있는 환자이다.

2 술기

1) 환자 준비

약물 유도 상기도 수면내시경은 표준화된 방법은 없지만 일반적으로 수술실이나 내시경실에서 시행된다. 산소포화도, 심박수, 혈압 등을 감시할 수 있는 장비뿐만 아니라 응급 상황 시 이용할 수 있는 산소공급장치와 소생 장비가 기본적으로 준비되어 있어야 한다. 환자는 시술 전 미리 금식 상태로 준비하여 역류나 흡인을 예방하여야 하고 시술 30분 전에 atropine이나 glycopyrrolate와 같은 항콜린제를 미리 투여하면 침 분비나 기도 분비물을 감소시켜 내시경의 시야 확보나 흡인 예방에 도움이 된다. 비강을 통해 내시경을 삽입 시 통증을 감소시키기 위해 한쪽 혹은 양쪽 비강에 국소 마취제와 혈관수축제가 혼합된 거즈로 패킹을 시행하고 약 20분 정도 대기 후 검사를 시행한다. 이 때 인두 부위가 과도하게 마취되면 흡인이나 기침이 증가하거나 이설근의 작용에도 영향을 미칠 수 있으므로 주의해야 한다. 빛 자극에 의한 각성을 최소화하기 위해 검사실은 어둡고 조용한 상태를 유지하는 것이 좋고 앙와위로 주로 시행하지만 자세에 따른 상기도 변화를 알아보기 위해 검사 중 자세 변경을 시도하는 경우도 있다. 내시경 장비는 녹화뿐만 아니라 녹음도 가능하면 평가에 도움이 된다.

2) DISE에 사용되는 약물

약물 유도 상기도 수면내시경 검사 시에 진정을 유도하기 위해 주로 propofol이나 midazolam이 단독으로 혹은 함께 이용된다. Propofol이 렘수면을 감소시킴으로써 수면구조의 변화를 초래하지만 무호흡-저호흡지수나 산소포화도와 같은 주된 호흡관련지수들에는 유의한 변화를 주지 않는 것으로 보고되고 있다. 검사자에 따라 remifentanil이나 ketamine을 추가하여 사용하기도 하고 다른 진정제로서 dexmedetomidine을 사용하기도 한다. 과도한 수면상태로 빠지는 것을 예방하기 위해 약물을 한 번에 일정량을 정주하는 것보다 목표농도 정맥주입법(target controlled infusion, TCI)을 이용하여 약물을 지속적으로 소량으로 주입하는 것이 혈중 약물 농도를 정확히 조절하는데 도움이 된다. 진정의 깊이를 확인하기 위해 마취심도감시장치(bispectral index score, BIS)를 이용할 수도 있고, BIS의 경우 60-80 정도로 유지하는 것이 적절하다. 깊은 진정일수록 상기도 허탈성(collapsibility)이 증가하고 산소포화도가 감소하여 위험할 수 있으므로 적정수준의 진정 상태로 유지하는 것이 중요하다. 약물이 투여된 후 순간적으로 상기도 근육이 이완되어 위양성 소견을 보일 수 있으므로, 약물이 주입되고 5-10분 정도 지나고 충분히 안정기에 들어갔다고 판단되면 검사를 시작하는 것이 좋다. Propofol은 적정(titration)이 가능하지만 숙련된 의사가 필요하고 검사 시간이 비교적 오래 걸리는 단점이 있다. Midazolam은 빠르고 효과적으로 수면 유도가 가능하지만 적정을 할 수 없어 깊은 수면을 반영하기 어려운 경우도 있다는 단점이 있다. Midazolam을 사용하는 경우 검사가 끝날 때 길항제인 flumazenil을 사용할 수 있기 때문에 조금 더 안전하게 검사를 시행할 수 있는 장점이 있다.

3 폐쇄 부위에 대한 평가

적절한 진정 수준에 도달하면 굴곡형 내시경을 비강 내로 삽입하여 비강, 인두 및 후두를 관찰하며 상기도 폐쇄 부위를 확인한다(그림 20-7-10). 결과를 기술하는 방법은 다양하고 아직까지 통일된 방법은 없지만 retropalatal, retroglossal, mixed로 구분하거나 좀 더 구체적으로 해부학적 요소를 기술하기도 한다. 2011년 Kezirian 등이 제안한 VOTE (velum, oropharynx, tongue base, epiglottis) 분류법이 자주 사용된다. VOTE 분류법에서는 폐쇄 부위와 폐쇄 형태를 평가하는데 주된 폐쇄 부위인 연구개, 구인두, 설근부, 후두개에 대하여 폐쇄나 떨림이 없고 폐쇄가 50% 미만일 경우 0, 50%-75%의 부분 폐쇄나 떨림이 존재하는 경우 1,

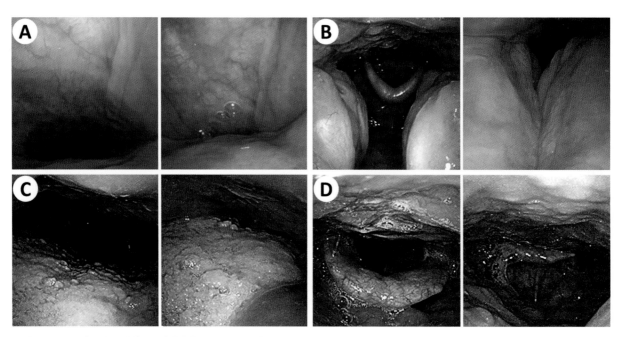

그림 20-7-10. **약물 유도 상기도 수면내시경 상 상기도 폐쇄 형태.**
(A) 연구개의 폐쇄 전후, **(B)** 구인두 폐쇄 전후, **(C)** 설근부 폐쇄 전후, **(D)** 후두개 폐쇄 전후

75% 이상 혹은 완전 폐쇄의 경우 2, 관찰이 안될 경우 X로 표기한다. 그리고 폐쇄가 보일 경우 그 형태를 전후 직경이 좁아지는 경우와 측부 직경이 좁아지는 경우, 그리고 원형으로 좁아지는 경우로 구분하여 평가한다 (표 20-7-1). VOTE 분류는 체계적으로 상기도를 평가할 수 있는 장점이 있지만 과도한 단순화로 인하여 상기도 구조물 간의 상호작용들이 간과될 가능성도 있어 검사실 사정에 맞게 기존 분류 방식을 조금씩 변형하여 사용하기도 한다. 특히 VOTE 분류법은 내시경 소견 만을 반영하기 때문에 구강 진찰을 통해 편도나 혀의 크기 혹은 위치가 함께 고려되어야 하고, 비내 용종이나 비중격만곡증 등 기도 폐색을 유발할 수 있는 비강 자체의 문제에 대한 평가도 이루어져야 한다.

2012년 Vicini 등이 제안한 NOHL (nose, oropharynx, hypopharynx, larynx) 분류법이 있는데 VOTE 분류와 달리 코막힘에 대한 기준이 추가되었다. NOHL 분류법에서는 코, 구인두, 하인두에 대하여 폐쇄가 없거나 25% 미만의 폐쇄일 경우 1, 50% 미만의 폐쇄일 경우 2, 75% 미만의 폐쇄일 경우 3, 그리고 그 이상은 4로 표시한다. 후두의 경우 성문 상부인지 성문부위인지 각각 a와 b로 표기하고, 폐쇄가 있을 경우에는 p (positive), 폐쇄가 없을 경우에는 n (negative)으로 표기한다. 구인두와 하인두의 폐쇄 형태는 VOTE와 마찬가지로 세가지 형태로 평가하고, 구개편도 비대가 동반되어 있을 경우는 추가로 표기한다(표 20-7-2). 이와 같이 분류하여 TNM stage 와 유사하게 상기도 폐쇄 형태를 N (0–4); O (0–4, ap/t/c); TS (III/IV); H (0–4, ap/t/c); L (p, n)으로 기술할 수 있다.

4 DISE의 유용성

폐쇄수면무호흡증 환자에서 상기도 폐쇄 부위를 진단하기 위해 여러 방법이 이용되고 있다. 비영상학적 방법 중 하나인 Müller 검사법은 간단하고 경제적이며 최소침습적으로 상기도의 폐쇄 부위를 확인할 수 있어 자

표 20-7-1. VOTE 분류

Structure	Degree of obstruction	Configuration		
		AP	Lateral	Concentric
Velum				
Oropharynx lateral walls		Not visualized		Not visualized
Tongue base			Not visualized	Not visualized
Epiglottis				Not visualized

AP: anteroposterior

표 20-7-2. NOHL 분류

Structure	Degree of obstruction[a]	Configuration		
		AP	T	C
Nose		–	–	–
Oropharynx				
Hypopharynx				
Larynx (supraglottis/glottis)		–	–	–
Palatine tonsil[b]		–	–	–

AP: anteroposterior, T: transversal, C: concentric
[a]Degree of obstruction: 0–25%: 1 / 25–50%: 2 / 50–75%: 3 / 75–100%: 4
[b]Palatine tonsil hypertrophy grade: Friedman grade III or IV

주 이용되고 있으나 검사자 마다 재현도가 낮아 평가가 다를 수 있고 각성 상태에서 시행되는 검사이므로 수면 상태를 반영하지 못하는 단점이 있다. 약물 유도 상기도 수면내시경은 수면 중 나타나는 상기도 폐쇄 부위를 비강에서 구인두, 하인두, 후두개까지 전체적으로 관찰할 수 있다는 점이 가장 큰 장점이고 Müller 검사법에서는 관찰이 어려운 설근부 폐쇄를 더 잘 확인할 수 있으므로 진단 도구로서 가치가 있을 뿐만 아니라 치료 계획을 세우는 데 도움이 되기도 한다. 각 환자들 마다 폐쇄 부위에 따른 가장 적절한 수술방법을 결정할 수 있고, 검사 중 하악을 당겼을 때 변화를 확인함으로써 하인두 기도를 확보시켜주는 구강내 장치의 효과 예측에도 도움이 될 수 있다. 한 연구에서는 약물 유도 상기도 수면내시경 시행 후 78%의 환자에서 치료 계획을 변경하였다고 보고하였다. 그리고 Müller 검사법과 약물 유도 상기도 수면내시경 검사 결과의 일치율이 30%에 불과하여 약물 유도 상기도 수면내시경의 유용성에 대하여 보고된 바가 있다.

5 DISE의 한계점

약물로 유도된 진정 상태에서 나타나는 상기도의 변화가 실제 수면 시 나타나는 변화를 정확히 반영하는지에 대해서는 아직 논란의 여지가 있다. 수면다원검사와는 달리 약물 유도 상기도 수면내시경은 전체 수면 시간 동안에 대한 정보를 제공해 주지 못한다. 특히 pro-pofol이나 midazolam 등의 약물로 유도된 수면에서는 일반적으로 3단계 비렘수면과 렘수면이 출현하지 않는 경우가 많아 일부 수면단계에서 나타나는 변화만 관찰하게 되어 실제 수면과는 차이가 있을 수 있다. 그리고 기관들마다 수면 유도 시 사용하는 약물의 종류나 투여 용량 및 투여 방법 등이 표준화 되어 있지 않고, 이는 폐쇄에 기여하는 해부학적 패턴을 변화시킬 수 있다. 뿐만 아니라 폐쇄 부위와 정도를 평가하는 도구로 VOTE 분류법이 널리 이용되고 있기는 하지만 아직 통일된 방법이 없기 때문에 좀 더 객관적이고 표준화된 분류법이 고안될 필요가 있다. 전체 상기도의 상태를 한 시야에서 파악하기는 어렵기 때문에 투시검사(sleep videofluoroscopy)를 함께 시행하면 상호 보완이 될 수 있다. 그 외 검사를 시행하기 직전 내시경으로 인한 자극을 최소화하기 위해 비강내 국소 점막 수축제나 마취제를 도포하였을 때 중추성과 폐쇄수면무호흡증이 모두 증가했다는 보고가 있고, 이는 수면 시 기류에 대한 비강내 수용체의 역할로 생각된다고 하였다. 또한 비강 내로 내시경을 삽입하는 도중 발생하는 불편감으로 수면이 방해될 수 있고, 내시경 자체의 부피로 인해 상기도가 좁아지거나 주변 근육의 역학에 변화를 줄 수도 있으며 기도 공간 이외 주변 연부 조직과 골격을 평가하기 어렵다는 점을 유의해야 하고, 검사에 인력과 시간 소모가 많다는 한계점이 있다.

상기도의 정확한 폐쇄 부위와 양상을 파악하는 것은 폐쇄수면무호흡증을 치료하는 데 매우 중요하다. 약물 유도 상기도 수면내시경 검사는 수면상태와 비슷한 환경을 조성함으로써 실시간으로 상기도의 동적 패턴을 확인할 수 있으며, 폐쇄 부위에 따라 비강, 구개, 설근부, 후두개를 선택적으로 넓히는 수술을 계획 시 중요한 정보를 제공하고 결국 환자에게 맞는 가장 적절한 치료 방법을 선택하여 치료 성공률을 높일 수 있도록 도와준다.

▶ 참고문헌

- Charakorn N, Kezirian EJ. Drug-induced sleep endoscopy. Otolaryngol Clin North Am 2016;49:1359-72.
- Choi JW, Koo SK, Myung NS, et al. Analysis of correlation between results of polysomnography and obstructive structure by druginduced sleep endoscopy in obstructive sleep apnea patients. Korean J Otolaryngol-Head Neck Surg 2013;56:346-53.
- da Cunha Viana A Jr, Mendes DL, de Andrade Lemes LN, et al. Drug-induced sleep endoscopy in the obstructive sleep apnea: comparison between NOHL and VOTE classifications. Eur Arch Otorhinolaryngol 2017;274:627-35.
- De Vito A, Carrasco Llatas M, Ravesloot MJ, et al. European position paper on drug-induced sleep endoscopy: 2017 Update. Clin Otolaryngol 2018;43:1541-52.
- Eichler C, Sommer JU, Stuck BA, et al. Does drug-induced sleep endoscopy change the treatment concept of patients with snoring and obstructive sleep apnea? Sleep Breath 2013;17:63-8.
- Fogel RB, Malhotra A, Shea SA, et al. Reduced genioglossal activity with upper airway anesthesia in awake patients with OSA. J Appl Physiol (1985) 2000;88:1346-54.
- Kezirian EJ, Hohenhorst W, de Vries N. Drug-induced sleep endoscopy: the VOTE classification. Eur Arch Otorhinolaryngol 2011;268:1233-6.
- Kim DK, Lee JW, Lee JH, et al. Drug induced sleep endoscopy for poor-responder to ivulopalatopharyngoplasty in patient with obstructive sleep apnea patients. Korean J Otolaryngol-Head Neck Surg 2014;57:96-102.
- Kim JY, Han SC, Lim HJ, et al. Drug-induced sleep endoscopy: a guide for treatment selection. Sleep Med Res 2020;11:1-6.
- Lee JK, Cho KS. Treatment of obstructive sleep apnea according to obstruction site. J Clinical Otolaryngol 2011;22:182-95.
- Lewis SR, Schofield-Robinson OJ, Alderson P, et al. Propofol for the promotion of sleep in adults in the intensive care unit. Cochrane Database Syst Rev 2018;1:CD012454.
- Moos DD. Obstructive sleep apnea and sedation in the endoscopy suite. Gastroenterol Nurs 2006;29:456-63.
- Park HJ, Son BK, Koo HS, et al. Preparation, evaluation, and recovery before and after conscious sedative endoscopy. Korean J Gastroenterol 2017;69:59-63.
- Rabelo FA, Braga A, Küpper DS, et al. Propofol-induced sleep: polysomnographic evaluation of patients with obstructive sleep apnea and controls. Otolaryngol Head Neck Surg 2010;142:218-24.
- Rabelo FA, Küpper DS, Sander HH, et al. A comparison of the Fujita classification of awake and drug-induced sleep endoscopy

patients. Braz J Otorhinolaryngol 2013;79:100-5.

· Ravesloot MJ, Benoist L, van Maanen JP, et al. Drug-induced sleep endoscopy (DISE). In: Friedman M, Jacobowitz O. Sleep apnea and snoring: surgical and non-surgical therapy. 2nd ed. Edinburgh: Elsevier; 2020. pp. 35-8.

· Ravesloot MJ, de Vries N. One hundred consecutive patients undergoing drug-induced sleep endoscopy: results and evaluation. Laryngoscope 2011;121:2710-6.

· Stuck BA, Maurer JT. Airway evaluation in obstructive sleep apnea. Sleep Med Rev 2008;12:411-36.

· Vicini C, De Vito A, Benazzo M, et al. The nose oropharynx hypopharynx and larynx (NOHL) classification: a new system of diagnostic standardized examination for OSAHS patients. Eur Arch Otorhinolaryngol 2012;269:1297-300.

· Won TB. Contemporary methods of upper airway evaluation in obstructive sleep apnea patients. Korean J Otorhinolaryngol-Head Neck Surg 2013;56:7-13.

PART

4

수면장애 각론

I 두부계측방사선사진 분석

김명립

1 교정과에서 사용되는 측모 두부계측방사선사진

측모 두부계측방사선사진은 비뚤어진 치아를 가지런히 하고 균형적이지 않은 상하악 성장 조절하는 교정치료 진단과 치료 평가에 사용되는 중요한 진단 자료중 하나이다(그림 20-8-1). 1934년 Broadbent와 Hofrath에 의해 측모 두부계측방사선사진이 소개될 때는 두개안면부 성장발육 연구에 사용되었지만 1940년대부터 두개안면골과 상하악 치열의 다양한 분석법(cephalometry)들이 제시되면서 현재에는 두부안면부 성장발육 연구, 교정치료의 진단 그리고 교정치료 전, 중간, 후에 촬영된 일련의 측모 두부계측방사선사진을 중첩함으로써 성장과 치료의 효과를 연구하는 등 다양한 용도로 사용되고 있다. 측모 두부계측방사선사진은 표준화된 방법을 사용하여 촬영하는데, 방사선원, 두부고정기(cephalostat)와 방사선 영상수용체(X-ray image receptor)로 구성된 두부계측방사선사진 촬영장치를 이용하여, 두부고정기에 두부의 정중시상면이 방사선원에 수직이 되도록 고정하고, 이완된 상태에서 눈앞 거울에 비친 자기 눈을 바라보게 하거나 멀리 있는 물체를 바라보게 하는 natural head position을 가지게 한 후, 위아래 치아를 중심교합위에 맞물리게 한 후 촬영을 한다(그림 20-8-2). 피사체를 방사선 영상수용체에 최대한 근접시켜 확대를 줄이려고 하지만, 방사선 기기에 따라 방사선원과 피사체, 영상수용체의 거리가 차이가 나기 때문에 기기에 따라 확대비율도 달라질 수 있다.

삼차원 두개안면부 구조물을 표준화된 방법으로 촬영된 이차원 측모 두부계측방사선사진으로 교정과 의사들이 관찰하는 안면 구조물은 두개골, 비상악복합체, 하악, 상악치열, 하악치열, 그리고 연조직이고, 특히 성장이 빨리 멈추는 두개저에 대한 상하악골과 치아의

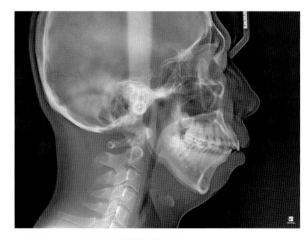

그림 20-8-1. 측모 두부계측방사선사진

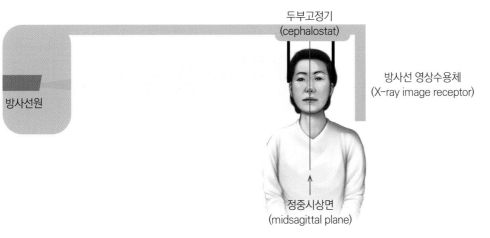

두부고정기
(cephalostat)

방사선 영상수용체
(X-ray image receptor)

방사선원

정중시상면
(midsagittal plane)

그림 20-8-2. 측모 두부계측방사선사진의 표준화된 촬영방법

위치를 집단의 평균치 혹은 연구에서 발표된 이상치와 비교하여 부정교합의 진단에 사용하고 있다. 이를 위해 수평 기준평면과 두부 해부학적 계측점들(landmarks)을 사용하는데, 자주 사용되는 수평 기준평면으로는 외이도 상연(porion)과 안와 하연(orbitale)을 연결한 프랑크푸르트 평면(FH plane), 전두개저 평면(Sella-Nasion plane), 혹은 natural head position으로 촬영된 방사선 사진의 수평선 등이다. 사용되는 계측점들은 정중시상면상의 계측점, 좌우 구조물의 중앙점 혹은 두 평면의 교차점 등이지만, 분석방법에 따라 사용하는 계측점들이 다르고 그 정의도 약간 다르다. 수평 기준평면과 계측점들을 이용한 상하악과 상하악치열의 전후적, 수직적 관계를 알아보는 분석법들은 Downs 분석, Tweed 분석, Steiner 분석, Jarabak 분석, Sassouni 분석, Harvold 분석, Enlow 분석, Moorrees 분석, Ricketts 분석, McNamara 분석 등 다양하고 각각의 장단점이 있고 분석법에 따라 해석이 달라질 수도 있어 환자들의 비뚤어진 치아와 안면골격 문제를 분석하는 교정치료 진단은 측모 두부계측방사선사진 하나만 가지고 판단하는 것이 아니라 여러 진단자료를 기반으로 한 교정과 의사의 종합적 판단에 의존한다.

2 성인 수면무호흡과 측모 두부계측방사선사진

성인 폐쇄수면무호흡증 환자들 대상으로 한 초기 측모 두부방사선 횡단면 연구에서 성인 폐쇄수면무호흡증 환자들이 질환을 가지지 않은 성인들에 비해 전후적으로 짧아진 두개저(cranial base), 후퇴된 하악, 긴 하안면(lower facial height), 아래로 위치한 설골, 길어진 연구개, 좁아진 posterior airway space 등의 분석계측치의 차이를 보였다. 두개안면부의 골격이상이 기도의 개방(patency)에 중요한 역할을 하는 것은 잘 알려진 병태생리학적 소견이고, 초기 연구들을 바탕으로 성인 폐쇄수면무호흡증 환자들의 안면 골격과 기도의 문제를 평가하기 위해 측모 두부계측방사선사진을 촬영하여왔다. 하지만 측모 두부계측방사선사진으로 상하악과 상하악치열의 전후적, 수직적 문제를 평가하는 것은 교정과 의사의 전문적인 분야이고 타과와의 유기적 협조가 일어나기 어려운 한국적 실정에서 개인 환자 정확한 분석이 촬영 후 즉각적으로 이뤄지지 못하는 경우가 많았다. 또한 초기 횡단면 연구의 한계, 현재까지도 보고된 많은 측모 두부계측방사선사진 연구들에서 종속변수에 영향을 줄 수 있는 성별, 체중 등의 외생변수의 조절 등

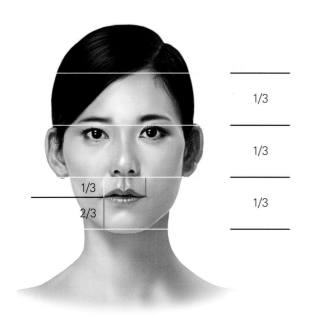

그림 20-8-3. 정면에서 평가할 수 있는 얼굴의 수직적 비율. 심미적인 얼굴은 수직적으로 3등분된 거리가 동일하다(hair line-base of nose, base of nose - bottom of nose, bottom of nose-chin).

그림 20-8-4. 후퇴된 하악을 가진 경우 natural head position으로 위치한 얼굴의 측면에서 이마와 아래턱의 가장 튀어난 점을 연결한 선이 뒤로 빠져있다.

의 구체적인 연구방법들이 보고되지 않아 이러한 연구들을 근거로 일부 특정한 계측치로 나타난 골격적 형태가 폐쇄수면무호흡증의 중요한 원인요소라고 결론짓기엔 무리가 있다. 또한 측모 두부계측방사선사진 없이도 얼굴 연조직의 임상적 관찰로도 후퇴된 하악과 긴 하안면에 대한 정보를 얻을 수 있다. 심미적인 얼굴모습은 정면에서 얼굴을 3등분해보면 그 거리가 동일하고(hair line- base of nose, base of nose - bottom of nose, bottom of nose - chin), 하안면에서 입술 위 아래 거리의 비율이 1:2이다(그림 20-8-3). 긴 하안면을 가진 성인의 경우에는 이 비율들이 달라진다. Natural head position으로 위치한 얼굴의 측면에서 이마와 아래턱에서 가장 튀어난 점을 연결해보면 아래턱이 작으면 그 선이 뒤쪽으로 빠져 있다(그림 20-8-4). 이러한 임상적 관찰로도 얼굴의 전후적, 수직적 관계의 일부 정보를 얻을 수 있다.

또한 기도 평가를 위한 측모 두부계측방사선사진의 유용성도 의문시 되는데, 첫째, 대부분의 측모 두부계측방사선사진은 깨어있을 때 서서 촬영을 하기 때문에 수면 시 기도가 막히는 등의 변화를 반영하지 못한다. 둘째 폐쇄수면무호흡증 환자들은 수면 중 흡기와 호기의 기도면적의 차이가 크지만 현재까지 흡기와 호기 중 어느 시기에 측모 두부계측방사선사진은 촬영하는지에 대한 표준화된 방법은 없고, 단지 일부에서 연하 후 몇 초 뒤 촬영을 하는 시도들을 해왔다. 아래 사진은 같은 환자에게 아래 부착성 유지장치를 장착한 후 한시간 간격으로 촬영한 두 장의 측모 두부계측방사선사진인데, 호흡 혹은 연하의 시기에 따라 하악의 기저부에 대한 설골의 높이가 차이남을 보인다(그림 20-8-5). 셋째로 삼차원의 기도의 구조를 이차원의 측모 두부계측방사선사진 상 거리로 평가하고 기도 측방에 대한 아무런 정보를 제공하지 못하는 문제도 있다.

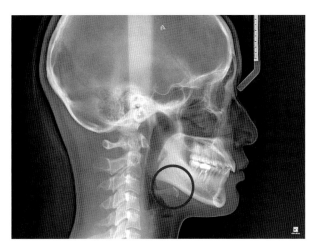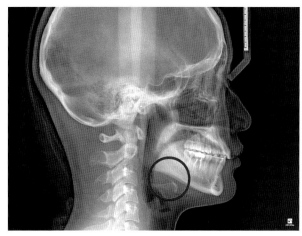

그림 20-8-5. 호흡 혹은 연하시기에 따라 하악 기저부에 대한 설골 높이가 차이남을 보여주는 동일환자에게 채득한 한시간 간격 두 장의 두부계측방사선사진

3 소아 폐쇄수면무호흡증과 측모 두부계측 방사선사진

소아 폐쇄수면무호흡증은 아이들의 흔한 질환으로 유병율이 1.2–5.7%로 보고되고, 가장 많이 발생하는 연령은 2–8세라고 보고되고 있다. 좁아진 해부학적 기도와 neuromuscular tone의 변형으로 인한 부조화로 소아 폐쇄수면무호흡증도 생기고 비대한 아데노이드, 편도와 비만 등의 해부학적 요소가 기도 크기에 영향을 미친다. 또한 Pierre Robin syndrome과 Treacher Collins syndrome 등의 두개 안면 이상을 가지고 있는 아이들도 좁은 기도의 문제로 심한 소아 폐쇄수면무호흡증을 가지고 있다. 한국 등 동양의 소아 폐쇄수면무호흡증은 비만의 문제가 없는 비대한 아데노이드와 편도가 가장 큰 원인요소로 알려지고 있고, 비대해진 아데노이드 편도를 제거하는 수술이 가장 먼저 고려되는 치료법이다. 아데노이드의 크기를 측모두부계측방사선사진으로 관찰하는 것은 높은 민감도(sensitivity)와 중등도의 특이도(specificity)를 보여 nasoendoscopy를 시행하기 어려운 진료과에서 비대한 아데노이드를 평가하는 중요한 도구가 될 수 있다.

비대한 아데노이드가 구호흡을 유발하는지, 그리고

이러한 구호흡이 두개안면 골격과 치열의 이상을 일으키는 원인인지에 대한 논쟁은 교정과 영역에서 100년이상 이어져 왔다. 1870년대 Meyer와 Tomes 등에 의해 비대한 아데노이드로 얼굴 변형이 일어난다고 제시된 아데노이드형 얼굴(adenoid facies)의 개념은 1970년대 Harvold와 Linder-Aronson 등의 연구 등으로 교정과 영역에서 호흡 문제가 두개안면 골격과 치열을 변형시킨다는 이론적 배경이 갖춰졌다. 비대한 아데노이드 등의 문제로 구호흡을 하면 장시간 혀와 하악을 아래로 위치시키고 고개를 젖히고 입술을 벌려야 하기 때문에 하안면이 길어지고, 상하악 어금니가 과맹출되어 개방교합이 생기고, 위 앞니가 앞으로 경사지고, 하악이 후하방 회전하여 후방 위치한다고 믿는다. 이러한 얼굴 모습이 전형적인 아데노이드형 얼굴모습이다. 하지만 좁아진 기도를 가진 아이들에서 코와 입으로의 다양한 호흡형태를 보인다는 연구와 호흡형태는 골격적인 형태에 의한 결과라고 믿는 등 현재에도 여전히 논쟁이 있어왔다. 이러한 논쟁에도 불구하고 측모 두부계측방사선사진을 통한 소아 폐쇄수면무호흡증 환자의 골격적 형태의 분석은 중요하다. 아이들이 성장 중에는 하악의 크기가 작고, 상하악의 차등성장으로 성인이 되면 얼굴 골격의 균형을 이루기 때문에, 성장 중 아이들에게서는 단순히 얼굴의 임상적 관찰로만은 골격의 수직적, 전후적 관계를 알기 어렵다. 특히 아데노이드 편도 수술과 항염증제 약을 투여받고도 개선되지 않은 소아 폐쇄수면무호흡증의 증상 개선을 위해 상악확장장치 등 교정장치가 중요한 치료방법 중 하나이다. 또한 좁고 긴 기도를 가질 수 있는 긴 하안면과 후퇴된 하악을 가진 아이들의 측모 두부계측방사선사진의 정확한 분석 후 성장조절 교정치료로 두개 안면부의 균형잡힌 골격을 가지게 되면 얼굴의 심미적 개선뿐만 아니라 기도의 개방에도 유리한 측면이 있다. 아데노이드 편도 수술과 항염증제 등의 다른 치료에도 개선되지 않은 소아 폐쇄수면무호흡증을 가진 아이들의 치료에 교정과 의사의 역할이 중요하고, 이들의 치료를 위해서는 소아 폐쇄수면무호흡증 환자의 측모 두부계측방사선사진의 분석은 필요하다.

▶ 참고문헌

- Bacon WH, Krieger J, Turlot JC, et al. Craniofacial characteristics in patients with obstructive sleep apneas syndrome. Cleft Palate J 1988;25:374-8.
- Camacho M, Chang E.T, Song SA, et al. Rapid maxillary expansion for pediatric obstructive sleep apnea: a systematic review and meta-analysis. Laryngoscope 2017;127:1712-9.
- Gulati A, Chate RA, Howes TQ. Can a single cephalometric measurement predict obstructive sleep apnea severity? J Clin Sleep Med 2010;6:64-8.
- Jamieson A, Guilleminault C, Partinen M, et al. Obstructive sleep apneic patients have craniomandibular abnormalities. Sleep 1986;9:469-77.
- Kim M. Orthodontic treatment with rapid maxillary expansion for treating a boy with severe ostructive sleep apnea. Sleep Med Res 2014;5:33-6.
- Lowe AA, Ozbek MM, Miyamoto K, et al. Cephalometric and demographic characteristics of obstructive sleep apnea: an evaluation with partial least squares analysis. Angle Orthod 1997;67:143-53.
- Major MP, Saltaji H, El-Hakim H, et al. The accuracy of diagnostic tests for adenoid hypertrophy: a systematic review. JADA 2014;145:247-54.
- Marcus CL, Brooks LJ, Draper KA, et al. Diagnosis and management of childhood obstructive sleep apnea syndrome. Pediatrics 2012;130:e714-55.
- Pracharktam N, Nelson S, Hans MG, et al. Cephalometric assessment in obstructive sleep apnea. Am J Orthod Dentofacial Orthop 1996;109:410-9.
- Proffit WR, Fields HW, Larson B, et al. Contemporary orthodontics. 6th ed. Elsevier; 2018. pp. 140-207.
- Tapia IE, Marcus CL. Newer treatment modalities for pediatric obstructive sleep apnea. Paediatr Respir Rev 2013;14:199-203.
- Woodson BT, Franco R. Physiology of sleep disordered breathing. Otolaryngol Clin North Am 2007;40:691-711.

II CT 및 MRI 평가

허성재

1 전산화단층촬영

전산화단층촬영은 상기도의 많은 해부학적 정보를 제공하는 검사다. 상기도 구조를 객관적으로 쉽게 알 수 있고 단면적(cross-sectional area) 및 부피 측정이 가능하며, 비침습적이며, 짧은 검사 시간 등 많은 장점을 가지고 있다. 특히, 영상을 삼차원으로 재구성할 수 있어서 상기도의 공간과 구조를 직관적으로 파악할 수 있다. 전산화단층촬영은 구인두, 특히 구개 후부의 협착을 잘 관찰할 수 있는데, 폐쇄수면무호흡증 환자는 정상과 비교하여 상기도 단면적이 좁고, 구개 후부 조직이 큰 것으로 나타났다(그림 20-8-6).

수술 적응증 평가 및 수술계획을 세우는 과정에서 전산화단층촬영이 유용하게 사용된다. 전산화단층촬영에서 확인된 상기도의 최소 단면적 부위의 크기에 따라 구개수구개인두성형술(uvulopalatopharyngoplasty)의 성공 유무를 예측할 수 있다는 연구 결과가 보고되었다. 또한, 전산화단층촬영은 수술 후 평가에도 사용할 수 있는데, 성인에서 상하악 전방이동술(maxillomandibular advancement, MMA) 후 전산화단층촬영을 통해 확대된 상기도를 확인한 연구 결과도 있다. 따라서 전산화단층촬영에서 관찰되는 환자의 구조적 특징에 따라 적절한 수술방법을 선택 및 계획을 할 수 있으며 수술 후 기도 단면적 변화 등의 객관적인 평가를 위해 수술 전후에 전산화단층촬영을 시행할 수 있다.

하지만 전산화단층촬영은 방사선 노출이 있고 촬영 순간에 상기도 움직임에 따른 차이가 있을 수 있으며 짧은 순간의 모습만 볼 수 있는 단점이 있다. 아직까지 삼차원적으로 재구성한 전산화단층촬영과 수면무호흡 간의 상관성에 대한 연구결과는 많지 않으며 결과들이 다양하게 나타나서 연관성에 대한 명확한 결론을 도출하지 못하고 있다. 그 원인은 깨어있는 상태에서의 전산화단층촬영은 수면무호흡의 정도를 반영하는데 한계가 있기 때문이다.

일반적인 전산화단층촬영의 경우 깨어있는 상태에서의 해부학적 구조를 보여주는데, 수면상태에서는 기도 주변의 근육들이 이완이 되어 기도가 더 좁아질 수 있어 이를 반영하지 못한다는 단점이 있다. 또한, 기도 단면적은 호흡에 따라 역동적 변화가 있음에도 정적인 상태의 기도 구조만을 보여준다는 한계가 있다. 이러한 단점을 보완하여 호흡 주기에 따라 달라지는 기도의 해부학적 구조를 평가하기 위한 고속전산화단층촬영(fast-CT scans)이 있으며, 수면유도 약물을 이용하여 수면상태에서 검사하는 전산화단층촬영도 있다(그림 20-8-7).

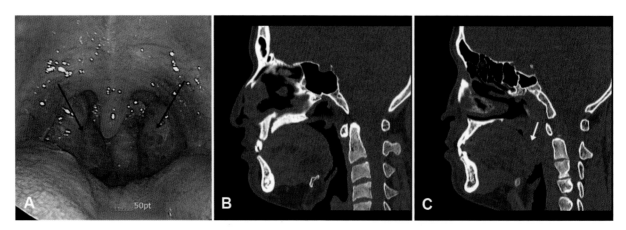

그림 20-8-6. 편도 비대(A, 검정 화살표)가 관찰되는 환자에서 편도 사이의 인두 후부는 개방되어 있지만(B), 편도가 위치한 공간은 폐쇄(C, 흰색 화살표)되어 상기도가 막혀있다.

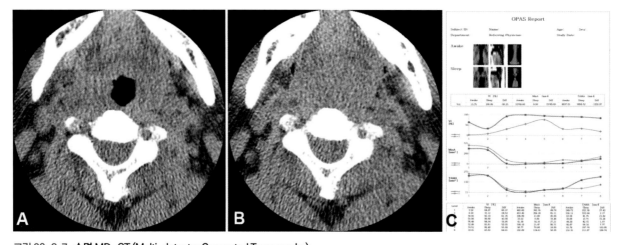

그림 20-8-7. 수면 MD-CT (Multi-detector Computed Tomography).
축영상(axial view)에서 깨어 있을 때는 비교적 넓은 기도를 보여주지만(A), 약물로 유도한 수면 중에는 기도가 좁아지는 것(B)이 관찰된다. 검사 보고서 (C)에는 검사자가 설정한 위치(level)의 깨어 있을 때와 수면 중의 단면적 또는 부피 변화가 그래프와 수치로 기록된다. 3차원으로 재구성한 사진도 볼 수 있어서 직관적으로 상기도의 변화를 확인 할 수 있다.

고속전산화단층촬영은 0.7초당 8개의 영상을 촬영할 수 있다. 호흡주기에 따라 달라지는 기도 면적의 변화율(airway compliance)은 기도 폐쇄를 일으킬 수 있는 중요한 요인 중 하나인데, 이런 고속전산화단층촬영은 호흡에 따른 기도 단면적의 변화율과 폐쇄를 확인 할 수 있게 해주며 기도 단면적의 변화율 및 폐쇄 정도는 수면무호흡 간의 유의미한 상관관계가 있다고 알려져 있다.

2 자기공명영상

자기공명영상은 전산화단층촬영과 비교하여 연조직을 좀 더 효과적으로 보여주며(그림 20-8-8), 두개골계측 (cephalometry)과 전산화단층촬영의 단점인 방사선 노출이 없는 장점이 있다. 하지만 전산화단층촬영에 비해 촬영 시간이 길고 비용이 비싸며 수면상태를 확인할 수 있는 뇌전도(electroencephalogram) 등의 수면다원화검사 장비들을 자기공명영상 촬영과 동시에 사용할 수 없

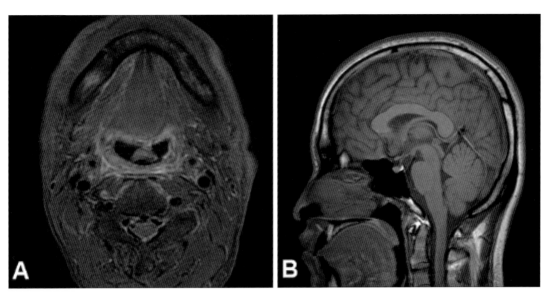

그림 20-8-8. 자기공명영상의 T2 Axial (A)과 T1 Sagittal 사진에서 전산화단층촬영에 비해서 연조직 구조를 좀 더 명확하게 관찰할 수 있다.

다는 단점이 있다.

전산화단층촬영과 마찬가지로 기도의 역동성과 수면 상태의 기도를 평가하기 위해서 고속자기공명영상 (Ultrafast MRI), 수면자기공명영상(Sleep MRI scanning)을 시행하기도 한다. 하지만 약물을 이용하여 수면 상태를 유도하더라도 촬영 중의 소음으로 인해 수면 상태를 유지하기가 어려울 수 있어 수면 유도 검사는 전산화단층촬영에 비해서 흔히 시행되지는 않는다.

수면무호흡과 자기공명영상에 대해 보고된 연구에 의하면 폐쇄수면무호흡증 환자에서 이설근(genioglossus muscle)과 이설골근(geniohyoid muscle)에 지방이 좀 더 많다는 연구결과가 있으며 혀와 인두측벽의 증가된 연조직 부피가 수면무호흡의 위험성을 증가시킬 수 있다고 보고하였다. 진단뿐만 아니라 자기공명영상을 통해 설기저 부위의 고주파를 이용한 부피감소술의 효용성을 예측해볼 수 있고 시술 전후 연조직의 변화를 확인하여 시술의 성공여부를 평가해 볼 수도 있다.

하지만 아직까지 자기공명영상만으로는 수면무호흡의 상기도를 평가하기 위한 검사로는 충분하지 않다는 것이 일반적인 의견이다.

3 투시검사

투시검사는 폐쇄수면무호흡증 환자에서 역동적인 기도의 해부학적 구조와 폐쇄 부위를 쉽게 확인할 수 있는 검사다. 수면투시검사(somnofluoroscopy)는 투시검사와 수면다원화검사를 결합한 검사로 이 검사를 통해 무호흡이나 저호흡 발생 시 폐쇄부위를 확인할 수 있다. 방사선 노출량이 높다는 점과 수면유도 약물이 필요하다는 단점이 있으나, 디지털 투시검사(digital fluoroscopy)의 개발로 검사 시간이 짧아졌으며 방사선 노출도 줄었다. 투시검사를 통한 폐쇄 부위의 확인은 환자의 치료방향을 결정하는 데 도움이 된다. 보고된 연구에 따르면 투시검사를 통해 환자마다 다양한 기도폐쇄 시작 시점과 폐쇄 부위를 확인할 수 있었으며 하인두 협착은 설골의 하방전위와 연관되어 있고 구인두 협착이 확인된 환자에서 구개수구개인두성형술의 성공률을 높일 수 있다는 보고가 있다. 그리고 두개안면기형, 신경근 질환 등에서 투시검사를 이용하여 여러 부위의 폐쇄가 있다는 것을 밝히기도 하였다.

최근에는 이러한 영상 검사에 컴퓨터 공학을 접목시킨 다양한 시도가 이루어지고 있다. 프로그램을 이용하

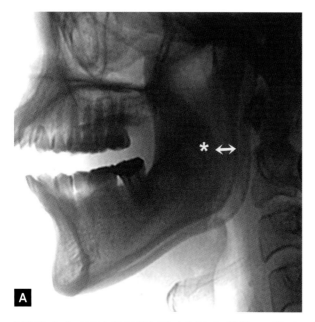
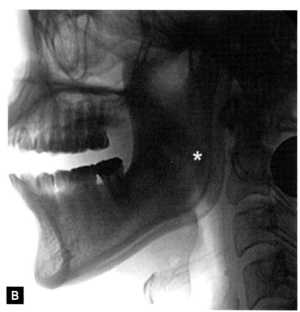

그림 20-8-9. 수면 비디오투시검사에서 깨어 있을 때(A)는 구개(흰색 별표) 폐쇄가 없고 기도가 잘 개방되어 있는데(양측 화살표), 수면 중에는 구개가 뒤로 쳐져서 기도 폐쇄가 발생하고 있다.

여 치료 후의 상기도 변화를 미리 예측해보고, 전산유체역학(computed fluid dynamics)을 이용해서 치료 전후의 기류 변화를 예측해 볼 수 있다. 아직은 임상에서 널리 활용되지는 못하고 주로 호흡 기전을 알아보기 위한 연구 목적으로 활용되고 있지만, 공학의 발달 속도와 더불어 조만간 실제 임상에서 사용할 수 있을 것으로 기대된다.

Acknowledgement

CT와 Videofluoroscopy 사진을 제공해주신 부산대 이비인후과 조규섭, 문수진 교수님께 감사드립니다.

▶ 참고문헌

- 김성원, 김현직. 코골이와 수면무호흡증. 아이엠이즈컴퍼니; 2016. pp. 69-73.
- Kim TH, Chun BS, Lee HW, et al. Differences of upper airway morphology according to obesity: study with cephalometry and dynamic MD-CT. Clin Exp Otorhinolaryngol 2010;3:147-52.
- Lee CH, Hong SL, Rhee CS, et al. Analysis of upper airway obstruction by sleep video fluoroscopy in obstructive sleep apnea: a large population-based study. Laryngo scope 2012;122:237-41.
- Steffy DD, Tang CS. Radiographic evaluation of sleep-disordered breathing. Radiol Clin North Am 2018;56:177-85.
- Stuck BA, Maurer JT. Airway evaluation in obstructive sleep apnea. Sleep Med Rev 2008;12:411-36.
- Thakkar K, Yao M. Diagnostic studies in obstructive sleep apnea. Otolaryngol Clin North Am 2007;40:785-805.
- Whyte A, Gibson D. Imaging of adult obstructive sleep apnoea. Eur J Radiol 2018;102:176-87.

I 야간수면다원검사

홍정경 / 윤인영

수면관련호흡장애는 객관적인 수면 검사가 진단에 필수적이다. 이 중 Gold standard는 수면다원검사이다. 수면다원검사(polysomnography)는 병원 검사실에서 (in-lab) 숙달된 수면기사의 동반 하에 시행하며, 표준화된 검사기록방식을 따르고, 검증된 전문가의 판독을 거쳐야 한다. 다른 간이형 검사와 구분 짓기 위해 In-lab polysomnography 또는 full polysomnography라 부르기도 한다. 수면무호흡 진단을 보다 용이하게 하기 위해 채널수를 최소화하거나 집에서 시행할 수 있는 가정용수면무호흡검사(home sleep apnea test, HSAT)로 대체하려는 노력이 이루어지고 있지만 국내에서는 아직까지는 수면다원검사만이 보험 적용 대상이다. 수면다원검사에 대한 소개는 chapter 14에서 상세히 다룬 바 있어, 이 장에서는 성인 수면관련호흡장애의 진단을 위한 수면다원검사에 초점을 맞출 것이다. 소아에서는 성인과 다른 기준을 적용하는데, 소아 수면관련호흡장애의 내용은 chapter 24에서 찾을 수 있다.

1 수면관련호흡장애 판독에 주로 사용되는 채널

수면다원검사의 시행과 판독방법은 표준화된 가이드라인 미국수면학회(American Academy of Sleep Medicine, AASM)에서 발간한 매뉴얼을 주로 따르고 있다. AASM 매뉴얼을 통해 각 수면센터에서 시행한 수면다원검사가 표준화 될 수 있다. 매뉴얼은 새로운 근거 발견 또는 현실적 시행착오에 따라서 개정하고 있는데, 어느 개정판을 사용하는지에 따라서 일부 적용 기준이 다를 수 있다. AASM매뉴얼에서는 수면다원검사에서 사용할 호흡 측정 채널에 대해 "일차(primary)" 또는 "대체(alternative)"로 나누어 기술하고 있다. 호흡 이벤트 판독의 기준은 "권장(recommended)", "대체(alternative)", "허용(acceptable)" 세 가지 수준으로 나누어 기술하고 있으며, 각 수면센터의 사정에 따라 기준을 사용할 수 있도록 했다. 수면관련호흡장애 진단을 위해 수면다원검사에 포함되어어 할 채널은 표 20-9-1과 같다.

표 20-9-1. 수면다원검사에서 사용되는 호흡 측정 채널

무호흡(Apnea)	**일차** • 구비강온도센서(Oronasal thermal airflow sensor) • 양압기 신호(PAP device flow signal)[a] **대체** • 비강공기압(Nasal pressure transducer) • 이중 흉부-복부 RIP 벨트(Dual thoracoabdomical RIP belts): RIPsum 또는 RIPflow • [허용기준] 이중 흉부-복부 PVDF 벨트(Dual thoracoabdominal PVDF belts): PVDFsum[b] • [허용기준] 호기말 이산화탄소 분압(End-tidal PCO_2, $EtCO_2$)[c]
저호흡(Hypopnea)	**일차** • 비강공기압 • 양압기 신호[a] **대체** • 구비강 온도센서 • 이중 흉부-복부 RIP 벨트: RIPsum 또는 RIPflow • [허용기준] 이중 흉부-복부 PVDF 벨트: PVDFsum[b]
호흡노력(Respiratory effort)	**일차** • 식도내압검사(Esophageal manometry) • 이중 흉부-복부 RIP 벨트 • [허용기준] 이중 흉부-복부 PVDF 벨트[b]
산소포화도(Oxygen saturation)	• 맥박산소측정기(Pulse oximetry)
코골이(Snoring)	• 음성센서(예: 마이크) • 압전센서(Piezoelectric sensors) • 비강공기압
저환기(Hypoventilation)	• 동맥혈 이산화탄소 분압(Arterial PCO_2, $PaCO_2$) • 경피적 이산화탄소 분압(Transcutaneous PCO_2, $TcCO_2$) • 호기말 이산화탄소 분압(End-tidal PCO_2, $EtCO_2$)

PAP: Positive airway pressure; RIP: Respiratory impedance plethysmography(호흡자기유도체적변동기록); PVDF: Polyvinylidene fluoride(폴리비닐리덴 플로라이드)
[허용기준(Acceptable)]으로 별도 표기되지 않은 항목들은 모두[권장기준(Recommended)]에 사용된다.
[a] 양압기 적정압력 검사시(PAP titration study)에는 양압기에서 측정된 수치를 그대로 이용할 것을 권장한다.
[b] 연구결과를 바탕으로 성인에서만 권장한다.
[c] 연구결과를 바탕으로 소아에서만 권장한다.

2 수면관련호흡장애의 진단

수면무호흡의 진단과 중증도는 대개 호흡 이벤트(respiratory events)의 빈도로 정의된다. 가장 전형적으로 사용되는 것은 수면무호흡-저호흡지수(apnea-hypopnea index, AHI) 또는 호흡장애지수(respiratory disturbance index, RDI)이다. AHI는 한 시간 수면당 무호흡과 저호흡의 횟수를 합친 것이고 RDI는 여기에 호흡노력관련각성(Respiratory effort-related arousal,

RERA)까지 더하여 한 시간 수면당 무호흡과 저호흡과 호흡노력관련각성이 발생한 횟수를 합친 것이다. 시간당 발생한 호흡 이벤트 수가 많을수록 임상적 중증도가 심각한 것으로 본다. 예로 폐쇄수면무호흡증의 진단기준과 가장 널리 사용되고 있는 중증도 분류를 각각 표 20-9-2와 표 20-9-3에 제시하였다.

수면관련호흡장애의 중증도 평가 시 동맥혈 산소포화도감소(arterial oxygen desaturation)를 함께 고려할 수 있으나, 표준화된 지표는 없는 실정이다. 주로 사용

표 20-9-2. 수면무호흡증후군 진단기준 (ICSD-3)

임상적 양상	객관적 검사	진단
다음 중 한 가지 이상 증상, 징후 또는 연관질병에 해당: 1. 주간졸음, 개운하지 않은 수면, 피로, 또는 불면을 주관적으로 호소함 2. 수면 중 숨이 멈추거나, 막히거나, 헐떡이면서 깨어남 3. 습관적 코골이 또는 수면중 호흡방해가 관찰됨 4. 고혈압, 기분장애, 인지장애, 관상동맥질환, 뇌졸중, 울혈성 심부전, 심방세동, 또는 제2형 당뇨병이 있음	RDI (or AHI) ≥ 5	⇨ 수면무호흡증후군으로 진단
(증상, 징후, 연관질병의 유무와 상관없이)	RDI (or AHI) ≥ 15	⇨ 수면무호흡증후군으로 진단

되는 지표는 다음과 같다. (1) 산소포화도 감소(desaturation, SaO2 drop > 3 or 4%) 의 횟수, (2) SaO2의 최저치, (3) 산소포화도 감소 기간 동안의 SaO2의 평균치, (4) 특정 산소포화도 미만에 머무른 시간(예를 들어 SaO2 88% 미만에 머무른 시간).

표 20-9-3. 수면무호흡증후군의 중증도(Consensus)

AHI or RDI	중증도(Severity)
< 5	정상(No OSA)
≥ 5, < 15	경미(Mild)
≥ 15, < 30	중등(Moderate)
≥ 30	심각(Severe)

* Centers for Medicare and Medicaid Services (CMS) 기준.

3 수면중 호흡 이벤트의 진단기준 (Respiratory Rules)

AASM매뉴얼에 따르면 대개의 호흡 이벤트는 '최소 10초 이상 지속'이라는 시간적 기준을 충족해야 한다. 이는 대부분의 성인이 최소 두 번 이상의 호흡을 완료할 수 있는 시간이다. 무호흡(또는 저호흡) 이벤트의 시작과 끝은 다음과 같이 정의된다. 공기흐름이 명백히 감소된 첫 번째 호흡 직전의 최저점(nadir)을 시작으로 하여, 정상으로 회복된 첫 번째 호흡의 시작점을 끝으로 한다(그림 20-9-1).

무호흡은 공기 흐름이 없는 상태를 말하는데, 공기흐

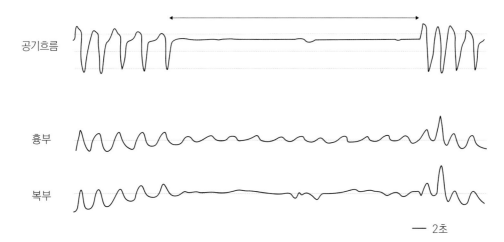

공기흐름

흉부

복부

— 2초

그림 20-9-1. 수면무호흡(또는 저호흡)의 지속시간은 공기흐름이 명백히 감소된 첫 번째 호흡 직전의 최저점(nadir)을 시작으로 하여, 정상으로 회복된 첫 번째 호흡의 시작점을 끝으로 한다.

름이 기저치 대비 90% 이상 감소한 것으로 정의된다. 이 때 사용할 채널로는 구비강 온도센서에서 측정된 공기흐름을 우선적으로 사용하도록 권고되고 있으나, 비강공기압으로 대체 가능하다. (구비강 온도센서는 공기흐름의 유무를 판별하는데 용이하고, 비강공기압을 통한 측정은 구비강 온도센서보다 예민하여 정량적으로 공기흐름의 정도를 나타낸다) 무호흡은 호흡노력의 유무에 따라 세 가지 종류로 분류된다. 공기흐름이 없는 시간 내내 ① 흡기노력이 유지 또는 증가된 경우에는 폐쇄수면무호흡증(obstructive sleep apnea, OSA), ② 흡기노력이 전혀 없는 경우에는 중추수면무호흡증(central sleep apnea, CSA), ③ 전반부에는 흡기노력이 없다가

후반부에 흡기노력이 재개되는 경우는 혼합수면무호흡증(mixed sleep apnea, MSA)이다(그림 20-9-2).

무호흡은 기준이 비교적 분명하여 혼동의 여지가 적은 반면, 저호흡은 여러 가지 진단기준이 통용되고 있어 표준화하기 위한 노력이 지속되어왔다. 2012년 개정된 AASM 매뉴얼에 따르면 성인의 저호흡은 공기흐름 감소 수준이 기저치 대비 30% 이상 이어야 하며, 동반으로 3% 이상 산소포화도 감소 또는 각성이 있어야 한다. 이 기준은 저호흡에 대해 마지막으로 개정이 이루어진 2014년 매뉴얼에서도 '권장' 수준으로 제시되고 있다. 표 20-9-4에는 그 외 사용되고 있는 저호흡 진단기준들을 함께 담았다. 어느 진단기준을 사용하는지에 따라

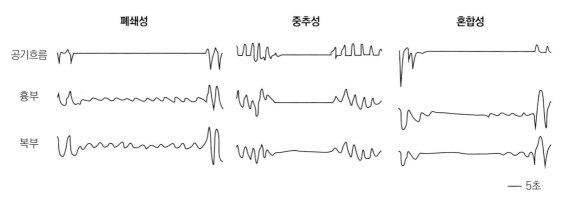

— 5초

그림 20-9-2. **수면무호흡은 호흡노력의 유무에 따라 세 가지 종류로 분류된다. 무호흡 기간동안 호흡노력이 있다면 폐쇄성, 호흡노력이 전혀 없다면 중추성, 호흡노력이 없다가 후반부에 재개되는 경우는 혼합성이다.**

표 20-9-4. 저호흡 진단기준

버전	진단기준			
	기준	종류	공기흐름 감소 기준(10초 이상)	동반상태
1999	둘 중 하나	AHI_Chicago	> 50%	-
			≤ 50%	> 3% 산소포화도 감소 또는 각성
2007	A(권장)	AHI_2007Rec	≥ 30%	≥ 4% 산소포화도 감소
	B(대체)	AHI_2007Alt	≥ 50%	≥ 3% 산소포화도 감소 또는 각성
2012	단일기준	AHI_2012	≥ 30%	≥ 3% 산소포화도 감소 또는 각성
2014	1A(권장)	AHI_2014Rec	≥ 30%	≥ 3% 산소포화도 감소 또는 각성
	1B(허용)	AHI_2014Acc	≥ 30%	≥ 4% 산소포화도 감소

*AHI_2014Rec 는 AHI_2012 를 그대로 유지했으며, AHI_2014Acc 는 AHI_2007Rec 와 동일하다.
*AHI_2014 에서 유의할 점은 동반상태에서 "각성"은 A에만 포함되고 B에는 포함되지 않는다.
Rec, recommended; Alt, alternative; Acc, acceptable

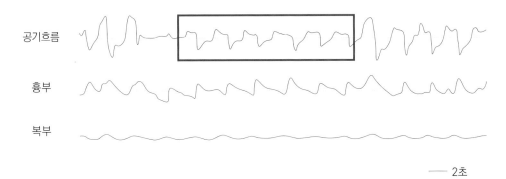

그림 20-9-3. RERA: 공기흐름 파형의 꼭지점이 편평해진 것을 볼 수 있다

AHI가 달라질 수 있고 AHI를 기반으로 하는 수면무호흡증후군의 진단여부가 바뀔 수 있다. 예를 들어 AHI-Chicago(1999)를 이용했을 때는 수면무호흡증후군으로 진단받았던 사람이, AHI2007Rec을 기준으로 사용했을 때는 정상으로 진단될 수 있으며, 따라서 사용한 기준에 따라 수면무호흡증후군의 유병률도 영향 받을 수 있다. 연구 결과 해석 시에도 근거한 저호흡 진단기준은 중요한 요소이며, 때문에 진단기준을 연구방법에 반드시 명시하도록 권고하고 있다.

기타 호흡 이벤트로는 호흡노력관련각성(RERA), 저환기, 체인-스토크스 호흡(Cheyne-Stokes respiration, CSR) 등이 있다. RERA는 증가된 호흡노력 또는 편평해진 비강공기압 파형이 각성(arousal)으로 이어지는 호흡 양상이 10초 이상 관찰될 때 판독한다. 또한 이는 무호흡 또는 저호흡의 기준에는 충족하지 않아야 한다(그림 20-9-3).

저환기는 이산화탄소 분압을 기준으로 정의되는데, 표 20-9-1에서 언급한 것처럼 동맥혈 이산화탄소 분압($PaCO_2$)을 사용하거나, 이를 가늠할 수 있는 호기말 이산화탄소 분압($EtCO_2$)이나 경피적 이산화탄소 분압($TcCO_2$)으로 대신할 수 있다. 다음 두 가지 기준 중 하나를 만족하는 상태가 10분 이상 지속되면 저환기로 판독한다. ① 이산화탄소 분압이 55 mmHg를 초과 또는 ② 50 mmHg를 초과하면서 기저치보다 10 mmHg 증가한 상태. 여기서 기저치란 환자가 깨어있는 상태에서

반듯이 누워있을 때의 이산화탄소 분압이다.

체인-스토크스 호흡은 중추성 무호흡(공기흐름과 호흡노력이 모두 없는 상태)가 선행되고, 뒤따라 호흡이 재개될 때 과환기가 이어지며 크레센도-디크레센도(crescendo and decrescendo)양상의 호흡을 보이는 특징적인 호흡 패턴이다. 주로 심부전 환자에서 관찰되며, 나쁜 예후인자이기도 하다. 체인-스토크스 호흡은 다음 두 가지 조건을 모두 충족해야 한다. ① 크레센도-디크레센도 양상의 호흡에 의해 구분되는 중추성 무호흡(또는 저호흡)이 연달아 3회 이상 나타나며 각 사이클의 길이는 40초를 초과해야 한다. ② 시간당 5회 이상 중추성 무호흡(또는 저호흡)이 나타나야 하는데, 이는 크레센도-디크레센도 호흡과 연관되어야 하며 최소 2시간 이상의 수면 기록에 근거해야 한다. 체인-스토크스 호흡에서 무호흡-과호흡을 묶어서 하나의 사이클로 보는데, 하나의 사이클은 무호흡 또는 저호흡 단계(apnea/hypopnea phase)와 호흡 재개 단계(respiratory phase)로 구성된다. AASM 정의에 따르면 중추성 무호흡이 시작되는 지점으로부터 그 직후 이어지는 호흡 재개 단계가 끝나는 시점(이는 다음 중추성 무호흡이 시작하는 시점이기도 하다)까지가 하나의 사이클이다. 저호흡의 경우 사이클의 경계를 나누기가 더 모호할 수 있는데, 크레센도-디크레센도의 최고점을 경계로 나눈다. 즉 저호흡 직전 호흡 단계의 최고점(즉 크레센도-디크레센도의 최고점)으로부터 저호흡 직후 호흡 단계의

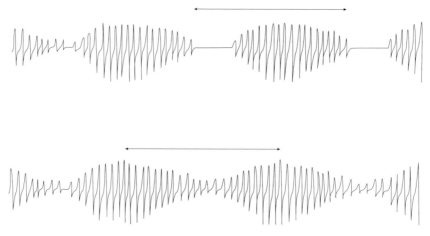

그림 20-9-4. 체인-스토크스 호흡 사이클의 정의: 위쪽은 무호흡의 경우, 아래쪽은 저호흡의 경우이다.

최고점까지를 한 사이클로 본다(그림 20-9-4).

▶ 참고문헌

- Adult Obstructive Sleep Apnea Task Force of the American Academy of Sleep Medicine. Clinical guideline for the evaluation, management and long-term care of obstructive sleep apnea in adults. J Clin Sleep Med 2009;5:263-76.
- American Academy of Sleep Medicine. Rules for scoring respiratory events in sleep: update of the 2007 AASM Manual for the Scoring of Sleep and Associated Events. Deliberations of the Sleep Apnea Definitions Task Force of the American Academy of Sleep Medicine. J Clin Sleep Med 2012;8:597-619.
- American Academy of Sleep Medicine. The AASM manual for the scoring of sleep and associated events: rules, terminology and technical specifications. Version 2.2. Darien, Illinois: American Academy of Sleep Medicine; 2015.
- Berry RB, Wagner MH. Sleep medicine pearls. 3rd ed. Philadelphia: Elsevier; 2014.
- Duce B, Milosavljevic J, Hukins C. The 2012 AASM respiratory event criteria increase the incidence of hypopneas in an adult sleep center population. J Clin Sleep Med 2015;11:1425-31.
- Kryger MH, Roth T, Dement WC. Principles and practice of sleep medicine. 5th ed. Elsevier; 2011.
- Mansukhani MP, Kolla BP, Wang Z, et al. Effect of varying definitions of hypopnea on the diagnosis and clinical outcomes of sleep-disordered breathing: a systematic review and meta-analysis. J Clin Sleep Med 2019;15:687-96.
- Ruehland WR, Rochford PD, O'Donoghue FJ, et al. The new AASM criteria for scoring hypopneas: impact on the apnea hypopnea index. Sleep 2009;32:150-7.
- Won CHJ, Qin L, Selim B, Yaggi HK. Varying hypopnea definitions affect obstructive sleep apnea severity classification and association with cardiovascular disease. J Clin Sleep Med 2018;14:1987-94.

II 이동식 수면검사

최지호

폐쇄수면무호흡증(obstructive sleep apnea, OSA)은 수면 중 비강, 인두, 후두 등을 포함한 상기도가 반복적으로 부분적 또는 완전히 협착되는 것을 특징으로 하는 질환으로 유병률은 남성의 4–5%, 여성의 2–3% 정도로 보고되고 있다. 폐쇄수면무호흡증은 주간과다수면, 삶의 질 저하, 아침두통, 집중력 저하, 기억력 장애, 성기능 장애 등 다양한 증상을 유발할 수 있으며 진단되지 않고 지속되는 경우 고혈압, 심근경색, 협심증, 부정맥, 당뇨, 뇌졸중 등 치명적인 합병증이 발생할 수 있다. 실제 임상에서 가장 중요한 문제는 많은 폐쇄수면무호흡증 환자가 진단되지 않고 있다는 사실인데, 한 연구에 따르면 중등도–중증(moderate to severe) 폐쇄수면무호흡증이 있는 남성의 82%, 여성의 93%에서 임상적으로 진단되지 않고 있었다. 폐쇄수면무호흡증 여부를 확인하고 폐쇄수면무호흡증의 중증도를 판단하려면 수면 중 생체신호를 지속적으로 모니터링하기 위한 수면검사(sleep test)가 권장된다. 수면검사는 검사실과 검사자의 유무, 측정 가능한 생체신호의 종류와 개수 등에 기초하여 4가지 level로 분류할 수 있는데, 검사실에서 검사기간동안 검사자가 관찰하면서 진행하는 level 1 수면검사를 수면다원검사(polysomnography)라고 하며 폐쇄수면무호흡증 진단을 위한 표준방법(gold stan-dard)으로 시행하고 있다. 하지만 수면다원검사는 상대적으로 비싼 비용, 수많은 생체신호 측정센서 부착으로 인한 불편함, 검사까지 긴 대기 시간, 집이 아닌 검사실에서 하룻밤을 자야 하는 불편함, 검사실이 없는 일부 지역에서는 검사가 불가함 등 여러 가지 단점이나 한계가 있다(표 20-9-5). 반면 이동형수면검사(portable sleep test)는 집에서 편하게 검사 받을 수 있는 장점이 있을 뿐만 아니라 미국, 영국, 프랑스, 스페인 등 여러 국가의 검사 비용 비교에 따르면 수면다원검사보다 적게는 35%에서 많게는 88%까지 비용 부담이 적은 것으로 조사되었다. 따라서, 폐쇄수면무호흡증 진단을 위한 다양한 이동형수면검사가 수면다원검사의 대안으로 개발되어 왔으며 그 타당성을 평가하기 위한 연구들이 진행되어 왔다. 아울러, 2014년 발간된 국제수면장애분류 3판(International Classification of Sleep Disorders–Third Edition, ICSD–3)의 폐쇄수면무호흡증 진단 기준을 보면 기존의 수면다원검사(level 1) 결과뿐만 아니라 이동형수면검사 결과도 폐쇄수면무호흡증 진단 근거로 사용될 수 있도록 개정되어 더욱 이동형수면검사의 개발 및 연구 활성화에 긍정적인 영향을 미치고 있는 상황이다.

표 20-9-5. 이동형수면검사와 수면다원검사의 장단점 비교

	이동형수면검사	수면다원검사
장점	비용 부담이 적음 가정에서 검사하므로 평소 상태를 평가 가능 상대적으로 검사가 용이하며 편안함 검사 대기 시간이 짧음	표준 검사로 정확도 및 신뢰도 높음 검사실에서 검사하므로 문제 발생시 즉시 대처 가능 데이터 손상 및 누락 가능성 낮음 동반 수면장애 감별 가능
단점	데이터 손상 및 누락 가능성 무호흡-저호흡지수가 낮게 평가될 가능성 민감도와 특이도가 상대적으로 낮음 동반 수면장애 감별 어려움	비용 부담이 높음 낯선 환경(검사실)과 많은 센서 부착으로 불편함 검사까지 긴 대기 시간 검사실이 없는 일부 지역에서는 검사가 불가능

1 적응증 및 임상진료지침

이동형수면검사에 관한 임상진료지침(practice parameter) 또는 임상가이드라인(clinical guideline)은 1994년부터 현재까지 미국을 중심으로 활발하게 발표되어 왔다. 2007년 미국수면의학회(American Academy of Sleep Medicine, AASM)에서 발표한 임상가이드라인에 따르면 폐쇄수면무호흡증 진단을 위한 이동형수면호흡검사는 자격을 갖춘 의사의 감독하에 종합적인 수면 평가(comprehensive sleep evaluation)와 함께 시행되어야 하며 아래의 적응증에 적합하게 사용할 것으로 권고하고 있다.

첫째, 이동형수면검사는 중등도-중증 폐쇄수면무호흡증이 있을 가능성이 높은 환자에서 폐쇄수면무호흡증 진단을 위한 수면다원검사의 대안으로 사용될 수 있다.

둘째, 이동형수면검사는 중등도-중증의 폐질환(moderate to severe pulmonary disease), 신경근 질환(neuromuscular disease), 울혈성 심부전(congestive heart failure) 등을 비롯하여 검사의 정확도를 저하시킬 수 있는 심각한 동반 질환이 있는 환자의 폐쇄수면무호흡증 진단에는 적합하지 않다.

셋째, 이동형수면검사는 중추수면무호흡증(central sleep apnea), 주기사지운동장애(periodic limb movement disorder, PLMD), 불면증, 사건수면(parasom-nias), 하루주기리듬장애(circadian rhythm disorders), 기면병 등을 포함한 다른 수면장애가 의심되는 환자의 폐쇄수면무호흡증 진단에는 적합하지 않다.

넷째, 이동형수면검사는 무증상 인구의 일반적인 선별 검사에는 적합하지 않다.

다섯째, 이동형수면검사는 거동이 어려움, 안전상 문제, 중병 등으로 인해 검사실에서 시행하는 수면다원검사가 불가능한 환자의 폐쇄수면무호흡증 진단에 사용할 수 있다.

여섯째, 이동형수면검사는 구강 내 장치(oral appliance), 상기도 수술(upper airway surgery), 체중 감소 등을 포함한 비양압기(non-CPAP) 치료에 대한 반응을 모니터링하기 위해 사용될 수 있다.

2 분류 및 장비

수면검사는 일정 조건을 갖춘 검사실과 검사기간동안 직접 관찰하며 필요시 개입할 수 있는 검사자 유무와 생체신호 측정항목의 종류와 개수 등에 따라 4가지 level로 분류할 수 있다(표 20-9-6). Level 1인 수면다원검사는 검사실에서 최소 7개(EEG, EOG, 하악근전도, ECG, airflow, respiratory effort, oximetry) 이상 생체신호를 측정하며 검사기간동안 검사자가 관찰하며 필요시 개입할 수 있는 폐쇄수면무호흡증 진단을 위한 표준

표 20-9-6. 수면검사 분류

	Level 1 Standard polysomnog-raphy	Level 2 Comprehensive porta-ble polysomnography	Level 3 Modified portable apnea testing	Level 4 Continuous single or dual parameter recording
측정항목	최소 7개 이상: EEG, EOG, 하악근전도, ECG, airflow, respiratory effort, oximetry(보통 12-16개)	최소 7개 이상: EEG, EOG, 하악근전도, ECG, airflow, respiratory effort, oximetry	최소 4개 이상: ventilation (airflow, respiratory effort), HR (ECG), oximetry (보통 4-7개)	최소 1개 이상: 대개 oximetry 또는 airflow(보통 1-3개)
체위	O (기록되거나 객관적으로 측정)	객관적으로 측정 가능	객관적으로 측정 가능	X (측정 안됨)
다리움직임	EMG 또는 motion sensor(선택사항)	EMG 또는 motion sensor(선택사항)	측정 가능	X (측정 안됨)
검사자 관찰 및 개입	O (개입 가능)	X (안됨)	X (안됨)	X (안됨)

EEG = electroencephalography, EOG = electrooculography, EMG = electromyography, ECG = electrocardiography

표 20-9-7. 상업용 이동형수면검사 장비

장비	제조사	연구자(년도)	민감도	특이도
ApneaLink	ResMed	Wang et al. (2003)	100%	88%
Stardust II	Philips Respironics	Santos-Silva et al. (2009)	93% (AHI ≥ 5) 77% (AHI ≥ 30)	59% (AHI ≥ 5) 93% (AHI ≥ 30)
Embletta	Natus	Alymow et al. (1999)	97%	93%
Watch-PAT	Itamar Medical	Pittman et al. (2004)	91%	86%
Somnocheck	Weinmann	Tonelli de Oliveria et al. (2009)	96%	65%

AHI = apnea-hypopnea index

방법(gold standard)이다. Level 2는 level 1과 생체신호 측정 측면에서는 모두 같지만 검사기간동안 검사자가 없으므로 검사자의 관찰 및 개입이 불가능하다. Level 3는 최소 4개[ventilation (airflow, respiratory effort), HR 또는 ECG, oximetry] 이상 생체신호를 측정하며 level 4는 최소 1개(보통 oximetry 또는 airflow) 이상 생체신호를 측정하는 검사로 level 3, 4 모두 일반적으로 검사자 없이 집에서 검사하므로 검사자의 관찰 및 개입이 불가능하다.

현재 전세계적으로 다양한 이동형수면검사 장비들이 폐쇄수면무호흡증 진단을 위해 사용되고 있으며 국내에서도 여러 이동형수면검사 장비들이 사용되고 있다(표 20-9-7). 이동형수면검사 장비들은 일반적으로 '호흡 흐름 그리고/또는 노력 항목들(respiratory flow and/or effort parameters)을 활용한 검사 방식'과 '말초 동맥압 측정(peripheral arterial Tonometry, PAT)을 활용한 검사 방식'을 이용한 장비들로 분류할 수 있는데 전자에는 ApneaLink (ResMed), Stardust II (Philips Respironics), Embletta (Natus), Somnocheck (Weinmann) 장비들이 속하며, 후자에는 Watch-PAT (Itamar Medical) 장비가 속한다. 이러한 각각의 이동형수면검사 장비들의 폐쇄수면무호흡증에 대한 진단 능력을 평가하기 위해 타당성 또는 유용성 검사들이 진행되어 왔으며 의학 및 공학 기술의 발달로 인해 점점 그 성능이 향상되고 있다.

3 판독

이동형수면검사의 결과 보고 양식과 판독 규칙은 수면다원검사(level 1)와 마찬가지로 미국수면의학회에서 발간한 최신 판독 매뉴얼(The AASM manual for the Scoring of Sleep and Associated Event, Version 2.6)을 참조하며, 앞서 언급한 '호흡 흐름 그리고/또는 노력 항목들(respiratory flow and/or effort parameters)을 활용한 검사 방식'과 '말초 동맥압 측정(peripheral arterial Tonometry, PAT)을 활용한 검사 방식'으로 구분된다(표 20-9-8, 9).

표 20-9-8. 호흡 흐름 그리고/또는 노력 항목들을 활용한 이동형수면검사 결과 보고 및 판독 규칙

1. 보고되는 일반적인 항목들(General parameters to be reported)	
1) 장비 종류(Type of device)	권장(Recommended)
2) 기류 센서의 종류(Type of airflow sensor)	권장(Recommended)
3) 호흡노력 센서의 종류(Type of respiratory effort sensor [single or dual])	권장(Recommended)
4) 산소포화도(Oxygen saturation)	권장(Recommended)
5) 심박수[Heart rate (ECG or derived from oximeter)]	권장(Recommended)
6) 신체 자세(Body position)	선택(Optional)
7) 수면/각성 또는 모니터링 시간(측정방법) [Sleep/wake or monitoring time (Method of determination)]	선택(Optional)
8) 코골이(Acoustic or piezoelectric sensor or signal derived from nasal pressure sensor)	선택(Optional)
2. 수면이 측정되지 않은 경우 보고되는 기록 데이터(Recording data to be reported if sleep is not recorded)	
1) 기록 시작시간(시간: 분)	권장(Recommended)
2) 기록 종료시간(시간: 분)	권장(Recommended)
3) 총 기록시간(분) (각성과 artifact포함)	권장(Recommended)
4) 모니터링 시간(Monitoring time, MT) (분) [호흡사건 지수(Respiratory event index)를 계산하기 위해 사용되는 시간]	권장(Recommended)
5) 심박수(평균, 최고, 최저)	권장(Recommended)
6) 호흡사건(Respiratory event) 수	권장(Recommended)
6a) 무호흡 수	권장(Recommended)
6b) 저호흡 수	권장(Recommended)
6c) 폐쇄성, 중추성, 혼합성 무호흡 수	선택(Optional)
7) 호흡사건 지수(Respiratory event index, REI) = [(무호흡 수 + 저호흡 수) x 60] / 모니터링 시간(분)	권장(Recommended)
8) 바로누운 자세(Supine position)와 그외 자세(Non-supine position)에서의 호흡사건 지수	선택(Optional)

9) 중추성 무호흡 지수(Central apnea index, CAI)= (중추성 무호흡 수) x 60 / 총 모니터링 시간(분)	선택(Optional)
10) 산소포화도 측정(다음 3개 항목 중 한 개)	권장(Recommended)

10a) 산소 불포화 지수(Oxygen desaturation index, ODI) 3% 또는 4% 이상
        = (3% 또는 4% 이상 산소 불포화 수 x 60) / 모니터링 시간(분)[3% 또는 4% 이상 불포화 측정 중
        어떤 기준인지 구체적으로 명시]	

10b) 동맥 산소포화도(평균값, 최대값, 최저값)	
10c) 동맥 산소포화도가 88% 이하 또는 다른 한계값(Threshold) 이하인 시간	
11) 코골이 발생(기록된 경우)	선택(Optional)

3. 수면이 측정된 경우 보고되는 기록 데이터(Recording data to be reported if sleep is recorded)

1) 기록 시작시간(시간: 분)	권장(Recommended)
2) 기록 종료시간(시간: 분)	권장(Recommended)
3) 총 기록시간(분)(각성과 artifact포함)	권장(Recommended)
4) 총수면시간(분)	권장(Recommended)
5) 심박수(평균, 최고, 최저)	권장(Recommended)
6) 호흡사건(Respiratory event) 수	권장(Recommended)
6a) 무호흡 수	권장(Recommended)
6b) 저호흡 수	권장(Recommended)
6c) 폐쇄성, 중추성, 혼합성 무호흡 수	선택(Optional)
7) 무호흡-저호흡지수(Apnea-hypopnea index, AHI) = [(무호흡 수 + 저호흡 수) x 60] / 총수면시간(분)	권장(Recommended)
8) 바로누운 자세(Supine position)와 그외 자세(Non-supine position)에서의 무호흡-저호흡지수	선택(Optional)
9) 중추성 무호흡 지수(Central apnea index, CAI)= (중추성 무호흡 수) x 60 / 총수면시간(분)	선택(Optional)
10) 산소포화도 측정(다음 3개 항목 중 한 개)	권장(Recommended)

10a) 산소 불포화 지수(Oxygen desaturation index, ODI) 3% 또는 4% 이상
        = (3% 또는 4% 이상 산소 불포화 수 x 60) / 총수면시간(분)[3% 또는 4% 이상 불포화 측정 중
        어떤 기준인지 구체적으로 명시]	

10b) 동맥 산소포화도(평균값, 최대값, 최저값)	
10c) 동맥 산소포화도가 88% 이하 또는 다른 한계값(Threshold) 이하인 시간	
11) 코골이 발생(기록된 경우)	선택(Optional)

4. 요약 보고서(Summary statements)

1) 검사일/판독일	권장(Recommended)
2) 검사의 기술적 적절성(수면센터의 정책 및 절차에 의해 정의됨)	권장(Recommended)
2a) 기술적 실패에 의한 반복 검사를 기록	권장(Recommended)
2b) 검사의 제한점	권장(Recommended)
3) 호흡사건 지수(REI)[모니터링 시간 기준] 또는 무호흡-저호흡지수(AHI)[수면이 측정된 경우] 판독	권장(Recommended)
4) 코골이 발생	선택(Optional)

5) 판독	권장(Recommended)
5a) 검사는 폐쇄수면무호흡증의 진단 여부를 지원함	권장(Recommended)
5b) 진단의 심각도를 서술함(해당되는 경우)	권장(Recommended)
5c) 진단되지 않은 경우, 검사실에서 시행하는 수면다원검사를 권고함(임상적으로 적응이 되는 경우)	권장(Recommended)
6) 판독 의사의 정자체 이름과 서명[원자료(Raw data)의 검토 확인]	권장[Recommended)
7) 미국수면의학회(AASM)의 임상진료지침(Clinical practice guidelines and practice parameters)을 충족시키는 치료 권장사항	권장(Recommended)
8) 관리 연속성(해당되는 경우)	선택(Optional)

5. 무호흡 판독 규칙

1) 다음 2가지 기준이 충족될 때 무호흡으로 판독한다.
  (1) 호흡센서(권장 혹은 대체)의 최대 진폭이 기준치(Pre-event baseline)의 90% 이상 감소한 경우
  (2) 센서의 신호가 90% 이상 감소한 기간이 10초 이상인 경우
	권장(Recommended)

2) 무호흡 기준을 만족하고 기류가 없는 전체 기간에서 흡기 노력이 지속되거나 증가되는 경우 폐쇄성 무호흡(Obstructive apnea)으로 판독한다.	권장(Recommended)
3) 무호흡 기준을 만족하고 기류가 없는 전체 기간에서 흡기 노력이 없는 경우 중추성 무호흡(Central apnea)으로 판독한다.	권장(Recommended)
4) 무호흡 기준을 만족하고 초기에는 흡기 노력이 없다가 이후 흡기 노력이 재개(Resumption)된 경우 혼합성 무호흡(Mixed apnea)으로 판독한다.	권장(Recommended)

6. 저호흡 판독 규칙
(결과 보고서에 저호흡 판독 기준을 구체적으로 명시해야 함)

1A) 수면이 측정되지 않은 경우, 다음 기준을 모두 충족할 때 저호흡으로 판독한다.
  (1) 호흡센서(권장 혹은 대체)의 최대 진폭이 기준치(Pre-event baseline)의 30% 이상 감소한 경우
  (2) 센서의 신호가 30% 이상 감소한 기간이 10초 이상인 경우
  (3) 기준치(Pre-event baseline)보다 산소포화도가 3% 이상 감소한 경우
	권장(Recommended)

1B) 수면이 측정되지 않은 경우, 다음 기준을 모두 충족할 때 저호흡으로 판독한다.
  (1) 호흡센서(권장 혹은 대체)의 최대 진폭이 기준치(Pre-event baseline)의 30% 이상 감소한 경우
  (2) 센서의 신호가 30% 이상 감소한 기간이 10초 이상인 경우
  (3) 기준치(Pre-event baseline)보다 산소포화도가 4% 이상 감소한 경우
	허용가능(Acceptable)

2A) 수면이 측정된 경우, 다음 기준을 모두 충족할 때 저호흡으로 판독한다.
  (1) 호흡센서(권장 혹은 대체)의 최대 진폭이 기준치(Pre-event baseline)의 30% 이상 감소한 경우
  (2) 센서의 신호가 30% 이상 감소한 기간이 10초 이상인 경우
  (3) 기준치(Pre-event baseline)보다 산소포화도가 3% 이상 감소한 경우 또는 각성과 연관된 경우
	권장(Recommended)

2B) (1) 호흡센서(권장 혹은 대체)의 최대 진폭이 기준치(Pre-event baseline)의 30% 이상 감소한 경우
  (2) 센서의 신호가 30% 이상 감소한 기간이 10초 이상인 경우
  (3) 기준치(Pre-event baseline)보다 산소포화도가 4% 이상 감소한 경우
	허용가능(Acceptable)

표 20-9-9. 말초 동맥압 측정을 활용한 이동형수면검사 결과 보고

1. 보고되는 일반적인 항목들(General parameters to be reported)	
1) 장비 종류(Type of device)	권장(Recommended)
2) 수면/각성과 REM시간 추정치(Sleep/wake and REM time estimates)	권장(Recommended)
3) 기류/노력 대체(말초 동맥압) 신호[Airflow/effort surrogate (peripheral arterial tone) signals]	권장(Recommended)
4) 산소포화도(Oxygen saturation)	권장(Recommended)
5) 심박수(Heart rate)	권장(Recommended)
6) 코골이 발생(기록되는 경우) [Occurrence of snoring (if recorded)]	선택(Optional)
7) 신체 자세(기록되는 경우) [Body position (if recorded)]	선택(Optional)
2. 보고되는 기록 데이터(Recording data to be reported)	
1) 기록 시작시간(시간: 분)	권장(Recommended)
2) 기록 종료시간(시간: 분)	권장(Recommended)
3) 총 기록기간(Duration of recording) (시간: 분) [총 기록시간(TRT)]	권장(Recommended)
4) 추정된 수면시간(분)(Estimated sleep time)	권장(Recommended)
4a) 렘수면, 깊은 수면(Deep sleep), 얕은 수면(Light sleep)에 대한 추정된 %	
5) 심박수(평균, 최고, 최저)	권장(Recommended)
6) 호흡사건 지수[호흡사건 지수를 대체해서 말초 동맥압 측정 무호흡–저호흡지수(Peripheral arterial tonometry AHI, pAHI)를 사용]	권장(Recommended)
7) 산소 불포화 지수(Oxygen desaturation index, ODI) 4% 이상 = (4% 이상 산소 불포화 수 x 60) / 모니터링 시간(분)	권장(Recommended)
3. 요약 보고서(Summary statements)	
1) 검사일/판독일	권장(Recommended)
2) 검사의 기술적 적절성(수면센터의 정책 및 절차에 의해 정의됨)	권장(Recommended)
2a) 기술적 실패에 의한 반복 검사를 기록	권장(Recommended)
2b) 검사의 제한점	권장(Recommended)
3) 추정된 수면시간 판독	권장(Recommended)
4) 코골이 발생	선택(Optional)
5) 판독	권장(Recommended)
5a) 검사는 폐쇄수면무호흡증의 진단 여부를 지원함	권장(Recommended)
5b) 진단의 심각도를 서술함(해당되는 경우)	권장(Recommended)
5c) 진단되지 않은 경우, 검사실에서 시행하는 수면다원검사를 권고함(임상적으로 적응이 되는 경우)	권장(Recommended)
6) 판독 의사의 정자체 이름과 서명[원자료(Raw data)의 검토 확인]	권장(Recommended)
7) 미국수면의학회(AASM)의 임상진료지침(Clinical practice guidelines and practice parameters)을 충족시키는 치료 권장사항	권장(Recommended)
8) 관리 연속성(해당되는 경우)	선택(Optional)

4 정확성

폐쇄수면무호흡증에 대한 level 3 이동형수면검사의 진단 정확성을 평가한 문헌들을 종합해 봤을 때, 수면다원검사 결과 Apnea-Hypopnea Index (AHI) ≥ 5를 기준으로 한 경우에서의 민감도, 특이도, Area Under the Curve (AUC)는 각각 87-96%, 60-76%, 89-96%로, AHI ≥ 15를 기준으로 한 경우에서의 민감도, 특이도, AUC는 각각 49-92%, 79-95%, 85-97%로, AHI ≥ 30을 기준으로 한 경우에서의 민감도, 특이도, AUC는 각각 50-97%, 90-93%, 86-99%로 조사되었다(표 20-9-10).

한편, 말초 동맥압 측정(peripheral arterial Tonometry, PAT)을 활용한 이동형수면검사와 수면다원검사(level 1)와의 상관관계를 분석한 문헌들을 종합해 봤을 때, Respiratory Disturbance Index (RDI)는 상관계수가 0.879 (95% CI, 0.849-0.904; P < .001)로, AHI는 상관계수가 0.893(95% CI, 0.857-0.920; P < .001)로, Oxygen Desaturation Index (ODI)는 상관계수가 r = 0.942(95% CI, 0.894-0.969; P < .001)로 조사되었다(표 20-9-11).

폐쇄수면무호흡증을 진단하기 위한 표준 검사는 수면다원검사(level 1)임에도 불구하고 여러 가지 수면다원검사의 단점이나 제한점 때문에 지금까지 이동형수면호흡검사에 대한 개발 및 연구는 활발하게 진행되어 왔다. 현재 이동형수면검사는 심각한 동반 질환이나 다른 수면장애 없이 중등도-중증 폐쇄수면무호흡증이 있을 가능성이 높은 환자를 대상으로 폐쇄수면무호흡증 진단을 위해 사용되고 있다. 본문에서 다룬 이동형수면다

표 20-9-10. 이동형수면검사의 정확도 분석

	수면다원검사 AHI ≥ 5			수면다원검사 AHI ≥ 15			수면다원검사 AHI ≥ 30		
	민감도	특이도	AUC	민감도	특이도	AUC	민감도	특이도	AUC
Level 2 3개 연구 (n=160)	88-96%	50-84%	86-90%	85-94%	77-95%	89-94%	64-86%	98-100%	85%
Level 3 21개 연구 (n=1691)	87-96%	60-76%	89-96%	49-92%	79-95%	85-97%	50-97%	90-93%	86-99%
Level 4 81개 연구 (n=8231)	65-100%	35-100%	NR (11개 연구 59-94%)	7-100%	15-100%	NR (11개 연구 89-96%)	NR (11개 연구 59-100%)	NR (11개 연구 71-100%)	NR (11개 연구 73-95%)

AHI = apnea-hypopnea index, AUC = area under the curve, NR = not reported

표 20-9-11. 말초 동맥압 측정을 활용한 이동형수면검사와 수면다원검사간의 상관관계 분석

	수면다원검사		
	RDI	AHI	ODI
말초 동맥압 측정을 활용한 이동형수면검사	r = 0.879 (95% CI, 0.849-0.904; P < .001) 14개 연구	r = 0.893 (95% CI, 0.857-0.920; P < .001) 13개 연구	r = 0.942 (95% CI, 0.894-0.969; P < .001) 5개 연구

RDI = respiratory disturbance index, AHI = apnea-hypopnea index, ODI = oxygen desaturation index, CI = confidence interval

원검사에 대한 장단점, 적응증, 분류 및 장비, 판독, 정확성 등 전반적인 내용들을 파악하고 적절히 사용한다면 폐쇄수면무호흡증 환자 진료에 많은 도움이 될 것으로 사료된다.

▶ 참고문헌

- Alymow G, Topfer V, El-Sebai M, et al. Comparison of a portable respiratory-only polygram with simultaneous polysomnography. Poster 659 presented at the international sleep meeting. Sydney, Australia Circa: 1999.
- American Academy of Sleep Medicine. International classification of sleep disorders. 3rd ed. Darien, IL: American Academy of Sleep Medicine; 2014.
- American Sleep Disorders Association Report. Standards of Practice Committee. Practice parameters for the use of portable recording in the assessment of obstructive sleep apnea. Sleep 1994;17:372-7.
- American Sleep Disorders Association Report. Standards of Practice Committee. Practice parameters for the indications for polysomnography and related procedures. Sleep 1997;20:406-22.
- Berry RB, Quan SF, Abreu AR, et al. The AASM manual for the scoring of sleep and associated events: rules, terminology and technical specifications. Version 2.6. Darien, IL: American Academy of Sleep Medicine; 2020.
- Caples SM, Anderson WM, Calero K, et al. Use of polysomnography and home sleep apnea tests for the longitudinal management of obstructive sleep apnea in adults: an American academy of sleep medicine clinical guidance statement. J Clin Sleep Med 2021;17:1287-93.
- Chesson AL Jr, Berry RB, Pack A. Practice parameters for the use of portable monitoring devices in the investigation of suspected obstructive sleep apnea in adults. Sleep 2003;26:907-13.
- Collop NA, Anderson WM, Boehlecke B, et al. Portable monitoring task force of the American academy of sleep medicine. J Clin Sleep Med 2007;3:737-47.
- Collop NA, Tracy SL, Kapur V, et al. Obstructive sleep apnea devices for out-of-center (OOC) testing: technology evaluation. J Clin Sleep Med 2011;7:531-48.
- El Shayeb M, Topfer LA, Stafinski T, et al. Diagnostic accuracy of level 3 portable sleep tests versus level 1 polysomnography for sleep-disordered breathing: a systematic review and meta-analysis. CMAJ 2014;186:E25-51.
- Ghegan MD, Angelos PC, Stonebraker AC, et al. Laboratory versus portable sleep studies: a meta-analysis. Laryngoscope 2006;116:859-64.
- Jonas DE, Amick HR, Feltner C, et al. Screening for obstructive sleep apnea in adults: evidence report and systematic review for the US preventive services task force. JAMA 2017;317:415-33.
- Kapur VK, Auckley DH, Chowdhuri S, et al. Clinical practice guideline for diagnostic testing for adult obstructive sleep apnea: an American academy of sleep medicine clinical practice guideline. J Clin Sleep Med 2017;13:479-504.
- Kim J, In K, Kim J, et al. Prevalence of sleep-disordered breathing in middle-aged Korean men and women. Am J Respir Crit Care Med 2004;170:1108-13.
- Pittman SD, Ayas NT, MacDonald MM, et al. Using a wrist-worn device based on peripheral arterial tonometry to diagnose obstructive sleep apnea: in-laboratory and ambulatory validation. Sleep 2004;27:923-33.
- Rosen IM, Kirsch DB, Carden KA, et al. Clinical use of a home sleep apnea test: an updated American academy of sleep medicine position statement. J Clin Sleep Med 2018;14:2075-7.
- Santos-Silva R, Sartori DE, Truksinas V, et al. Validation of a portable monitoring system for the diagnosis of obstructive sleep apnea syndrome. Sleep 2009;32:629-36.
- Tonelli de Oliveira AC, Martinez D, Vasconcelos LF, et al. Diagnosis of obstructive sleep apnea syndrome and its outcomes with home portable monitoring. Chest 2009;135:330-6.
- Wang Y, Teschler T, Weinreich G, et al. Validation of microMESAM as screening device for sleep disordered breathing. Pneumologie 2003;57:734-40.
- Yalamanchali S, Farajian V, Hamilton C, et al. Diagnosis of obstructive sleep apnea by peripheral arterial tonometry: meta-analysis. JAMA Otolaryngol Head Neck Surg 2013;139:1343-50.
- Young T, Evans L, Finn L, et al. Estimation of the clinically diagnosed proportion of sleep apnea syndrome in middle-aged men and women. Sleep 1997;20:705-6.
- Young T, Palta M, Dempsey J, et al. The occurrence of SDB among middle-aged adults. N Engl J Med 1993;328:1230-5.

I 체중 조절과 자세 치료

조재훈

1 체중 조절

비만은 수면무호흡증후군의 가장 중요한 위험인자로 체중이 증가함에 따라 수면무호흡증후군의 발생률이 증가하는데, 특히 동양인은 백인에 비해 비만의 영향을 더 많이 받는 것으로 알려져 있다. 비만이 수면무호흡증후군를 유발하는 기전으로는 상기도 주변에 지방조직이 쌓이면서 상기도의 내경이 줄어 기도저항이 증가되는 현상이 가장 유력하지만, 그 외에도 기도 확장근들이 약화되어 쉽게 기도가 함몰되는 현상, 흉곽의 확장성(compliance) 감소 및 복부비만으로 인한 횡경막 운동 제한으로 폐활량이 줄어들어 결국 상기도 개방성이 저하되는 현상도 주요한 기전이라 생각된다.

또한 수면무호흡증후군과 관련성이 높다고 알려진 심혈관계질환, 대사질환 등의 합병증은 비만과도 밀접한 관련이 있다. 수면무호흡증후군 환자들의 주요 특징인 저호흡과 과호흡이 반복되는 과정에서 다량의 활성산소가 생성되고 이로 인해 2차적으로 염증물질이 발생하여 다양한 합병증이 발생하는데, 비만한 수면무호흡증후군 환자들의 경우 이러한 과정과 별개로 복부 지방세포에서 leptin, IL-6, TNF-α, angiotensinogen, plasminogen activator inhibitor-1, TGF-β, adiponectin 등의 염증물질이 직접 방출되어 합병증 발생을 더욱 가속화시키는 것으로 추정된다.

따라서, 과체중이거나 비만인 수면무호흡증후군 환자의 치료에는 체중 조절이 반드시 포함되어야 한다. 체중 조절은 수면무호흡증후군 환자에서 무호흡, 저호흡을 줄이고 산소포화도, 수면분절과 주간과다수면 등을 호전시킨다. 한 연구에 의하면 체중의 9-18%를 감량하면, Apnea-Hypopnea Index (AHI)가 30-75% 감소하였고, 또 다른 연구에서는 10% 체중 조절을 하면 AHI가 26% 감소하였다. 13개의 무작위 대조군 연구를 포함하여 총 35개 연구를 분석한 메타분석에서도 체중 조절은 수면무호흡증후군 환자에서 AHI, 산소포화도, 주간과다수면 등을 통계적으로 매우 의미 있게 호전시켰다. 하지만, 체중 조절의 효과는 성별, 수면무호흡증후군의 심각도 등에 따라 차이가 상당히 크다. 또한, 양압기를 사용하는 경우에도 체중 조절은 도움이 되는데, 한 무작위 대조군 연구에서 양압기만 착용한 경우보다 양압기 착용과 체중 조절을 병행한 경우 혈압을 더욱 감소시켰다고 보고하였다.

1) 비만 정도의 측정

비만 정도를 객관적으로 측정하는 것은 수면무호흡

증후군 환자의 현재 상태를 정확히 파악하는 것뿐만 아니고 이후 체중 변화의 정도를 측정하는 데도 필수적이다. 가장 널리 사용되는 지표는 몸무게를 키의 제곱으로 나눈 체질량지수로 비만의 정도를 판단하는 기준이 된다. 체질량지수는 체지방의 양을 반영하며 여러 질병의 발생 위험도와도 관련성이 높다. 세계보건기구는 체질량지수 25 kg/m² 이상을 과체중, 30 kg/m² 이상을 비만이라고 정의하지만, 동양인들의 경우 근육량이 적고 내장비만과 복부비만이 흔하며 비만에 의한 합병증이 잘 발생하기 때문에 23 kg/m² 이상을 과체중, 25 kg/m² 이상을 비만이라고 간주한다. 허리둘레 또는 허리−엉덩이 비율도 중요한데 이는 수면무호흡증후군뿐만 아니라 대사장애 질환들, 당뇨병, 심혈관 질환과 같은 질환의 위험성을 예측하는 데도 도움이 된다. 한국인은 허리둘레가 남자 90 cm 이상, 여자 85 cm 이상이면 수면무호흡증후군 고위험군으로 분류된다. 목둘레 또한 중요한 지표인데 남성 43 cm, 여성 40 cm 이상이면 수면무호흡증후군 고위험군을 의미한다.

2) 환자의 치료

환자의 비만 정도뿐 아니라 치료에 대한 환자의 인식과 의지, 의사의 지시에 따를 수 있는 능력, 가용한 치료방법을 모두 고려하여 치료방법을 결정하게 된다. 이비인후과 의사는 비만 치료에 익숙하지 않으므로 체중 감량, 생활방식과 식생활 교정 등을 성공적으로 수행하기 위해서는 내과 전문의, 영양사, 헬스 트레이너 등 전문가로 이루어진 팀이 요구된다. 이비인후과 의사의 역할은 체중 조절의 중요성을 인식하고 환자로 하여금 체중 조절을 시작하게 돕는 것이다.

(1) 행동치료

체중 조절을 위해서는 식습관을 비롯한 생활습관을 바꾸어야 하는데, 가장 효과적인 방법은 행동치료를 포함한 식사조절과 운동치료를 병행하는 것이다. 비만치료에 흔히 사용되는 행동치료에는 자극조절기법, 식사행동조절, 보상법, 자기관찰, 영양교육, 신체활동조절

및 사회적 지지 이용 등이 있다.

(2) 식사치료

효과적인 체중 조절을 위해 열량섭취의 제한이 중요한데 특히 당질과 지방 섭취의 조절이 중요하다. 열량제한에 따른 근육 손실을 최소화하기 위해 단백질을 적절히 섭취하고 유제품, 채소, 과일 등을 통해 비타민과 무기질도 섭취해야 한다. 음주는 열량이 높고 전신 대사를 악화시키는 것도 문제지만 기도 확장근을 이완시켜 코골이와 무호흡을 악화시키기도 한다.

(3) 운동치료

체중 조절 및 유지를 위해서는 규칙적인 운동 또한 필수적이다. 운동유형은 유산소운동, 근력운동 모두 도움이 된다. 최근 발표된 메타분석에 의하면 운동치료를 받은 경우 대조군에 비해 체질량지수의 차이는 없어도 AHI가 평균 8.9 감소하고 주간기면이 호전되며 산소포화도 증가한다. 운동 만으로도 체중 조절에 어느 정도의 효과가 있지만, 식이요법과 병행한 경우 더욱 효과적이다.

(4) 약물치료

체중 조절을 위한 기본은 행동치료, 식사치료, 운동치료 등을 통한 생활 습관의 교정이지만 약물치료를 보조적인 방법으로 고려해볼 수도 있다. 정확한 지침은 없지만 체질량지수 30 kg/m² 이상이거나, 체질량지수 27 kg/m² 이상이면서 복부비만 혹은 심혈관계 합병증 등의 위험인자가 동반된 경우에 시행할 것을 권유한다. 약제치료 시작 후 3개월 내에 5−10%의 체중 감량이 없거나 동반질환의 개선효과가 보이지 않으면 약제 변경이나 중단을 고려해야 한다. 현재 국내에서 사용 가능한 약물들은 세로토닌계, 노르아드레날린계, 글루타메이트계, 기타 성분이나 복합성분 등이다.

(5) 수술치료

수술치료는 고도비만의 매우 효과적인 치료법이다.

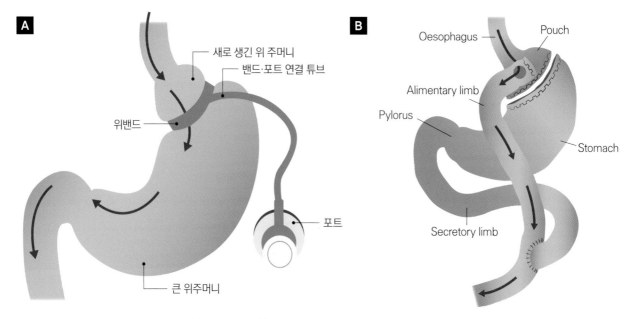

A
- 새로 생긴 위 주머니
- 밴드·포트 연결 튜브
- 위밴드
- 포트
- 큰 위주머니

B
- Oesophagus
- Pouch
- Alimentary limb
- Pylorus
- Stomach
- Secretory limb

그림 20-10-1. **비만의 수술적 치료 방법.** (A) 위밴드 수술, (B) Roux-en-Y 위우회술

서양인의 경우 수술 적응증이 체질량지수 40 kg/m² 이상이거나 35 kg/m² 이상이면서 동반질환을 갖고 있는 경우이지만 동양인의 경우 체질량지수 35 kg/m² 이상이거나 체질량지수 30 kg/m² 이상이면서 동반질환을 갖고 있는 경우 권고하고 있다. 수술은 크게 섭식제한 수술과 섭식제한-흡수제한 수술로 구분 된다.

섭식제한 수술은 복강경을 이용하여 위에 실리콘 밴드를 걸어주는 위밴드 수술 방법이 가장 흔하게 사용되는데(**그림 20-10-1A**), 이는 위에 음식물이 들어가는 것을 제한하기도 하지만 위를 비우는 속도도 줄여 오랫동안 포만감을 느끼게 한다. 시술이 간단하고 장의 경로를 변경하지 않아 미량영양소 결핍이 발생하지 않는 것이 장점이다.

섭식제한-흡수제한 수술 중 가장 흔하게 시행되는 방법은 Roux-en-Y 위우회술(Roux-en-Y gastric bypass)이다. 이는 위의 근위부를 조금 남기고 분리하여 음식물이 원위부 위장, 십이지장, 근위부 공장을 우회하도록 하여, 음식물의 섭취와 영양분의 흡수를 동시에 제한하는 방법이다(**그림 20-10-1B**). 섭식제한 수술에 비

해 체중 조절 효과가 크고 장기적으로 안정적인 방법이지만, 비타민 B12, 철분, 엽산, 칼슘, 비타민D 등의 미량영양소 결핍증의 위험이 높다. 수면무호흡증후군 환자들을 대상으로 섭식제한 혹은 섭식제한-흡수제한 수술의 효과를 관찰한 무작위 대조군 시험은 아직 시행되지 않았지만, 상당한 효과가 있는 것이라는 간접적인 증거는 많다. 132명의 비만환자에 대해 Roux-en-Y 위우회술을 시행한 연구에서 수술 전 수면무호흡증후군 환자가 전체 환자의 71%였는데, 수술 1년이 지나서 44%로 감소하였으며, 수술 전 평균 AHI가 27.8/h에서 9.9/h로 감소하였다. 또 다른 연구에서는 수술 전 AHI 15/h 이상(AHI 중위수 32.3/h)인 205명의 비만 환자들에 대해서 Roux-en-Y 위우회술 시행 전후 결과를 비교하였는데, 74.1% 환자들이 AHI 15/h 이하로 감소하였다. 50세 이상, AHI 30/h 이상, 체중 조절이 적었던 경우, 고혈압이 동반된 경우는 예후가 좋지 않았다. 또한 수술은 수면무호흡증후군에 대한 직접적인 효과뿐 아니라 당뇨, 고혈압, 이상지질혈증, 비알콜성 지방간 등 다양한 합병증을 줄여주는 효과도 보고되었다.

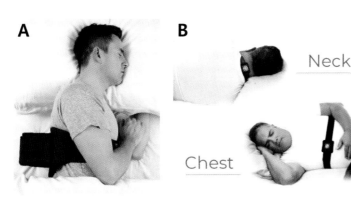

그림 20-10-2. 다양한 자세 치료 방법.
(A) Zzoma Positional Sleeper (Sleep Specialists, LLC, Abington, PA), **(B)** Night Shift Sleep Positioner (Advanced Brain Monitoring, Carlsbad, CA), **(C)** SONA Pillow (Kissimmee, Florida)

2 자세 치료

50% 이상의 수면무호흡증후군 환자는 앙와위(supine position)에서 코골이와 무호흡이 심해지는데, 일반적으로 비앙와위에 비해 앙와위에서 AHI가 2배 이상 증가하는 경우 positional OSA라고 정의한다. 자세 치료는 이러한 positional OSA 환자들이 수면 시 최대한 앙와위로 눕지 않도록 하는 것을 목적으로 하지만, 아직 효과를 측정할 마땅한 도구도 없고 일관된 지침도 마련되지 않았다. 하지만 일부 환자들에서는 확실한 효과가 있고 별다른 부작용이 없으며, 비교적 저렴하고 다른 치료와 병행하여 사용할 수 있는 등의 장점이 있다. 자세 치료를 위한 다양한 방법과 기구들이 개발되었는데, 크게는 3가지 부류로 나눌 수 있다. 첫 번째는 등쪽에 다양한 물체를 부착하여 앙와위로 누울 경우 불편하게 만드는 방법이다. 가장 고식적으로는 테니스공을 헌 옷의 등에 꿰매어 입고 자는 것인데, 최근에는 다양한 제품이 판매되고 있다(그림 20-10-2A). 실제 제품을 착용하고 잔 환자들은 AHI가 유의하게 감소하였다는 보고도 있다. 두 번째 방법은 목이나 배에 감고 자는 진동기인데 이 기기는 환자가 앙와위로 누우면 진동이 울려 돌아눕게 만드는 장치이다(그림 20-10-2B). 이 장치에 대한 연구도 진행되었는데 73% 환자들이 AHI 10/h 미만

이 되었다고 보고하였다. 마지막으로 특수한 구조의 베개나 쿠션을 사용하여 옆으로 자게끔 유도하는 방법이다(그림 20-10-2C). 이 방법 또한 경도 혹은 중등도의 수면무호흡증후군 환자들에서 일정부분 효과가 있었다고 보고되었다.

▶ **참고문헌**

• 대한비과학회. 코골이와 수면무호흡증. 서울: 아이엠이즈컴퍼니; 2016.
• 대한비만학회. 비만치료지침. 서울: 청운; 2012. pp. 1–180.
• Carneiro-Barrera A, Díaz-Román A, Guillén-Riquelme A, et al. Weight loss and lifestyle interventions for obstructive sleep apnoea in adults: systematic review and meta-analysis. Obes Rev 2019;20:750–62.
• Colquitt JL, Picot J, Loveman E, et al. Surgery for obesity. Cochrane Database Syst Rev 2009;CD003641.
• Davies RJ, Ali NJ, Stradling JR. Neck circumference and other clinical features in the diagnosis of the obstructive sleep apnoea syndrome. Thorax 1992;47:101–5.
• Davies RJ, Stradling JR. The relationship between neck circumference, radiographic pharyngeal anatomy, and the obstructive sleep apnoea syndrome. Eur Respir J 1990;3:509–14.
• de Raaff CA, Coblijn UK, Ravesloot MJ, et al. Persistent moderate or severe obstructive sleep apnea after laparoscopic Roux-en-Y gastric bypass: which patients? Surg Obes Relat Dis 2016;12:1866–72.

- Dyson PA. The therapeutics of lifestyle management on obesity. Diabetes Obes Metab 2010;12:941-6.
- Greenberg AS, Obin MS. Obesity and the role of adipose tissue in inflammation and metabolism. Am J Clin Nutr 2006;83:461S-5S.
- Horner RL, Mohiaddin RH, Lowell DG, et al. Sites and sizes of fat deposits around the pharynx in obese patients with obstructive sleep apnoea and weight matched controls. Eur Respir J 1989;2:613-22.
- Kajaste S, Brander PE, Telakivi T, et al. A cognitive-behavioral weight reduction program in the treatment of obstructive sleep apnea syndrome with or without initial nasal CPAP: a randomized study. Sleep Med 2004;5:125-31.
- Kasama K, Mui W, Lee WJ, et al. IFSO-APC consensus statements 2011. Obes Surg 2012;22:677-84.
- Koenig JS, Thach BT. Effects of mass loading on the upper airway. J Appl Physiol (1985) 1988;64:2294-9.
- Mokhlesi B, Tulaimat A. Recent advances in obesity hypoventilation syndrome. Chest 2007;132:1322-36.
- Newman AB, Foster G, Givelber R, et al. Progression and regression of sleep-disordered breathing with changes in weight: the Sleep Heart Health Study. Arch Intern Med 2005;165:2408-13.
- Omobomi O, Quan SF. Positional therapy in the management of positional obstructive sleep apnea-a review of the current literature. Sleep Breath 2018;22:297-304.
- Padwal R, Klarenbach S, Wiebe N, et al. Bariatric surgery: a systemic review and network meta-analysis of randomized trials. Obes Rev 2011;12:602-21.
- Peppard PE, Young T, Palta M, et al. Longitudinal study of moderate weight change and sleep-disordered breathing. JAMA 2000;284:3015-21.
- Peromaa-Haavisto P, Tuomilehto H, Kössi J, et al. Obstructive sleep apnea: the effect of bariatric surgery after 12 months. A prospective multicenter trial. Sleep Med 2017;35:85-90.
- Resta O, Foschino-Barbaro MP, Legari G, et al. Sleep-related breathing disorders, loud snoring and excessive daytime sleepiness in obese subjects. Int J Obes Relat Metab Disord 2001;25:669-75.
- Shelton KE, Woodson H, Gay S, et al. Pharyngeal fat in obstructive sleep apnea. Am Rev Respir Dis 1993;148:462-6.
- Smith PL, Gold AR, Meyers DA, et al. Weight loss in mildly to moderately obese patients with obstructive sleep apnea. Ann Intern Med 1985;103:850-5.
- Strobel RJ, Rosen RC. Obesity and weight loss in obstructive sleep apnea: a critical review. Sleep 1996;19:104-15.
- Suratt PM, McTier RF, Findley LJ, et al. Changes in breathing and the pharynx after weight loss in obstructive sleep apnea. Chest 1987;92:631-7.
- Tuomilehto HP, Seppa JM, Partinen MM, et al. Lifestyle intervention with weight reduction: first-line treatment in mild obstructive sleep apnea. Am J Respir Crit Care Med 2009;179:320-7.
- Wing RR, Jeffery RW. Benefits of recruiting participants with friends and increasing social support for weight loss and maintenance. J Consult Clin Psychol 1999;67:132-8.
- Wolin AD, Strohl KP, Acree BN, et al. Responses to negative pressure surrounding the neck in anesthetized animals. J Appl Physiol 1990;68:154-60.
- Wolk R, Shamsuzzaman AS, Somers VK. Obesity, sleep apnea, and hypertension. Hypertension 2003;42:1067-74.
- Young T, Peppard PE, Taheri S. Excess weight and sleep-disordered breathing. J Appl Physiol 2005;99:1592-9.
- Young T, Shahar E, Nieto FJ, et al. Predictors of sleep-disordered breathing in community-dwelling adults: the Sleep Heart Health Study. Arch Intern Med 2002;162:893-900.

II 수면무호흡 치료를 위한 상기도 근기능운동

박찬순 / 강윤진

수면무호흡은 유병률이 2-4% 정도로 보고되는 비교적 흔한 질환이고 특정 연령 또는 성별을 고려하면 매우 흔한 질환이다. 수면무호흡은 환자 개인에게는 개인적인 건강상의 문제로 인식되지만 교통사고 등 다양한 사회문제와도 연관이 있다는 점을 고려할 때 수면무호흡의 진단과 치료는 개인의 관점뿐 아니라 사회경제적으로도 중요한 문제로 인식되어야 한다.

현재 수면무호흡을 치료하기 위한 여러 방법 중 1) 지속기도양압기(continuous positive airway pressure, CPAP) 치료, 2) 구개수구개인두성형술(uvulopalatopha-ryngoplasty, UPPP)과 같은 수술적 치료, 3) 구강내 상기도확장기가 대표적인 수면무호흡 치료방법으로 알려져 있고 대부분의 폐쇄수면무호흡증 환자에게 3가지 치료법 중 하나가 선택되어 적용되고 있다. 그러나 양압기, 수면무호흡 수술, 구강내 상기도확장기 모두 각각의 많은 장점에도 불구하고 단점 또한 명확하기 때문에 장기적인 치료효과 및 지속적인 치료순응도의 측면에서 문제가 있다.

최근 새롭게 각광받고 있는 상기도 근기능강화운동(upper airway myofunctional exercise, UME)은 기존 수면무호흡 치료법에 충분히 적응하지 못하거나, 치료순응도가 떨어지는 경우, 치료효과가 충분하지 않거나 또는 치료 후 증상이 재발한 폐쇄수면무호흡증 환자들에게 적용할 경우 수면무호흡 치료 자체에 일정부분 효과가 있으며 수면무호흡의 3가지 주된 치료법들이 가진 단점을 보완할 수 있는 추가적인 치료로서 의미가 있을 수 있다.

1 배경

상기도 근기능강화운동의 유래는 1900년대 초 근육운동과 부정교합과의 연관관계 및 치료가능성에 대한 관심으로 시작되었으며, 1918년 Rogers에 의해 근기능운동에 대한 첫 연구논문이 발표되었다. 이후 교정학 분야에서의 관심에서 점차 줄어왔으나 1990년대 Guim-arae 등에 의해 폐쇄수면무호흡증의 치료법으로서의 효용성이 제시된 후 수면무호흡 치료분야에서 적용이 확대되어 왔으며 이후 연구에서 성인의 중등도의 폐쇄수면무호흡증에서 무호흡-저호흡지수(apnea-hypopnea index, AHI), 최저산소포화도, 코골이, 주간 졸리움 등 증상을 유의미하게 개선시킨다는 결과가 보고되었다.

이러한 많은 연구결과를 토대로 2014년 Camacho 등은 성인의 약 50%, 소아의 약 62%에서 상기도 근기능

387

운동 치료 후 AHI가 감소되었음을 보고하였고, 그 외 증상들 또한 상기도 근기능운동으로 개선되었다는 메타연구 결과를 보고하였다.

소아 수면무호흡증후군의 주된 원인은 성인과 다르게 편도 및 아데노이드와 같은 임파선조직이 다른 근골격계에 비해 성장 속도가 소아에서 빨라 상기도 단면적에 비해 편도 및 아데노이드가 차지하는 비율이 상대적으로 높다는 것이 주된 원인으로 생각되고 이에 따라서 성인 수면무호흡증후군과 다르게 adenotonsillectomy가 주된 치료로 권장된다.

Adenotonsillectomy 후 결과는 삶의 질과 수면다원검사 결과상의 지표를 크게 호전시키지만 중증도가 높았거나 비만을 가진 환아의 경우 술후 잔존 수면무호흡증후군의 가능성이 높고 수술 후 수면무호흡에 많은 호전이 있었다 하더라도 시간이 지나면서 다시 AHI이 조금씩 상승하는 추세를 보일 수도 있다. 따라서 소아 수면무호흡 치료 및 수술 후 잔존하는 수면무호흡증후군과 재발하는 수면무호흡증후군에 대한 추가적인 또는 보완적인 치료로서 상기도 근기능운동이 의미가 있을 것으로 생각된다.

Villa 등은 수면무호흡증후군으로 진단받은 소아 54명을 대상으로 상기도 근기능운동 전후 수면다원검사 결과 및 Iowa oral performance instrument 결과를 전향적으로 비교하여 상기도 근기능운동 시행군에서 설근의 근긴장도, 설근인내력(endurance), 수면무호흡 증상, 구강호흡 산소포화도가 개선되었다는 결과를 발표하였다.

또한 Villa 등은 adenotonsillectomy 수술 후 잔존 수면무호흡증후군가 있는 소아 27명을 대상으로 한 연구에서 상기도 근기능운동을 받지 않은 군에 비해 상기도 근기능운동을 시행한 군에서 AHI가 추가적으로 감소하였음을 보고하였다.

Guilleminault 등도 adenotonsillectomy과 치과교정 치료를 받은 소아 폐쇄수면무호흡증 환자 46명을 대상으로 한 연구에서 상기도 근기능운동 치료를 받지 않은 군에서 수면무호흡 증상 재발 및 AHI 상승 소견이 있었다고 보고하였다.

2014년 Camacho 등의 연구 결과의 문제점을 보완하고자 소아 관련 논문들을 확대하여 2020년 Bandyopadhyay 등은 메타분석을 시행하여 연구 결과(241명의 소아, 10개의 연구)를 발표하였으며, 결론적으로 상기도 운동의 세부적인 운동 및 운동 시간은 연구마다 일관되지 않지만 AHI 감소(43%) 및 mean oxygen saturation (0.37%)의 상승은 유의하다는 결과를 보고하였다.

이러한 여러 체계적 문헌고찰 및 메타연구들의 결과를 종합할 때 소아와 성인의 폐쇄수면무호흡증 모두에 있어 대한 상기도 근기능운동의 치료 효과는 인정할 수 있을 것으로 생각된다.

2 진단

언어치료에서 유래된 상기도 근기능운동 치료법은 설문지 검사와 수면다원검사를 통해 폐쇄수면무호흡증으로 진단된 환자에서 상기도에 대한 다양한 이학적, 내시경적, 영상검사 등을 통해 폐쇄수면무호흡증과 연관성이 높은 해부학적 부위를 우선 파악하는 것이 필요하다.

이와 같은 평가가 완료된 후, 폐쇄수면무호흡증에 관련된 상기도 근육의 강화 및 수면 중 상기도 허탈에 대응하는 상기도 신경 및 근육의 보상기전을 활성화시킬 수 있는 다양한 운동 치료를 조합하여 환자들을 교육, 훈련시키고 정기적 외래 방문을 통해 순응도 확인 및 피드백을 시행하여야 한다.

3 방법

환자의 폐쇄수면무호흡증의 상태, 나이, 생활 환경 및 습관, 사회생활과 상기도에 대한 여러 해부학적 검사를 통해 수면무호흡에 연관된 것으로 파악된 해부학부위를 토대로 적절한 상기도 근기능강화운동을 선정하고, 환자에 맞게 적절히 프로토콜을 구성한다. 상기도 근기능운동은 등척성(isometric) 운동과 등장성(isotonic) 운동을 모두 포함하여 구성하며 근기능운동의 대상은 상기도를 구성하는 구강(입술과 혀)과 구인두(연구개와 측인두벽) 근육의 운동, 삼킴과 저작, 호흡, 발성 기능 등이 모두 포함된다.

현재까지 시행하는 의사와 수면센터에 따라 다양한 프로토콜이 제시되어 왔으나 기본적으로 상기도 근기능운동은 설근부, 연구개, 하악, 안면부, 경부의 근기능을 강화시키고 비강호흡을 증진하는 운동이 기본으로 포함되는 것이 바람직하다.

(아래 기술된 UME 방식은 하나의 예로서 제시하는 것 임을 미리 밝힙니다.)

■ 운동 전 준비 단계

운동 전 환자가 허밍 하듯이 "음~" 소리를 10초 동안 유지하는 발성을 10회 시행하도록 한다. 이를 통해 비강에 습기가 공급되도록 하여 환자가 운동하는 동안 숨쉬기가 원활하도록 돕는다. 또는 하루 3회 10 mL씩 양측 비강 세척을 시행한다.

1) 설근부 근기능 강화운동(exercises for the tongue)

① 하루 3회 5번씩 혀를 설하로 내리고 혀의 위쪽면과 바깥면을 브러쉬로 닦는다[그림 1].
② 혀 끝을 입천장의 앞쪽에 대고 혀를 뒤쪽으로 민

TONGUE BRUSHING

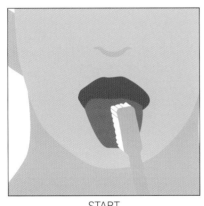

START

FINISH

[그림 1]

TONGUE SLIDE

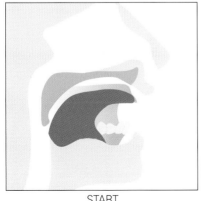

START

FINISH

[그림 2]

다(하루에 총 3분/하루 3번 20회씩/하루 5번 10회씩)[그림 2].

③ 하루 3-5회 혀 끝을 가능한 구개에 위치시킨다.

④ 혀 전체를 입 천장 쪽으로 밀어 올린다(하루에 총 3분/하루 3-5번/하루 3번 20회씩/하루 5번 10회씩)[그림 3].

⑤ 하루 3-5회 혀를 입천장으로 밀고 손으로 양쪽 볼에 저항을 준다.

⑥ 혀 끝을 아래 절치에 위치시키고, 혀의 뒤쪽을 아래로 내린다(하루에 총 3분/하루 3번 20회씩).

⑦ 혀 끝을 입술 바로 앞으로 내밀어 치아나 입술에 닿지 않게 한다. 이 자세를 유지하였다가 쉬고 반복한다(하루 30초씩 3-5회, 하루 5번 10회씩).

⑧ 가능한 한 빨리 혀를 넣었다 빼기를 반복한다(하루 5번 10회씩).

⑨ 하루 3-5회 혀를 펴서 혀의 옆면이 윗니 바닥에 위치하게 한다.

⑩ 하루 3-5회 혀를 입 밖으로 내밀고 혀 끝을 위와 아래로 움직인다[그림 4].

⑪ 하루 3-5회 혀를 입 안 좌측과 우측 모서리로 옮겨 위치하게 한다.

⑫ 하루 5번 10회씩 혀를 가능한 빨리 구강내 모서리

TONGUE FORCES

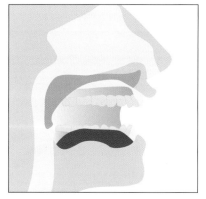

START

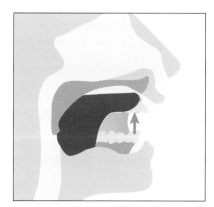

FINISH

[그림 3]

TONGUE WORKOUT

START

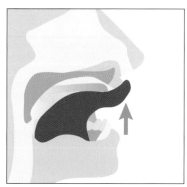

POSITION 1

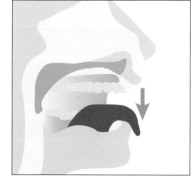

POSITION 2

[그림 4]

에서 다른 모서리로 움직이고, 동그랗게 원을 그리며 입술 주위를 빠르게 움직인다.

⑬ 하루 5번 10회씩 혀를 내밀어 혀 끝을 턱 쪽으로 가능한 멀리 내민다.

⑭ 하루 5번 10회씩 혀를 내밀어 수저를 혀끝에 위치시키고 혀를 펴서 수저를 밀어낸다.

⑮ 하루 3번 10회씩 우측, 10회씩 좌측으로 혀를 구강 전정 내에서 회전시킨다.

2) 연구개 근기능 강화운동
(exercises for the soft palate)

① 등장성 운동으로 모음을 간헐적으로 소리 낸다. 연구개와 목젖을 올리면서 '아' 라고 발음한다(3분간 하루 3회/하루 5번 10회씩 반복/하루 3번 20회씩 반복).

② 등척성 운동으로 모음을 지속적으로 소리 낸다(3분간 하루 3회 또는 하루 5번 10회씩 반복).

③ 3–5주 뒤 움직임이 잘 조절되면 5초간 하루 3회 발성 없이 연구개와 목젖을 올린다.

④ 하품을 하거나 하지 않으면서 연구개를 올린다(하루에 3–5회 또는 하루 5번 10회씩 반복).

⑤ 하루 3–5회 혀의 등쪽(dorsum of the tongue)과 연구개(velum)를 여러 번 붙여 소리(lingua–velar

sounds)를 낸다.

⑥ 하루 3–5회 목젖을 여러 번 수축시켜 소리를 낸다.

3) 하악 근기능 강화운동(exercises for the jaw)

① 얇은 빨대로 요구르트를 빤다.

② 하루 5번 10회씩 앉은 상태에서 개방 모음 음성을 내면서 코로 숨을 들이 마시고 입으로 숨을 세게 내뱉는다.

③ 하루 5번 길게 코로 숨을 들이마시고 세게 풍선을 분다[그림 5].

④ 양측으로 번갈아 씹는다.

⑤ 혀를 입천장에 위치시키고, 치아를 맞물린 상태에서 구강 근육을 수축시키지 않고서 삼킨다.

⑥ 하루 3–5번 혀 끝을 윗니와 아랫니 사이에 위치시키고 삼킨다.

4) 얼굴 근기능 강화운동(exercises for the face)

① 하루 3번 30초씩 또는 하루 5번 10회씩 등척성 운동으로 입술에 압력을 가하여 입을 다문다(orbicularis oris muscle 강화).

② 하루 5번 10회씩 입술을 다문 상태에서 턱을 천천히 넓게 열었다 다문다.

③ 하루 5번 10회씩 입술을 오므리고 10까지 센 뒤에

SOFT PALATE BLOWING

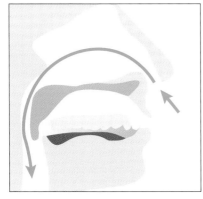

START

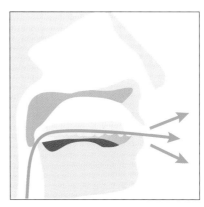

FINISH

[그림 5]

긴장을 푼다.

④ 하루 5번 10회씩 입술을 크게 벌리고 크게 미소지은 뒤 긴장을 푼다.

⑤ 하루 5번 10회씩 입술을 오므리고 멈추었다가, 웃음지었다 멈춘다.

⑥ 하루 5번 10회씩 턱을 닫지 말고 입을 크게 벌리고 입술을 오므렸다 긴장을 푼다.

⑦ 하루 5번 10회씩 입술을 꼭 다물고 음료를 홀짝홀짝 마시는 것처럼 소리를 낸다.

⑧ 하루 5번 10회씩 볼근육만 수축하고 입으로 흡입하는 동작을 취한다. 이 동작을 반복하는 등척성, 유지시키는 등장성 운동을 한다.

⑨ 하루 3번 5회씩 20 ml 주사기에서 공기를 빨아들인다.

⑩ 하루 5번 10회씩 또는 하루 3번 10회씩 구강 내에서 손가락으로 볼점막을 자극시킨다.

5) 경부 근기능 강화운동 (exercises for the throat and neck)

① 하루 5번 10초씩 하늘을 본 채로 고개를 들어 혀를 코에 닿을 정도로 올리는 동작을 유지한다[그림 6].

② 하루 5번 고개를 숙이고 혀를 내민 상태로 살짝 물고 하늘을 본 후 침을 삼키는 동작을 시행한다 [그림 7].

REACH FOR THE CEILING

START　　　　　　　　　　　　10초간 유지한다

[그림 6]

CEILING SWALLOW

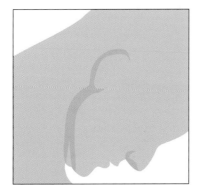
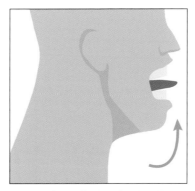
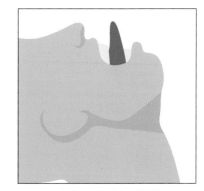

턱을 가슴에 붙인다　　　입을 벌린후 혀를 가볍게 문다　　　머리를 들고 침을 삼킨다

[그림 7]

THROAT/NECK THE TIGER YELL

START   5초간 유지한다

[그림 8]

③ 하루 10번 5초씩 입을 크게 벌리고 혀를 최대한 내밀고 목젖을 올리는 동작을 유지한다[그림 8].

4 병행 치료 및 전망

상기도 근기능운동은 수면무호흡 치료를 위해 단독으로도 시행 가능하고, 자세 치료나 다른 폐쇄수면무호흡증 치료법에 보조적인 치료법으로도 사용될 수 있다. 그러나 1회성으로 시행하여 효과를 보는 것은 기대하기 어렵고 반복적이고 지속적인 운동이 반드시 필요하다. 이를 위해 정기적인 외래 방문을 통해 환자들의 순응도 확인 및 재훈련과정, 제대로 된 운동 방식의 준수여부 확인 등 피드백 과정이 필수적이다.

적절한 UME를 꾸준히 시행할 경우 수면무호흡 치료에 효과가 있다는 것을 알려졌지만 아직 어느 환자에서 효과가 최대로 나타날 수 있는지, 상기도저항증후군(upper airway resistance syndrome, UARS)에서도 효과가 있는지, 근기능운동의 효과가 얼마나 지속되는지에 대해서는 추가 연구가 필요하다.

우리나라에서는 최근 상기도 근기능운동의 필요성 및 효용성에 대해 널리 제대로 이해되지 못한 상태에서 적정한 수가 등 건강보험상 합리적인 보상이 인정되지 않고 기본진찰료에 포함되어 현재까지 수면무호흡 치료에 본격적으로 이용되지 못하고 있다.

그러나 위에 기술한 대로 상기도 근기능운동의 치료 효과 및 보완적 치료로써의 가치는 앞으로 재평가되어야 하며 폐쇄수면무호흡증 환자 치료에 적극적으로 이용될 수 있도록 제도적 개선이 있어야 할 것이다.

▶ 참고문헌

- APR. Exercises for the development of muscles of face with view to increasing their functional activity. Dental Cosmos 1918;LX:857–76.
- Bandyopadhyay A, Kaneshiro K, Camacho M. Effect of myofunctional therapy on children with obstructive sleep apnea: a meta-analysis. Sleep Med 2020;75:210–7.
- Baz H, Elshafey M, Elmorsy S, et al. The role of oral myofunctional therapy in managing patients with mild to moderate obstructive sleep apnea. PAN Arab J Rhinol 2012;2:17–22.
- Bhattacharjee R, Kheirandish-Gozal L, Spruyt K, et al. Adenotonsillectomy outcomes in treatment of obstructive sleep apnea in children: a multicenter retro spective study. Am J Respir Crit Care Med 2010;182:676–83.
- Camacho M, Certal V, Abdullatif J, et al. Myofunctional therapy to treat obstructive sleep apnea: a systematic review and meta-anal-

ysis. Sleep 2015;38:669-75.

- Diaferia G, Badke L, Santos-Silva R, et al. Effect of speech therapy as adjunct treatment to continuous positive airway pressure on the quality of life of patients with obstructive sleep apnea. Sleep Med 2013;14:628-35.

- Guilleminault C, Huang YS, Monteyrol PJ, et al. Critical role of myofascial reeducation in pediatric sleep-disordered breathing. Sleep Med 2013;14:518-25.

- Guimaraes K, Drager LF, Marcondes B, et al. Treatment of obstructive sleep apnea with oropharyngeal exercises: a randomized study. Am J Respir Crit Care Med A 2007:755.

- Guimaraes K. Soft tissue changes of the oropharynx in patients with obstructive sleep apnea. J Bras Fonoaudiol 1999;1:69-75.

- Guimarães KC, Drager LF, Genta PR, et al. Effects of oropharyngeal exercises on patients with moderate obstructive sleep apnea syndrome. Am J Respir Crit Care Med 2009;179:962-6.

- Huang YS, Guilleminault C, Lee LA, et al. Treatment outcomes of adenotonsillectomy for children with obstructive sleep apnea: a prospective longitudinal study. Sleep 2014;37:71-6.

- Marcus CL, Moore RH, Rosen CL, et al. A randomized trial of adenotonsillectomy for childhood sleep apnea. N Engl J Med 2013;368:2366-76

- Pessoa AF, Sampaio AL, Rodrigues RN, et al. Oral myofunctional therapy applied on two cases of severe obstructive sleep apnea. Int Arch Otorhinolaryngol 2007;11:350-4.

- Silva LMP, Aureliano FTS, Motta AR. Speech therapy in the obstructive sleep apnea-hypopnea syndrome: case report. Rev CEFAC 2007;9:490-6.

- Suzuki H, Watanabe A, Akihiro Y, et al. Pilot study to assess the potential of oral myofunctional therapy for improving respiration during sleep. J Prosthodont Res 2013;57:195-9.

- Villa MP, Brasili L, Ferretti A, et al. Oropharyngeal exercises to reduce symptoms of OSA after AT. Sleep Breath 2015;19:281-9.

- Villa MP, Evangelisti M, Martella S, et al. Can myofunctional therapy increase tongue tone and reduce symptoms in children with sleep-disordered breathing? Sleep Breath 2017;21:1025-32.

11 구강내 장치

정진우

1 정의 및 종류

코골이와 폐쇄수면무호흡증을 치료하기 위한 구강내 장치는 가철성 치과교정용 장치(removable orthodontic appliance)와 유사한 장치로서 수면 중에 장착할 경우 구인두부의 조직이나 혀의 기저부가 기도를 막는 것을 방지하여 준다. 대부분의 구강내 장치는 wire clasp를 부착한 합성수지 레진으로 제작되며, 치아에서 유지를 얻어 구강내에 장착될 수 있게 되어있다.

최적치료로 알려진 지속기도양압기는 마스크와 튜브로 연결된 양압기를 사용해야 하기 때문에 탁월한 치료 효과에도 불구하고 환자가 거부하는 경우가 많은 반면, 구강내 장치는 환자의 거부감이 적으면서 선택적으로 양압치료에 필적할 만한 효과를 보이는 것으로 알려져 그 사용 빈도가 점차 늘어나는 추세이다.

수면호흡장애 치료와 관련하여 2021년 미국 FDA에 등록된 구강내 장치는 150여 개에 이를 정도로 종류가 다양하지만 크게 연구개 거상 장치(soft palatal lifter, SPL), 혀 유지 장치(tongue-retaining device, TRD), 하악전방위치 장치(mandibular advancement devices, MAD)의 세 가지로 구분된다.

1) 연구개 거상 장치(soft palatal lifter, SPL)

연구개 거상 장치는 상악 구치부에 장치를 고정시켜주는 wire clasp를 포함한 상악 가철성장치와 연구개의 후방부로 연장된 합성수지부(acrylic button)로 이루어져 있다(그림 20-11-1). 연구개 거상 장치의 연구개부는 연구개를 부드럽게 들어 올려서 연구개와 구개수가 수면중에 하방으로 처지는 것을 감소시키고, 이들의 진동에 의해 코골이 소리가 나는 것을 최소화한다. 이것은 또한 긴 구개수가 혀의 후방과 후인두벽 사이에 끼는 것을 막아주어 구인두 공간이 좁아지지 않도록 한다.

장치 장착 시 구토반사가 심한 사람은 스푼이나 칫솔

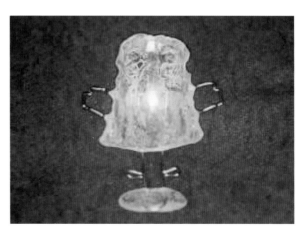

그림 20-11-1. **연구개 거상 장치(soft palatal lifter, SPL)**

로 하루에 5-6회씩 구개를 마찰시킴으로써 환자가 장치에 적용하도록 할 수 있으며, 장치의 연구개부를 매일 밤 3 mm씩 연구개 쪽으로 조절하여 가장 효과적인 위치를 찾아준다. 하지만 이 장치는 심하게 구토반사를 하는 사람이나 장치에 대한 적응훈련을 원하지 않는 환자에게는 사용할 수 없다.

연구개 거상 장치의 효과에 대하여 발명자인 Herben Paskow는 장치가 코골이에는 60% 정도 효과적이나 폐쇄수면무호흡증의 치료에는 효과가 없다고 보고하였으며, 미국식품의약국(Food and Drug Administration, FDA)에서는 코골이 치료에 대한 사용 인가만을 하고 있다.

2) 혀 유지 장치(tongue-retaining device, TRD)

혀 유지 장치는 상하악 전치 사이로 혀를 내밀면 그 위치로 혀를 유지할 수 있게 만들어졌다. 혀는 장치의 전치부에 만들어진 작고 유연한 구(bulb)속으로 끼워지며, 이 구(bulb)로부터 여분의 공기가 배출되면서 부분적 진공 상태가 생겨 음압에 의해 혀의 위치가 유지된다(그림 20-11-2). 비폐쇄가 있는 환자에게는 공기가 통할 수 있는 tube가 첨가된 형태의 장치를 제작하여야 한다. 혀 유지 장치는 개개인에 맞게 제작하여야 하며 크기에 따라 규격품으로 만들어진 것을 쉽게 이용할 수 있다.

혀 유지 장치는 무치악 환자에게서도 장착할 수 있다

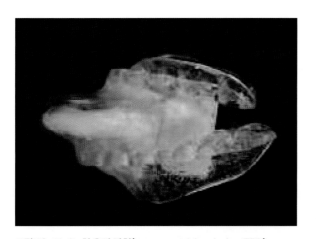

그림 20-11-2. **혀 유지 장치(tongue-retaining device, TRD)**

는 장점이 있지만, 하악전방이동장치에 비하여 폐쇄수면무호흡증의 치료 효과가 비교적 적으며, FDA에서는 혀 유지 장치를 코골이 치료에 대한 사용에만 인가 하고 있다. 혀 유지 장치는 주로 코골이에만 효과가 있다고 알려져 있으며 거대설(macroglossia) 환자에게 선택하여 사용할 수 있으며, 하악전방위치 장치를 사용할 수 없는 무치악 환자에게 고려하여 볼 수 있다.

혀 유지 장치는 거대설(macroglossia) 환자에게 선택하여 사용할 수 있으며, 하악전방위치 장치를 사용할 수 없는 무치악 환자에게 고려하여 볼 수 있다.

3) 하악전방위치 장치
(mandibular advancement devices, MAD)

하악전방위치 장치는 기계적으로 하악을 전방 위치시킴으로써 기도 공간을 확보하며 간접적으로 혀와 그 기저부를 전방으로 당기는 역할을 한다(그림 20-11-3). 경성 혹은 반경성 플라스틱으로 만들어지는 이 장치는 상하악 치열궁을 피개하면서 서로를 특정한 수평적, 수직적 위치 관계에 고정되도록 해주며 wire clasp나 합성수지에 의하여 구강내에 고정된다. 그러나 이전에 인두부의 협착이 존재하던 상태에서 장치 제작 시 하악을 후하방으로 단순히 회전만 시킨다면 폐쇄수면무호흡증이 악화되므로 주의를 요한다.

세가지 형태의 구강내장치중에서 가장 널리 쓰이고, 코골이와 수면무호흡 모두에 효과가 있다고 입증된 구강내 장치는 하악전방위치 장치이다. 최근에는 환자가 느끼는 불편감을 최소로 줄여주기 위해 여러 부속 장치들을 추가한 하악전방위치 장치들이 개발되고 있다.

현재 임상에서 수면관련호흡장애 치료를 위한 구강내 장치는 주로 하악전방위치 장치를 의미하며, 여기서도 하악전방위치 장치 치료의 방법에 대하여 기술하기로 한다.

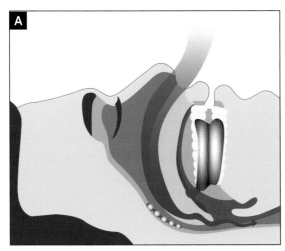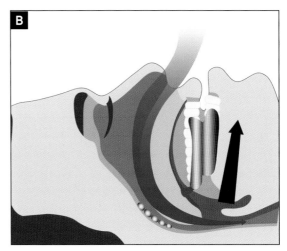

그림 20-11-3. 하악전방위치 장치(mandibular advancement devices, MAD)**의 원리.**
하악을 전방으로 내민 상태로 위치시키면 하악과 함께 혀와 주변 조직이 전방으로 견인되어 기도를 확장시키는 효과를 얻을 수 있다.

2 환자의 선택

1) 비적응증 및 금기증

치료가 성공하기 위해서는 구강내 장치 치료에 적합한 환자를 선택하는 것이 가장 중요하다. 특히 구강내 장치 치료 시 합병증을 예방하기 위하여 환자의 치아 및 치주 상태, 턱관절 상태가 구강내 장치에 적합한지 치과의사의 검진이 반드시 이루어져야 한다.

구강내 장치의 비적응증 및 금기증은 표 20-11-1과 같다.

2) 적응증

구강내 장치는 비만하지 않은 코골이 환자와 경도에서 중등도의 폐쇄수면무호흡증 환자에서 가장 효과적인 것으로 알려져 있다. 상대적으로 심도가 낮은 폐쇄수면무호흡증 환자에서 구강내 장치요법이 더 효과적이라고 일반적으로 알려져 있지만, 이 관련성이 체계적으로 평가된 적은 없으며, 일반적으로 구강내 장치가 중증의 폐쇄수면무호흡증 환자에게 추천되지 않지만, 현저한 개선을 보였다는 일부 증례도 있다.

중증의 폐쇄수면무호흡증 환자에서 구강내 장치 치료가 일차적으로 추천되지 않는 이유는 치료 실패나 부

표 20-11-1. 구강내 장치의 비적응증 및 금기증

[치과적 비적응증/금기증]
① 심각한 치주질환이 있어 치아 동요나 치아 상실 위험이 큰 환자
② 심한 치아우식증 및 치통이 있는 환자
③ 건강한 치아 수가 부족하거나 의치가 헐거워서 구강내 장치가 충분한 유지력을 얻을 수 없는 환자
③ 광범위한 치아 마모가 있는 환자
④ 치료가 필요한 턱관절장애가 있는 환자
⑤ 하악의 운동범위가 매우 적은 환자
⑥ 구토 반사가 심한 환자
⑦ 구강내 장치에 잘 적응하지 못하는 환자

[전신적 비적응증/금기증]
① 기도가 폐쇄되지 않았으나 무호흡이 발생하는 중추무호흡증 환자
② 심각한 호흡기질환이 있어 폐 기능이 떨어져 호흡에 어려움이 있는 환자
③ 장애나 질환으로 근육 조절이 어렵거나 손가락 움직임이 제대로 되지 않아서 구강내 장치를 장착하고 제거하기 힘든 환자

분적인 효과가 호흡 부전을 야기할 수 있다는 우려 때문인데, 의료진의 관찰과 조절이 가능하다면, 그러한 환자들에게도 구강내 장치 치료가 적용될 수 있을 단순 코골이와 경도 내지 중등도 폐쇄수면무호흡증이 일차적 적응증이다.

구강내 장치의 적응증을 요약하면 표 20-11-2와 같다.

표 20-11-2. 구강내 장치의 적응증

1. 단순 코골이 환자
2. 상기도저항증후군(Upper airway resistance syndrome, UARS) 환자
3. 경도 내지 중등도의 폐쇄수면무호흡증 환자(AHI < 30 events/h) 중 지속기도양압기보다 구강내 장치를 선호하거나, 지속기도양압기나 다른 치료(체중 감량, 자세 치료 등)에 실패한 환자
4. 중증의 폐쇄수면무호흡증 환자(AHI > 30 events/h)
   – 이 경우 구강내장치 치료 전에 지속기도양압기를 먼저 시도해 보아야 하며 다음과 같은 경우에 중증의 환자이어도 구강내장치를 시도하여 볼 수 있다.
   ① 지속기도양압기에 적응을 못하거나 다른 건강상의 이유로 치료를 못할 경우
   ② 지속기도양압기에 효과적으로 반응하지 않을 경우에는 구강내 장치 치료 또는 지속기도양압기와의 병행치료를 시도하여 볼 수 있다.
5. 비만 환자의 경우 구강내 장치 치료 전에 체중감량, 식이요법, 운동 같은 생활양식 변경을 먼저 시도해 보아야 한다.

3 하악전방위치 장치 제작 시 고려 사항

하악전방위치 장치 제작 시 치료 효과를 높이고 부작용을 최소화하기 위하여 몇 가지 요소들을 고려하여야 하는데 여기에는 하악의 전방 유도량, 전방 위치 시 하악 운동 유무, 상하악 수직 고경, 치아 피개량 등을 들 수 있다.

1) 하악의 전방 유도량 (amount of mandibular advancement)

하악전방위치 장치의 제작 시 효과적인 하악의 전방 이동량은 개인마다 다르지만 대개 최대 하악 전방운동 거리의 50-70%가 효과적이라고 알려져 있다. 하악전방위치 장치의 효과는 하악의 전방 이동량에 비례한다. 하지만 과도한 전방유도는 턱관절의 부하나 교합 변화를 야기할 수 있으므로 개인에게 알맞은 최적의 하악전방위치를 얻고 불편감을 최소화하기 위해서 여러 번의 조정이 필요하다.

2) 하악운동유무 (freedom of mandibular movement)

하악과 상악이 고정된 일체형(monoblock) 하악전방위치 장치는 별다른 구조물이나 extension arm이 필요 없어서 이물감이 적다는 장점이 있지만 수면 시 하악의 운동을 허용하지 않고 이갈이 습관 존재 시 턱관절에 무리한 부담을 주거나 장치가 파절되는 단점이 있으며, 치료 초기의 하악 전방이동량 조절 시 매번 다시 제작하여야 한다는 불편감이 있다. 그러므로 최근에는 하악을 전방위치시킨 상태에서 상하악간 운동을 자유로이 허용할 수 있으며, 하악의 전방이동량을 간단하게 조절할 수 있는 상악과 하악이 분리된 이체형(twinblock) 형태의 구강내 장치가 개발되어 많이 사용되고 있다(그림 20-11-4).

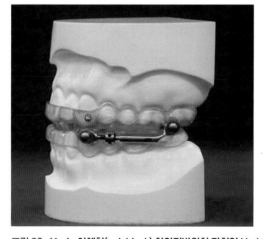

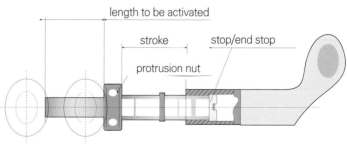

그림 20-11-4. 이체형(twinblock) 하악전방위치 장치인 Herbst type mandibular advancement device와 전방이동량을 조절할 수 있는 telescopic extension arm

3) 상하악 수직 고경(amount of bite opening)

상하악 장치간의 절치 간 수직 거리는 환자의 턱관절의 관절와 경사면에 맞추어 무리를 주지 않는 범위 안에서 주는 것이 좋으며, 구호흡을 할 수 있는 최소 개구량인 5-7 mm 정도가 좋다.

상하악 수직 고경의 양은 하악을 전방위치 시킨 상태에서는 구강내장치의 치료 효과에는 그다지 많은 영향을 주지 않는 것으로 밝혀져 있다. 하지만 너무 적거나 많은 상하악 수직 고경은 턱관절에 무리를 줄 수 있으므로 구강내 장치 제작 시 환자로 하여금 하악을 전방위치시킨 다음 가장 턱관절이 편안한 상태로 개구하게 하여 교합채득을 한 뒤 장치의 상하악 수직 고경을 결정하도록 한다.

4) 장치의 치아 피개량과 견고도
(amount and rigidity of dental coverage)

구강내 장치는 가능한 모든 치아를 피개하는 것을 원칙으로 한다. 많은 치아를 피개 할수록 힘이 분산되어 피개 치아에 가해지는 힘이 줄어들므로 교합 변화를 적게 유발할 수 있다. 연성 레진 일수록 치아축의 변화를 더 많이 유발할 수 있다는 보고가 있으므로 가능하면 경성 레진으로 제작하는 것이 교합 변화를 적게 유발할 수 있다. 전치부 만을 피개하거나 구치부 만을 피개하는 구강내 장치는 턱관절에 무리를 주거나 장기간 착용 시 교합 변화를 유발할 수 있으므로 주의하여야 한다.

4 하악전방위치 장치의 장착 및 관리

1) 치과적 검사

구강내 장치 치료 전 치아 및 치주조직, 구강 연조직, 턱관절, 교합 및 안모 형태 평가 등을 포함한 구강검사 및 치아, 두개 안면 및 턱관절부위의 영상 검사가 필요하다.

구강내 장치 치료 전 환자의 치과적 검사 내용은 표

표 20-11-3. **구강내 장치 치료 환자의 치과적 검사**

1. 문진 및 임상검사
   ① 구강검사: 치아 및 치주조직, 구강 연조직, 교합상태
   ② 턱관절 상태 평가
   ③ 안모 형태 평가
2. 영상검사
   ① 표준 파노라마 방사선 사진: 치아 상태, 치주질환과 턱관절 상태 평가
   ② 턱관절 파노라마 및 횡두개 방사선 사진: 턱관절 상태 평가
   ③ 측모 두부계측방사선사진: 골격 상태와 기도의 크기를 2차 원적으로 평가, 장치 장기 사용 시 치열 변화 및 측모 변화와 같은 부작용 여부를 평가
   ④ 기타: 보다 정확한 기도의 넓이와 기도 폐쇄가 발생하는 위치를 평가하기 위하여 컴퓨터단층촬영, 기도부 내시경, MRI 촬영을 할 수도 있다.

20-11-3과 같다.

2) 구강내 장치 하악 이동량 및 조절(titration)
(1) 초기 하악 이동량

하악전방위치 장치의 설계 및 제작 시 하악 전방 이동량과 수직 개구량의 결정이 필요하다. 하악의 전방 이동량이 클수록 치료효과는 증가하지만, 부작용 또한 증가하기 때문에 하악의 전방 이동량은 부작용과 효과 사이에서 균형을 찾아야 한다. 최적의 전방 이동량을 결정하기 위하여는 점진적으로 이동량을 증가시켜 적정하는 것이 부작용을 최소화하면서 최적의 치료효과를 가져올 수 있다. 초기 전방 이동량은 보통 최대 하악 전방 이동량의 50-80%로 시작한다.

수직 개구량이 증가하면 대부분의 환자에서 상기도 개방에 역효과가 발생하고 불편감이 커지기 때문에, 상기도 크기를 효과적으로 늘리면서 환자가 장치를 잘 사용할 수 있도록 수직 개구량은 턱관절에 무리한 영향을 주지 않는 범위 내에서 최소로 하여야 한다.

(2) 치료 중 증상에 따른 하악 이동량 조절

환자의 평균 하악의 전방 이동량은 최대 하악 전방 이동량의 50-80% 정도로 초기 이동량을 정한 뒤 2-4

주 뒤 내원하여 증상을 평가하고 필요시 조금씩 더 전진시켜 증상의 해소 여부를 확인한다.

하악 전방 이동 시 턱관절이나 치아의 불편감이 발생한 경우에는 수면무호흡의 증상이 일부 남아있는 상태라도 전방이동을 더 이상 진행하지 않거나 후퇴시킬 수 있다. 이후 부작용과 증상 사이에서 전방 이동량을 조금씩 조절하여 준다.

3) 정기검진

구강내 장치 장착 기간에는 반드시 정기검진이 이루어져야 하며, 이는 구강내 장치 치료의 효과를 평가하고 부작용을 관리하여, 충분한 치료효과를 얻고 치료 만족도를 높이기 위하여 반드시 필요한 과정이다. 정기 검진 내원 간격은 처음 장치 장착 후 1-2주 뒤 내원하여 장치가 잘 맞는지 불편은 없는지 확인하여야 하며, 치료효과가 있는 확인한 뒤 결과에 따라 titration을 시행하며, 주관적 증상 감소와 부작용이 없는 적절한 하악 전방 이동량이 결정되면, 객관적 평가를 위하여 장치 장착한 상태로 수면다원검사를 시행한다. 만족할 만한 치료 효과가 확인된다면, 계속적인 구강내 장치 장착을 시행하며, 이후 2-3개월 간격으로 내원하게 하여 치료 효과와 부작용 발생 여부를 지속적으로 확인한다. 정기 검진 시에는 구강내 장치 파절 및 치아와 구강내 장치간 적합도 유무, 교합 변화 유무, 턱관절 불편감 및 턱관절장애 증상 유무, 구강 위생 및 치아우식증, 치주질환 유무 등을 평가하여야 한다.

5 구강내 장치 치료의 부작용의 예방 및 치료

구강내 장치로 인하여 발생할 수 있는 부작용은 교합 변화, 턱관절 통증, 턱관절의 관절음, 근막동통, 치아 통증, 과도한 침 분비, 구강건조, 치은자극, 혀 통증 등이다. 부작용은 장치 유형에 따라 다르게 나타날 수 있으며, 일시적으로 발생할 수도 있지만, 적절하게 관리되지 않을 경우 비가역적으로 발생할 수도 있으므로 주의

하여야 한다. 구강내 장치 장착 시, 비가역적으로 발생할 수 있는 중요한 부작용으로는 교합 변화와 턱관절장애를 들 수 있다. 대표적인 부작용인 교합 변화는 주로 상악 전치의 설측 경사, 하악 전치의 순측 경사, 구치부 개교합 등이며, 이전에 보고된 구강내 장치 착용 환자의 5년간 장기 관찰연구에서 전체 환자의 8%에서 턱관절장애, 14%에서 교합변화가 발생한다고 보고하였다.

구강내 장치 치료 시 나타나는 다양한 부작용을 예방하거나 감소시키기 위하여는 장치 장착 시 정기적 치과 검진을 통하여 세밀한 관리가 이루어져야 하며, 치료 전 사전 설명과 동의 절차, 진단모형 제작과 임상사진 촬영 등도 반드시 필요하다.

장치 장착 중 교합변화와 턱관절장애와 같은 부작용이 발생하였을 경우에는 증상이 소실될 때까지 구강내 장치 치료를 중단여야 하며, 이 기간 동안 환자가 다른 치료를 받을 수 있다면 양압기 치료 등 다른 치료 방법을 시도하도록 한다. 구강내 장치 치료를 장기간 중단 시에도 교합변화와 턱관절장애가 지속된다면, 즉시 적절한 치료를 시행하여야 하며, 구강내 장치 치료 이외의 다른 치료 방법을 고려하여야 한다. 수면관련호흡장애 환자의 구강내 장치 치료 시 부작용 예방을 위한 치료 지침은 **표 20-11-4**와 같다.

표 20-11-4. 구강내 장치 치료 시 부작용 예방을 위한 치료 지침

1. 치료 전 치아 및 치주상태, 턱관절 상태가 구강내 장치에 적합한지 검진 및 평가가 이루어져야 한다.
2. 개개 환자에 맞는 구강내 인상을 채득하여 개인에 맞는 구강내 장치를 제작하여야 한다.
3. 구강내 장치는 모든 치아를 피개하여야 하며 치아와 장치간의 유지가 알맞아야 한다.
4. 구강내 장치는 하악의 전방이동량을 조절할 수 있어야 하며 상악과 하악이 분리된 이체형(Twinblock) 형태이어야 한다.
5. 구강내 장치는 개개인의 턱관절 구조에 적합한 장치 두께 및 교합면 경사를 형성하여 한다.
6. 구강내 장착 시 환자 구강 내에서 개개인의 교합에 맞게 조정하여야 한다.
7. 장치 장착 환자는 반드시 주기적으로 내원하여 치아 및 치주조직 상태, 교합 변화 유무, 턱관절 이상 유무를 평가받아야 한다.

▶ 참고문헌

• 대한안면통증구강내과학회. 구강내과학교과서 구강안면통증과 측두하악장애. 예낭출판사; 2012.

• 정진우, 김미은, 안형준 외. 코골이와 폐쇄성 수면무호흡증 치료를 위한 구강내장치 치료 가이드라인. 한국보건의료연구원; 2022.

• 정진우. 코골이와 수면무호흡증의 구강내장치 치료. 수면치의학회지 2019;4:13–9.

• An American Academy of Sleep Medicine Report. Practice parameters for the treatment of snoring and obstructive sleep apnea with oral appliances: an update for 2005. Sleep 2006;29:240–3.

• An American Sleep Disorders Association Report. Practice parameters for the treatment of snoring and obstructive sleep apnea with oral appliances. Sleep 1995;18:511–3.

• Barthlen GM, Brown LK, Wiland MR, et al. Comparison of three oral appliances for treatment of severe obstructive sleep apnea syndrome. Sleep Med 2000;1:299–305.

• Bonham P, Currier G, Orr W, et al. The effect of a modified functional appliance on obstructive sleep apnea. Am J Orthod Dentofacial Orthop 1988;94:384–92.

• Cartwright RD, Ristanovic R, Diaz F, et al. A comparative study of treatment for positional sleep apnea. Sleep 1991;14:546–52.

• Cartwright RD, Samelson CF. The effects of a nonsurgical treatment for obstructive sleep apnea–the tongue retaining device. JAMA 1982;248:707–9.

• Cartwright RD. Predicting response to the tongue retaining device for sleep apnea syndrome. Arch Otolaryngol 1985;111:385–8.

• Carwright RD, Stefoski D, Caldarelli D, et al. Toward treatment logic for sleep apnea; the place of the tongue retaining device. Behav Res Ther 1988;26:121–6.

• Chung JW, Enciso R, Levendowski DJ, et al. Treatment outcomes of mandibular advancement devices in positional and nonpositional OSA patients. Oral Surg Oral Med Oral Pathol Oral Radiol Endod 2010;109:724–31.

• Clark GT, Arand D, Chung E, et al. Effect of anterior mandibular positioning on obstructive sleep apnea. Am Rev Respir Dis 1993;147:624–9.

• Ferguson LA, Ono T, Lowe AA, et al. A randomized crossover study of an oral appliance vs nasal– continuous positive airway pressure in the treatment of mild– moderate obstructive sleep apnea. Chest 1996;109:1269–75.

• Hoekema A, Stegenga B, De Bont LG. Efficacy and co– morbidity of oral appliances in the treatment of obstructive sleep apneahypopnea: a systematic review. Crit Rev Oral Biol Med 2004;15:137–55.

• Lowe AA. Dental appliances for the treatment of snoring and obstructive sleep apnea. In: Kreyger MH. Principles and practice of sleep medicine. 2nd ed. Philadelphia: WB Saunders; 1994. pp. 722–35.

• Mehta A, Quian J, Petocz P, et al. A randomized, controlled study of a mandibular advancement splint for obstructive sleep apnea. Am J Respir Crit Care Med 2001;163:1457–61.

• Meier–Ewert K, Brosig B. Treatment sleep apnea by prosthetic mandibular advancement. In: Peter JH, Podsrus T, von Wichert P. Sleep related disorders and internal disease. Berlin: Springer; 1987. pp. 341–5.

• Millman RP, Rosenberg CL, Kramer NR. Oral appliances in the treatment of snoring and sleep apnea. Clin Chest Med 1998;19:69–75.

• Mohsenin N, Mostofi MT, Mohsenin V. The role of oral appliances in treating obstructive sleep apnea. J Am Dent Assoc 2003;134:442–9.

• Nakazawa Y, Takamoto T, Yasutake R, et al. Treatment of sleep apnea with prosthetic mandibular advancement (PMA). Sleep 1992;15:499–504.

• Paskow H, Paskow S. Dentistry's role in treating sleep apnea and snoring. J NJ Dent Assoc 1991;88:815–7.

• Patin CC, Hillman DR, Tennant M. Dental side effects of an oral device to treat snoring and obstructive sleep apnea. Sleep 1999;22:237–40.

• Petit FX, Pépin JL, Bettega G, et al. Mandibular advancement devices: rate of contraindications in 100 consecutive obstructive sleep apnea patients. Am J Respir Crit Care Med 2002;166:274–8.

• Pitsis AJ, Darendeliler MA, Gotsopoulos H, et al. Effect of vertical dimension on efficacy of oral appliance therapy in obstructive sleep apnea. Am J Respir Crit Care Med 2002;166:860–4.

• Rider EA. Removable Herbst appliance for treatment of obstructive sleep apnea. J Clin Orthod 1988;22:256–7.

• Schmidt–Nowara W, Lowe A, Wiegand L, et al. Oral appliances for the treatment of snoring and obstructive sleep apnea; a review. Sleep 1995;18:501–10.

• Schmidt–Nowara WW, Meade TE, Hays MB. Treatment of snoring and obstructive sleep apnea with a dental orthosis. Chest 1991;99:1378–85.

• Soll BA, George PT. Treatment of obstructive sleep apnea with a nocturnal airway–patency appliance. N Engl J Med 1985;313:386–7.

• Tsuiki S, Lowe AA, Almeida FR, et al. Effects of mandibular advancement on airway curvature and obstructive sleep apnoea severity. Eur Respir J 2004;23:263–8.

I 양압기 치료의 효과

지기환

양압기 치료(Positive airway pressure therapy)는 폐쇄수면무호흡증(obstructive sleep apnea, OSA)의 효과적인 치료법이다. 양압(positive pressure)이 상기도에 공기 부목(pneumatic splint) 역할을 하여 수면 중 상기도의 폐쇄를 막는다. 양압기 치료는 호흡사건을 막고 무호흡−저호흡지수(apnea−hypopnea index, AHI)와 각성지수(arousal index)를 감소시키며, 서파수면(N3)을 늘리고 주간과다수면을 개선한다. 양압기는 양압을 전달하는 방법에 따라서 여러 형태가 존재한다. 지속해서 일정 압력을 흡기와 호기에 전달하는 지속기도양압(continuous positive airway pressure, CPAP), 흡기와 호기에 따라 각각 IPAP (inspiratory PAP)과 EPAP (expiratory PAP) 두 종류의 압력을 제공하는 이중양압기(bilevel positive airway pressure, BPAP), 정해준 압력 범위 안에서 기계가 치료압을 일정하게 조절하는 자동양압기(auto−adjusting positive airway pressure, APAP)와 기계가 사용자의 호흡패턴을 분석, IPAP/EPAP을 조절하여 사용자의 환기량을 유지해주는 adaptive servo−ventilation이 있다. 요약하면 자동화된 CPAP이 APAP, 자동화된 BPAP이 adaptive servo−ventilation이라고 할 수 있다. 이 중 CPAP은 중등도 이상의 수면무호흡증후군 환자에게 일차적으로 고려하는

대표 치료이다.

2006년 AASM (American Academy of Sleep Medicine)의 양압기 치료 권고사항은 다음과 같다. 중등도 이상의 수면무호흡증후군(standard), 주간졸음을 호소하는 경증 수면무호흡증후군(standard), 경증 수면무호흡증후군(option), 삶의 질을 향상하기 위한 수면무호흡증후군 치료(option), 고혈압을 동반한 수면무호흡증후군 환자에서 혈압강하를 위한 부수적 요법(option) 등이다. 우리나라 성인 양압기 처방의 보험 기준은 1) AHI ≥ 15 이거나 2) AHI ≥ 10 이면서 불면증, 주간졸음, 인지기능감소, 기분장애 중 하나 이상 3) AHI ≥ 5 이면서 고혈압, 빈혈성 심장질환, 뇌졸중 병력, 산소포화도 85% 미만 중 하나 이상 해당하는 경우이다.

양압기 치료는 비교적 안전하며 부작용은 미미하거나 가역적이다. 마스크를 통한 공기 유출, 안면 피부염, 코막힘, 입마름 등이 발생할 수 있으며, 이명 및 호흡곤란 등이 드물게 나타날 수 있다. CPAP 치료 시 높은 압력이 필요하고, 이로 인해 호기 시 불편감을 느끼는 경우나 치료에 의해 중추저환기가 발생하는 경우 BPAP을 적용해 볼 수 있다. 그간 양압기의 많은 개량이 있었지만, 여전히 양압기 치료의 가장 큰 장애물은 치료수용과 순응도가 낮다는 점이다. 순응도를 높이는 기본은

좋은 환자-의사 관계 형성과 환자에게 무호흡의 위험과 양압기 치료의 효과에 대한 교육을 통한 치료 동기 유발에 있다. 따라서 의사는 양압기 치료 효과에 대해 숙지하고 있어야 한다.

수면무호흡증후군 환자는 주간과다수면으로 인해 직업수행능력 저하, 실직, 가족관계 악화, 삶의 질 감소 등의 문제가 발생할 수 있으며, 교통사고의 위험 또한 증가한다. 수면무호흡증후군은 고혈압, 관상동맥질환, 울혈심부전, 뇌졸중, 조기 사망의 독립 위험인자로 남성 및 중년층에서 위험이 더 높다. 부정맥도 수면무호흡증후군와 관련되어 발생할 수 있는데 특히 심방세동의 발현 및 재발과 연관이 있다. 수면무호흡증후군은 비만과 무관하게 제2형당뇨병 발병의 위험인자임을 시사하는 연구 결과가 많다. 그 밖에도 수면무호흡증후군은 우울증의 중증도를 높인다. 이 장에서는 CPAP 치료가 주간과다수면, 교통사고, 인지기능, 심혈관계질환, 뇌졸중 및 사망률 등에 미치는 영향을 중점으로 다루도록 한다.

1 주간과다수면과 삶의 질

무호흡의 빈도는 주간 증상의 중증도 및 삶의 질과 음의 상관관계다. 다수의 무호흡 환자는 주간과다수면을 호소한다. 보통 졸음은 이완된 상황이나 휴식상태에서 발생하지만, 심한 경우 대화하거나 먹거나 걷거나 운전하는 동안에도 발생할 수 있다. 여성의 경우 과도한 졸림 대신, 불면, 수면의 질 저하, 피로를 주로 호소한다. 평균 AHI 69의 중증의 수면무호흡증후군 환자 149명에서 CPAP 사용 시간과 주간졸음의 관계를 연구한 결과, 총 CPAP 사용 시간이 증가할수록 Epworth Sleepiness Scale과 수면잠복기반복검사(Multiple Sleep Latency Test)를 통해 주간과다수면이 호전됨을 확인하였다. 수면무호흡증후군 환자 1,098명을 대상으로 6개월 CPAP치료가 인지기능에 미치는 영향을 본 무작위

대조연구(APPLES)에서 엡워쓰졸음지수를 통한 주관적인 졸음 정도는 중등도 이상의 수면무호흡증후군 환자에서, 각성유지검사(maintenance of wakefulness test)를 통한 객관적인 졸음 정도는 중증의 수면무호흡증후군 환자에서만 2개월, 6개월째 호전을 보였다. 메타분석에서도 CPAP 치료군이 대조군보다 웹워쓰졸음지수 2.4점이 낮았고 각성유지검사 0.5점이 증가했으나 다중수면잠복기검사에서는 수면잠복기의 유의한 차이가 없었다. 종합하면, CPAP 치료는 주관적, 객관적 졸림 개선에 효과가 있고, 이는 양의 용량 반응 관계이다. 4시간 이상 CPAP 사용 시 주간과다수면과 삶의 질 개선을 기대해 볼 수 있으며, 최대 효과를 얻기 위해서는 더 긴 사용 시간이 요구된다. CPAP 치료는 주간졸음을 호소하는 수면무호흡증후군 환자의 삶의 질을 개선하며, 특히 수면관련 삶의 질을 뚜렷하게 개선한다. 하지만 주간졸음을 호소하지 않는 수면무호흡증후군 환자에게도 삶의 질을 개선하는지 여부는 추가 연구가 필요하다.

2 교통사고

수면무호흡증후군은 졸음운전을 유발하고 수행능력을 떨어뜨려 교통사고의 위험을 높인다. 스웨덴 교통사고 등록연구에 의하면 수면무호흡증후군 환자군의 기대사고율이 대조군보다 2.35배 높았으며, 특히 노인 수면무호흡증후군 환자에게 사고율이 증가하였다. 하지만 4시간 이상 CPAP 치료 후에는 교통사고 발생(교통사고/1,000명/년)이 7.6에서 2.5로 감소했다.

3 인지기능

수면무호흡증후군 환자에게 신경인지기능장애(neurocognitive dysfunction)가 나타날 수 있다. 주간과다수면이 신경인지장애의 한 요인일 수 있지만, 모든 수면무호흡증후군 환자가 주간과다수면을 갖지는 않는다. 6개

월 CPAP 치료가 인지기능에 미치는 영향을 본 무작위 대조시험(APPLES)에서 CPAP 치료는 6개월째 인지기능의 개선을 보이지 않았다. 하지만 수면무호흡증후군의 중증도로 층화분석 시 치료 2개월 집행기능(executive function)과 전두엽 기능(frontal lobe function)의 개선을 보였으나, 효과가 유지되지 않았다. 수면무호흡증후군의 신경인지기능장애는 주간졸음의 정도와 관련이 있는 것으로 보이며, CPAP 치료는 주간졸음이 없는 환자의 신경인지기능 개선에는 영향이 없는 것 같다.

4 심혈관계영향

수면무호흡증후군 환자는 수면 중 상기도의 폐쇄로 인해 반복적인 무호흡 또는 저호흡을 겪으며, 이러한 호흡사건은 간헐적인 저산소혈증, 고탄산혈증과 빈번한 수면 중 각성을 유발한다. 또한 교감신경계활성, 정맥혈복귀(venous return) 감소, 심박출량의 저하, 압력반사(baroreflex) 증가, 폐구심성(pulmonary afferent) 증가 및 및 내피세포이상(endothelial dysfunction)과 체내 순환 염증매개자의 농도 상승을 초래한다. 즉 반복적인 호흡이상과 각성은 혈역학적 변화와 자율신경계 변화 및 염증반응을 유발하여 고혈압과 심혈관질환 발병에 기여한다. 수면무호흡증후군에 확장심근병증이나 허혈심장질환이 동반된 경우, 기저 심장질환과 울혈심부전이 악화할 수 있다. 여러 관찰연구에서 중증 수면무호흡증후군 환자의 CPAP 순응도가 높으면 심혈관계 위험이 낮아짐을 보고하였다.

1) 고혈압

수면무호흡증후군 환자 50%에서 고혈압을 동반하며, 저항성 고혈압 환자에게 수면무호흡증후군 유병률이 높다. 많은 단면연구에서 수면무호흡증후군 환자의 고혈압 유병률이 대조군보다 일관되게 높았으며, 수면무호흡증후군 중증도에 비례하여 고혈압 위험이 증가하였다. CPAP 치료는 중등도 이상 수면무호흡증후군 환자

의 24시간 수축기 혈압을 위약군에 비해 낮추고, 저항성 고혈압 수면무호흡증후군 환자의 야간 및 주간 혈압을 낮추었다. 특히 CPAP 치료는 야간혈압하강의 소실을 보이는 환자(non-dipper)를 생리적인 야간혈압저하 양상을 보이는 야간혈압하강자(dipper)로 회복시킬 수 있다. 메타분석에서 CPAP 치료는 수축기, 이완기 혈압을 각각 2.6 mmHg, 2 mmHg 낮추었고, 그 효과는 저항성 고혈압 환자에게 더 컸으며, AHI가 높을수록 수축기혈압의 감소폭이 컸다. CPAP 치료는 약물치료에 비해 혈압강화 효과가 떨어지지만, 혈압이 2 mmHg만 감소해도 심혈관 위험은 상당히 감소한다. 수면무호흡증후군를 동반한 고혈압 환자에서 안지오텐신 II 차단제의 효과가 떨어지는 반면, CPAP과 안지오텐신 II 차단제의 복합치료는 약물 단독 치료보다 혈압강하효과를 높였다. 반면 만성고혈압이 동반되거나 주간졸음이 심하지 않은 수면무호흡증후군 환자에게는 CPAP 치료의 혈압강하 효과가 떨어지며, 주간졸음이 없는 중등도 이상의 수면무호흡증후군 환자(AHI ≥ 20)에게 고혈압과 심혈관계 사건을 줄이지 못했다는 보고도 있어, 주간과다수면은 심혈관질환의 독립위험인자로 보인다.

2) 부정맥/ 심방세동

수면무호흡증후군은 야간 부정맥과 관련이 있다. 호흡사건과 각성에 따라 서맥과 빈맥이 동반할 수 있는데, 무호흡 동안 경동맥체(carotid body)의 저산소 자극은 미주신경을 자극하여 심박수를 낮추나 무호흡이 끝나면서 교감신경이 활성화되어 심박수가 증가한다. 인과관계는 불명확하나 부정맥은 호흡사건과 더불어 잘 관찰된다. 부정맥 감시를 위해 loop recorder를 삽입한 23명의 중등도 이상 수면무호흡증후군 환자에서 CPAP 치료 전 2개월간 주로 야간에 서맥이나 동정지(sinus arrest) 또는 완전방실차단(complete heart block) 등이 빈번히 기록되었지만, CPAP 치료 후 2개월간 점차 빈도가 줄어서, 이후 6개월간 부정맥이 기록되지 않았다. CPAP 치료가 심방세동에 미치는 영향은 아직 명확하지 않다. 심방세동으로 심율동전환(cardioversion)을 받

은 수면무호흡증후군 환자에서 1년 후 심방세동 재발률이 CPAP치료군에서는 42%였지만 치료받지 않은 군에서는 82%였다. 반면 심율동전환(cardioversion)을 받은 주간과다수면이 없는 경증의 수면무호흡증후군 환자를 대상으로 한 소규모 무작위대조시험에서 CPAP 치료는 심방세동 재발률 감소를 보이지 못했다. 최근 무작위대조시험에서도 증상이 가벼운 중등도 이상의 수면무호흡증후군 환자에게 CPAP 치료가 심방세동을 줄이지 못했다.

최근 대규모(SAVE)와 소규모(RICCADSA) 무작위대조시험에서 심혈관질환, 뇌졸중을 앓는 주간졸음이 심하지 않은 수면무호흡증후군 환자에게 CPAP 치료가 심혈관 사건 및 사망률을 낮추지 못했다. 하지만 두 연구 모두 CPAP 사용 시간이 평균 4시간에 못 미치는 것은 중요한 한계로 해석에 주의를 요한다. CPAP 순응도가 높은 환자만을 하위그룹 분석한 결과, RICCADSA 연구에서 반복적인 관상동맥 혈관재개통, 심근경색, 뇌졸중, 심혈관계 사망의 복합결과와 SAVE 연구에서 뇌혈관사건의 위험이 낮았다.

종합하면, 많은 관찰연구에서 수면무호흡증후군 환자에게 CPAP 치료의 심혈관 사건에 대한 효과가 축적되었지만, 최근 무작위대조시험에서 고혈압을 제외하고는 효과를 입증하지 못하고 있다. 아직 CPAP 치료가 주간과다수면이 없거나 가벼운 수면무호흡증후군 환자에서 장기적인 심혈관 사건 및 사망률을 낮춘다는 근거는 부족하다.

5 당뇨병

수면무호흡증후군의 중증도는 인슐린 저항성 정도와 비례하며, 수면무호흡증후군에 의한 간헐적인 저산소혈증, 수면의 분절화와 잦은 각성은 내당능장애를 초래할 수 있다. 수면무호흡증후군과 제2형 당뇨병은 비만과 동반 질환을 공유하며 서로 밀접한 관련이 있지만, 아직 수면무호흡증후군이 당뇨병의 독립위험인자인지, 수

반되는 기전은 무엇인지 추가연구가 필요하다. 체질량지수 35 이상 고도비만 중증 수면무호흡증후군 환자를 대상으로 한 무작위대조시험에서 12주간 CPAP치료는 내당능장애(impaired glucose tolerance)의 역전을 증가시켰고, CPAP 치료군에서 고식적 치료군과 달리 내당능장애가 새로 발생하지 않았다. 내당능 장애를 동반한 중등도 및 중증의 수면무호흡증후군 환자 50명을 대상으로 CPAP과 sham CPAP을 비교한 무작위대조교차시험에서도 8주간 CPAP 치료가 내당능장애의 호전을 보이지 못했으나, 중증의 수면무호흡증후군 군에서는 인슐린 민감도와 2시간 인슐린 수치를 감소시켰다. CPAP 치료는 인슐린 민감도를 개선하지만 당화혈색소를 낮추거나 당뇨병 관련 합병증을 개선한다는 근거는 아직 부족하다.

6 뇌졸중

뇌졸중 환자에게 수면무호흡증후군은 매우 흔해 급성 뇌졸중이나 일과성허혈발작 환자의 50–70%에서 나타난다. OSA와 뇌졸중은 남성, 비만, 고령, 고혈압 등의 위험인자를 공유하며, 여러 역학 연구에서 OSA와 뇌졸중 간 독립적 연관성을 지지하고 있다. AHI ≥ 20에서 뇌졸중의 오즈비는 4.31 (95% CI, 1.31–14.15), AHI ≥ 11은 1.58 (95% CI, 1.02–2.46)이었다. AHI ≥ 20의 뇌경색 환자를 대상으로 조기(3–6일) CPAP 치료가 신경호전과 삶의 질에 미치는 영향을 평가하기 위한 무작위대조시험에서, 2년간 71명의 CPAP 치료군과 69명의 대조군을 관찰 시, CPAP 치료는 대조군보다 뇌졸중 1개월 후 Rankin scale에서 호전 비율이 높았으며(90.9 vs. 56.3%), 심혈관질환 발생도 늦추었다(14.9 vs. 7.9개월). 최근 두 개의 무작위대조시험(SAVE와 RICCADSA)에서 CPAP 치료의 뇌졸중 예방효과를 확인하지 못했지만, CPAP 순응도가 높은 환자에서는 뇌졸중 위험이 감소하였다.

7 사망률

수면무호흡증후군과 모든 심혈관 및 전원인사망률 (all-cause mortality) 사이의 연관성은 이미 여러 관찰 연구를 통해 잘 확립되어왔다. 메타연구에 의하면 중증 수면무호흡증후군 환자에서 전원인사망(all-cause mortality)의 통합위험률(pooled hazard ratio)이 2.13 (95% CI, 1.68–2.68), 심혈관사망의 통합위험률은 2.73 (95% CI, 1.94–3.84)이었다. 반면 CPAP 치료군은 비치료군에 비해 전 원인사망과 심혈관사망 위험률이 각각 0.66 (95% CI, 0.59–0.73), 0.37 (95% CI, 0.16–0.54)로 낮았으며, CPAP 치료군과 정상 대조군 간의 심혈관 사망률은 차이가 없었다.

CPAP은 중등도 이상 수면무호흡증후군 환자의 일차 치료법이다. 양압기 치료는 주간졸음을 호전시키고 혈압을 낮춘다. CPAP 치료가 심혈관계질환 및 뇌졸중, 대사질환의 위험을 낮춘다는 여러 후향 연구나 관찰 연구에도 불구하고 아직 대규모 무작위대조시험에서 입증된 바는 없다. 하지만 수면무호흡증후군과 관련된 다양한 질환들의 발생 기전과 CPAP 치료에 의한 질병 개선의 병태생리학적 기전을 고려하면 CPAP 치료의 효과는 부정하기 어렵다. CPAP 치료의 특성상 대조군에 sham CPAP을 완벽하게 눈가림 적용하기 힘든 기술적인 문제, 그간 무작위대조시험에서 주간졸음이 심한 군을 제외하여 잠재적으로 심혈관계질환, 뇌졸중 등의 위험이 낮은 군만이 연구에 포함되어 통계 검정력 저하가 나타난 문제, 연구대상자의 CPAP 치료의 순응도가 낮았던 문제 등을 고려하면 여전히 개선된 후속 무작위대조시험에서 CPAP 치료의 긍정적인 결과를 기대하게 한다. 하지만 지금까지 존재하는 연구 결과를 종합하면, CPAP 치료의 효과는 주간졸음의 증상(또는 고혈압)이 있는 중등도 이상 수면무호흡증후군 환자가 충분한 순응(최소 4시간 이상)을 보일 때로 국한되며, 주간졸음 증상이 없거나 증상이 약한 환자에게는 그 효과가 불확실하다.

▶ 참고문헌

- Arzt M, Young T, Finn L, et al. Association of sleep-disordered breathing and the occurrence of stroke. Am J Respir Crit Care Med 2005;172:1447–51.
- Barbe F, Duran-Cantolla J, Sanchez-de-la-Torre M, et al. Effect of continuous positive airway pressure on the incidence of hypertension and cardiovascular events in nonsleepy patients with obstructive sleep apnea: a randomized controlled trial. JAMA 2012;307:2161–8.
- Bradley TD, Floras JS. Obstructive sleep apnoea and its cardiovascular consequences. Lancet 2009;373:82–93.
- Campos-Rodriguez F, Pena-Grinan N, Reyes-Nunez N, et al. Mortality in obstructive sleep apnea-hypopnea patients treated with positive airway pressure. Chest 2005;128:624–33.
- Caples SM, Mansukhani MP, Friedman PA, et al. The impact of continuous positive airway pressure treatment on the recurrence of atrial fibrillation post cardio version: a randomized controlled trial. Int J Cardiol 2019;278:133–6.
- da Silva Paulitsch F, Zhang L. Continuous positive airway pressure for adults with obstructive sleep apnea and cardiovascular disease: a meta-analysis of randomized trials. Sleep Med 2019;54:28–34.
- Feng Y, Zhang Z, Dong ZZ. Effects of continuous positive airway pressure therapy on glycaemic control, insulin sensitivity and body mass index in patients with obstructive sleep apnoea and type 2 diabetes: a systematic review and meta-analysis. NPJ Prim Care Respir Med 2015;25:15005.
- Friedman O, Logan AG. The price of obstructive sleep apneahypopnea: hypertension and other ill effects. Am J Hypertens 2009;22:474–83.
- Fu Y, Xia Y, Yi H, et al. Meta-analysis of all-cause and cardiovascular mortality in obstructive sleep apnea with or without continuous positive airway pressure treatment. Sleep Breath 2017;21:181–9.
- Giles TL, Lasserson TJ, Smith BJ, et al. Continuous positive airways pressure for obstructive sleep apnoea in adults. Cochrane Database Syst Rev 2006:CD001106.
- Jonas DE, Amick HR, Feltner C, et al. Screening for obstructive sleep apnea in adults: evidence report and systematic review for the US preventive services task force. JAMA 2017;317:415–33.
- Karimi M, Hedner J, Habel H, et al. Sleep apnearelated risk of motor vehicle accidents is reduced by continuous positive airway pressure: Swedish Traffic Accident Registry data. Sleep 2015;38:341–9.
- Koo DL, Nam H, Thomas RJ, et al. Sleep disturbances as a risk factor for stroke. J Stroke 2018;20:12–32.

- Kryger MH, Roth T, Dement WC. Principles and practice of sleep medicine. 6th ed. Philadelphia: Elsevier; 2017.
- Kushida CA, Littner MR, Hirshkowitz M, et al. Practice parameters for the use of continuous and bilevel positive airway pressure devices to treat adult patients with sleep-related breathing disorders. Sleep 2006;29:375-80.
- Martinez-Ceron E, Barquiel B, Bezos AM, et al. Effect of continuous positive airway pressure on glycemic control in patients with obstructive sleep apnea and type 2 diabetes. A randomized clinical trial. Am J Respir Crit Care Med 2016;194:476-85.
- Martinez-Garcia MA, Capote F, Campos-Rodriguez F, et al. Effect of CPAP on blood pressure in patients with obstructive sleep apnea and resistant hypertension: the HIPARCO randomized clinical trial. JAMA 2013;310:2407-15.
- Martinez-Garcia MA, Chiner E, Hernandez L, et al. Obstructive sleep apnoea in the elderly: role of continuous positive airway pressure treatment. Eur Respir J 2015;46:142-51.
- McEvoy RD, Antic NA, Heeley E, et al. CPAP for prevention of cardiovascular events in obstructive sleep apnea. N Engl J Med 2016;375:919-31.
- Narkiewicz K, Kato M, Phillips BG, et al. Nocturnal continuous positive airway pressure decreases daytime sympathetic traffic in obstructive sleep apnea. Circulation 1999;100:2332-5.
- Parra O, Sanchez-Armengol A, Bonnin M, et al. Early treatment of obstructive apnoea and stroke outcome: a randomised controlled trial. Eur Respir J 2011;37:1128-36.
- Patil SP, Ayappa IA, Caples SM, et al. Treatment of adult obstructive sleep apnea with positive airway pressure: an American academy of sleep medicine systematic review, meta-analysis, and GRADE assessment. J Clin Sleep Med 2019;15:301-34.
- Peker Y, Glantz H, Eulenburg C, et al. Effect of positive airway pressure on cardiovascular outcomes in coronary artery disease patients with nonsleepy obstructive sleep apnea. The RICCADSA randomized controlled trial. Am J Respir Crit Care Med 2016;194:613-20.
- Pepin JL, Tamisier R, Barone-Rochette G, et al. Comparison of continuous positive airway pressure and valsartan in hypertensive patients with sleep apnea. Am J Respir Crit Care Med 2010;182:954-60.
- Peppard PE, Young T, Palta M, et al. Prospective study of the association between sleep-disordered breathing and hypertension. N Engl J Med 2000;342:1378-84.
- Salord N, Fortuna AM, Monasterio C, et al. A randomized controlled trial of continuous positive airway pressure on glucose tolerance in obese patients with obstructive sleep apnea. Sleep 2016;39:35-41.
- Shahar E, Whitney CW, Redline S, et al. Sleep-disordered breathing and cardiovascular disease: cross-sectional results of the Sleep Heart Health Study. Am J Respir Crit Care Med 2001;163:19-25.
- Simantirakis EN, Schiza SI, Marketou ME, et al. Severe bradyarrhythmias in patients with sleep apnoea: the effect of continuous positive airway pressure treatment: a long-term evaluation using an insertable loop recorder. Eur Heart J 2004;25:1070-6.
- Sullivan CE, Issa FG, Berthon-Jones M, et al. Reversal of obstructive sleep apnoea by continuous positive airway pressure applied through the nares. Lancet 1981;1:862-5.
- Traaen GM, Aakeroy L, Hunt TE, et al. Effect of continuous positive airway pressure on arrhythmia in atrial fibrillation and sleep apnea: a randomized controlled trial. Am J Respir Crit Care Med 2021;204:573-82.
- Wallstrom S, Balcan B, Thunstrom E, et al. CPAP and health-related quality of life in adults with coronary artery disease and non-sleepy obstructive sleep apnea in the RICCADSA trial. J Clin Sleep Med 2019;15:1311-20.
- Yu J, Zhou Z, McEvoy RD, et al. Association of positive airway pressure with cardiovascular events and death in adults with sleep apnea: a systematic review and meta-analysis. JAMA 2017;318:156-66.

PART
4

수면장애 각론

II CPAP / APAP

이지현

1 기도양압기

지속적양압장치(continous positive airway pressure, CPAP) 즉, 기도양압기의 역사는 1981년 호주의 호흡기내과 의사 콜린 설리번(Collin Sullivan)이 Lancet에 5명의 폐쇄수면무호흡증후군 환자의 증상을 개선시키는 것을 보고하면서 시작되었다. 기도양압기는 그가 호주에서의 수련과정을 마친 뒤 북미 유학 길에 수면과 호흡 생리에 대한 연구에 집중하던 중 고안되어, 기존 장기적 부작용에도 불구하고 증상 호전을 위해 기관 절개술(tracheostomy)에 의지하던 폐쇄수면무호흡증 환자에게 있어서 획기적인 치료방법으로 평가되었다.

이후 기도양압기는 폐색수면무호흡증뿐만 아니라 중추수면무호흡이나 신생아 수면무호흡에서도 증상을 개선시키고 수면무호흡과 연관된 내외과적 합병증, 즉 고혈압, 뇌졸중을 예방하고 당뇨 조절을 용이하게 해주며, 인지기능저하를 예방하는 등의 심혈관계 합병증에 대한 예방 효과가 검증되면서 기도양압기 치료는 현재까지 수면무호흡에 있어서 증상의 심각성이나 수면무호흡의 양상에 관계없이 수면 중 무호흡-저호흡지수(Apnea Hypopnea Index, AHI)를 정상화 시키는 치료의 골드스탠다드로 여겨지고 있다.

이 챕터에서는 기도양압기 치료의 원리, 치료 적응증, 우리나라 의료보험하에서 기도양압기 치료, 적정 압력을 확인하고 처방하는 방법, 기도양압기의 세부 종류 및 최근 기술발달에 따라 진보된 기도양압기 기술들을 리뷰하고, 자동 압력 조정식 기도양압기(자동식 기도양압기, Auto-titrating PAP, Auto-PAP, APAP)의 원리 및 장단점에 대해 알아보고자 한다.

2 원리

기도양압기의 기본 원리는 기도 내로 일정한 공기압을 유지하여 기도를 좁아지게 하거나 막는 구조물을 밀어 상기도가 좁아지거나 막히는 것을 넓게 유지하는 것이다. 수면무호흡이 있는 환자라 할지라도 의식이 있는 상태에서는 기도가 막히거나 하지 않지만, 수면 중 기도가 좁아지기 쉬운 상태가 되고 물리적인 기도 폐색이 생기는 수면무호흡이 진단되면 기도양압기를 도입하게 된다.

일반적으로 기도양압기는 시작 압력을 적어도 4 cm H_2O이상으로 설정하고, 이는 기도양압기 사용시 폐쇄된 회로 내에서 호흡을 하게 되는데 압력이 지나치게 낮을 경우 생길 수 있는 호기말 폐포 허탈을 막기 위해 인공호흡기에서 적용하는 호기말 양압(Positive End Expiratory Pressure, PEEP) 이상의 압력을 흡기 호기 포함한 호흡 싸이클 동안 유지시켜 주는 것이다. 동시에 기도양압기는 기도 내부 압력(intraluminal pressure)이 주변의 압력보다 높게, 즉 transmural pressure를 양의 값으로 유지해 공기의 흐름이 기도 내부에서 용이하게 돕는 장치이다.

기도양압기는 기기 주변의 공기를 빨아들여 필터를 거친 뒤 일정압력으로 압축하여, 튜브를 통해 마스크를 쓰고 있는 환자의 기도에 일정한 압력을 유지한다. 이를 위해 기기는 기도양압기에서 공기를 압축한 뒤 긴 튜브를 통과하고 기도에 이르기까지 일정압력을 유지해야 한다. 이러한 폐회로 내에 기도양압기는 환자의 들숨과 날숨에 관계없이 일정압력을 유지한다.

달라지는 호흡 싸이클 동안 기도양압기 내에 일정 압력을 유지하기 위해 기도양압기에는 압력 센서가 있는데, 이 센서는 환자의 기도 가까이나 튜브에 있는것이 아니라 기계내부에 위치해 있고, 긴 튜브를 통과하는 동안의 손실 및 마스크와 피부의 밀폐가 유지되지 않고 누출과 관련하여 발생하는 압력의 변화를 예측하고 유지할 수 있어야 한다.

초기 고안된 기도양압기는 마스크를 통해 기도에 양압을 유지하고, 폐회로를 만들기 위해 마스크를 얼굴에 접착보조제를 사용하여 코와 입 주변을 고정하는 방법에서 출발하였다. 이후 버블 마스크를 통해 현재의 실리콘 마스크에 이르기까지 사용자의 편의를 위해 개선을 거듭하고 있고, 이외에도 빌트인 가습장치, 튜브내 온도 및 습도 조절 기능, 필터, 각종 압력 및 호흡 모니터 센서, 컨트롤러, 데이터 보관 및 3G 통신을 통한 데이터 전송 등이 가능하도록 급격하게 발전되고 있다.

3 효과

2019년에 미국수면학회에서 336개의 연구를 바탕으로 발표한 메타 연구결과에 의하면 기도양압기 치료가 수면 중 무호흡-저호흡지수(Apnea Hypopnea Index, AHI)를 줄이고, 주간과다수면 증상을 개선시키며, 혈압을 개선 시키고, 교통사고의 위험성을 감소시키는 반면, 기도양압기 사용의 효과로 강조되었던 뇌졸중, 사망률, 신경인지기능, 우울감, 공복혈당, 입원의 위험성을 감소시키는 것에 대해서는 의문을 제기하였다. 또한 기존에 기도양압기 사용이 사망률을 감소시킬 수 있는지에 대해서는 추가 연구가 필요할 것으로 생각된다.

그럼에도 불구하고 여전히 수면무호흡의 치료에 있어서 기도양압기는 경도에서부터 중증에 이르기까지 수면무호흡의 중등도와 상관없이 수면무호흡을 가장 확실하게 개선시키는 치료방법이며, 이는 기타 다른 보존적인 치료법이나, 플라시보 기도양압기의 사용, 자세 치료 등과 비교되지 않을 정도로 우월한 방법이다.

4 치료의 적응증

미국 수면학회에서는 합병증이 없는 중등도 또는 중증의 수면무호흡의 경우 기도양압기 치료가 일차 치료로 권장된다. 경도의 수면무호흡이라고 하더라도 주간 증상, 즉 주간과다수면, 집중력 장애, 피로, 불면증, 우울감이나 불안 등의 정동에 문제가 동반 되거나, 고혈압, 뇌졸중, 심부전, 당뇨, 부정맥이 동반될 때에는 일차치료로 기도양압기를 선택한다.

미국수면학회의 치료는 수면무호흡의 심각도를 결정하는 기준을 호흡장애지수(Respiratory Distress Index, RDI)로 삼았다.

우리나라에서는 수면무호흡에 대한 기도양압기치료는 수면무호흡의 일차치료임에도 불구하고 그동안 급여가 되지 않다가 2018년 7월부터 보험급여로 기도양압기 임대 처방이 가능하게 되었다. 실시 초기에는 1. AHI 15 이상의 중등도 이상 수면무호흡이 있거나 2. 1) 불면증, 2) 주간졸음, 3) 인지기능 감소, 4) 기분장애, 5) 고혈압, 6) 빈혈성 심장질환, 7) 뇌졸중 기왕력, 8) 산소포

표 20-12-1. 국민건강보험공단 기도양압기 급여 기준

1. 중등도 또는 중증의 수면무호흡(AHI 15/hr)
2. AHI 10 이상이면서 불면증, 주간졸음, 인지기능감소, 기분장애 중 하나에 해당
3. AHI 5 이상이면서 고혈압, 빈혈성 심장질환, 뇌졸중 기왕력, 산소포화도 85% 미만

화도가 85% 미만의 요소가 있으면서 AHI 5 이상의 수면무호흡이 있는 경우 요양급여 혜택을 받을 수 있었다. 하지만, 2020년 12월 고시 개정과 더불어 기도양압기 사용 기준이 엄격해졌다. 현재는 1. 주간 증상과 상관없는 중등도 및 중증의 수면무호흡, 2. 주간증상(불면, 과도한 주간졸음, 인지기능감소, 기분장애)가 동반된 AHI 10 이상의 경도의 수면무호흡, 3. 고혈압, 빈혈성 심장질환, 뇌졸중 기왕력 등 내과적인 동반질환이 있거나 산소포화도가 85% 미만으로 감소한 AHI 5 이상의 경도의 수면무호흡에서 보험급여를 인정한다(표 20-12-1). (12세 이하의 소아는 별도의 기준) 또한 최초 기도양압기 순응 기간은 만족시킨 뒤에도 매 3개월 평균 2시간 이상 사용이 요구되고 기도양압기 재처방전을 발급받아야 한다.

한편 폐쇄수면무호흡증후군으로 진단된 환자의 수술 보험급여의 경우 기준은 미국과 동일하며 기도양압기를 이용한 치료 보다 폭넓게 급여가 적용되고 있다.

2020년 개정된 보험은 이전의 기도양압기 급여 기준에 비해 상당히 까다롭고 엄격한 기준을 적용할 뿐만 아니라 주간증상이 동반된 AHI 10 이상의 수면무호흡에 기도양압기 사용을 인정한다든지, 3개월 2시간 이상 사용의 경우에 재처방전을 발급하는 기준이 되는 등 임상적, 과학적인 근거보다는 기도양압기 사용을 제한하기 위한 임의적인 분리 기준 적용 등의 한계가 있어 추후 논의를 거쳐 제도의 개선이 필요하다.

5 종류

■ 고정식 기도양압기(Fixed Pressure CPAP) 또는 자동압력 조절식 기도양압기(Auto-Titrating PAP, APAP)

환자에게 수면무호흡이 진단되어 기도양압기 치료를 시작하기로 했다면 임상가는 먼저 어떤 종류의 기도양압기를 처방할지를 결정해야한다. 기도양압기는 정해진 압력으로 전원을 켤 때부터 중단할 때까지의 일정압력을 유지하는 기능을 가진 고정식 기도양압기로 고안되었다. 환자마다 다른 적정 압력을 확인하기 위해 수면다원검사를 통해 환자의 수면무호흡을 조절할 수 있는 최적의 압력을 확인하고, 처방한다. 경우에 따라서는 자동압력조절식 기도양압기를 처방하기도 한다. 이는 자세에 따라 수면무호흡의 정도가 다르거나, 생활방식이 일정하지 않고, 잦은 음주 등으로 수면무호흡의 상태가 변화할 가능성이 많거나, 수술 전후 등의 이유로 체중의 급격한 변화가 예상되는 경우, 렘수면과 비렘수면 사이의 AHI에 현격한 차이가 있을 때 유용하게 사용할 수 있다. 하지만, APAP에서는 폐색성 무호흡과 중추성 무호흡을 구별하는 기능이 부족해 압력을 과교정하거나 마스크, 마스크와 피부상, 구강호흡 등으로 인해 과도한 누출이 발생할 경우 이를 모니터하여 압력을 조절할 수 있는 기능이 부족하다.

각 제조사는 이러한 문제를 교정하기 위해서 과도한 누출이 발생하면 압력을 임의로 내리는 기능이라든지, 무호흡이 생기면 일부 압력을 흘려보내 중추성인지의 여부를 판단하기 위한 자체적인 방법을 사용하기도 하지만, 여전히 한계가 있다.

미국수면학회는 고정식 기도양압기를 사용하기 위해 적정압력검사를 권유한다. 적정압력은, 특히 수면무호흡이 심한 경우에 이상적으로 렘수면 동안 바로 누운 자세에서 호흡이 잘 조절되는 상태를 기준으로 결정하도록 한다.

자동형 기도양압기(AutoPAP, APAP)는 초기에 환자의 상태가 수면 중 수면의 단계, 자세의 변화 등으로 수

표 20-12-2. 필립스 및 레즈메드 APAP 압력 조절 알고리듬

기도양압기 종류	필립스 DreamStation (DreamStation 2, System One 동일)	레즈메드 AutoSet 10 (AutoSet 10 For Her모델은 다른 방법을 사용함)
Sampling Rate	레즈메드 기기의 2배 이상	50 Hz
환기량의 기준	WPF of 20%–80% of inspiratory volume	RMS of the variance of moving average scaled low-pass-filtered absolute value of respiratory flow
무호흡	WPF per breath <20% for 10 s, terminating with breath >30% compared to average of 80th–90th percentile WPFs of prior 4 min moving average	2 s RMS moving average <25% for 10 s compared to prior 1 min RMS moving average
저호흡	20%–60% for 10 s and ending either with terminating breath over 75% of recent WPF or at 60 s	12 s RMS scaled average 25%–50% for 10 s + at least 1 OA
Flow limitation	4 breath average to over several minutes of breathing shape change including roundness, skewness, and flatness indices and weighted peak inspiratory airflow	Breath by breath analysis of breath shape index, RMS flatness index, and ventilation change and breath duty cycle
호흡이벤트에 대한 기기의 반응	무호흡2 또는 무호흡 1 + 저호흡1회, 또는 저호흡 2회에 반응하여 15초 동안 압력 1 증압하여 30간 유지. 8분 동안 무호흡이 없으면 30초에 걸쳐서 압력을 2 감압한 뒤 1올려서 15분간 유지. 저호흡 2회가 나타날 때까지 증압 Flow limitation에 대해서는 1분당 1.5 증압. 60초간 3회의 코골이가 발견될 때에는 15초 동안 1 증압하고 1분간 유지	무호흡 10초 지속시 초기 압력이 4 일 경우 3 cm H_2O씩 증압. Flow limitation에는 3breath model 에 반응하여 심한 flow limitation에는 호흡 당 0.6씩 증압. Flow limitation 이 적어지거나 누출이 많아지거나 압력이 15보다 높으면 증압 속도를 낮춤. 코골이에는 호흡 당 0.6씩 증압
Pressure Relief	CFlex 또는 AFlex in APAP off, 1,2,3	EPR off, 1, 2,3

면 중 무호흡의 상태에 변화가 있는 경우를 해결하기 위한 고민에서 출발하여 고안되었다. 환자의 호흡의 양상을 모니터하는 센서가 발달하게 되면서 이에 따라 자동압력조절식 기도양압기가 정해진 최소-최대 압력의 범위 안에서 미리 정해진 알고리듬에 따라 압력을 조절한다. 주로 호흡하는 동안 생기는 호흡 흐름에 제한이 있거나(flow limitation) 저호흡이나 무호흡으로 기도가 좁아지거나 막히는데 반응하고, 코골이와 연관되어 생기는 진동에 대하여도 반응한다.

다만, 이러한 압력의 변화를 결정하는 방식은 표준화되어있지 않고 제조사마다 고유한 방법을 개발하여 특허를 획득하고 발전되어왔다. 국내에서 가장 많이 사용되는 두 제조사의 경우에도 각자의 방법으로 압력을 조절하는 기준을 적용한다. 또한 압력 조절의 기준 역시 차이가 있다. 제조사 필립스 레스피로닉스는 호흡의 모

양이나 양상을 기준으로 압력을 정하는데에 반해 레즈메드에서는 호흡의 양을 기준으로 압력을 정하게 된다.

자세히 살펴보면 필립스 레스피로닉스 드림스테이션의 경우 가중치를 둔 최고 흡기(weighted peak flow, WPF)의 20-80%를 기준으로 환기량을 측정하고 레즈메드 오토셋 S10의 경우에는 호흡 기류의 절대값을 보는데, 비율 평균(scaled average)의 변동 값을 제곱 평균 제곱근(root mean square, RMS) 한 값을 기준으로 압력을 결정한다. 이는 교류 전압에서 서로 다른 극성 (+, -)의 전류의 흐름에서 평균을 이야기 할때 각각의 양극, 음극의 절대값을 제곱하여 더한 값에 제곱근을 한 것을 평균치로 사용하는 것과 같은 개념이다.

무호흡 결정에 있어서도 필립스 드림스테이션의 경우 WPF 20-80%를 기준으로 최근 4분간의 WPF 중 가중치를 둔 최고 흡기의 80-90%를 기준으로 10초 이상

한번의 호흡당 WPF가 20%이하로 감소하는 것을 기준으로 하고, 반면 레즈메드 오토셋은 직전 1분간 RMS 값을 기준으로 10초 동안 2초 RMS 평균이 25% 아래로 떨어지면 이를 무호흡으로 여긴다(표 20-12-2).

이러한 알고리듬의 차이에 의해 같은 사람의 경우에도 압력 조절이 각기 다른 방식으로 이루어지기 때문에 수면다원검사를 통해 이러한 압력의 변화가 신뢰할 수 있는 지에 대한 연구가 필요하며, 현재까지는 비교적 양호한 결과를 보여왔다. 하지만, 종종 AHI가 기기에서 제공되는 수치와 수면다원검사 상의 수치에 차이가 있다. 기기가 AHI를 과평가하거나 반대로 저평가하게 되는 경우가 보고되고 있으며, 임상현장에서도 종종 목격된다. APAP의 사용 및 처방에 있어서 신중할 필요가 있으며 APAP 처방에 있어서도 기도양압기압력적정을 통해 환자의 산소포화도 및 호흡의 양상에 확인이 필요한 경우도 있다.

6 기도양압기압력적정검사

적정압력검사(CPAP titration)에서, 12세 이상 성인의 경우 기도양압기 압력은 4-20 cm H_2O, 12세 미만의 환아의 경우에는 4-15cmH_2O 사이의 압력을 권장한다. 성인에서 압력조절은 5분 이상 간격으로 무호흡 2회, 저호흡 3회, 호흡관련 각성(Respiratory Effort-Related Arousals, RERAs) 5회, 3분간의 심한 코골이가 있을때 압력을 적어도 1 cm H_2O씩 올리도록 권장한다. Split night 검사의 경우는 압력을 적어도 5분 간격으로 2 cm H_2O씩 올릴 수 있다(그림 20-12-2). 12세 미만의 소아에서 압력검사를 실시할 때 증압의 기준은 5분간 무호흡 1회, 저호흡 1회, RERAs 3회, 1분간의 고골이 있을때 압력을 1씩 올리고 최저압력은 4 cm H_2O, 최고 압력을 15 cm H_2O으로 정한다(그림 20-12-1).

만약 12세 미만의 소아에서 기도양압기압력적정을 할 때 호흡이벤트를 조절하기 위한 압력값이 15보다 크면, BPAP (Bi-PAP, Bilevel PAP)을 도입하게 된다.

미국수면학회에서는 기도양압기압력적정을 할때에는 이러한 프로토콜을 기본으로 하되, 환자의 상태에 따라서 임상적인 판단 하에 검사를 진행할 것을 권유한다. 흔히 현장에서 잠들 기 전 상태에서도 환자의 체중이 많거나 중증 수면무호흡인 경우 시작압력 4 cm H_2O가 너무 낮아 환자가 숨을 쉬기 어렵다고 호소하거나 일정 이상의 압력이 되면 각성이 증가되어 적정압력까지 압력을 올리기 어려운 경우도 있다. 기도양압기 압력검사는 이렇게 환자의 수면무호흡을 조절할 수 있는 최적의 압력을 확인함과 동시에 환자가 기도양압기 사용 중 발생할 수 있는 기도양압기 관련 불편감, 예를 들면 구강 호흡, 마스크 피팅과 같은 경우를 조기에 파악하여 환자의 기도양압기 사용에 기여한다. 초기 일주일간의 기도양압기에 대한 경험이 장기적인 기도양압기 순응과 관련이 있다는 것은 알려진 사실이다. 다만, 이러한 기도양압기압력적정 자체가 장기적으로 환자의 기도양압기 순응도를 높이는지에 대해서는 상반된 연구가 있으며 추후 추가 연구가 필요하다.

7 환자의 기도양압기 적응을 돕는 부가 기능

또한 코나 입을 덮는 마스크와 피부 사이의 접촉 부위가 넓고 커서 쉽게 누출이 발생하며, 마스크의 재질이 부드럽지 않고 종류가 제한되어있어 적응에 어려움이 있었다. 최근에는 시작압력을 낮게 유지하다가 잠이 든 뒤의 규칙적인 호흡을 모니터 하여 치료압력으로 높여주는 기능이라든지(Ramp function in ResMed, Philips), 숨을 내쉴 때 일정 압력이 감압되는 기술(Cflex, Aflex, 등 Flex settings in Philips, 또는 EPR (Exhalation Pressure Relief) function in ResMed)이 적용되기도 하고, 마스크의 재질이나 구조가 부드럽고 자는 동안에도 쉽게 벗겨지지 않도록 고안되어 사용자의 편의가 크게 개선되었으며, 이에 대해서는 후에 기술할 예정이다.

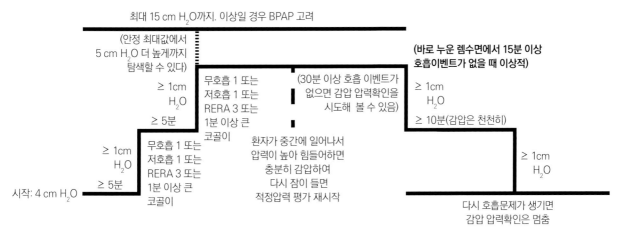

그림 20-12-1. **12세 미만에서 양압기압력적정 프로토콜**

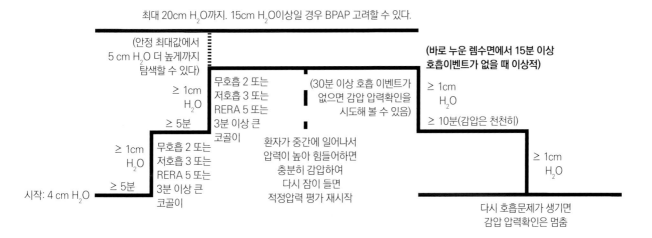

그림 20-12-2. **12세 이상 성인에서 양압기압력적정 프로토콜**

출처: Kushida CA, Chediak A, Berry RB, et al. Clinical guidelines for the manual titration of positive airway pressure in patients with obstructive sleep apnea. J Clin Sleep Med 2008;4:157–71.

8 기도양압기 사용에 있어서 생기는 문제들

기도양압기압력적정을 하고 기도양압기를 사용한다고 하더라도 환자의 기도양압기 사용결과가 치료 전보다는 낮지만, 기대이하로 나타나는 경우도 있다. 기도양압기압력적정이 제대로 이루어 지지 않았거나 환자의 사용에 있어서 예상하지 못한 일들이 생기는 경우이며, 임상가는 기도양압기에서 제공되는 환자의 기도양압기 사용 데이터 및 환자의 주간증상, 기도양압기 사용 후 주변사람들의 증언 등을 종합하여 다음 단계를 결정해야한다.

가장 흔히 임상 현장에서 보이는 문제는 대량 누출과 관련하여 생긴다. 환자가 마스크를 제대로 착용하지 못했거나, 자는 동안 심한 구강호흡으로 인해 압력 유지가 되지 않는 경우, 수면 중 잦은 뒤척임으로 인해 대량 누출이 발생하는 경우가 많고 기도양압기 사용 초기에 이런 현상이 종종 목격되어 기도양압기 적응 자체를 어렵게 하기도 한다. 또는 환자나 보호자가 이를 알아차리고 다시 교정해서 기도양압기를 사용하느라 본인이나 주변사람들의 수면에 부정적인 영향을 끼치기도 한다. 특히 APAP을 사용할 경우에 대량누출에 대한 기기의 압력조절이 제대로 되지 않기도 한다. 기도양압기 처방 이후에도 환자에게 적절한 기도양압기 마스크사용을 재교육하고 사용 2주 이내에 환자의 사용데이터를 분석하여 종종 최대압력 수치를 조정하기도 한다. 즉, 대량누출이 예상되거나 있는 경우에는 압력을 낮추는 것이 필요할 때도 있다. 가장 이상적인 기도양압기의 사용은 하루 적어도 4시간 이상, 주간증상의 개선뿐 아니라 최종적으로는 수면 동안, 7시간이든 8시간이든 기도양압기를 사용하고 주간증상이 없으면서 수면 중 중간에 깨지 않고 유지될 수 있을 때를 목표로 환자 교육 및 주기적인 추적 모니터가 필수적이다.

▶ 참고문헌

- 보건복지부 고시 제2018-135호 「요양급여의 적용기준 및 방법에 관한 세부사항」 일부개정. Available from: https://www.hira.or.kr/bbsDummy.do?brdBltNo=6899&brdScnBltNo=4&pgmid=HIRAA020002000100
- 양압기 대여료 및 소모품 구입비 지원제도 개요. Available from: https://www.nhis.or.kr/nhis/policy/wbhada17600m01.do
- Abdenbi F, Chambille B, Escourrou P. Bench testing of auto adjusting positive airway pressure devices. Eur Respir J 2004;24:649-58.
- Berry RB, Kushida CA, Kryger MH, et al. Respiratory event detection by a positive airway pressure device. Sleep 2012;35:361-7.
- Budhiraja R, Parthasarathy S, Drake CL, et al. Early CPAP use identifies subsequent adherence to CPAP therapy. Sleep 2007;30:320-4.
- Farré R, Montserrat JM, Rigau J, et al. Response of automatic continuous positive airway pressure devices to different sleep breathing patterns: a bench study. Am J Respir Crit Care Med 2002;166:469-73.
- Fashanu OS, Budhiraja R, Batool-Anwar S, et al. Titration studies overestimate continuous positive airway pressure requirements in uncomplicated obstructive sleep apnea. J Clin Sleep Med 2021;17:1859-63.
- Freedman N, Johnson K. Positive airway pressure treatment for obstructive sleep apnea. In: Kryger MH, Roth T, Dement WC. Principles and practice of sleep medicine. 6th ed. Philadelpia: Elsevier; 2022. pp. 1260-83.
- Johnson KG, Johnson DC. Treatment of sleep-disordered breathing with positive airway pressure devices: technology update. Med Devices (Auckl) 2015;8:425-37.
- Kushida CA, Chediak A, Berry RB, et al. Clinical guidelines for the manual titration of positive airway pressure in patients with obstructive sleep apnea. J Clin Sleep Med 2008;4:157-71.
- Lofaso F, Desmarais G, Leroux K, et al. Bench evaluation of flow limitation detection by automated continuous positive airway pressure devices. Chest 2006;130:343-9.
- Means MK, Edinger JD, Husain AM. CPAP compliance in sleep apnea patients with and without laboratory CPAP titration. Sleep Breath 2004;8:7-14.
- Patil SP, Ayappa IA, Caples SM, et al. Treatment of adult obstructive sleep apnea with positive airway pressure: an American academy of sleep medicine systematic review, meta-analysis, and GRADE assessment. J Clin Sleep Med 2019;15:301-34.
- Rigau J, Montserrat JM, Wöhrle H, et al. Bench model to simulate upper airway obstruction for analyzing automatic continuous positive airway pressure devices. Chest 2006;130:350-61.
- Sökücü SN, Aydin Ş, in E, et al. Association between titration method and outcomes of first night satisfaction and CPAP compliance. Noro Psikiyatr Ars 2018;56:123-6.
- Sullivan CE, Issa FG, Berthon-Jones M, et al. Reversal of obstructive sleep apnoea by continuous positive airway pressure applied through the nares. Lancet 1981;1:862-5.
- Thomas RJ, Bianchi MT. Urgent need to improve PAP management: the devil is in two (Fixable) details. J Clin Sleep Med 2017;13:657-64.
- Ueno K, Kasai T, Brewer G, et al. Evaluation of the apnea-hypopnea index determined by the S8 auto-CPAP, a continuous positive airway pressure device, in patients with obstructive sleep apnea-hypopnea syndrome. J Clin Sleep Med 2010;6:146-51.

III BPAP / ASV / VAPS

윤지은 / 윤창호

1 이중압양압기 기본 특성

이중압양압기(bi-level positive airway pressure, BPAP)는 호기(exhalation)와 흡기(inspiration) 시 압력을 달리 적용하여 상기도 폐쇄 예방과 호흡 보조 기능을 하는 지속기도양압기이다. 통상 흡기압(inspiratory positive airway pressure, IPAP)을 호기압(expiratory positive airway pressure, EPAP)보다 높게 설정한다. 독립적으로 조절한 IPAP과 EPAP의 차이가 압력보조(pressure support, PS)로 작동하여 호흡 유지에 기여한다(PS = IPAP - EPAP). IPAP은 흡기 시 발생하는 동적 상기도폐쇄(dynamic upper airway obstruction)를 막으며, 호기말 폐포압 유지 및 폐포허탈 예방으로 호흡노력의 감소, 폐쇄성저호흡 및 기류제한 조절, 폐포환기유지, 이산화탄소분압 감소에 중요한 역할을 한다. EPAP은 호기 말에 발생하는 정적인 상기도폐쇄(static upper airway obstruction)를 예방하고 지속압양압기처럼 흉강내압을 증가시켜 전신정맥환류 감소로 우심실전부하의 감소, 폐혈관저항의 증가로 우심실 후부하를 증가시키는 효과가 있다. BPAP은 압력보조를 통해 환기(ventilation)를 개선하여 일회호흡량(tidal volume, TV)을 증가시키고 호흡수를 감소시킨다.

2 적응증

BPAP는 압력보조를 이용한 비침습적환기로 저환기에 의해 주간졸음, 피로감, 아침두통, 인지저하, 호흡곤란 등의 증상을 동반하는 울혈성심부전, 신경근육질환, 만성폐쇄성폐질환, 비만성저환기증후군(obesity hypoventilation syndrome) 및 중추수면무호흡증(central sleep apnea), 복합수면무호흡증(complex sleep apnea) 등에서 사용할 수 있다. 미국수면학회에서 정한 BPAP 적응증에 따르면, 1) 신경근육질환에서 각성 시 이산화탄소분압 ≥ 45 mmHg, 또는 수면 시 산소포화도 ≤ 88% (5분 이상), 또는 최대흡기압 < 60 cm H_2O, 또는 노력성폐활량 < 50%, 2) 만성폐쇄성폐질환에서 각성 시 이산화탄소분압 ≥ 52 mmHg이면서 수면 시 산소포화도 ≤ 88% (5분 이상), 3) 중추수면무호흡증에서 무호흡-저호흡지수의 50% 이상이 중추성무호흡저호흡으로 구성되며 중추성무호흡저호흡지수가 시간당 5회 이상 무호흡-저호흡지수의 50% 이상이 중추성무호흡저호흡으로 구성되며 중추성무호흡저호흡지수가 시간당 5회 이상, 4) 양압기 사용 시 중추성무호흡저호흡이 나타나는 복합폐쇄수면무호흡증인 경우 사용해 볼 수 있다. 하지만, 2015년 NEJM에서 발표된 논문에

서 BPAP 사용 후 12개월째, 심부전 환자의 모든 원인에 의한 사망률(all-cause mortality) 및 심혈관질환 사망률이 오히려 증가하여, BPAP 사용 시 주의가 필요하다.

3 작동 원리

1) 환기모드

BPAP의 환기모드에는 자발형(spontaneous mode, S-mode), 시간순환형(timed mode, T-mode), 자발-시간순환형(spontaneous-timed mode, S-T mode)이 있으며, 이는 호기압력에서 흡기압력으로 주기(cycle)를 조절한다. 자발형은 감지된 환자 호흡이 흡기유량(inspiratory flow) 역치를 넘으면 설정압력까지 유량을 더해 최대 흡기유량을 유지하고 역치값 아래로 떨어지면 호기로 전환한다. 시간순환형은 자발호흡이 원활하지 않아 무호흡이 지속되는 경우 미리 설정된 호흡수에 따라 기계가 강제로 흡기를 개시한다. 예를 들어 호흡수를 분당 10회로 설정한 경우, 환자의 자발 호흡노력과 횟수에 상관없이 6초마다 강제로 IPAP/EPAP을 적용하는 방식이다. 자발-시간순환형은 두가지 환기모드를 동시에 적용하는 방식이다. 보조호흡횟수(back-up respiratory rate)를 분당 10회로 설정한 경우, 환자가 6초 이하 간격으로 흡기를 시작하면 환자 호흡 주기에 맞춰 기기가 IPAP/EPAP을 적용하나 환자의 흡기노력이 6초 이

상 관찰되지 않으면 기기가 강제로 IPAP/EPAP 주기를 시작한다.

2) 환기의 주요 단계

1회의 호흡은 유발(trigger, 흡기 시작), 흡기, 주기(cycle, 흡기 종료), 호기의 4단계로 이루어진다(그림 20-12-3).

(1) 유발

환자의 자발호흡에 의해 발생하는 유량변화가 설정된 최소 흡기유량 역치값(예: 30 ml/s)에 도달함을 감지하면, 흡기압력이 활성화되어 흡기를 보조한다. 이때 흡기노력(inspiratory effort)과 흡기압력 활성화 시작 사이의 간격을 유발지연시간(trigger delay time)이라고 정의하며, 이는 상기도 저항 및 기기반응 특성에 의해 발생한다. 예를 들어, 폐쇄성무호흡으로 상기도 저항이 매우 증가되어 있으면 흡기유량이 감지되지 않아 유발이 발생하지 않는다.

(2) 흡기

흡기유속(inspiratory flow rate)과 일회호흡량(tidal volume)은 상기도 특성과 압력보조 정도에 따라 달라진다. 흡기노력 저하, 기도저항 증가, 폐탄성도 감소의 경우 일회호흡량이 감소하는데, 예를 들어 신경근육질환, 흉부 근골격계질환, 만성폐쇄성폐질환, 폐섬유화증, 비만 등에서 일회호흡량이 감소할 수 있다.

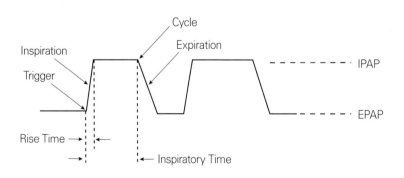

그림 20-12-3. 환기 단계

표 20-12-3. 폐쇄수면무호흡증에 대한 BPAP 설정

	정의	설정
Mode	BPAP S, T, S-T	–
Trigger	EPAP에서 IPAP으로 전환	–
Trigger sensitivity	EPAP에서 IPAP으로 전환 시 흡기유량 감지 정도	Very low: 2.4 l/min Low: 4 l/min Medium: 6 l/min High: 10 l/min Very high: 15 l/min Default: 6 l/min
EPAP	호기 시 설정 압력	4-20 cm H_2O
IPAP	흡기 기 설정 압력	4-30 cm H_2O
Pressure support	IPAP과 EPAP의 차이 압력	4-10 cm H_2O
TiMax	최대 흡기 시간	Default: 1.2 s
TiMin	최소 흡기 시간	Default: 0.3 s
Rise time	EPAP에서 IPAP으로 도달하는 소요 시간	100 ms – 600 ms Default: 300 ms
Cycle	IPAP에서 EPAP으로 전환	–
Cycle threshold	IPAP에서 EPAP으로 전환 시 흡기유량 감지 정도	Very low: 8% of peak flow Low: 15% of peak flow Medium: 25% of peak flow High: 35% of peak flow Very high: 50% of peak flow Default: 25% of peak flow

BPAP; bi-level positive airway pressure; EPAP, expiratory positive airway pressure; IPAP, inspiratory positive airway pressure; TiMax, maximum inspiratory time; TiMin, minimum inspiratory time

(3) 주기

흡기에서 호기로의 변환을 주기라고 하며, 이는 흡기 유속의 역치값과 최대흡기시간(maximum inspiratory time, TiMax)에 영향을 받는다. 설정된 흡기유속의 역 치값 이하로 떨어지거나(예, 최대흡기유속의 75% 미만), 최대흡기시간에 도달하면 호기압력이 작동하며 호기가 시작된다. 마스크의 공기누출(air leak)로 인해 흡기유속 에 영향을 미치면 유발과 주기의 민감도 저하로 기계와 환자간의 부조화(asynchrony)가 발생하여 환자가 높은 양압에 대항하여 숨을 쉬게 되어 호흡노력이 증가하고, 결과적으로 양압기 사용에 불편감을 느낄 수 있다.

(4) 호기

흡기압력에서 호기압력으로 변화 시, 동적인 흡기기 도저항(dynamic inspiratory airway resistance)에 대해 작용하는 흡기압력에 비해 호기 말 상기도개존성을 유 지하는 정도만 필요하다. 따라서 일반적으로 지속압양 압기의 압력보다 이중압양압기의 압력이 낮다.

4 BPAP 적정압력 권고사항

1) 압력 설정 제한에 대한 권고사항

미국수면학회 권고에 따르면 무호흡, 저호흡, 호흡노 력관련각성(respiratory effort related arousal, RERA),

코골이의 호흡사건이 사라지거나 최대 허용에 도달 할 때까지 흡기압력, 호기압력을 올린다. 성인과 소아 모두 최소 흡기압력 8 cm H_2O, 호기압력 4 cm H_2O으로 시작한다. 설정된 최소 호기압력(4 cmH_2O)은 호흡회로 내에서 이산화탄소가 포함된 호기가스가 호흡회로 내로 재호흡되는 것을 막아주는 역할을 한다. 지속압양압기에서 이중압양압기로 전환 시 호기압력은 최소 4 cm H_2O으로 설정하거나 지속압양압 적정 시 폐쇄성 무호흡을 없애는 압력으로 시작한다. 체질량지수가 높은 경우 경험적으로 높은 흡기압력, 호기압력으로 시작 할 수 있다. 최대 흡기압력은 12세 미만에서는 20 cm H_2O, 12세 이상에서는 30 cm H_2O이며, 이는 30 cm H_2O 이상의 과도한 압력은 폐 압력상해(barotrauma) 등의 합병증을 일으킬 수 있기 때문이다.

2) 압력 조정에 대한 권고사항

압력보조를 4 cmH_2O의 고정압력으로 시작하여 흡기와 호기 시 폐쇄성호흡사건이 사라지는 상기도 개방 압력을 찾는다. 흡기압력과 호기압력 모두 5분 간격으로 1 cm H_2O씩 압력을 올리는데, 12세 기준으로 권고사항이 약간 다르다. 12세 미만에서는 1번 이상의 폐쇄성무호흡이 나타날 경우 흡기압력과 호기압력을 동시에 올리고, 1번 이상의 저호흡, 3번 이상의 호흡노력관련각성, 1분 이상의 확실한 코골이가 있는 경우에는 흡기압력만 올린다(그림 20-12-4). 12세 이상에서는 2번 이상의 폐쇄성무호흡이 나타날 경우 흡기압력과 호기압력을 동시에 올리고, 3번 이상의 저호흡, 5번 이상의 호흡노력관련각성, 3분 이상의 확실한 코골이가 있는 경우에는 흡기압력만 올린다(그림 20-12-5). 이렇게 단계별로 압력을 올려 폐쇄성호흡사건이 조절되었다면 환기요구량(목표 일회호흡량 = 표준체중의 6-10 mL/kg)을 맞추기 위해 압력보조를 조절하며, 최소 4 cm H_2O에서 최대 10 cm H_2O까지 조절할 수 있다. 이 때 상기도폐쇄, 공기누출, 유발실패, 부적절한 주기 등에 의한 환자 불편감, 환자-기계환기의 비동시성(asynchrony)을 여러 설정값(흡기압력, 환기모드, 흡기-호기율, TiMax, TiMin,

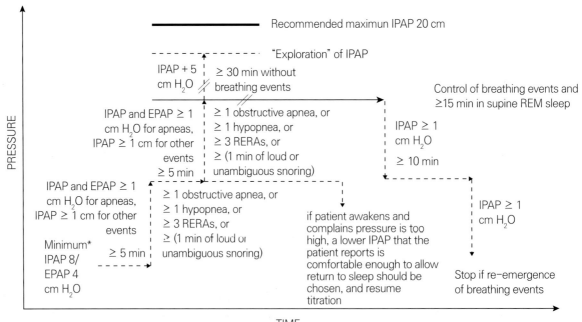

그림 20-12-4. 이중압양압기압력적정 과정(12세 미만)

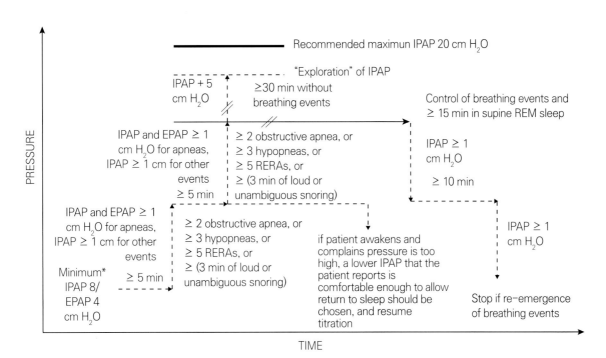

그림 20-12-5. **이중압양압기압력적정 과정(12세 이상)**

rise time 등)을 사용하여 조정한다.

력을 자동조절하여 압력보조를 설정한다.

5 자동적응형양압기

자동적응형양압기(Adaptive Servo-Ventilation, ASV)는 크게 용적지향환기(volume-targeted ventilation)와 유량지향환기(flow-targeted ventilation)로 나뉜다. 용적지향환기는 상기도 개방을 위해 흡기압력을 4-15 cm H_2O 구간에서 자동조절하고, 목표 일회호흡량을 유지하기 위해 앞선 3분 동안의 평균 일회호흡량을 계산 후 환기량이 목표 일회호흡량보다 적을 경우 흡기압력(최대 30 cm H_2O)을 자동조절하여 압력보조를 설정한다. 호흡마다 보조호흡횟수의 자동 조절로 불충분한 호흡 구동에 의한 중추성무호흡, 저환기를 예방한다. 유량지향환기는 목표 흡기유량을 유지하기 위해 앞선 4분 동안의 평균 최고유량을 계산 후 흡기유량이 목표값보다 적을 경우 앞선 방법내로 흡기압력 및 호기압

▶ 참고문헌

· Aurora RN, Bista SR, Casey KR, et al. Updated adaptive ser-voventilation recommendations for the 2012 AASM guideline: the treatment of central sleep apnea syndromes in adults: practice parameters with an evidence-based literature review and meta-analyses. J Clin Sleep Med 2016;12:757-61.

· Aurora RN, Chowdhuri S, Ramar K, et al. The treatment of central sleep apnea syndromes in adults: practice parameters with an evidence-based literature review and meta-analyses. Sleep 2012;35:17-40.

· Cantero C, Adler D, Pasquina P, et al. Adaptive servo-ventilation: a comprehensive descriptive study in the Geneva Lake area. Front Med 2020;7:105.

· Carlucci A, Ceriana P, Mancini M, et al. Efficacy of bilevel-auto treatment in patients with obstructive sleep apnea not responsive to or intolerant of continuous positive airway pressure ventilation. J Clin Sleep Med 2015;11:981-5.

· Cowie MR, Woehrle H, Wegscheider K, et al. Adaptive servo-ventilation for central sleep apnea in systolic heart failure. N Engl J Med 2015;373:1095-105.

- Mansukhani MP, Kolla BP, Olson EJ, et al. Bilevel positive airway pressure for obstructive sleep apnea. Expert Rev Med Devices 2014;11:283-94.

- Medicine PAPTTFotAAoS. Clinical guidelines for the manual titration of positive airway pressure in patients with obstructive sleep apnea. J Clin Sleep Med 2008;4:157-71.

- Pluym M, Kabir AW, Gohar A. The use of volume-assured pressure support noninvasive ventilation in acute and chronic respiratory failure: a practical guide and literature review. Hosp Pract 2015;43:299-307.

- Selim B, Ramar K. Advanced positive airway pressure modes: adaptive servo ventilation and volume assured pressure support. Expert Rev Med Devices 2016;13:839-51.

- Seyfi S, Amri P, Mouodi S. New modalities for non-invasive positive pressure ventilation: a review article. Caspian J Intern Med 2019;10:1.

- Sharma BK, Bakker JP, McSharry DG, et al. Adaptive servoventilation for treatment of sleep-disordered breathing in heart failure: a systematic review and meta-analysis. Chest 2012;142:1211-21.

- Shaughnessy GF, Gay PC, Olson EJ, et al. Noninvasive volume-assured pressure support for chronic respiratory failure: a review. Curr Opin Pulm Med 2019;25:570-7.

IV 기도양압기의 순응도

황경진

기도양압기는 폐쇄수면무호흡증에서 현재 가장 널리 이용되고 있는 치료법이지만, 양압기 사용의 불편함과 적응의 어려움 등의 다양한 문제점으로 인하여 치료를 중단하는 경우가 많다.

보편적으로 사용되고 있는 기도양압기의 순응 기준은 "하루 4시간 이상 사용한 일수가 전체 사용 일수의 70% 이상인 경우[하루 4시간 이상 사용한 일수/전체 사용한 일수 × 100(%)]"이다. 기도양압기의 순응도는 54-85%로 보고되어 있으며, 치료 실패율은 25-50%로 비교적 높은 편으로, 특히 치료 시작 2-4주 사이에 중단하는 환자들이 많다. 순응도가 떨어지면 기도양압기의 효과는 감소하기 때문에 기도양압기의 순응도를 높이는 것이 성공적인 치료를 위해 무엇보다 중요하다.

1 기도양압기의 순응도

기도양압기의 순응도를 높이기 위해서는 다양한 방법들을 사용할 수 있으며, 기도양압기에 대한 환자 진료는 수면 전문의, 간호사, 수면기사, 양압기 관리 인력 등이 포함된 다학제 팀을 구성하여 시행하는 것이 권고된다.

기도양압기를 시작하기 전에 환자에게 수면무호흡에 대한 설명과 이로 인한 잠재적 합병증, 양압기 장비의 소개, 관련 기능과 관리 방법 등의 내용에 대해 자세히 설명하고 교육한다. 또한, 기도양압기의 순응 기준을 충족해서 잘 사용하는 경우 개선될 수 있는 다양한 치료 효과와 함께 기도양압기 중 일어날 수 있는 문제점들에 대해 설명하고, 이러한 문제점들은 대체로 경미하고 치료 가능함을 설명한다. 특히, 철저한 사전 환자 교육, 적절한 마스크의 적용, 문제점의 조기 해결, 온열 가습 이용에 대한 사전 정보, 양압기 교육 때 배우자나 가족을 포함하는 것 등은 기도양압기의 순응도를 높일 수 있는 방법으로 알려져 있다. 또한 기도양압기 초반에 인지행동치료를 병행하거나 양압기와 관련 문제를 판단하고 이에 대한 해결을 위해 긴밀한 환자 의사 소통에 중점을 두는 문제해결중재치료도 기도양압기의 순응도 개선에 도움이 될 수 있다.

기도양압기는 초반 탈락률이 높고 초기 순응의 정도가 좋은 순응도 유지를 결정한다는 연구가 있기 때문에 기도양압기 처방 후 방문은 일반적으로 2-4주 내로 단기 추적 관찰을 하는 것이 좋다. 외래 내원 시에는 객관적인 기도양압기의 사용 결과를 분석하여 순응도를 평가해야 한다. 또한 수면무호흡과 관련된 삶의 질, 주간과다수면의 개선, 비만 등 질병을 악화시킬 수 있는 요인의 조절, 적절한 수면 시간과 수면위생의 준수 여부와 환자와 배우자의 만족도 등 수면무호흡과 연관된 항목들에 대한 평가가 함께 이루어져야 한다. 만약 단기 추적관찰에서 낮은 순응도를 보이거나 환자의 증상 개선이 없다면 그 원인을 파악하기 위한 조사가 필요하다. 마스크를 포함한 장비의 문제인지, 코막힘 등의 내과적 문제인지, 지속되는 주간과다수면으로 수면잠복기반복검사를 통해 기면병에 대한 감별이 필요한지 등에 대한 주의 깊은 평가가 필요하며 이에 따라 밝혀진 원인에 관한 적절한 대처가 중요하다. 특히, 양압기와 관련된 문제점이 있는 경우 가능한 신속하게 해결하는 것이 순응도를 향상시키는 데 도움이 될 수 있다.

기도양압기 후 증상이 개선되고 양압기 사용에 문제 없이 좋은 순응도를 유지한다면 장기 추적 관찰로 전환할 수 있다. 장기 추적 관찰을 하는 경우에도 정기적인 외래 방문을 통하여 기도양압기 사용에 대한 평가와 문제점의 점검으로 좋은 순응도를 유지하려는 노력이 필요하다. 또한 수면무호흡과 연관된 합병증의 발생 여부와 비만 등 위험인자등에 대한 지속적인 관리를 통해 이를 해결하려는 노력이 필요하다.

기도양압기는 마스크의 불편함, 양압 자체, 매일 밤 사용해야 하고 장기간 치료해야 된다는 고유한 문제가 있다. 양압기 관련 문제 발생 시 이를 발견하고, 빠르고 적절하게 해결해 주는 것이 기도양압기의 순응도에 영향을 줄 수 있기 때문에 양압기 관련 문제점의 파악과

표 20-12-4. 주요 기도양압기 관련 문제점과 해결책

문제점	해결책
공기누출(결막염)	마스크 착용법 재교육 마스크 종류의 변경
피부손상, 발적	과도한 조임 방지 마스크 종류의 변경 젤 또는 air-cushion 접촉면을 가진 마스크로 변경
구호흡/입마름	턱 끈 또는 구강호흡테이프 온열가습조절 Full-face (oronasal) mask
구강누출	코막힘 치료
마스크 관련 폐쇄공포증	마스크 종류의 변경(Nasal pillows mask) 탈감작(Desensitization)
비의도적 마스크 제거	알람 설정(Low-pressure alarm) 압력 올리기
코막힘	비강 스테로이드 스프레이, 항히스타민제, 비충혈제거제 코세척 Full-face (oronasal) mask
코피/통증	코세척 온열가습조절
압력불편감/호기 시 불편감	램프(Ramp) 사용 모드 변경(Pressure relief/Auto/Bilevel mode) 압력 낮추기
공기삼킴증	모드 변경(Pressure relief/Auto/Bilevel mode) 압력 낮추기

즉각적인 대처는 매우 중요하다(표 20-12-4).

마스크와 관련된 문제점은 마스크 착용에 따른 불편함, 피부 발적과 피부 손상, 폐쇄공포증 등이 있다. 마스크와 관련하여 피부 발적과 피부 손상이 있는 경우에는 마스크가 과도하게 조이지 않게 밴드를 조절해 보거나, 젤 또는 air-cushion 접촉면을 가진 마스크로 변경하거나, 피부를 보호할 수 있는 외용제를 바를 수 있으며, 증상이 지속되는 경우 다른 종류의 마스크로 변경해서 문제를 해결할 수 있다. 폐쇄공포증이 있거나, 콧수염이 많은 경우 또는 상악골 결손이 심한 경우 등에서는 pillow 마스크로 변경해 볼 수 있다. 구호흡을 하는 경우에는 턱 끈(chin strap)이나 구강호흡테이프(mouth tape)를 사용할 수 있으며, 이후에도 구호흡이 지속되는 경우에는 full face 마스크로 교체하면 도움이 된다. 마스크가 잘 맞지 않는 경우에는 공기가 누출되어 소음을 유발할 수 있으며 결막염을 발생시킬 수도 있다. 이런 경우에는 마스크의 올바른 착용법에 대해 재교육하거나 다른 종류의 마스크로 교체하는 것을 고려할 수 있다.

기도양압기는 코를 통하여 압력이 전달되기 때문에 코와 연관된 불편함 또한 흔히 발생한다. 코막힘이 있는 경우 공기 저항이 증가하여 코로 숨을 쉬는 것이 불편해지고, 이로 인해 기도양압기의 순응도를 떨어뜨릴 수 있다. 코막힘이 심한 경우에는 온열 가습 기능을 사용하거나 코세척, 비강 스테로이드 스프레이, 항히스타민제와 비충혈제거제 같은 약물 치료 등을 고려해 볼 수 있다.

잠들기 전 기도양압기의 높은 압력으로 인해 사용이 불편한 경우에는 일정한 시간 동안 서서히 압력을 높이는 램프(ramp) 기능을 이용할 수 있다. 수면 중 압력이 높아 불편함을 호소하는 경우에는 압력을 낮추거나 자동형 기도양압기로 변경하는 방법을 고려해 볼 수 있다.

▶ **참고문헌**

- Epstein LJ, Kristo D, Strollo PJ Jr, et al. Clinical guideline for the evaluation, management and long-term care of obstructive sleep apnea in adults. J Clin Sleep Med 2009;5:263-76.
- Kakkar RK, Berry RB. Positive airway pressure treatment for obstructive sleep apnea. Chest 2007;132:1057-72.
- McArdle N, Devereux G, Heidarnejad H, et al. Long-term use of CPAP therapy for sleep apnea/hypopnea syndrome. Am J Respir Crit Care Med 1999;159:1108-14.
- Patil SP, Ayappa IA, Caples SM, et al. Treatment of adult obstructive sleep apnea with positive airway pressure: an American academy of sleep medicine clinical practice guideline. J Clin Sleep Med 2019;15:335-43.

Ⅰ 상기도 수술

조형주

수면 중 상기도의 기계적 폐쇄로 인해 발생되는 무호흡/저호흡 증상은 수면무호흡의 중요한 병태생리 중 하나이다. 대부분의 환자들은 부인두공간(parapharyngeal space) 혹은 상기도 근육에 지방이 침착되거나, 두개안면(craniofacial) 구조가 비정상적이어서 상기도가 좁은 경우가 많다. 두개안면 구조의 이상에는 소하악증(micrognathia), 하악후퇴증(retrognathia), 설골(hyoid bone)의 하방전위, 하악과 상악의 길이가 짧거나 크기가 작은 경우가 해당될 수 있다. 비슷한 수면무호흡의 중증도를 갖더라도 서양인에서는 비만도가 높은 경우가 많으며, 동양인에서는 두개안면 골격 크기가 작은 경우가 많다.

수면무호흡의 수술적 치료는 폐쇄가 발생되는 상기도의 해부학적 구조를 변형시켜 상기도의 용적을 넓히거나, 상기도 주변 근육의 근긴장도를 높여 폐쇄가 덜 발생되도록 하는 것이 기본적인 개념이다. 수면무호흡 수술은 크게 연부조직에 대한 절제 및 재건을 통한 방법과 상기도 주변 골격에 조작을 가하는 방법으로 나눌 수 있다. 그리고 추가적으로 비강 통기도를 향상시키는 비강 내 수술이 함께 시행되기도 한다.

1 비강 수술

비강은 호흡이 시작되는 첫 관문으로서 코막힘은 수면무호흡의 중요한 인자 중 하나이다. 코막힘을 유발하는 원인에는 비용종, 비중격만곡증, 알레르기비염, 하비갑개비대 등이 있으며, 상악골이 협소하고 높은 상악궁(high palatal arch)을 보이는 경우는 비강의 용적 자체가 줄어들어 코막힘이 발생하기도 한다. 따라서, 코막힘의 원인에 따라 시행되는 수술법이 달라지게 된다. 비용종 및 부비동염이 동반된 경우는 내시경 부비동 수술이 시행되며 비중격교정술, 하비갑개축소술 등이 시행되기도 한다. 폐쇄수면무호흡증 환자에서 비강 수술을 단독으로 시행했을 때의 효과에 대해서는 아직 논란이 있다. 그러나, 알레르기비염이 있거나 코막힘 증상이 중등도 이상으로 심한 경우에서는 비중격교정술 및 하비갑개축소술 만으로도 약 50% 정도의 환자에서 수술 결과가 호전되는 것으로 보고되었다. 비강 수술은 단독으로도 폐쇄수면무호흡증 환자에서 하인두 폐쇄를 감소시키는 효과를 가져올 수 있으며, multi-level 수술에서 함께 시행될 때 더 높은 수술 성공률을 기대할 수 있다. 비강 수술은 수면의 질도 향상시킬 수 있어 환자의 만족도를 높일 수 있는 장점이 있다. 특히, 기도양압기를 사용하는 환자에 있어서도 비강 내 저항을 줄여 기도양압기 압력을 낮추는 효과가 있으므로 기도양압기의 순응을 높이는 데 도움이 된다. 따라서 코막힘 증상이 있을 때 비강 내 구조와 병변 유무를 확인하는 것은 효과적인 수면무호흡 치료를 위해 반드시 필요하다.

2 구인두 수술

1) 구개수구개인두성형술
(uvulopalatopharyngoplasty)

이는 Fujita 등에 의해 처음 소개된 가장 오래된 구인두 연부조직에 대한 수술 방법 중 하나이다. 양측 편도절제술을 먼저 시행한 뒤 노출된 편도와의 전편도궁(anterior pillar) 일부와 연구개를 일부 절제한다. 구개인두부전(velopharyngeal insufficiency)을 방지하기 위해서 연구개를 절제할 때 중요한 것은 연구개의 중앙에 근섬유가 모여있는 지점과 편도와의 상부를 이은 선보다 전하방까지 또는 경구개 후연에서 2 cm 이상 하방으로 일부 절제해야 한다는 것이다. 후편도궁(posterior pillar) 경계의 늘어진 점막도 제거를 한 뒤 구개인두근을 앞쪽으로 당겨 구개설근에 흡수성 봉합사로 봉합하여 편도와(tonsillar fossa)를 덮어준다. 구개수(uvula)를 절제하기도 하나 늘어져 있는 아래 일부만 제거하여 봉합하고 구개수를 보존하는 것이 이물감을 줄이는 데 도움이 된다. 수술 후에는 절제 부위에 구축이 발생하므로 이를 고려하여 절제해야 한다. 전편도궁과 후편도궁을 봉합하면 편도와에 사강(dead space)이 생기므로 봉합이 유지되지 않는 경우가 많다. 따라서, 편도와의 근육을 포함하여 봉합하는 것이 바람직하다. 구개수구개인두성형술 후 발생 가능한 초기 합병증으로는 기도 유지문제, 일시적 구개인두부전, 창상열개, 출혈, 창상감염 등이 있을 수 있다. 수술 직후에는 수술 부위의 부종, 전신마취 약제의 영향 혹은 진통제의 진정 작용 등으로 인하여 기도폐쇄가 발생할 수 있으므로 주의가 필요하다. 구개인두부전증은 수술 후 일시적으로 발생할 수

있으니 식이는 소량씩 하도록 환자에게 교육할 필요가 있다. 구개를 들어올리는 구개거근(levator veli palatini muscle)을 수술 시 잘 보존하는 것이 구개인두부전의 영구 발생을 예방할 수 있다.

2) 확장조임근인두성형술
(expansion sphincter pharyngoplasty)

이 술식은 Pang과 Woodson이 2007년에 처음 소개하였으며, 외측 인두벽의 폐쇄가 있는 경우 기존의 구개수구개인두성형술보다 더 좋은 수술 결과가 보고된 방법이다. 인두협부와 구개 근육의 방향을 상외측으로 변경시켜 연구개 부위의 상인두 공간을 증가시키고 상인두 측벽의 근긴장도를 높여 상기도 폐쇄를 줄이는 개념이다. 먼저 편도를 제거한 다음 편도와를 노출시킨다. 구인두의 편도와 후방을 구성하고 있는 구개인두근(palatopharyngeus)의 아래 부분을 수평으로 절개하여 구개인두근을 편도와의 상인두조임근(superior pharyngeal constrictor muscle)과 분리하여 구개인두근을 위쪽으로 회전시킬 수 있도록 세로 길이 방향으로 주변 점막 및 근육과 분리를 시키는데, 이때 구개인두근은 너무 얇게 분리되지 않도록 주의한다. 길이는 편도와의 약 1/2 혹은 2/3 정도로 한다. 그 다음 전인두궁 위쪽 부위 점막을 부분적으로 절제하거나 연구개 안쪽 상외측 방향으로 터널을 만들어 회전된 구개인두근이 놓여 지도록 한다. 박리된 구개인두근은 Vicryl 3-0로 여러 차례 걸어서 빠지지 않도록 매듭을 지은 후 구개인두근을 상외측으로 방향을 돌려 연구개 상외측에 만들어둔 터널 안으로 당겨 상인두가 확장되는 정도를 확인하면서 익돌구(pterygoid hamulus) 외측의 점막하 조직에 단단히 봉합한다(그림 20-13-1). 혹은 연구개 점막 바깥쪽에서 익돌구를 촉지한 다음 이 부위 점막에 작은 절개를 가한 뒤 구개인두근을 고정시킬 수도 있다. 그 다음 구개수 좌우로 연구개 상외측 방향 여분의 점막을 절제하여 전후 편도궁을 봉합한다. 구개수가 많이 늘어져 있다면 역시 일부를 절제한 후 봉합한다. 이 술식은 인두벽 측벽의 장력을 형성할 뿐만 아니라 전후 방향으로도 넓히

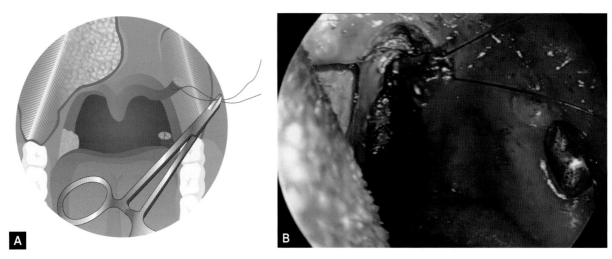

그림 20-13-1. 확장조임근인두성형술(Expansion sphincter pharyngoplasty).
구개인두근을 점막과 분리한 뒤 상외측으로 방향을 돌려 연구개 익돌구 외측 점막하 조직에 봉합함. 우측 사진은 구개인두근을 분리한 모습.

는 효과가 있으며, 약 82%까지 수술 성공률이 보고된 바 있다.

3) 외측인두성형술(lateral pharyngoplasty)

외측인두성형술은 수면 중 인두의 외측벽이 폐쇄되는 것을 줄이기 위해 Cahali에 의해 처음으로 고안된 술식이다. 편도를 제거한 후에 편도와에 존재하는 상인두조임근을 박리하여 종축의 근절개를 가하여 내측 및 외측의 근피판을 먼저 만든다. 외측 근피판은 구개설근에 봉합한 뒤, 내측 피판은 앞쪽으로 당겨 먼저 봉합한 외측 근피판-구개설근 부위에 봉합하여 편도와의 사강을 덮어서 구인두 외측벽을 재건한다(그림 20-13-2A). 이를 통해 구인두와 혀의 외측 및 전방지지를 증가시키고, 동시에 시행되는 구개인두 부위의 Z-성형술 효과로 연조직의 외측 수축을 발생시켜 상인두 외측벽의 근긴장도를 높여 폐쇄를 줄이는 효과를 얻을 수 있다. 이 수술법도 역시 기존의 구개수구개인두성형술에 비해 더 높은 수술 성공률을 보였다. 그러나, 절개된 상인두조임근을

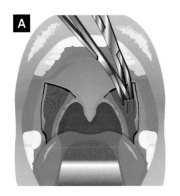
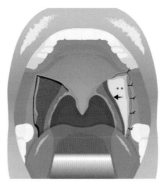
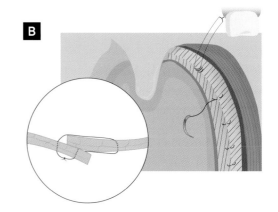

그림 20-13-2. 외측인두성형술(Lateral pharygoplasty).
(A) 상인두조임근을 박리 후 종축 근절개를 가한 다음 내측 및 외측 근피판을 만들어 외측 근피판은 구개설근에, 내측 근피판은 앞쪽으로 당겨 외측 근피판-구개설근 봉합 부위에 봉합하여 구인두 외측벽을 재건함. **(B)** 변형된 외측인두성형술로 내측 피판이 외측 피판 위로 올라오도록 당겨서 봉합하여 구인두 외측벽을 재건하는 방법.

얇은 구개설근인 전 편도지주에 봉합하므로 수술 후에 봉합이 다시 벌어지는 경우가 자주 발생되는 단점이 있다. 따라서 이를 보완하기 위해 절개된 상인두조임근의 내외측 피판을 봉합할 때 내측 피판이 외측 피판의 위로 올라오도록 중첩되게 봉합하는 변형된 외측인두성형술(overalapping lateral pharyngoplasty)도 개발되어 좋은 수술결과가 보고되었다(그림 20-13-2B).

4) 재배치인두성형술(relocation pharyngoplasty)

외측인두성형술의 변형된 술식으로 역시 상인두 폐쇄를 개선하는 효과가 있다. 편도를 제거한 후 구개설근, 구개인두근, 상인두조임근을 확인한다. 편도와 상부의 점막을 일부 제거한 다음 이 부위에 존재하는 지방조직을 제거하여 익돌하악봉선(pterygomandibular raphe)을 노출시킨다. 그 다음 구개인두근을 점막과 박리하여 분리시키고 난 뒤 봉합사를 이용하여 구개인두근을 상외측으로 당겨지도록 하여 익돌하악봉선에 걸어 고정한다. 전후편도궁 점막을 봉합하여 상인두 입구를 전방 및 측방으로 넓히게 된다.

5) 구개근절제술(palatal muscle resection)

구개수를 모두 제거하지 않고 구개수의 점막 일부를 포함하여 점막하층의 일부만 제거하는 보존적 술식으로 합병증 발생이 적고 좋은 효과가 보고되었다. 위쪽 경계는 경구개에서 연구개 이행되는 바로 아래부분, 아래 경계는 구개수의 기저부 일부를 포함하는 부위, 좌우측은 편도 전구개궁의 연장선으로 하여 단극성 소작기로 연구개 점막, 구개수근, 구개거근, 구개설근의 일부를 포함하여 타원형으로 1-2 cm 정도 제거한다. 이후 vicryl 2-0로 근육층과 점막층으로 나누어서 단순봉합을 한다.

6) 연구개 전진 인두성형술
   (transpalatal advancement pharyngoplasty)

구개인두 조직 절제를 최소화하면서 상부 구인두의 용적을 넓히기 위해 고안된 술식이다. 경구개 후단 골부를 일부 제거하고 연구개를 경구개 쪽으로 전진시켜 고정을 하는 개념이다. 경구개에 치조골 후방으로 아치모양의 절개선을 넣고 대구개공의 내측으로 연장한다. 구개긴장근건막이 노출되도록 점막과 근육을 박리한다. 경구개와 연구개 사이를 박리하고 원위부 경구개를 일부 제거한 후 남아 있는 경구개에 구멍을 뚫고 8자 모양의 봉합으로 구개긴장근과 경구개를 봉합한다(그림 20-13-3). 경구개점막피판의 골막과 치조골 골막을 봉

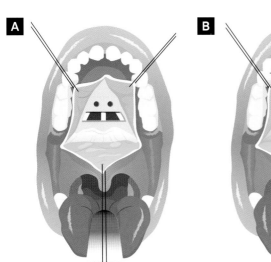
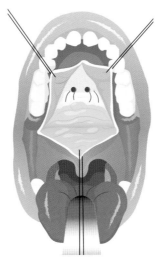
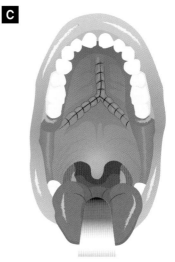

그림 20-13-3. 연구개 전진 인두성형술(Transpalatal advancement pharyngoplasty).
경구개 후단 골부를 일부 제거한 뒤 연구개를 경구개 방향으로 전진시켜 고정하는 방법.

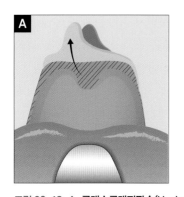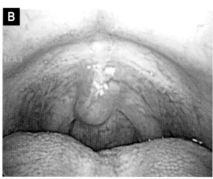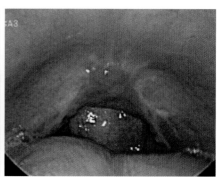

그림 20-13-4. 구개수구개피판술(Uvulopalatal flap).
(A) 구개수와 연구개 부위 점막을 마름모 모양으로 제거한 뒤 구개수를 위로 접어서 봉합하는 방법, (B) 수술 전 후 연구개 모습.

합한 후 경구개 점막을 봉합한다. 연구에 따르면 구인두 부위 용적을 약 2.2배 정도까지 늘릴 수 있으며 구인두 및 하인두 측벽의 폐쇄도 줄일 수 있는 효과가 있다. 발생될 수 있는 합병증으로는 일시적인 비강-구강 누공, 일시적 연하장애, 삼출성 중이염 등이 있다.

7) 구개수구개피판술(uvulopalatal flap)

기존 구개수구개인두성형술 술식의 합병증으로 발생 가능한 구개인두부전을 예방하기 위한 목적으로 소개된 방법이다. 구개수와 연구개 부위 점막을 마름모 모양으로 제거한 후 구개수를 위로 접어서 구개수 모서리와 연구개 모서리를 맞춘 뒤 Vicryl 3-0를 이용하여 근육층과 점막 층으로 구분하여 이중으로 봉합한다(그림 20-13-4) 수술초기에는 연구개 부위 부종으로 두꺼워져 있으나 시간이 경과하면 편평해지면서 연구개의 긴장도가 올라가게 된다.

8) Barbed pharyngoplasty

거상효과가 있는 봉합사를 이용한 구개인두성형술로서 처음에는 "Roman blinds" 술식으로 불렸다. 최근에는 실의 양측에 매듭이 없는 size 2-0 흡수성 봉합사 (mounted on 37 mm semicircular needle, V-LocTM 180, Medtronic®)를 이용하여 구개인두근을 전방 및 측방으로 당겨지도록 하여 구개인두 입구와 후방부위를 확장시킨다. 봉합사 바늘은 후비극(posterior nasal spine)근처 부분의 연구개 점막 중앙부위부터 시작해서 우측 익돌하악봉선 위쪽 부분을 지나 편도와 상측으로 나와 구개인두근 위쪽을 통과한 뒤 구개인두근을 여러 번 관통하여 당겨지도록 한 뒤 다시 편도와 상측으로 들어와서 익돌하악봉선 부위로 나온 뒤 연구개 우측 부위를 통과하여 전방으로도 당겨지도록 한다. 이어서 좌측도 동일한 방법으로 시행하게 된다(그림 20-13-5). 합병증으로는 봉합사의 노출, 바늘 파손, 봉합부위 피열, 출혈, 연하통 등이며 대부분 경미한 부작용으로 보고되

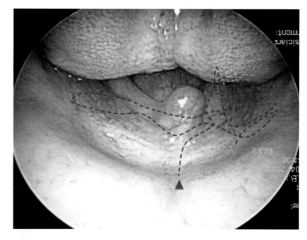

그림 20-13-5. Barbed pharyngoplasty.
거상효과가 있는 흡수성 봉합사를 이용한 구개인두성형술. 붉은색 화살표는 처음 봉합사가 들어가는 부위임, 파란색 화살표는 봉합사가 나오는 부위를 표시하였음. 반대편도 같은 방법으로 시행하게 됨.

었다.

3 설기저부 수술

연구개 부위를 포함한 상인두에 대한 수술 이후 결과가 좋지 않은 경우 설기저부 폐쇄가 원인으로 밝혀지면서, 다층부위(multi-level)에 대한 수술 개념이 제시되었다. Fugita 등은 처음으로 폐쇄수면무호흡증 환자에서 다층부위에서의 폐쇄를 보고하였고 폐쇄수면무호흡증 환자 중 약 87%에서 다양한 부위의 폐쇄가 관찰되었다. 설기저부 혹은 하인두 부분의 폐쇄는 대설증(macroglossia), 근긴장 저하(hypotonia), 하악후퇴증(retrognathia) 혹은 설편도(lingual tonsil) 비대 등이 단독 혹은 복합적으로 작용하여 유발될 수 있다. 말단비대증(acromegaly), 다운증후군(Down syndrome), Treacher-Collins 증후군 및 비만 등은 설기저부 폐쇄가 동반될 가능성이 높다. 특히 비만도가 높을수록 설근부에 지방이 더 많이 침착 되므로 유의할 필요가 있다. 또한 동양인은 서양인에 비해 비교적 골격이 작으므로 정상체중의 경우에도 설기저부 폐쇄가 발생할 수 있다.

폐쇄수면무호흡증의 수술은 연부조직의 부피를 줄이거나 연부조직을 둘러싼 골격의 크기를 증가시켜 수면 중 상기도 폐쇄를 줄이고자 하는 목적으로 시행된다. 특히 설기저부 혹은 하인두 부위 폐쇄에 대한 수술은 혀의 연부조직을 부분적으로 절제하여 혀의 부피를 줄이는 방법과 상기도의 다양한 근육이 부착되어 있는 골격구조에 조작을 가하는 수술로 크게 나누어 볼 수 있다(표 20-13-1). 어떤 환자에게 어떤 수술을 적용하는 것이 가장 바람직한가에 대한 기준은 아직까지 명확하게 제시하기는 어렵지만, 일반적으로 턱이 작거나 후퇴한 경우는 골격을 확장해 주는 수술방법이 이론적으로 더 유리하다. 수술 결과를 예측할 수 있는 다양한 인자들이 제시되고 있다. 수면무호흡을 진단하는 수면다원검사의 경우 해부학적 폐쇄 부위를 제시해 주시는 못하지

표 20-13-1. 수면무호흡에서 하인두 부위 폐쇄에 대한 수술 치료 방법

골격에 대한 수술
Genioglossus advancement (GA) Mortised genioplasty
Modified hyoid myotomy and suspension (HMS)
Maxillomandibular advancement (MMA)

혀의 연부조직에 대한 수술
Radiofrequent ablation of tongue base
External submucosal glossectomy
Percutaneous submucosal glossectomy
Intraoral submucosal endoscopic-assisted lingualplasty (SMILE)
Intraoral submucosal midline glossectomy
Intraoral submucosal lingualplasty
Robotic transoral base of tongue resection

만 똑바로 눕는 자세에서 AHI가 더 높거나 렘수면단계에서 AHI가 높은 경우는 설기저부 절제술의 좋은 예후인자로 제시되었다. BMI가 높은 경우는 수술 예후가 좋지 않은데, 이는 비만의 정도와 혀의 부피가 유의한 상관성이 있으며 설기저부위의 폐쇄가 환상 형태로 하인두 측벽 및 후벽의 폐쇄가 높게 발생되는 것과 관련이 있다.

1) 후두개 부분절제술(partial epiglottectomy)

약물 유도 수면내시경 검사(drug-induced sleep endoscopy)를 통해 설기저부의 폐쇄 형태가 환자마다 다르게 발생될 수 있다는 것이 밝혀졌다. 설기저부 자체의 폐쇄형태로 구분해 보면 설기저부가 전후 방향으로 좁아지거나 좌우 방향으로 좁아지는 경우로 나누어 볼 수 있다. 만약 하인두 측벽이 좌우 방향으로 좁아지게 되면, 설기저부위는 결국 환상형(circumferential)으로 좁아지는 형태를 나타내게 된다. 설기저부 폐쇄가 있는 경우에는 설편도 비대로 인한 것인지 혹은 설편도 비대가 없지만 혀의 dorsum 부위가 뒤로 밀려서 폐쇄가 발생하는지 여부를 자세히 확인할 필요가 있다. 만약 설

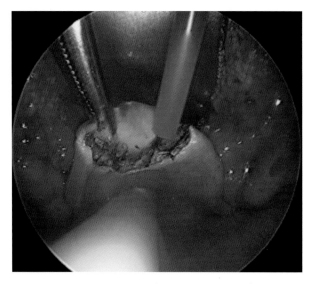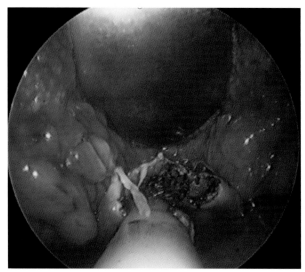

그림 20-13-6. 후두개부분절제술(partial epiglottectomy).
후두개 폐쇄가 존재 시 후구개의 끝부분을 U-shape 혹은 V-shape으로 제거함.

편도 비대가 존재하고 이로 인한 설기저부 폐쇄가 일어난다면 설편도를 제거하는 것이 필요하다. 최근에는 후두개 폐쇄도 중요한 요인으로 제시되었으며, 코골이 환자의 약 12%에서 관찰된다는 보고가 있다. 후두개가 설기저부의 후방 전위로 인하여 같이 뒤로 밀리면서 폐쇄가 발생되거나, 후두개 자체가 전후 방향으로 floppy하게 움직이면서 하인두 후벽에 붙어 폐쇄가 발생할 수도 있다. 이 경우는 후두개 모양이 일반적으로 편평한 경우가 많다. 또는 후두개 자체가 가운데를 중심으로 좌우로 접히면서 막히는 경우도 있는데 후두개가 오메가 모양을 갖는 경우 이와 같은 폐쇄가 관찰되는 경우가 많다. 후두개 폐쇄에 대한 수술방법은 다양하게 보고되고 있지만, 일반적으로는 후두개의 끝부분을 U-shape 혹은 V-shape으로 제거한다(그림 20-13-6).

2) 코블레이터 설기저부 절제술(coblator assisted midline posterior glossectomy tongue base resection)

코블레이터를 이용한 설기저부 절제술은 Woodson에 의해 제시된 수술법으로 30°, 45° 또는 70° 강직형 내시경을 비디오 시스템에 연결하여 설기저부를 노출시켜 관찰하면서 시행한다. 혀의 절제는 plasma wand (Coblation Evac 70 tonsil and adenoid wand, Arthrocare, Sunnyvale, CA)를 일반적으로 이용한다. 수술 시 세팅은 술자마다 차이가 있지만 일반적으로 ablation 설정 6-9 정도, 지혈 설정 4-6 정도에 맞추며 생리식염수가 에너지가 전달되는 기구 끝 부분에 지속적으로 흐르도록 해야 조직의 절제가 가능해진다. 초기에 시행된 방법은 술자가 환자의 우측에 서서 진행을 하였다. 먼저 환자의 입을 Jennings mouth gag를 이용하여 벌린 후 혀의 앞쪽 가운데 부위에 견인봉합을 하고 혀를 앞으로 당겨서 환자의 가슴부위에 고정하여 혀를 당긴 상태에서 설기저부를 노출시킨다. 그 다음은 30도 혹은 70도 내시경을 통해 설기저부를 관찰하면서 길이가 긴 바늘 형태(needle tip)의 단극성(monopolar) 전기소작기로 설기저부 정중앙에 약 2-3 cm 정도의 앞뒤 방향으로 절개를 한 뒤 양측의 혀 조직에 견인 봉합을 하여 양측으로 당겨서 설기저부의 더 깊은 부위를 노출시키면서 절제를 진행한다(그림 20-13-7). 이 방법은 혀의 모양을 왜곡시키지 않는 장점이 있으나 혀의 크기가 큰 경우는 이 방법으로 설기저부를 충분히 노출시키기 어려워 절제범위가 제한될 수 있으며 특히 설편도 절제가 필요한 경

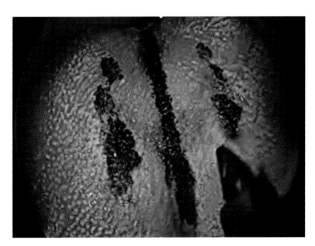
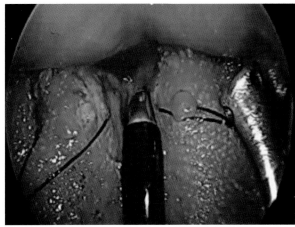

그림 20-13-7. 코블레이터 설기저부 절제술.
Tongue blade를 사용하지 않고 혀를 견인한 상태에서 술자가 환자의 우측에 위치해서 내시경하에 설기저부를 수술하는 방법.

우는 시야 확보가 어렵고, 후두개절제술이 동반되어야 하는 경우는 접근이 어렵다. 또한 절제를 할 때 에너지가 전달되면서 혀의 안쪽으로 지나가는 설하신경(hypoglossal nerve)이 자극을 받아 혀가 반복적으로 움직이게 되어 수술 시 불편할 수 있다.

이러한 불편함을 줄이기 위해 일반적으로는 다음과 같이 진행을 한다. 편도 절제술 및 구개성형술을 마친 후 수술 위치를 변경하지 않고 술자는 환자의 머리 위에서 설기저부 절제술을 진행한다. 먼저 혀에 견인 봉합을 이용해서 앞으로 당겨 고정한 뒤, McIvor mouth gag를 이용하여 환자의 입을 벌리고 tongue blade로 혀

를 누르면서 설기저부를 노출을 시킨 다음 내시경 고정 장치(endoscope holder)에 70도 내시경을 고정하고 양손을 이용하여 수술을 진행하는 방법을 고안하였다. 폐쇄 수면무호흡증 환자들은 일반적으로 혀가 큰 경우가 많으므로 이 방법은 설기저부수술 진행 시 좀 더 용이하게 진행할 수 있는 장점이 있다. 설기저부 노출을 효과적으로 하기 위해선 비교적 길이가 짧은 tongue blade를 이용하게 되는데, 환자마다 혀의 크기와 길이가 다르므로 다양한 길이와 모양의 tongue blade를 준비해서 수술을 진행하는 것이 좋다(그림 20-13-8). 절제는 역시 정 중앙 부위부터 시작하며 양측 좌우가 대칭이 되도록

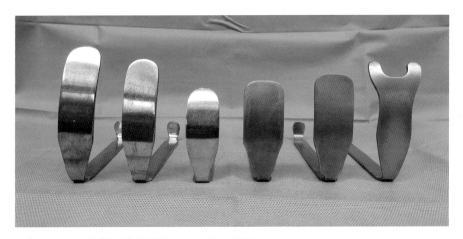

그림 20-13-8. 다양한 크기 및 모양의 tongue blade 종류

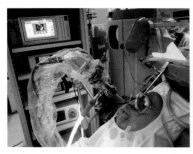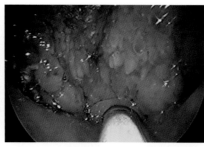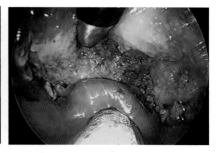

그림 20-13-9. 내시경 고정장치를 이용한 코블레이터 설기저부 절제술.
내시경 고정장치에 70도 내시경을 고정한 뒤 양손을 이용하여 설기저부에 대한 수술을 진행하는 방법. Tongue blade를 이용하여 혀를 눌러 설기저부를 노출하며, 절제 시 혀의 정중앙에서 좌우로 가능한 1cm 이상 넘어가지 않도록 절제하는 것이 안전하다.

점진적으로 넓혀간다. 이때 양측 설동맥(lingual artery) 및 이의 분지 손상을 예방하기 위해 혀의 정중앙에서 좌우로 1 cm 이상 넘어가지 않도록 주의한다(그림 20-13-9). 수술 시 도플러 등을 이용하면 설동맥의 주행방향을 미리 알 수 있으며, 수술 전 조영제를 이용한 CT 에서도 주행경로 예측이 가능하다. 그러나 수술 시에는 혀가 눌려서 모양이 변형된 상태이므로 이를 고려해야 한다. 후두개곡(vallecula) 부위로 접근할수록 설동맥의 설골 분지(hyoid branch) 혹은 등쪽 분지(dorsal branch)를 만나게 되는데 이는 Coblator 혹은 흡인 전기소작기(suction cautery)로 지혈이 가능하다. 이상적인 절제 범위는 환자의 설기저부 폐쇄 형태 및 혀의 모양, 크기에 따라서 달라질 수 있으며, 일반적으로 후두개의 끝(epiglottis tip)이 보이거나 혀의 표면에서 약 1.5 cm 정도 깊이까지 절제한다. 수술 성공률은 52-78% 정도까지 다양하게 보고되고 있다.

3) 경구강 로봇 설기저부 절제술(transoral robotic surgery for tongue base resection)

수술로봇은 현재 두경부 영역의 수술에서 다양하게 활용되고 있으며, 특히 구강을 통해 접근하는 수술법(Transoral Robotic Surgery, TORS)은 공간이 매우 좁은 설기저부 및 하인두 부위까지 활용되고 있다. TORS의 장점은 좁은 구강 안에서 기본적으로 세 개까지 가능한 팔과 3차원 영상을 구현하는 고해상도 내시경을 이용하여 효율적인 수술이 가능하다는 점이다. 폐쇄수면무호흡증 환자에서 TORS를 이용한 설기저부 절제술은 Vicini에 의해 처음 시도되었다. 환자는 똑바로 누운 자세에서 목을 젖히고 혀에 견인봉합을 통해 혀를 앞으로 당겨 고정을 한 뒤, 저자의 경우 Dingman mouth gag와 비교적 짧은 길이의 tongue blade를 이용하여 입을 벌려 설기저부를 노출시킨다. 수술용 로봇은 현재 da Vinci robot (Intuitive Surgical Inc., Sunnyvale, CA, USA)이 널리 보급되어 사용되고 있으며, Si, Xi, 그리고 최근에는 단일공(Single port) 로봇인 SP 타입까지 개발되어 사용된다(그림 20-13-10A). Robot surgical cart는 수술 테이블 좌측에 약 15-30° 정도로 위치시킨 뒤, 두 개의 robot arm (Maryland dissector and Monopolar cautery)과 telescope (10 mm 혹은 8 mm 30°, 3D scope)를 구강 내에 삽입한다. SP 타입 로봇의 경우 구강 내에서 좀 더 자유로운 기구의 움직임이 가능하며, 좌측 팔에는 양극성 소작 기능이 있는 forceps, 우측 팔에는 단극성 소작 기능이 있는 spatula 타입 혹은 scissors를 사용하면 유용하다. 내시경 카메라는 아래에서 상방으로 향하는 각도로 세팅을 한다(그림 20-13-10B). 절제 범위는 설기저부의 폐쇄 형태에 따라 달라지게 되는데, 일반적으로 설맹공(foramen cecum)을 기준으로 성곽유두(circumvallate papillae) 부위를 보전 혹은 일부 포함하면서 뒤쪽 설기저부 방향으로 약 10-15 mm 깊이, 정중앙선에서 양측으로 약 10 mm 정

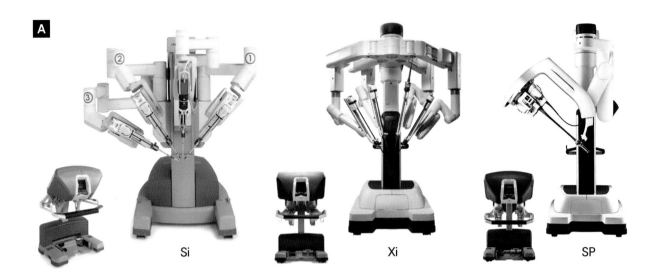

그림 20-13-10. 경구강 로봇 설기저부 절제술에 이용되는 로봇의 종류.
(A) da Vinci robot Si, Xi, SP 모델 (Intuitive Surgical Inc., Sunnyvale, CA, USA), **(B)** SP 모델로 단일공을 통해 내시경 및 로봇팔이 나오게 되며,
설기저부 수술 시에는 내시경을 아래에서 위로 향하도록 세팅을 함.

도로 설기저부를 제거하며, 좌우 가장 끝 0.5cm 정도는 수술 후 유착을 예방하기 위해 남겨 두는 것이 좋다(그림 20-13-11). 이때 좌 우측을 나누어서 절제할 수도 있고, 양측을 한 번에 제거할 수도 있다. 후두개 폐쇄가 동반되는 경우는 후두개부분절제(supraglottoplasty)를 함께 시행하였다. 설편도 비대가 존재하는 경우 먼저 설편도 정중앙 부위에 수직으로 절개하고 좌 우측 설편도를 나누어서 제거하게 된다. 절제되는 설기저부 조직의 양은 수술결과에 영향을 미친다는 보고가 있으며, 7 mL 이상 절제가 권장된다. 수술 시 설동맥이 다치지 않도록 하는 것이 매우 중요하며, 설기저부 절제 시 후두개 뒷면의 후두개곡 바닥까지 진행하지 않는 것이 좋다.

만약 설골이 만져진다면 그 외측으로 설동맥과 설하신경이 지나가므로 주의가 필요하다(그림 20-13-12). 수술 성공률은 술자마다 다양하며 80% 정도까지 보고되고 있다. TORS를 이용한 설기저부 절제술의 효과는 coblator를 이용한 방법과의 수술 성공률 비교에서 아직까지는 어떤 것이 유의하게 우월한지에 대해서는 더 많은 비교 연구가 필요하나, TORS를 이용하는 경우는 더 좋은 수술 시야에서 설기저부 조직을 필요한 정도로 충분히 제거하는 데 더 용이하며, 설편도가 크거나 후두개 부분절제가 함께 필요한 경우는 TORS가 더 유리하다고 할 수 있다.

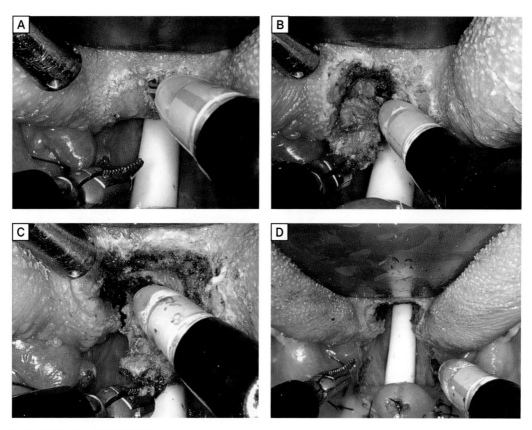

그림 20-13-11. 경구강 로봇 설기저부 절제술.
설맹공을 기준으로 성곽유두 부위를 보전 혹은 일부 포함하면서 설기저부 방향으로 약 10-15 mm 깊이, 정중앙선에서 양측으로 약 10 mm 정도의
설기저부를 제거하며, 좌우 가장 끝 0.5 cm 정도는 수술 후 유착을 예방하기 위해 남겨둠.

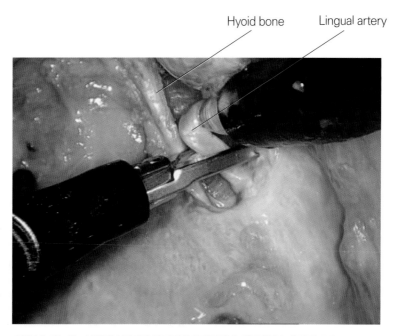

그림 20-13-12. 설기저부 절제를 후두개곡까지 진행 후 설동맥을 노출시킨 모습

4) 이설근전진술(genioglossus advancement)

혀의 정중앙 부위에서 설기저부까지 펼쳐져 있는 이설근(genioglossus)을 전진시키면 설기저부위가 넓어지게 된다. 이 술식은 치아의 이동 없이 하악에 직사각형의 절골(osteotomy)을 만들어 이설근이 부착된 하악융기(genial tubercle)를 앞으로 당겨서 하악에 고정하게 된다. 가능한 많은 양의 이설근 부착 부위가 포함되도록 하면서 치아 손상 및 하악골절이 발생하지 않도록 절골하는 것이 중요하다. 일반적으로는 하악 하연으로부터 약 8 mm 상방에서 약 20 × 9 mm 크기의 직사각형 모양의 절골을 시행하며, 환자의 하악 크기 및 치아 상태에 따라 달라지게 된다. 수술 전 영상검사를 통하여 하악의 구조와 치아의 상태를 미리 확인하는 것이 합병증을 예방하는 데 도움이 된다. 점막치은경계부 약 8 mm 아래에 절개를 가한 후 골막하 피판을 들어올리고 하악융기와 이설근의 위치를 고려하여 하악에 직사각형의 절골을 가하는데 절골은 치근단에서 적어도 5 mm의 간격을 두고 아래 부분에 시행하여 치아의 손상을 예방하고, 하악의 하연에서 10 mm 위로 절골을 시행하여 하악이 약해져서 골절이 발생하는 것을 예방한다. 외측 수직절골은 송곳니의 안쪽에서 시행한다. 절골술을 마무리하기 전에 titanium screw를 직사각형 절골편 표면에 고정하고 절골을 완료하면 하악융기가 포함된 골조각을 조작하는데 용이하다. 이설근이 포함된 골조각을 전진시킨 후에는 약 60–90° 정도의 각도로 회전시킨 후 screw를 이용하여 하악 절골창 주변부에 고정하고 마무리한다. 설기저부를 넓히기 위한 이설근전진술은 단독으로 시행되기도 하지만 설골근 절개 거상술(Hyoid myotomy and suspension)과 함께 시행되기도 한다.

5) Mortised genioplasty

이설근이 부착된 하악융기와 함께 전방 이복근(anterior belly of digastric muscle), 하악설골근(mylohyoid muscle) 등이 부착되어 있는 하악 하연을 전진시켜 기도의 용적을 넓히는 수술법이다. 이설근이 부착된 하악

융기만 전진시키는 이설근전진술에 비해 더 많은 근육을 앞으로 당겨서 그 효과를 더 높일 수 있다는 것이 장점이다. 하악 절골부위를 노출시키는 방법은 이설근전진술과 동일하다. 절골부위는 하악융기를 포함해서 하악의 하연이 포함되도록 디자인을 한다. 절골은 oscillating saw를 사용하며, 이때 하악 외연측에 존재하는 mental nerve의 손상에 주의하여야 한다. 또한 위쪽 절골을 할때는 치아 뿌리가 손상되지 않도록 너무 가깝지 않게 하여야 하며, 고정이 필요할 수도 있으므로 이를 미리 감안하여 디자인하는 것이 중요하다. 모든 절골면이 완전히 분리되는 것을 확인한 후에 분리된 하악 하연을 앞으로 약 10 mm 정도 전진시키고 고정을 하게 되는데, 이때 양측 그리고 필요에 따라 중앙 부위에 사각형 모양의 plate와 18 × 2 mm screw를 이용하여 단단히 고정을 하게 된다. 앞으로 뾰족하게 튀어나온 부위는 burr를 이용하여 부드럽게 갈아서 피부가 돌출되지 않도록 해준다. 절골모양은 완만한 곡선 혹은 직선의 요철 등 술자마다 다양하다(그림 20-13-13).

6) 설골근 절개 거상술
(hyoid myotomy and suspension)

이 술식은 설골을 박리하여 갑상연골의 상연에 고정하는 방법으로 이설근전진술과 동시에 시행되는 경우가 많다. 설골하연을 따라 피부주름에 평행하게 약 4 cm 정도의 피부절개를 한 후 설골 체부에 부착되어 있는 상설골근육(suprahyoid m)과 경돌설골인대(stylohyoid ligament)를 절제하여 설골이 움직일 수 있도록 박리를 한 후, 설골을 갑상연골 방향으로 내려서 가까이 위치시킨 후 3-0 Nylon 등을 이용하여 갑상연골의 상연에 4군데 정도 고정을 한다(그림 20-13-14). 이때 상후두신경의 손상에 주의해야 하며 합병증으로 감염, 장액종, 연하곤란 등이 발생할 수 있다. 이 술식의 가장 큰 단점은 피부절개로 인하여 경부에 상처 반흔이 남는다는 점이다. 구인두부위 수술을 같이 시행하지 않고 단독으로 이 술식을 시행한 경우 수술 후 AHI 는 약 43% 정도 호전되었다는 보고가 있으나 그 효과가 multilevel로 다

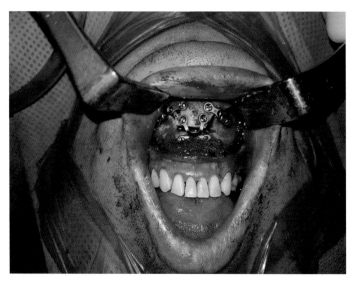

그림 20-13-13. Motised genioplasty.
이설근이 부착된 하악융기와 함께 전방 이복근, 하악설골근 등이 부착된 하악 하연을 함께 전진시켜 설기저부 폐쇄를 줄이는 방법. 하악 하연을 약 10 mm 정도 전진시킨 후 사각형 모양의 plate를 이용하여 고정한 모습.

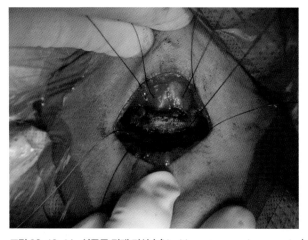 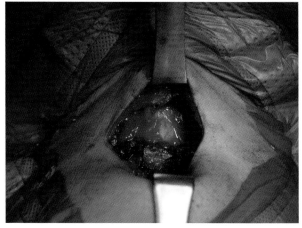

그림 20-13-14. 설골근 절개 거상술(Hyoid myotomy and suspension).
설골을 주변 근육과 분리시켜 박리 한 뒤 갑상연골의 상연에 고정하는 방법. 설골을 갑상연골 방향으로 내려서 가까이 위치시킨 후 3-0 Nylon 등을 이용하여 갑상연골의 상연에 4군데 정도 고정한 모습.

른 술식과 함께 시행한 경우보다 효과가 적다고 알려져 있어 단독으로는 잘 시행되지 않는다. Multilevel로 함께 시행한 결과에서 수술 후 59% 환자에서 완치되었다고 보고되었다.

7) 상하악 전방이동술
(maxillomandibular advancement, MMA)

상하악 전방이동술(maxillomandibular advancement, MMA)은 폐쇄수면무호흡증에 대한 수술적 치료방법 중 가장 성공률이 높다. 상악에는 Le Fort I osteotomy 를 시행하고 하악에는 양측의 sagittal split osteotomy 를 하여 상악과 하악을 동시에 앞으로 전진시켜 고정함으로써 인두를 넓히고 주변 상기도 근육의 긴장도를 증가시켜 기도를 확장시키는 효과를 얻게 된다. 이때 상기도는 앞뒤 공간의 크기뿐만 아니라 측면 공간의 크기도 늘리는 효과가 있다. 일반적인 상하악 전방이동술(maxillomandibular advancement, MMA)의 수면무호흡에서의 적응증은 ① 심한 하악의 결손으로 SNB가 74도 미만인 경우, ② 하인두 폐쇄가 있는 경우, ③ 중증의 폐쇄수면무호흡증, ④ 심한 비만환자, ⑤ 다른 수술적 방법에 실패했을 경우 등이 있다. 상악과 하악은 약 10-15 mm 정도를 전진시켜야 만족스러운 결과를 얻을 수 있다. 이때 주변 조직이 너무 과도하게 당겨져서 고정이 되지 않도록 하는 것이 중요하다. 수술 성공률은 98% 정도까지 보고되었다. 수술 후 발생할 수 있는 합병증으로는 상악의 무균괴사, 부정교합, 하치조신경(inferior alveolar nerve) 손상, 구개인두부전 등이 발생할 수 있다. 상악의 무균괴사(aseptic necrosis)는 드물게 발생하지만 상악을 너무 과도하게 전진시킬 경우 주변 연부조직이 지나치게 당겨지면서 혈액순환이 방해되어 발생할 수 있다. 상악을 전진시키는 과정에서 하행구개혈관(descending palatine vessel)을 결찰해야 하므로 주변 혈액순환을 원활하게 유지하기 위해서는 상악 주변 조직의 손상을 줄이는 것이 중요하다. 수술 후 부정교합은 발생하기 쉬운 합병증이며 과도하게 골격을 전진시키거나 비만환자에서 과도한 힘이 고정부위에 가해지는 경우 발생할 수 있다. 이를 줄이기 위해서는 수술 중 교합을 정확히 맞추어 절골 부위를 고정해 주어야 하며 수술 후에도 교합의 안정성을 유지시켜 주어야 한다. 상하악 전방이동술(maxillomandi-bular advancement, MMA)은 수면무호흡의 치료에 매우 효과적인 수술방법이지만, 다른 수술법에 비해 안면부 골격에 많은 조작을 가하는 침습적 수술이므로 합병증 발생 빈도가 높아 숙련된 술자에 의해 안전하게 시행되어야 하며 수술 후에도 출혈 혹은 기도부종에 의한 기도폐쇄로 응급상황이 발생할 수 있으므로 수술 후 면밀한 모니터링과 관리가 매우 중요하다.

▶ 참고문헌

- Abdullaah VJ, van GHasselt CA. Video sleep nasendoscopy. In: Terris DJ GR. Surgical management of sleep apnea and snoring. Boca Raton, FL: Taylor & Francis Group; 2005. pp. 143-54.
- Ahn SH, Kim J, Min HJ, et al. Tongue volume influences lowest oxygen saturation but not apnea-hypopnea index in obstructive sleep apnea. PLoS One 2015;10:e0135796.
- Babademez MA, Ciftci B, Acar B, et al. Low-temperature bipolar radiofrequency ablation (coblation) of the tongue base for supine-position-associated obstructive sleep apnea. ORL J Otorhinolaryngol Relat Spec 2010;72:51-5.
- Babademez MA, Gul F, Sancak M, et al. Prospective randomized comparison of tongue base resection techniques: Robotic vs coblation. Clin Otolaryngol 2019;44:989-96.
- Baisch A, Maurer JT, Hormann K. The effect of hyoid suspension in a multilevel surgery concept for obstructive sleep apnea. Otolaryngol Head Neck Surg 2006;134:856-61.
- Barbieri M, Missale F, Incandela F, et al. Barbed suspension pharyngoplasty for treatment of lateral pharyngeal wall and palatal collapse in patients affected by OSAHS. Eur Arch Otorhinolaryngol 2019;276:1829-35.
- Bowden MT, Kezirian EJ, Utley D, et al. Outcomes of hyoid suspension for the treatment of obstructive sleep apnea. Arch Otolaryngol Head Neck Surg 2005;131:440-5.
- Cahali MB, Formigoni GG, Gebrim EM, et al. Lateral pharyngoplasty versus uvulopalatopharyngoplasty: a clinical, polysomnographic and computed tomography measurement comparison. Sleep 2004;27:942-50.
- Cahali MB. Lateral pharyngoplasty: a new treatment for obstructive sleep apnea hypopnea syndrome. Laryngoscope 2003;113:1961-8.
- Chan JYK, Wong EWY, Tsang RK, et al. Early results of a safety and feasibility clinical trial of a novel single-port flexible robot for transoral robotic surgery. Eur Arch Otorhinolaryngol 2017;274:3993-6.
- Chang ET, Kwon YD, Jung J, et al. Genial tubercle position and genioglossus advancement in obstructive sleep apnea (OSA) treatment: a systematic review. Maxillofac Plast Reconstr Surg 2019;41:34.
- Cho HJ, Park DY, Min HJ, et al. Endoscope-guided coblator tongue base resection using an endoscope-holding system for obstructive sleep apnea. Head Neck 2016;38:635-9.
- Cho KS, Koo SK, Lee JK, et al. Limited palatal muscle resection with tonsillectomy: a novel palatopharyngoplasty technique for obstructive sleep apnea. Auris Nasus Larynx 2014;41:558-62.

- Choi BK, Yun IS, Kim YS, et al. Effects of hat-shaped mortised genioplasty with genioglossus muscle advancement on retrogenia and snoring: assessment of esthetic, functional, and psychosocial results. Aesthetic Plast Surg 2019;43:412-9.
- Cistulli PA. Craniofacial abnormalities in obstructive sleep apnoea: implications for treatment. Respirology 1996;1:167-74.
- Delakorda M, Ovsenik N. Epiglottis shape as a predictor of obstruction level in patients with sleep apnea. Sleep Breath 2019;23:311-7.
- Dundar A, Ozunlu A, Sahan M, et al. Lingual tonsil hypertrophy producing obstructive sleep apnea. Laryngoscope 1996;106:1167-9.
- Eesa M, Montevecchi F, Hendawy E, et al. Swallowing outcome after TORS for sleep apnea: short and long-term evaluation. Eur Arch Otorhinolaryngol 2015;272:1537-41.
- Elsobki A, Moneir W, Salem MA, et al. Role of transpalatal advancement pharyngoplasty in management of lateral pharyngeal wall collapse in OSA. Braz J Otorhinolaryngol 2021;S1808-8694(21)00081-1.
- Foltan R, Hoffmannova J, Pretl M, et al. Genioglossus advancement and hyoid myotomy in treating obstructive sleep apnoea syndrome – A follow-up study. J Craniomaxillofac Surg 2007;35:246-51.
- Friedman M, Hamilton C, Samuelson CG, et al. Transoral robotic glossectomy for the treatment of obstructive sleep apnea-hypopnea syndrome. Otolaryngol Head Neck Surg 2012;146:854-62.
- Fujita S, Conway W, Zorick F, et al. Surgical correction of anatomic azbnormalities in obstructive sleep apnea syndrome: uvulopalato-pharyngoplasty. Otolaryngol Head Neck Surg 1981;89:923-34.
- Fujita S. UPPP for sleep apnea and snoring. Ear Nose Throat J 1984;63:227-35.
- Gazayerli M, Bleibel W, Elhorr A, et al. A correlation between the shape of the epiglottis and obstructive sleep apnea. Surg Endosc 2006;20:836-7.
- Goh YH, Abdullah V, Kim SW. Genioglossus advancement and hyoid surgery. Sleep Med Clin 2019;14:73-81.
- Gottlieb DJ, Punjabi NM. Diagnosis and management of obstructive sleep apnea: a review. JAMA 2020;323:1389-400.
- Hendler B, Silverstein K, Giannakopoulos H, et al. Mortised genio-plasty in the treatment of obstructive sleep apnea: an historical perspective and modification of design. Sleep Breath 2001;5:173-80.
- Hendler BH, Costello BJ, Silverstein K, et al. A protocol for uvulo-palatopharyngoplasty, mortised genioplasty, and maxillomandibular advancement in patients with obstructive sleep apnea: an analysis of 40 cases. J Oral Maxillofac Surg 2001;59:892-7; discussion 8-9.
- Hochban W, Brandenburg U, Peter JH. Surgical treatment of obstructive sleep apnea by maxillomandibular advancement. Sleep 1994;17:624-9.
- Hoff PT, Glazer TA, Spector ME. Body mass index predicts success in patients undergoing transoral robotic surgery for obstructive sleep apnea. ORL J Otorhinolaryngol Relat Spec 2014;76:266-72.
- Hou T, Shao J, Fang S. The definition of the V zone for the safety space of functional surgery of the tongue. Laryngoscope 2012;122:66-70.
- Hwang CS, Kim JW, Kim JW, et al. Comparison of robotic and coblation tongue base resection for obstructive sleep apnea. Clin Otolaryngol 2018;43:249-55.
- Hwang CS, Kim JW, Park SC, et al. Predictors of success in combination of tongue base resection and lateral pharyngoplasty for obstructive sleep apnea. Eur Arch Otorhinolaryngol 2017;274:2197-203.
- Iwata N, Nakata S, Inada H, et al. Clinical indication of nasal surgery for the CPAP intolerance in obstructive sleep apnea with nasal obstruction. Auris Nasus Larynx 2020;47:1018-22.
- Jeong SH, Man Sung C, Lim SC, et al. Partial epiglottectomy improves residual apnea-hypopnea index in patients with epiglottis collapse. J Clin Sleep Med 2020;16:1607-10.
- Kayhan FT, Kaya KH, Koc AK, et al. Multilevel Combined surgery with transoral robotic surgery for obstructive sleep apnea syndrome. J Craniofac Surg 2016;27:1044-8.
- Kezirian EJ, Hohenhorst W, de Vries N. Drug-induced sleep endoscopy: the VOTE classification. Eur Arch Otorhinolaryngol 2011;268:1233-6.
- Kezirian EJ. Nonresponders to pharyngeal surgery for obstructive sleep apnea: insights from drug-induced sleep endoscopy. Laryngoscope 2011;121:1320-6.
- Kim SD, Jung DW, Lee JW, et al. Relationship between allergic rhinitis and nasal surgery success in patients with obstructive sleep apnea. Am J Otolaryngol 2021;42:103079.
- Kutzner EA, Miot C, Liu Y, et al. Effect of genioglossus, geniohyoid, and digastric advancement on tongue base and hyoid position. Laryngoscope 2017;127:1938-42.
- Lee JA, Byun YJ, Nguyen SA, et al. Transoral robotic surgery versus plasma ablation for tongue base reduction in obstructive sleep apnea: meta-analysis. Otolaryngol Head Neck Surg 2020;162:839-52.
- Lee RW, Vasudavan S, Hui DS, et al. Differences in craniofacial structures and obesity in Caucasian and Chinese patients with obstructive sleep apnea. Sleep 2010;33:1075-80.
- Li HY, Cheng WN, Chuang LP, et al. Positional dependency and

surgical success of relocation pharyngoplasty among patients with severe obstructive sleep apnea. Otolaryngol Head Neck Surg 2013;149:506–12.

- Li HY, Lee LA. Relocation pharyngoplasty for obstructive sleep apnea. Laryngoscope 2009;119:2472–7.
- Lin HC, Friedman M. Transoral robotic OSA surgery. Auris Nasus Larynx 2021;48:339–46.
- Mantovani M, Minetti A, Torretta S, et al. The velo–uvulo–pharyn- geal lift or "roman blinds" technique for treatment of snoring: a pre- liminary report. Acta Otorhinolaryngolltal 2012;32:48–53.
- Montevecchi F, Meccariello G, Firinu E, et al. Prospective multicen- tre study on barbed reposition pharyngoplasty standing alone or as a part of multilevel surgery for sleep apnoea. Clin Otolaryngol 2018;43:483–8.
- Nashi N, Kang S, Barkdull GC, et al. Lingual fat at autopsy. The Laryngoscope 2007;117:1467–73.
- O'Malley BW, Jr., Weinstein GS, Snyder W, et al. Transoral robotic surgery (TORS) for base of tongue neoplasms. Laryngoscope 2006;116:1465–72.
- Ong AA, Buttram J, Nguyen SA, et al. Hyoid myotomy and sus- pension without simultaneous palate or tongue base surgery for obstructive sleep apnea. World J Otorhinolaryngol Head Neck Surg 2017;3:110–4.
- Pang KP, Montevecchi F, Vicini C, et al. Does nasal surgery improve multilevel surgical outcome in obstructive sleep apnea: a multicenter study on 735 patients. Laryngoscope Investig Otolaryn- gol 2020;5:1233–9.
- Pang KP, Woodson BT. Expansion sphincter pharyngoplasty: a new technique for the treatment of obstructive sleep apnea. Oto- laryngol Head Neck Surg 2007;137:110–4.
- Park DY, Chung HJ, Park SC, et al. Surgical outcomes of overlap- ping lateral pharyngoplasty with or without coblator tongue base resection for obstructive sleep apnea. Eur Arch Otorhinolaryngol 2018;275:1189–96.
- Powell N, Riley R, Guilleminault C, et al. A reversible uvulopalatal flap for snoring and sleep apnea syndrome. Sleep 1996;19:593–9.
- Prinsell JR. Maxillomandibular advancement surgery for obstructive sleep apnea syndrome. J Am Dent Assoc 2002;133:1489–97; quiz 539–40.
- Riley RW, Powell NB, Guilleminault C. Obstructive sleep apnea syndrome: a review of 306 consecutively treated surgical patients. Otolaryngol Head Neck Surg 1993;108:117–25.
- Robinson S, Krishman S, Hodge JC, et al. Robot-assisted, volu- metric tongue base reduction and pharyngeal surgery for obstruc- tive sleep apnea. Oper Techn Otolaryngol Head Neck Surg

2012;23:48–55.

- Singhal D, Hsu SS, Lin CH, et al. Trapezoid mortised genioplasty: a further refinement of mortised genioplasty. Laryngoscope 2013;123:2578–82.
- Suslu AE, Katar O, Jafarov S, et al. Results of coblation midline glossectomy for obstructive sleep apnea. Auris Nasus Larynx 2021;48:697–703.
- Takabayashi K, Nakayama M, Nagamine M, et al. The impact of nasal surgery on sleep quality. Auris Nasus Larynx 2021;48:415–9.
- Terris DJ. Multilevel pharyngeal surgery for obstructive sleep apnea: indications and techniques. Oper Techn Otolaryngol Head Neck Surg 2000;11:11–20.
- Torre C, Camacho M, Liu SY, et al. Epiglottis collapse in adult obstructive sleep apnea: a systematic review. Laryngoscope 2016;126:515–23.
- Van Abel KM, Yin LX, Price DL, et al. One-year outcomes for da Vinci single port robot for transoral robotic surgery. Head Neck 2020;42:2077–87.
- Vicini C, Dallan I, Canzi P, et al. Transoral robotic surgery of the tongue base in obstructive sleep apnea–Hypopnea syndrome: anatomic considerations and clinical experience. Head Neck 2012;34:15–22.
- Vicini C, Dallan I, Canzi P, et al. Transoral robotic tongue base resection in obstructive sleep apnoea–hypopnoea syndrome: a preliminary report. ORL J Otorhinolaryngol Relat Spec 2010;72:22–7.
- Vicini C, Dallan I, Canzi P, et al. Transoral robotic tongue base resection in obstructive sleep apnoea–hypopnoea syndrome: a preliminary report. ORL; journal for oto–rhino–laryngology and its related specialties 2010;72:22–7.
- Vicini C, Hendawy E, Campanini A, et al. Barbed reposition pha- ryngoplasty (BRP) for OSAHS: a feasibility, safety, efficacy and teachability pilot study. "We are on the giant's shoulders". Eur Arch Otorhinolaryngol 2015;272:3065–70.
- Vicini C, Montevecchi F, Tenti G, et al. Transoral robotic surgery: tongue base reduction and supraglottoplasty for obstructive sleep apnea. Oper Techn Otolaryngol Head Neck Surg 2012;23:45–7.
- Waite PD, Wooten V, Lachner J, et al. Maxillomandibular advance- ment surgery in 23 patients with obstructive sleep apnea syn- drome. J Oral Maxillofac Surg 1989;47:1256–61; discussion 62.
- Wee JH, Tan K, Lee WH, et al. Evaluation of coblation lingual tonsil removal technique for obstructive sleep apnea in Asians: prelimi- nary results of surgical morbidity and prognosticators. Eur Arch Otorhinolaryngol 2015;272:2327–33.
- Woodson BT, Toohill RJ. Transpalatal advancement pharyngoplasty for obstructive sleep apnea. Laryngoscope 1993;103:269–76.

PART **4**

수면장애 각론

- Woodson BT. Changes in airway characteristics after transpalatal advancement pharyngoplasty compared to uvulopalatopharyngo-plasty (UPPP). Sleep 1996;19:S291-3.
- Woodson BT. Innovative technique for lingual tonsillectomy and midline posterior glossectomy for obstructive sleep apnea. Oper Techn Otolaryngol Head Neck Surg 2007;18:20-8.
- Wu J, He S, Li Y, et al. Evaluation of the clinical efficacy of nasal surgery in the treatment of obstructive sleep apnoea. Am J Otolar-yngol 2021;43:103158.

II 설하신경 자극술

김효열 / 김상욱

1 설하신경 자극술의 역사

1978년 Guilleminault 등은 폐쇄수면무호흡증 환자에서 무호흡이 발생할 때 이설근(genioglossus muscle, GG) 등의 상기도 확장근의 근전도 활성이 현저히 감소함을 밝혔다. 이후 Miki 등은 개에 바늘전극을 삽입하여 이설근을 전기 자극함으로써 상기도 저항을 낮출 수 있음을 확인하였고 6명의 수면무호흡증후군 환자를 대상으로 턱끝밑부위(submental region) 피부에 전극을 부착하여 전기 자극을 줌으로써 무호흡 지수(apnea index, AI) 등 수면무호흡증후군의 중증도 관련 지표가 유의하게 개선됨을 최초로 보고하였다. 하지만 유사하게 표면 전극을 이용한 타 연구들에서는 같은 결과가 재현되지 못했으며 미세한 와이어 전극을 이용하여 혀를 전방으로 이동시키는 이설근만을 선택적으로 자극함으로써 수면무호흡증후군을 개선시킬 수 있음이 증명되었다. 이후 Medtronic사에서 설하신경의 내측 분지에 감아 이설근과 혀의 내인근에 선택적인 전기 자극을 줄 수 있는 커프(cuff) 형태의 전극을 개발하였으며, 전기자극은 흉부에 별도로 이식된 파발생기(pulse generator)를 통해 전달하는 방식이었다. Schwartz 등은 이 장치를 개에 이식하여 양쪽 설하신경을 반복적으로 자극

함으로써 상기도 저항을 효과적으로 낮출 수 있음을 확인하였고 커프전극과 파발생기 외에 흉곽내 압력센서를 이식하여 호흡을 감지함으로써 흡기 시에만 선택적으로 전기 자극을 줄 수 있는 Medtronic사의 Inspire™ I system을 8명의 수면무호흡증후군 환자들에게 이식하여 무호흡-저호흡지수(apnea-hypopnea index, AHI)가 수술 전 평균 52.0 (± 20.4)/h에서 수술 후 평균 22.6 (± 12.1)/h로 감소한 결과를 보고하였다. 이러한 성공적인 치료 결과는 2014년에 발표된 Inspire Medical System사의 HGNS 기기에 대한 대규모 임상시험 결과에서도 증명이 되었으며, 같은 해에 해당 제품은 수면무호흡증후군에 대한 새로운 치료기로서 미국 FDA의 승인을 받았으며 유럽 CE 승인도 획득하여 현재 미국을 비롯하여 독일, 오스트리아를 비롯한 유럽 국가들에서도 HGNS 치료가 이루어지고 있다.

2 HGNS 제품의 종류 및 치료 적응증

1) HGNS 제품의 종류

(1) Inspire Medical Systems사의 Inspire® Upper Airway Stimulation (UAS) system

일측 늑간에 이식된 압력센서에서 흡기가 감지되면

파발생기에서 커프전극으로 전기 자극을 전달하여 설하신경의 내측 분지를 활성화하는 시스템이며, 호흡이라는 생체신호를 감지하여 이에 따라 전기 자극을 조절하는 피드백 시스템으로 이루어지므로 폐쇄회로(close loop) 기술로 불린다. 호기 때는 전기 자극이 멈춤으로써 설하신경의 피로와 변성을 예방한다(그림 20-13-15).

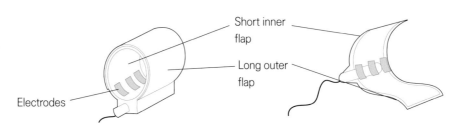

[커프전극]

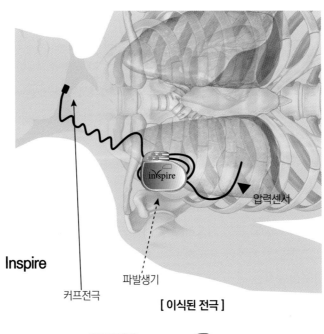

[이식된 전극]

[파발생기]

그림 20-13-15. Inspire Medical Systems사의 Inspire® Upper Airway Stimulation (UAS) system 모식도

수술 시 압력센서, 파발생기, 커프전극을 각각 삽입하기 위해 세 개의 피부 절개가 필요하나, 최근에는 파발생기와 압력센서를 하나의 피부 절개를 이용하여 이식함으로써 두 개의 피부 절개만 가하는 방법도 이용되고 있다. 파발생기의 배터리는 충전이 불가능하므로 10년 정도 사용 후에 배터리 교체를 위한 수술이 필요하다.

(2) ImThera Medical사의 aura6000™ system

늑간의 압력센서 없이 파발생기와 커프전극만으로

구성된 시스템이며, Inspire® UAS system과 달리 호흡 생체 신호에 의한 피드백 순환 없이 사전에 설정된 프로그램에 따라 반복적으로 전기 자극이 발생되어 개방회로(open loop) 기술로 불린다. 커프전극 내에서 3쌍의 전극이 번갈아 가면서 서로 다른 신경다발을 자극함으로써 설하신경의 피로와 변성을 예방하는 것으로 알려져 있다(그림 20-13-16). 파발생기의 배터리는 충전식이며, 매일 20분가량 충전하면 밤수면 내내 사용 가능하나 완전히 방전되면 2-3시간에 걸쳐 충전을 해야 하므

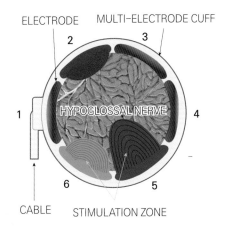

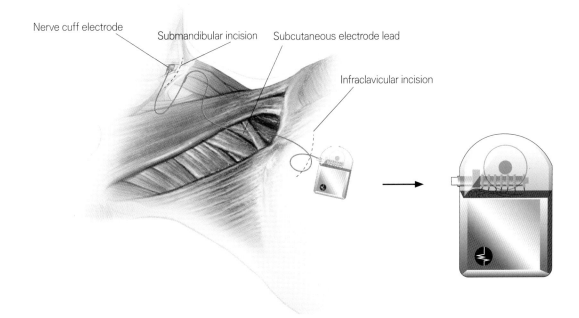

그림 20-13-16. **ImThera Medical사의 aura6000™ system의 전극 단면과 이식된 장치의 모식도**

로 최소 3일에 한 번 이상 충전하는 것을 권장하고 있다.

(3) Apnex Medical사의 HNS/HGNS® System

Inspire® UAS system와 같이 압력센서, 파발생기, 커프전극의 세가지 구성으로 이루어지나 압력센서의 전극이 양측 늑간에 이식이 된다는 점에서 차이가 있다. 하지만 2013년에 폐업하였다.

2) HGNS 치료 적응증

현재 미국 FDA의 승인을 받은 치료기는 Inspire® UAS system가 유일하며 적응증은 다음과 같다.

(1) 중등도-중증(15 ≤ AHI ≤ 65)의 수면무호흡증후군 환자(18세 이상)
– 중추성 혹은 혼합성 무호흡이 전체의 25% 이상인 경우는 제외

(2) 기도양압(positive airway pressure, PAP) 치료에 실패(AHI > 15)하거나 불내성(intolerance)을 보이는 환자

(3) 약물 유도수면내시경(drug-induced sleep endoscopy, DISE) 검사에서 연구개 뒤 공간의 완전 원형 폐쇄(complete concentric collapse) 소견이 없는 경우

위 세가지 조건을 모두 만족해야 하며, 연령 기준의 경우 2014년에는 22세 이상으로 승인을 받았으나, 이후 18세 이상으로 연령층이 확대되었고, 중증도 기준도 2014년 승인 당시에는 AHI 20 이상의 수면무호흡증후군 환자를 대상으로 하였으나 2017년부터 AHI 15 이상의 환자들로 그 범위가 확대되었다. 한편, 미국의 Medicare 보험 기준에서는 체질량지수(body mass index, BMI) 35 kg/m² 미만의 환자에서만 허용을 함으로써 치료 효과가 떨어지는 고도 비만 환자에서의 HGNS 적용을 제한하고 있다. 위 적응증과 별도로 임신중이거나

임신 가능성이 있는 여성과 HGNS 기기에 영향을 줄 수 있는 MRI 촬영을 요하는 환자에서는 HGNS 치료를 시행하지 않도록 규정하고 있다. 유럽 CE 마크의 경우 Inspire® UAS system과 aura6000™ 시스템 모두 승인을 받았으며, 치료 적응증은 미국 FDA의 적응증과 거의 동일하나 BMI에 대한 제한은 두고 있지 않다.

3 주요 해부, 수술법 및 술 후 관리

1) 혀의 근육과 신경 해부

혀의 근육은 상종설근(superior longitudinal muscle, SL), 수직설근(vertical muscle, V), 횡설근(transverse muscle, T), 하종설근(inferior longitudinal muscle, IL) 등 4개의 근속(fascicle)이 종과 횡으로 견고하게 연결된 내인근과 이설근, 경상설근(styloglossus muscle, SG), 설골설근(hyoglossus muscle, HG) 등 3개의 외인근이 유기적으로 연결된 구조를 가지고 있으며, 이 중 이설근은 혀를 앞으로 움직이는 수평(horizontal) 근속(GGh)과 혀를 아래로 당기는 경사(oblique) 근속(GGo)으로 나뉜다. 설하신경(hypoglossal nerve, CN XII)은 내측(medial) 분지(m-XII)와 외측(lateral) 분지(l-XII)로 나뉘며, 내측분지는 GGh, GGo, 횡설근, 수직설근 및 하종설근의 내측 근속을 지배하며, 외측분지는 설골설근 표면에서 상방으로 주행하면서 설골설근, 경상설근을 지배하고 내인근 중에는 상종설근과 하종설근의 외측 근속을 지배한다(그림 20-13-17).

2) 수술법

여기서는 Inspire® UAS system 이식을 위한 수술법에 대해 소개한다. Aura6000™ 시스템이 경우 압력센서를 위한 피부 절개가 필요 없으며, 커프전극을 Inspire® UAS system보다 설하신경의 근위부에 거치를 하므로 턱밑 피부절개가 1 cm 더 후방에 들어가는 차이점이 있다.

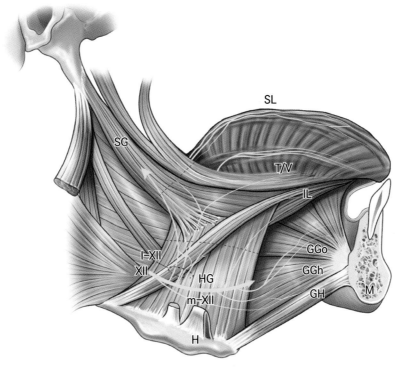

그림 20-13-17. 혀의 근육과 신경 지배 모식도.
GGh, horizontal fascicle of genioglossus muscle; GGo, oblique fascicle of genioglossus muscle; GH, geniohyoid muscle; H, hyoid bone; HG, hyoglossus muscle; IL, inferior longitudinal muscle; M, mandible; SG, styloglossus muscle; SL, superior longitudinal muscle; T/V, transverse/vertical intrinsic tongue muscle; XII, hypoglossal nerve; m-XII, medial branch of hypoglossal nerve; I-XII, lateral branch of hypoglossal nerve

(1) 마취 및 신경 모니터링

전신마취가 필요하며 수술 중 혀의 움직임 관찰을 위해 코기관(nasotracheal) 삽관이 권장되며 장시간 지속되는 근이완제 사용은 피한다. 수술 중 설하신경 모니터링을 위해 NIM (nerve integrity monitoring) 시스템을 사용하며, 외측분지 모니터링을 위한 전극은 혀끝에서 4 cm 뒤 우측 하방 부위에 혀의 외측 경계 바로 아래에 얕게 삽입을 하며, 내측분지 모니터링을 위한 전극은 설소대 우측 부위 구강저에 수직으로 삽입하되 악하선관(Warton's duct)이 손상되지 않도록 주의한다. 접지전극은 좌측 어깨 부위에 삽입한다.

(2) 커프전극 이식

안면신경의 변연하악분지(marginal mandibular branch) 손상을 피해 하악골과 설골의 중간 지점에서 하악골과 평행하게 5 cm의 절개를 넣으며, 턱끝 아래 정중앙에서 우측으로 1 cm 떨어진 지점에서 시작하여 뒤쪽으로 진행한다. 피판을 거상하여 악하선과 이복근(digastric muscle)의 건 및 앞힘살(anterior belly)을 찾은 뒤 바로 안쪽의 악설골근(mylohyoid muscle)을 확인한다. 견인기로 악설골근과 악하선을 각각 앞뒤로 젖혀서 설골설근 표면에서 나란히 주행하는 설하신경과 동반정맥(ranine vein = vena comitans of CN XII)을 찾는다. 동반정맥을 결찰하거나 젖히면서 설하신경 주위를 박리하여 내측분지와 외측분지를 분리한다. 내측분지와 외측분지가 나뉘는 부위에 신경혈관(vasa nervorum)이 지나가므로 이를 지표로 이용할 수 있다. NIM을 이용하여 내측분지가 정확히 분리된 것을 확인한 뒤

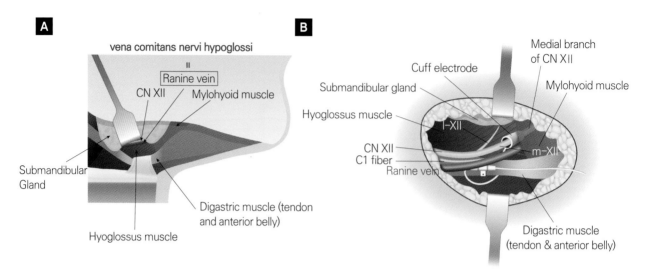

그림 20-13-18. 커프전극 이식 모식도.
(A) 설하신경(CN XII)의 노출. 악설골근을 앞으로, 악하선을 뒤로 젖히면 설골설근 표면에서 주행하는 설하신경과 동반정맥을 찾을 수 있다.
(B) 커프전극 이식 및 고정. 설하신경 내측분지에 커프전극을 이식한 뒤 전극 리드(lead)를 이복근 건에 봉합사를 이용하여 고정한다(CN XII: hypoglossal nerve, m-XII: medial branch of hypoglossal nerve, l-XII: lateral branch of hypoglossal nerve).

에 커프전극을 거치하고 3-0 실크 봉합사를 이용하여 이복근 건에 고정해 준다. 한편, 이설골근(geniohyoid muscle, GH)을 지배하는 C1 신경이 설하신경에 합류했다가 분지되는 것을 확인할 수 있는데 가능하면 C1 신경도 포함하여 커프전극을 거치해 준다(그림 20-13-18).

(3) 파발생기와 압력센서 이식 및 연결

우측 쇄골 5 cm 아래 위치에 4-5 cm 길이의 절개선을 피부장력선(relaxed skin tension line)을 따라 넣고 대흉근 근막 위를 박리하여 5 cm 깊이의 공간을 만들고 파발생기를 이식한다. 이 때 절개선은 환자가 술 후에 가방을 맬 때 가방끈이 절개 부위를 지나지 않도록 가급적 내측으로 넣는 것이 좋다. 대흉근 하연 5 cm 아래 지점에서 늑간공간을 따라 정중액와선(mid-axillary line)을 넘지 않도록 5 cm 길이의 절개선을 넣고 전거근(serratus anterior muscle)을 젖힌 뒤 외늑간근(external intercostal muscle)과 내늑간근(internal intercostal muscle) 사이에 공간을 만들어 압력센서를 삽입하고 비흡수성 봉합사를 이용하여 고정한다. 투관침(catheter

passer)을 이용하여 터널을 만들어 커프전극과 압력센서의 리드(lead)를 파발생기 공간으로 통과시킨 뒤 파발생기의 홈(STIM port, SENSE port; 그림 20-13-15 아래)에 연결한다. 커프전극 이동을 위한 터널은 넓은목근 밑 공간(subplatysmal layer)에 만드는데 이때 전경정맥(anterior jugular vein)과 외경정맥(external jugular vein)의 손상이 생기지 않도록 주의한다. 이후 원격측정기(telemetry)를 이용하여 혀의 움직임을 관찰하며 전기자극을 줘서 커프전극의 적정 자극 강도를 찾고, 압력센서에서 호흡주기에 따른 변화가 잘 반영되는지도 확인한 뒤 이상이 없으면 비흡수성 봉합사를 이용하여 파발생기를 고정한다.

3) 술 후 관리 및 추적 관찰

수술 후 측경부 촬영(lateral neck X-ray)을 통해 커프전극과 리드의 위치를 확인하며, 흉부 촬영(chest AP X-ray)에서 압력센서와 리드의 위치 및 기흉 발생 여부를 확인한다. 1주일 뒤 피부 봉합사를 제거하며, 수술 후 2주간은 우측 팔을 과도하게 움직이거나 무거운 짐을 들지 않도록 하여 장액종(seroma) 발생을 예방하고, 파발생기 삽입 공간 주변으로 섬유화가 안정적으로 진행되도록 한다. 수술 한 달 후 외래에서 파발생기 전원을 켜고 전극의 저항(impedance)을 측정하며 전기 자극 강도를 결정한다. 정해진 범위 내에서 환자 스스로 자극 강도를 조절할 수 있게 하여 환자가 치료기 사용에 적응할 수 있도록 하며, 수술 후 두 달 째에 적정(titration)을 위한 수면다원검사를 시행한다.

4 효능 및 합병증

1) 효능

2014년 NEJM에 발표된 연구에서 Inspire® UAS system의 수술 후 12개월째 평균 AHI는 15.3 ± 16.1/h로 수술 전 32.0 ± 11.8/h에 비해 50%가량 감소하였으며 주간졸음과 수면의 질 관련 증상도 유의하게 호전되었다. 이러한 치료 효과는 2018년에 발표된 수술 후 60개월째 추적관찰 결과에서도 유지되었으며, AHI가 50% 이상 감소하고 치료 후 AHI가 20/h 이하인 경우를 치료 성공으로 정의하였을 때, 75%의 환자가 치료 성공을 보였고 44%의 환자는 치료 후 AHI가 5 미만이었다. 다만, 사망 및 치료 중단 등으로 추적 탈락된 환자들을 고려하면 성공률은 63%로 다소 낮아졌다. 2016년 10월부터는 미국과 유럽의 다기관들이 참여하는 ADHERE registry를 통해 장기 추적 관찰을 하고 있으며, 2020년에 발표된 1,017명의 환자들에 대한 중간 분석 결과 수술 후 12개월째 69%의 성공률을 보였다. Aura6000™ system의 경우 2013년에 발표된 첫 임상시험 결과에서 수술 전 평균 AHI 45.2 ± 17.8/h이 수술 후 12개월째 21.0 ± 16.5/h로 역시 50%가량 감소하였으며, 76.9%의 환자에서 치료 성공을 보였다. 하지만, 2016년에 발표된 추시 연구 결과에서는 34.9%의 낮은 성공률을 보고하였으며, 치료 성공률을 높이기 위해 보다 엄격한 적응증을 적용한 무작위 임상시험이 현재 진행중인 것으로 알려져 있다.

2) 합병증

2014년 발표된 NEJM 연구결과에 따르면 Inspire® UAS system 이식 후 HGNS 치료와 직접적으로 관련된 사망 등의 심각한 이상반응은 없었으며, 27%의 환자에서 일시적인 혀의 위약(weakness)이 나타났으나 모두 회복이 되었다. 64%의 환자는 전기 자극에 의한 불편감을 호소하였으나 장기 추적 관찰 시 5% 정도의 환자를 제외하고 소실되었다. 22%의 환자에서 혀가 움직이면서 치아에 의한 찰과상이 발생했으나 자극 강도를 조절하거나 덴탈가드(dental guard)를 착용함으로써 대부분 해결되었다. Aura6000™ system의 경우에도 Inspire® UAS system과 마찬가지로 전기 자극에 의한 통증과 불편감이 가장 흔한 이상반응이었으며, 자극 강도를 조절하거나 파발생기를 재부팅하는 방법 등으로 대부분 해결되었다. 드문 예로는 피하지방이 두꺼워서 배터리 충전이 잘 되지 않았던 환자에서 재수술이 필요한 경우가 있었다.

▶ 참고문헌

- Eastwood PR, Barnes M, Walsh JH, et al. Treating obstructive sleep apnea with hypoglossal nerve stimulation. Sleep 2011;34:1479-86.
- Edmonds LC, Daniels BK, Stanson AW, et al. The effects of transcutaneous electrical stimulation during wakefulness and sleep in patients with obstructive sleep apnea. Am Rev Respir Dis 1992;146:1030-6.
- Friedman M, Jacobowitz O, Hwang MS, et al. Targeted hypoglossal nerve stimulation for the treatment of obstructive sleep apnea: six-month results. Laryngoscope 2016;126:2618-23.
- Goding GS Jr, Eisele DW, Testerman R, et al. Relief of upper airway obstruction with hypoglossal nerve stimulation in the canine. Laryngoscope 1998;108:162-9.
- Guilleminault C, Hill MW, Simmons FB, et al. Obstructive sleep apnea: electromyographic and fiberoptic studies. Exp Neurol 1978;62:48-67.
- Guilleminault C, Powell N, Bowman B, et al. The effect of electrical stimulation on obstructive sleep apnea syndrome. Chest 1995;107:67-73.
- Heiser C, Thaler E, Boon M, et al. Updates of operative techniques

for upper airway stimulation. Laryngoscope 2016;126:S12-6.

- Maurer JT, Paul Van de Heyning, Lin HS, et al. Operative technique of upper airway stimulation: an implantable treatment of obstructive sleep apnea. Operative Techniques in Otolaryngology-Head and Neck Surgery 2012;23:227-33.

- Miki H, Hida W, Chonan T, et al. Effects of submental electrical stimulation during sleep on upper airway patency in patients with obstructive sleep apnea. Am Rev Respir Dis 1989;140:1285-9.

- Miki H, Hida W, Shindoh C, et al. Effects of electrical stimulation of the genioglossus on upper airway resistance in anesthetized dogs. Am Rev Respir Dis 1989;140:1279-84.

- Mu L, Sanders I. Human tongue neuroanatomy: nerve supply and motor endplates. Clin Anat 2010;23:777-91.

- Mwenge GB, Rombaux P, Dury M, et al. Targeted hypoglossal neurostimulation for obstructive sleep apnoea: a 1-year pilot study. Eur Respir J 2013;41:360-67.

- Schwartz AR, Barnes M, Hillman D, et al. Acute upper airway responses to hypoglossal nerve stimulation during sleep in obstructive sleep apnea. Am J Respir Crit Care Med 2012;185:420-6.

- Schwartz AR, Bennett ML, Smith PL, et al. Therapeutic electrical stimulation of the hypoglossal nerve in obstructive sleep apnea. Arch Otolaryngol Head Neck Surg 2001;127:1216-23.

- Schwartz AR, Eisele DW, Hari A, et al. Electrical stimulation of the lingual musculature in obstructive sleep apnea. J Appl Physiol (1985) 1996;81:643-52.

- Strollo Jr PJ, Soose RJ, Maurer JT, et al. Upper-airway stimulation for obstructive sleep apnea. N Engl J Med 2014;370:139-49.

- Thaler E, Schwab R, Maurer J, et al. Results of the adhere upper airway stimulation registry and predictors of therapy efficacy. Laryngoscope 2020;130:1333-8.

- Verse T, de Vries N. Current concepts of sleep apnea surgery. 1st ed. New York: Thieme; 2019.

- Woodson BT, Strohl KP, Soose RJ, et al. Upper airway stimulation for obstructive sleep apnea: 5-year outcomes. Otolaryngol Head Neck Surg 2018;159:194-202.

III 악교정 수술

이상화

1 목적

폐쇄수면무호흡증의 치료 목적은 기도에서 산소 흐름을 원활하게 하여 산소 부족으로 야기되는 여러 합병증을 예방하고 삶의 질을 향상시키는 것에 있다. 물론 양압기 치료가 현재로서는 최상의 치료 방법이지만 이에 적응증이 안 되거나 순응도가 떨어지는 경우 등에서는 수술적 치료가 필요할 수 있다. 수술적 치료 중에 하나인 악교정 수술은 악골의 전방이동을 통해 해부학적 구조를 근본적으로 변형시켜 기도를 확장하고 산소의 흐름을 향상시키는 것을 목적으로 한다. 본 단원에서는 이설근전진술(genioglossus advancement, GA), 턱끝성형(genioplasty), 상하악 전방이동술(maxillo-mandibular advancement, MMA) 그리고 modified MMA 등을 중점적으로 정리하였다.

2 적응증

골격 2급 부정교합등 악교정 수술이 필요한 환자들을 제외하고, 일반적으로 Stanford 그룹의 단계적 수술 접근법에 준하여 1단계 수술 후 예후에 따라 2단계 수술인 MMA를 추가로 시행되어 왔다.

1단계 수술은 폐쇄부위에 따른 특이적(site specific) 수술을 시행하는 것이 특징으로, 폐쇄 부위를 type 1 구인두(oropharynx), type 2 구인두−하인두(oropharynx−hypopharynx) type 3 하인두(hypopharynx)로 구분하여, Type I은 구개수구개인두성형술(uvulopalato-pharyngoplast, UPPP) 등을 type II는 UPPP, 이설근전진술, 설골근절개술 및 현수법(hyoid myotomy & suspension, HA) 수술을 그리고 type III는 설골근절개술 및 현수법을 시행한다. 수술 후 상처가 치유되고 순면 및 신경 정신적 안정이 올 수 있게 6개월 치유 기간 후 성공여부를 수면다원검사등을 통하여 평가하여 치료에 실패한 경우 2단계 수술인 MMA를 시행한다.

그러나 1단계를 생략하고 MMA 단독으로 수술한 경우 예후가 기존을 방법과 큰 차이가 없거나 오히려 더 효과적이다는 연구들이 보고되고 있다. 또한 MMA을 바로 진행하였을 때 환자의 수술적 부담뿐만 아니라 치료기간 및 심리적 부담감 감소등의 장점들도 부각되어 최근에는 특히 중증의 환자에서는 1단계가 생략되고 바로 MMA가 one stage 수술로 계획되는 경우들이 많다 (그림 20-13-19).

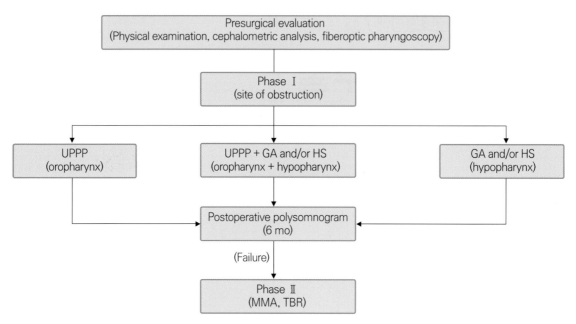

그림 20-13-19. Stanford protocol of phased surgery surgery

3 수술 전 검사

수면다원검사로 폐쇄수면무호흡증을 진단을 받은 환자가 악교정 수술을 계획하였으면 기본적 술 전 검사 외에 악안면 기형환자에서 시행하는 술 전 검사에 준하여 환자의 교합 및 턱관절 상태를 관찰하고 결과에 따라 술 전 교정치료 등 수술 전 필요한 치료 여부를 평가한다. 술 전 검사는 구강 진단 모델, 구강 내 구강 외 사진, 영상검사(파노라마, CBCT, cephalo lateral and PA) 그리고 추가적으로 airway 계측을 한다.

수술 전에 정확한 수술 계획(surgical treatment objectives, STO)을 통하여 수술 방법과 악골의 이동량을 결정한다. 수술 방법 선택에 있어 상악의 전후방적 위치, 상순의 돌출도, overjet, overbite, 상하악 전치 경사도, 상악 전치 노출도등에 대해 고려해 보아야한다. 일반적으로 술 후 연조직 부종 가능성으로 편도 수술, UPPP와 병행하지 않는다.

1) CT scan

CT는 3차원적인 영상을 제공해준다. 전후방적 그리고 측방 dimension 평가가 가능하고 기도의 면적과 부피를 측정하고 최소 cross-sectional area도 볼 수 있다. 또한 computational fluid dynamic 분석을 통하여 공기의 흐름과 저항까지 측정할 수 있다. 최근에는 cone-beam CT (CBCT)가 도입되어 상대적을 낮은 방사선 피폭으로 3D 진단 및 수술 계획 분석까지 가능해졌다. 그러나 세파로로그 분석과 마찬가지로 static 그리고 fixed time에 대한 평가라는 한계가 있다.

2) 두부계측방사선사진 분석

촬영이 쉽고 방사선 피폭양이 상대적으로 적지만 2차원적 분석 진단 도구이므로 측방 dimension 평가가 어렵고 수면이 아니라 깨어있는 상태에서 서서 촬영한 영상이라 환자의 수면상태를 완전히 반영하지 못한다는 한계가 있다. 그러므로 기도의 폐쇄부위를 명확하게 진단하는 것보다는 일반적인 해부학적 특징을 술 전과 후

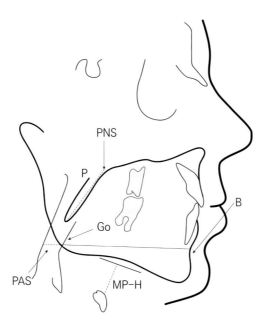

그림 20-13-20. 두부계측방사선사진 분석.
MP-H: mandible plane (MP)에 수직선을 설골(H)까지 연결한 길이
PNA-P: posterior nasal spine (PNS)에서 soft palate shadow (P)까지 길이
PAS (posterior airway space): point B에서 gonion (Go)을 지나는 선의 연장선상에서 설근부와 posterior pharyngeal wall의 거리

에 평가하는 데 이용된다. 환자의 머리 위치 등에 따라서 결과가 상이할 수 있고 OSAS 환자들은 head up posture 자세를 취하는 경우가 많으니 영상은 Natural head position에서 촬영하는 것이 중요하다.

두부계측방사선사진은 골격성 분석뿐만 아니라 (cephalometry 진단 단원 참조) 술 전 후 연구개 평가에 사용된다. 일반적으로 OSAS 환자는 설골이 하방에 위치하고 연구개가 정상보다 길며, 설근부가 좁다고 알려져 있다(그림 20-13-20).

- 설골이 하방에 위치한다(MP-H가 길다): mandible plane (MP)에 수직선을 설골(H)까지 연결하여 설골의 위치 측정 길이가 길어(정상 15.4 ± 3 mm) 혀의 위치에 영향을 준다.
- 연구개가 정상보다 길다(PNA-P가 길다): posterior nasal spine (PNS)에서 soft palate shadow (P)까지의 선이 길다(정상 37 ± 3 mm).
- Tongue base (설근부) 가 좁다 (PAS가 짧다): Pos-

terior airway space(PAS) point B에서 gonion (Go)을 지나는 선의 연장선상에서 설근부와 posterior pharyngeal wall의 거리가 짧다(정상 11 ± 1 mm).

4 수술

1) 이설근전진술
(genioglossus advancement, GA)

이설근전진술은 하악은 움직이지 않고 오직 이설근 (genioglossus m.)과 이설골근(geniohyoid m.)의 부착 부위인 하악의 이부 결절(genial tubercle)을 직사각형 모양의 골절단술을 통해 전방 이동시키는 술식이다. 특히 이설근에 긴장을 증가시켜 누운 자세에서도 앞으로 전진된 혀가 후방 변위를 억제해 주어 하인두 부위 (hypopharyngeal area)의 공간이 넓히는 효과가 있으므로 하인두 폐쇄에 특히 retruded position of the base of

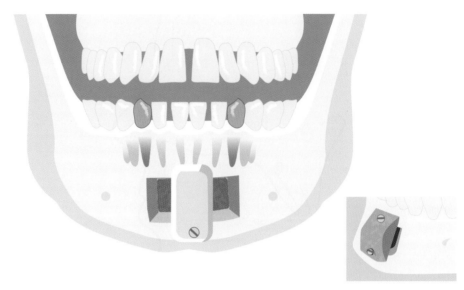

그림 20-13-21. **이설근전진술(genioglossal advancement, GA)**

tongue과 연관있는 경우가 적응증이다. 수술을 단독으로 시행하는 경우도 있지만 폐쇄 위치에 따라 Hyoid suspension, UPPP와 같은 다른 시술과 병행하는 경우가 많다

(1) 수술 방법

전신마취 하 하순을 엄지와 검지로 잡고 벌려서 mucogingival junction 전방 1.5–2 cm 부위 점막에 수직으로 절개를 하고 근육층이 관찰되면 하악골을 향해 방향을 틀어서 절개를 시행하여 뼈를 노출시킨다. 양측의 metal foramen을 확인하여 시술 시 손상이 되지 않도록 한다.

하악 전방부 하방에 직사각형 형태의 골편을 디자인한다. 골절단 선은 주변 해부학적 구조물에 손상을 최소화하기 위하여 상방으로는 전치부 치근단과 약 5 mm 이상 거리를 두고 하방으로는 하악 하연을 남겨서 보존한다. Saw로 골절개선을 따라 협측 설측 피질골을 절단하여 직사각형 모양의 골편을 전방으로 이동하였을 때 설측의 이부 결절과 이에 부착된 근육들도 같이 이동하게 된다. 전방으로 이동된 골편은 90° 회전하여 하

악 이부 협측에 나사로 고정한다. 이로 인하여 이부결절에 연결되어 있는 근육들도 전방 이동되어 하인두 부위의 기도를 확장하는 효과를 기대한다. 나사로 고정하기 전 경우에 따라 골편의 협측 피질골과 해면골 일부를 제거하여 하악 이부부위의 심미적 변화를 최소화 할 수 있다(그림 20-13-21).

(2) 턱끝성형(genioplasty)

이부 결절 부위만 수술하는 이설근전진술은 심미적 변화를 최소화 하면서 하인두 부위의 기도를 확장하지만 설골과 연결된 이복근의 전복의 변화를 줄 수 없음이 아쉽다. 반면 턱끝성형은 하악 이부가 전방으로 돌출되는 심미적 변화를 제공하여 2급 부정교합환자에서 선호되며 MMA 시 병행될 수도 있다. 또한 이부돌개에 부착된 이설근과 이설골근 뿐만 아니라 이복근의 전복의 전방 이동시킨다. 최근에는 미리 CBCT 등을 이용하여 골절단선을 디자인하여 3D 프린팅으로 골절단 가이드를 제작하고 맞춤형 고정판까지 미리 준비할 수 있어 최소한의 오차 범위안에서 안전하게 시술 할 수 있도록 도움을 받는다(그림 20-13-22).

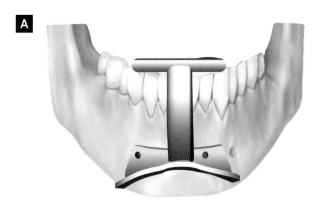

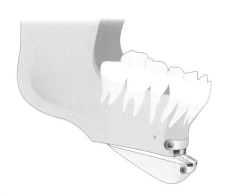

그림 20-13-22. **턱끝성형(genioplasty). (A)** 3D 프린팅 맞춤형 수술 가이드, **(B)** 턱끝성형모식도

2) 상하악 전방이동술
(maxillomandibular advancement, MMA)

MMA는 상악과 하악 모두를 전진시켜 비인두-구인두-하인두(velo-oro-hypopharynx)로 이어지는 상기도 전체를 확장시키게 된다. 상악과 하악의 전진은 설골상근과 구개인두근육들의 긴장성을 향상시키며, 측인두벽의 붕괴력(collapsibility)을 감소시켜 수면무호흡증후군 치료에 매우 효과적이다. MMA는 수면무호흡증후군 치료에 기관 절개술을 제외하고 가장 효과적인 방법으로 성공률은 75-100% 정도에 이른다. 일반적인 진행과정은 악교정 수술과 유사하다.

수술은 STO에 따라 계획된 이동량을 설정하고 그 기준으로 교합기에 장착된 모델에 시행한 model surgery 또는 가상 수술 계획(virtual surgical planning) 프로그램을 이용하여 수술 전에 미리 중간 교합용 장치(intermediate splint)와, 하악 이동 후 최종 교합을 기준으로 최종 장치(final splint)를 제작한다. 수술 개요는 1차적으로 Le Fort I 상악골 절단 후 중간장치(intermediate splint)를 장착하고 골편을 전방 이동하여 금속판으로 고정한다. 하악은 하악지 시상분할 골절단술을(sagittal splint osteotomy, SSRO)하여 최종 장치(final splint)를 장착하고 금속판이나 나사로 고정하는 순으로 진행한다(그림 20-13-23).

(1) 수술방법

술 전 교정으로 브라켓(bracket)이 장착이 되어있지 않은 환자는 arch bar 장착을 한다. 상악 buccal vestibule 제2소구치에서 반대쪽 제2소구치까지 mucogingival junction 5 mm에서 10 mm 상방에 수평 절개를 시행 후 상악 전반부에서 시작하여 이상구와(piriform aperture) 비점막이 노출되기까지 그리고 후방부는 pterygomaxillary fissure까지 골점막 피판을 박리한다. 그 후 비점막을 piriform rim에서부터 시작하여 비강저(nasal floor)와 비중격 하비갑개 방향까지 비강 내 비점막을 골벽으로부터 완전히 분리한다. 연성 견인자로 코 점막을 보호하고 상악골의 측벽 및 후벽의 골막을 상향 견인를 삽입하여 보호하면서 양측 견치와 제1대구치 치근첨에서 5 mm 상방에 Le Fort I 모양으로 골절단톱(reciprocating saw)을 이용하여 골절단을 한다. 한쪽의 골절개가 완성되면 반대측의 상악골 전벽 및 후벽도 동일한 방법에 의해 골절개를 시행하고 미세한 골절단기자(wax spatula osteotome)와 망치를 이용하여 골절단의 완성을 확인 및 보충한다. 비중격 절단기(nasal septum osteotome)를 사용하여 비중격을 절단하여 구개골을 비중격으로부터 분리한 다음에 골절단기(Epker's curved osteotome)를 이용하여 상악골 후벽을 날개오목뼈로부터 분리한다.

최근에는 절단 부위의 정확성과 안정성을 향상시키기

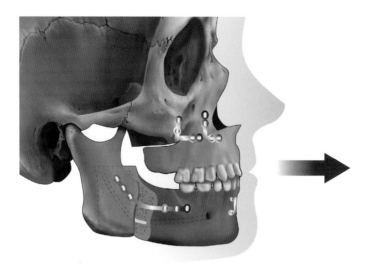

그림 20-13-23. **상하악 전방이동술**(maxillomandibular advancement, MMA)

위해서 미리 3D 프린팅으로 제작된 맞춤형 골절단 가이드를 장착하고 절단을 시행하기도 한다.

골절단이 완성되면 상악골겸자(forceps for maxillary movement)로 상악골을 붙잡거나 혹은 직접 손힘으로 하방으로 밀어 상악골을 하방으로 골절·분리 한다. 이때가 가장 출혈도 많고, 과출혈의 위험이 있으므로 각별한 주의가 요한다. 하방으로 분리된 상악골을 전·후·좌·우 및 하방으로 움직여 3차원 방향으로 자유롭게 움직이는지를 확인 한 후 주요 구조물의 손상이 없는지 한다.

이동량에 따라 미리 제작된 중간교합용 장치(intermediate water splint)를 상·하악 치열사이에 끼우고 악간고정을 하고 골편은 miniplate 또는 micro-plate & screws로 단단히 고정해 준다. 최근에는 STO에 따라 미리 제작된 맞춤형 miniplate를 사용하기도 한다.

하악은 SSRO를 시행한다. 구치부 측방 하악 상행지의 외사선을 따라 골점막 절개를 가한 후 구치부 골체부의 하연과 오훼돌기(coronoid process)의 내측면 및 상행지 전연부를 노출시킨다. 상행지 측면의 소설(lingula)을 확인하여 바로 인접된 하악공(mandibular foramen)으로 주행하는 하치조신경혈관분지(Inferior alveolar neurovascular bundle)를 보호한다. 상행지 내면의 수평골 절개는 lindemann bur (혹은 reciprocating saw)를 이용하여 소설로부터 약 4–5 mm 상방의 위치에서 하악의 교합평면과 평행하게 – 상행지 전연까지 골수강이 보이는 깊이로 – 진행한다. 다음으로 시상방향의 골절개를 fissure bur(또는 reciprocating saw)를 이용하여 외사선과 내사선의 중간위치에서 상행지 전연을 따라 제2대구치 부위까지 진행하고 이어서 골절개선을 수직방향으로 하악골 하연까지 연장한다. 골절개선이 완성되면 미세한 골도(osteotome)와 골분리도(separating osteotome)를 이용하여 근심골편부와 원심골편부를 분리를 완성한다. 근심골편에는 상행지 측면골판과 오훼돌기 및 과두부가 존재하며 원심골편에는 상행지 내측골판, 하악골체부, 치열 및 하치조신경 및 혈관이 포함되는지 확인한다. 원심 골편을 계획량만큼 전방으로 이동하여 최종 장치(final splint)를 끼우고 악간 고정 후 금속판 또는 나사로 고정한다. 봉합하기 전 악간고정을 풀고 하악골의 운동을 검사하여 특히 경첩운동(hinge movement) 시 좌·우가 대칭적으로 움직이는지 확인하여 좌·우 양쪽의 근심골편 및 원심골편의 위치가 이상적인지를 확인하고 만일 잘못되었다면 이를 시

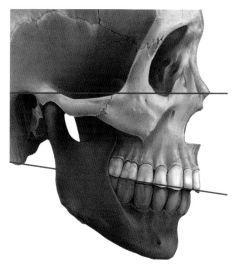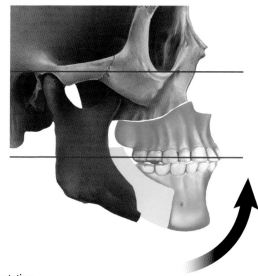

그림 20-13-24. Maxillomandibular advancement with count-clock wise rotation

정한 후 골점막을 봉합한다. 술 후 악간고정 방법과 시기는 술자마다 상이하다.

5 Modified MMA

MMA는 상하악을 모두 전진시키는 수술이라 서양인에 비해 전후로 안면이 편평한 동양인에서는 얼굴의 모양이 변하는 것이 가장 침습적인 수술 중에 하나라는 이유 외에 이 수술을 회피하게 되는 또 다른 이유가 된다. 이로 인해 기존의 MMA를 변형하여 기도는 확장시키고 얼굴의 외형에는 변화를 최소화하는 modified MMA가 개발되어 사용되고 있다.

1) MMA with countclock-wise rotation

상하악 복합체를(Maxillomandibular complex MMC) 전방 이동시키는 것뿐만 아니라 MMC의 반시계 방향 회전을 통해 일반적인 MMA보다 상대적으로 턱 끝의 이동량을 더 많으나 안정적인 안모변화를 효과를 얻는 것을 목적으로 한다. Le Fort I 골절단 후 전방 이동 시 상악을 반 시계방향으로 회전하여 고정시켜서 하

악 원심골편도 교합에 맞추기위해 반 시계방향으로 회전하면서 전진하므로 교합평면과 하악평명의 경사도가 감소되고 전방 이동량에 비해 상대적으로 안모 변화량은 적다. 교합평면과 하악평면의 경사도가 큰 환자에 있어 효과적으로 적용될 수 있다. 또한 설골 하방부의 기도 폐쇄와 관련한 환자에 적용될 수 있다(그림 20-13-24).

2) 전방분절골절단술을 동반한 상하악 전방이동술 (maxillomandibular osteotomy with anterior segmental osteotomy, MMA with ASO)

이미 돌출된 상악과 입술을 가진 환자 또는 정상적 안면 골격구조를 가지지만 안면 측모 골격 구조가 편평한 아시아계 환자들에게 폐쇄수면무호흡증으로 MMA 시 심미적 안면 향상을 위해 적용된다. 상악 ASO는 상악 MMA 시 상악 하악 전방분절을 후방으로 이동시켜 안모개선을 가능하게 한다. 하악ASO는 설후방 기도확장을 가능하게하며 이부 결절을 포함하지 않는 선에서 하악 전방분절을 이동시킬 수 있게 된다(그림 20-13-25).

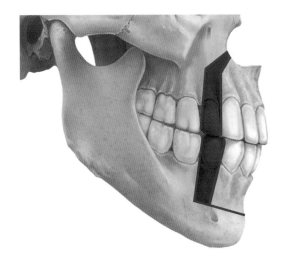
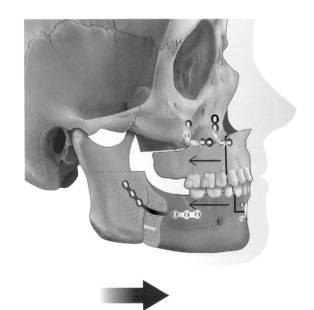

그림 20-13-25. maxillomandibular advancement with anterior segmental osteotomy (MMA with ASO)

6 합병증 및 예후

전신 마취 및 일반적인 수술적 합병증과 마찬가지로 악안면부위의 연조직과 경조직에 대한 해부학적 구조물 손상등에 의해서 야기될 수 있는 통상적인 합병증이 관찰될 수 있다. 다만 악교정 수술 대상자들은 대부분 기저질환이 없는 환자이지만 폐쇄수면무호흡증 환자는 상대적으로 연령대가 높으며 고혈압 등 기저질환이 있는 경우가 많고 marrow space가 좁아져 있을 수 있으므로 수술 시 특히 골절단과 분리 과정에서 주의해야한다.

수술 중 합병증으로는 과도한 출혈, 예기치 않은 골절, 잘못된 골편의 위치, 신경 손상, 치근 손상 등이 있다. 신경손상은 하치조신경과 이신경등이 주로 손상되며 드물게는 안와하 신경 손상도 보고되기도 한다. 협부 또는 이부에 일시적인 감각이상(대부분 6-12개월 뒤에 해소)이 올 수 있으며 약 10-20%의 환자에서 발음과 연하기능에 미묘한 차이가 오는 경우가 있다한다. 수술 후 합병증으로는 전신마취와 관련된 호흡곤란, 폐렴

등이 있으며 수술과 연관된것으로는 이차출혈, 고열, 신경장애, 감염, 허혈성 괴사, 악관절 동통, 치수괴사, 구-비강 누공 등이 있다. MMA는 안면 연부조직에 부종을 야기할 수 있으나 기도를 둘러싸는 연부조직에는 거의 부종을 일으키지 않아 다른 술식처럼 수술 직후 수면무호흡증후군이 일시적으로 심해질 가능성이 적다.

MMA는 기도 확장을 위해 인위적으로 상하악은 전방으로 평균 8-10 mm 이동하는 술식으로 많은 양의 골이동, 특히 부정교합이 아닌 환자에서는 정상 안모의 근골격이 비정상 위치에 놓이게 되어 근골격의 불안정, 재발 등을 우려 하게 되나 다행히 골고정술의 발달로 장기적 관찰에서 임상적으로 유의할 만한 술 후 골격 변화는 관찰되지 않는다.

▶ 참고문헌

• 김성완. 수면무호흡증의 골격수술. 한양대학교 의과대학 2013;33:233-8.
• 이재서. 한두희. 수면 장애 호흡의 수술적 치료. 대한수면의학회

2009;66:417–30

- Allen Cheng. Genioglossus and genioplasty advancement. Atlas Oral Maxillofacial Surg Clin N Am 2019;27:23–8.

- Chen K, Sun X, Wang L, et al. A modified cosmetic genioplasty can affect airway space positively in skeletal class ii patients: studying alterations of hyoid bone position and posterior airway space. Aesth Plast Surg 2020;44:1639–55.

- Christino M, Vinha PP, Faria AC, et al. Impact of counterclockwise rotation of the occlusal plane on the mandibular advancement, pharynx morphology, and polysomnography results in maxilloman-dibular advancement surgery for the treatment of obstructive sleep apnea patients. Sleep and Breathing 2021;25:2307–13.

- Cillo JE, Dattilo DJ. Orthognathic surgery for obstructive sleep apnea. Seminars in Orthodontics 2019;25:218–29.

- Dicus Brookes CC, Boyd SB. Controversies in obstructive sleep apnea surgery. Sleep Med Clin 2018;13:559–69.

- Fonseca R, Turbey T, Costello B, et al. Orthognathic surgery for Obstructive Apnea. Oral and maxillofacial surgery Fonseca, Vol 3. 3rd ed. St. Louis: Elsevier; 2014. pp. 264–77.

- Kim T, Kim H, Hong S, et al. Change in the upper airway of patients with obstructive sleep apnea syndrome using computa-tional fluid dynamics analysis: conventional maxillomandibular advancement versus modified maxillomandibular advancement with anterior segmental setback osteotomy. J Craniofac Surg 2015;26:e765–70.

- Knappe S, Sonnesen L. Mandibular positioning techniques to improve sleep quality in patients with obstructive sleep apnea: cur-rent perspectives. Nature and Science of Sleep 2018;10:65–72.

- Lee S, Kaban L, Lahey E. Skeletal stability of patients undergoing maxillomandibular advancement for treatment of obstructive sleep apnea. J Oral Maxillofac Surg 2015;73:694–700.

- Liao Y, Chiu Y, Lin C, et al. Modified maxillomandibular advance-ment for obstructive sleep apnoea: towards a better outcome for Asians. Int. J Oral Maxillofac Surg 2015;44:189–94.

- Liu S, Awad M, Riley R. Maxillomandibular advancement contem-porary approach at Stanford. Atlas Oral and maxillofacial surgery Clin N Am 2019;27:29–36.

- Paris M, Jean S, Bouchard C. Maxillomandibular advancement The Canadian experience. Atlas Oral and maxillofacial surgery Clin N Am 2019;27:37–42.

- Rojas R, Chateau R, Gaete C, et al. Genioglossus muscle advancement and simultaneous sliding genioplasty in the manage-ment of sleep apnoea. Int J Oral Maxillofac Surg 2018;47:638–41.

- Tiner B, Waite P. Surgical and nonsurgical management of obstructive sleep apnea. In: Miloro M, Larsen P, Waite P. Peterson's principles of oral and maxillofacial surgery, Vol 2. 3rd ed. Shelton: People's Medical Publishing; 2012. pp. 1493–511.

PART
4

수면장애 각론

PART

5

수면장애 관련
의학적 질환

01 수면과 우울증 및 물질남용

이혁주

1 수면과 우울장애

우울장애(Depressive disorder)는 가장 흔한 정신질환 중 하나로 2020년 한국의 우울장애 유병률은 36.8%로 OECD 국가 중 가장 높으며 우울장애로 인한 사회경제적인 부담이 지속적으로 늘어나고 있는 추세이다. 많은 우울장애 환자들이 수면과 관련된 어려움을 호소하며 거의 매일 지속되는 불면(insomnia) 혹은 주간과다수면 (hypersomnia)은 우울장애의 주된 증상 중 하나로 우울장애의 진단 기준에 포함되기도 한다. 반대로 수면장애를 앓고 있는 환자들에서도 기분 저하 및 우울한 기분 상태가 동반되는 경우가 많다. 피로감, 집중력 및 기억력 저하와 같은 우울 증상들은 불면증 및 폐쇄수면무호흡증, 하지불안증후군 등의 다양한 수면장애에서 흔히 동반되기도 한다.

우울장애 환자의 경우 주관적 불면증 호소 외에도 객관적인 수면검사에서 수면 구조(sleep architecture)의 변화가 관찰된다. 또한 아직 명확히 밝혀진 바는 없으나 우울장애와 수면장애를 유발하는 공통의 신경생물학적 (neurobiological) 기전에 관한 연구결과들이 많이 나오고 있다. 임상적인 관점에서는 수면 문제가 동반된 우울장애의 치료 시 수면 문제를 적절히 해결하는 것이 우울장애의 치료 효과를 높이고 재발을 줄인다는 점에서 중요하다. 이번 장에서는 우울장애가 수면에 미치는 영향과 그에 따라 발생하는 수면 문제들을 살펴보고 수면 문제가 있는 우울장애의 치료에서 고려해야 할 사항들에 관하여 다룬다.

1) 우울장애에서의 수면 문제

(1) 수면 구조의 변화

우울장애가 있을 경우 수면다원검사(polysomnography)와 같은 객관적인 수면검사에서 수면 구조의 변화가 관찰된다. 우울장애 환자들에서 수면잠복기가 연장되어 있으며 수면 중 각성 빈도가 증가하고 수면 시간이 감소하여 아침에 더 이른 시간에 깨는 경향을 보인다. 또한 깊은 수면인 3단계 비렘수면(N3 sleep)에 해당하는 서파수면(slow wave sleep)이 감소한다. 이러한 수면 구조의 변화는 우울장애 환자들에서 보이는 불면증 호소와 관련이 있다.

우울장애로 인한 수면 구조의 변화는 렘수면(REM sleep) 단계에서 가장 두드러지게 나타난다. 이는 신경전달물질인 세로토닌(serotonin)의 활성 저하가 우울장애의 발생의 생리적 기전에 관련되어 있고 세로토닌이 렘수면이 억제하는 역할을 하기 때문이다. 수면 검사상 우울장애 환자들에서 렘수면잠복기가 감소되어 있고 렘수면 밀도(REM density)가 증가하며 첫 렘수면 시간이 증가하고 전체 수면시간에서 렘수면 시간이 차지하는 비율도 증가한다. 또한 이러한 렘수면의 이상 소견은 우울 증상의 재발이 반복될수록 점차 악화되는 경향을 보인다. 우울장애에서 관찰되는 이러한 전반적인 수면 구조의 변화는 우울 증상이 호전된 이후에도 정상화되지 않고 지속되기도 한다.

(2) 불면증(insomnia)

불면증은 우울장애에서 가장 흔히 나타나는 수면 문제로 우울장애 환자의 약 75–80%가 불면증을 호소한다. 단순히 잠들기 어려운 수면개시의 장애뿐 아니라 잦은 각성으로 인한 수면유지불면증 및 이른 아침에 깨는 조기 각성에 이르기까지 다양한 형태의 불면증이 나타날 수 있다. 불면증은 우울장애에서 나타나는 대표적인 증상일 뿐 아니라 우울장애와 불면증 간에는 상호 간에 질환 발생 가능성을 증가시키는 양방향성(bidirectional)의 인과관계가 존재한다. 우울장애가 발생하면 추후 불면증이 나타날 가능성이 높아지며 우울 증상과 무관하게 불면증이 발생한 경우에도 우울장애의 발병 가능성이 높아진다. 특히 불면증 발생에 따른 우울장애 발생의 인과관계는 상당히 일관되고 확실하게 나타난다는 연구결과가 있다. 특히 소아의 경우에 수면과 관련된 문제가 우울, 불안 증상에 앞서 나타나는 경우가 많아 주의가 필요하다.

아직 뚜렷이 확립된 바는 없으나 기존의 연구 결과들에 따르며 불면증과 우울장애의 발생에는 동일한 신경 생물학적인 기전이 관여하는 것으로 추정된다. 다양한 심리적 스트레스 요인이 우울장애 및 불면증의 발생을 초래할 수 있다. 스트레스는 시상하부–뇌하수체–부신축(Hypothalamic–Pituitary–Adrenal axis, HPA axis)의 과활성화와 같은 기능 이상을 유발하고 이는 우울장애 및 불면증의 발생과 관련되어 있다. 또한 만성 염증 반응을 비롯한 면역체계의 이상이나 특정 유전자의 변이 역시 불면증과 우울장애를 유발하는 공통적인 신경 생물학적 기전으로 작용할 수 있다. 이러한 생물학적인 요인을 고려할 때 우울장애 혹은 불면증 환자의 치료 시 두 질환의 공존 가능성을 염두에 두고 우울 증상과 불면증에 대한 포괄적인 평가와 치료가 필요하다.

(3) 주간과다수면(hypersomnia)

일부 특정 유형의 우울장애의 경우 주간과다수면이 나타나기도 한다. 양극성장애의 우울 삽화 시기, 비전형적 우울장애, 혹은 계절성 패턴을 보이는 우울장애 등이 이에 속한다. 기존 연구결과에 따르면 전체 우울장애 환자들의 약 10–40%에서 주간과다수면이 나타나는 것으로 알려져 있으며 특히 노인보다는 젊은 연령대에서 주간과다수면을 호소하는 경우가 많다.

우울장애에 동반되는 주간과다수면에서는 수면잠복기반복검사(multiple sleep latency test)에서 주간과다수면을 시사하는 소견인 평균수면잠복기의 감소가 나타나지 않다. 주간과다수면을 호소하는 환자에서 수면검사 결과 수면장애가 의심되는 소견이 없다면 우울장애 가능성도 고려해야 하는데 우울장애에서 보이는 무기력과 의욕 저하가 주간과다수면과 유사한 형태로 나타날 수도 있다. 주간과다수면이 있을 경우 추후 우울장애 발생 가능성이 높아지고 우울장애에 주간과다수면이 동반되어 있을 경우 주간과다수면이 잘 치료되지 않는 경우가 흔하고 주간과다수면으로 인한 활동 저하, 약물 순응도 저하 등의 문제를 일으켜 부정적인 예후를 가져올 수 있다.

주간과다수면을 보이는 대표적인 수면장애로 기면병(narcolepsy)을 들 수 있다. 기면병 환자군에서 우울장애 발병률이 높으며 특히 탈력발작(cataplexy)을 동반하는 제1형 기면병에서 기면병 증상의 정도에 비례하는 수준의 우울 증상 및 자살사고가 나타날 수 있으며 기면병이 잘 치료될 경우 이러한 증상이 호전됨이 알려져 있다. 우울 증상의 치료가 기면병의 치료 및 예후에 미치는 영향에 대해서는 명확하지 않다.

(4) 폐쇄수면무호흡증
(obstructive sleep apnea, OSA)

폐쇄수면무호흡증은 유병률이 9–38%에 이르며 수면 관련호흡장애 중 가장 흔한 질환이다. 폐쇄수면무호흡증과 우울장애의 증상 간에 유사성이 있는데 양쪽 질환 모두에서 주간과다수면, 피로, 의욕 및 에너지의 저하, 주의력 및 집중력 저하, 정신운동 지체(psychomotor retardation) 등의 증상이 흔히 나타날 수 있다. 폐쇄수면무호흡증은 우울장애를 유발하거나 우울 증상을 악화시킬 수 있고 수면무호흡 증상이 완화될 경우 우울 증상도 호전을 보인다. 폐쇄수면무호흡증 환자에서 우울 증상이 동반될 경우 예후가 좋지 않지만 동반된 우울 증상이 적절히 치료될 경우 수면무호흡의 치료 순응도가 높아지는 긍정적인 영향도 있다.

폐쇄수면무호흡증과 우울장애의 관련성에는 신경생물학적인 기전이 관여하는 것으로 알려져 있다. 폐색수면무호흡증에 따른 잦은 각성으로 인한 수면분절(sleep fragmentation)은 과도한 주간과다수면(excessive daytime sleepiness)을 초래하며 향후 우울장애 발생 가능성을 높인다. 수면무호흡으로 인한 뇌의 저산소증(hypoxemia) 역시 염증반응을 매개로 하여 뇌손상을 일으켜 우울장애를 일으킬 수 있다. 반면 폐쇄수면무호흡증 환자에서 양압기(positive airway pressure) 치료를 통하여 저산소증을 교정할 경우 우울증상의 두드러진 호전이 나타난다. 또한 두 질환 모두 공통적으로 비만, 당뇨 등의 대사성 질환이 있을 경우 발병 가능성이 높아지므로 이러한 위험인자를 지닌 폐쇄수면무호흡증 환자의 치료 시 우울장애가 동반되어 있을 가능성도 고려해야 한다.

(5) 기타 수면장애

하지불안증후군(restless legs syndrome) 환자들에 대한 장기 추적 관찰 연구에 따르면 질환이 없는 이들에 비하여 임상적으로 의미 있는 우울 증상 및 우울장애가 발생할 확률이 높아진다. 하지불안증후군에서 보이는 주된 우울 증상은 신체 증상과 관련된 것이며 상대적으로 인지기능 관련 증상은 드물다는 특징을 보인다. 하지불안증후군와 동반되는 우울장애의 치료 시 일부 항우울제가 하지불안증후군을 악화시킬 수 있으므로 주의할 필요가 있다.

램수면행동장애(REM sleep behavior disorder) 환자들 역시 높은 우울장애 발병률을 보이는데 질환이 없는 이들과 비교할 때 발생률이 7배까지 증가한다. 램수면행동장애 증상의 심각도가 우울 및 불안 증상 정도와 비례함을 보여주는 연구결과가 나와 있으며 우울장애가 동반되어 있을 경우 램수면행동장애에 대한 약물치료 반응이 좋지 않다. 따라서 우울 증상에 대한 평가와 치료가 램수면행동장애 치료에 중요하나, 세로토닌 작용을 증가시키는 항우울제가 램수면에서의 근전도를 증가시켜 램수면행동장애를 유발하거나 악화시킬 수 있으므로 역시 주의를 요한다.

2) 치료 및 예후

우울장애 환자들이 수면 문제를 호소할 경우 이를 적극적으로 치료하는 것이 중요하다. 특히 불면증은 치료가 어렵고 다른 우울 증상이 완화된 이후에도 잔여 증상으로 지속되는 경우가 많으며 자살 위험성을 증가시키는 등 우울장애의 전반적인 예후에 부정적인 영향을 끼친다. 반면, 불면증의 성공적인 치료는 우울장애 환자들의 우울, 불안 증상을 완화시킬 뿐 아니라 환자들의 삶의 질을 향상시키고 우울장애의 재발을 예방하는 효과가 있다.

우울장애에는 다양한 종류의 항우울제(antidepressant)들이 사용되는데 항우울제의 작용 기전에 따라 수면에 대해서 서로 다른 효과를 보인다(표 21-1-1 참고). 우울장애에 흔히 처방되는 항우울제 중 상당수가 수면에 부정적인 영향을 미칠 수 있어 주의해야 한다. 특히 상당수의 삼환계 항우울제(tricyclic antidepressant)와 선택적 세로토닌 재흡수 억제제(selective serotonin reuptake inhibitor) 및 세로토닌 노르에피네프린 재흡수 억제제(serotonin norepinephrine reuptake inhibitor)가 램수면을 억제하고 전반적인 수면의 질을 저하시킨

표 21-1-1. 항우울제가 수면에 미치는 장기적인 영향

Antidepressants	Sleep continuity	SWS	REM	ROL
Sedative TCA (Amitriptyline, Doxepin)	↑	↑	↓	↑
Activating TCA (Clomipramine, Nortriptyline)	↓	↓	↓	↑
SSRI (Escitalopram, Paroxetine, Fluoxetine)	↓ / 0	↓ / 0	↓	↑
SNRI (Duloxetine, Venlafaxine)	↓	↑ / 0	↓	↑
Agomelatine	↑	↑	0	0
Mirtazapine	↑	↑	↓ / 0	0
Trazodone	↑	↑	↓ / 0	↑ / 0
Bupropion	↓ / 0	↑ / 0	↑ / 0	↓ / 0

Modified according to Wichniak et al, and Hutka et al. SWS, slow wave sleep; REM, rapid eye movement sleep; ROL, REM sleep onset latency; TCA, tricyclic antidepressants; SSRI, selective serotonin reuptake inhibitor; SNRI, serotonin norepinephrine reuptake inhibitor

표 21-1-2. 수면 문제에 따른 항우울제 선택

Sleep problems	Antidepressants
Increased sleep onset latency	Trazodone, Doxepin
Decreased total sleep time	Trazodone, Agomelatine, Doxepin, Mirtazapine
Increased awakenings	Trazodone, Doxepin, Duloxetine
Decreased slow wave sleep	Trazodone, Agomelatine

Modified according to Hutka et al.

다. 이러한 이유로 일부 우울장애 환자들에서 약물 치료를 시작한 이후 불면증이 발생하거나 주간과다수면이 나타나기도 있다. 반면 항히스타민 효과가 있는 항우울제의 사용은 수면에 도움을 주는데, 삼환계 항우울제에 속하는 약물 중 일부인 doxepin과 amitriptyline을 비롯하여 사환계 항우울제(tetracyclic antidepressants)의 하나인 mirtazapine이 여기에 속한다. 특정 세로토닌 수용체에 강한 길항작용을 보이는 trazodone 역시 입면을 빠르게 하고 수면의 질을 호전시키는 효과가 있다. 따라서 불면증이 심하거나 약물 부작용으로 수면 문제를 보이는 우울장애 환자의 경우 이러한 진정 효과가 동반되는 약물을 사용하는 것이 좋다. 이러한 항우울제의 경우 대체로 항우울 효과에 앞서 수면이 호전되는 효과를 보이며 일부 환자들의 경우 첫 약물 복용 이후부터 즉각적인 진정 효과를 경험하기도 한다. 실제 임상에서는 우울장애 환자가 보이는 주된 수면 문제의 양상에 따라 그에 맞는 항우울제 선택을 고려할 수 있다(표 21-1-2 참고).

우울장애에서 동반되는 불면증을 조절하기 위하여 항우울제와 함께 추가로 벤조디아제핀(benzodiazepine) 계열 약물의 사용을 고려할 수 있다. 벤조디아제핀은 수면잠복기를 줄이고 수면 시간을 늘리는 효과가 있으나 서파수면을 감소시키고 폐쇄수면무호흡증을 악화시킬 수 있다는 점에서 주의가 필요하다. 반면, 흔히 Z-drug 라고 불리는 수면제인 zolpidem과 eszopiclone은 벤조디아제핀에 비하여 상대적으로 서파수면 및 수면무호흡에 미치는 영향이 적다는 장점이 있다. 다만 두 약제 모두 의존 및 내성의 우려가 있기 때문에 단기간(4주 이내)으로만 사용하는 것이 원칙이다.

2 수면과 물질 남용

다양한 종류의 물질과 약물이 수면에 영향을 줄 수 있으며 특정 물질 및 약물의 복용이 수면장애를 일으키거나 기존의 수면장애의 증상을 악화시킬 가능성이 있다. 카페인(caffeine), 알코올(alcohol), 담배(nicotine), 각성제(stimulants) 및 마약성 진통제의 하나인 아편양 제제(opioids) 같은 물질은 수면의 질과 수면 구조에도 부정적인 영향을 미칠 뿐 아니라 오남용 및 의존이 발생할 우려가 있다.

수면장애와 물질사용장애(substance use disorder)는 공존하는 경우가 많고 불면증은 물질 사용 중단 이후 발생하는 가장 흔한 금단이며 수면 문제는 물질사용장애의 재발 위험인자로 작용하게 된다. 따라서 수면장애 환자 진료 시 음주, 흡연 여부를 비롯하여 수면에 영향을 줄 수 있는 물질 및 약물의 복용 및 오남용 여부에 대한 평가가 필요하다. 특히 청소년들의 경우 우울, 불안과 같은 심리적, 정서적 문제가 동반될 경우 수면 문제가 흡연과 음주 문제로 이어질 가능성이 높기 때문에 청소년 수면장애 환자들을 진료할 때 정신과적 증상을 파악하여 같이 치료하는 것이 예후에 도움이 될 수 있다. 이번 장에서는 수면에 부정적인 영향을 미칠 수 있으며 오남용의 우려가 있는 물질들에 대하여 다룬다.

1) 카페인

카페인의 각성 효과는 널리 잘 알려져 있으며 커피는 세계에서 가장 많이 소비되는 각성 물질이다. 커피뿐 아니라 녹차, 탄산 음료, 에너지 음료, 초콜릿 등 여러 식품에도 카페인이 함유되어 있다. 카페인은 수면을 촉진시키는 물질인 아데노신(adenosine) 수용체에 결합하여 길항 작용을 하며 중추신경계 억제성 신경전달물질인 GABA (γ-amino butyric acid)의 작용을 저해함으로서 각성 효과를 일으키며 특히 노인은 젊은 성인보다 카페인의 각성 효과에 더 예민하다. 카페인은 섭취 이후 30-60분 내에 혈중으로 흡수되고 반감기는 대략 1.5-9.5시간으로 알려져 있다. 그러나 카페인의 대사 및 각성 효과에는 개인차가 있을 수 있으므로 불면증을 호소하는 환자들에게는 정오 이후에 가급적 카페인의 섭취를 자제하도록 권고하는 것이 좋다.

카페인을 섭취하면 깊은 수면인 서파수면이 감소하고 얕은 수면인 1단계 비렘수면이 증가하며 수면 중 잦은 각성이 발생한다. 또한 수면잠복기가 늘어나고 총 수면 시간 및 수면효율이 감소하는 등 주관적인 수면의 질 저하가 초래된다. 만성적인 수면부족 문제에 시달리는 많은 현대인들은 주간과다수면 및 수행 능력의 감소를 회복시키려는 목적으로 카페인을 섭취한다. 술이나 마약과는 달리 카페인의 남용은 사회적으로 용인되는 편으로 지속적인 카페인 섭취로 인하여 의존이 발생할 가능성이 높다. 카페인은 비교적 적은 양이더라도 매일 꾸준히 복용할 경우 빠른 기간 내에 카페인에 대한 의존이 생길 수 있으며 꾸준한 카페인의 섭취는 수면 문제뿐 아니라 카페인 취 중단 시 주간과다수면을 악화시키는 요인으로 작용할 수 있다. 따라서 불면과 수면 주기의 장애, 주간과다수면 등의 문제를 보이는 모든 환자들에게서 카페인 남용 여부를 파악해야 한다.

2) 알코올

알코올은 중추신경계에 대한 억제 작용을 통하여 수면 유도를 촉진하는 효과를 지닌다. 알코올은 아데노신 농도를 증가시키고 이로 인하여 전뇌기저부(basal fore-brain)에 위치한 각성 촉진에 관여하는 콜린성(cholinergic) 뉴런의 활성이 억제된다. 알코올 남용이나 의존이 없는 건강한 성인의 경우 알코올을 섭취하면 섭취한 알코올 양과 무관하게 수면잠복기의 감소와 더불어 전체 수면의 전반부 동안에는 얕은 수면 단계인 1단계 비렘수면의 감소와 깊은 수면 단계인 3단계 비렘수면의 증가 및 수면분절(sleep fragmentation)의 감소가 나타난다. 그러나 수면 후반부에 이르게 되면 반동 효과로 인하여 오히려 수면분절이 증가하고 1단계 비렘수면이 증가하며 결과적으로 전반적인 수면의 질 저하를 가져온다. 또한 알코올은 총 수면 시간 및 렘수면 시간을 감소시키고 정상적인 하루주기리듬을 교란시켜 수면의 향상성의 저해를 초래한다. 특히 알코올 오남용이나 알코올 의존증과 같은 알코올 사용 장애(alcohol use disorder)와 같은 음주 문제가 있는 이들에서 불면증의 유병률은 36-91%에 이른다. 불면증은 음주 문제가 지속되는 단계, 금주 초기 단계 및 금주 유지 단계 등 모든 단계에 거쳐 나타나게 되는데 잠을 자기 위해 알코올 사용 장애 환자들이 금주를 유지하지 못하고 다시 술을 찾게 되는 악순환이 발생할 수 있다.

폐쇄수면무호흡증(obstructive sleep apnea) 역시 알코올 섭취로 인하여 증상이 악화되는데 이는 알코올이 근육 이완을 일으켜 기도를 좁게 만들고 저항을 증가시켜 코골이 및 산소포화도 저하를 심화시키기 때문이다. 알코올 섭취는 폐쇄수면무호흡증의 발생을 증가시키는 위험 요인으로 작용하며 렘수면행동장애(REM sleep behavior disorder)와 하지불안증후군(restless legs syndrome)의 발생 위험성을 높인다. 알코올 의존을 보이는 환자들에서 주기사지운동장애(periodic limb movement disorder)의 발생 가능성이 높아질 수 있다는 연구결과도 있다.

3) 흡연(nicotine)

담배의 주성분 중 하나인 니코틴(nicotine)은 각성 효과를 지니고 있어 잠들기 어렵게 만든다. 따라서 입면의 어려움을 겪는 수면장애 환자가 흡연을 할 경우 일반적으로 잠자리에 들기 3-4시간 전부터 흡연을 자제하도록 권고하는 것이 좋다. 흡연은 수면 구조(sleep structure)에도 영향을 주는데 흡연자와 비흡연자의 수면다원검사 소견을 분석한 연구에 따르면 흡연자의 경우 비흡연자에 비해 입면잠복기(sleep latency)의 증가와 총 수면 시간(total sleep time)이 감소한 것이 관찰된다. 또한 흡연자의 경우 얕은 수면 단계인 1단계 비렘수면(N1 sleep) 시간이 증가하는 반면 깊은 수면 단계인 3단계 비렘수면(N3 sleep) 시간이 감소하고 렘수면 시간도 감소하는 등 전반적인 수면의 질 저하를 초래한다.

흡연은 코골이(snoring)와 폐색수면무호흡증(obstructive sleep apnea)을 악화시키는데 이는 담배에 포함된 여러 유해물질들이 코와 목 부위의 연부 조직을 자극하여 기도(airway)에 염증을 일으키고 기도 저항을 증가시키기 때문이다. 간접 흡연의 경우에도 기도에 동일한 악영향을 미치는데 특히 소아에서 간접 흡연이 수면무호흡 발생의 주요 위험인자가 작용할 수 있다. 흡연은 하지불안증후군이나 주기사지운동장애의 악화와는 관련이 적으나 이갈기를 악화시키고 렘수면행동장애 발생을 높이는 위험인자로 작용한다.

4) 기타 약물

의료 영역에서 치료 목적으로 사용되는 다양한 약물들이 수면에 영향을 끼칠 수 있다. 그 중 각성제(psychostimulants)와 아편양 제제(opioids)의 경우 수면장애와 관련된 증상의 완화에 쓰이기도 한다. 그러나 이러한 약물들은 약물 의존 등 오남용이 발생할 우려가 있고 적절하게 사용되지 않을 경우 불면증과 같은 수면 문제를 일으킬 수 있다.

각성제는 수면장애와 관련된 주간과다수면(daytime sleepiness)을 완화시키거나 주의력 결핍 과잉행동장애(attention deficit hyperactivity disorder)에서 나타나는 주의력 결핍, 집중력 저하, 충동성 등의 치료에 쓰이고 methylphenidate와 modafinil이 대표적으로 흔히 사용된다. 주간과다수면은 불면증이나 수면무호흡 등 수면장애로 인하여 수면 시간이 부족하거나 수면의 질이 좋지 않을 때 발생할 수 있으며 야간 수면 상태와 무관하게 기민증이나 특발과다수면(idiopathic hypersomnia)에서도 나타날 수 있다. 주간과다수면으로 인하여 일상생활에 지장이 있거나 사고 발생 위험 등이 있다고 판단될 경우 각성제 복용을 고려할 수 있으며 오후나 저녁 시간에 복용할 경우 불면증을 유발할 수 있으므로 주의를 요한다. Methylphenidate와 modafinil은 기억력, 주의력 및 실행 기능(executive functions)을 개선시키는 효과가 있고 약물 치료가 필요 없는 건강한 이들도 약물 복용 시 이러한 효과를 경험하게 된다. 이러한 이유로 효율적인 학습과 업무 처리를 위하여 약물을 임의로 복용하는 경우가 있으므로 주의해야 한다. 각성제의 오남용으로 인한 수면장애의 발생 위험성 관련하여 진료 시 각성제 복용 여부를 파악하고 부적절한 사용이 의심될 경우 중단하도록 권고해야 한다.

아편양 제제는 마약성 진통제의 하나로 중등도 이상의 수술 후 급성 통증 및 만성적인 비암성(non-cancer) 통증 치료에 쓰이며 아편양 제제 수용체에 결합하거나 중추신경계에서 내인성 통증 억제 시스템을 활성화시켜 진통 효과를 가져온다. 아편양 제제 수용체는 수면의 조절에 관여하는 뇌 부위에 분포하며 수면의 유도 및 유지에 관여하는 것으로 알려져 있다. 아편양 제제 복용이 실제 수면에 미치는 영향을 살펴보면, 만성적인 복용은 렘수면과 서파수면을 감소시키고 수면 중 호흡 억제를 일으켜 호흡 관련 각성을 증가시킨다. 한편 아편양 제제는 특정 수면장애의 치료에 쓰이기도 하는데 치료 저항성을 보이는 하지불안증후군의 치료에서 2차 약제로 사용될 수 있다. 그러나 아편양 제제의 장기 복용은 수면무호흡을 유발하므로 만성적으로 아편양 제제를 복용하는 환자에서는 수면다원검사를 통하여 수면무호흡 발생 여부를 평가해야 한다.

▶ 참고문헌

- 강포순. 아편양제제를 이용한 술후 통증관리. 정맥마취 1998;2:345-58.
- Agravat A. 'Z'-hypnotics versus benzodiazepines for the treatment of insomnia. Progress in Neurology and Psychiatry 2018;22:26-9.
- Alvaro PK, Roberts RM, Harris JK. A systematic review assessing bidirectionality between sleep disturbances, anxiety, and depression. Sleep 2013;36:1059-68.
- Armitage R. Sleep and circadian rhythms in mood disorders. Acta Psychiatr Scand Suppl 2007;115:104-15.
- Association AP. Diagnostic and statistical manual of mental disorders: DSM-5. 5th ed. American Psychiatric Publishing; 2013.
- Baglioni C, Battagliese G, Feige B, et al. Insomnia as a predictor of depression: a meta-analytic evaluation of longitudinal epidemiological studies. J Affect Disord 2011;135:10-9.
- Baldwin DS, Papakostas GI. Symptoms of fatigue and sleepiness in major depressive disorder. J Clin Psychiatry 2006;67:9-15.
- Barateau L, Lopez R, Chenini S, et al. Depression and suicidal thoughts in untreated and treated narcolepsy: Systematic analysis. Neurology 2020;95:e2755-e68.
- Barber TR, Lawton M, Rolinski M, et al. Prodromal parkinsonism and neurodegenerative risk stratification in REM sleep behavior disorder. Sleep 2017;40:zsx071.
- Bardwell WA, Norman D, Ancoli-Israel S, et al. Effects of 2-week nocturnal oxygen supplementation and continuous positive airway pressure treatment on psychological symptoms in patients with obstructive sleep apnea: a randomized placebo-controlled study. Behav Sleep Med 2007;5:21-38.
- Burgos-Sanchez C, Jones NN, Avillion M, et al. Impact of alcohol consumption on snoring and sleep apnea: A systematic review and meta-analysis. Otolaryngol Head Neck Surg 2020;163:1078-86.
- Buysse DJ, Angst J, Gamma A, et al. Prevalence, course, and comorbidity of insomnia and depression in young adults. Sleep 2008;31:473-80.
- Cantürk RGY, Cömert IT, Uğraş S, et al. Relationship between REM sleep behavior disorder and depression and anxiety and night eating syndrome. Progress in Nutrition 2021;23:e2021047.
- Chakravorty S, Chaudhary NS, Brower KJ. Alcohol dependence and its relationship with insomnia and other sleep disorders. Alcoholism. Alcohol Clin Exp Res 2016;40:2271-82.
- Chakravorty S, Vandrey R, He S, et al. Sleep management among patients with substance use disorders. Med Clin North Am 2018;102:733-43.
- Clark I, Landolt HP. Coffee, caffeine, and sleep: a systematic review of epidemiological studies and randomized controlled trials. Sleep Med Rev 2017;31:70-8.
- de Mendonça FMR, de Mendonça GPRR, Souza LC, et al. Benzodiazepines and sleep architecture: a systematic review. CNS Neurol Disord Drug Targets 2021;doi: 10.2174/1871527320666210618103344.
- Ejaz SM, Khawaja IS, Bhatia S, et al. Obstructive sleep apnea and depression: a review. Innov Clin Neurosci 2011;8:17-25.
- Feige B, Gann H, Brueck R, et al. Effects of alcohol on polysomnographically recorded sleep in healthy subjects. Alcohol Clin Exp Res 2006;30:1527-37.
- Gregory AM, Rijsdijk FV, Lau JY, et al. The direction of longitudinal associations between sleep problems and depression symptoms: a study of twins aged 8 and 10 years. Sleep 2009;32:189-99.
- Haba-Rubio J, Frauscher B, Marques-Vidal P, et al. Prevalence and determinants of rapid eye movement sleep behavior disorder in the general population. Sleep 2018;41:zsx197.
- Harris M, Glozier N, Ratnavadivel R, et al. Obstructive sleep apnea and depression. Sleep Med Rev 2009;13:437-44.
- He S, Hasler BP, Chakravorty S. Alcohol and sleep-related prob-

lems. Curr Opin Psychol 2019;30:117–22.

- Hemmeter U, Müller M, Bischof R, et al. Effect of zopiclone and temazepam on sleep EEG parameters, psychomotor and memory functions in healthy elderly volunteers. Psychopharmacology (Berl) 2000;147:384–96.

- Hornyak M, Kopasz M, Berger M, et al. Impact of sleep–related complaints on depressive symptoms in patients with restless legs syndrome. J Clin Psychiatry 2005;66:1139–45.

- Hutka P, Krivosova M, Muchova Z, et al. Association of sleep architecture and physiology with depressive disorder and antide-pressants treatment. Int J Mol Sci 2021;22:1333.

- Irwin MR, Olmstead RE, Ganz PA, et al. Sleep disturbance, inflam-mation and depression risk in cancer survivors. Brain Behav Immun 2013;30:S58–67.

- Ishman SL, Cavey RM, Mettel TL, et al. Depression, sleepiness, and disease severity in patients with obstructive sleep apnea. Laryngoscope 2010;120:2331–5.

- Jara SM, Benke JR, Lin SY, et al. The association between sec-ondhand smoke and sleep-disordered breathing in children: a systematic review. Laryngoscope 2015;125:241–7.

- Johnson EO, Breslau N. Sleep problems and substance use in adolescence. Drug Alcohol Depend 2001;64:1–7.

- Kaneita Y, Yokoyama E, Harano S, et al. Associations between sleep disturbance and mental health status: a longitudinal study of Japanese junior high school students. Sleep Med 2009;10:780–6.

- Kaplan KA, Harvey AG. Hypersomnia across mood disorders: a review and synthesis. Sleep Med Rev 2009;13:275–85.

- Kay DB, Dombrovski AY, Buysse DJ, et al. Insomnia is associated with suicide attempt in middle-aged and older adults with depres-sion. Int Psychogeriatr 2016;28:613–9.

- Kupfer DJ, Ehlers CL, Frank E, et al. EEG sleep profiles and recur-rent depression. Biol Psychiatry 1991;30:641–55.

- Lavigne GJ, Lobbezoo F, Rompré PH, et al. Cigarette smoking as a risk factor or an exacerbating factor for restless legs syndrome and sleep bruxism. Sleep 1997;20:290–3.

- Lett HS, Blumenthal JA, Babyak MA, et al. Depression as a risk factor for coronary artery disease: evidence, mechanisms, and treatment. Psychosom Med 2004;66:305–15.

- Li X, Sanford LD, Zong Q, et al. Prevalence of depression or depressive symptoms in patients with narcolepsy: a systematic review and meta-analysis. Neuropsychol Rev 2021;31:89–102.

- Li Y, Mirzaei F, O'reilly EJ, et al. Prospective study of restless legs syndrome and risk of depression in women. Am J Epidemiol 2012;176:279–88.

- Ma C, Pavlova M, Li J, et al. Alcohol consumption and probable

- rapid eye movement sleep behavior disorder. Ann Clin Transl Neu-rol 2018;5:1176–83.

- McClintock SM, Husain MM, Wisniewski SR, et al. Residual symp-toms in depressed outpatients who respond by 50% but do not remit to antidepressant medication. J Clin Psychopharmacol 2011;31:180–6.

- Metzger MW, Walser SM, Dedic N, et al. Heterozygosity for the mood disorder-associated variant Gln460Arg alters P2X7 receptor function and sleep quality. J Neurosci 2017;37:11688–700.

- Nicholson PJ, Wilson N. Smart drugs: implications for general prac-tice. Br J Gen Pract 2017;67:100–1.

- Nierenberg AA, Alpert JE, Pava J, et al. Course and treatment of atypical depression. J Clin Psychiatry 1998;59 Supple18:5–9.

- Nofzinger EA, Thase ME, Reynolds 3rd C, et al. Hypersomnia in bipolar depression: a comparison with narcolepsy using the multi-ple sleep latency test. Am J Psychiatry 1991;148:1177–81.

- Nutt D, Wilson S, Paterson L. Sleep disorders as core symptoms of depression. Dialogues Clin Neurosci 2008;10:329–36.

- OECD. Tackling the mental health impact of the COVID-19 crisis: an integrated, whole-of-society response. 2021.

- Owens MJ, Nemeroff CB. Role of serotonin in the pathophysiology of depression: focus on the serotonin transporter. Clin Chem 1994;40:288–95.

- Parish JM, Adam T, Facchiano L. Relationship of metabolic syn-drome and obstructive sleep apnea. J Clin Sleep Med 2007;3:467–72.

- Perlis ML, Giles DE, Buysse DJ, et al. Which depressive symptoms are related to which sleep electroencephalographic variables? Biol Psychiatry 1997;42:904–13.

- Peterson MJ, Benca RM. Sleep in mood disorders. Psychiatr Clin North Am 2006;29:1009–32.

- Ramakrishnan S, Wesensten NJ, Kamimori GH, et al. A unified model of performance for predicting the effects of sleep and caf-feine. Sleep 2016;39:1827–41.

- Ribeiro JA, Sebastiao AM. Caffeine and adenosine. J Alzheimers Dis 2010;20 Suppl1:S3–15.

- Rizek P, Kumar N. Restless legs syndrome. CMAJ 2017;189:E245.

- Roehrs T, Roth T. Caffeine: sleep and daytime sleepiness. Sleep Med Rev 2008;12:153–62.

- Roth T, Roehrs T, Pies R. Insomnia: pathophysiology and implica-tions for treatment. Sleep Med Rev 2007;11:71–9.

- Senaratna CV, Perret JL, Lodge CJ, et al. Prevalence of obstructive sleep apnea in the general population: a systematic review. Sleep Med Rev 2017;34:70–81.

- Somani S, Gupta P. Caffeine: a new look at an age-old drug. Int J

Clin Pharmacol Ther Toxicol 1988;26:521–33.

- Steiger A, Pawlowski M. Depression and sleep. Int J Mol Sci 2019;20:607.

- Steiger A, von Bardeleben U, Herth T, et al. Sleep EEG and nocturnal secretion of cortisol and growth hormone in male patients with endogenous depression before treatment and after recovery. J Affect Disord 1989;16:189–95.

- Sunwoo JS, Kim YJ, Byun JI, et al. Comorbid depression is associated with a negative treatment response in idiopathic REM sleep behavior disorder. J Clin Neurol 2020;16:261–9.

- Taveira KVM, Kuntze MM, Berretta F, et al. Association between obstructive sleep apnea and alcohol, caffeine and tobacco: a meta-analysis. J Oral Rehabil 2018;45:890–902.

- Thakkar MM, Sharma R, Sahota P. Alcohol disrupts sleep homeostasis. Alcohol 2015;49:299–310.

- Thompson C. Onset of action of antidepressants: results of different analyses. Hum Psychopharmacol 2002;17 Suppl1:S27–32.

- Trenchea M, Deleanu O, Suţa M, et al. Smoking, snoring and obstructive sleep apnea. Pneumologia 2013;62:52–5.

- Walters AS, Wagner ML, Hening WA, et al. Successful treatment of the idiopathic restless legs syndrome in a randomized doubleblind trial of oxycodone versus placebo. Sleep 1993;16:327–32.

- Walters AS, Winkelmann J, Trenkwalder C, et al. Long-term follow-up on restless legs syndrome patients treated with opioids. Mov Disord 2001;16:1105–9.

- Wang D, Teichtahl H. Opioids, sleep architecture and sleep-disordered breathing. Sleep Med Rev 2007;11:35–46.

- Wichniak A, Wierzbicka A, Walęcka M, et al. Effects of antidepressants on sleep. Curr Psychiatry Rep 2017;19:63.

- Winkelman JW, James L. Serotonergic antidepressants are associated with REM sleep without atonia. Sleep 2004;27:317–21.

- Zhang L, Samet J, Caffo B, et al. Cigarette smoking and nocturnal sleep architecture. Am J Epidemiol 2006;164:529–37.

- Zhao F, Yang J, Cui R. Effect of hypoxic injury in mood disorder. Neural Plast 2017;2017:6986983.

PART
5

수면장애 관련 의학적 질환

02 수면과 조현병 및 양극성정동장애

이상돈

1 조현병

조현병은 망상, 환청, 와해된 언어, 정서적 둔감 등의 정신증상과 사회적 기능의 장애를 특징으로 하는 만성 질환이다. 조현병은 1%의 평생 유병률을 보이며 남성과 여성의 발병률은 비슷하다. 청소년기 후반에서 성인 초기에 발병하고 남성에게서 발병 연령이 빠르다. 조현병의 경과는 감정의 변화, 예민함, 대인관계의 변화 등 증상을 보이는 전구기, 환각 및 망상과 같은 정신병적 증상이 나타나는 급성기 그리고 정신벽적 증상이 관해된 후의 만성기 혹은 안정기로 구성된다. 장기 추적 연구에 따르면 환자의 10-20%가 완전히 회복되고 다른 20-30%의 환자는 증상은 남아있으나 직업 및 사회적 기능을 할 수 있는 수준으로 회복된다. 나머지 50%는 여러차례 증상이 재발하고 재입원을 필요로 하는 중등도에서 중증의 기능 장애를 보인다.

1) 조현병에서의 수면(schizophrenia and sleep)

(1) 주관적 수면증상(subjective sleep complaints)

일반적으로 조현병의 발병 혹은 재발 시 심한 수면장애가 나타난다. 정신병적 초조 상태에서는 불면증이 나타나며 심한 경우 전혀 수면을 못 이루기도 한다. 조현병의 전구기에도 수면각성위상의 지연, 불면증, 주간졸림이 나타나며 정신증상의 재발 또는 악화 이전에도 수면잠복기와 중간각성 증가, 악몽 등 수면증상이 먼저 나타난다. 안정적인 약물 치료를 받는 조현병 환자들 사이에서도 초기 및 중기불면증과 같은 주관적인 수면 장애가 일반적이다. 중년의 만성 조현병 환자에서는 하루주기 유형의 저녁형 비율이 높았으며 이는 낮은 수면의 질과 관련되었다. 주간과다수면 역시 조현병 환자에게서 흔히 보고되는데 이는 불면증, 하루주기리듬장애, 항정신병약물 등과 관련된 것으로 보인다.

(2) 수면다원검사 결과 (polysomnographic findings)

항정신병제를 복용하지 않는 조현병 환자의 수면다원검사에서 가장 일관되게 보이는 결과는 낮은 수면효율이다. 초기불면증 혹은 수면잠복기의 증가가 제일 흔하고 그 외 총수면시간의 감소, 중기 및 후기불면증으로도 나타난다. 주간 다중수면잠복기검사에서도 조현병 환자군은 대조군에 비해 평균수면잠복기기 36% 디 길었다.

항정신병제를 복용하지 않는 조현병 환자군과 정상인 대조군의 렘수면 잠복기를 비교한 연구 중 절반가량에서 조현병환자군은 대조군에 비해 짧은 렘수면 잠복기를 보였다. 약물중단기간과 성별이 렘수면 잠복기의 차이와 연관된 요인이었다. 렘수면 수면시간과 렘수면(급속안구운동)은 조현병환자군과 대조군의 차이를 보이지 않았다.

일관되지는 않지만 몇몇 연구들에서 조현병 환자에서 서파수면 혹은 4단계 수면의 감소를 보고하였다. 서파수면의 감소는 항정신병제 치료력이 없는 첫 발병 조현병 환자와 조현병 환자의 일차 친척에서도 보고되었다. 여러 조현병 환자의 정량화뇌파연구에서 수면 중 델타파 진폭의 감소, 전두엽 부위 델타파의 측향화(lateralization)의 감소가 보고되었다. 그 외에도 조현병 환자에서 수면방추파의 감소, 베타파와 감마파 활동의 증가가 알려져 있다. 서파수면 항성성과 관련하여 85시간의 각성 후에 수면검사에서 조현병 환자는 서파수면의 회복이 발견되지 않았다. 또 1일의 수면박탈 후 서파수면 및 델타 활동을 조사한 연구에서 조현병 환자군은 베이스라인과 회복수면 수면검사에서 모두 4단계 수면이 나타나지 않았다.

2) 조현병 환자의 수면장애
(sleep disorders in schizophrenia)

조현병 환자에게서 다양한 수면 증상이 흔한 것으로 알려져 있다. 60명의 조현병 환자를 조사한 연구에 따르면 80%의 환자가 한 가지 이상의 수면장애를 가지고 있었으며 불면증, 악몽장애, 과도한 주간과다수면은 각각 50%, 48%, 23%의 환자에게서 존재하였다.

(1) 불면증(insomnia)

CATIE 연구에 따르면 항정신병제 치료를 받은 조현병 환자의 잔여 불면증 비율은 16%에서 30% 사이였다. 조현병 환자에게서 불면증은 조현병으로 인한 과각성, 불량한 수면위생, 수면관련리듬운동장애 등과 관련된다. 조현병에서의 과각성은 선조체의 D2 수용체의 과활성과 연관되어 있다. 선조체 D2 수용체의 과활성은 양성 정신증적 증상과 각성상태의 증가를 유발한다. 불면

증에 대한 치료로 일차적으로 진정 효과가 더 큰 다른 항정신병 약물로 변경 혹은 추가하거나, 기존 항정신병 약물의 용량을 변경할 수 있다. 항불안제 또는 진정 수면제, 멜라토닌의 추가 사용이 고려될 수 있다.

(2) 수면관련리듬운동장애
(sleep related movement disorders)

하지불안증후군(RLS)과 주기사지운동장애(PLMS)는 도파민 결핍이 주요 병리생태이다. 항정신병 약물의 주요작용기전은 D2 수용체 차단으로 항정신병약물 치료는 RLS와 PLMS를 유발할 수 있다. 항정신병약물 치료를 받는 조현병 환자에서 RLS의 발생률과 증상의 빈도는 21.4%와 47.8%로 건강한 대조군의 2배 이상인 것으로 보고되고 있다. Ropinirole과 pramipexole 등 도파민 효현제가 RLS와 PLMS의 1차 치료제이지만, 조현병 환자에서는 이점이 위험보다 클 경우 신중하게 사용하여야 한다. 도파민 효현제 치료에 앞서 항정신병약물의 감량 또는 다른 항정신병 약물로의 변경을 고려할 수 있다. 또 철 결핍, 카페인과 같은 RLS 혹은 수면장애의 위험 요인에 대해 평가하여야 한다. 정좌불능증은 항정신병약물 치료의 부작용으로 하지불안증후군과 유사한 증상을 보일 수 있다. 정좌불능증과 비교할 때 하지불안증후군은 하지의 감각이상으로 표현되며 밤에 악화되는 하루주기 패턴 및 운동에 의한 증상 완화를 보인다.

(3) 주간과다수면(daytime sleepiness)

CATIE 연구에서 항정신병제 치료를 받은 정신분열증 환자의 주간과다수면 비율은 24%에서 31% 사이였다. 주간과다수면과 관련된 요인으로는 불면증, 수면무호흡, 하루주기리듬장애, 정형 항정신병약물의 부작용 등이 있다. 정형 항정신병약물 중 chlorpromazine과 같은 저역가 약물은 진정작용이 강한 반면 haloperidol과 같은 고역가 약제는 진정작용이 약하다. 비정형 항정신병 약물 중에서는 clozapine과 olanzapine이 가장 진정 효과가 강하다. 일반적으로 항정신병제를 변경하거나 복

용량을 줄여 과도한 항정신병 관련 진정을 조절한다.

(4) 수면관련호흡장애(sleep breathing disorders)

조현병은 수면무호흡과 강한 연관성을 보인다. 한 메타분석연구에서는 조현병 환자에게서 수면무호흡의 유병률을 15.4%로 보고하였다. 다른 연구에서 수면장애가 의심되어 수면 클리닉에 의뢰된 정신분열증 환자 중 46% 이상이 시간당 10회 이상의 호흡장애 지수를 보였다. 비만은 항정신병약물의 흔한 부작용으로 동시에 폐쇄수면무호흡증후군의 중요한 위험 인자로 잘 알려져 있다. 따라서 조현병 환자가 주간과다수면을 호소할 경우 특히 비만한 환자에 대해서는 수면관련호흡장애의 가능성을 고려해야 한다. 조현병 환자의 수면무호흡의 치료도 양압기가 효과적이다.

(5) 사건수면(parasomnia)

정형 항정신병약물을 특히 리튬과 함께 복용하였을 때 몽유병을 유발할 수 있다. 올란자핀과 같은 2세대 항정신병약물도 몽유병을 유발하는 것으로 보고되었다. Clonazepam이 항정신병제 유발 수면장애의 치료로 사용될 수 있으나 다른 진정수면제와 마찬가지로 사용에 주의하여야 한다. 수면관련섭식장애는 유병률이 일반인구에게서 1.5%로 알려져 있고 조현병 환자에서는 12%로 보고되었다. 불면증이 있는 조현병 환자에게서수면관련섭식장애 및 비만의 가능성이 높았다. Haloperidol, olanzapine 및 risperidone과 같은 항정신병 약물에 의해 수면관련섭식장애가 유발될 수 있다. 수면관련섭식장애의 치료는 topiramate, 선택적 세로토닌 재흡수 억제제 등을 사용할 수 있다.

2 양극성장애

양극성장애는 반복적인 기분삽화의 발생을 특징으로 하는 만성 정신 질환이다. 기분삽화에는 조증삽화, 경조증삽화, 우울삽화가 있다. 조증삽화는 1주 이상 지속되는 비정상적으로 들뜨거나 의기양양하거나 과민한 기분과 목표지향적 활동과 에너지의 증가를 주증상으로 한다. 경조증 삽화는 조증삽화와 유사하지만 조증삽화에 비해 증상의 정도가 작고 기능적 문제가 작은 4일 이상 기분 증상을 특징이다. 마지막으로 주요우울삽화는 2주 이상 지속되는 우울한 기분 혹은 즐거움 또는 흥미의 상실이 주요 증상이다. 양극성장애는 I형과 II형 등으로 나뉜다. I형 양극성장애는 1회 이상의 조증삽화가 있을 때 진단하고 II형 양극성장애는 1회 이상의 경조증삽화와 주요우울삽화가 있을 때 진단한다. 양극성장애의 평생 유병률은 2.6%-6.5% 사이로 알려져 있다. 양극성장애 환자의 대략 15%는 증상이 호전되어 완전한 관해를 보이고 나머지 환자들은 재발과 악화를 반복하거나 만성적 증상을 보인다. 경과 중 물질 관련 질환, 공황장애가 동반되고 자살 위험률이 증가된다.

1) 양극성장애에서의 수면 (bipolar disorder and sleep)

(1) 주관적 수면증상(subjective sleep complaints)

다양한 수면과 하루주기 증상은 양극성장애의 주요한 특징이다. 정신장애 진단 및 통계 매뉴얼 5판의 조증삽화에는 수면에 대한 욕구의 감소가 주요우울삽화에는 불면증이 진단기준으로 포함되어 있다. 양극성장애 삽화 사이 기간에도 다양한 수면증상이 발생한다. 수면증상들은 양극성장애의 발병보다 몇 년 앞서 발생한다고 알려져 있으며 전구증상 중 가장 흔한 증상이다. 양극성 장애의 우울삽화에서는 불면증과 주간과다수면이 주요한 증상 중 하나이며 조증삽화에서는 수면 필요의 감소가 주요 증상으로 69-99%의 환자가 보고한다. 삽화 사이 기간에도 불면증, 주간과다수면, 수면 필요 감소, 하루주기리듬의 지연 및 불규칙한 수면 패턴 등 다양한 수면 증상을 보고한다. 많게는 양극성장애환자의 70%가 심한 수면 증상을, 5-55%의 환자가 불면증 을 보고하였다. 양극성장애 환자들은 건강한 사람에 비해 지연된 수면리듬, 불규칙한 수면 패턴과 같은 하루주기 기능 장애의 비율도 더 높다. STEP-BD 연구에 따르면 양극성 장애 환자들은 일주일간 평균 2.78시간의 총수면시간의 변동성이 있었다. 삽화 사이 기간 중 낮은 수면 효율과 길고 불규칙한 수면잠복기는 부정적 예후와 관련되어 있다.

(2) 수면다원검사 결과
(polysomnographic findings)

양극성장애에 대한 수면다원검사 연구는 임상 양상의 이질성, 약물효과로 인해 연구의 수행과 해석의 어려움이 있다. 많은 연구에서 양극성장애의 우울삽화에서는 주요우울장애와 유사하게 수면 연속성의 감소, 짧은 렘수면잠복기 및 렘수면 밀도의 증가를 보인다. 비렘수면 3단계(N3)는 건강한 성인에 비해 감소된 경향이 있었으며 이는 주요우울증 환자와 유사하였다. 양극성장애 I형과 II형을 비교할 때 우울한 I형 양극성장애 환자가 우울한 II형 양극성장애 환자에 비해 렘수면 분절화가 더 경향 보였다는 연구가 있다. 하지만 다른 연구에서는 양극성장애 I형과 II형에서 비렘수면 및 렘수면 변수의 차이가 없었다. 정량적 수면 뇌파검사 연구에서 양극성장애 우울삽화 환자에서 주요우울장애 환자에 비해 수면방추파가 증가한 경향이 보고되었다.

조증삽화 중 수면다원검사 결과도 일관되지 않는다. 두 개의 소규모 연구에서 조증삽화 환자에서 건강한 대조군에 비해 단축된 렘수면잠복기와 증가된 렘수면 밀도가 있었지만, 다른 연구에서는 이러한 차이가 관찰되지 않았다. 한 연구에서는 조증 환자에서 N1 및 N3 비율이 증가하였지만, 다른 연구에서는 이러한 비렘수면의 차이가 발견되지 않았다.

삽화 사이 기간에 대한 2개의 연구에서 비약물군 및 약물 투여군 모두에서 렘수면 밀도가 증가되었다. 렘수면 밀도의 증가는 양극성장애 환자를 취침 직전 슬픈 기분 유도하였을 때 두드러졌다. 또 양극성장애 환자군에서는 슬픈 기분 유도 후 대조일에 비해 REM수면 잠복기가 짧았으나 대조에서는 렘수면 잠복기가 길어지는 경향이 관찰되었다. 양극성장애에서 짧은 총수면시간이 짧을수록 조증과 우울증 심각도가 높았으며 렘수면 밀도가 높을수록 더 심한 우울 증상 및 더 큰 기능적 손상을 보였다.

2) 양극성장애에서의 수면장애
(sleep disorders in bipolar disorder)

양극성장애에서는 기분삽화뿐만 아니라 삽화 사이기간의 정상기분 상태에서도 수면장애가 흔히 발생한다. 수면장애에는 불면증, 하루주기리듬수면각성장애, 주간과다수면 등이 있다. 조증상태에서는 대부분의 환자들(66-99%)이 수면욕구의 감소와 수면잠복기의 증가를 경험한다. 또 수면박탈은 조증발생의 주요한 원인이 된다. 우울상태에서는 불면증(40-100%)과 주간과다수면(38-78%)이 흔하게 관찰된다. I형 혹은 II형 양극성장애 환자들에서 하루주기리듬수면각성장애는 32.4%의 유병률로 보고되었다.

(1) 하루주기리듬붕괴
(circadian rhythm disruption)

하루주기리듬붕괴모델에 따르면 양극성장애에서 조증삽화 혹은 우울삽화는 비정상적인 하루주기리듬조절 체계가 다양한 사회적 차이트게버(zeitgeber, 시간제공자)와 상호작용하여 발생한다. Malkoff-Schwartz 등의 연구에 따르면 조증삽화의 발생은 부정적 생애사건과 관련이 있고 그중에서 사회리듬의 붕괴를 동반하는 부정적 생애사건과 관련이 높았다. 사회적 차이트게버 이론은 사회적 차이트게버의 규칙성이 하루주기리듬의 안정에 중요하며 결과적으로 하루주기리듬의 안정이 기분 증상의 호전을 가져온다는 이론이다. 이론에 따르면 개인의 사회적 규칙의 교란이 생물학적 리듬의 이상을 야기하고 우울증을 일으킨다.

(2) 하루주기 유전자(circadian genes)

여러 연구에서 하루주기 유전자와 기분장애 사이의 연관성이 보고되었다. 양극성장애 및 치료 반응은 TIM, Clock, BMal1, CLOCK의 돌연변이 또는 다형성과 연관되었고 Per2, NPAS2, Bmal1은 계절성 정동 장애와 관련이 있으며 Per1, CLOCK, Baml1 mRNA 수준은 주요우울장애와 관련이 있다. 실험적으로 CLOCK 유전자 19번 엑손을 제거한 생쥐는 과잉행동, 수면욕구의 감소, 보상행동의 증가 등 조증 유사행동을 보였다.

3) 양극성장애의 수면장애 치료

양극성장애 치료 가이드라인에서 우울삽화에서 quetiapine, olanzapine, olanzapine–fluoxetine 조합, lamotrigine, lithium 및 valproate를 일차 치료제로 권장한다. 그 외 선택적 세로토닌 재흡수 억제제(SSRI) 항우울제 또는 burpropion을 lithium, valproate와 함께 사용할 수도 있다. Olanzapine, quetiapine과 같은 항정신병약물은 진정 작용을 일으킬 수 있고 lamotrigine은 불면증을 유발할 수 있다. 항정신병 약물은 도파민 DA2 및 DA3 수용체와 히스타민 수용체를 길항작용을 통해 진정작용을 나타낸다. 약물에 따라 수면에 대한 효과가 다르기 때문에 이를 고려하여 약물의 투약시간이 달라질 수 있다. Quetiapine과 olanzapine과 같은 약물은 취침 전에 투여하고 lamotrigine은 아침에 투여한다. Lithium은 용량을 나누어 투약하되 밤에 최대 용량을 투약한다. 양극성장애의 조증삽화의 치료에는 lithium, valproate, 비정형 항정신병 약물 그리고 lithium 또는 valproate와 항정신병 약물의 조합을 권장된다. 양극성 우울증 치료의 경우와 마찬가지로 약물의 진정작용 특징에 따라 투약주기와 시간을 조절하여 급성 조증과 관련된 수면장애를 치료하는 데 도움이 될 수 있다.

양극성장애를 치료약물은 하루주기 기능에도 영향을 준다. Lithium은 하루주기리듬을 지연시키고 하루주기 리듬 기간을 연장하고 PER2 리듬 진폭을 증가시킬 수 있다. Valproate도 하루주기리듬에 유사한 영향을 준다. 반면 선택적 세로토닌 재흡수 억제제는 수면각성주기 위상을 전진시키고 주기를 단축한다.

벤조디아제핀은 불면증에서 흔히 처방되는 약물이시만 STEP–BD 연구결과에서는 양극성장애의 나쁜 예후와 관련이 있었다. 삼환계 항우울제 또한 조증 발생의 위험이 증가하므로 양극성 우울증의 치료에서 사용을 피해야 한다.

양극성장애의 정신치료에는 정신–교육 및 질병관리 지침, 불면증 인지행동치료, 대인관계 사회리듬치료 그리고 가족중심치료 등이 있다. 정신치료는 약물치료와 비교하여 부작용이 적고 약물치료와 동시에 적용이 가능하며 남용의 가능성도 낮다. 대인관계 사회리듬치료는 환자가 수면, 식사, 활동주기 같은 일상 생활과 대인관계에서 규칙적인 루틴을 유지하도록 돕고 이를 혼란시킬 수 있는 사건이나 분위기를 방지하는 것을 목표로 하고 있다.

▶ **참고문헌**

- Ashton A, Jagannath A. Disrupted sleep and circadian rhythms in schizophrenia and their interaction with dopamine signaling. Front Neurosci 2020;14:636.
- Baglioni C, Nanovska S, Regen W, et al. Sleep and mental disorders: a meta–analysis of polysomnographic research. Psychol Bull 2016;142:969–90.
- Kaplan KA. Sleep and sleep treatments in bipolar disorder. Curr Opin Psychol 2020;34:117–22.
- Kaskie RE, Graziano B, Ferrarelli F. Schizophrenia and sleep disorders: links, risks, and management challenges. Nat Sci Sleep 2017;9:227–39.
- Kryger MH, Roth T, William C, et al. G. Principles and practice of sleep medicine. 6th ed. Philadelphia: Elsevier; 2017.
- Pandi–Perumal SR, Kramer M. Sleep and mental illness. 1st ed. Cambridge University Press; 2010.
- Steardo L Jr, de Filippis R, Carbone EA, et al. Sleep disturbance in bipolar disorder: neuroglia and circadian rhythms. Front Psychiatry 2019;10:501.
- Takaesu Y. Circadian rhythm in bipolar disorder: a review of the literature. Psychiatry Clin Neurosci 2018;72:673–82.
- Waite F, Sheaves B, Isham L, et al. Sleep and schizophrenia: from epiphenomenon to treatable causal target. Schizophr Res 2020;221:44–56.

01 수면과 뇌전증

허 경

수면은 신체적 안녕, 학습, 기억에 필수적인 역할을 한다. 적절한 수면, 수면장애의 인지 및 치료는 뇌전증을 포함한 뇌 질환을 가지고 있는 사람들에 매우 중요한 영향을 준다. 많은 뇌전증 환자는 수면관련 증상들을 호소한다. 수면관련 증상 혹은 수면장애는 뇌전증 (발작) 혹은 항뇌전증약의 직접적 혹은 간접적인 영향으로 일어 날 수 있고, 독립적으로 일어날 수도 있다. 간접적 혹은 독립적으로 일어난 수면관련 증상 혹은 수면장애는 발작 조절에 영향을 줄 수 있다. 이 고찰에서 수면이 발작간 뇌전증모양파 및 뇌전증발작에 미치는 영향, 발작이 수면에 미치는 영향, 수면과 관계된 뇌전증 증후군, 수면장애와 뇌전증발작과의 감별 진단, 뇌전증 환자에서 일어나는 수면장애 및 수면장애가 발작 조절에 미치는 영향, 항뇌전증약이 수면 및 수면장애에 미치는 영향 등이 논의될 것이다.

1 수면이 발작간 뇌전증모양파 및 뇌전증 발작에 미치는 영향

수면박탈이 뇌전증 환자에서 발작의 발생을 증가시킨다는 것은 주지의 사실이고 가장 중요한 촉발 요인의 하나라고 여겨지기 때문에 적절한 수면은 약의 꾸준한 복용과 함께 실제 임상에서 의사가 환자에게 흔히 하는 권고 사항이다. 그러나 그 관계가 확실치 않은데 통제된 연구에서는 뇌전증 수술 평가를 위해 입원한 환자에서 수면박탈을 시킨 환자와 시키지 않은 환자에서 발작 빈도 수는 차이가 없어 실제 임상과 불일치의 결과를 보여주었다. 이 연구는 초점뇌전증, 난치성 뇌전증, 일상생활에서 일을 수 있는 스트레스나 음주가 없는 상태, 만성 수면박탈이 아닌 단기간에 이루어진 연구라는 점이 고려되어야 한다.

실제 임상에서 시행되는 일반적인 뇌파검사 검사에서도 뇌전증모양파의 관찰을 위에서 얕은 수면이지만 수면을 취하게 하기 위해 어느 정도의 수면박탈을 해서 검사 받게 한다. 또한 수면박탈 자체가 수면에 의한 효과에 독립적으로 뇌전증모양파의 발생을 조장시킬 수 있다. 하룻밤의 수면을 포함한 뇌파검사는 충분한 수면이 포함되어 있어 일반적인 뇌파검사보다 뇌전증모양파가 더 발견되기 쉬운데 수면의 단계에 따라 다르다. 비렘수면에서는 각성 시보다 증가하고 그 영역도 넓어지고 새로운 초점도 발견되기도 하는데 얕은 수면(1단계수면과 2단계수면)보다 깊은 수면(3단계수면, 서파수면)에서 더 증가한다. 렘수면에는 각성 시보다 오히려 빈도가 감소되고 범위는 좁아지는데 뇌전증발생영역의 국소화에 도움을 줄 수 있다.

수면 단계는 발작의 파급에도 중요한 역할을 하는데 대부분의 수면 중 발작은 비렘수면에서 일어나는데 렘수면보다 신경 세포가 휴식 상태에서 있는 부분이 많아 동시통합화된 기폭 패턴(synchronized firing pattern)에 참여 할 수 있기 때문으로 생각된다. 비렘수면 내에서는 2단계수면에서 대부분의 발작이 일어나는데 부분적으로는 시상−피질 전달 신경 세포에 의한 발작간 파에 대한 더 큰 촉진에 기인될 것이라 생각된다. 3단계수면에 일어나는 발작의 지속 시간은 2단계수면 중에 일어나는 발작보다 더 길다는 연구 보고가 있다. 반면에 렘수면은 발작 전파를 현저하게 억제 한다. 전기적으로 자극시키거나 콜린성작용제인 carbachol을 처치해서 렘수면 기간을 증가시킨 동물에서 각각 렘수면 및 각성 시보다 비렘수면에서 발작 역치가 낮았고 편도체에서 후반응(after−discharge)을 일으키기 위한 역치가 높아 졌다는 연구 결과들이 있다.

2 발작이 수면에 미치는 영향

발작 후 많은 환자들은 졸림을 느낀다. 발작은 수면 자체에 악 영향을 주는데, 수면효율의 감소, 수면 단계 이동의 증가, 각성 기간의 증가가 일어난다. 이러한 변화는 약물 자체가 수면에 미치는 효과를 분리시키기 어렵지만 야간에 발작이 일어난 경우뿐만 아니라 일어나지 않은 경우에도 나타난다. 무발작, 전날 주간 발작, 혹은 수면 중 발작이 있었던 환자들을 대상으로 발작이 수면 단계에 미치는 영향을 조사한 연구에서는 발작이 일어난 경우 렘수면의 감소가 관찰되었는데 수면 중 발작이 일어난 경우 렘수면의 감소(16% 대 7%)(및 1단계수면의 증가)가 더 현저하였다. 하나의 증례 보고에 따르면 전신 경련 뇌전증지속상태 후 첫 날 수면에는 아주 적은 렘수면 및 서파와 함께 1단계수면이 주로 관찰되었고 4일에 걸쳐 회복되었다. 발작(특히 수면 중)이 정상수면에 방해를 주게 되고 그 결과로 정상적인 일상활동에 어려움을 일으킬 수 있다는 점을 시사한다.

3 수면과 관계된 뇌전증 증후군

적지 않은 수의 뇌전증 환자에서 발작이 수면 중에서만 일어난다. 수면 중에만 일어나는 발작을 가진 환자들에서 좋은 예후를 가진 환자군(전신발작)이 있다. 실제 임상에서는 주간에만 발작이 일어난다가 보고된 뇌전증 환자에서도 적지 않은 환자에서 목격자의 부재나 수면과 관련된 인지 부족으로 수면 중 발작이 일어날 수 있다. 전두엽뇌전증에서 일어나는 발작은 측두엽뇌전증과 비교하여 수면 중 더 빈번하게 일어난다. 반응성 신경자극체(responsive neurostimulator)가 주입된 환자들을 대상으로 한 연구에서 전두발작은 우선적으로 야간 중에 일어나는 반면 신피질과 내 측두엽발작은 더 무작위 분포를 보인다. 측두엽발작은 각성 시와 비교하여 수면 중 일어나면 전신발작으로 진행되는 경우가 많다.

뇌전증발생영역에 있어서 이질적인 면이 있지만 각성과 흔히 동반되면서 갑작스러운 짧은 운동 행동, 복합 긴장이상 혹은 운동이상의 자세, 과운동 활동을 보이는 전두엽발작은 수면 중에 잘 일어나는데 대부분 비렘수면 중에, 특히 2단계수면에서 일어나고 하룻밤에 수 차례 일어날 수 있다. 수면과 관련된 특정 뇌전증 증후군으로는 거의 모든 발작이 수면 중에 일어나는 상염색체 우성양성롤란딕뇌전증, 70−80%의 발작이 수면 중에 일어나는 양성롤란딕뇌전증, 70%의 발작이 수면 중에, 13%의 발작이 깨면서 일어나는 Panayiotopoulos 증후군, 수면에서 각성 후 1−2시간 내에 주로 생기는 양성롤란딕뇌전증 및 전신발작을 보이는 특발성전신뇌전증, 비렘수면 중 지속적으로 극−서파를 보이는 시파수면 중 전기적 뇌전증지속상태(electrical status epilepticus during slow wave sleep) 및 Landau−Kleffner 증후군 등이 있다.

표 22-1-1. 수면 중 일어나는 사건들의 감별 진단

특징	수면 중 발작	비렘수면 사건	렘수면행동장애	정신과적 사건
시점	산발적으로	처음 1/3에서	후반부(렘수면)	산발적으로
정형화된 운동	예	아니오	아니오	아니오
기억	가변적인	주로 아니오 혹은 부분	대부분 생생한 꿈	가변적인
지속 시간	수분 이하	수분	수분 이하	수분 이상
빈도	수회 가능	주로 한 번	렘수면 중에 수회 가능	가변적인
수면다원검사	뇌전증모양파 대부분 비렘수면	서파수면에서 각성	렘수면 중 근 긴장도	사건 전에 각성

4 수면장애와 뇌전증발작과의 감별 진단

수면장애의 이해의 폭이 넓어 지면 감별 진단이 어렵지는 않게 된다. 그러나 임상적으로 감별하기 어려운 경우를 예를 들면 수면 중에 목격자의 부재 하에 일어나는 기억되지 않는 발작 후 혼동, 배회, 복잡 운동은 몽유병이나 혼동 각성으로 오인될 수 있다. 또한 숨막힘과 이상 운동을 보일 수 있는 전두엽발작은 수면무호흡으로 오인될 수 있다. 뇌전증발작 측면으로 보면 가장 감별을 위해 중요한 사항은 환자가 기억할 수도 있고 기억 못할 수 있지만 기억하는 경우에는 본인 혹은 기억 못하는 경우는 목격자에 의해서 수면장애에 비해서 정형화된 증상을 보이고 지속 시간이 짧고, 철저한 문진을 하지 않는다면 간과하기 쉬운 각성 시에 일어날 수 있는 경미한 정형화된 증상이 있을 수 있다. 감별이 어렵고 뇌자기공명영상검사와 일반 뇌파검사가 필요하고 자주 일어나는 경우에는 사건을 관찰하기 위해 확장된 전극들이 부착된 뇌파검사와 함께 시행되는 수면다원검사가 필요하다. 표 22-1-1에서 수면 중 흔히 일어나는 사건들에 대한 감별을 위한 특징들이 요약되었다. 그 밖에 감별해야 될 수면장애로는 기면병에서 일어나는 허탈발작, 수면관련운동장애인 주기사지운동, 수면(입면 시) 움찔, 율동성 운동 질환, 척수고유근간대경련(proprio-spinal myoclonus) 등이 있다.

5 뇌전증 환자에서 일어나는 수면장애 및 수면장애가 발작 조절에 미치는 영향

뇌전증 환자에서 불인 및 우울이 흔히 동반되기 때문에 불면증이 일어날 수 있다. 불면증과 관련되어 수면박탈은 발작 발생을 촉진할 수 있다. 또한 뇌전증 환자의 적지 않은 수에서 주간과다수면을 호소한다. 주간과다수면은 일반적으로는 불충분한 수면, 수면위상 문제, 수면무호흡, 복용하는 약과 관련될 수 있는데 뇌전증 환자에서는 항뇌전증약이 관련될 수 있다.

연구 방법적인 한계는 있지만 최근 여러 연구들에서 폐쇄수면무호흡증이 일반 인구보다 성인 뇌전증 환자에서, 특히 노년, 비만, 불량한 발작 조절을 보인 환자에서 더 빈번하게 일어난다고 알려지고 있다. 뇌전증에서 더 자주 일어날 수 있다는 수면무호흡에 대한 병태생리학적인 가설로는 몇몇 항뇌증약들(valproic acid, prega-balin, perampanel, gabapentin, vigabatrin)과 관련된 체중 증가, benzodiazepines과 관련된 상기도 근 긴장도의 감소, 뇌간에 존재한 호흡 센터로 변연 영역에서의 투입으로 인한 호흡의 억제, 발작의 호흡 억제, 뇌전증 환자에서 수면 중 각성이 증가되는데 각성 후 있게 되는 일과성 과호흡이 일으킨 저이산화탄소혈증과 관련된 상기도 이완 근육의 활동 감소 등이 제시되고 있다. 폐쇄수면무호흡증은 2단계수면의 증가, 3단계수면 및 렘

수면의 감소, 수면분절의 증가를 일으키고 이러한 변화는 피질 흥분성에 영향을 주게 되어 잠재적으로는 발작 발생의 위험도를 증가시킬 수 있다. 또한 간헐적인 저산소증은 산화의 스트레스를 일으켜 염증 진로의 활성화로 인한 interleukin-6와 tumor necrosis factor-α의 생산이 발작을 유발시킬 수 있다. 지속기도양압기는 수면 체계를 개선하여 발작 조절에 도움이 될 수 있다. 최근 10여 년 사이에 이루어진 연구들에서 소규모의 환자들을 대상이고 후향적인 경우가 많고 대부분 통제된 연구가 아니고 지속기도양압기에 순응하지 못한 환자의 제외 등이 큰 한계점이지만 지속기도양압기가 뇌전증모양파의 빈도를 감소시키거나 발작 조절에 도움이 되었다는 결과들이 있었다. 지속기도양압기와 거짓 치료를 비교한 무작위 이중맹검 연구에서는 적은 수의 환자를 대상으로 하고 시행 가능성을 보았기 때문에 통계학적으로 의미는 없었지만 거짓 치료에 비해서 지속기도양압기가 시행된 난치성 뇌전증 환자에서 50% 이상 발작 감소를 보인 환자 비율이 더 높게(28% 대 15%) 나타났다. 최근 메타 분석에서는 지속기도양압기를 통해 발작 조절에 있어 성공적인 성과[승산비 5.26 (95% 신뢰구간, 2.04-13.5)]가 일어났다고 보고되었다.

6 항뇌전증약이 수면 및 수면장애에 미치는 영향

수면에 대한 항뇌전약의 효과를 조사하는 연구들의 결과는 조심스럽게 해석되어야 한다. 발작이 수면에 확실히 영향을 주기 때문에 발작 조절의 호전을 통해서 항뇌전증약은 수면의 질을 호전시킬 수 있다. 다약물 치료를 할 경우에 상호 작용으로 인해 수면에 영향을 줄 수 있다. 여러 변수를 통제할 수 있는 정상인에서 시행된 연구들은 드물다. 위약으로 통제된 연구가 바람직하지만 발작 위험도를 증가시킬 수 있고 발작 자체의 영향이 결과의 해석을 더욱 복잡하게 만든다. 그럼에도 불구하고 항뇌전증약은 발작에 관계 없이 수면에 영향을 줄 것이다. 표 22-1-2에 수면에 미치는 영향이 요약되었다.

전체적인 수면 체계에 대한 영향을 보면 수면의 질을 개선시키는 항뇌전증약으로는 carbamazepine, gabapentin, pregabalin, perampanel, 또한 수면잠복기를 감소시키는 여러 약들이 불면증 증상을 호소하는 뇌전증 환자에서 유용하게 사용될 수 있다. 그러나 이러한 약들은 주간과다수면의 부작용을 가지고 있다는 점을 고려해야 한다. 또한 항뇌전증약은 긍정적인 혹은 부정적인 정신과적 효과를 일으킬 수 있어 간접적으로 수면에 영향을 줄 수 있다. 동반 질환으로 수면무호흡을 가지고 있는 뇌전증 환자에서는 체중 증가나 근 긴장도의 감소를 일으킬 수 있는 항뇌전증약들은 피하는 것이 바람직하다(앞에 기술). 또한 동반 질환으로 하지불안증후군을 가진 뇌전증 환자에서 pregabalin이나 gabapentin이 효과적으로 사용될 수 있다.

수면, 수면장애, 뇌전증 사이의 복합적인 상호 작용에 대한 이해는 뇌전증 환자의 치료에 중요하다. 감별 진단, 뇌전증의 진단 및 분류에 있어 수면 및 수면장애와 뇌전증의 관계에 대한 이해는 필요하다. 수면에만 한정 지울지라도 기억이 양호한 수면의 질이 필요하다는 점에서 조절되지 않는 발작은 수면의 질을 방해하여 뇌전증 환자가 흔히 호소하는 기억력 문제에 기여할 수도 있다. 수면장애는 보편적인 질환이고 발작 조절에 악 영향을 줄 수 있다는 점에서 동반 여부에 대해서 물어 보는 자세를 가져야 한다. 특히 수면무호흡에 대한 치료가 발작 조절에 도움이 될 수 있다는 연구 결과들이 제시되고 있다. 또한 수면장애의 동반은 항뇌전증약의 선택에 영향을 줄 수 있다.

표 22-1-2. 수면 체계에 미치는 항뇌전증약들의 효과

약	수면효율	수면잠복기	각성	N1	N2	N3	렘수면
Carbamazepine	증가	감소	감소	-	-	증가	감소/-(만성적으로)
Clobazam	-	감소	-	감소	증가	감소	-
Ethosuximide	-	-	-	증가	-	감소	증가
Gabapentin	-	-	감소	감소	-	증가	증가/-
Lacosamide	-	-	-	-	-	-	-
Lamotrigine	-	-	-	-	증가/-	감소/-	증가/-
Levetiracetam	증가/-	-	-	-	증가	?	감소/-
Oxcarbazepine	연구 결과 없음						
Perampanel	증가	감소	-	-	-	증가	-
Phenobarbital	-	감소/-	감소	-	증가	-	감소
Phenytoin	-	감소	-	증가	감소	?	-
Pregabalin	증가/-	-	감소/-	감소/-	-	증가	-
Topiramate	-	-	-	-	-	-	-
Valproate	-	-	-	증가/-	-	-	-
Vigabatrin	-	-	-	-	-	-	-
Zonisamide	-	-	-	-	-	-	-

-, 변화 없음; ?, 상반된 결과.

▶ 참고문헌

- Bazil CW, Anderson CT. Sleep structure following status epilepticus. Sleep Med 2001;2:447-9.
- Bazil CW, Castro LH, Walczak TS. Reduction of rapid eye movement sleep by diurnal and nocturnal seizures in temporal lobe epilepsy. Arch Neurol 2000;57:363-8.
- Bazil CW, Walczak TS. Effect of sleep and sleep stage on epileptic and nonepileptic seizures. Epilepsia 1997;38:56-62.
- Bazil CW. Sleep and epilepsy. Semin Neurol 2017;37:407-12.
- Chihorek AM, Abou-Khalil B, Malow BA. Obstructive sleep apnea is associated with seizure occurrence in older adults with epilepsy. Neurology 2007;69:1823-7.
- Crespel A, Baldy-Moulinier M, Coubes P. The relationship between sleep and epilepsy in frontal and temporal lobe epilepsies: practical and physiopathologic considerations. Epilepsia 1998;39:150-7.
- Devinsky O, Ehrenberg B, Barthlen GM, et al. Epilepsy and sleep apnea syndrome. Neurology 1994;44:2060-4.
- Foldvary-Schaefer N, Andrews ND, Pornsriniyom D, et al. Sleep apnea and epilepsy: who's at risk? Epilepsy Behav 2012;25:363-7.
- Fountain NB, Kim JS, Lee SI. Sleep deprivation activates epileptiform discharges independent of the activating effects of sleep. J Clin Neurophysiol 1998;15:69-75.
- Jain SV, Glauser TA, Jain SV, et al. Effects of epilepsy treatments on sleep architecture and daytime sleepiness: an evidence-based review of objective sleep metrics. Epilepsia 2014;55:26-37.
- Kataria L, Vaughn BV. Sleep and epilepsy. Sleep Med Clin 2016;11:25-38.
- Kumar P, Raju TR. Seizure susceptibility decreases with enhancement of rapid eye movement sleep. Brain Res 2001;922:299-304.
- Lin Z, Si Q, Xiaoyi Z. Obstructive sleep apnoea in patients with epilepsy: a meta-analysis. Sleep Breath 2017;21:263-70.
- Li P, Ghadersohi S, Jafari B, et al. Characteristics of refractory vs. medically controlled epilepsy patients with obstructive sleep apnea and their response to CPAP treatment. Seizure 2012;21:717-21.
- Manni R, Terzaghi M, Arbasino C, et al. Obstructive sleep apnea in a clinical series of adult epilepsy patients: frequency and features of the comorbidity. Epilepsia 2003;44:836-40.
- Malow BA, Aldrich MS. Localizing value of rapid eye movement

PART
5

수면장애 관련 의학적 질환

sleep in temporal lobe epilepsy. Sleep Med 2000;1:57-60.

- Malow BA, Foldvary Schaefer N, Vaughn BV, et al. Treating obstructive sleep apnea in adults with epilepsy: a randomized pilot trial. Neurology 2008;71:572-7.

- Malow BA, Levy K, Maturen K, et al. Obstructive sleep apnea is common in medically refractory epilepsy patients. Neurology 2000;55:1002-7.

- Malow BA, Passaro E, Milling C, et al. Sleep deprivation does not affect seizure frequency during inpatient video-EEG monitoring. Neurology 2002;59:1371-4.

- Malow BA, Selwa LM, Ross D, et al. Lateralizing value of interictal spikes on overnight sleep-EEG studies in temporal lobe epilepsy. Epilepsia 1999;40:1587-92.

- Maurousset A, De Toffol B, Praline J, et al. High incidence of obstructive sleep apnea syndrome in patients with late-onset epilepsy. Neurophysiol Clin 2017;47:55-61.

- Minecan D, Natarajan A, Marzec M, et al. Relationship of epileptic seizures to sleep stage and sleep depth. Sleep 2002;25:899-904.

- Oliveira AJ, Zamagni M, Dolso P, et al. Respiratory disorders during sleep in patients with epilepsy: effect of ventilatory therapy on EEG interictal epileptiform discharges. Clin Neurophysiol 2000;111:S141-5.

- Park SA, Lee BI, Park SC, et al. Clinical courses of pure sleep epilepsies. Seizure 1998;7:369-77.

- Pornsriniyom D, Kim HW, Bena K, et al. Effect of positive airway pressure therapy on seizure control in patients with epilepsy and obstructive sleep apnea. Epilepsy Behav 2014;37:270-5.

- Pornsriniyom D, Shinlapawittayatorn K, Fong J, et al. Continuous positive airway pressure therapy for obstructive sleep apnea reduces interictal epileptiform discharges in adults with epilepsy. Epilepsy Behav 2014;37:171-4.

- Provini F, Plazzi G, Tinuper P, et al. Nocturnal frontal lobe epilepsy. A clinical and polygraphic overview of 100 consecutive cases. Brain 1999;122:1017-31.

- Rocamora R, Álvarez I, Chavarría B, et al. Perampanel effect on sleep architecture in patients with epilepsy. Seizure 2020;76:137-42.

- Sammaritano M, Gigli GL, Gotman J. Interictal spiking during wakefulness and sleep and the localization of foci in temporal lobe epilepsy. Neurology 1991;41:290-7.

- Sato M, Nakashima T. Kindling: secondary epileptogenesis, sleep and catecholamines. Can J Neurol Sci 1975;2:439-46.

- Sivathamboo S, Perucca P, Velakoulis D, et al. Sleep-disordered breathing in epilepsy: epidemiology, mechanisms, and treatment. Sleep 2018;41.

- Specchio N, Trivisano M, Di Ciommo V, et al. Panayiotopoulos syndrome: a clinical, EEG, and neuropsychological study of 93 consecutive patients. Epilepsia 2010;51:2098-107.

- Spencer DC, Sun FT, Brown SN, et al. Circadian and ultradian patterns of epileptiform discharges differ by seizure-onset location during long-term ambulatory intracranial monitoring. Epilepsia 2016;57:1495-502.

- Steriade M, Amzica F. Sleep oscillations developing into seizures in corticothalamic systems. Epilepsia 2003;44:9-20.

- Touchon J, Baldy-Moulinier M, Billiard M, et al. Sleep organization and epilepsy. Epilepsy Res Suppl 1991;2:73-81.

- Vendrame M, Auerbach S, Loddenkemper T, et al. Effect of continuous positive airway pressure treatment on seizure control in patients with obstructive sleep apnea and epilepsy. Epilepsia 2011;52:e168-71.

- Xu X, Brandenburg NA, McDermott AM, et al. Sleep disturbances reported by refractory partial-onset epilepsy patients receiving polytherapy. Epilepsia 2006;47:1176-83.

02 수면과 파킨슨증, 알츠하이머병 치매

박기형

최근 급격한 평균수면 증가와 고령화로 인해 알츠하이머병 치매, 파킨슨병과 같은 퇴행성 질환의 유병률이 증가하고 있는 상황이다. 이 질환들은 비정상적인 단백질의 침착으로 인해 광범위한 부위의 뇌신경 퇴화와 함께, 수면을 담당하는 신경세포 소실을 동반하기 때문에, 수면에 여러가지 나쁜 영향을 끼친다. 일반적으로 퇴행성질환의 경우, 정상 노인에 비해서 수면잠복기가 연장되어 있으며, 잦은 야간각성으로 인해 수면효율이 떨어지게 되고, 이로 인해 주간과다수면을 호소하는 경우가 많다. 기존의 보고에 따르면 파킨슨증상을 동반하는 질환의 경우, 많게는 90%에서 수면장애를 호소한다고 한다고 하며, 가장 흔한 퇴행성 치매인 알츠하이머병 치매에서도 25-50%의 환자에서 수면장애가 보고되고 있다. 야간 수면장애는 퇴행성 치매 환자의 인지기능과 일상생활 수행능력에 악영향을 미치게 되고 시설 입소를 앞당기게 하는 중요한 증상이기 때문에 치료적인 입장에서도 관심이 높아지고 있다. 특히 최근에는 특정 수면장애가 퇴행성 질환에 선행하는 전구증상으로 나타나며, 중년기의 수면의 질 저하가 노년기 치매의 원인이 된다는 다양한 연구결과들이 보고되고 있어, 퇴행성 질환 분야에서도 수면의 중요성이 부각되고 있는 상황이다.

본 챕터에서는 파킨슨증과 알츠하이머병 치매를 중심으로 퇴행성질환에서 보이는 수면장애를 살펴보고 수면과 치매의 연관성에 대해서 살펴보고자 한다.

파킨슨증은 운동능력이 감소하는 질환으로 떨림, 경축, 운동완만(bradykinesia)과 체위 불안정을 특징으로 하는 증후군이다. 파킨슨증은 대부분 파킨슨병(PD, Parkinson disease)에 의해서 발생하지만, 비전형적인 파킨슨증(Atypical parkinsonism)인 PSP (Progressive supranuclear palsy), MSA (Multiple systemic atrophy), CBD (Corticobasal degeneration) 등 다양한 질환이 비슷한 증상을 보인다. 파킨슨병은 65세 이상에서 알츠하이머병(Alzheimer's disease, AD) 다음으로 흔한 퇴행성 질환이다. 병리적으로 중뇌의 흑질(Substantia nigra)의 도파민신경세포 소실과 함께, 비정상적인 α-synuclein 응집으로 인한 특징적인 루이소체(Lewy body)를 관찰할 수 있는 α-synucleinopathy의 대표적인 질환이다. α-synuclein 이상으로 생기는 또 다른 파킨슨증은, 파킨슨증상과 함께 초기에 자율신경계 증상이나 소뇌증상이 두드러지는 MSA와, 파킨슨증상과 함께 심한 인지변동, 환시 그리고 렘수면행동장애(Rapid eye movement sleep disorder, RBD)를 보이는 루이소체치매

(Dementia with Lewy bodies, DLB)가 있다. DLB는 AD다음으로 흔한 퇴행성 치매이다. 하지만 PD와는 다르게 비 전형적인 증상을 보이기 때문에 비전형파킨슨증(Atypical parkinsonism)으로 분류하고 있다. 비전형파킨슨증의 또다른 형태는 타우 병리(Tauopathy)를 가지는 PSP와 CBD가 있다. PSP는 운동완만증상을 보이면서 목과 체간의 경축과 함께 수직안구운동장애, 구음장애, 삼킴장애, 그리고 체위 불안정으로 인한 잦은 넘어짐을 특징으로 하는 질환이며, CBD는 실행증(apraxia)과 통제불능손(alien hand)등의 대뇌피질증상과 뇌기저핵증상이 동시에 나타나는 비전형파킨슨증이다.

파킨슨증 환자들은 운동증상뿐 아니라 인지저하 그리고 우울증 등의 다양한 형태의 비운동증상을 보이는데, 특히 수면장애에 대한 관심이 높아지고 있다. 파킨슨증의 수면장애는 PD에서보다 비전형파킨슨증에서 더 흔하고 심하게 나타나는 경향이 있다. 특히 RBD는 최근 α-synucleinopathy에 의한 파킨슨증의 전조증상 중 하나로 인식되고 있기 때문에 조기진단의 중요한 표지자 중의 하나로 연구되고 있다.

1 파킨슨증에서 흔히 보이는 수면장애

1) 불면증(insomnia)

불면증은 PD에서 흔히 관찰되는 증상으로 22-76%에서 관찰되는데 특히 진행된 PD와 PSP에서 흔하다. PD의 불면증은 수면개시불면증보다는 유지장애가 더 흔하다. PD에서 나타나는 유지장애는 주로 잦은 각성에서 기인하는데, PD에서는 주로 수면의 후반부에 정상인보다 두배 이상 잦은 각성으로 보이며, 각성이 전체 수면의 30-40%를 차지할 만큼 긴 것이 특징이다. 불면증은 주간 피곤감과 불안, 인지저하와 주간과다수면을 유발하게 되고, 낮 동안의 운동능력과 인지기능의 저하를 유발하기 때문에 주의 깊은 관찰과 평가가 필요하다. PD에서 보이는 불면증의 평가는 PD Sleep Scale과

SCOPA-sleep 설문이 주로 사용된다.

잦은 각성과 불면증의 원인으로는, PD에서 보이는 운동완속, 잦은 근경련과 통증, 그리고 잦은 배뇨와 우울, 환각증상, 하지불안증후군(Restless leg syndrome; RLS), 경련 등의 감각불쾌(sensory discomfort)증상을 포함하는 비운동증상, 그리고 약물부작용, 수면무호흡, 주기성수면장애 등이 있다. 야간의 운동완속 증상으로 인해 환자는 침대에서 돌아눕고 움직이기 힘들어지고, 이런 증상은 불안감을 증대시켜 수면장애의 원인이 된다. 그러므로 야간에 운동완속 증상이 심한 경우에는 야간에 도파민을 투약하는 것이 도움을 줄 수 있다. 하지만 도파민과 도파민 효현제(dopamine agonist)의 과도한 증량은 오히려 야간각성을 유발할 수 있으며, 특히 도파민 효현제의 경우 충동장애, 그리고 수면발작(sleep attak)을 유발할 수 있으므로 주의를 요한다. 야간의 감각불쾌증상 중에서 RLS는 PD의 15-20%에서 관찰될 정도로 흔하고 약물치료로 호전이 가능하기 때문에 반드시 치료해야 하는 질환이지만, PD에서 통증을 동반하는 다른 증상들과 구별이 쉽지 않은 경우들이 많기 때문에, 세심한 병력청취와 면밀히 관찰을 통한 진단이 필요하다.

2) 렘수면행동장애
(REM sleep behavioral disorder, RBD)

RBD는 synucleinopathy 에서 흔히 동반되는 질환으로, PD의 15-60%, DLB의 76-86%에서 동반되며, 특히 MSA의 88-90%에서 관찰된다. 하지만 타우 병리를 가지는 파킨슨증상에서는 매우 드물어서 PSP에서는 10-11% 정도이고 CBD에서는 증례보고에 그칠 정도로 드물다.

RBD가 synucleinopathy에서 왜 많이 동반되는지에 대해서는 아직 정확하게 밝혀져 있지는 않다. 특발성 RBD의 병리기전은 동물 연구로 밝혀졌는데, 뇌교(Pons)에 있는 Locus coeruleus와 그 주변의 퇴행성 병변으로 인해 발생하는 것으로 알려져 있다. 이 부위는 사람에서는 Subcoeruleus neclues에 해당하는데, PD와

MSA에서 퇴행성 변화가 일어나는 부위이다. 그리고 RBD를 동반한 PD는, RBD가 없는 경우보다 corulous-subcoeruleus complex의 MRI-neuromelanin signal 이 감소한다는 보고가 있다. 그러므로 이 부위의 신경세포들이 α-synuclein과 연관된 퇴행성변화에 더 취약한 것이라는 추측이 가능하다. 실제로 초기 PD 환자에서 RBD를 유발하는 주요 부위에 퇴행성 변화가 관찰된다.

임상증상과의 연관성을 살펴보면, RBD를 동반하는 PD는, 상대적으로 떨림이 적고, freezing과 자율신경계 이상, 그리고 인지저하는 더 많이 보이는 것이 보고되고 있다. 특히 RBD를 동반하는 경우 치매의 위험성이 더 높다고 한다. 또한 RBD는 synucleinopathy의 전구증상으로 나타난다는 것은 이미 잘 알려져 있다. Schenck등의 연구에 따르면, 특발성 RBD 진단 후 38%에서 5년 후에 PD가 발생했다고 보고하고 있으며, 바르셀로나의 전향적 연구에서 발표된 바에 따르면 RBD증상 5년 후 45%, 10년 후 76%, 그리고 14년 후에는 91%에서 PD, DLB 그리고 기타 퇴행성 질환이 발생했다고 보고하고 있다. 그 이유를 PD의 병리단계로 설명하고 있는데, 루이소체(Lewy body)가 초기단계에서는 후각망울(olfactory bulb)에서 관찰되고 2단계인 raphe와 locus coeruleus가 침범되면 RBD증상을 보이고, 3단계인 Substantia nigra를 침범하게 되면 파킨슨증상이 나타나게 된다. 하지만 RBD는 파킨슨병의 30-60%에서만 관찰되는 증상이므로, 이 모델로는 완벽히 설명하지는 못하고 있다.

3) 주간과다수면(hypersomnia)

주간과다수면은 흔하게 관찰되는데, PD의 16-74%에서 관찰된다고 한다. 특히 도파민 약물을 사용하는 경우에 부작용으로 많이 나타나며, 도파민 효현제의 경우에는 수면발작을 유발할 수 있다. 수면발작은 많게는 14%까지 보고되고 있는데, 일상생활 도중, 특히 운전 중에 발작적인 졸음이 발생할 수 있기 때문에 매우 조심해야 한다. 주간과다수면은, RBD와 마찬가지로, PD 증상 발현 이전부터 관찰되는데, 그 이유는 PD에서 각성을 담당하는 영역의 퇴행성 변화가 원인으로 추정된다. 실제로 PD에서는 하이포크레틴이 저하되어 있다는 보고가 있다.

4) 기타 수면장애

수면무호흡이 20-30%에서 관찰되는 것으로 알려져 있으며, 주기사지운동장애(Periodic limb movement during sleep, PLMS)도 자주 나타난다. MSA의 경우에는 약 40%에서 후두부의 부분 폐쇄로 인한 높은 피치의 협착음(Stridor)이 관찰될 수 있다. 그리고 하루주기리듬도 영향을 받기 때문에 전진 또는 지연수면각성리듬장애가 나타날 수 있다.

2 알츠하이머병 치매

알츠하이머병(Alzheimer's disease, AD)은 퇴행성 치매의 원인 질환 중 60-70%를 차지하고 있으며, 65세 이상의 노인 중 5-10%를 차지할 정도로 높은 유병률을 보이는 가장 흔한 원인질환이다. 초기에는 기억장애가 가장 큰 특징이며 점차 다발성 인지저하를 보이면서 이상행동을 동반하기 때문에 일상생활에 지장을 초래하고 가족의 삶까지 피폐하게 만드는 질환이다.

수면장애는 25-50%에서 보고될 만큼 흔한데, 치매 환자에서 수면장애는 인지기능을 악화시켜 일상생활 수행능력을 저하시키고, 야간 이상행동을 유발하여 보호자를 힘들게 하는 가장 큰 요인 중에 하나로, 환자가 조기에 시설에 입소하게 되는 중요한 원인이다. 알츠하이머병 치매는 아직까지 완치할 수 있는 치료법이 없고 개발중인 많은 약물 임상연구가 실패하고 있어서 일차 예방의 중요성이 어느 질환보다 우선시되고 있다. 최근 수면 중에 AD의 가장 중요한 독성물질로 알려진 비정상 베타아밀로이드 단백을 제거하여 대뇌 침착을 억제한다는 사실이 알려지면서 치매 예방법으로서 수면의 역할에 대한 관심이 높아지고 있다.

1) 알츠하이머병 치매에서 흔한 수면장애

AD에서 수면장애를 이야기할 때 가장 대표적으로 언급하는 것이 일몰증후군(sundowning)이다. 이 현상은 치매환자가 해 질 무렵의 늦은 오후부터 야간에 혼동이나 초조감 그리고 배회 등의 이상행동이 심해지는 현상을 이야기하는 것인데, 하루주기리듬의 변화로 설명할 수 있다. 우리 몸의 하루주기리듬을 담당하는 SCN (suprachiasmatic nucleus)은, 아세틸콜린분비에 중요한 nucleus basalis of Meynert의 조절을 받는데, 이 부위가 AD 초기부터 퇴화하면서 SCN에 영향을 준다. 또한 AD의 주요한 병리 중의 하나인 신경섬유소체 (Neurofibrillary tangle)가 SCN에서 관찰되고, SCN에서 생성되는 가장 중요한 펩타이드 중의 하나인 vaso-pression 농도가 1/3로 감소한다는 보고가 있다. 또한 송과체(Pineal gland)와 멜라토닌 분비 역시 영향을 받게 되는데, 치매환자에서 멜라토닌의 농도가 정상노인에 비해 현저하게 낮다고 하며 낮 동안에는 오히려 정상보다 증가하는 현상이 보이기도 한다. 이러한 현상은 퇴행성 병리에 의한 송과체와 SCN의 단절에 기인한 것이지만, 고령의 치매환자들이 백내장 등의 안과적인 문제를 함께 가지고 있고 주로 실내에서 생활하기 때문에 햇빛에 노출되는 시간과 양이 감소하는 신체적 변화 및 생활환경과도 연관이 있다. 이렇게 SCN, 송과체 그리고 멜라토닌 시스템이 영향을 받게 되어 AD 치매환자들은 하루중의 수면과 각성의 하루주기리듬이 없어지는 불규칙적수면각성리듬(irregular sleep-wake rhythm, ISWR)을 보이게 된다. 이런 환자들에게 melatonin과 광치료(light therapy)가 활용되고 있으며, 좋은 효과가 보고되고 있다.

그 외에 AD의 수면장애를 살펴보면 폐쇄수면무호흡증(obstructive sleep apnea, OSA)이 정상인에 비해서 흔히 관찰되는데, AD의 발생위험을 높이는 것으로 알려진 apolipoprotein E (ApoE), 특히 AopE Ɛ4 유전형과 연관성이 보고되었다. RBD는 synucleinopathy와 연관이 있어 DLB에서 흔히 관찰되지만, AD에서도 보고되고 있다. 일부 보고에서 AD 15 증례 중 1례 꼴로 RBD

가 있다는 보고가 있지만 이것은 한 환자에서 AD와 DLB의 병리소견을 함께 보이는 경우가 많기 때문일 가능성이 있다. 하지만, RBD를 보이는 172명의 퇴행성 질환자를 부검해서 보고한 결과에 따르면, 순수한 AD는 6례에 지나지 않았으며, 루이소체병(Lewy body disease, LBD)은 77례, AD와 LBD의 병리를 함께 가지는 경우가 59례였다. 그러므로 임상적으로 진단한 AD 치매환자에서 RBD증상을 보이는 경우에는 DLB일 가능성을 염두해 두어야 한다. AD에서 RLS는 약 4-5%에서 보고되고 있어 정상노인과 크게 다르지 않다.

2) 수면과 치매의 상호 연관성

(1) Glymphatic system

상당기간동안 치매분야의 수면에 대한 연구는 환자가 보이는 수면장애에 국한되어 있었다. 하지만 2013년 Glymphatic system이 발견되면서 수면과 치매가 상호 상보적인 관계를 갖는다는 새로운 개념이 나타나기 시작했다. 우리 몸에는 대사가 활발한 기관은 반드시 노폐물을 청소하는 림프계가 발달되어 있다. 뇌는 인체 대사량의 20% 이상을 담당하는 매우 활발히 활동하는 기관으로, 림프혈관 대신 뇌척수액의 대류 흐름으로 세포사이의 노폐물을 제거하게 되는데 이 시스템을 Glymphatic system이라고 명명하였고 크게 뇌의 동맥 주변의 astrocyte의 aquaporin 4 water channel, 뇌척수액 그리고 정맥주위의 공간으로 구성된다.

Glymphatic system은 일종의 림프계로서, 뇌 안의 노폐물이나 독성물질을 제거하는 시스템이다. 알츠하이머병에서 가장 중요한 병리는 아밀로이드 병리로, 정상적인 상황에서는 α-, γ-분해효소에 의해서 물에 녹기 쉬운 형태로 분절되어 몸 밖으로 배출되지만, 퇴행성변화가 일어나면 ß-, γ- 분해효소에 의해서 분해되면서 서로 엉기면서 신경독성물질로 변화해서 뇌에 침착된다. 이러한 비정상 아밀로이드 단백(Amyloind ß, Aß)의 침착물들은, 뇌 안에는 존재하는 Lymphatic system 중에서 perivascular pathway와 함께 Glymphatic system에서 주로 제거된다. 그런데 동물연구에서 밝혀진 사실이지만, Glymphatic system은 수면 중에 더 활성화된다. 최근 연구에서 급성 수면박탈과 orexin 주입 중에 뇌 사이질액(Interstitial fluid, ISF)의 Aß가 증가하고 orexin 길항제 투여 시 감소하며 장기간 수면 제한을 한 쥐의 뇌에서 Aß 플락(plaque)이 증가한다는 보고는 이러한 사실을 지지하는 결과이다.

(2) 수면과 Aß의 변동

인체가 하루주기리듬을 보이듯이, Aß 또한 하루주기 리듬을 갖는다. 뇌척수액의 Aß 변동을 보면, 낮 동안 활동기에 증가하기 시작해서 한밤중에 최고치를 기록하고, 수면 중에 감소하기 시작하여 오전 9시에서 10시경에 최저치를 보인다고 한다. 이는 수면 중의 Aß 제거와 연관이 있다. 평균연령 76세 정상 인지를 가진 70명에서 수면 시간과 뇌 Aß 침착을 PIB-PET (Pittsburgh compound B position emission tomography) 영상으로 관찰한 결과를 보면 6시간 이하의 수면을 취한 군에서 7시간 이상 정상수면을 취한 군보다 주요부위의 Aß 침착이 더 많음을 관찰하였다. 특히 오전의 뇌척수액 Aß 농도가 서파수면을 방해할 때 더 증가한다는 결과는 수면 중 비정상적인 Aß 제거에 서파수면이 중요하다는 점을 시사한다고 할 수 있다. 그리고 역으로 Aß 유발 쥐에서 정상 쥐에 비해 잦은 각성, 렘수면과 서파수면의 감소를 보인다는 연구결과를 토대로 수면과 Aß 병리가 상호 영향을 준다는 새로운 개념이 나타나기 시작했다.

(3) 치매의 예방 측면에서 수면의 중요성

수면 시간과 대사성질환 그리고 사망률 등의 관계가 U자 형태를 보인다는 것은 잘 알려져 있다. 다시 말해서 적은 수면시간뿐 아니라 과잉 수면 또한 건강에 악영향을 주기 때문에 7-8시간의 적정수면을 유지하는 것이 좋다는 것이다. 이는 치매분야에서도 그대로 적용된다. 지역사회에 거주하는 60세 이상 정상노인 1,760명을 10년간 추적관찰한 연구에서 수면시간이 5시간 이하인 경우와 10시간 이상인 경우, 7-8시간의 적정수면의 경우보다 치매의 위험성이 2배 증가한다는 연구결과가

있다. 1,245명의 정상인지의 노인 여성을 대상으로 한 또 다른 연구에서도 수면효율이 좋지 않고 수면잠복기가 길수록 치매의 위험이 증가한다고 보고하고 있다. 수면과 치매에 관한 일련의 연구에 대한 메타분석에서도 수면장애는 치매의 위험성을 1.5배 이상 증가시킨다고 보고하였다. 이러한 연구결과는 수면이 Glymphatic system에 영향을 미쳐서 Aß 제거에 악영향을 준다는 연구결과와 연관이 있다고 여겨지고 있다. 최근에는 수면 무호흡 또한 경도인지장애와 치매의 발병에 영향을 주고 유병율을 높인다는 여러 연구결과들이 있다. 원인으로는 수면무호흡 때 나타나는 간헐적인 저산소증, 수면분절 그리고 수면무호흡에 의한 흉강 내압변화에 의한 뇌척수액교환의 간섭효과 등 몇몇 가설이 제기되고 있지만 아직 추가적인 연구가 더 필요하다.

일련의 연구결과에서 알 수 있듯이, 최근 수면장애가 치매의 원인 질환의 하나로 여겨지기 시작했다는 점은 의심의 여지가 없다. 그리고 아직까지 확실한 치료법이 없는 상황에서 수면이 치매의 일차예방의 한 방법으로 인식되기 시작했다는 점은 시사하는 바가 크다. 그러므로 치매의 원인과 예방의 측면에서 향후 수면 연구가 중요한 이유이다.

3 기타 치매

루이소체치매(Dementia with Lewy bodies, DLB)는 알츠하이머병 치매 다음으로 많은 퇴행성 치매로, 질환의 초기부터 생생한 환시와 인지기능의 심한 변동, 파킨슨 증상과 렘수면행동장애를 주요 증상으로 한다. DLB 환자의 수면장애는 AD보다도 많은 것으로 보고되고 있는데, 85%의 환자가 수면장애가 있다고 한다. PD와 마찬가지로 RLS와 PLMS가 흔하고, 연구에 따르면 수면효율이 80% 이하인 환자가 72%라고 한다. 특히 RBD가 흔한데, 부검으로 확진한 환자의 76%에서 관찰되었다. 그래서 2017년 개정된 DLB 진단 기준에서 RBD는 DLB 진단을 위한 4개의 핵심 증상 중의 하나에 포함되었다.

또한 DLB 환자에서 RBD가 보일 경우 초기에 파킨슨증상과 환시가 보이는 경우가 더 흔하고 치매증상이 더 이른 시기에 나타난다는 보고가 있다.

혈관성치매는 다발성 뇌졸중이나 뇌 피질 중에서 인지영역에 해당되는 부위의 단일 뇌졸중에 의해서도 급작스럽게 발생할 수 있으며, 광범위한 백질변성에 의해서 서서히 발병하기도 한다. 일반적으로 수면무호흡증후군이 AD보다 많고 증상의 정도와 연관이 있다는 보고가 있다.

지금까지 살펴본 바와 같이, 다양한 퇴행성 질환을 앓고 있는 환자들의 상당수가 수면장애를 호소한다. 역으로 수면장애는 다양한 퇴행성 질환의 전구증상의 하나라는 사실이 밝혀지고 있다. 이러한 결과는 최근 표지자(biomarker)를 이용한 퇴행성질환 원인 연구가 활발해지면서 위험인자로서 수면의 역할에 대한 연구가 활발해진 측면이 있다. 그러므로 지금까지는 퇴행성질환의 결과로 나타나는 증상의 치료라는 측면에서 수면의 역할에 대한 연구가 주 관심사였다면, 앞으로는 예방적인 측면에서 수면에 대한 더 많은 연구가 이루어질 것으로 기대한다.

▶ 참고문헌

- AP Spira, AA Gamaldo, Y An, et al. Self-reported sleep and β-amyloid deposition in community-dwelling older adults. JAMA neurol 2013;70:1537-43.
- Boeve BF, Silber MH, Ferman TJ, et al. Clinicopathologic correlations in 172 cases of rapid eye movement sleep behavior disorder with or without a coexisting neurologic disorder. Sleep Med 2013;14:754-62.
- Bubu OM, Andrade AG, Umasabor-Bubu OQ, et al. Obstructive sleep apnea, cognition and Alzheimer's disease: a systematic review integrating three decades of multidisciplinary research. Sleep Med Rev 2020;50:101250.
- Bubu OM, Brannick M, Mortimer J, et al. Sleep, cognitive impairment, and Alzheimer's disease: A systematic review and meta-analysis. Sleep 2017;40:doi: 10.1093/sleep/zsw032.
- Huang Y, Potter R, Sigurdon W, et al. Effects of age and amyloid deposition and Aβ dynamics in the human central nervous system. Arch Neurol 2012;69:51-8.
- Ju YE, Ooms SJ, Sutphen C, et al. Slow wave sleep disruption increases cerebrospinal fluid amyloid-β levels. Brain 2017;140:2104-11.
- Kang JE, Lim MM, Bateman RJ, et al. Amyloidbeta dynamics are regulated by orexin and the sleep-wake cycle. Science 2009;326:1005-7.
- Kryger MH, Roth T, William C, et al. G. Principles and practice of sleep medicine. 6th ed. Philadelphia: Elsevier; 2017.
- Malhotra RK. Neurodegenerative disorder and sleep. Sleep Med Clin 2018;13:63-70.
- Ohara T, HondaT, Hata J, et al. Association between daily sleep duration and risk of dementia and mortality in Japanese community. J Am Geriatr Soc 2018;66:1911-8.
- Roth HL. Dementia and sleep. Neurol Clin 2012;30:1213-48.
- Xie L, Kang H, Xu Q, et al. Sleep drives metabolite clearance from adult brain. Science 2013;342:373-7.

03 수면과 뇌졸중

구대림

1 뇌졸중과 수면의 관계

뇌졸중(stroke)은 국소 신경학적 결손을 일으키는 급성 뇌혈관질환으로 입원 치료를 필요로 하는 가장 흔한 대표적인 뇌신경계질환이다. 뇌졸중으로 진단된 환자들 중 65%에서 허혈뇌졸중(ischemic stroke), 15%에서 출혈뇌졸중(hemorrhagic stroke), 그리고 20%에서 일과성 허혈발작(transient ischemia attack)으로 진단된다. 뇌졸중의 위험 인자로 고혈압, 이상지질혈증, 당뇨, 심방세동, 비만, 음주, 흡연 등이 알려져 있다. 심장질환, 무증상성 경동맥협착증, 일과성허혈발작의 과거력, 우울증, 고령의 나이(65세 이상)도 뇌졸중의 발생 위험을 높인다. 최근 여러 연구들에서 다양한 수면장애들이 대사성질환 및 뇌졸중의 발생 위험을 높이는 것으로 보고하였다. 또한, 수면장애가 뇌졸중의 위험을 높일 수 있을 뿐만 아니라 뇌졸중 이후 수면장애의 발생 위험도 높아진다.

2 뇌졸중 위험을 높이는 수면장애

1) 수면관련호흡장애 (sleep-disordered breathing)

수면관련호흡장애는 뇌졸중의 위험을 증가시키는 대표적인 수면장애이다. 코골이가 있을 경우 뇌졸중의 위험이 1.5배 높았고 폐쇄수면무호흡증이 있을 경우 뇌졸중과 사망률이 2배 증가했다. 특히 수면무호흡-저호흡지수(apnea-hypopnea index, AHI)가 시간당 30회 이상인 중증 폐쇄수면무호흡증 환자들의 경우에는 위험도가 3.3배까지 높아졌다.

수면관련호흡장애가 뇌졸중의 위험에 미치는 영향은 급성 혹은 만성적인 측면으로 나눌 수 있다. 수면관련호흡장애로 인한 교감신경과활성화(sympathetic hyperactivation), 간헐적 저산소혈증, 산화스트레스, 염증반응 등이 죽상동맥경화(atherosclerosis)와 심혈관질환의 위험을 높이는 기전들로 알려져 있다.

수면무호흡과 수면저호흡사건 동안에 발생하는 급성기적 측면의 영향으로는 심박출량 감소, 심부정맥, 고혈압, 저산소증 및 고탄산혈증(hypercapnia)으로 인한 혈관 확장, 두개내압 증가 등이 있고, 이러한 요인들의 영향으로 수면관련호흡장애 동안에 뇌혈류속도가

15-20% 감소하게 된다. 수면관련호흡장애 환자의 대뇌 자동조절(cerebral autoregulation) 기능은 정상인보다 저하되어 뇌혈류속도의 큰 변동은 뇌졸중의 위험을 높일 수 있다. 특히 중증 수면관련호흡장애(AHI > 30) 환자에서 대뇌자동조절기능 저하가 더욱 뚜렷하여 급성 기뇌경색 주변의 반음영(penumbra)의 보존에 취약할 수 있다. 렘수면 동안의 장시간의 폐쇄수면무호흡증, 중추폐쇄수면무호흡장애도 대뇌혈류량을 저하시킬 수 있다. 수면관련호흡장애와 연관된 또 다른 뇌졸중의 잠재적인 기전으로 폐쇄수면무호흡의 지속시간이 길어지면 난원공개존증(patent foramen ovale)이 있는 환자에서 우좌션트(right to left shunt)로 역설색전형성(paradoxical embolization)도 발생할 수 있다고 보고된다. 따라서 수면관련호흡장애 환자에서 수면 중 혹은 기상 후 뇌졸중이 발생하는 경우에는 뇌졸중 위험 인자로 수면관련호흡장애의 가능성을 반드시 고려해야 한다.

만성적인 측면에서 수면관련호흡장애가 뇌졸중의 위험을 높이는 원인으로 뇌졸중의 주요 위험인자인 고혈압과의 연관성이 잘 알려져 있다. 중등도 이상의 폐쇄수면무호흡(AHI > 15)을 동반한 환자에서 4년이내에 고혈압을 새롭게 진단받을 단독 위험이 3배 높았다. 고혈압 병력이 없는 1,889명의 환자들을 대상으로 12년간 전향적으로 진행되었던 코호트 연구결과 지속기도양압기(continuous positive airway pressure therapy)를 시행하지 않은 환자들(AHI > 5)에서 고혈압 발생 위험이 증가하였다(odds ratio, OR = 1.33). 반면 지속기도양압기를 시행한 환자들(AHI > 5)에서는 고혈압 발생 위험이 통계적으로 유의하게 낮았다(OR = 0.71). 수면관련호흡장애와 연관된 뇌졸중의 또 다른 위험인자들로는 관상동맥질환, 심근경색, 심부전, 심방세동 등이 있다. 또한 수면호흡장애가 죽종형성(atherogenesis)을 악화시키고 심뇌혈관질환의 위험인자인 동맥경직도(arterial stiffness)를 증가시킬 수 있다. 지속기도양압기를 시행했던 한 연구결과에 따르면 평균 혈압을 2.5 mmHg 낮추고, 결과적으로 뇌졸중의 위험을 20% 정도 감소시켰다. 지속기도양압기가 심뇌혈관질환에 미치는 영향에 대한 무작위대조시험 연구들의 결과 해석이 제한적이지만 매일 4시간 이상 지속기도양압기를 시행한 경우에는 뇌졸중의 위험이 감소하였다.

2) 수면각성장애(sleep-wake disturbances)와 비정상 수면시간

하루 수면시간이 5-6시간 이내로 부족한 환자들에서 정상적인 수면시간을 취하는 경우보다 뇌졸중의 위험이 약 50-60% 증가한다고 보고된다. 이러한 위험도의 증가는 수면부족과 수면구조 분절을 통한 교감신경계 활성도 증가와 수면 중 잦은 각성이 이차적으로 고혈압과 당대사기능 장애를 유발함으로써 가능하다. 반대로 수면시간이 너무 길거나 주간과다수면이 있는 경우에도 뇌졸중의 위험은 올라갈 수 있다고 알려져 있다. 노인 2,088명을 대상으로 진행되었던 한 연구에 따르면 전체 환자들 중 약 9%에서 심한 주간과다수면 소견을 보였고 이들 환자군에서 주간과다수면이 없는 환자군에 비하여 허혈뇌졸중의 위험이 74% 더 높았다. 부족한 수면시간과 과도한 수면시간은 모두 뇌졸중의 위험을 높일 수 있다. 부족한 수면시간은 혈압, 혈당, 지질대사 조절에 이상을 초래하여 심혈관질환 위험과 사망률을 높이는 것으로 보고된다. 반면, 과도한 수면시간은 수면 분절, 우울증, 불량한 건강상태와 흔히 연관되어 있고 연장된 수면시간이 동반 질환들로 인한 이차적인 현상으로도 해석할 수 있다. 교대근무와 뇌졸중의 위험과의 관계에 대한 연구들이 있지만 아직 명확한 연관성은 밝혀지진 않았다.

3) 불면증

불면증은 성인 인구의 약 10-20%에서 겪게되는 흔한 수면장애이며 이중 50%는 만성 불면증으로 진행한다. 만성불면장애의 경우 심혈관계질환 발생 및 사망 위험을 높일 수 있다고 알려져 있다. 주관적인 수면설문평가를 이용한 연구들에서 불면증과 심뇌혈관질환 사이에 유의미한 연관성을 보였다. 11,863명을 대상으로 진행된 한 연구에서 주관적인 불면증이 동반된 환자들에서 고혈압과 심혈관질환의 위험이 증가하였다. 불면증 환자 21,438명과 정상군 64,314명을 대상으로 시행된 한 대규모 연구에서 불면증 환자군에서 4년간 추적 관찰하는 기간에 뇌졸중의 발생 위험이 정상군에 비하여 54% 증가하였다. 수면다원검사를 시행하여 객관적인 수면시간을 평가한 연구에서는 수면시간이 하루 5시간 미만으로 감소된 불면증 환자에서 심박수변동성(heart rate variability), 고혈압, 당뇨, 인지기능저하, 사망률의 위험이 유의미하게 높아졌다. 객관적인 수면시간이 감소된 불면증 환자들에서는 약물 등의 생물학적 치료를 먼저 고려할 수 있는 반면 수면시간이 정상인 불면증 환자에서는 심리치료(psychological treatment)만으로도 효과를 기대할 수 있다.

4) 하지불안증후군과 주기사지운동

하지불안증후군과 주기사지운동의 경우에도 뇌졸중, 심혈관질환의 위험을 높일 수 있다고 보고된다. 대규모 코호트 연구결과에 의하면 하지불안증후군이 심혈관질환으로 인한 사망률을 증가시키며 특히 하지불안증후군의 유병기간이 길었던 여성 환자들에서 높은 사망률을 보였다. 하지만 최근의 메타분석 연구들에서는 하지불안증후군이 심뇌혈관질환 및 사망률의 위험을 높이는지에 대하여 상반된 결과를 보였다. 주기사지운동장애는 하지불안증후군에서 흔히 동반되지만 노화와 다른 신경계질환에서도 흔히 관찰된다. 주기적사지운동장애 환자들의 경우 특히 각성을 동반할 때 심뇌혈관질환이 증가할 수 있는데, 이는 교감신경계의 과흥분에 따른 혈압, 맥박의 급격한 상승과 연관되는 것으로 보고된다.

---

3 뇌졸중 환자의 수면장애

1) 뇌졸중 후 수면각성장애
(1) 과수면(hypersomnia)과 주간과다수면(excessive daytime sleepiness)
뇌졸중으로 진단, 치료받은 환자들 중 많은 경우에서 수면각성장애를 보고한다. 한 연구결과에 따르면 100명의 뇌졸중 환자들에서 뇌졸증 급성기에 22%의 환자들에서 주간과다수면(Epworth Sleepiness Scale ≥ 10) 소견을 보이거나 뇌졸중 발생 전과 비교하여 하루 수면시간이 2시간 이상 증가하였다. 특히 상행성각성경로(ascending arousal pathway)가 포함된 교뇌(pons), 중뇌(midbrain), 시상(thalamus)에 뇌졸중이 발생한 경우가 지속되는 심한 과수면의 가장 흔한 원인이었다. 뇌졸중의 발생 위치가 좌측, 앞쪽일 때가 우측, 뒤쪽일 때보다 과수면이 더 심하였다. 뇌졸중 후 지속되는 과수면의 개선을 위하여 amphetamine, modafinil, methylphenidate, dopamine agents 등의 약물들을 사용해 볼 수 있지만 치료 효과가 좋지는 않다.

(2) 피로
뇌졸중으로 치료받은 환자들 중 2년안에 피로도 심각도 척도에서 이상(fatigue severity scale ≥ 4.0)을 호소한 경우가 46–70%에 달하여 뇌졸중 후 피로는 뇌졸중으로 인한 수면각성장애 중 가장 흔한 증상이다. 특히 뇌간(brainstem)에 뇌졸중이 발생한 환자에서 뇌졸중 후 피로가 흔하게 관찰된다. 뇌졸중 후 피로는 과수면과 우울증과 혼재되어 나타날 수 있는데 Epworth Sleepiness Scale을 이용하여 주간과다수면을 배제할 수 있다. 뇌졸중 후 피로의 치료를 위해 항우울제와 amantadine을 고려할 수 있다.

(3) 불면증
불면증의 경우 뇌경색 진단 후 3개월째 환자들의 38%에서 보고되는데 이들 중 18%는 뇌졸중 후에 처음 불면증으로 진단된 경우이다. 꼬리핵(caudate)과 시상, 뇌간, 교뇌에 뇌졸중이 발생한 경우에 수면–각성주기의 손상으로 불면증이 지속될 수 있다. 뇌졸중으로 인한 뇌 자체의 손상 외에도 불안, 우울, 인지기능저하, 여러 내과적인 문제 등의 요인들에 의해서도 뇌졸중 후 불면증이 지속될 수 있다. 뇌졸중 후 불면증의 치료는 소음, 빛 차단 등의 환경적인 요인들을 조절하는 행동치료를 기본으로 한다. 인지기능저하의 부작용이 적은 zolpidem, zopiclone 등의 수면제를 단기간 사용해 볼 수 있지만 섬망 등의 부작용을 유발할 수 있어 주의를 요한다.

(4) 수면관련리듬운동장애 및 사건수면

뇌졸중 후 약 1개월째에 하지불안증후군이 약 12%에서 관찰되는 것으로 보고된다. 특히 교뇌, 시상, 바닥핵(basal ganglia)에 뇌졸중이 발생한 경우에 하지불안증후군이 잘 생기며, 주로 양측성으로 뇌졸중 후 1주 이내에 잘 관찰되며 주기사지운동을 흔히 동반한다. 주기사지운동은 뇌졸중 후 악화될 수 있고 불면증으로 이어질 수 있다. 교뇌의 피개(tegmentum)에 뇌졸중이 발생하는 경우 렘수면행동장애를 유발할 수 있다.

2) 뇌졸중 후 수면관련호흡장애

뇌졸중과 일과성허혈발작 환자들을 대상으로 시행한 대규모 연구들에서 수면관련호흡장애의 빈도가 매우 높았다. 총 2,343명의 환자들을 대상으로 한 메타분석에서 72%의 환자들에서 수면무호흡지수가 시간당 5회 이상이었고 38%에서 시간당 20회 이상이었다. 뇌졸중이 2회 이상 발생한 환자들에서 뇌졸중이 처음 발생한 환자들보다 수면관련호흡장애(AHI > 10)의 유병률이 높았다(74% vs. 57%). 일과성허혈발작 환자들의 경우에도 뇌졸중 환자들과 유사하게 수면관련호흡장애의 유병율이 높았다. 출혈뇌졸중, 뇌간 부위의 뇌졸중, 수면 중 혹은 기상 후 발생하는 뇌졸중의 경우에 수면관련호흡장애의 빈도가 높았다. 뇌졸중의 급성기, 아급성기가 지난 후 수면관련호흡장애가 호전되는 것으로 보고되었고, 중추수면무호흡이 폐쇄수면무호흡증보다 더 개선되는 경향을 보였다. 뇌졸중 후에 수면관련호흡장애가 악화 또는 새로 발생하는 기전들로 이산화탄소 과민반응, 상기도근육들의 근위약 또는 부조화, 호흡기계 감염, 마비가 있는 부위의 흉부 움직임의 감소 등이 보고된다.

미국심장학회(American Heart Association)와 미국 뇌졸중학회(American Stroke Association)에서는 일과성허혈발작(transient ischemic attack)과 뇌졸중이 의심되는 환자에서 수면관련호흡장애의 진단검사를 시행할 것으로 권고하고 있지만, 실제 의료현장에서 뇌졸중 환자들의 수면관련호흡장애를 진단, 치료할 목적으로 수면다원검사를 시행하는 것은 비용-효과 측면에서 현실적인 어려움이 있다. 하지만 수면관련호흡장애의 고위험군인 코골이 병력이 있는 비만 남성, 목격된 무호흡, 고혈압, 당뇨, 수면 중 혹은 기상 직후 발생한 뇌졸중의 경우에는 적극적인 수면관련호흡장애 진단과 치료를 위한 노력이 필요하다. 뇌졸중 환자의 경우에는 뇌졸중 진단 후 수면관련호흡장애에 대한 가능한 빠르게 수면다원검사를 통한 진단 후 지속기도양압기를 시행하는 것이 향후 뇌손상을 최소화하고 예후를 개선시킬 수 있다. 뇌졸중 환자의 지속기도양압기 시 순응도를 떨어뜨릴 수 있는 인지기능저하, 실어증, 질병인식불능(anosognosia), 거짓연수마비(pseudobulbar palsy) 혹은 연수마비(bulbar palsy), 심한 근력저하 등의 신경학적결손에 대한 고려가 필요하다.

3) 뇌졸중 후 수면구조의 변화

뇌졸중의 발생 위치에 따라서 서로 다른 양상의 수면구조의 손상을 보인다. 천막위뇌졸중(supratentorial stroke) 환자에서는 방추파(spindle)와 서파수면(slow wave sleep)의 지속적인 이상 소견이 관찰되고 천막밑뇌졸중(infratentorial stroke) 환자에서는 렘수면의 이상 소견이 특징적으로 관찰된다.

▶ **참고문헌**

• Askenasy JJ, Goldhammer I. Sleep apnea as a feature of bulbar stroke. Stroke 1988;19:637-9.

• Balfors EM, Franklin KA. Impairment of cerebral perfusion obstructive sleep apneas. Am J Respir Crit Care Med 1994;150:1587-91.

• Bassetti C, Aldrich MS, Chervin RD, et al. Sleep apnea in patients with transient ischemic attack and stroke: a prospective study of 59 patients. Neurology 1996;47:1167-73.

- Bassetti CL, Valko P. Poststroke hypersomnia. Sleep Med Clin 2006;1:139–55.
- Beelke M, Angeli S, Del Sette M, et al. Obstructive sleep apnea can be provocative for right–to–left shunting through a patent foramen ovale. Sleep 2002;25:856–62.
- Brown DL, Chervin RD, Hickenbottom SL, et al. Screening for obstructive sleep apnea in stroke patients: a cost–effectiveness analysis. Stroke 2005;36:1291–3.
- Buysse DJ. Insomnia. JAMA 2013;309:706–16.
- Cappuccio FP, Cooper D, D'Elia L, et al. Sleep duration predicts cardiovascular outcomes: a systematic review and meta–analysis of prospective studies. Eur Heart J 2011;32:1484–92.
- Chien KL, Chen PC, Hsu HC, et al. Habitual sleep duration and insomnia and the risk of cardiovascular events and all–cause death: report from a community–based cohort. Sleep 2010;33:177–84.
- Choi–Kwon S, Han SW, Kwon SU, Kim JS. Poststroke fatigue: characteristics and related factors. Cerebrovasc Dis 2005;19:84–90.
- Da Rocha PC, Barroso MT, Dantas AA, et al. Predictive factors of subjective sleep quality and insomnia complaint in patients with stroke: implications for clinical practice. An Acad Bras Cienc 2013;85:1197–206.
- De Groot MH, Phillips SJ, Eskes GA. Fatigue associated with stroke and other neurologic conditions: Implications for stroke rehabilitation. Arch Phys Med Rehabil 2003;84:1714–20.
- Diomedi M, Placidi F, Cupini LM, et al. Cerebral hemodynamic changes in sleep apnea syndrome and effect of continuous positive airway pressure treatment. Neurology 1998;51:1051–6.
- Ferini–Strambi L, Walters AS, Sica D. The relationship among restless legs syndrome (Willis–Ekbom disease), hypertension, cardiovascular disease, and cerebrovascular disease. J Neurol 2014;261:1051–68.
- Gallicchio L, Kalesan B. Sleep duration and mortality: a systematic review and meta–analysis. J Sleep Res 2009;18:148–58.
- Gami AS, Pressman G, Caples SM, et al. Association of atrial fibrillation and obstructive sleep apnea. Circulation 2004;110:364–7.
- Grandner MA, Drummond SP. Who are the long sleepers? Towards an understanding of the mortality relationship. Sleep Med Rev 2007;11:341–60.
- Hobson AJ. Sleep and dream suppression following a lateral medullary infarction: a first–person a ccount. Conscious Cogn 2002;11:377–90.
- Hornyak M, Feige B, Riemann D, et al. Periodic leg movements in sleep and periodic limb movement disorder: prevalence, clinical significance and treatment. Sleep Med Rev 2006;10:169–77.
- Johnson KG, Johnson DC. Frequency of sleep apnea in stroke and TIA patients: a meta–analysis. J Clin Sleep Med 2010;6:131–7.
- Katsanos AH, Kosmidou M, Konitsiotis S, et al. Restless legs syndrome and cerebrovascular/cardiovascular events: Systematic review and meta–analysis. Acta Neurol Scand 2018;137:142–8.
- Kendzerska T, Kamra M, Murray BJ, et al. Incident cardiovascular events and death in individuals with restless legs syndrome or periodic limb movements in sleep: a systematic review. Sleep 2017;40.
- Kernan WN, Ovbiagele B, Black HR, et al. Guidelines for the prevention of stroke in patients with stroke and transient ischemic attack: a guideline for healthcare professionals from the American Heart Association/American Stroke Association. Stroke 2014;45:2160–236.
- Kimura K, Tachibana N, Kohyama J, et al. A discrete pontine ischemic lesion could cause REM sleep behavior disorder. Neurology 2000;55:894–5.
- Koo DL, Nam H, Thomas RJ, et al. Sleep disturbances as a risk factor for stroke. J Stroke 2018;20:12–32.
- Kripke DF, Garfinkel L, Wingard DL, et al. Mortality associated with sleep duration and insomnia. Arch Gen Psychiatry 2002;59:131–6.
- Lee SJ, Kim JS, Song IU, et al. Poststroke restless legs syndrome and lesion location: anatomical considerations. Mov Disord 2009;24:77–84.
- Leng Y, Cappuccio FP, Wainwright NW, et al. Sleep duration and risk of fatal and nonfatal stroke: a prospective study and metaanalysis. Neurology 2015;84:1072–9.
- Leppavuori A, Pohjasvaara T, Vataja R, et al. Insomnia in ischemic stroke patients. Cerebrovasc Dis 2002;14:90–7.
- Li Pi Shan RS, Ashworth NL. Comparison of lorazepam and zopiclone for insomnia in patients with stroke and brain injury: a randomized, crossover, double–blinded trial. Am J Phys Med Rehabil 2004;83:421–7.
- Li Y, Li Y, Winkelman JW, et al. Prospective study of restless legs syndrome and total and cardiovascular mortality among women. Neurology 2018;90:e135–41.
- Li Y, Wang W, Winkelman JW, et al. Prospective study of restless legs syndrome and mortality among men. Neurology 2013;81:52–9.
- McEvoy RD, Antic NA, Heeley E, et al. CPAP for prevention of cardiovascular events in obstructive sleep apnea. N Engl J Med 2016;375:919–31.
- Netzer N, Werner P, Jochums I, et al. Blood flow of the middle cerebral artery with sleep–disordered breathing: correlation with obstructive hypopneas. Stroke 1998;29:87–93.

- O'Donnell MJ, Xavier D, Liu L, et al. Risk factors for ischaemic and intracerebral haemorrhagic stroke in 22 countries (the INTER-STROKE study): a case-control study. Lancet 2010;376:112-23.
- Palomaki H, Berg A, Meririnne E, et al. Complaints of poststroke insomnia and its treatment with mianserin. Cerebrovasc Dis 2003;15:56-62.
- Parra O, Arboix A, Bechich S, et al. Time course of sleep-related breathing disorders in first-ever stroke or transient ischemic attack. Am J Respir Crit Care Med 2000;161:375-80.
- Peker Y, Glantz H, Eulenburg C, et al. Effect of positive airway pressure on cardiovascular outcomes in coronary artery disease patients with nonsleepy obstructive sleep apnea. The RICCADSA randomized controlled trial. Am J Respir Crit Care Med 2016;194:613-20.
- Pennestri MH, Montplaisir J, Colombo R, et al. Nocturnal blood pressure changes in patients with restless legs syndrome. Neurology 2007;68:1213-8.
- Peppard PE, Young T, Palta M, et al. Prospective study of the association between sleep-disordered breathing and hypertension. N Engl J Med 2000;342:1378-84.
- Pepperell JC, Ramdassingh-Dow S, Crosthwaite N, et al. Ambulatory blood pressure after therapeutic and subtherapeutic nasal continuous positive airway pressure for obstructive sleep apnoea: a randomised parallel trial. Lancet 2002;359:204-10.
- Phillips B, Mannino DM. Do insomnia complaints cause hypertension or cardiovascular disease? J Clin Sleep Med 2007;3:489-94.
- Pizza F, Biallas M, Kallweit U, et al. Cerebral hemodynamic changes in stroke during sleep-disordered breathing. Stroke 2012;43:1951-3.
- Pizza F, Biallas M, Wolf M, et al. Nocturnal cerebral hemodynamics in snorers and in patients with obstructive sleep apnea: a near-infrared spectroscopy study. Sleep 2010;33:205-10.
- Reutrakul S, Mokhlesi B. Obstructive sleep apnea and diabetes: a state of the art review. Chest 2017;152:1070-86.
- Siccoli MM, Valko PO, Hermann DM, et al. Central periodic breathing during sleep in 74 patients with acute ischemic stroke - neurogenic and cardiogenic factors. J Neurol 2008;255:1687-92.
- Silvestrini M, Rizzato B, Placidi F, et al. Carotid artery wall thickness in patients with obstructive sleep apnea syndrome. Stroke 2002;33:1782-5.
- Szucs A, Vitrai J, Janszky J, et al. Pathological sleep apnoea frequency remains permanent in ischaemic stroke and it is transient in haemorrhagic stroke. Eur Neurol 2002;47:15-9.
- Valham F, Mooe T, Rabben T, et al. Increased risk of stroke in patients with coronary artery disease and sleep apnea: a 10-year follow-up. Circulation 2008;118:955-60.
- Vgontzas AN, Fernandez-Mendoza J, Liao D, et al. Insomnia with objective short sleep duration: the most biologically severe phenotype of the disorder. Sleep Med Rev 2013;17:241-54.
- Vgontzas AN, Liao D, Bixler EO, et al. Insomnia with objective short sleep duration is associated with a high risk for hypertension. Sleep 2009;32:491-7.
- Vgontzas AN, Liao D, Pejovic S, et al. Insomnia with objective short sleep duration is associated with type 2 diabetes: a population-based study. Diabetes Care 2009;32:1980-5.
- Vlachopoulos C, Aznaouridis K, Stefanadis C. Prediction of cardiovascular events and all-cause mortality with arterial stiffness: a systematic review and meta-analysis. J Am Coll Cardiol 2010;55:1318-27.
- Wallace DM, Ramos AR, Rundek T. Sleep disorders and stroke. Int J Stroke 2012;7:231-42.
- Walters AS, Rye DB. Review of the relationship of restless legs syndrome and periodiclimb movements in sleep to hypertension, heart disease, and stroke. Sleep 2009;32:589-97.
- Wang SS, Wang JJ, Wang PX, et al. Determinants of fatigue after first-ever ischemic stroke during acute phase. PLoS One 2014;9:e110037.
- Winkelman JW, Blackwell T, Stone K, et al. Associations of incident cardiovascular events with restless legs syndrome and periodic leg movements of sleep in older men, for the outcomes of sleep disorders in older men study (MrOS Sleep Study). Sleep 2017;40:zsx023.
- Winkelman JW, Shahar E, Sharief I, et al. Association of restless legs syndrome and cardiovascular disease in the Sleep Heart Health Study. Neurology 2008;70:35-42.
- Wu MP, Lin HJ, Weng SF, et al. Insomnia subtypes and the subsequent risks of stroke: report from a nationally representative cohort. Stroke 2014;45:1349-54.
- Yaggi H, Mohsenin V. Obstructive sleep apnoea and stroke. Lancet Neurol 2004;3:333-42.
- Yaggi HK, Concato J, Kernan WN, et al. Obstructive sleep apnea as a risk factor for stroke and death. N Engl J Med 2005;353:2034-41.

04 수면과 두통 및 기타 신경계 질환

주민경

1 두통

수면과 두통은 인구집단과 의료기관에서 흔하게 접하는 문제이며, 두 가지 모두 자주 고통스러운 상황을 유발하면서 밀접한 관련을 보인다. 편두통과 군발두통은 일부 환자에서 수면과 관련되어 발생하며 수면두통은 수면 시에만 나타나는 일차두통질환이다. 수면무호흡두통은 수면무호흡에 의해 유발되는 이차두통질환이다. 편두통환자에서 수면장애는 편두통 발작의 흔한 유발 인자이며 삽화편두통에서 만성편두통으로의 변화와 관련된 중요한 원인이다. 아울러 수면자체가 편두통 발작을 중단시키는 하나의 방법으로도 사용되고 있다. 두통 또는 편두통환자에서 불면증, 하지불안증후군, 수면무호흡 등의 수면장애 유병률이 높으며 반대로 이러한 수면장애 환자에서 두통 또는 편두통 유병률이 더 높다. 이러한 밀접한 동반관계는 두 질환이 공통적으로 중추신경계의 기능이상이 존재함을 시사한다.

1) 기전

수면과 두통질환 모두에서 뇌줄기와 사이뇌(diencephalon) 구조가 관련되어 있는 사실은 잘 알려져 있다. 특히 두통에서 통증 전달에 중요한 역할을 하는 삼차신경계가 수면에도 관련되어 있다. 편두통 발생 시의 통증 자극은 A delta fiber와 C-fiber인 말초신경을 통해 연수의 뒷뿔(dorsal horn)에서 연접(synapse)한 다음, 삼차신경핵(trigeminal nucleus caudalis)을 통과하여 상행경로로 전달되어 시상에 도착한다. 시상은 상행 통증 신호뿐만 아니라, 뇌줄기의 청색반점(locus ceruleus, LC), 수도관주위회색질(periaqueductal gray, PAG), 입쪽배내측연수(rostal ventromedial medulla, RVM)로부터 신호를 전달받는다. 시상의 배뒤안쪽(ventroposteromedial, VPM)에서 한 번 더 연접한 뒤로 대뇌피질의 감각영역에서 통증을 인식하게 된다. 수면은 하루주기 리듬과 밀접하게 관련되어 있다. 신체 내에서 하루주기는 뇌하수체의 교차위핵(suprachiasmic nucleus, SCN)에서 조절된다. 뇌하수체의 SCN은 뇌하수체의 다른 부위뿐만 아니라 뇌줄기의 융기유방핵(tuberomammillary nucleus, TMN), 뒤쪽솔기핵(dorsal raphe nucleus, DR), LC, PAG의 신호를 받는다. 각성과 수면은 TMN의 히스타민, DR의 세로토닌, LC의 노어에피네프린은 각성신호로 작용하며, 시상하부의 오렉신(orexin)과 배가쪽눈앞(ventrolateral preoptic)핵의 각성신호로 작용하는데, 이를 조절하여 하루주기를 유지하게 된다. 따라서 시상하부와 뇌줄기는 해부학적으로 수면-각성주기의 조절을 공유하게 되며, 시상하부와 뇌줄기의 신경전달물질도 두통과 수면-각성주기 조절에 모두 관여한다.

2) 두통과 관련된 수면장애

(1) 불면증

추적연구에서 불면이 있는 경우 두통의 발생이 불면증이 없는 경우에 비해 더 많이 발생하고 두통이 있는 경우에는 두통이 없는 경우에 비해 불면증이 더 많이 발생하는 양방향동반이환을 가진다. 양방향동반이환은 병리기전의 공유를 시사한다. 노르웨이에서 진행된 11년간의 추적연구에서 불면증을 가질 경우, 불면증이 없는 경우에 비해 1달에 월 1-14일의 고빈도두통의 위험은 상대위험도(relative risk) 1.3, 월 15일 이상의 만성두통은 2.2로 발생이 증가하였다. 이러한 양방향이환 관계는 편두통과 긴장형두통을 포함한 비편두통 모두에서 관찰되었다. 같은 연구에서 1달에 7일 이하의 두통이 있을 경우, 불면증이 발생할 위험은 오즈비(odds ratio)가 1.7이었으며, 1달에 7일 이상의 두통이 있을 경우에는 오즈비가 2.2였다. 아울러 편두통이 있는 경우에 1달에 15일 이상 발생하고 편두통이 1달에 8일 이상 발생하는 만성편두통은 삽화편두통에 비해 고통이 더 심하다. 불면은 삽화편두통에서 만성편두통으로 변환하는 위험인자이다.

단면연구의 경우에도 편두통 또는 두통이 있는 경우에 불면의 유병률이 두통이 없는 경우에 비해 더 높게 지속적으로 관찰되었다. 국내 인구기반연구에서 편두통이 있는 경우에는 불편증의 유병률이 25.9%로 두통이 없는 경우(15.1%)에 비해 더 증가한다. 아울러 불면증이 동반된 경우에는 두통의 빈도, 강도가 더 심하였다.

최근 불면을 동반한 만성편두통환자에서 불면증 인지행동치료를 시행한 경우에, 불면뿐만 아니라 두통의 호전이 관찰되어 두 질환의 밀접한 관계를 다시 확인할 수 있었다. 따라서 두통질환과 불면증은 흔한 질환이며, 밀접하게 동반되어 있으므로, 두통질환의 진단과 치료를 할 경우에는 적극적으로 불면증의 평가와 치료

를 진행해야 할 것이다.

(2) 수면관련호흡장애

수면무호흡은 두통의 발생과 악화와 관련된 대표적인 수면장애이다. 일반적으로 기상 후인 아침에 나타나며, 한 달에 15일 이상 되는 만성매일두통으로 나타난다. 제3판 국제두통질환분류에서는, 무호흡-저호흡지수 5 이상의 수면무호흡의 있으면서, 두통이 수면무호흡의 악화와 같이 나타나거나, 수면무호흡의 호전에 따라 호전되며, 1) 한 달에 15일 이상, 2) 양측성, 비박동성으로 3) 구역, 빛공포증 또는 소리공포증이 없고, 기상 후 4시간 이내에 소실되는 경우로 진단한다.

일반적으로 수면무호흡과 관련된 두통은 기상 후 오전에 발생하며, 한 달에 15일 이상 나타나는 만성매일두통으로 나타나는 경향이 있다. 수면무호흡도 불면증과 유사하게 삽화편두통에서 만성편두통으로의 변환을 유발하는 위험인자로 파악된다. 수면무호흡두통은 양압기 사용과 같은 수면무호흡 치료로 두통이 호전되므로, 만성매일두통이 있으면서 코골이 또는 수면무호흡이 동반된 경우에는 수면다원검사 등으로 수면무호흡에 대한 평가를 적극적으로 진행해야 할 것이다.

(3) 수면관련리듬운동장애

수면관련리듬운동장애로는 하지불안증후군, 주기사지운동장애, 수면이갈이 등이 있다. 하지불안증후군은 두통질환에서 흔히 동반된다. 하지불안증후군 유병률은 조사방법에 따라 다르게 보고되고 있으나, 국내 보고에서 유병률이 3.9-5.3%로 조사되었다. 두통이 있는 경우에는 하지불안증후군의 유병률이 증가하는데, 편두통이 있는 경우에 하지불안증후군의 유병률은 12.6-53.2%로 증가한다. 추적코호트연구에서도 하지불안증후군과 편두통은 양방향동반이환이 관찰되었다. 긴장형두통에서도 비두통에 비해 하지불안증후군 유병률은 증가한다. 두통의 질병 상태를 표시하는 중요한 두통빈도가 증가할수록, 하지불안증후군 유병률이 증가한다. 만성편두통인 경우에는 11.8%까지 증가하였다. 아

울러 하지불안증후군이 동반된 편두통은 하지불안증후군이 동반되지 않은 경우에 비해, 두통빈도가 높으며, 편두통의 주요한 증상인 빛공포증, 소리공포증, 구역, 어지럼 등의 증상이 더 자주 나타난다. 아울러 편두통의 중요한 동반질환인 불안과 우울증도 증가하며, 편두통으로 인한 장애도 더 심해진다. 아울러 편두통에서 흔히 동반되는 우울증 치료를 위해 사용되는 삼환계항우울제, 선택세로토닌재흡수억제제(selective serotonin reabsorption inhibitor), 선택세로토닌노어에피네프린재흡수억제제(serotonin norepinephrine reuptake inhibitor) 등이 일부에서 하지불안증후군과 주기사지운동증을 악화시킨다는 보고가 있다. 정리하면, 하지불안증후군은 편두통과 밀접한 관련이 있는 질환으로 만성편두통인 경우에는 특히 유병률이 증가하고, 두통으로 인한 고통이 더 심해지므로, 편두통환자를 평가할 경우에는 하지불안증후군 증상 여부를 평가하여야 할 것이다. 아울러 편두통 환자를 치료할 경우, 편두통 예방치료 약물로 인한 하지불안증후군 악화 여부도 평가하여야 할 것이다.

(4) 주간과다수면의 중추장애

기면병과 특발과다수면은 대표적인 주간과다수면의 중추장애이다. 기면병과 특발과다수면환자에서 편두통 유병률이 23-37% 및 41.2%로 증가가 보고되었으나, 긴장형두통의 유병률은 차이가 없었다. 그러나 다른 연구에서는 기면병환자에서 긴장형두통의 유병률은 증가하였으나, 편두통 유병률은 차이가 없는 것으로 상반된 보고도 존재한다. 기면병 1형은 뇌척수액의 오렉신의 감소가 관찰되며, 오렉신은 삼차신경의 통증신호 전달에 관여한다. 편두통과 기면병의 동반이환은 오렉신시스템의 기능이상으로 생각된다. 기면병 1형에서는 오렉신의 감소에 기원하며 오렉신A수용체는 통증신호를 증가시키고 오렉신B수용체는 통증신호를 억제한다.

(5) 하루주기리듬수면각성장애

편두통환자들은 비두통환자들에 비해, 저녁형과 아침형의 비율이 증가하고, 중간형이 감소한다. 근무환경에 의해 내인적인(endogenous) 하루주기리듬이 자주 교란되는 교대근무자에서는 편두통과 만성편두통의 유병률이 증가가 보고되어, 하루주기리듬이 편두통과 만성두통 발생에 영향을 끼침을 시사한다.

3) 수면관련 두통환자의 평가 및 치료

수면장애는 원발두통의 빈도와 만성화를 유발하는 요인 중의 하나이며, 특정 두통의 경우는 수면과 밀접하게 연관되어 있다. 따라서 일반적인 두통 치료에 반응을 하지 않는 환자이거나 두통의 유발 혹은 촉발인자가 수면장애와 밀접한 연관이 있는 환자에 대해서는 수면위생교육과 수면장애 관련 설문지를 이용하여 선별검사를 해볼 필요가 있다(그림 22-4-1).

2 신경근질환

1) 신경과 근육의 호흡조절

수의적인 호흡에서 횡경막은 흡기 시에 주요한 역할을 하며, 바깥갈비사이근(external intercostal muscle)이 흡기를 추가로 돕는다. 이에 반해, 호기 시에는 안쪽갈비사이근(internal intercostal muscle)과 복부근육(abdominal muscle)이 주된 역할을 한다. 불수의적인 호흡에서 연수와 뇌교에서 신호가 시작되고, 말초와 중추의 화학수용체(chemoreceptor)에서 산소와 이산화탄소의 농도를 감지하여 되먹임을 주어 조절한다. 턱끝혀근(genioglossus), 구개장근(tensor palati), 성대근육(vocal cord muscle)은 상기도의 열림에 관여한다. 수면 시에는 화학수용체의 신호가 산소를 감소시키고, 이산화탄소를 증가시키나 수면 시에는 화학수용체의 민감도가 감소한다. 아울러 비렘수면 시에는 인구근(pharyngeal muscle)의 근육긴장도가 감소하고 비렘수면 시에는 근육긴장도가 거의 없어져서, 수면무호흡이 더 악화된다. 불수의적인 호흡에서 호흡은 거의 횡경막에 의해서 나타나게 된다.

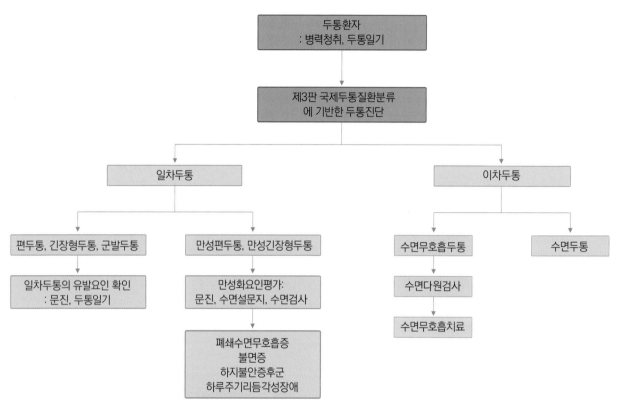

그림 22-4-1. **수면장애를 동반한 두통환자의 진단과 치료**

신경근질환에서는 신경과 근육의 약화에 의해, 비폐쇄성 저환기(non-obstructive hypoventilation)가 수면 중에 현저히 나타나며, 이로 인해, 상기도저항 증가, 저호흡, 무호흡 등이 발생하게 된다. 아울러 저호흡과 무호흡의 증가로 수면 중 각성(arousal)의 증가로 비회복수면이 증가하게 된다. 신경근질환에서 발생하는 통증, 숨뇌 쇠약(bulbar weakness)으로 인한 경구분비물의 관리 곤란, 근섬유다발수축(fasciculation), 주기사지운동 등에 의해서도 수면장애를 유발한다. 오렉신은 각성작용을 하는 중요한 신경펩티드인데, 길랑바레증후군(Guillain-Barre´ syndrome)와, 근긴장디스트로피(myotonic dystrophy)에서는 오렉신 생성의 감소가 관찰된다. 호흡부전에 의한 고이산화탄소혈증(hypercarbia)은 주간과다수면을 유발하며, 신경근질환에 동반된 우울증은 불면증과 주간과다수면과 같은 수면장애를 유발한다. 아울러 치료에 사용되는 약물인 스테로이드

는 불면증을 유발할 수 있으며, 진통제, 근육이완제, 항우울제 등은 주간과다수면을 유발할 수 있다.

(1) 운동신경세포병(motor neuron disease)

근위축측삭경화증(amytrophic lateral sclerosis)은 상위운동신경원인 피질척수로(corticospinal track)와 뇌줄기와 척수의 운동신경세포의 퇴행이 진행되는 병이다. 질병에 의해 상기도, 횡경막 그리고 갈비사이근의 근력저하가 나타나며, 호흡기능 저하는 근위축측삭경화증의 삶의 질을 결정하는 주요한 인자이다. 초기 근위축측삭경화증을 대상으로 한 연구에서도 절반 이상의 환자에서 주간과다수면과 무호흡-저호흡지수 10 이상이 관찰되었으며, 나머지 환자들도 렘수면감소, 총수면시간 감소 등의 수면구조 변화가 관찰되었다. 횡경막 근력의 약화 정도는 근위축측삭경화증 환자의 생존 기간과 밀접하게 관련된다.

(2) 말초신경병

말초신경병에서는 인두와 호흡근육의 약화, 통증, 하지불안증후군 등으로 인해 수면장애가 발생한다. 수면장애는 말초신경병환자의 약 60%에서 발생한다. 특히 통증이 동반되는 당뇨병신경병에서 발생하는 수면장애는 통증의 정도와 밀접하게 관련된다. 통증이 동반되지 않는 말초신경병인 길랑바레증후군에서도 횡격막신경(phrenic nerve)을 침범한 경우에는 횡격막 약화와 인공호흡기 사용을 위한 중환자실 치료에서도 유발된다. 특히 일부 길랑바레증후군 환자에서는 기면병과 유사한 주간과다수면을 호소하는데, 이 경우에는 오렉신 저하가 관찰되어, 면역학적인 기전에 의해 시상하부의 오렉신 생성세포의 손상에 의해 기면병과 유사한 증세가 유발된 것으로 추측되고 있다. 유전성 말초신경병인 샤르코-마리-투스병 1A에서는 수면관련호흡장애가 증가가 관찰되었는데, 말초신경병이 인두근육의 약화를 유발하여 나타난 것으로 추측된다.

(3) 신경근접합부 기능저하

중증근무력증은 신경근접합부 장애로 발생하는 질환이다. 중증근무력증에서는 상기도와 호흡근육의 약화, 스테로이드 등의 치료약물 사용 등에 의해 수면장애가 발생한다. 중증근무력증 환자의 초기에는 수면구조의 변화에 의해 피로가 나타나며, 이후 질병이 진행됨에 따라 수면관련호흡장애가 나타난다. 중증근무력증환자들 대상으로 한 대조군연구에서 수면무호흡이 36%로 대조군에 비해 증가가 관찰되었다.

(4) 근긴장디스트로피(myotonic dystrophy)

근긴장디스트로피는 근육을 포함한 전신을 침범하는 상염색체우성 유전질환으로, 심장, 내분비, 눈, 평활근(smooth muscle) 등 전신을 침범한다. 주간과다수면과 수면관련호흡장애는 근긴장디스트로피에서 자주 관찰된다. 수면관련호흡장애는 중추수면무호흡증과 폐쇄수면무호흡증 모두 관찰된다. 그러나 근긴장디스트로피에서 관찰되는 CTG염기서열 길이와 질병의 심각도는 주간졸림과는 의미 있는 관계가 관찰되지는 않았다.

(5) 근디스트로피(muscular dystrophy)

Duchenne근디스트로피는 X염색체 관련 유전질환으로 사지의 근육 약화가 먼저 진행하며, 호흡근육은 나중에 나타난다. 사망은 20대 이후 호흡근육의 근력저하에 의해 발생한다. 구속성(restrictive)와 폐쇄성(obstructive) 호흡기능저하가 척추측만증, 횡격막과 갈비사이근의 근력저하로 나타나며, 인구근약화는 상대적으로 적게 나타난다.

2) 신경근질환의 수면장애 치료

신경근질환에서 나타나는 수면관련호흡장애는 우선 중증근무력증과 같이 기저질환을 호전시킬 수 있다면 기저질환의 치료로 수면관련호흡장애의 호전을 기대할 수 있다. 그러나 근위축측삭경화증과 같이 기저질환의 호전을 기대할 수 없는 경우에는 지속기도양압(continuous positive airway pressure) 또는 이상기도양압(bilevel positive airway pressure)과 같은 비침습환기(noninvasive ventilation), 산소 투여 등으로 호흡기능을 유지해준다. 이외에도 수면위생, 갑상샘기능저하와 같은 동반질환의 치료, 통증을 동반한 경우에는 통증의 치료, 과다졸림 또는 불면증을 유발하는 치료약물의 조절 등을 고려하여 수면장애를 치료해야 할 것이다.

▶ 참고문헌

• Nicolle MW. Sleep and neuromuscular disease. Semin Neurol 2009;29:429-37.
• Tiseo C, Vacca A, Felbush A, et al. Migraine and sleep disorders: a systematic review. 2020;21:126.

01 수면과 호흡기계 질환

신 철

1 수면관련호흡장애

수면관련호흡장애(Sleep Disordered Breathing, SDB)의 종류로는 크게 네 가지 유형으로 분류할 수 있다(그림 23-1-1).

폐쇄수면무호흡증(Obstructive Sleep Apnea, OSA), 즉 10초 이상 숨을 쉬지않고 산소농도의 하락(O_2 포화도 90% 이하)이 같이 유발되는 현상이 시간당 5회 이상일 때를 말하며 여기에 더불어 주간과다수면이나 만성

피곤 등의 증상이 유발될 때 폐쇄수면무호흡증후군(OSA Syndrome)이라 명명한다. 우리나라에서도 2004년도에 성인 남녀 457명의 남/녀에 대한 연구를 한 결과, OSAS의 유병률은 남자에서 4.5%, 여자에서 3.2%로 나타났다. 위 결과는 이전에 미국에서 보고 한 결과의 경향과 유사한 결로 보인다(표 23-1-1).

위에서 말했던 바와 같이 기도가 좁아져 여러가지 다각적인 수면무호흡이 이중 또는 삼중으로 겹쳐 있을 수 있으며 또 다른 수면장애와 겹쳐 있을 수 있으므로(그림

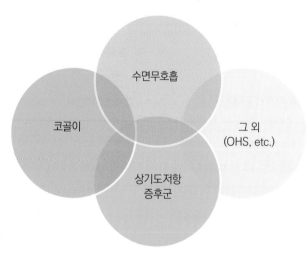

그림 23-1-1. **수면관련호흡장애의 종류**; OHS – Obesity Hypoventilation Syndrome, 비만성저환기증후군

표 23-1-1. 코골이의 유병률

Study location	n	Age (years)	Prevalence (%)	
			Men	Women
United Kingdom	4,972	15 or over	47.7	33.6
United State	602	30-60	64	52
Korea	4,164	40-65	15.6	8.4
Chinese	805	20-74	10.8	3.2
Indian	719	20-74	16	6.3

출처: Shin C. Epidemiology and definition of sleep disordered breathing. Tuberc Respir Dis (Seoul) 2009;66:1–5.

PART
5

수면장애 관련 의학적 질환

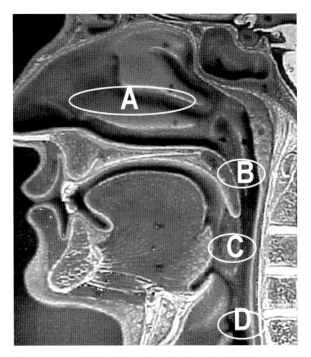

그림 23-1-2. **수면무호흡에서 상기도의 해부학적 폐쇄 부위.**
(A) 비강(Nasal cavity), **(B)** 후구개부(Retropalatal area), **(C)** 설후부
(Retrolingual area), **(D)** 후두개부(Epiglottic area)

출처: Shin C. Epidemiology and definition of sleep disordered breathing.
Tuberc Respir Dis (Seoul) 2009;66:1–5.

23-1-2) 정확한 진단을 위해서는 다각적인 접근을 할
필요가 있다. 치료에 있어서 또한 비수술적 또는 수술적
인 접근방법이 있으므로 여러 과와 같이 진료를 협업하
여야만 환자의 정확한 진단과 치료 효과가 극대화될 수
있다.

2 진단

현재 전세계적으로 가장 많이 이용하고, 정확한 진단
검사는 수면다원검사(Polysomnography, PSG)이다. 위
검사는 저녁시간 또는 평소 취침시간에 병원이나 혹은
집에서(호흡모니터링) 자는 형태의 검사로 호흡운동, 심
전도, 안구운동, 산소포화도, 코골이, 뇌파 등과 같이
수면의 구조와 기능, 수면 중 발생한 사건 등을 객관적
으로 평가함으로써 10초 이상의 숨이 멈추는 수면무호
흡 또는 코골이의 정도와 percentile, 그 외에 산소포화
도 저하와 같은 여러 다른 수면장애를 확인 및 진단 할
수 있다(그림 23-1-3).

3 증상

SDB는 소아에서도 특히 아데노이드 또는 편도선의
증식이 있는 경우 나타날 수 있고, 이로 인하여 학습능
력 저하가 올 수 있으나 치료를 통해 나아질 수 있다고
알려져 있다. 또한 환자의 삶의 질, 정서행동장애가 개
선된다는 결과도 있다.

성인에게 주로 나타나는 흔한 증상으로는 주간과다
수면, 만성피로, 아침에 일어나도 개운하지 않거나 입마
름, 역류성식도염, 최근에 기억력이 떨어지는 등의 소견
이 나타날 수 있다.

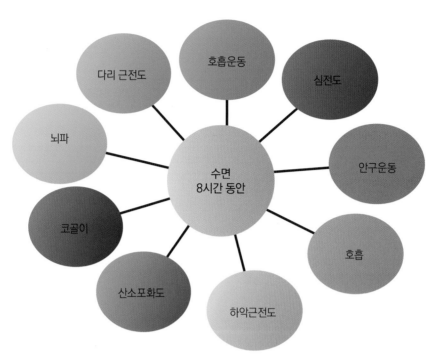

그림 23-1-3. 수면다원검사의 검사 요인들

4 합병증

신경정신적 장애, 뇌혈관 질환(뇌졸중), 심혈관질환, 내분비기능 장애, 대사성질환 관련 합병증의 위험이 있으며, 발기부전이나 동맥경화를 유발한다는 결과가 보고된 바 있다.

수면무호흡증후군 환자의 관상동맥질환의 발생도가 높으며, mortality 또한 높다는 연구결과가 있다. 또한 만성코골이 환자의 당뇨병 위험은 일반인에 비해 남성은 1.69배, 여성은 2.31배로 보고되었으며, 습관성 코골이(정상체질량의 성인남성)는 혈당과 인슐린 수치를 증가시켜 당뇨의 위험이 높은 것으로 보고되었다.

또한, 두뇌의 해부학적 구조변화, 특히 대뇌 위축으로 인한 인지능력의 저하가 생길 수 있으며, 더욱 나아가서는 조기치매를 유발할 수 있다.

5 치료

1) 비수술적 치료법(3가지 외)
  (1) 행동치료
  (2) 지속기도양압기
  (3) 구강내 장치
2) 수술적 치료법(위절제술, Bariatric surgery)

1) 비수술적 치료법

(1) 행동치료

행동치료의 첫 번째 요인은 그 원인이 비만일 경우(BMI-25 kg/m² 또는 그 이상)일 때 사용하는 방법으로, 적절한 운동과 식단 조절을 통해 체중을 줄여 기도의 넓이를 확장함으로써 코골이나 수면무호흡을 줄이는 방법을 말한다. 무호흡환자(OSA)의 70-80% 이상이 과체중이거나 복부비만환자가 많기 때문에 행동치료가 특히 강조되고, 복부비만이 있을 때 기도내막에 지방세포가 같이 증가하여 기도가 좁아져 코골이나 무호흡의 정도가 심해지므로 체중만 감량을 해도(3–5 kg 이상) 증상이 많이 호전 될 수 있기 때문에 첫 번째로 권유하는 치료 방법이다.

두 번째 행동치료에는 수면자세를 옆으로 자는 습관을 가지게 되면 코골이나 무호흡의 정도와 증상이 30–60% 정도 감소할 수 있기 때문에 권장하는 자세라 볼 수 있다. 다만 체질량지수가 30 kg/m² 이상인 경우에는 수면자세의 변경만 가지고는 효과가 별로 나타나지 않기 때문에 상태에 따라 양압기 치료, 구강내 장치 및 수술적 치료를 고려할 수 있다.

(2) 지속기도양압기(positive airway pressure therapy, PAP therapy)

PAP치료란 가족력이나 비만에 의해 기도가 좁아진 경우, 적당한 공기를 주입하여 기도의 직경을 정상적으로 유지시켜 코골이나 무호흡을 없애주는 방법으로, 정확한 진단 후에 코골이나 무호흡 또한 정상 수준의 산소포화도(95 ± 2%)를 유지시켜 줄 수 있는 적정 압력을 적용하는 방법이다. PAP titration검사를 통하여 가장 적합한 압력의 범위가 무엇인지 알아내어 고정압력(LPAPcontinuous positive airway pressure)이나 자동으로 압력 범위를 설정하여 치료하는 방법(Automative PAP)으로 저녁 취침시간에 치료하는, 전세계적으로 가장 보편적인 치료법을 이용한다. 지금까지 PAP치료에 잘 적응하여 적어도 6개월–1년 이상 치료를 꾸준히 받은 환자들은 심혈관질환(뇌출혈), 인지기능장애(뇌질환에 의한), 심장마비, 협심증, 고혈압 등의 예방 효과가 크고 정상적인 범위로 유지시켜 준다는 논문이 다수 발표 된 바 있다.

양압기에 의한 부작용과 불편함으로 인해 지속적으로 사용을 못 하는 환자들 중 대다수가 고령의 환자들인 것으로 나타나 있다. 부작용으로는 마스크로 인한 알레르기 유발로 인해 극히 드물기는 하나 피부의 발진이 일어나기도 하며, 특히 비염이 심한 환자들에게서는 더욱 많이 나타나는 것을 볼 수 있다. 주치의 선생님과 충분한 상담이 필요하며, 알레르기 치료제를 필요할 때마다 내복약이나 코에 직접 분사하는 형태의 치료제를 이용하여 불편함을 해소하고 있다. 양압기의 효과를 보기 위해서는 최대한 하루 저녁 평균 4시간 이상 사용을 해야한다. 보편적으로 젊고 무호흡이 심한 환자들 중 주간졸림증이나 만성피로, BMI가 27 kg/m² 이상일수록 양압기의 효과가 크고, 순응도 또한 높은 것으로 알려져 있다. 양압기의 순응도를 높이기 위해서는 사용목적과 절차에 대한 교육을 철저하게 하는 것이 가장 중요하며, 특히 배우자나 집안에서 환자와 함께 생활하는 가족들도 교육을 받는 등의 협조를 통해 순응도를 높여 치료에 도움이 될 수 있다.

(3) 구강내장치

구강내장치는 주로 치과에서 환자의 기도를 충분히 확보하기 위해 개인의 치아와 하악구조에 따른 맞춤형 치료형태로 하악재위치장치(Mandibular Repositioning Appliance, MRA)를 수면 중 착용하여 아랫니를 앞으로 끌어당겨 기도를 확장시켜 코골이나 수면무호흡의 정도를 줄여주어 치료하는 방법을 말한다. MRA는 주로 경증/중증 즉 시간당 무호흡-저호흡(apnea-hypopnea index, AHI)이 심하지 않은 상태(AHI 지수 5–20/25)에서 사용했을 때 더욱 효과가 크다고 알려져 있지만 가장 큰 부작용은 턱관절의 통증이 유발될 수 있다.

2) 수술적 치료법

(1) 비만대사수술(bariatric surgery)

위 수술은 주로 체질량 지수가 BMI 35–40 이상, 즉 최고도 비만 환자에 주로 적용되는 치료법으로, 대부분의 환자가 양압기 치료나 다른 모든 치료가 실패하고 더 이상 다른 보조적 치료를 적용할 수 없을 때 시행되는 위절제술이기 때문에 외과 전문의와 의논하여 사용될 수 있다.

선진국으로 갈수록 현대사회에서 고칼로리 음식 섭취와 운동부족으로 인한 비만인구 비율이 높아지고 있다. 그로 인해 수면관련호흡장애 또한 심해지며 이에 따른 주간과다수면이나 만성피로가 악화되고 심혈관 질환, 당뇨, 뇌질환(중증, 또는 조기치매) 등과 같은 여러 합병증을 유발하는 대사성질환을 동반하게 될 위험이 함께 증가하기 때문에 조기진단과 적절한 치료가 반드시 필요하다.

▶ 참고문헌

- Kim H, Yun CH, Thomas RJ, et al. Obstructive sleep apnea as a risk factor for cerebral white matter change in a middle-aged and older general population. 2013;36:709-715B.
- Kim JK, In KH, Kim JH, et al. Prevalence of sleep-disordered breathing in middle-aged Korean men and women. Am J Respir Crit Care Med 2004;170:1108-13.
- Kim R, Abbott RD, Kim S, et al. Sleep duration, sleep apnea, and gray matter volume. J Geriatr Psychiatry Neurol 2022;35:47-56.
- Kim S, Lee KY, Kim NH, et al. Relationship of obstructive sleep apnoea severity and subclinical systemic atherosclerosis. Eur Respir J 2020;55:1900959.
- Lee JB, Park YH, Hong JH, et al. Determining optimal sleep position in patients with positional sleep-disordered breathing using response surface analysis. J Sleep Res 2009;18:26-35.
- Lee MH, Yun CH, Min A, et al. Altered structural brain network resulting from white matter injury in obstructive sleep apnea. Sleep 2019;42:zsz120.
- Marcus CL, Moore RH, Rosen CL, et al. A randomized trial of adenotonsillectomy for childhood sleep apnea. N Engl J Med 2013;368:2366-76.
- Ohayon MM, Guilleminault C, Priest RG, et al. Snoring and breathing pauses during sleep: telephone interview survey of a United Kingdom population sample. BMJ 1997;314:860-3.
- Peker Y, Carlson J, Hedner J. Increased incidence of coronary artery disease in sleep apnoea: a long-term follow-up. Eur Respir J 2006;28:596-602.
- Peppard PE, Young T, Palta M, et al. Prospective study of the association between sleep-disordered breathing and hypertension. N Engl J Med 2000;342:1378-84.
- Shin C, Kim JY, Kim JY, et al. Association of habitual snoring with glucose and insulin metabolism in nonobese Korean adult men. Am J Respir Crit Care Med 2005;171:287-91.
- Shin C. Epidemiology and definition of sleep disordered breathing. Tuberc Respir Dis (Seoul) 2009;66:1-5.
- Young T, Palta M, Dempsey J, et al. The occurrence of sleep-disordered breathing among middle-aged adults. N Engl J Med 1993;328:1230-5.

02 수면무호흡과 심혈관계 질환

염호기

심혈관계 질환은 중요한 사망원인이다. 전 세계 인구의 약 30%가 심혈관계 질환으로 사망한다. 수면무호흡은 심혈관 질환 발생과 깊은 관련이 있다. 고혈압, 관상동맥질환, 심방세동, 뇌졸중 및 심부전 등이 모두 수면무호흡질환에서 높은 유병율을 보인다. 수면무호흡질환을 양압기로 치료하면 수면무호흡에 동반된 심혈관질환뿐만 아니라 지질이상, 당뇨병, 인슐린 저항성, 심혈관질환 등을 개선시킨다. 수면무호흡이 심혈관질환을 유발하는 병태 생리적 기전은 수면무호흡으로 인하여 발생된 간헐적 저산소증, 재산소화(reoxygenation), 수면 중 각성, 흉부 내 압력 변화 등으로 알려져 있다. 수면무호흡이 다양한 심혈관계 합병증을 동반하기 때문에 수면무호흡의 조기 진단과 치료가 무엇보다 중요하다.

사례

주간과다수면과 흉통을 호소하는 47세 남자

47세 남자가 흉통으로 병원에 왔다. 흉통은 야간에 빈발하였다. 흉통으로 인하여 잠을 잘 자지 못하였다. 최근 주간에 졸음이 와서 회의 도중 졸음을 참지 못하였다. 심전도, 혈액검사, 운동부하 심전도 검사, 24시간 혈압검사 등을 통하여 고혈압과 협심증으로 진단이 되었다. 혈압은 179/98 mmHg 였고 야간에 혈압 상승이 관찰 되었다.

Epworth Sleepiness Scale (ESS) 18점, 수면다원검사에서 무호흡-저호흡지수(Apnea hypopnea index, AHI)는 35.5/hr 였다. 고혈압과 협심증이 동반된 수면무호흡으로 진단되었다. 지속기도양압기(CPAP, 8cmH$_2$O)를 시행하여 ESS 4점, AHI 2.1/hr로 호전되었다. 주간과다수면 및 흉통이 개선되었다. 혈압은 140/85 mmHg로 개선되었다. 지속기도양압기 후 수면무호흡의 개선만으로 고혈압 및 협심증이 치료되었다.

1 수면 시 생리적인 심혈관계 변화

수면에 들면 자율신경계를 통하여 혈압과 심장 박동이 조절된다. 비렘수면은 교감신경활성을 감소시켜 혈압과 심장박동수를 약 20% 줄인다. 렘수면은 각성상태와 유사하게 교감신경을 활성화 시켜서 급격히 혈압을 올리고, 심장박동을 증가시킨다.

2 수면무호흡이 심혈관계 미치는 영향

수면무호흡은 심혈관계 질환의 발생에 독립적인 위험인자로 작용한다(표 23-2-1). 정상적인 수면 중에 자율신경계의 활성 변화에 따라 혈압과 심장박동이 변하는 것과 같은 이유로 수면무호흡이 있는 경우에도 수면 중자율신경계의 활성이 변화하여 심혈관계에 영향을 미친다. 수면무호흡이 발생되면 주기적 각성에 의하여 혈압, 심장박동의 변화가 관찰된다. 사례처럼 수면무호흡의 치료로 심혈관기능이 개선된다. 수면무호흡이 심혈관계 위험을 증가시킨다는 근거는 분명하고 오랜 기간 반복적으로 증명이 되어 있다.

1) 수면무호흡에서 혈압변화

폐쇄수면무호흡증은 혈압을 증가시킨다(그림 23-2-1).

표 23-2-1. 심혈관 질환에서 폐쇄수면무호흡증의 유병률 (Prevalence of obstructive sleep apnea in cardio-vascular conditions)

Condition	Prevalence (%)
Stroke	43-91
Hypertension	30-83
End-stage kidney disease	40-60
Ischemic heart disease	30-58
Heart failure	12-53
Atrial fibrillation	49
Hypertrophic cardiomyopathy	40

이때 고혈압은 항고혈압제에 대한 반응이 감소된다. 반대로 조절이 잘 되지 않는 저항성 고혈압환자에게 수면무호흡 유병률이 높다. 보고에 따라 다르지만 저항성 고혈압환자의 30-90%에서 수면무호흡이 동반된다. 저항성 고혈압의 원인으로 본태성 고혈압이나 신장질환보다 수면무호흡이 약 60% 이상에서 더 큰 비중을 차지한다.

체계적 문헌고찰에 의하면, 30-40%의 고혈압 환자는 폐쇄수면무호흡증을 갖고 있으며, 반대로 약 50%의 폐쇄수면무호흡증 환자가 고혈압의 병력을 갖고 있다. 수면무호흡과 고혈압은 매우 흔한 질환이고 두 질환은 흔히 동반된다. 수면무호흡의 정도에 따라 수면무호흡

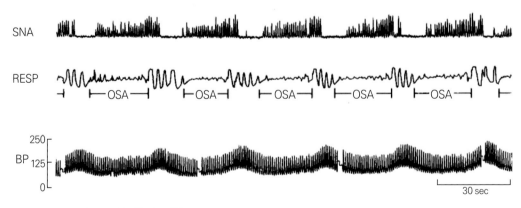

그림 23-2-1. 수면무호흡에 따른 교감신경활성도 변화

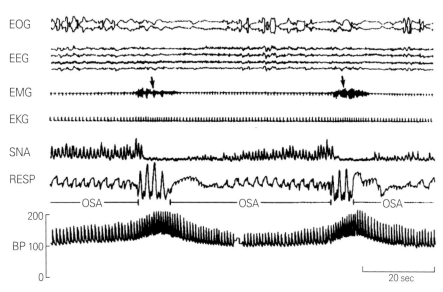

그림 23-2-2. **수면 중 혈압의 변화**

지수가 증가함에 따라 경증에서보다 중등증 이상에서 고혈압의 합병 유병률은 증가된다.

2) 심장박동 변화

수면무호흡은 심장에 대한 부교감신경을 활성화 시킨다. 이로 인하여 서맥이 발생된다. 무호흡이 길어지거나 저산소증을 유발하게 되면 심장박동은 미주신경에 의하여 느려진다. 서맥은 수면무호흡 기간 동안 지속되고, 환기가 재개되면 동성 빈백으로 전환된다(그림 23-2-2). 저산소증과 무호흡에 반응하여 말초혈관수축을 동반한 서맥 현상인 잠수반사(diving reflex)를 나타낸다. 잠수반사는 해양포유동물이 잠수하는 동안 조직에 산소를 보존하기 위한 반응이다.

3) 수면 중 각성

수면 중 각성은 15초 미만의 각성 상태를 의미한다. 수면 중 각성은 교감신경의 활성과 부교감신경 활성 감소를 초래한다. 혈압이 올라가고 심장박동수가 증가된다. 통상 수면 중 각성은 수축기 혈압 20 mmHg, 이완기 혈압 15 mmHg 정도 상승시킨다. 심장박동은 분당 약 10회 증가된다. 실험적으로 소음에 의한 대뇌피질의

각성은 뇌파검사로 측정되지 않을 수 있다. 반면 수면무호흡에 의한 각성은 교감신경활성으로 인한 자율적인 반응이기 때문에 자율신경계의 내부 또는 외부적인 자극에 예민하게 반응한다.

3 수면무호흡의 심혈관계 질환 발생 기전

수면무호흡이 심혈관계질환을 유발하는 기전은 다양하다. 교감신경 활성을 비롯하여 신경학적, 체액성, 혈전성, 대사성, 혈역학적, 산화 작용과 염증 반응 등 다양한 기전이 작용한다. 수면무호흡과 심혈관계질환 발생 기전으로 간헐적 저산소증, 고이산화탄소혈증, 흉강 내압의 증가, 레닌-안지오텐신-알도스테론 체계 활성화, 혈관내피세포의 기능이상, 야간각성 효과 등이 기여한다고 보고되었다.

수면무호흡이 발생되면 중대한 혈역학적 변화가 일어난다. 무호흡이 일어나면 정맥혈류 순환 장애로 인하여 심장의 전부하가 감소된다. 동시에 저산소증으로 인하여 교감신경계가 활성화된다. 말초혈관 수축으로 인하여 심장의 후부하가 증가된다. 이러한 생리적 변화가 종

폐쇄수면무호흡증	중간 기전	심혈관 질환 위험
	산소공급저하	장기 기능 이상
간헐적 저산소증 재산호화 과이산화탄소증	혈관내피세포 기능이상 혈관 산화 스트레스	혈관수축 염증 응고 작용 증가
	폐혈관 수축	우심실 과부하
각성 반복	교감신경 활성 - 혈관 수축 - Catecholamine 증가 - 빈맥 - 심혈관 변이성 증가	혈관수축 RAA 활성
		대사성 조절 이상 - Leptin 저항성 증가 - 비만 - 인슐린 저항성 증가
흉강내압 변이성 증가	좌심실, 우심실, 폐 미세 혈관 경벽 압력 증가	우심실 및 좌심실 부하증가
		폐울혈 증가

그림 23-2-3. **폐쇄수면무호흡증의 심혈관질환 발생 기전**

합되어 무호흡동안 심박출량이 감소된다. 호흡이 재개되면 심박출량은 다시 증가된다. 무호흡 종료 시에 혈압 상승이 기록되는 것은 말초혈관 수축이 지속되기 때문이다. 말초혈관 수축은 교감신경 활성화에 대비하여 혈압에 대한 유연성을 높이는 압력수용체(baroreceptor)를 약화시킨다. 수면 중 무호흡이 반복되면 이러한 혈역학적 변화가 주기적으로 반복된다(그림 23-2-3).

1) 교감신경 활성화

폐쇄수면무호흡증은 반복적인 저산소증과 재산호소화를 반복하면서 교감신경을 활성화시키고 Catecholamine이 증가되어 말초혈관수축을 일으키고 혈압을 상승시킨다. 폐쇄수면무호흡증 환자의 교감신경항진 현상은 주간에도 이어지고 이로 인하여 심박동의 변이성이

감소된다(그림 23-2-4). 심장박동 변이성 감소는 고혈압 발생에 중요한 위험인자이다. 수면무호흡에서 고이산화탄소혈증이 종종 나타난다. 고이산화탄소혈증 또한 교감신경을 활성화 시킨다. 수면무호흡은 전형적으로 각성에 의하여 종료된다. 각성은 환자 개인에 의하여 인지되지 않는 경우가 많지만, 교감신경을 자극하게 된다. 다양한 경로에 의하여 교감신경이 자극되어 혈압을 상승시킨다.

2) 혈관 내피세포 기능이상

혈관내피세포 기능이상은 혈관질환의 위험인자이다. 수면무호흡에서 혈관내피 세포이상을 시사하는 현상으로 acetylcholine 같은 혈관 이완제에 대한 반응이 위축된다. Acetylcholine은 혈관내피세포에서 혈관확장을 유

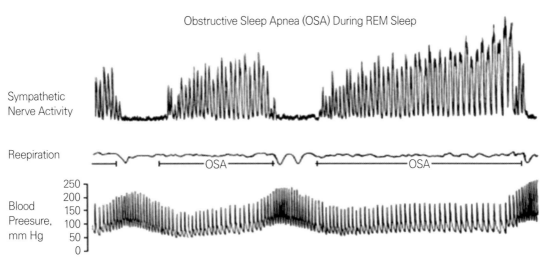

그림 23-2-4. **폐쇄수면무호흡증에서 신경-순환 변화(Neural circulatory changes in OSA)**

도하는 nitric oxide 생산을 자극한다. 혈관내피세포 기능이상은 혈관 산화 스트레스 및 염증 반응을 증가시킨다. 수면무호흡에서 혈관내피세포 의존형 혈관확장제인 nitric oxide 분비가 억제된다. 이러한 결과로 혈관이상 기능과 tumor necrosis factor-alpha (TNF-α)와 C-reactive protein (CRP) 등 염증 물질이 증가하여 또 다른 독립적인 혈관 염증을 일으키게 된다. 혈관내피 기능이상은 고혈압, 고지혈증, 당뇨병과 흡연가에서 나타난다. 수면무호흡은 비만에서와 같은 혈관내피세포 기능이상을 보인다.

3) 산화작용과 염증 반응

반복적인 무호흡은 인체내에 산화작용을 유발한다. 반복적인 저산소증에 의해 발생된 유리 산소는 염증 반응과 조직 손상을 일으킨다. 만성 수면부족은 염증성 사이토카인을 생성한다. 폐쇄수면무호흡증 환자에게 CRP, TNF-α 등 염증 매개 물질이 증가된다. 이러한 현상은 수면무호흡의 중증도와 관련이 있으며, 지속기도양압기에 의하여 감소된다.

4) 간헐적 저산소증

간헐적 저산소증은 심혈관계 질환의 시작과 진행과정에 가장 중요한 영향을 미친다. 폐쇄수면무호흡증은 간헐적 저산소증, 재산소화, 과이산화탄소증, 흉강내압 변화, 각성 반복을 유발한다. 이러한 생리적 변화는 교감신경을 활성화 시켜 혈관 수축, Catecholamine 증가, 빈맥과 부정맥을 촉발하고, 심혈관 변이성을 증가시킨다. 반복되는 간헐적 저산소증은 레닌-안지오텐신-알도스테론 체계를 활성화 시켜 고혈압을 유발한다. 폐쇄수면무호흡증 환자에게 기도양압 치료 후 증가된 알도스테론과 안지오텐신 II가 감소된다.

5) 혈전 위험성 증가

수면무호흡에서 혈소판 응집, 혈액응고인자의 활성 증가, fibrinogen 증가, 혈색소의 증가 등에 의하여 응고 작용이 증가된다. 이러한 현상으로 인하여 혈관내 혈전의 위험성이 증가된다. 아울러 수면무호흡으로 인하여 fibrinogen 증가, 혈소판 활성화 등 혈전관련 인자의 증가로 인하여 과응고 현상이 동반된다.

6) 흉강내압의 변화

수면무호흡이 발생되면 상기도를 열기 위하여 흉강 내 음압의 변화가 발생된다. 흉강 내압이 증가되는 이러한 현상은 흉강 내 심장의 심방, 심실, 대동맥의 압력을 상승시켜서 심혈관 혈류역학과 구조에 영향을 미치게 된다.

---

4 수면무호흡과 심혈관 질환

1) 수면무호흡과 고혈압

수면무호흡과 고혈압의 연관성은 여러 연구에서 정립되어 있다. 수면무호흡은 고혈압 발생의 주요 위험인자이다. Wisconsin Sleep Cohort Study는 수면무호흡과 고혈압의 발생에 대하여 4년간의 전향적 추적 연구이다. 수면무호흡의 정도에 따라 AHI 0.1-4.9인 경우 1.4배(95%, CI=1.1-1.8), AHI 5.0-14.9인 경우 2.0배(95%, CI=1.3-3.2), AHI 15 이상인 경우 2.9배(95%, CI=1.5-5.6) 높게 고혈압이 발생된다고 보고하였다.

수면무호흡 관련 고혈압의 특징은 야간에 교감신경 활성이 증가되어 혈압의 생리적인 야간수면저하(nocturnal sleep dipping)를 보이지 않는다. 저산소증에 반응한 혈관 활성 물질 등 과도한 교감신경활성의 증가로 인하여 주간에도 고혈압이 지속된다. 수면무호흡에서 주간 고혈압은 야간 고혈압의 연장선상에 있다. 수면무호흡 관련 고혈압은 알도스테론의 증가로 인하여 종종 더 심한 고혈압 또는 약물 저항성 고혈압을 보인다. 수면무호흡에서 알도스테론 증가 기전에 의한 인두 주변부 수액 증가로 인하여 상기도 폐쇄가 악화된다. Spironolactone 투여로 체중과 혈압이 감소된다. 약물에 반응이 없는 저항성 고혈압의 원인으로 잘 알려진 신장 실질이상, 일차성 알도스테로니즘, 신장혈관협착 등보다 수면무호흡질환을 먼저 고려해야 한다.

2) 수면무호흡과 동맥경화증

수면무호흡과 관상동맥질환 및 심근경색증의 연관성에 대한 다양한 연구가 있다. 폐쇄수면무호흡증 환자는 간헐적 저산소증으로 인하여 교감신경이 과도하게 활성화 되어 대사성이상과 혈관내피세포 기능이상을 초래한다. 대사성이상에 의하여 항염증, 항산화 작용, 항혈전 작용이 있는 것으로 알려진 고밀도 지질 단백질이 감소된다. 수면무호흡으로 염증 전 단계 물질의 증가와 고밀도 지질 단백질의 저하는 동맥경화증을 촉진하게 된다. 이러한 기전으로 수면무호흡질환에서 만성 관상동맥질환의 유병률을 증가시킨다. 관상동맥 동맥경화증은 수면무호흡의 중증도에 따라 경동맥 및 대동맥 질환의 발생 빈도를 높인다. 수면무호흡의 중증도는 동맥경화증과 밀접한 관계가 있음이 입증되어 있다.

3) 수면무호흡과 뇌졸중

뇌졸중 환자에게 수면무호흡은 높은 유병률을 보인다. 수면무호흡은 고혈압, 흡연, 음주, 체질량지수, 당뇨병, 고지혈증, 심방세동 등과 함께 뇌졸중 발생의 중요한 위험인자이다. 코골이 또한 뇌졸중의 독립적인 예측인자이다. 폐쇄수면무호흡증 환자의 자기공명영상 검사에서 대뇌 회백질에 구조적 이상이 관찰된다. 반복적인 대뇌 허혈 현상에 의하여 대뇌 실질의 손상을 초래한다. 수면무호흡의 뇌졸중과 관련성이 입증되고 있다. 수면무호흡의 중증도가 증가함에 따라 뇌졸중 위험도가 3-4배 이상 증가된다. 수면무호흡과 뇌졸중의 연관성은 수면무호흡이 고혈압과 심장질환을 유발하는 것과 깊은 연관이 있다.

수면무호흡이 전신염증반응, 혈관내피세포 기능이상과 교감신경계 항진으로 인하여 뇌졸중 빈도를 증가시킨다. 상기도의 강도에 영향을 미치는 뇌간이나 뇌신경을 침범하는 뇌졸중이 일어나면 기존에 있던 수면무호흡이 악화될 수 있다.

4) 수면무호흡과 심부전

심부전환자의 10-35%에서 수면무호흡을 보인다. 심부전은 중추수면무호흡에서 약 40-50%로 높게 발생되고, 폐쇄수면무호흡증에서는 약 10% 정도로 동반된다.

비만이 동반되면 유병률은 증가된다. 폐쇄수면무호흡증에서 심부전의 발생기전은 야간 교감신경계의 항진으로 설명된다. 고혈압이 발생되고 좌심실 기능이상과 좌심실 비대를 초래한다. 수면무호흡에서 사이토카인(cytokines), 카테콜라민(catecholamine), 엔도셀린(endothelin), 성장인자(growth factor) 등이 증가되어 좌심실 비대가 촉발된다. 야간 저산소증은 별개의 작용에 의하여 좌심실 이완 부전, 심심벽 자극 등을 통하여 좌심실 비대를 일으킨다. 수면무호흡에 의하여 발생된 저산소증은 폐혈관을 수축시켜 폐동맥 혈압을 증가시킨다. 폐동맥 고혈압은 우심실 부전의 원인이 된다.

5) 수면무호흡과 허혈성 심장병

수면무호흡은 관상동맥질환의 독립적인 위험인자이다. 관상동맥질환에서 수면무호흡이 동반되면 나쁜 예후를 보인다. 수면무호흡이 있는 경우 야간에 돌연사가 증가된다. 수면무호흡은 ST 분절 하강이 있는 야간 협심증을 유발한다. 저산소증, 이산화탄소 저류, 산화증, 교감신경활성과 고혈압 등에 의한 심장 허혈 때문이라고 추정된다. 야간 협심증은 지속기도양압기로 성공적으로 호전된다. 수면무호흡의 심혈관질환의 위험성에 대한 약 52개 국가에서 진행된 대규모 연구로 INTERHEART 연구에서 심근경색증 발생과 의미있는 상관관계가 입증되었다. 수면무호흡을 치료함으로서 심장질환 발생을 줄일 수 있음을 시사한다.

6) 수면무호흡과 부정맥

수면무호흡에서 심장박동의 전형적인 주기변화를 보인다. 수면무호흡에서 심장박동은 감소되다가 무호흡이 끝나면 다시 증가된다. 심장박동의 주기변화는 교감신경과 부교감신경의 주기적 활성화와 관련있다. 수면무호흡에서 심장박동의 주기변화는 진성 부정맥이 아니라 정상 범위내의 변화이다.

그럼에도 불구하고 심방세동과 심실 부정맥 등은 폐쇄수면무호흡증 환자에게 흔하다. 부정맥 종류는 서맥, 심방세동, 조기심실수축, 심실빈맥 등으로 나타난다. 서맥은 수면무호흡에서 가장 흔한 부정맥이다. 미주신경과 관련된 동성 서맥은 무호흡과 저산소증에 대한 생리적 반응이다. 동성 서맥과 말초 혈관 수축은 '잠수효과(diving reflex)'로 나타난다.

부정맥은 폐쇄수면무호흡증 환자의 급사와 연관이 있다. 약 50%의 폐쇄수면무호흡증 환자는 야간에 부정맥을 보인다. 무호흡 지수가 높거나 저산소증의 정도가 심할수록 야간 부정맥 빈도는 증가된다.

5 수면무호흡에 동반된 심혈관 부작용에 대한 치료 효과

수면무호흡의 치료는 심혈관 부작용에 대한 증상과 위험성을 감소시킨다. 가장 표준적인 치료인 지속기도양압기가 심혈관 부작용을 예방할 수 있다. 수면무호흡의 일반적인 치료로 생활양식의 변화도 심혈관질환의 위험을 감소시킨다. 음주, 흡연, 각성약물을 줄이고 신체활동을 증가시켜 심혈관 질환을 예방할 수 있다.

치료되지 않은 심한 수면무호흡의 경우 고혈압이나 흡연보다 더 높은 심혈관 질환의 발생 위험성을 증가시킨다. 반대로 수면무호흡을 치료 하였을 경우 심혈관질환 발생 위험성을 낮추고 생존율이 증가된다.

1) 고혈압에 대한 효과

기도양압으로 수면무호흡을 치료하면 교감신경활성을 감소시키고 저산소증을 호전시켜 혈압이 감소된다. 지속기도양압기 효과는 사용시간에 비례하여 나타난다. 하루 밤 5시간 이상의 규칙적인 지속기도양압기는 수축기 및 이완기 혈압을 감소시킨다. 심한 폐쇄수면무호흡증 환자에게 나타나는 저항성 고혈압에서 지속기도양압기는 효과적이다. 고혈압은 흔한 질환이고 수면무호흡과 동반될 수 있기 때문에 모든 환자에게 적동되지 않을 수 있어 지속기도양압기 효과에 대한 해석에 주의해야 한다. 그럼에도 불구하고 고혈압 조절에 앞서 원인을 찾기 위하여 수면무호흡 질환의 감별 진단은 첫 번째 고려사항이다.

2) 심혈관계 위험과 사망률

수면무호흡과 심혈관계 질환의 연관성은 오랫동안 연구되어 입증되었다. 즉 중증의 폐쇄수면무호흡증 환자가 치료를 받지 않았을 경우에 치명적인 심혈관계 합병증이 발생될 가능성이 건강성인에 비하여 2.87배 증가한다. 반면에 지속기도양압기를 하였을 경우, 심혈관계 합병증은 감소된다. 심부전이 동반된 중증의 수면무호흡의 경우 사망률이 증가된다. 기도양압에 의한 수면무호흡 질환의 치료가 심혈관계 질환의 위험을 감소시킨다. 심혈관계 질환이 있을 때 수면무호흡의 동반 유무를 확인하여 조기에 근본적이 원인 질환인 수면무호흡에 대한 진단과 치료를 시도 해 보는 것은 필수적인 단계이다.

▶ 참고문헌

• Buchner NJ, Sanner BM, Borgel J, et al. Continuous positive airway pressure treatment of mild to moderate obstructive sleep apnea reduces cardiovascular risk. Am J Respir Crit Care Med 2007;176:1274–80.

• Chobanian AV, Bakris GL, Black HR, et al. The seventh report of the Joint National Committee on prevention, detection, evaluation, and treatment of high blood pressure: the JNC 7 report. JAMA 2003;289:2560–72.

• Dhillon S, Chung SA, Fargher T, et al. Sleep apnea, hypertension, and the effects of continuous positive airway pressure. Am J Hypertens 2005;18:594–600.

• Floras JS. Sleep apnea and cardiovascular risk. J Cardiol 2014;63:3–8.

• Gami AS, Howard DE, Olson EJ, et al. Day–night pattern of sudden death in obstructive sleep apnea. N Engl J Med 2005;24:352,1206–14.

• Gami AS, Olson EJ, Shen WK, et al. Obstructive sleep apnea and the risk of sudden cardiac death: a longitudinal study of 10,701 adults. J Am Coll Cardiol 2013;62:610–6.

• Hung J, Whitford EG, Parsons RW, et al. OSA major risk for myocardial infarction. Lancet 1990;336:261–4.

• Marin JM, Carrizo SJ, Vicente E, et al. Long–term cardiovascular outcomes in men with obstructive sleep apnoea–hypopnoea with or without treatment with continuous positive airway pressure: an observational study. Lancet 2005;365:1046–53.

• Marin JM, Carrizo SJ, Vicente E, et al. Long–term cardiovascular outcomes in men with obstructive sleep apnoea–hypopnoea with or without treatment with continuous positive airway pressure: an observational study. Lancet 2005;365:1046–53.

• Mooe T, Franklin KA, Holmström K, et al. Sleep disordered breathing and coronary artery disease: long–term prognosis. Am J Respir Crit Care Med 2001;164:1910–3.

• Peppard PE, Young T, Palta M, et al. Prospective study of the association between sleep–disordered breathing and hypertention. N Engl J Med 2000;342:1378–84.

• Redline S, Foody J. Sleep disturbances: time to join the top 10 potentially modifiable cardiovascular risk factors? Circulation 2011;124:2049–51.

• Somers VK, Dyken ME, Clary MP, et al. Sympathetic neural mechanisms in obstructive sleep apnea. J Clin Invest 1995;96:1897–904.

• Somers VK, White DP, Amin R, et al. Sleep apnea and cardiovascular disease: an American Heart Association/american College Of Cardiology Foundation Scientific Statement from the American Heart Association Council for High Blood Pressure Research Professional Education Committee, Council on Clinical Cardiology, Stroke Council, and Council On Cardiovascular Nursing. In collaboration with the National Heart, Lung, and Blood Institute National Center on Sleep Disorders Research (National Institutes of Health). Circulation 2008;118:1080–111.

• Sorajja D, Gami AS, Somers VK, et al. Independent association between obstructive sleep apnea and subclinical coronary artery disease. Chest 2008;133:927–33.

• Young T, Finn L, Peppard PE, et al. Sleep disordered breathing and mortality: eighteen–year follow–up of the Wisconsin sleep cohort. Sleep 2008;31:1071–8.

• Yusuf S, Hawken S, Ounpuu S, et al. Effect of potentially modifiable risk factors associated with myocardial infarction in 52 countries (the INTERHEART study): case–control study. Lancet 2004;364:937–52.

03 수면과 대사증후군

조영재

매일 밤 충분한 수면을 취하는 것은 인간 건강을 위한 기본 요건이지만, 대사 항상성을 유지하는데 있어 수면의 기능은 아직 완전히 밝혀지지 않았다. 인구의 고령화와 함께 수면을 선호하지 않고 과체중 및 비만에 기여하는 현대의 생활 방식 중 많은 요인들이 실제 수면장애 유병률 증가와 관련이 되고 있다. 이에 지난 20년 동안, 심혈관 대사 요인에 해당하는 비만, 고혈압, 이상지질혈증, 고혈당 등이 부적절한 수면 및 수면장애에 미치는 역할에 대한 연구가 꾸준히 증가하였다. 이번 장에서는 (1) 여러 수면장애와 대사증후군과의 관련성에 대한 역학적 증거, (2) 수면장애로 인해 대사 조절이 악화되는 잠재적 기전, (3) 수면을 개선하고 대사증후군을 잠재적으로 개선하기 위한 중재에 대해 알아보고자 하였다.

1 정의 및 유병률

심혈관 질환 발생률과 총 사망률을 25% 증가시키고, 향후 당뇨병 발생 위험도를 2배 증가시키는 등 심혈관질환의 발생 과정에 매우 중요한 대사증후군은 NCEP-ATP III 개정안 및 대한비만학회에서 제시한 복부 비만의 허리둘레 기준에 근거하여 다음에 제시된 5개 항목들 중에서 3개 이상을 가지고 있는 경우로 정의된다.

1) 허리둘레: 남자 >= 90 cm, 여자 >= 85 cm
2) 중성지방 >= 150 mg/dL
3) 고밀도지단백 콜레스테롤: 남자 < 40 mg/dL, 여자 < 50 mg/dL
4) 혈압 >= 130/85 mmHg
5) 공복혈당 >= 100 mm/dL

최근 12년간 대사증후군의 유병률은 증가하는 추세이며, 특히, 20-40대 남자에서 꾸준히 증가하였고, 대사증후군 진단기준 항목 중 복부비만, 고혈압, 고혈당의 유병률이 증가하였다. 또한 소득과 교육 수준이 낮을수록 흡연자, 고위험음주자, 규칙적인 운동을 하지 않는 자에서도 대사증후군 유병률이 높았다.

2 수면 시간, 하루주기리듬장애와 대사증후군

인구집단 수준에 해당하는, 2013년에서 2014년까지 미국의 NHANES 데이터를 사용한 연구에서 수면 시간과 대사증후군의 연관성을 조사했는데 밤에 7시간에서 7.5시간을 자는 사람들에서 가장 낮은 대사증후군의 위험을 보였다. 수면 시간과 대사증후군 사이의 U자형 연관성에서 7시간 미만 또는 7시간 이상의 수면은 7시간 수면보다 위험이 더 높았고 5시간 또는 9시간 수면은 서로 유사한 위험을 보였다.

정상적인 명암 주기를 벗어나서 수면 및 식사를 하는 경우 중심 시계와 위상이 맞지 않게 되고 하루주기리듬 장애가 발생하는데, 이는 포도당 조절 장애 및 염증 마커 증가와 관련이 있고, 장기간의 하루주기리듬장애가 이어지게 되면 체질량지수, 당뇨병, 심혈관 질환 및 뇌졸중의 위험이 증가한다고 알려져 있다. 크로노타입 (Chronotype), 사회적 요구, 근무 스케줄 등은 하루주기 시스템에 영향을 미치고 리듬 장애를 일으키는 요인인데, 크로노타입은 선호하는 취침 시간과 최고 성능에서 나타나는 하루주기의 정상적인 변동으로 이른(아침), 중간 및 늦은(저녁) 유형으로 구분된다. 대사증후군과 관련해서는 저녁형이 과체중 및 당뇨병과 관련이 있다고 알려져 있다.

사회적 시차증(Social jet lag)은 사회적 요구로 인해 발생하는 개인의 하루주기리듬과 실제 수면 및 기상 시간 사이의 불일치를 뜻하는데, 대개는 근무 스케줄과 관련이 있다. 61세 미만 인구집단 기반 코호트 연구를 통해 2시간 이상의 사회적 시차가 성별, 고용 상태, 학력 수준을 보정 후에도 대사증후군 및 당뇨병/당뇨병 전 단계의 유병률과 관련이 있다고 알려진 바 있다(유병률 및 95% CI: 2.13, 1.3-3.4/1.75, 1.2-2.5).

교대근무는 낮에는 자고 밤에는 식사를 하는 것과 함께 수면 시간이 충분하지 않은 경우가 많으며 하루주기리듬을 극단적으로 변화시키게 된다. 사회 구조의 변화에 따라 교대근무자도 사회 구성원의 상당수를 차지하고 있는데 늦은 저녁, 한밤중에 식사를 하게 되면 포만감을 주는 순환 렙틴 수치가 평상시, 정상보다 낮을 때 음식 섭취가 발생하게 되고 이는 고지방, 칼로리 밀도가 높은 음식을 과식하게 하여 포도당 내성과 인슐린 민감성을 손상시킬 수 있다.

3 불면증과 대사증후군

불면증은 가장 흔한 수면장애 중 하나이며, 충분한 수면 기회에도 불구하고 잠들기 어렵거나, 잠을 잘 자지 못해, 수면의 질이 떨어지고, 주간 기능 장애가 발생하는 것을 특징으로 한다.

여러 단면 연구에서 불면증과 대사증후군 사이의 중요한 연관성이 확인되었다. 스웨덴에서 830명의 중년 (50-64세)을 대상으로 불면증과 대사증후군 사이의 관계를 평가한 결과 12.4%가 불면증을 가지고 있었고, 이는 수면 시간 및 의사가 진단한 수면무호흡을 보정했음에도 불구하고 불면증은 독립적인 대사증후군의 위험인자였다. 유사하게, 불면증이 있는 사람은 그렇지 않은 사람보다 대사증후군의 요인 중에서 복부 둘레가 길었고, 고밀도지단백 콜레스테롤은 낮았으며 중성지방은 높은 경향을 보였다.

또 다른 연구에서 특정 불면증 증상(예: 수면 시작 어려움, 수면유지 어려움, 이른 아침 기상)과 대사증후군 사이의 관계를 조사했는데, 수면 시작 및 유지 모두에서 어려움이 있었던 것과 대사증후군은 관련이 있었고(OR 1.24, 95% CI, 1.01-1.51; OR 1.28, 95% CI, 1.02-1.61), 이는 수면 시간을 제어한 결과였다.

불면증과 대사증후군 사이의 관계에서 성별과 연령 차이를 조사한 연구에서는 상반된 결과를 보고한 바 있다. 중국 성인(N = 8,017)대상 연구에서 불면증과 대사증후군 사이의 유의한 연관성은 남성(OR 1.36; 95%CI, 1.02-1.77) 및 중년 성인(OR 1.40, 95%CI, 1.09-1.79)에서만 관찰되었고, 여성이나 40세 미만 또는 60세 이상 성인에서는 유의한 연관성이 없었다. 주요 우울 삽화(N = 624)가 있는 프랑스 성인(18-65세)에 대한 연구에서도 심한 불면증이 대사증후군의 유병률을 증가시켰는가 하면, 폐경 후 에콰도르 여성(N = 204, 평균 연령 56세)에 대한 연구에서는 불면증과 대사증후군 또는 그 구성 요소와는 유의한 관련성이 없기도 하였다. 이탈리아 경찰 242명(평균 연령 36세)을 표본으로 약 5년이라는 긴 시간 동안 관찰을 했던 다른 연구에서는 초기에 불면증이 있던 환자들은 수면 시간, 주간과다수면 및 수면 만족도를 통제한 후에도 불구하고 대사증후군의 유병률이 높아짐을 확인할 수 있었다(OR 11.04; 95% CI, 2.57–42.49). 보다 구체적으로, 불면증은 복부 비만(OR 5.83, 95% CI, 1.34–25.45) 및 낮은 고밀도지단백 콜레스테롤(OR 6.97, 95% CI, 1.06–45.99)과 주로 관련이 있었다.

4 폐쇄수면무호흡증과 대사증후군

가장 흔한 수면관련호흡장애인 폐쇄수면무호흡증은 수면 중 상부 기도 폐쇄의 전체 또는 부분이 반복적으로 발생하여 저산소증 및 빈번한 각성을 유발하는 것이 특징인 질환으로 수면 중 호흡 정지, 코 골이, 숨이 막히거나 숨이 헐떡거림, 빈번한 각성, 아침두통, 주간과다수면 등이 있다. 폐쇄수면무호흡증의 위험은 나이가 들고 체중이 증가할수록 증가하며 일반적으로 병적 비만이 있는 사람에게서 더 만연하고 심각한 것으로 잘 알려져 있다.

폐쇄수면무호흡증과 내장 지방 및 대사증후군에서 이들의 연결된 공통의 연관성을 찾는 상당한 연구들이 있었고, 임상적으로 폐쇄수면무호흡증이 있는 사람들은 체중이 증가하고 감량에 어려움을 겪을 가능성이 더 높을 수 있으며, 호흡장애로 인한 저산소증–재산소화가 반복되면서 밤새 수면이 중단된다. 결국 이것이 스트레스와 관련된 신경 체액 활성화로 이어질 수 있으며 동물 실험에서도 폐쇄수면무호흡증에서 대사 조절 장애가 발생하는 잠재적 경로가 알려진 바 있다. 반복되는 저산소증–재산소화 주기는 다양한 장기와 지방 조직에 영향을 미치며, 이러한 지방 조직의 기능적 장애가 폐쇄수면무호흡증 환자에서 대사증후군 발병에 중요한 역할을 한다.

대사증후군과 폐쇄수면무호흡증이 함께 동반되는 것은 이미 여러 연구에서 확인된 바 있다. 한 수면 클리닉에서 평가된 228명의 환자에 대한 연구에서 폐쇄수면무

호흡증 환자 146명 중 60%가 대사증후군을 가지고 있었고 무호흡지수 30 이상의 심각한 폐쇄수면무호흡증이 있는 환자 대상 연구에서는 특히 주간과다수면이 있는 경우 대사증후군의 동반 비율이 훨씬 더 높게 나타났다(78.2% vs. 28.6%). 10건의 문헌을 검토한 또다른 메타 분석에서는 폐쇄수면무호흡증과 대사증후군 요인 변수 간의 연관성을 조사했는데(N = 5, 2053), 수면무호흡증이 있는 환자에서 대사증후군 구성요소 값이 유의하게 더 나쁘게 나타났다(높은 수축기 혈압, 낮은 고밀도지단백 및 높은 저밀도지단백).

또다른 최근 연구 결과에 따르면 폐쇄수면무호흡증과 불면증이 모두 대사증후군과 동반된다는 연구결과들도 있지만 불면증보다는 폐쇄수면무호흡증을 포함한 수면관련호흡장애가 대사증후군과는 더 강하게 연관되어 있다.

5 대사증후군과 관련된 수면 평가

수면은 건강을 유지하는 데 필수적인 부분이기 때문에 대사증후군 환자를 진료할 때 일상적인 평가의 일부가 되어야 하고 그러한 평가에는 수면 건강에 필수적인 요소와 일반적인 수면장애의 징후/증상을 모두 포함해야 한다. 특히, 수면 건강을 특징짓는 5가지 요소인 수면의 질, 각성 정도, 수면 시간, 수면효율성 및 수면 시간의 만족도가 여기에 포함된다. 수면장애는 대사증후군이 있는 환자에게 높은 유병률을 보이므로 불면증의 수면장애, 하루주기리듬장애 및 폐쇄수면무호흡증의 증상에 대한 정보를 이끌어내기 위해 집중적인 질문을 하는 것이 특히 중요하다.

잠재적인 수면 문제를 선별하기 위한 검증된 자가 질문 도구들이 있는데 주관적인 졸음을 평가하기 위해 사용되는 Epworth Sleepiness Scale, 폐쇄수면무호흡증의 위험을 평가하는 데 사용할 수 있는 두 가지 설문지인 Berlin Questionnaire, STOP–BANG questionnaire, 불면증 중증도를 평가하는 Insomnia Severity Index 등이

해당된다.

대사증후군을 치료하는 많은 약물은 불면증 증상을 악화시키거나 체중을 증가시키기도 하고 폐쇄수면무호흡증을 악화시켜 오히려 수면에 부정적인 영향을 미칠 수 있다. 따라서 대사증후군 환자에게 처방된 모든 약물이 수면에 의도하지 않은 영향을 미치지 않는지 신중하게 검토되어야 한다.

이 장에서는 수면장애와 대사증후군의 발병 및 중증도 간의 관계에 대한 증거들을 살펴보고 수면 및 대사증후군에 대한 효과적인 중재에 대해 논의하였다. 여러 연구에 따르면 정상적인 수면 시간과는 U자형 연관성이 있고 밤에 약 7시간 수면을 취하는 사람들이 대사증후군에 대한 가장 낮은 위험을 보여주었다. 불면증은 다양한 집단에서 대사증후군의 위험을 독립적으로 증가시키는데, 일부 연구에서는 연령과 성별에 따라 일관되지 않은 결과를 보여주기도 했지만 대사증후군을 가진 사람에서 하루주기리듬장애는 손상된 포도당 조절 및 증가된 염증 마커와 관련되어 심혈관 질환의 위험을 증가시킬 수 있다. 특히 폐쇄수면무호흡증은 대사증후군과 가장 밀접하게 연관되어 있는데, 여러 연구에서 대사증후군의 구성 요소인 내장 비만이 폐쇄수면무호흡증 위험 증가에 기여할 수 있고, 반대로 폐쇄수면무호흡증 환자에서의 주간과다수면이 대사증후군을 악화시키는 결과를 초래할 수 있다. 끝으로, 수면을 개선하기 위한 효과적인 개입에는 좋은 수면위생, 체중 감량 프로그램, 제한된 식사 시간 및 설탕 소비, 불면증 인지행동치료 및 폐쇄수면무호흡증에서의 기도양압이 포함되며, 수면장애와 대사증후군 사이의 지금까지 살펴본 중요한 연관성을 바탕으로 하였을 때, 수면을 개선시키기 이러한 다양한 치료가 대사증후군에 긍정적인 영향을 미칠 것이다.

▶ 참고문헌

- Akbaraly TN, Jaussent I, Besset A, et al. Sleep complaints and metabolic syndrome in an elderly population: The Three-City Study. Am J Geriatr Psychiatry 2015;23:818-28.
- Anothaisintawee T, Lertrattananon D, Thamakaison S, et al. Later chronotype is associated with higher hemoglobin A1c in prediabetes patients. Chronobiol Int 2017;34:393-402.
- Bae SA, Fang MZ, Rustgi V, et al. At the interface of lifestyle, behavior, and circadian rhythms: metabolic implications. Front Nutr 2019;6:132.
- Bastien CH, Vallieres A, Morin CM. Validation of the Insomnia Severity Index as an outcome measure for insomnia research. Sleep Med 2001;2:297-307.
- Buysse DJ. Sleep health: can we define it? Does it matter? Sleep 2014;37:9-17.
- Cappuccio FP, Cooper D, D'Elia L, et al. Sleep duration predicts cardiovascular outcomes: a systematic review and meta-analysis of prospective studies. Eur Heart J 2011;32:1484-92.
- Chasens ER, Imes CC, Kariuki JK, et al. Sleep and metabolic syndrome. Nurs Clin N Am 2021;56:203-17.
- Chung F, Abdullah HR, Liao P. STOP-Bang Questionnaire: a practical approach to screen for obstructive sleep apnea. Chest 2016;149:631-8.
- Costemale-Lacoste JF, Asmar KE, Rigal A, et al. Severe insomnia is associated with metabolic syndrome in women over 50 years with major depression treated in psychiatry settings: a METADAP report. J Affect Disord 2020;264:513-8.
- Garbarino S, Magnavita N. Sleep problems are a strong predictor of stress related metabolic changes in police officers. a prospective study. PLoS One 2019;14:e0224259.
- Harvard News Letter. Medications that can affect sleep. Available from: https://www.health.harvard.edu/newsletter_article/medications-that-can-affect-sleep.
- Hirode G, Wong RJ. Trends in the prevalence of metabolic syndrome in the United States, 2011-2016. JAMA 2020;323:2526-8.
- Hirshkowitz M, Whiton K, Albert SM, et al. National Sleep Foundation's sleep time duration recommendations: methodology and results summary. Sleep Health 2015;1:40-3.
- Huang JF, Chen LD, Lin QC, et al. The relationship between excessive daytime sleepiness and metabolic syndrome in severe obstructive sleep apnea syndrome. Clin Respir J 2016;10:714-21.
- Huh JH, Kang DR, Kim JY, et al. Metabolic syndrome fact sheet in Korea 2021: executive report. Cardiometab Syndr J 2021;1:125-34.
- James SM, Honn KA, Gaddameedhi S, et al. Shift work: disrupted

circadian rhythms and sleep–implications for health and wellbeing. Curr Sleep Med Rep 2017;3:104-12.

- Jehan S, Zizi F, Pandi–Perumal SR, et al. Obstructive sleep apnea and obesity: Implications for public health. Sleep Med Disord 2017;1:00019.

- Johns MW. A new method for measuring daytime sleepiness: The Epworth Sleepiness Scale. Sleep 1991;14:540-5.

- Kim J, Pyo SS, Woon DW. Obesity, Obstructive Sleep Apnea, and Metabolic Dysfunction. Korean J Clin Lab Sci 2021;53:285-95.

- Kline CE, Burke LE, Sereika SM, et al. Bidirectional relationships between weight change and sleep apnea in a behavioral weight loss intervention. Mayo Clin Proc 2018;93:1290-8.

- Kong DL, Qin Z, Wang W, et al. Association between obstructive sleep apnea and metabolic syndrome: a meta–analysis. Clin Invest Med 2016;39:E161-72.

- Lee W, Nagubadi S, Kryger MH, et al. Epidemiology of obstructive sleep apnea: a population–based perspective. Expert Rev Respir Med 2008;2:349-64.

- Lin SC, Sun CA, You SL, et al. The link of self–reported insomnia symptoms and sleep duration with metabolic syndrome: a Chinese population–based study. Sleep 2016;39:1261-6.

- Moore JX, Chaudhary N, Akinyemiju T. Metabolic syndrome prevalence by race/ethnicity and sex in the United States, National Health and Nutrition Examination Survey, 1988–2012. Prev Chronic Dis 2017;14:E24.

- Netzer NC, Stoohs RA, Netzer CM, et al. Using the Berlin Questionnaire to identify patients at risk for the sleep apnea syndrome. Ann Intern Med 1999;131:485-91.

- Parish JM, Adam T, Facchiano L. Relationship of metabolic syndrome and obstructive sleep apnea. J Clin Sleep Med 2007;3:467-72.

- Smiley A, King D, Bidulescu A. The association between sleep duration and metabolic syndrome: The NHANES 2013/2014. Nutrients 2019;11:2582.

- Syauqy A, Hsu CY, Rau HH, et al. Association of sleep duration and insomnia symptoms with components of metabolic syndrome and inflammation in middle–aged and older adults with metabolic syndrome in Taiwan. Nutrients 2019;11:1848.

- Troxel WM, Buysse DJ, Matthews KA, et al. Sleep symptoms predict the development of the metabolic syndrome. Sleep 2010;33:1633-40.

- Wang Y, Jiang T, Wang X, et al. Association between insomnia and metabolic syndrome in a Chinese Han population: a cross–sectional study. Sci Rep 2017;7:10893.

- Whinnery J, Jackson N, Rattanaumpawan P, et al. Short and long sleep duration associated with race/ethnicity, sociodemographics, and socioeconomic position. Sleep 2014;37:601-11.

- Wilcox I, McNamara SG, Collins FL, et al. "Syndrome Z": The interaction of sleep apnoea, vascular risk factors and heart disease. Thorax 1998;53 Suppl 3:S25-8.

- Wong PM, Hasler BP, Kamarck TW, et al. Social jetlag, chronotype, and cardiometabolic risk. J Clin Endocrinol Metab 2015;100:4612-20.

- Zou D, Wennman H, Hedner J, et al. Insomnia is associated with metabolic syndrome in a middle–aged population: the SCAPIS pilot cohort. Eur J Prev Cardiol 2020;28:e26-8.

PART
5

수면장애 관련 의학적 질환

04 암과 수면

정석훈

암을 진단받고 치료하는 것은 극심한 스트레스를 유발하는 과정이다. 암이 의심되어 검사를 진행하고 결과를 기다리고 진단을 받는 것뿐 아니라, 수술 후 외양에 변화가 생기고 신체 기능이 저하 되며, 암 치료 과정에서 피로감, 구역과 구토 및 식욕저하, 탈모, 인지기능저하, 항암으로 인한 말초 신경병증 등이 발생하는데, 이는 환자들의 삶의 질을 저하시키는 원인이 된다. 또한 사회 기능 및 직업 기능 저하가 동반되어 치료 후 일상으로의 복귀에도 지장이 발생하고, 가족 내 지지, 갈등 상황, 경제적 어려움, 여생에 대한 고민까지 복합적으로 어려움이 따른다. 이 과정에서 환자들은 극심한 불안감과 우울감, 불면증 등의 심리적 디스트레스를 호소하게 된다. 그러나 이러한 다양한 디스트레스 중 환자의 불면증 및 수면장애의 임상적 중요성은 상대적으로 간과된 측면이 있다. 특히 암 치료를 전문으로 하는 전문가들과 수면 전문가들 사이의 접점이 그리 많지 않다보니 암 환자의 불면증 및 수면장애에 대한 전문적 접근이 쉽지 않았다.

불면증 및 수면장애는 암 환자의 삶의 질을 저하시키는 매우 흔한 증상임에도 이에 대한 인식은 부족한 편이다. 우울증의 경우, 과거에는 암 환자에서 당연히 발생하는 것으로 간과되다가 우울증에 대한 적절한 치료가 암 치료에 대한 순응도를 높여 생존율을 증가시킨다는 것이 알려지면서 적극적 치료를 하는 쪽으로 인식의 전환이 이뤄진 바 있다. 불면증 역시 적절히 치료되지 않으면 조건화된 과각성 상태와 잘못된 수면 습관의 문제, 수면에 대한 인지왜곡 등으로 인하여 고착화되고 만성화되며 다른 정신적, 신체적 건강문제로 이어질 수 있어, 암 환자의 불면증 혹은 수면장애를 적절히 평가하고 치료하는 것에 대한 인식의 전환이 필요하다. 또한, 수면 습관을 교정하고 수면에 대한 잘못된 믿음을 교정하는 인지행동치료를 우선적으로 실시하는 것이 수면제 처방보다 우선시되어야 하나, 실제 임상에서 다수의 암 환자들은 이러한 도움을 얻지 못하는 경우가 많은 것이 현실이다. 수면제는 불면증을 빠른 시간에 효과적으로 해결할 수 있는 방법이지만, 낙상 및 섬망, 남용 및 의존의 문제가 발생할 수 있고, 수면제 복용에 대한 정확한 지침 없이는 수면제를 복용해도 기대한 만큼의 효과를 얻지 못하는 경우도 잦다. 따라서 암 환자들이 올바른 수면습관을 갖도록 하는 교육프로그램, 그리고 수면제 처방에 대한 지침의 개발 및 전파가 시급하다. 고령화 사회로 접어들수록 암에 대한 사회적 관심은 늘어날 것이고, 암 생존자에 대한 호스피스 완화 의료 확대로 불면증에 대한 관심이 증가할 것임은 자명하므로, 수면 전문가들이 암 환자의 불면증 및 수면장애에 대한 적절한 진단 및 치료 전략을 수립해 나가는 것은 매우 중요한 일이라 할 수 있다.

1 암 환자에서의 수면의 특징
- Two process model의 암 환자에의 적용

하루주기리듬은 하루 중 변화하는 신체의 리듬을 말한다. 상시각교차핵(suprachiasmatic nucleus)에서 수면-각성주기, 체온, 호르몬 생성 및 분비와 관련된 하루주기리듬을 조절하는데, 이를 조절하는 가장 강력한 외부 자극(zeitgeber)이 빛이다. 그 외에도 식사 및 근무 시간, 신체 활동, 체온 등도 신체리듬 조절에 영향을 준다. 또한, 항상성이란 신체 상태를 안정적이고 일정하게 유지하려는 특성을 말하는데, 활동을 통해 각성상태가 지속 될수록 수면에 대한 압박이 증가한다. 수면각성 기전을 설명하는 two process model은 이렇듯 내재되어 있는 하루주기리듬(circadian rhythm, process C)과 각성 시간에 따른 수면 항상성(homeostatic process, process S)의 상호작용으로 수면각성이 이뤄진다는 이론이다. 즉 잠이 오는 시기는 하루주기리듬 상 어느 정도 정해져 있는데(process C), 낮 동안 각성 상태를 지속적으로 유지하면 수면에 대한 압박이 증가하게 되고(process S), 이 두 가지 요소가 조화롭게 작동하여야 잠이 들 수 있다는 의미이다. 암 환자들에게는 이 두 기전의 불균형이 자주 관찰된다. 항암치료 중에는 수면각성리듬이 깨지는 경우가 잦고, 이는 하루주기리듬을 반영하는 코티솔이나 멜라토닌의 불규칙적인 분비를 통해서도 확인할 수 있다. 또한 암 환자들은 낮 동안의 피로감 때문에 활동량이 저하되는 경우가 흔하며, 이는 수면의 질 저하와 직결된다.

2 암 환자에서 관찰되는 불면장애 및 수면 장애

불면장애는 암 환자에서 흔히 호소하는 증상이다. 불면증은 일시적으로 발생할 수도 있지만, 때로는 3개월 이상 잠 들기 어렵거나 중간에 자주 깨거나 일찍 깨는 등의 증상이 지속되는 만성불면장애로 이어지기도 한다. 전체 암 환자의 대략 59~79% 정도의 범위에서 보고되고 있으며, 암종별, 병기, 치료법, 또는 조사 시점 등에 따라 다양하다. 암 치료 과정 중에는 평상시의 생활습관이 잘 지켜지지 않는 경우가 많다. 수술이나 항암치료 이후 신체적으로도 힘들고 쉽게 피로를 느껴 자주 누워서 쉬게 되고, 밤낮이 바뀌어 밤에 잠을 잘 이루지 못하는 경우가 많다. 수면제는 환자의 불면증을 매우 효과적이고 쉽게 해결하는 방법이기는 하지만, 인지행동치료의 형태로 진행되는 불면증 비약물적요법은 효과가 장기간 지속되고 수면제로부터 자유로울 수 있다는 장점이 있다. 특히 암 환자들은 많은 전신 상태도 좋지 않기 때문에 수면제 처방 전 불면증 인지행동치료를 우선적으로 실시하는 것이 바람직하다.

1) 불면증 3-P 모델의 암 환자에의 적용

불면증의 만성화 과정을 3-P 모델로 설명하는데, 이는 불면증에 취약한 성격적 특성이나 연령, 기저 질환 등의 소인적 요인(predisposing factor)을 갖고 있는 사람이, 촉발요인(precipitating factor)에 의하여 급성 불면증이 발생하고, 수면과 관련된 과도한 불안감, 부적응적인 수면습관과 같은 지속요인(perpetuating factor)에 의하여 만성화된다는 이론이다. 불면증 인지행동치료시 지속요인을 해결하는 것이 주 타겟이 된다. 여기에는 부적응적인 수면습관(침대에서 많은 시간을 보내는 것, 불규칙적인 수면패턴 등)과 불면증에 대한 역기능적인 생각(잠을 못 자는 것에 대한 지나친 두려움, 불면증으로 인해 건강이 악화될 것이라는 생각 등)이 포함된다. 이 모델을 암 환자에게 적용하면, 암 진단 및 치료 과정에서의 정신적인 디스트레스, 암 관련 신체 증상, 수술

표 23-4-1. 암 환자의 만성불면장애를 설명하는 3-P 모델

소인적 요인 (Predisposing factors)	나이 여성 가족력 의학적 동반질환 과각성 성향 정신과적 장애
촉발요인 (Precipitating factor)	암 진단 관련 스트레스, 정신과적 증상 암 관련 증상 (통증, 피로감, 갱년기증후군 증상) 수술 및 입원 방사선치료 항암 치료 항호르몬 치료 스테로이드 사용 특정 약물
지속요인 (Perpetuating factor)	피로감으로 인한 낮잠 침상에 오래 누워있음 불규칙한 수면-각성주기 수면을 방해하는 행동들 (침실에서 TV 시청 등) 비현실적인 수면에 관한 기대감 수면에 대한 잘못된 믿음 침실에서의 과도한 걱정

및 입원, 항암요법, 방사선요법, 항호르몬요법 등의 부작용 등이 촉발요인으로 작용한다(표 23-4-1). 따라서 지속요인뿐만 아니라 촉발요인을 제거하는 것도 매우 중요한 과제가 된다. 예를 들어 통증때문에 불면증이 발생하였다면 수면제 처방보다는 통증 조절을 우선시 하여야겠고, 항호르몬 요법으로 인한 갱년기 증후군 증상으로, 안면홍조 및 야간 발한이 나타나 불면증이 발생한 경우라면 세로토닌 노르에피네프린 재흡수 차단제(serotonin norepinephrine reuptake inhibitor, SNRI) 등의 항우울제나 gabapentin을 사용해 증상 경감을 우선적으로 고려해야 한다. 물론 모든 촉발요인이 교정 가능한 것은 아니다. 그러나 교정 가능한 요인들을 우선적으로 해결하는 것이 수면제의 불필요한 사용을 줄일 수 있다.

2) 암 환자의 불면증과 관련된 정신과적, 내과적 질환

(1) 주요우울장애

우울증은 의욕이 저하되며 무기력하고 삶에 흥미가 저하되는 등의 증상과 함께 집중력 저하와 식욕저하, 자살 생각이 동반되는 정신장애이다. 또한, 주요우울장애는 암 환자에서 불면증을 유발하는 흔한 원인이기도 하다. 우울증이 있는 경우 잠드는데 시간이 많이 걸리고, 중간에 자주 깨고, 꿈이 많아지는 것을 호소한다. 과거에는 삼환계 항우울제(tricyclic antidepressant, TCA)가 항우울제로 흔히 사용되었으나, 최근에는 항우울 효과보다는 통증 및 수면 조절의 목적으로 사용된다. 세로토닌 선택적 재흡수 차단제(selective serotonin reuptake inhibitor, SSRI)는 널리 사용되는 항우울제로 삼환계 항우울제에 비해 부작용이 적다. Fluoxetine은 불면증을 유발할 수 있으므로 저녁에 복용하지 않는 것이 좋고, 식욕 저하가 발생할 수 있어 체중감소를 호소

하는 암 환자에는 적절하지 않다. 반대로, 노르아드레날린 및 특이 세로토닌 관련 항우울제(noradrenergic and specific serotonergic antidepressant, NaSSA)인 mirtazapine은 반대로 수면 개선 효과와 식욕촉진 효과가 있다.

(2) 불안장애

암을 치료하는 과정은 불확실성과의 싸움이다. 확실하지 않은 것을 견디는 것은 항상 힘들기 때문에 환자들은 재발이나 전이에 대해 늘 불안해한다. 불안감이 심해지면 사소한 신체증상에도 크게 반응하고 재발 및 전이에 대한 걱정으로 연결된다. 신체적 증상, 가슴이 답답하고 숨이 잘 쉬어지지 않는 증상, 목에 뭔가가 걸린 것 같은 느낌이 드는 등 불안감을 경험한다. 또한, 극심한 공황 증상을 경험하기도 하며, 일상 생활이나 직업 기능, 가족관계 등에서 사소한 일로 예민해지고 짜증이 나기도 한다. 환자의 삶의 질 향상을 위해서라도 불안장애에 대한 적절한 진단과 치료는 중요하다.

(3) 림프부종

림프부종은 림프계의 손상으로 흐름이 원활하지 않아 팔이나 다리 등이 붓는 증상을 말한다. 선천적 림프계 이상으로 발생하는 일차성 림프부종과 림프절 제거나 손상으로 발생하는 이차성 림프부종이 있다. 암 조직이 림프절을 직접 압박하거나 전이가 발생한 경우에도 발생할 수 있는데, 암종이나 병기에 따라, 림프절 절제의 범위에 따라 임상양상도 달라진다. 팔 다리가 당기는 느낌, 신발이 꽉 끼는 느낌, 힘이 약해진 것 같은 느낌이 들고, 통증이 동반되며, 피부가 붉어지면서 염증이 발생하기도 한다. 림프부종을 경험하는 환자는 우울감, 불안감, 불면증, 통증, 무기력감, 피로감 등의 증상을 호소할 수 있다.

3) 불면증을 유발할 수 있는 수면장애들
(1) 하루주기리듬수면각성장애

취침시간과 각성시간이 너무 이르거나(전진성) 반대로 너무 늦지만(지연성) 수면의 양 자체는 크게 부족하지 않은 경우를 말한다. 암 환자들은 피로감으로 인해 낮동안 누워지내는 경우가 흔하다. 하루주기리듬의 장애가 암 발생에 영향을 주기도 하는데, 세계보건기구의 International Agency for Research on Cancer (IARC)는 2007년 교대근무가 암을 유발할 가능성이 있다(group 2A)고 규정하였고, 야간교대근무를 하는 여성에게서 유방암 발생 위험도가 증가한다는 보고가 있다. 하루주기리듬수면각성장애는 수면의 위상(phase)이 문제가 될 뿐 수면의 양은 비슷하기 때문에 수면제를 사용해도 추가 이득이 없는 경우가 많다. 대신, 취침시간과 각성시간을 조절하기 위해 광치료나 멜라토닌 복용이 도움이 된다.

(2) 하지불안증후군

잠자리에 누웠을때 다리에 근질거리는 이상감각이 느껴져 잠을 이루지 못하는 증상을 말하는데, 이는 낮 동안에는 별다른 증상을 느끼지 못하나, 낮에 누워있을 때 혹은 야간에 증상이 심해진다. 항암치료로 인한 신경병증과 감별을 요한다. 암 환자에서 흔히 관찰되는 철분 결핍 또한 하지불안증후군을 유발할 수 있기 때문에 혈중 iron과 ferritin 농도를 측정할 필요가 있다. 치료로, 철분보충을 하거나 도파민 효현제 혹은 clonazepam을 사용한다.

(3) 수면관련호흡장애

잠 자는 동안 기도가 폐쇄되어 코골이나 수면무호흡을 유발하는 질환이다. 잠은 쉽게 드는 반면 중간에 자주 깨게 되고 잠을 자도 개운하지 않고 낮에 졸리는 증상이 나타난다. 야간의 지속되는 저산소증은 암 발생의 위험인자가 될 수 있다는 연구도 있으나, 아직 명확하게 밝혀지지 않았다. 두경부암 환자에서 폐쇄수면무호흡증의 발생률이 높다. 무분별한 수면제 사용은 폐쇄수면무호흡이 오히려 심해지기도 하므로 적절한 평가 후 지속기도양압기나 수술적 처치를 고려해야 한다.

4) 불면장애의 치료

(1) 암환자 불면장애의 인지행동치료적 접근

인지행동치료는 수면과 관련된 잘못된 생각과 부적응적인 행동을 교정하는 것에 초점을 두는 치료이다. 일반적으로 불면증 인지행동치료는 1) 정상수면에 대한 교육, 2) 자극조절법, 3) 수면제한법, 4) 이완요법, 5) 인지치료 등으로 구성되며, 이 기법을 암 환자에게 적용하여도 무리는 없다. 다만 암 환자에서의 불면증은 촉발 요인과 지속 요인 간에 다소간 차이를 보이기 때문에 암 환자에게 좀 더 특화된 인지행동치료 기법이 필요하다.

수면위생교육의 경우, 암 환자는 암 자체로 인한 신체적 증상과 치료의 부작용, 낮 동안 각성을 유지하는 하루주기리듬의 변화로 인해서 수면위생을 지키기가 어렵다. 또한 피로감 해소 목적으로 낮잠을 자거나 수면시간을 의도적으로 늘리려 하는데, 이러한 행동 역시 불면증을 유지 및 악화시키는 요인으로 작용한다. 따라서 수면 습관을 파악하고, 항암 또는 방사선 치료 스케줄과 치료 부작용 등을 고려한 수면습관 교육 및 적용이 필요하다(표 23-4-2). 자극조절법은 잠자리 및 취침 시간 등 수면을 조절하는 자극조건들과 수면 간의 관계를 조정하는 것에 있다. 자극조절법의 핵심은 잠자리에서는

잠만 자는 것이라는 것을 인식시키는 것이나, 암 환자들은 쉽게 피로감을 느껴 누워서 지내는 시간이 많고, 때로는 거실에서 누워 지내는 경우도 많다. 이러한 습관은 잠 자는 공간과 일상생활을 하는 공간의 경계를 무너뜨려 불면증을 악화시킬 수 있다. 수면제한법은, 누워있는 시간이 길어질수록 수면의 효율이 저하되고 깊은 잠을 자기 어렵게 된다는 것에 기초한 치료법이다. 수면효율이 낮다는 것은 잠이 들지 않은 채 누워있는 시간이 상대적으로 많다는 의미이며, 누워있는 시간을 줄여 효율을 높이는 것이 치료의 목적이다. 암의 진단과 치료 과정에서 체력 저하와 피로감으로 누워 지내는 시간이 많고, 이는 수면효율을 감소시킨다. 수면효율이 저하되면 수면의 질이 저하되기 때문에 낮 동안 누워있는 시간을 줄이고 외부 활동을 하는 것이 좋다. 다만 암 환자의 피로감을 감소시킬 수 있는 방안이 같이 고려되어야 한다. 빈혈 등 내과적 문제를 교정하고, 운동을 규칙적으로 하고, 증상에 따라서는 정신 자극제 또는 항우울제를 시도해 볼 수 있다. 인지치료는 수면에 대한 역기능적 사고(dysfunctional beliefs)를 파악하고 교정하는 치료 기법이다. 잠에 대한 잘못된 믿음은 부담감으로 높여 잠에 대한 방해로 이어진다. 암 환자의 경우 특정시간에 잠을 자지 않으면 면역력이 저하된다

표 23-4-2. 수면 지표

약어	수면지표	한글용어
SOL	Sleep onset latency	수면잠복기
TIB	Time in bed	총 침상시간
TIB/d	Time in bed during 24 hours	하루 총 침상시간
TST	Total sleep time	총수면시간
SE	Sleep efficiency	수면효율
WASO	Wake after sleep onset	입면후각성시간
NOA	Number of awakenings	수면 중 각성 횟수
PTB	Duration from administration of pills to bedtime	수면제 복용 후 잠자리에 들 때까지 시간
PTS	Duration from administration of pills to sleep onset time	수면제 복용 후 입면까지 걸리는 시간
PTW	Duration from administration of pills to wake up time	수면제 복용 후 아침 기상 시까지 걸리는 시간

표 23-4-3. Drugs used for insomnia in South Korea

종류	주로 사용되는 용량
A. Benzodiazepine	
Flurazepam*	15–30 mg
Triazolam*	0.125–0.25 mg
Flunitrazepam*	1 mg
Brotiazolam*	0.25 mg
Clonazepam	0.5 mg
B. Non-benzodiazepine	
Non-benzodiazepine GABA modulator (z-class)	
Zolpidem immediate-release*	5–10 mg
Zolpidem controlled-release*	6.25–12.5 mg
Eszopiclone*	1–3 mg
Antidepressant	
Trazodone	25–50 mg
Mirtazapine	7.5–30 mg
Amitriptyline	10–30 mg
Doxepin*	3–6 mg
Antihistamine	
Doxylamine*	25 mg
Diphenhydramine*	25–50 mg
Melatonin	
Prolonged-release melatonin*	2 mg
Antipsychotics	
Quetiapine	25–50 mg
Olanzapine	2.5–5 mg

* Approved by Korea Food and Drug Administration (KFDA)

거나, 잠을 잘 자지 못하면 암이 재발한다는 등의 믿음을 갖는 경우가 흔하다. 근거가 없는 얘기는 아니나, 자극적인 정보를 반복적으로 접하다 보면 잠에 대해 지나치게 걱정하고 불안과 두려움으로 이어져 불면증을 악화시키고 만성화시킨다. 따라서, 환자가 갖고 있는 역기능적 생각을 줄여주는 것이 불면증 호전에 도움이 된다.

(2) 암 환자 불면증에 대한 약물치료

① 수면제

일반적으로 불면증 치료로 사용되는 약물은 크게 1) 벤조디아제핀, 2) Z-drug, 3) 항히스타민 효과와 관련된 약제들, 4) 멜라토닌 등으로 크게 나눠볼 수 있다 (표 23-4-3). 암 환자는 암의 병기와 시행 중인 치료에 따라 신체 상태가 다르기 때문에, 벤조디아제핀이나 Z-drug 처방 시 의식 상태 및 신체적 상태에 대해 면밀하게 평가해야 한다. 또한 여러가지 약물을 같이 복용하고 있기 때문에 상호작용도 고려해야 한다. 일례로, 통증 조절을 위해 사용하는 마약성 진통제로 인해 멍하고 졸리운 경우가 많은데, 이 경우에는 벤조디아제핀 계열의 약물을 피하는 것이 좋다. 수면개시불면증인지, 수면유지장애인지를 구분하는 것도 중요하다. 개시장애인 경우 벤조디아제핀이나 z-drug를 사용해 볼 수 있고, 유지장애인 경우는 z-drug나, doxepine과 trazodone과 같은 항히스타민 효과를 갖는 항우울제 등을 사용해 볼 수 있으며, 55세 이상 환자들에게서는 melatonin 지속형 방출제를 적용해 볼 수 있다. 섬망으로 인한 불면증인 경우 통상적으로 사용하는 벤조디아제핀 계열 수면제나 z-drug는 섬망을 악화시킬 수 있어 주의를 요한다. 이런 경우에는 항정신병약물을 사용하는 것이 오히려 도움이 될 수 있다. 수면제를 복용하는 시간을 정해주는 것도 매우 중요하다. 일반적으로 수면제는 자기 30분 전에 복용하는 것으로 지침을 주고 있다. 그러나 환자들은 일찍 잠 들기 위해 일찍 수면제를 복용하는 경향이 있는데, 이는 수면제에 대한 만족도를 저하시켜 결과적으로 수면제의 용량을 늘리는 상황을 만들게 된다. 따라서 환자의 생활습관에 맞게 수면제를 복용하는 시간을 정해주는 것이 중요하다.

② 불면증을 유발할 만한 기저질환에 대한 약물치료

불면증의 만성화 과정을 설명하는 3-P 모델에서 유발 요인은 불면증 발생에 중요한 역할을 한다. 정신과적 증상들 중 환자의 불안감을 줄이기 위하여 벤조디아제핀 계열 항불안제를 사용할 수 있다. 환자의 우울증이 불면증의 원인인 경우에는 선택적 세로토닌 재흡수 차단제(selective serotonin reuptake inhibitor, SSRI)를 포함한 최신의 항우울제 등을 사용해 볼 수 있다. 심한 통증이 불면증의 원인인 경우에는 통증 조절을 우선적으로 실시하고, doxepine이나 trazodone과 같은 삼환계 항우울제가 통증 조절에 유리할 수 있다. 유방암 환자의 항호르몬 요법, 난소암 환자의 난소절제술로 인하여 야간 발한 및 열감 등을 유발되어 불면증이 발생한 경우라면, venlafaxine과 같은 항우울제를 1차적으로 사용한다. 암이 척추로 전이되어 똑바로 누워서 잠을 자기가 어려운 경우도 흔하다. 또한 뇌 전이가 있는 경우 섬망이나 인지기능장애가 발생할 수 있고 이로 인하여 불면증이 유발되는 경우가 있다. 이 경우, 벤조디아제핀이나 Z-drug가 오히려 증상을 악화시킬 여지가 있어, quetiapine과 같은 항정신병 약물로 조절하는 것이 도움이 된다.

▶ 참고문헌

- 대한신경정신의학회 임상진료지침위원회. 한국판 불면증 임상진료지침 불면증의 진단과 치료. 대한신경정신의학회; 2019.
- 윤소영, 최병일, 이기경, 정석훈. 암 환자를 위한 불면증 인지행동치료. 대한종양외과학회 2017;3:1-10.
- Ancoli-Israel S. Sleep disturbances in cancer: a review. Sleep Med Rev 2015;6:45-9.
- Brzecka A, Sarul K, Dyła T, et al. The association of sleep disorders, obesity and sleep-related hypoxia with cancer. Curr Genomics 2020;21:444-53.
- Johnson JA, Rash JA, Campbell TS, et al. A systematic review and meta-analysis of randomized controlled trials of cognitive behavior therapy for insomnia (CBT-I) in cancer survivors. Sleep Med Rev 2016;27:20-8.
- Park B, Youn S, Hann CW, et al. Prevalence of insomnia among patients with the ten most common cancers in South Korea: health insurance review and assessment service-national patient sample. Sleep Med Res 2016;7:48-54.
- Samuelsson LB, Bovbjerg DH, Roecklein KA, et al. Sleep and circadian disruption and incident breast cancer risk: an evidence based and theoretical review. Neurosci Biobehav Rev 2018;84:35-48.
- Savard J, Morin CM. Insomnia in the context of cancer: a review of a neglected problem. J Clin Oncol 2001;19:895-908.
- Youn S, Choi B, Lee S, et al. Time to take sleeping pills and subjective satisfaction among cancer patients. Psychiatry Investig 2020;17:249-55.

01 취침시간 문제 및 야간각성

강은경

취침시간 문제(bedtime problems)와 야간각성(night-wakings)은 영유아 시기에 흔하며, 소아에서 보일 수 있는 불면증의 주 증상들이다. 이로 인한 수면부족은 아이의 주간 활동과 기분에 영향을 끼친다. 나아가 아이의 수면 문제는 부모의 수면을 방해할 뿐만 아니라 주간 기능과 기분에도 영향을 미친다. 이 두 가지 수면 문제는 흔히 동반이 되는데, 각각의 유병률을 따로 구분하지 않은 연구에서는 어린 소아의 20-30%에서 취침시간 문제나 야간각성이 있다고 보고하였다.

1 취침시간 문제

취침시간의 문제는 수면에 대한 저항이나 수면을 지연시키려는 행동(stalling)으로 나타난다. 취침시간 일과 활동(bedtime routines)과 적절한 규칙이 없을 때, 규칙이나 제한이 일관성이 없거나 아이의 요구에 따라 달라질 때 발생할 수 있다. 이런 이유로 인해 이전에는 행동성불면증(behavioral insomnia of childhood, BIC)의 제한설정형(limit-setting type)으로 분류되었는데, 이후에는 만성불면장애 범주로 분류되었다. 아이가 형제나 부모, 조부모와 같은 방에서 잘 때는 제한을 설정

하기가 어려울 수 있다. 또한 아이가 다른 질병을 앓았거나 현재 갖고 있을 때도 마찬가지로 제한을 두기가 어려울 수 있다.

취침시간 문제는 미취학 아동의 10-30%에서 나타난다고 보고되었다. 주로 유아들에서 나타나지만, 미취학 아동이나 학동기에도 발생하거나 지속될 수 있다. 특징적인 증상은 침대나 잠자리에 눕기를 거부하거나, 잠자리에 들어도 가만히 누워있지 못하거나, 불을 끈 뒤에도 계속적으로 요구(물이나 음료수, 또 다른 이야기 요청, 화장실 사용 요청 등)를 하는 '커튼 콜'(curtain call)을 한다. 대개는 수면 시작시간이 30분 이상 지연되므로 총수면시간은 아이의 수면요구량에 못 미칠 수 있다.

이때 감별해야 하는 상황들이 있다. 먼저 부적절한 수면 스케줄이 있는지를 살펴보아야 한다. 예를 들면 오후 4시 이후에 낮잠을 잔다든가, 낮잠이 필요없는 유치원 연령의 아이가 낮잠을 계속 잔다면 수면 시작이 지연되게 된다. 또한 불규칙한 수면 스케줄도 자신의 일주기 리듬과 충돌함으로써 잠이 드는 것을 방해하게 된다. 주중과 주말의 수면 스케줄이 차이가 큰 경우에도 문제가 생길수 있는데, 예를 들어 일요일 아침에 늦게 일어나면 일요일 밤에 잠들기가 힘들 수 있다. 수면 위

상의 지연이 있을 때도 수면 시작이 뒤로 늦춰지므로, 이 경우에는 아이가 자연적으로 잠드는 시간에 가깝게 취침시간을 조정하면 된다. 소아의 하지불안증후군도 수면개시 잠복기가 증가하는 것으로 흔히 발현된다. 하지의 불편한 감각과 다리를 움직이고 싶은 충동으로 인해 수면개시가 어렵게 된다. 그리고 중추신경흥분제와 같은 약물을 복용하는지 파악하는 것이 필요하다.

제한설정과 관련된 수면문제의 치료는 적절한 수면 습관을 확립하고, 아이의 자연적인 하루주기리듬과 일치하는 적절한 수면 스케줄을 개발하고 부모가 적절하고 일관적인 제한설정을 하는 것을 포함해야 한다. 또한 일정한 취침시간 일과활동을 확립하는 것이 필요하다. 이는 3-4가지의 정적인 활동(예: 목욕하기, 양치하기, 파자마 갈아입기, 이야기 들려주기)을 포함하는데, 20분에서 45분 정도 소요된다. 안고 잘 담요나 인형, 동물인형 등 부모를 대체할 이행기 대상(transitional object)을 제공하는 것이 도움이 된다. 수면위생의 일환으로 늦은 시간에는 카페인 음료의 섭취를 제한하고, 침실에서 전자기기를 사용하지 않아야 하며, 규칙적인 운동을 하는 것이 좋다. 저녁에는 밝은 빛을 피하고 아침에 밝은 빛에 노출시키는 것이 하루주기 생체시계를 확립하는데 도움이 된다. 취침시간 연기(bedtime fading) 방법은 현재의 수면시간을 수면개시 시간으로 정해 놓고 서서히 짧은 간격(예: 15분)으로 취침시간을 앞당겨서 원하는 취침시간까지 도달하는 것이다. 부모가 제한설정을 할 때는 분명한 취침규칙을 정하고, 아이의 불평이나 저항은 무시해야 한다. 긍정적 강화요법으로서 아이의 바람직한 수면행동에 대해 작은 보상을 하는 것이 도움이 되는데, 어린 소아에서 더 효과적이다. 부모가 아이에게 대응할 때는 지속적이고 일관성 있는 규칙으로 하는 것이 중요하다.

2 야간각성(nightwakings)

야간각성은 영아와 어린 소아에서 가장 흔히 볼 수 있는 수면 문제로, 부적절한 수면개시연관이 있는 경우가 흔하다. 그래서 이전에는 소아 행동성불면증의 수면개시연관형(sleep-onset association type)으로 분류가 되었다.

수면개시연관은 아이가 잠이 드는데 필요로 하는 습관적으로 학습된 조건을 의미하는데, 야간에 깬 뒤에 다시 잠이 들 경우에도 동일하게 요구되어진다. 예를 들면, 잘 때 부모가 옆에 있어야 한다든가, 먹이면서 재운다든가, 흔들어주거나 안아서 재우는 것들이 해당된다. 야간에 깨어서 이러한 조건들이 쉽게 충족이 되지 않을 경우에 야간각성은 오래 지속될 수 있다. 스스로를 달랠 수 있는(자기 진정, self-soothing) 아이들은 부모의 개입이 없어도 혼자서 다시 잠들 수 있으므로 부모는 아이가 깬 것을 알아차릴 수 없다. 반면에 깨어서 울거나 부모의 방으로 가는 아이들은 부모를 깨우게 되므로 부모는 아이가 깬 것을 인식하게 된다. 야간각성의 빈도, 지속시간과 지속된 기간의 관점에서 '문제'가 되는 야간각성의 정의는 임상적, 연구적, 개별적인 부모의 차원에서 상당히 다를 수 있다. 하지만 임상에서는 부모가 그 상황을 문제로 인식하는 경우에 추후 검사나 개입여부를 결정하는 것이 좋다.

수면개시연관이 적절한지의 여부는 부모가 없이도 아이가 쉽게 얻을 수 있는 종류인지에 달려있다. 스스로를 달래는 능력은 아이가 졸리지만 깨어 있을 때 잠자리에 눕히는 훈련과 직결되므로, 아이가 잠이 든 다음에 눕히면 안된다. 스스로 잠이 들도록 하고, 자다가 깨었을 때도 스스로 다시 잠들 수 있도록 훈련하는 것이다. 야간에 깨었을 때도 부모가 즉각적으로 아이를 달래거나 흔들어주거나 먹이는 등의 행동으로 반응하면, 이것이 아이들의 각성을 오히려 '강화(reinforcement)'시킴으로써 야간각성이 더욱 지속될 가능성이 커진다.

야간각성과 수면분절(sleep fragmentation)을 증가시키는 상황들은 다음과 같다. 부모와 같은 침대나 방에서 자는 co-sleeping의 경우 수면개시부터 부모가 존재할 가능성이 크므로, 밤에 깨어서 부모와의 상호작용을 기대할 가능성이 크다. 모유수유아의 경우에도 모유수유를 하면서 잠이 들 가능성이 크고, 야간에 깨어 다시 잠들 때도 수유에 의존하므로 모유수유아에서 야간각성이 증가한다고 한 연구가 있다. 질병이나 휴가, 여행 등으로 수면 스케줄에 변화가 있는 때에도 일시적으로 수면이 분절되고 야간각성이 증가할 수 있다. 영아산통이나 중이염 등으로 인한 신체 통증도 아이가 자주 깨게 되는 원인이다. 이때는 부모가 개입을 해야 하는 때이지만, 행동성 문제인지 신체적 문제로 인한 각성인지 구분하는 것이 쉽지 않을 때가 있다.

빈번한 야간각성이 있는 아이들은 낮잠을 잘 때도 동일한 문제가 발생하기도 하며, 수면개시 시간이 지연될 수 있다. 낮 동안의 행동에도 문제가 오는데, 예를 들면 짜증을 내고 보채거나 분노발작(temper tantrum)을 하는 것으로, 이는 야간각성으로 인한 수면분절 때문에 생긴다. 아이의 야간각성으로 부모의 수면장애가 생기고 산후우울증이 심해지거나 가족내 긴장(tension)이 증가하는 등 가족의 스트레스로 이어질 수 있다. 아침 일찍 일어나는 것도 마지막 시간에 발생한 야간각성으로 볼 수 있으며, 자신의 수면량을 충분히 채우지 못하고 깨는 상태이다.

야간각성이 있을 경우 감별해야 할 질환들이 있다. 역류나 통증(특히 중이염) 등의 의학적 문제가 있는 경우, 긴 야간각성이 생기고 다시 잠드는 시간이 지연되며 부모가 아이를 잘 달랠 수 없게 된다. 이런 경우 의학적 문제가 해결된 뒤에도 부모가 야간각성을 강화시키는 행동을 지속한다면 아이의 야간각성은 지속될 수 있다. 수면을 방해하는 기저 질환인 주기사지운동이나 폐쇄수면무호흡증이 있어도 야간에 자주 깰 수 있으므로 감별해야 한다. 또한 수면이 충분하지 않은 경우에도 야간각성이 증가될 수 있다. 환경적으로는 침실이 시끄럽거나 너무 더운지 점검해야 하며, 부모가 아침 일찍 일어나는 것 때문에 아이가 자주 깨는 상황인지 살펴봐야한다.

3 야간공포와 악몽 (nighttime fears and nightmares)

야간공포는 소아에서 흔히 볼 수 있으며(4–12세 소아의 73.3%), 정상적인 발달 과정의 한 특징이다. 대부분 미취학아동기에서 시작되는데, 인지 능력이 발달하면서 자신이 다치거나 피해를 당할 수 있다는 것을 알게 되고 창의력과 상상력이 증가하기 때문에 발생한다. 심한 경우에는 잠자리에 들기를 거부하거나 불을 끄고 자는 것을 거부하는 잠자리 저항으로 나타나며, 빈번한 야간각성을 보인다. 잠자리에 부모가 같이 있을 것을 요구하거나 불을 끈 다음에도 '커튼 콜'을 지속하게 된다. 이런 경우에는 전형적으로 부모가 취침시간에 아이 곁에 있어주거나, 형제와 같은 방에서 잠 들게 하면 수면저항은 사라지고 수면개시는 지연되지 않는 특징이 있다. 아이와 낮 시간에 이런 공포에 대해 이야기를 나누는 것이 중요하며, 더 심각한 수면 문제를 예방하기 위해서 수면 일과활동을 일관성 있게 유지하는 것 또한 중요하다.

야간공포는 악몽과 감별을 해야 한다. 야간에 무서운 꿈을 꾸면서 일어나게 되는데, 이로 인해 잠자리에 들려고 하지 않거나 잠이 드는 것을 거부할 수 있다. 어린 소아는 흔히 꿈과 현실을 구분하지 못하기 때문에, 꿈속의 무서운 존재가 계속 있다고 믿을 수 있다. 또한 악몽으로 인해서 야간공포가 발생하기도 한다. 아이가 악몽을 꾼 다음에 깨었을 때는 그 꿈이 실제가 아니라는 것을 안심시키면서 아이를 다시 잠자리에 돌려보내야 한다. 이때 부모가 조용하고 침착하게 행동하고, 지나친 관심을 표현하지 않으면서 아이가 안전하다는 것을 인식시키는 것이 중요하다.

4 수면 문제의 평가

아이의 수면 문제를 진단하기 위해서는 수면 패턴과 낮 동안의 기능을 종합적으로 평가하는 것이 필요하다.

소아의 수면 스케줄(주중과 주말의 취침시간과 기상시간); 취침시간 일과활동(야간의 활동, 취침시간 지연이나 거부, 수면개시잠복기); 취침시간과 야간에 깼을 때 아이의 행동에 대한 부모의 반응(제한설정, 강화); 수면 환경(침실의 조명과 소음, co-sleeping, 취침 시 부모 동반 여부); 야간 수유; 수면장애의 증상(코골이, 야경증); 주간의 기능(졸림 정도, 낮잠 스케줄, 보챔)에 관한 정보를 구한다. 아이의 수면 문제가 가족에게 미치는 영향과 이전에 아이에게 사용했던 방법에 대해 파악하는 것이 치료계획에 도움이 된다. 또한 아이의 수면 문제를 초래할 수 있는 중요한 생애 사건(동생의 출생이나 부부 갈등)의 유무에 대한 정보가 필요하다.

부모에게서 얻은 위와 같은 병력청취 정보와 함께 수면 일지(**그림 24-1-1**)를 사용하여 추가적인 정보[(취침시간, 수면잠복기, 야간에 깨는 횟수와 기간, 기상시간, 낮잠(횟수, 기간, 시기)]를 수집할 수 있는데, 2주 정도의 기록이 추천된다. 수면에 대한 객관적 정보는 활동기록기(actigraphy, 3일–2주간 측정)로 얻을 수 있는데, 아이의 수면패턴, 총수면시간, 수면 중단, 수면의 시작과 종료에 대한 추정치를 제공한다.

5 행동개입치료

행동개입치료의 기본 목표는 아이들에게 긍정적인 수면연관 행동, 자기 진정 능력, 수면 중 각성 시 독립적으로 다시 잠들기 등을 발달시키기 위한 것이다. 개입 방법은 아이의 기질, 부모의 수용 여부와 가족의 육아 스타일을 고려하여 어떤 방법을 사용할지 개별적으로 선택해야 한다. 예를 들면, 어떤 가족은 아이를 오랫동안 울게 내버려두는 것을 받아들이는 반면, 다른 가족은 점진적으로 변화를 주는 방법이 더 적합할 수도 있다.

1) 수면위생(sleep hygiene)

수면위생은 취침시간 문제와 빈번한 야간각성을 위한 치료의 기본 요소이므로, 먼저 수면위생에 대한 평가가 이루어져야 한다. 긍정적인 수면습관은 평일과 주말의 수면 스케줄이 일관되면서 아이의 발달 단계에 맞는 충분한 수면시간을 제공하는 것이고, 규칙적인 취침시간 일과활동을 포함한다. 취침시간 일과활동만 단독으로 시행했을 때도 수면개시 잠복기와 야간각성의 횟수와 수면의 연속성, 문제 수면행동 등이 호전된 연구 결과가 있다. 좋은 수면위생은 아이를 먹이면서 재우지 않고, 늦은 오후에는 카페인을 제한하고, 취침시간 30

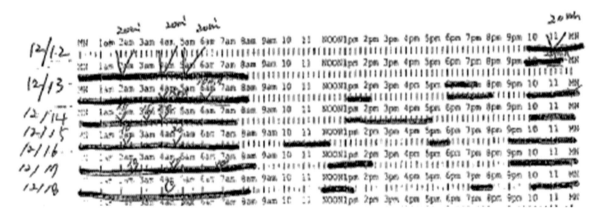

그림 24-1-1. 야간각성이 있는 13개월 아이의 수면일기(sleep log) 예.
왼쪽은 MN(midnight, 0 am)에서 오전 시간이고, 오른쪽이 오후 시간에서 MN까지 표시, 체크 표시는 아이가 깨었을 때이고, 숫자(예, 20min)는 각성의 지속 시간이며, 굵은색 줄은 수면시간이다. 밤 동안에는 10-20분 정도 지속되는 각성이 3-4회 정도 있으며, 낮잠 시간이 오전 10시에서 저녁 8시까지 불규칙하게 표시되어 있다.

출처: 분당차병원 소아청소년과 채규영교수님 제공

분에서 60분전부터 전자기기 사용을 피하는 것을 포함한다.

2) 표준적인 소등(unmodified extinction)

이 방법은 아이를 일정 시간에 잠자리에 들게 한 뒤, 아이가 안전하게 잘 있는지 확인하는 것을 제외하고는 아이의 부정적인 행동(울기, 소리지르기, 분노발작)에 반응하지 않고, 다음날 아침 정해진 기상시간까지 '울게 내버려 두는 방법'(cry it out)이다. 일찍부터 있어온 행동개입 치료 중 하나로, 야간각성과 취침시간 문제에 검증된 방법이다. 이때 성공의 열쇠는 부모의 일관성인데, 대부분의 부모에게는 아이가 오랫동안 우는 것이 극도의 스트레스 상황이 될 수 있다. 효과적이라고 알려져 있지만, 일부 부모에게는 이 방법이 매우 힘들 수 있으며, 이웃에 소음을 유발할 수 있어 실질적인 측면에서는 실행하기 어려운 면이 있다. 이런 경우에는 부모가 옆에 있으면서 같은 방법을 쓰거나 점진적 소등(gradual extinction) 방법을 사용하는 것이 더 적절하다.

3) 점진적 소등

점진적 소등은 표준적인 소등방법과 마찬가지로 아이의 부정적인 행동을 무시하는 것으로, 수면 시작에 있어서 부모의 개입을 점진적으로 줄여서 제한하는 방법이다. 처음엔 특정 시간 간격(예: 5분)마다 개입하든지 아니면 처음엔 5분을 기다리고 그 다음부터 5분씩 시간을 늘려서 기다렸다가 반응을 한다. 아이를 살펴보고 상호작용하는 시간은 15초에서 1분 정도로 짧게 안심을 시켜주는 정도로 끝내는 것이 좋으며, 중립적(예: 아이를 들어올려서 껴안아 주기보다는 어깨를 토닥여주기)이어야 한다. 이 치료의 핵심은 아이가 독립적으로 잠들도록 해서 자기-진정 기술을 습득하도록 하는 것이기 때문에, 얼마나 자주 아이를 살펴볼지는 부모가 선택할 수 있다. 아이가 잠드는 취침시에만 사용해도 효과가 있는 것으로 알려졌는데, 스스로를 달래는 기술이 야간에 깨었을 때도 적용되는 과정은 대개 아이가 쉽게 잠들기 시작한지 1-2주 이내로 일어나기 때문이

다. 그래서 취침시에만 아이를 확인하고 자다가 밤에 깨었을 때는 평소에 하던 대로 먹이거나, 흔들어 주는 것으로 반응해도 된다. 이 방법의 성공여부는 부모가 얼마나 일관성 있게 끝까지 완수하는가에 달려있다. 첫 며칠 동안에는 아이가 우는 강도와 시간이 더욱 길어지는, 소위 '소등 폭발'(extinction burst)이 올 수 있다는 것을 부모에게 설명해주어야 한다. 이에 대해서 부모가 예상을 하고 잘 견딜 수 있도록 격려하는 것이 중요하다. 점진적 소등법은 표준적 소등법에 비해 치료자와 부모에게 좀 더 부드러운 접근법으로 인식이 되어 있어서, 취침시간 문제와 야간각성에 대해서 가장 광범위하게 사용되어지는 행동개입 치료이다.

4) 긍정적 수면 일과활동과 취침시간 연기 (positive routines and bedtime fading)

취침시간 연기는 부모가 정한 취침시간보다 아이의 수면개시 시간이 지연되어 있을 때 도움이 되며, 소등 방법이 효과적이지 않은 좀 더 큰 소아에서 쓸 수 있다. 이는 아이의 자연스러운 수면 주기에 맞는 시간까지 취침시간을 연기함으로써 수면 압력을 증가시키는 방법이다. 이때 긍정적인 수면 일과활동과 연관시킴으로써 잠이 들게 되면 수면시간을 15분씩 앞으로 당겨 원하는 시간이 될 때까지 시행한다. 부정적인 수면 행동을 줄여주려는 소등 방법과는 달리, 이것은 취침시간에 발생하는 마찰에 따른 생리적이고 감정적인 각성을 줄여 줌으로써 아이가 적절한 취침 행동을 개발하도록 하는 것이다. 이때 매일 아침 일어나는 시간은 일정하게 고정시키는 것이 중요하다.

5) 정해진 시간에 깨우기(scheduled awakening)

이 방법은 비교적 고정적인 시간에 자주 깨는 소아에서 써 볼만한 방법으로, 아이가 통상적으로 자발적으로 깨는 시간보다 15분에서 30분 일찍 아이를 깨워서, 평상시 아이가 깨었을 때 해주는 반응(예: 먹이기, 흔들어 주기)을 동일하게 하여 아이를 다시 재우는 것이다. 점차 깨우는 간격을 늘려가면서 각성 사이의 수면 기간을

증가시키는 것을 목표로 한다. 자발적으로 깨는 것이 감소하는 것은 공고화 수면(consolidated sleep)의 기간이 길어지는 것 때문으로 추측된다. 부모가 아이를 매일 밤 최소한 한번 이상 일정하게 깨워야 하므로 부모에게는 어려운 방법일 수 있다. 이 방법보다 '소등'이 더 빨리 효과가 나타나지만, 소등만큼 효과가 있고 대조군과 비교했을 때는 훨씬 효과적인 것으로 보고되었다.

6) 부모교육과 예방

아이에게 수면문제가 처음부터 생기지 않도록 예방적인 목적으로 예비부모나 아이가 태어난 초기에 수면에 대한 부모 교육을 하는 것도 매우 효과적인 개입 방법으로 알려져 있다. 일정한 수면 스케줄/수면 일과활동, 수면위생에 대해서 교육해야 한다. 무엇보다도 아이를 졸리지만 깨어 있을 때(drowsy but awake) 잠자리에 눕혀서, 아이가 스스로 독립적으로 잠들 수 있도록 도와주는 것이 부모의 역할임을 강조해야 한다. 생후 6개월이 지나면 야간에 수유하는 것을 중단하는 것이 좋다. 야간각성은 정상적인 수면 패턴의 일부이며, 야간에 깨는 것 자체가 문제는 아님을 설명해야 한다. 오히려 아이가 깨었을 때 스스로 다시 잠들지 못해서 부모의 개입을 필요로 하는 것이 문제임을 인식시켜야 한다. 그리고 아이에게 수면 훈련을 시작할 적절한 시기를 결정하는 것이 필요하다.

6 행동개입치료의 결과와 치료 시 고려사항

행동개입치료에 대한 연구와 메타분석에서 행동치료는 수면잠복기(sleep-onset latency), 야간에 깨는 횟수와 기간을 감소시킨다고 보고하였다. 많은 연구들이 행동 치료가 아이의 수면을 개선하는데 효과적임을 제시하였지만, 많은 부모들은 아이의 감정이나 발달, 특히 부모와 아이의 관계에 대한 부정적인 영향을 우려한다. 하지만 최근 무작위 연구에서는 수면 행동 치료 후 5년의 장기 추적에서 아이의 감정이나 행동에 있어서 문제점이 발생하거나, 부모-아이 관계에 대한 부정적인 영향은 보이지 않았다고 제시하였다. 오히려 낮시간의 행동, 아이의 기분과 기질이 개선됨을 보여주었다.

가정의 환경적 문제가 행동개입치료의 장벽이 되기도 한다. 방이나 침대를 공유할 경우, 아이로 인한 층간 소음으로 이웃과의 마찰이 있는 경우가 해당된다. 부모가 일관성 있게 치료 방침을 따르도록 하기 위해서는 여러 요소를 고려하여 가족에 맞게 개별화된 치료 계획을 세우는 것이 중요하다.

▶ 참고문헌

- Brown KM, Malow BA. Pediatric Insomnia. Chest 2016;149:1332-9.
- Gradisar M, Jackson K, Spurrier NJ, et al. Behavioral interventions for infant sleep problems: a randomized controlled trial. Pediatrics 2016;137:e20151486.
- Meltzer LJ, Mindell JA. Systematic review and meta-analysis of behavioral interventions for pediatric insomnia. J Pediatr Psychol 2014;39:932-48.
- Mindell JA, Kuhn B, Lewin DS, et al. Behavioral treatment of bedtime problems and night wakings in infants and young children. Sleep 2006;29:1263-76.
- Mindell JA, Meltzer LJ, Carskadon MA, et al. Developmental aspects of sleep hygiene: findings from the 2004 National Sleep Foundation Sleep in America Poll. Sleep Med 2009;10:771-9.
- Mindell JA, Owens JA. A clinical guide to pediatric sleep: diagnosis and management of sleep problems. 3rd ed. LWW; 2015. pp. 75-97.
- Moore M, Meltzer LJ, Mindell JA. Bedtime problems and night wakings in children. Prim Care 2008;35:569-81.
- Owens JA, Moore M. Insomnia in infants and young children. Pediatr Ann 2017;46:e321-6.
- Price AM, Wake M, Ukoumunne OC, et al. Five-year follow-up of harms and benefits of behavioral infant sleep intervention: randomized trial. Pediatrics 2012;130:643-51.
- Rickert VI, Johnson CM. Reducing nocturnal awakening and crying episodes in infants and young children: a comparison between scheduled awakenings and systematic ignoring. Pediatrics 1988;81:203-12.
- Sheldon SH, Ferber R, Kryger MH, et al. Principles and practice of pediatric sleep medicine. 2nd ed. Elsevier; 2014. pp. 105-9.

02 소아청소년에서의 사건수면

김은희

사건수면은 수면 중 발생하는 일시적인 이상 행동으로 대게 취학 전 아동에게 가장 흔하며 청소년기 이후 빈도가 점차 감소하나 일부 환자에서는 성인기까지 지속될 수 있다. 사건수면은 수면을 방해하기도 하며 부모와 환자에게 걱정을 주기도 하고 간혹 수면관련 발작과 감별이 어려운 경우가 있어 사건수면의 임상 특징 및 수면다원검사를 통한 진단을 이해하는 것이 중요하다. 또한 사건수면은 건강한 아동에서 발달 과정 중 나타나는 일시적인 증상일 수도 있지만, 일부에서는 신경학적, 정신과적 또는 여러 내과적 문제에 동반되는 수면 문제일 수 있으므로 체계적인 접근과 평가가 필요할 수 있다.

사건수면은 증상이 발생하는 수면 단계에 따라 비렘사건수면과 렘관련사건수면으로 구분하며 비렘관련사건수면은 깊은 수면상태에서 각성으로 완전히 전환되지 못하고 부분적으로 수면상태와 각성상태가 혼재되어 나타나는 증상으로 이해되어 각성장애라고 총칭하며 혼돈각성(confusional arousal), 야경증(sleep terror), 몽유병(sleepwalking)이 대표적이다. 반면 렘관련사건수면으로는 악몽(nightmare), 수면마비(sleep paralysis), 렘수면행동장애(REM sleep behavior disorder)가 대표적이며 그 밖의 사건수면으로는 야뇨증(sleep enuresis),

수면이갈이(sleep bruxism), 수면과 관련된 두통(cluster headache) 등이 있다.

1 비렘관련사건수면(각성장애)

비렘관련사건수면인 각성장애는 주로 영아기와 학동기에 볼 수 있는 가장 흔한 사건수면이며 국제수면진단기준 3판에 따라 혼돈각성, 수면공포, 몽유병으로 구분하여 정의한다. 혼돈각성, 수면공포, 몽유병은 서로 연관된 각성장애로서 비슷한 임상양상을 보이고 동시에 함께 발생하기도 한다. 공통된 특징은 첫번째 수면−각성주기에서 서파수면이 가장 많은 시점인 잠자기 시작한 후 1−2시간 후에 잘 발생하며, 일어난 후 완전히 깨어나지 못하고, 불안, 흥분, 혼돈 상태를 수 분간 보이는데 이 때 호흡이 가쁘고, 동공이 확산되며, 땀이 많이 나고, 심박동이 항진되는 자율신경계의 흥분이 다양한 정도로 동반되며, 부모가 달래 주어도 달래지지 않으며 더욱 흥분하기도 하고 주변 자극에 대한 각성을 보이지 않는다. 그리고 아침에 일어나서는 부분적으로 혹은 전적으로 기억하지 못한다. 이러한 각성장애는 수면무호흡이나 주기사지운동 등으로 인해 수면분절 현상이 증가되는 환경에서 더 악화된다.

1) 병태생리

각성장애는 수면 중 뇌의 일부만 각성되는 수면분리 (sleep dissociation) 상태가 발생함으로써 발현되기 때문에 뇌파상 수면과 각성이 혼재되어 나타난다는 점에서 서파수면에서의 불완전한 각성과 운동영역의 활성, 변연계의 비정상적인 작동으로 이해되는 공통적인 병태생리기전으로 이해되고 있으며 높은 빈도의 가족력을 보인다는 점에서 유전적 요인이 작용하는 것으로 이해되고 있다.

2) 임상적 특징

혼동각성은 영아기에 가장 흔히 나타나며 5세 이후로는 대게 감소하는데 각성은 3–13세 아동의 약 17%에서 경험하는 것으로 알려져 있다. 증상은 보통 수면개시 후 2–3시간 경과 후에 시작되나 밤이나 아침에 억지로 깨울 때도 발생할 수 있다. 소아에서 혼돈각성은 대게 자다가 일어나 앉아서 울거나 보채면서 "안 돼", "싫어", "저리가" 등의 말을 하기도 하며 주변 사람이 아무리 달래도 달래지지 않는다. 대부분 과도한 발한이나 홍조, 반복적인 이상 행동은 동반되지 않으며 지속시간은 대략 5분에서 30분 정도이다. 뇌파 상에서는 전반적인 고진폭의 규칙적 델타 또는 세타 파형이 나타난다.

수면공포는 야경증이라고도 불리며 소아의 약 1–6%가 경험하고, 4세에서 12세 사이에 가장 많이 발생한다. 수면공포는 수면 초반의 깊은 서파수면 중 갑자기 깨어 무엇에 놀란 것처럼 극심한 공포를 보이며 심하게 울거나 소리 지르는 것을 말한다. 안면홍조, 발한, 빈맥 등의 자율신경계 항진이 동반되며 보호자가 아무리 달래도 달래지지 않고 후에 기억을 하지 못한다. 아이가 극심하게 놀란 것처럼 보이며 큰 스트레스를 받고 있는 것처럼 보이지만 실제로는 아이는 자고 있기 때문에 본인보다는 돌보는 사람의 걱정과 스트레스가 크다.

몽유병은 약 15–40%의 소아가 일생에 한 번은 경험한다고 하며 8세에서 12세 사이에 가장 많이 발생하고

가족력이 있는 경우에는 10배 정도 더 잘 발생한다. 수면 후 첫 1–2시간 내 서파수면 중 부분적 각성이 일어나 잠자리를 벗어나 빛이나 소리를 따라 걸어가는 모습을 보이는 것이 일반적인 증상이나 일부 소아는 흥분한 상태로 뛰기도 하고 창문을 넘거나 계단을 내려가거나, 밖으로 돌아다니는 등의 부적절하거나 위험한 행동을 동반하기도 하므로 환자의 안전에 유의해야 한다. 자율신경계 이상이 동반될 수 있으며 몽유병 소아의 약 10%에서는 수면공포가 함께 나타나기도 한다.

3) 진단

각성장애의 진단은 환자의 증상을 통해 내릴 수 있으며(표 24-2-1) 증상의 빈도가 높지 않고(한 달에 1–2회) 수면부족이나 발열과 같이 사건수면을 악화시키는 전형적인 요인들이 동반된 경우, 특히 각성장애의 가족력이 있는 경우에는 병력 청취와 이학적 검사 외에 추가적인 검사는 필요하지는 않다. 하지만 비전형적인 증상을 보이거나 빈도가 높고 만성적인 경우, 수면관련 발작 또는 렘수면행동장애 등과의 감별이 필요한 경우나 수면무호흡 또는 주기사지운동장애 등 각성장애를 악화시킬 수 있는 수면장애의 동반이 의심되는 경우에는 수면다원검사가 필요하다. 수면다원검사 시에는 증상 유발을 위해 수면박탈과 수면다원검사 시 음성 자극을 통한 각성유도를 하는 것이 도움이 될 수 있다. 수면다원검사가 어려운 경우라면 가정에서 비디오 촬영과 수면일기를 쓰게 하는 것도 진단에 도움이 된다.

4) 치료 및 예후

각성장애의 치료에서 가장 중요한 점은 질환에 대한 부모 교육, 수면 중 안전한 환경 확보와 보호자를 안심시키는 것이다. 그리고 수면분절을 증가시키거나 각성의 역치에 영향을 줄 수 있는 수면부족, 불규칙적인 수면스케줄, 발열을 동반하는 질환, 스트레스와 불안, 수면 중 시끄러운 소리 또는 빛에 노출된 경우, 카페인, 서파수면을 증가시키는 약물의 사용(리튬, 삼환계 항우울제) 등과 같은 요인들의 동반 여부를 확인하고 개선하는 것

표 24-2-1. 비렘수면 및 렘수면의 사건수면과 야간 발작의 감별
SWA: slow wave activity; REM: rapid eye movement

	Confusional arousals	Sleep terrors	Sleepwalking	Nightmares	Nocturnal seizures
Age of onset	2 to 10 years	2 to 10 years	5 to 10 years	Child, young adult	Adolescent, young adult
Time	Early	Early	Early – mid	Late	Any
Sleep stage	SWA	SWA	SWA	REM	Any
EEG discharge	–	–	–	–	+
Scream	–	++++	–	++	+
Autonimic activation	+	++++	+	+	+
Motor activity	–	+	+++	+	++++
Awakens	–	–	–	+	+
Duration (min)	0.5–10; more gradual offset	1–10; more gradual offset	2–30; more gradual offset	3–20	5–15; abrupt onset and offset
Postevent confusion	+	+	+	–	+
Genetics	+	+	+	–	+/–
Organic CNS lesion	–	–	–	–	++++

이 병행되어야 한다.

각성장애가 발생했을 때는 부모는 아이를 무리하게 깨우려고 시도하거나 달래려고 하지 말고 조용히 다시 잠자리로 데리고 가도록 교육해야 한다. 특히 흥분된 상태를 보이는 몽유병이나 수면공포 증상 시에는 큰 소리 자극이나 붙잡고 말리는 행동이 더 심한 증상을 유발할 수 있으므로 안전 사고에 유의하면서 조용히 기다리는 것이 필요하다.

각성장애에서 약물치료는 발생 빈도와 심한 정도에 따라 결정하는데 치료의 목적은 환자나 다른 가족의 잠을 깨우는 것을 최소화하고 안전 사고가 발생하지 않도록 하는 것이다. 약물은 서파수면을 억제하는 것으로서 benzodiazepine과 삼환계 항우울제(imipramine)를 주로 사용한다. Benzodiazepine으로는 diazepam 1–2 mg 또는 clonazepam 0.125–0.5 mg을 잠들기 전에 복용해

볼 수 있다. 만약 각성장애 환자에서 하지불안 증후군이나 주기사지운동 증상이 동반되면서 ferritin 수치가 30 mcg/L 미만이라면 경구 철분제 치료를 병행하여 ferritin 수치를 50–100 mcg/L 이상으로 유지되도록 하는 것이 필요하며 수면무호흡이 동반된다면 원인과 정도에 따라 비강 스테로이드, 아데노이드편도 제거술, 등의 치료를 병행하는 것이 필요하다.

대부분의 각성장애는 점차 호전되어 수개월 혹은 수년이 지나면 사라지지만 몽유병은 혼돈각성과 수면공포에 비해 청소년기까지 이어지는 경향이 있고 일부 환자는 성인기까지 지속되기도 한다.

2 렘관련사건수면

1) 악몽(nightmares)

악몽은 말 그대로 놀랄 정도로 무서운 꿈을 말하며 렘수면이 많은 수면 중반 이후 주로 새벽에 많이 발생한다. 대개는 놀라서 잠에서 깨게 되고 무서운 꿈 내용의 일부 또는 전체를 생생하게 기억하며 깬 후에 혼동상태를 보이지 않는다. 대개는 부모로부터 꿈이니 괜찮다는 확인을 받은 후 다시 잘 수 있다. 75%의 아동이 일생에 한 번 이상 악몽을 경험하며 6-10세 사이의 아동에서 가장 많고 12세 이상에서는 여아에서 더 흔하다. 악몽의 내용은 대개 정상적인 발달 과정에서 겪게 되는 쟁점들이나 스트레스와 관련이 있다. 치료는 공포의 실제와 특성을 이해하는 것이 중요하며, 원인이 될 만한 사건을 피하게 하면 호전되는 경우가 많으며, 일반적으로 약물 치료는 필요하지 않다. 심한 악몽이 지속되거나 간단한 행동학적 요법으로 호전되지 않는 경우에는 불안장애 동반 여부를 감별해야 한다.

2) 렘수면행동장애

렘수면행동장애는 렘수면운동장애라고도 하며 주로 성인에서 나타나고 소아에서는 드물다. 증상은 렘수면 동안 발성을 동반한 의미 없는 행동을 보이면서 렘수면 동안 정상적으로 보여야 하는 수면 무긴장증이 없어지고 근긴장도가 증가되면서 꿈이 표출되어 발차기를 한다든지 침대에서 뛰어내린다든지 하는 과격한 행동이 나타나 환자나 같이 잠을 자는 사람이 다치는 경우가 발생할 수 있다. 이러한 렘수면행동장애는 잠이 들고 약 90분 후 렘수면이 처음 나타나는 시기에 발생하며 수면다원검사 상 렘수면 중 근긴장도가 증가되어 있고 위상성 근육 활동이 증가되며 과도한 사지운동 또는 주기적 사기 운동 등이 나타나는 것으로 진단할 수 있다. 특발성이 대부분이지만 성인에서는 신경학적 질환이 약 40%에서 보고되어 있으며 렘수면행동장애를 보이는 소아는 benzodiazepine, 특히 clonazepam으로 잘 조절이 된다.

3) 수면마비

수면마비는 수면 입면기나 각면기 직후에 수의적인 움직임이 불가능한 것을 특징으로 하며 횡경막과 외안근을 제외한 모든 근육에 마비증상이 발생하여 대부분 수분 동안 지속되다 멈추게 된다. 정상 소아에서 수면마비가 단독으로 나타나기도 하지만 기면병 환자에서 흔하게 동반될 수 있다.

수면마비는 유년기 아동에서 증상이 시작될 수 있으나 증상을 표현하기 힘든 연령인 경우 증상을 알아차리기 힘들고 각성에 대한 저항으로 오해될 수 있으며 이후 사춘기에 늦게 진단될 수 있다. 소아에서는 대부분은 단독적인 수면마비로 임상 경과는 개인적인 차이가 크고, 수면 발탈, 과도한 수면, 스트레스, 불규칙한 수면 스케줄, 수면 단계의 급격한 변화에 의해 유발될 수 있다. 진단은 특징적인 증상을 확인하는 것이며 수면다원검사 상 정상적인 각성 뇌파 소견을 보이면서 턱 근전도 상 근긴장도가 감소되어 있는 소견이 나타난다. 수면 발작의 동반이 의심되는 경우에는 수면잠복기반복검사로 기면병 및 수면 발작을 감별할 수 있다. 수면마비는 수면 발작과 동반되거나 수면마비의 가족력이 있는 경우 만성적인 경과를 보일 수 있다.

3 그 외의 사건수면

1) 야뇨증

야뇨증은 5세 이후에도 수면 중에 최소 일주일에 2회 이상 반복적으로 본의 아니게 소변을 가리지 못하는 것을 말한다. 6개월 이상 한 번도 소변을 가려 본 적이 없을 때를 일차성이라고 정의하고 일차성 야뇨증의 빈도는 6세에 10%, 7세에 7%, 10세에 5%, 12세에 3%며 18세에도 1-2%가량 지속된다. 반면 이차성 야뇨증은 6개월 이상 소변을 잘 가리다가 다시 일주일에 2회 이상 최소 3개월 지속되었을 때로 정의한다.

야뇨증은 수면 중 방광이 찬 느낌에 깨어나는 것이 안 되든지, 방광 수축을 억제하는 것이 실패하는 것에서 발생하며 일차성 야뇨증은 낮은 각성 역치를 가진 경우, 야뇨증 가족력, 주의력 결핍 과잉행동장애 또는 발달지연이 동반된 경우, 야간의 방광 용적 감소, 수면 중 vasopressin의 감소 등으로 증상이 유발될 수 있으며, 이차성 야뇨증은 당뇨, 요붕증 등으로 인해 소변 농축이 잘 되지 않는 경우, 카페인이나 약물에 의한 소변량 증가, 요로 감염, 수면관련 발작과 같은 신경학적 질환 또는 정신과적 스트레스에 의해 유발될 수 있다. 특히 폐쇄수면무호흡증과 같은 수면장애는 일차성 및 이차성 야뇨증과 모두 연관성이 있으며 폐쇄수면무호흡증 환자의 8–47%가 야뇨증을 가진다. 이는 무호흡증으로 인한 수면분절의 증가가 항이뇨호르몬의 분비를 방해하며 부분적인 각성 상태를 만드는 것과 연관성이 있다. 소변 검사와 야뇨증 일지를 쓰는 것이 진단에 도움이 되며 수면무호흡이 의심되는 경우에는 수면다원검사를 시행할 수 있다.

소아의 배뇨기능은 발달과 함께 습득하는 기술이므로 5세 이전에서는 야뇨증으로 진단하지 않으며 7세 이후에 진단하고 치료한다. 저녁에 음료수, 카페인 음료 제한, 규칙적으로 깨우기 등의 간단한 행동 치료부터 소변이 묻으면 경보가 울리는 야뇨 경보기를 사용해 볼수 있다. 소아 수면무호흡이 동반된 환자에서는 아데노이드편도 제거술 후에 55–74%의 환자에서 야뇨증이 좋아진다. 약물은 7세 이후부터 사용할 수 있는데, imipramine이나 desmopressin이 많이 사용된다. Imipramine은 6세 이상의 환아에서 2.5 mg/kg/day를 자기 전에 준다(대개 7–8세 25 mg, 8–12세 50 mg, 이후 75 mg). 대개 치료 시작 2주 내에 증상의 호전을 보이며, 약 50%의 환자에서 효과를 보이지만 약물복용을 중단하는 경우 30% 정도에서 재발을 보인다. 심장질환이 있거나, 안압이 높은 경우 혹은 갑상선 기능 항진증이나 경련의 병력이 있는 경우에는 특히 주의를 요한다. Desmopressin은 비강 내 주입하는 방법과 경구로 복용하는 방법이 있는데 비강 내 주입의 경우, 저나트륨혈증으로 인한 발작의 우려로 소아의 경우에는 경구 복용만 승인되어 있으며 야뇨 경보기와 함께 사용하면 더 효과적이다.

2) 수면이갈이

수면이갈이는 저작근, 관자놀이근, 익돌근의 불수의적이고 반복적인 수축에 의해 수면 동안에 하악골의 반복적인 운동이 나타나면서 이를 갈거나 악무는 증상으로 주기적 또는 발작적으로 오기도 하며 수면 중에 여러 차례 반복된다. 발병 연령은 10세 전후이며 약 5%에서 20%의 소아에서 수면이갈이 증상이 보고된다. 선행요인으로 치아의 이상, 부정 교합, 스트레스, 불안 등이 있으며 이갈이 증상으로 인해 주간에는 턱의 통증, 두경부 통증, 치통, 두통, 치주 조직 손상, 잇몸 출혈 등의 증상이 나타날 수 있다.

진단은 수면 중에 비정상적인 운동을 야기시킬 수 있는 질환이 없으면서 이갈이로 인한 소리가 있을 때 가능하며 수면다원검사에서 턱과 관자놀이근 근전도의 발작적이고 율동적인 근긴장도의 증가 소견을 볼 수 있다. 치료에서 가장 중요한 요인은 악화 요인을 개선하면서 적절한 치과적 관리를 하는 것이고 구강 보호대를 착용함으로써 치아 손상을 예방할 수 있다.

▶ 참고문헌

- Ekambaram V, Maski K. Non–rapid eye movement arousal parasomnias in children. Pediatr Ann 2017;46:e327–31.
- Furet O, Goodwin JL, Quan SF. Incidence and remission of parasomnias among adolescent children in the Tucson Children's Assessment of Sleep Apnea (TuCASA) Study. Southwest J Pulm Crit Care 2011;2:93–101.
- Gozal D, Gozal LK. Pediatric sleep medicine: mechanism and comprehensive guide to clinical evaluation and management. 1st ed. Switzerland: Springer; 2021. pp. 415–27.
- Hublin C, Kaprio J. Genetic aspects and genetic epidemiology of parasomnias. Sleep Med Rev 2003;7:413–21.
- Kotagal S. Parasomnias of childhood. Curr Opin Pediatr 2008;20:659–65.
- Nevsimalova S, Prihodova I, Kemlink D, et al. Childhood parasomnia––a disorder of sleep maturation? Eur J Paediatr Neurol 2013;17:615–9.

- Petit D, Touchette E, Tremblay RE, et al. Dyssomnias and parasomnias in early childhood. Pediatrics 2007;119:e1016–25.
- Sheldon S, Kryger MH, et al. Principles and practice of pediatric sleep medicine. 2nd ed. Philadelphia: Saunders; 2014. pp. 314–27.
- Sheldon SH. Parasomnias in childhood. Pediatr Clin North Am 2004;51:69–88.
- Vendrame M, Kothare SV. Epileptic and nonepileptic paroxysmal events out of sleep in children. J Clin Neurophysiol 2011;28:111–9.

03 소아청소년에서의 수면관련호흡장애

서원희

수면과 연관된 소아의 호흡 질환의 범주에는 미숙아 무호흡부터 소아의 수면관련호흡장애(sleep disordered breathing)에 이르는 수면 중 발현하는 일련의 모든 증상을 포함하므로, 소아청소년에서의 수면관련호흡장애에서는 소아 호흡기계의 해부학적인 특성을 비롯하여 수면의 생리학적 이해가 필요하다.

1 미숙아 무호흡

미숙아 무호흡의 정의는 20초 이상 지속되거나, 20초 미만이라도 청색증, 서맥(< 80-100 beats/min)과 연관되는 것이다. 재태연령이 어릴수록 발현 빈도는 증가하는데, 재태연령 28주 미만에서는 거의 모든 미숙아에서 관찰되고, 34주 미만에서도 흔히 관찰된다. 활동수면(active sleep)에서 주로 발현하고, 수유와 위식도 역류와 관련하여 빈도가 증가한다.

미숙아 무호흡의 병태 생리는 아직 명확하지 않으나, 미성숙한 호흡 조절능력 때문으로 알려져 있다. 중추성, 폐쇄성 그리고 혼합성 모두 관찰되고, 혼합성 무호흡이 가장 흔하다(50-75%). 폐쇄성 무호흡이 중추성 무호흡에 선행하고, 중추성 무호흡에서 상기도의 긴장

도 상실이 생겨 이는 간헐적 기도폐쇄의 원인이 된다.

미숙아 무호흡 발현되면, 심폐기능의 모니터링과 함께 즉각 패혈증 등의 중추 신경계 이상과 감염에 대한 진단 평가가 필요하다

치료는 부드럽게 만져주는 자극 요법(tactile stimulation) 또는 비강을 통한 산소 공급 그리고 전신적 약물 치료를 할 수 있다. 혼합형 또는 폐쇄성 무호흡이 발현하는 경우에는 비강 양압(nasal CPAP, 3-5 cm H_2O) 또는 가온 고유량 비강캐뉼라(heated humidified high-flow nasal cannula, 1-4 L/min)를 적용하여, 상기도 폐쇄가 되지 않도록 한다. 약물치료로 사용되는 카페인(caffeine)은 호흡 중추를 자극하고, 화학수용제의 민감도를 높일 뿐 아니라, 횡격막의 기능을 호전시킬 수 있고, Doxapram은 말초 화학수용체를 증가시킨다.

2 소아 수면관련호흡장애

수면관련호흡장애는 일차성코골이(Primary snoring), 상기도저항증후군(Upper airway resistance syndrome), 폐쇄성저환기증후군(Obstructive hypoventilation) 그리고 폐쇄수면무호흡증후군(Obstructive sleep apnea symdrome)을 포함하는 질환군이다. 수면관련호흡장애는 신생아기부터 청소년기까지 모든 연령에서 나타날 수 있고, 2–8세 사이의 취학 전 아동에게서 가장 흔하며, 일차성코골이는 5–12%, 수면관련호흡장애는 4–11%, 폐쇄성무호흡은 1–5%로 보고되었다.

1) 정의

(1) 일차성코골이(primary snoring)

밤에 자주 코골이가 있으나, 저산소증, 고이산화혈증, 수면 방해 또는 주간 증상이 없는 상태이다.

(2) 상기도저항증후군
(upper airway respiratory syndrome)

혈중 가스의 비정상적인 변화나 저환기/무호흡은 없으나, 상기도 저항의 지속적인 증가로 인해 수면 중 각성이 일어나 수면과 일상 생활에 장애를 유발한다.

(3) 폐쇄성저환기증후군
(obstructive hypoventilation)

소아 폐쇄성 무호흡의 한 형태로 간헐적인 폐쇄성 무호흡과 저호흡 외에도 지속적인 부분적 상기도 폐쇄에 의한 환기 장애로 인하여 혈중 이산화탄소 농도가 증가하게 되는 질환이다.

(4) 소아 폐쇄수면무호흡증후군
(obstructive sleep apnea)

지속적인 상기도의 부분적 폐쇄 또는 간헐적 완전 폐쇄로 인하여 수면 중 정상적 환기를 방해하여 정상적인 수면 패턴을 손상시키는 질환이다. 소아에서 폐쇄수면무호흡증이 조기에 진단되지 못하는 경우 성장장애, 행동 및 학습 장애가 생길 수 있고, 심한 경우 성인기까지 이어져 심혈관계 및 신경인지 기능발달에 영향을 미치는 합병증이 발생할 수 있다. 이와 같은 합병증들이 조기에 발견하여 치료할 경우 가역적 변화가 가능하므로 질환의 조기 진단과 치료가 필요하다.

2) 병태 생리

소아의 수면에서는 정상적으로 수면 초기 상기도저항(upper airway resistance)은 일시적으로 많이 증가하였다가 곧 감소한다. 이는 수면 시, 흡기 시 횡격막 근육과 늑간 근육의 수축에 의하여 인후부 내에 음압이 형성되어 상기도가 부분적으로 폐쇄되므로 상기도 저항이 높아졌다가, 구강인두부의 확장근들이 동시에 수축(phasic contraction)과 긴장(tonic activity)을 하여 상기도 저항이 곧 감소되는 것이다. 그러나, 깊은 수면에 들어가도 각성 시보다는 상기도 저항이 높다.

수면 중에는 각성 시보다 일호흡량(tidal volume)의 감소, 저산소증, 고이산화탄소증이 특징인데 특히 렘수면일 때 뚜렷하다. 이런 미약한 변화들은 호흡수가 증가함으로써 보상되어 정상 환기를 유지한다. 호흡 빈도는 첫 2세까지는 점차 감소하지만 그 이후는 비렘수면에서 분당 16–18회, 렘수면 동안 17–19회 정도로 유지된다.

위와 같은 생리적인 균형이 깨어졌을 때 폐쇄수면무호흡증이 발생하는 하는데 이는 해부학적 요소와 생리 기능적인 요소의 복합적인 상호 작용에 의한다. 해부학적 요소로 가장 큰 원인은 편도와 아데노이드의 비대이다. 특히, 취학 전 아동에서 해부학적으로 좁은 기도와 상대적으로 큰 편도 및 아데노이드가 가장 큰 원인이다. 그리고 상기도에는 근긴장도를 조절하는 신경수용체가 많은데, 이러한 수용체의 손실이 있는 경우 근육 긴장도의 저하가 수면 초기에 발생하여, 상기도 저항이 증가된다. 신경근육질환이 있는 경우에 근긴장도의 저하로 인한 발현이 크다.

3) 소아 수면관련호흡장애 진단

수면 중 호흡장애를 진단하기 위해서는 수면관련 병력청취와 이학적 검사를 비롯하여 객관적인 검사가 필요하다. 진단을 위한 가장 확실한 객관적 검사는 소아에서도 수면다원검사이며, 미국소아과협회(American Academy of Pediatrics)에서는 모든 소아에게 코골이에 대한 선별 검사를 시행할 것을 시행할 것을 권고한 바 있다.

(1) 청취(표 24-3-1)

주로 부모에 의해 이루어지게 되는데, 연령에 따라 다른 증상을 호소할 수 있으므로 연령을 고려한 병력청취가 필요하다. 학령기 이전 소아에서는 코골이가 가장 흔하고, 잦은 각성과 구강 호흡, 역설적 호흡(paradoxical breathing), 잦은 상기도 감염, 성장 부진 등을 보인다. 학령기 소아에서는 잦은 코골이, 비정상적 수면 자세, 불면증, 주간과다수면, 야뇨증, 각성 시 두통, 집중력 장애, 행동 장애들이 수반될 수 있다. 이외에도 알레르기 질환, 특히 천식, 알레르기비염은 폐쇄수면무호흡증과 수면관련호흡장애와 동반되는 경우가 높으므로 병력과 가족력을 조사한다.

그러나, 병력 청취만으로 수면관련호흡장애를 진단하기는 어렵다. 이는 코고는 소리와 빈도가 폐쇄수면무호흡증 정도와 비례하지 않고, 소아에서의 호흡장애는 주로 렘수면 시기에 많은데, 주로 새벽 시간대로 부모에 의해 관찰되지 않는 경우도 많기 때문이다.

(2) 이학적 검사

키와 몸무게를 확인하여 비만과 성장장애의 확인이 필요하고, 두개와 턱의 크기 등 안면 모양, 안면 중앙부 발육상태와 기타 안면기형 여부를 확인한다.

비강의 검사는 축농증, 비용종, 하비갑개 비후, 비중격 만곡증 등의 확인이 필요하고, 구강검사로 치아의 교합상태, 연구개의 크기, 위치 모양과 경구개의 높이와 위치를 보며, 혀의 크기, 편도의 크기, 대칭성 그리고 아데노이드 비대를 확인한다.

(3) 수면 설문지

수면다원검사를 해야 할 환자들을 선별하는 도구로 다양한 수면설문지들이 개발되어 있는데, 이들 설문지들은 쉽게 활용이 가능하고, 점수화 되어 있어 평가에

표 24-3-1. 소아 수면관련호흡장애 질환에서 부모가 호소하는 연령군별 증상

연령 군			
영아 3-12개월	유아기 1-3세	학령전기	학령기
밤에 보챔 낮밤이 바뀜 거친 숨소리 코골이 잘 빨지 못함 성장 장애 무호흡 영아돌연사증후군	거친 숨소리 코골이 수면 중 많은 뒤척임 야경증 낮동안 짜증 공격성 야간 발한 구강호흡 잘 안 먹음 잦은 상기도 감염 무호흡	매일 코골기 구강호흡 수면중 침흘리기 수면중 많은 뒤척임 야간각성 몽유병 비정상적 수면자세 야뇨증 주간 공격성, 과잉행동, 산만함 증가 아침 기상의 어려움 아침두통 낮잠 필요 섭식장애 성장 문제 잦은 상기도감염	매일 코골기 수면중 많은 뒤척임 비정상적 수면자세 불면증 몽유병 야뇨증 야간 발한 아침 기상 어려움 구강호흡 침흘리기 아침두통 주간 피로 규칙적인 낮잠 필요 주간 과잉행동, 산만함, 공격성, 우울 성향 증가 학습장애 성장장애 사춘기 지연

용이하다. 소아를 대상으로 한 수면 설문지로는 Pediatric Sleep Questionnaire와 Korean version of obstructive sleep apnea-18이 흔히 사용된다.

① 수면다원검사

수면관련호흡장애의 가장 중요한 표준 검사인 수면다원검사는 수면중의 뇌파(electroencephalogram, EEG), 안전위도(electroculogram, EOG), 하악근전도(chin electromyogram, EMG), 다리 근전도(leg EMG), 입과 코의 공기 흐름, 코골이, 혈압, 호흡운동, 동맥혈내 산소포화도, 심전도, 몸의 위치(body position) 등을 종합적으로 측정하고, 동시에 수면 중 행동을 비디오로 기록하여 수면 상태와 수면 중 호흡능력을 평가하는 데 필요한 객관적인 자료를 제공한다.

가. 소아에서의 적응증

소아에서는 수면관련호흡장애에 대한 확진, 코골이와 폐쇄수면무호흡증의 감별, 폐쇄수면무호흡증의 중증도에 대한 판단 및 다른 수면장애(주기사지운동 증후군, 기면병 등)의 배제를 위하여 시행할 수 있다. 나이가 3세보다 어리거나 다운증후군, 악안면기형, 심각한 비만 등의 위험요인이 있어 편도 및 아데노이드절제술 이후 기도폐쇄와 같은 합병증이 발생할 가능성이 높고, 수술 후에도 증상의 완전한 회복이 어려울 것으로 예상되는 경우에도 시행한다.

나. 판독과 진단

수면무호흡을 평가하기 위한 매개 변수는 무호흡지표(apnea index, AI), 무호흡저호흡지표(apnea-hypopnea index, AHI), 호흡노력연관성각성(respiratory effort related arousal, RERA) 등을 사용한다. 무호흡지표(AI)는 수면 중 시간당 발생하는 무호흡수, 무호흡저호흡지표(AHI)는 시간당 발생하는 무호흡과 저호흡 횟수를 말하며 호흡방해지수(respiratory disturbance index, RDI)는 무호흡저호흡지표와 호흡방해지표를 합한 것이다.

소아에서의 폐쇄성 무호흡의 진단은 최소한 두 차례

의 호흡기간 동안 호흡진폭이 기저 호흡진폭에 비하여 90% 이상 감소된 상태로 호흡에 대한 노력이 유지되거나 증가되어 있는 경우로 정의되며 저호흡은 비강압력(nasal pressure)을 이용하여 같은 시간 동안 호흡진폭이 50% 이상으로 감소하며 이러한 호흡감소 상태가 각성을 일으키거나 3% 이상의 혈중 산소포화도의 감소를 가져오는 것을 말한다. 성인과 진단 기준이 다른 이유는 소아는 성인과 달리 호흡빈도가 빠르고, 기능성 잔류 폐활량이 적고, 시간당 산소소모량이 많기 때문에 짧은 시간의 무호흡에도 쉽게 산소불포화상태가 될 수 있기 때문이다.

폐쇄성무호흡은 소아에서는 무호흡저호흡지표가 1 이상, RDI 가 1.5 이상일 때 진단할 수 있다. 무호흡저호흡지표(AHI)에 따라 폐쇄수면무호흡증의 중증도를 나눌 수 있는데, 경증은 무호흡저호흡지표(AHI) 시간당 1-5회(AHI 1-5), 중등증은 시간당 5-10회(AHI > 5, < 10), 중증은 시간당 10회(AHI > 10) 이상으로 나눌 수 있다.

3 소아 폐쇄수면무호흡증과 연관 질환

1) 다운증후군

소아 폐쇄수면무호흡증의 위험이 높은 대표적인 질환은 다운증후군(Down syndrome)이다. 다운증후군의 폐쇄수면무호흡증은 안면중앙부와 상악동의 저발달의 결과로 좁은 기도를 가지게 된 해부학적인 요인과 표 24-3-2에서 보는 다양한 증상들이 복합적으로 작용한 결과이다. 다운증후군은 소아연령에서는 30-50%, 성인에서는 90% 이상의 수면무호흡증후군 유병률이 보고되고 있으며, 폐쇄수면무호흡증의 진단을 위해 어린 연령에서도 폐쇄수면무호흡증 증상에 대해 스크리닝이 필요하다.

2) 영아에서 명백하게 생명을 위협하는 상황

1세 미만의 영아에서 무호흡, 청색증, 근긴장도 변화

표 24-3-2. 소아 폐쇄수면무호흡증의 위험을 높여주는 증상과 질환군

증상	대표 질환
비만(Overweight)	Prader – willi syndrome
두개 안면 증후군(Syndromes with midface hypoplasia)	Pierr Robin syndrome, Treacher Collins
거대혀(Large toungue)	Crouzon syndrome
신경근육질환(Neuromuscular disease)	Trisomy 21, Beckwith Wiedeman Syndrome
위식도 역류(Gastroesophageal reflux)	Cerebral palsy, Myotonic dystrophy

및 기침과 토하는 등의 증상을 갑작스럽게 동반하여 때로는 소생술을 필요로 하기도 하는 응급상황을 초래하는 일종의 증후군으로 1,000명당 0.6-2.4명의 발생율이 보고된다. 수면중 발생하는 영아돌연사사망후군(sudden infants death syndrome, SIDS)에 선행하기도 하는 것으로도 알려져 있어, 수면중호흡장애에 대해 선별이 필요하고, 의심되는 경우 수면다원검사를 시행해야 한다. 다만, 수면다원검사상 미세하고 비특이적인 이상이 있다는 보고가 있었지만, 이 소견을 통하여 ALTE 의 재발을 예측할 수는 없다.

3) 수면과 연관된 위식도역류증

위식도 역류증은 소아 전연령에서 흔히 발생하는 질환이고, 수면중 발생할 때는 야간각성과 수면분절 등 수면장애를 일으키며, 수면무호흡의 원인이 되기도 한다. 특히, 위식도역류증과 소아 폐쇄수면무호흡증은 비만을 포함하여 공통된 위험요인을 가지고 있어 소아에서 수면다원검사를 시행할 때 esophageal 24hr pH 모니터링을 동시에 실시할 필요가 있기도 하다.

▶ **참고문헌**

- 강은경. 폐쇄성수면무호흡증후군 선별을 위한 소아용 수면설문지 대한천식알레르기학회 2019;7:122–8.
- 윤종서. 소아의 호흡기질환에서 수면다원검사의 적용. 대한천식알레르기학회 2013;1:111–5.
- Chang SJ, Chae KY. Obstructive sleep apnea syndrome in children: epidemiology, pathophysiology, diagnosis and sequelae. Korean J Pediatr 2010;53:863–71.
- Guilleminault C, Lee JH, Chan A. Pediatric obstructive sleep apnea syndrome. Arch Pediatr Adolesc Med 2005;159:775–85.
- Sheldon S, Kryger MH, et al. Principles and practice of pediatric sleep medicine. 2nd ed. Philadelphia: Saunders; 2014.

04 소아청소년 폐쇄수면무호흡증후군의 치료

구수권 / 고태경

소아청소년 폐쇄수면무호흡증후군의 대부분은 편도 및 아데노이드 비대와 연관이 있다. 그래서 가장 우선적인 치료로 아데노이드편도절제술을 시행한다. 하지만 소아청소년 폐쇄수면무호흡증후군의 중증도는 편도 및 아데노이드의 크기와 항상 관련되어 있는 것은 아니다. 편도 및 아데노이드의 크기와 상기도의 구조 또는 비만과 같은 다른 요소가 복합적으로 작용하여 발생한다. 비만한 소아청소년의 경우 성인의 수면무호흡증후군과 유사한 패턴을 보이기도 하는데 이러한 경우에도 편도 및 아데노이드의 비대 소견이 있다면 먼저 아데노이드편도절제술을 시행한다. 수술 6-8주 후에 재평가를 시행하고, 이후에도 남아있는 수면무호흡증후군에 대해서는 추가적인 치료가 필요하다. 2012년에 American Academy of Pediatrics는 소아청소년 폐쇄수면무호흡증후군의 치료 가이드라인을 발표하였다. 이 가이드라인은 주로 과증식 림프조직의 조절과 PAP (positive airway pressure) 치료에 초점이 맞추어져 있으며, 대표적 치료로 아데노이드편도절제술, PAP, 체중감량, 약물치료를 제시하고 있다(표 24-4-1). 하지만 이 외에도 소아청소년 폐쇄수면무호흡증후군 치료를 위해 치과교정 치료(orthodontic treatment), 고유량 비강캐뉼라 치료(high flow nasal cannula treatment), 상기도 근기능 운동(myofunctional therapy), 기관절개술 등 다양한 치료가 시행되고 있다.

1 아데노이드편도절제술

아데노이드편도절제술은 소아청소년 폐쇄수면무호흡증후군의 가장 효과적인 일차적 치료 방법으로 알려져 있다(그림 24-4-1). 폐쇄수면무호흡증후군 환아의 치료에서 이 수술의 성공률은 79%가량으로 수술을 시행하지 않고 경과 관찰을 한 그룹의 46%보다 월등히 높다. 그러나 심한 비만이나 악안면 골격의 이상, 신경근육계의 질환이 동반된 고위험군에서는 수술 후 증상이 남거나, 성공적으로 치료되었다가도 재발될 가능성이 높다. 또한 수술에 따른 위험성도 있다. 따라서 고위험군인 경우에는 수술의 이득을 잘 고려해야 하고 수술 후에는 재발 여부에 대한 지속적인 추적 관찰이 매우 중요하다. 수술 부위의 통증 이외에 수술 후 합병증은 드물고 경미하지만 수술 부위에서의 과다출혈 및 폐부종과 기도 폐쇄와 같은 심각한 합병증이 발생하는 경우도 있으며 16,000-35,000명당 1명이 수술 후 합병증으로 사망하기도 한다. 수술 합병증의 고위험군에 대한 기준은 표

표 24-4-1. American Academy of Pediatrics 의 소아청소년 폐쇄수면무호흡증후군 치료 가이드라인

Intervention	Guideline	Strength of Evidence
아데노이드편도절제술	• 수술 금기에 해당되지 않으면서 편도 및 아데노이드 비대가 동반된 소아청소년 폐쇄수면무호흡증후군의 1차 치료. • 두개안면기형을 가진 고위험군의 환아는 수술 후 입원 상태에서 지속적인 모니터링을 해야함.	Recommendation
PAP	• 아데노이드편도절제술 이후에도 남아 있는 폐쇄수면무호흡증후군이나, 수술을 시행할 수 없는 경우 적용할 수 있음. • PAP의 적정 압력을 찾기 위해 PAP 양압기압력적정(Titration polysomnography)이 필요함. CPAP 사용에 대한 순응도를 객관적으로 모니터링하는 것이 중요함.	Recommendation
체중 감량	• 환아가 비만이거나 과체중인 경우 보조적 치료로 추천됨. • 필요한 체중 감소 정도는 알려져 있지 않음.	Recommendation
비강 Corticosteroid	• 수술 금기에 해당되는 경증의 폐쇄수면무호흡증후군, 수술 후 남아 있는 경증의 폐쇄수면무호흡증후군 환아에게 처방될 수 있음(AHI < 5/h).	Option
재평가	• 폐쇄수면무호흡증후군을 진단받은 모든 환아는 6-8주간의 치료 후 지속되는 증상 및 징후에 대한 임상적인 재평가가 필요함. 고위험군의 환아는 객관적인 테스트를 통해 모니터링하거나 수면 전문가에게 의뢰해야 함.	Recommendation

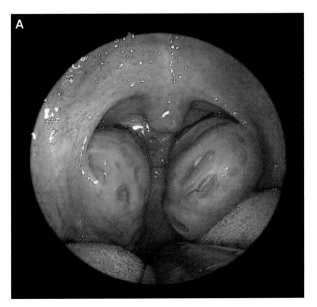 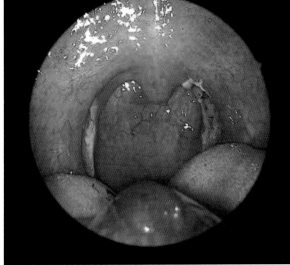

그림 24-4-1. 편도 비대(A)와 편도 절제수술 후(B) 소견

24-4-2와 같다.

　최근 수술 후 합병증을 줄이기 위한 노력의 일환으로 고주파(radiofrequency), 미세절삭기(microdebrider), 코블레이터(coblator), 초음파 절삭기(harmonic scalpel) 등과 같은 다양한 기구를 사용한 수술 방법이 시행되고 있다. 출혈 및 통증에 대한 합병증이 적은 부분적 편도

표 24-4-2. 아데노이드편도절제술 후 합병증의 고위험군

임상적 기준	수면다원검사 기준
나이 < 3 세 인두 기도에 영향을 미치는 두개안면기형 (안면 중앙부 형성장애, 소하악증, 하악후퇴증) 성장장애 근긴장저하 비만 신경근골격계 질환 폐쇄수면무호흡증후군의 심혈관계 합병증(우심실 비대, 폐성심) 상기도 외상의 기왕력 아데노이드편도절제술과 함께 구인두성형수술을 시행한 경우 호흡기 감염질환이 동반되었을 때	수면다원검사상 중증의 폐쇄수면무호흡증후군 (AHI ≥ 10 이거나 최저동맥산소포화도 < 80% 일 때 또는 모두 해 당될 때)

절제수술(partial intracapsular tonsillectomy and ade-noidectomy, PITA)이 시행되기도 하는데 이는 편도조직의 재성장 및 폐쇄수면무호흡증후군의 재발 가능성이 있는 것으로 알려져 있다.

2 PAP

아데노이드편도절제술 이후 저위험군 소아에서도 13−29%에서는 폐쇄수면무호흡증후군이 남아 있다고 보고 된다. 특히 비만, 신경근육질환, 다운 증후군(tri-somy 21)과 같은 동반질환을 가진 고위험군 소아청소년에서는 수술 이후에도 70% 이상 폐쇄수면무호흡증후군이 남아 있거나 지속되기도 한다. 또한 수술을 거부하거나 전신마취 수술에 대하여 특별한 금기증이 있는 환아는 아데노이드편도절제술을 시행할 수 없다. 이러한 소아청소년들에게 적용할 수 있는 가장 효과적인 치료는 PAP이다. PAP 치료는 30년 넘게 시행되고 있고, 과거에 비해 현재 사용량은 3배 이상이다.

소아청소년에서 PAP은 autoPAP (auto titrating positive airway pressure), CPAP (continuous positive airway pressure), BiPAP (Bilevel positive airway pres-sure) 등 다양하게 사용이 가능하나 주로 CPAP이나 BiPAP을 사용한다. 환아에 따른 적절한 PAP의 선택이 순응도를 높이는 데 도움이 된다. 소아청소년에서 폐쇄수면무호흡증후군 치료에 사용되는 PAP의 종류 및 적응증은 다음과 같다(표 24-4-3).

CPAP 착용을 위해서는 수면다원검사를 통해 적정압력을 결정해야 한다. 소아청소년의 경우에는 적정 압력을 결정하기 위해 성인처럼 야간분할수면다원검사(split night polysomnography)를 시행하지는 않는다. 검사 시 갑작스레 착용하는 마스크가 향후 PAP 착용의 순응도를 떨어뜨리기 때문이다. 서서히 마스크 착용에 대한 순응 기간을 거친 뒤에 PAP 양압기압력적정(titra-tion polysomnography)을 시행하는 것이 좋다.

소아청소년에서 PAP 치료의 큰 문제 중 하나는 성인에 비하여 순응도가 낮다는 것이다. 성장기에 있는 소아청소년들은 안면골격의 성장에 따라서 주기적으로 마스크를 교체해야 하며, 마스크의 압박이 안면골 성장에 부정적인 영향을 준다고 보고된 바 있다. 또한 부모와 주양육자의 도움이 반드시 필요하므로 그들에 대한 교육이 중요하다. 최근 인터페이스의 발달과 함께 PAP 착용의 불편감이 다소 호전되고 있으며, 영유아 및 청소년에서도 효과적으로 시행할 수 있다고 보고되었다.

표 24-4-3. 소아청소년 폐쇄수면무호흡증후군에 사용되는 양압기

Mode	주용 적응증
CPAP	폐쇄수면무호흡증후군
APAP	1. 폐쇄수면무호흡증후군 2. 자세의존적 또는 렘수면과 관련된 폐쇄수면무호흡증후군 3. PAP 양압기압력적정 전 PAP 치료에 대한 적응 4. 수술이나 체중변화에 의해 폐쇄수면무호흡증후군 중증도의 급격한 변화가 있는 CPAP 사용 환아
BiPAP Spontaneous BiPAP	CPAP 사용시 압력이 높아 날숨의 불편함으로 적응하지 못하는 폐쇄수면무호흡증후군 환아
Auto-titrating Spontaneous BiPAP	1. 높은 APAP 압력에 적응하지 못하는 자세 의존적 또는 렘수면과 관련된 폐쇄수면무호흡증후군 환아 2. BiPAP 양압기압력적정 전 BiPAP 요법의 적응
Spontaneous-Timed BiPAP	1. 혼합폐쇄수면무호흡증 2. CPAP 사용으로 중추성 수면무호흡이 발생하거나, 폐쇄수면무호흡증후군을 해결한 후 지속적인 저환기를 보이는 환아

3 체중감량

성인에서는 수술적 또는 비수술적 체중감량이 폐쇄수면무호흡증후군의 향상에 도움을 준다고 보고되었다. 아직 소아청소년의 체중감량이 폐쇄수면무호흡증후군의 개선에 어느 정도 효과가 있는지에 대한 연구는 다소 부족하지만 대부분의 연구는 비만한 폐쇄수면무호흡증후군 환아의 체중감량을 권고하고 있다. 초고도 비만의 폐쇄수면무호흡증후군 환아에서 체중감량에 실패한 경우 비만수술(bariatric surgery)을 시행하기도 하는데 이는 주의 깊게 고려되어야 한다.

4 약물 치료

소아청소년 폐쇄수면무호흡증후군 치료에서 약물치료는 편도 및 아데노이드의 크기를 감소시키는 것을 목표로 한다. 폐쇄수면무호흡증후군 환아의 편도 조직에는 정상 소아에 비해 leukotriene receptor 1, 2 및 leukotriene C4 synthase의 발현이 증가되어 있다고 보고되었다. 실제 몇몇 임상 연구에서 소아청소년 폐쇄수면

무호흡증후군에서 leukotriene receptor antagonist인 montelukast의 효과를 보고하였다. 비강 corticosteroid 역시 소아청소년 폐쇄수면무호흡증후군 치료에 효과가 있는 것으로 보고되어 왔으며, 항염증 작용이 편도와 아데노이드 크기를 감소시키는 것으로 알려져 있다. 몇몇 연구는 이 두 약물의 복합 치료의 효과에 대해서도 보고하였으나 복합 치료의 이점에 대해서는 더 많은 연구가 필요하다. 따라서 수술을 할 수 없는 경우나 경증의 폐쇄수면무호흡증후군 치료의 대안으로 montelukast나 비강 corticosteroid 치료가 가능하다.

5 기타 치료 방법들

소아청소년에서 부정교합 및 상하악 안면기형은 폐쇄수면무호흡증후군과 관련이 있다. 소아청소년의 폐쇄수면무호흡증후군에 적용되는 치과교정치료는 급속상악골확장(rapid maxillary expansion), 구강내 장치, 중앙안면부 골신장술(midface distraction osteogenesis), 하악절골술(mandibular osteotomies)이 있다. 다양한 연구들은 치과교정치료가 기도의 볼륨 증가 및 폐쇄수면

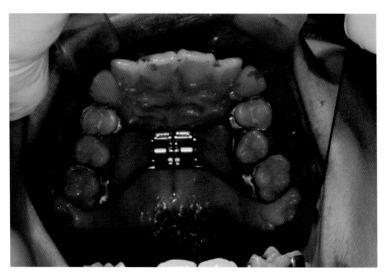

그림 24-4-2. 폐쇄수면무호흡증후군 환아에서 시행된 급속상악골확장 장치

무호흡증후군의 호전에 효과적임을 보고하였다. 이 중에서 구강내 장치와 급속상악골확장이 비교적 흔히 적용되는 치료 방법이다. 특히 급속상악골확장은 비만하지 않고, 편도 및 아데노이드 비대(grade 1)가 없으면서 외형상 얼굴의 중앙 1/3 부분의 발육 부전과 함께 구강내 검사상 경구개가 좁고 높으며, 상악치가 함몰되어 부정교합이 동반되어 있는 폐쇄수면무호흡증후군 소아청소년에서 일차적인 치료방법으로 고려될 수 있다. 소아청소년에서는 급속상악골확장은 일반적으로 수술없이 치과교정기구를 사용하여 수행되며, 여러 개의 팔을 가진 확장 나사를 사용하여 치아와 상악에 직접 고정하여 힘을 가하도록 한다(그림 24-4-2). 정중구개 봉합이 융합되고 난 이후에는 수술적 치료가 함께 필요할 수 있다. 아데노이드편도절제술과 치과교정치료 이후에도 남아있는 폐쇄수면무호흡증후군의 경우 상기도의 폐쇄를 일으킬 만한 다구간 폐쇄(muti-level obstruction)에 대한 평가가 필요하며 경우에 따라서는 구개수구개피판술(uvulopalatal flap), 설편도 절제술(lingual tonsillec-tomy), 비수술(nasal surgery) 등을 시행할 수도 있다.

구강내 장치는 경증 또는 중등도 폐쇄수면무호흡증후군 환아에 적용되며 영구치가 난 이후에 가능하다.

상기도 근기능 운동은 혀, 연구개, 안면, 구강 하악의 운동으로 상기도 근육을 강화하여 폐쇄수면무호흡증후군을 완화시키는 것이다. 최근에는 하악 전진을 위한 구강내 장치를 이용한 수동적 상기도 근기능 운동이 소개되었다. 상기도 근기능 운동은 경증의 폐쇄수면무호흡증후군 환아에게 효과가 있으나 이 치료 역시 순응도가 낮다는 한계가 있다.

고유량 비강 캐뉼라는 비강 캐뉼라를 통해 상기도로 가습된 공기를 주입하는 것으로 PAP 사용이 어려운 영유아 및 안면골 발달 기형으로 마스크의 착용이 불가능한 소아청소년의 경우 대체 치료로 적용이 가능하다.

상기도 폐쇄로 인해 생명을 위협하는 심각한 호흡장애가 있으면서 CPAP 등의 방법으로도 치료가 불가능한 경우에는 기관절개술을 고려할 수도 있다.

▶ **참고문헌**

- Alexopoulos EI, Kaditis AG, Kalampouka, et al. Nasal corticoste-roids for children with snoring. Pediatr Pulmonol 2004;38:161-7.
- Ashrafian H, Toma T, Rowland SP, et al. Bariatric surgery or non-surgical weight loss for obstructive sleep apnea? A systemic review

and comparison of meta-analyses. Obes Surg 2015;25:1239–50.

- Bandyopadhyay A, Kaneshiro K, Camacho M. Effect of myofunctional therapy on children with obstructive sleep apnea: a meta-analysis. Sleep Med 2020;75:210–7.

- Camacho M, Chang ET, Song SA, et al. Rapid maxillary expansion for pediatric obstructive sleep apnea: A systematic review and meta-analysis. Laryngoscope 2017;127:1712–9.

- Camacho M, Chang ET, Song SA, et al. Rapid maxillary expansion for pediatric obstructive sleep apnea: a systematic review and meta-analysis. Laryngoscope 2017;127:1712–9.

- De Luca Canto G, Pachêco-Pereira C, Aydinoz S, et al. Adeno-tonsillectomy complications: a meta-analysis. Pediatrics 2015;136:702–18.

- Ehsan Z, Ishman SL. Pediatric obstructive sleep apnea. Otolaryngol Clin North Am 2016;49:1449–64.

- Flore RL, SHetye PR, Xeitler D, et al. Airway changes following Le Fort III distraction osteogenesis for syndromic craniosynostosis: a clinical and cephalometric study. Plast Reconstr Surg 2009;124:590–601.

- Huang YS, Hsu SC, Guilleminault C, et al. Myofunctional therapy: role in pediatric OSA. Sleep Med Clin 2019;14:135–42.

- Ignatiuk D, Schaer B, McGinley B. High flow nasal cannula treatment for obstructive sleep apnea in infants and young children. Pediatr Pulmonol 2020;55:2791–8.

- Kaditis A, Kheirandish-Gozal L, Gozal D.Kaditis A, et al. Algorithm for the diagnosis and treatment of pediatric OSA: a proposal of two pediatric sleep centers. Sleep Med 2012;13:217–27.

- Kuhle S, Hoffmann DU, Mitra S, Urschitz MS. Anti-inflammatory medications for obstructive sleep apnoea in children. Cochrane Database Syst Rev 2020;1:CD007074.

- Lin SY, Su YX, Wu YC, et al. Management of paediatric obstructive sleep apnoea: a systematic review and network meta-analysis. Int J Paediatr Dent 2020;30:156–70.

- Marcus CL, Brooks LJ, Draper KA, et al. Diagnosis and management of childhood obstructive sleep apnea syndrome. Pediatrics 2012;130:576–84.

- Marcus CL, Moore RH, Rosen CL, et al. A ramdomized trial of adenotonsillectomy for childhood sleep apena. N ENgl J Med 2013;368:2366–76.

- Michalsky M, Richard K, Inge T, et al. ASMBS pediatric committee best practice guidelines, Surgery for obesity and related diseases. Surg Obes Relat Dis 2012;8:1–7.

- Parmar A, Baker A, Narang I. Positive airway pressure in pediatric obstructive sleep apnea. Paediatr Respir Rev 2019;31:43–51.

- Pratt JSA, Browne A, Browne NT, et al. ASMBS pediatric metabolic and bariatric surgery guidelines, 2018. Surg Obes Relat Dis 2018;14:882–901.

- Sathe N, Chinnadurai S, McPheeters M, et al. Comparative effectiveness of partial versus total tonsillectomy in children. Otolaryngol Head Neck Surg 2017;156:456–63.

- Verhulst SL, Franckx H, Van Gaal L, et al. The effect of weight loss on sleep-disordered breathing in obese teenagers. Obesity 2009;17:1178–83.

- Xu H, Yu X, Mu X. The assessment of midface distraction osteogenesis in treatment of upper airway obstruction. J Craniofac Surg 2009;20 Suppl2:1876–81.

- Yoo SH, Lee J, Lee K, et al. Ethical principles and practice guidelines concerning the usage of public database for medical researches. J Korean Med Assoc 2013;56:1031–8.

- Yu JL, Afolabi-Brown O. Updates on management of pediatric obstructive sleep apnea. Pediatr Investig 2019;3:228–35.

PART

5

수면장애 관련 의학적 질환

찾아보기